ISBN 978-0-331-22812-0
PIBN 11034210

ALLGEMEINE
LITERATUR-ZEITUNG

VOM JAHRE
1828.

DRITTER BAND.

SEPTEMBER bis DECEMBER.

HALLE,
in der Expedition dieser Zeitung
bey C. A. Schwetschke und Sohn,
und LEIPZIG,
in der Königl. Sächs. privil. Zeitungs-Expedition.
1828.

ALLGEMEINE LITERATUR-ZEITUNG

September 1828.

THEOLOGIE.

HALLE, b. Anton: *Chriſtliches Henotikon*, oder *Vereinigung der theologiſchen Gegenſätze durch das Chriſtenthum.* Von *Chriſtian Friedr. Böhme*, Doct. der Theol., Herzogl. Conſiſtorialrathe, Paſtor und Inſpector zu Luckau bey Altenburg. 1827. XX u. 213 S. 8. (16 gGr.)

Bekanntlich haben gar Viele bereits verſucht, entweder den Katholicismus mit dem Proteſtantismus, oder die Reformirten, als Theologen, mit den Lutheranern, oder endlich die Rationaliſten und Irrationaliſten, die Naturaliſten und Supranaturaliſten zu vereinigen; dabey aber bey keiner der ſtreitenden Parteyen groſsen Dank verdient, und überdieſs wenig oder nichts ausgerichtet. Indeſs alle dieſe Ireniker hatten es nur mit einzelnen kleinen Abtheilungen des groſsen Heers der ſtreitenden Theologen zu thun; Hr. Dr. *Böhme* unternimmt nichts geringeres, als ſie alleſammt, wahrſcheinlich mit dem Vorbehalt, daſs keine *Aloger* darunter ſind, die einmal keine *Gründe* annehmen, nicht bloſs zur Verträglichkeit, ſondern auch zur Einigkeit zu bringen. Er redet ihnen allen mit brüderlicher, gewinnender Herzlichkeit zu, iſt ſelbſt von dem guten Erfolg aufs innigſte überzeugt, und ſchildert mit der wärmſten Begeiſterung die heilſamen Folgen einer Vereinigung (vgl. S. 40 ff. 106 ff. 204 ff.); allein ſo ſehr wir mit ihm das Gelingen wünſchen, ſo müſſen wir dieſs dennoch ſehr bezweifeln, ſowohl weil mit der weiten Ausdehnung des Unternehmens die Schwierigkeiten bey weitem gewachſen, als auch, weil mehrere dieſer Dogmatiker, ſo human er auch zu ihnen redet, von ſeinem edeln Freymuth manche Dinge vernehmen müſſen, die gerade ihre empfindlichſte Seite treffen. Deſſen ungeachtet wird der ehrwürdige Vf. gewiſs von manchen Leſern Dank verdienen und von allen, die irgend vorurtheilslos ihn anhören wollen, auch aufrichtig empfangen, dafür, daſs er aufs neue „die Religion, welche Jeſus ſelbſt hatte und lehrte" von verfälſchender Beymiſchung geſondert und gegen Scheinfreunde, die ihre gefährlichſten Feinde ſind, vertheidigt hat. Daſs dabey vieles höchſt Intereſſante zur Sprache kommen muſste, verſteht ſich gleichſam von ſelbſt; doch müſsten wir den gröſsten Theil des Buches ausziehen, wenn wir jedes Einzelne der Art auch nur andeuten wollten; daher begnügen wir uns damit, ſowohl die wichtigſten Punkte, als auch diejenigen hervorzuheben, bey welchen wir eine Gegenbemerkung nicht unterdrücken können, überzeugt, dadurch das Intereſſe für das treffliche Buch hinlänglich anzuregen und zum Studium deſſelben zu ermuntern.

Die *Vorrede* erklärt und rechtfertigt, nach einigen allgemeinern Bemerkungen gegen die Widerſacher, den Titel dieſer Schrift dahin, daſs der Vf. nicht nur einige, ſondern durchaus *alle möglichen* Gegenſätze in der chriſtlichen Theologie behandeln und unter der von Jeſu ſelbſt aufgeſtellten Religionsanſicht zu vereinigen ſuchen wolle, worin, wie er meint, die beſte Apologie des Chriſtenthums liegen werde, weil dadurch die Bedürfniſſe aller befriedigt werden müſſen. Es iſt das letztere faſt das nämliche, wie wenn man ſagte: die beſte und allgemein befriedigendſte Apologie des Chriſtenthums iſt die, wenn man es darſtellt als hiſtoriſche, in der Erfahrung gegebne Geſtaltung der Vernunftreligion. Dadurch werden zwar von der Befriedigung alle *Vernunfthaſſer* ausgeſchloſſen; aber der Vf., welcher etwas ganz Aehnliches im Sinne hat, ſchlieſst dieſe auch wirklich aus, indem er, wie wir ſehen werden, ihre Anſicht gar nicht für eine chriſtlich-theologiſche will gelten laſſen. Daſs der Vf. es nämlich mit den *Theologen* als Gelehrten allein zu thun hat, verräth ſchon ſein Vortrag, und ſagt die *Einleitung* ausdrücklich. Er hofft die ſämmtlichen Gegenſätze ihrer Anſichten unter den drey Hauptpunkten zuſammenfaſſen zu können, die jetzt in beſondern Abſchnitten, doch in ſteter Beziehung der letztern auf die erſteren, abgehandelt werden.

Abſchn. I. *Papismus und Proteſtantismus.* Unter dem erſteren verſteht der Vf., wie beſonders S. 84 erhellt, wo er Hierarchismus und Operatismus von ihm unterſcheidet, dieſelben als Ausartungen betrachtend, nicht das erfahrungsmäſsige Papſtthum, wie die Geſchichte der katholiſchen Kirche es uns darſtellt, ſondern ein gewiſſer Maaſsen milderes, welches zu ſeinem Beſtehen keines perſönlichen Papſtes bedarf; darum aber auch, wie nicht ausdrücklich geſagt wird, aber doch wohl zu merken iſt, nicht bloſs in der katholiſchen Kirche allein, ſondern auch in mancher ſich evangeliſch nennenden wenigſtens theilweiſe vorhanden iſt. Die genannten Gegner werden deshalb bloſs nach ihren Principen geſchildert; das des Papismus heiſst: (S. 10.) Es ſoll die *Kirche* herrſchen über die *Religion!* d. i. die Kirche hat zu beſtimmen, was in der Religion Wahrheit und Ueberzeugung ſeyn ſoll! das Princip des Proteſtantismus dagegen lautet: Es ſoll die *Religion* herrſchen über die *Kirche!* d. h. es soll in der Kirche nichts geben, was der Religion widerstreitet, sondern alles in ihr soll den Zwecken der Religion förderlich seyn. Warum der Vf. das erstere nicht *Ecclesiasticismus* genannt hat, leuchtet schon daraus ein, dass er diesen nicht wohl mit dem Protestantismus unter dem Grundsatze hätte vereinen können: *Das Christenthum ist kirchliche Religion!* (S. 39), so wie daraus, dass dann der Hierarchismus, den der Vf. doch unbedingt verwerfen musste, von jenem nicht leicht zu sondern war. Der Beweis nun, dass Jesus seine Religion zu einer kirchlichen machte, indem er sich für das ideale Oberhaupt derselben erklärte, und darin die drey Ideen aussprach: 1) Der ideale Christus ist die personificirte Religion, oder die Wahrheit geht von ihm aus; 2) als solcher wird er Oberhaupt einer zur Religiosität bildenden Anstalt, der Kirche; 3) die Kirche schafft allmählich die ganze Erde zum Himmelreiche um, dessen Bürger alle Menschen sind, wird S. 23 ff. sehr ansprechend geführt, auch deutlich aus einander gesetzt, wie die Apostel durch eine Anfangs nur geringfügig scheinende Abweichung von dieser Ansicht, indem sie der individuellen Persönlichkeit Jesu Autorität beylegten, den Papismus wo nicht verschuldet, doch wenigstens veranlasst haben, der aber noch immer christlich bleibt und sich darum mit dem Protestantismus vereinen kann in dem Grundsatze: dass weder die Kirche allein herrschen soll, auch wider die wahre Religion, noch die Religion ohne Kirche, sondern die Religion in der Kirche und die Kirche für die Religion. Gegen diess alles lässt sich nun wohl vernünftiger Weise nichts einwenden, als dass man meinen sollte, diess Resultat liesse sich durch den Protestantismus, wie sein Princip oben erklärt worden, allein gewinnen, weil ja durch Herrschaft der Religion über die Kirche die letztere so wenig vernichtet und unterdrückt wird, als z. B. die Sinnlichkeit ertödtet wird durch Herrschaft der Vernunft über dieselbe. Doch auf Worte kommt es hier wenig an, wenn nur jenes Resultat feststeht. Der Vf. hofft aber wohl zu viel, wenn er meint, Papisten für dasselbe gewinnen zu können, obgleich er in seiner Freundlichkeit gegen sie so weit geht, S. 42 zu sagen: „in der Praxis des Amts eines christlichen Dieners des göttlichen Worts, das wir beiderseits zu führen haben, können wir *von Euch*, Geliebte! was die Ehrung und Handhabung des Kirchlichen betrifft, *wohl alle noch lernen!*" und in Beziehung auf dieses *Vorbild* (!) die protestantischen Geistlichen S. 43 zu warnen „*vor Andachtlosigkeit* im Verwalten des Amts und Nachlässigkeit in Behauptung der Standeswürde." Was das letzte betrifft, so legt der katholische Geistliche (denn der ist hier unter dem Papisten augenscheinlich gemeint) in der Regel ein stärkeres Gewicht auf seine „Standeswürde," weil er sich als den Stellvertreter Gottes auf eine Weise betrachtet, die der Vf. mit Recht Hierarchismus nennt, wovon der protestantische als solcher schon frey ist. In Hinsicht des ersteren aber wäre schon *a priori* zu vermuthen, dass protestantische Geistliche, welche *wirklich* Diener des Worts (d. h. Prediger, nicht bloss Liturgen sind, mehr Andacht hätten bey Reden, die sie selbst verfasst haben und Gebeten in ihrer Muttersprache, in welchen ihnen doch eine gewisse Mannigfaltigkeit verstattet ist, als katholische bey Formeln in schlechtem Latein und noch elenderem Sinn, den unzählige von ihnen nicht ein Mal verstehen! Diess wird durch die Erfahrung vollkommen bestätigt; und so müssen wir uns ihre Priester, wie sie meistens sind und seyn können, als Muster der Andacht durchaus verbitten.

Abschn. II. *Positivismus und Rationalismus.* Wegen des in der Theologie bis jetzt noch ungewöhnlichen Sprachgebrauchs, welchen der Vf. in der Bezeichnung dieses Gegensatzes anwendet, beruft er sich darauf, dass man in der Jurisprudenz die *rationalen* Gesetze, d. h. die des Naturrechts oder richtiger Vernunftrechts den wirklich in der Erfahrung gegebnen, *positiven*, gegenüberstelle; nimmt in der Religion das Positive d. h. von Jesus gelehrte, gleichbedeutend mit Offenbarung, und spricht die Principe des angegebnen Gegensatzes so aus: der Positivismus sagt: die Offenbarung muss über die Vernunftreligion herrschen! Der Rationalismus behauptet: die Vernunftreligion muss über die Offenbarung herrschen! (S. 55) welches beides (S. 62) vereint werden soll in dem Satze: das Christenthum als Religionslehre (d. h. mit Ausschluss des rein-positiven Kirchlichen) ist vernunftgemässe Offenbarung. Rec. zweifelt nicht, dass die Rationalisten diesem Satze leicht beystimmen werden, und der Vf. warnt auch bloss am Ende (S. 103 ff.) die Rationalisten ganz kurz vor der Gefahr, welche der unbeschränkte Einfluss eines philosophischen Systems, wobey das klare Wort Jesu nicht beachtet wird, dem Christenthum bringen könnte; aber einen desto längern, und, wie es uns scheint, wenn auch mit Eifer und Geschicklichkeit, doch vergeblich geführten Kampf hat der Vf. mit den Positivisten zu bestehen. Schon die Erklärung des Einigungssatzes könnte sie argwohnen lassen, er wolle sie völlig zu Rationalisten machen: denn es heisst z. B. S. 69 ff. dem Sinne nach folgender Maassen: „die Religion Jesu ist in sofern vernunftgemässe Wahrheit, als sie 1) keine Lehre vorträgt, von deren Richtigkeit sich nicht der gebildete Mensch durch Vernunftgründe überzeugen könnte; 2) keine andere, als allgemeine (menschliche, d. h. für alle Menschen passende und erfüllbare) moralische Gebote giebt; 3) keine andre, als allgemeine menschliche, von der Vernunft anerkannte, Verheissungen und Drohungen in Hinsicht der Beobachtung ihrer (moralischen) Gesetze aufstellt." — Ueberdiess aber schliesst der Vf., sich allenthalben auf die klaren Worte Jesu in der h. Schrift berufend, von dem echten Positivismus als widerchristliche Entartungen desselben ausdrücklich aus 1) den Supernaturalismus, welcher den einst sichtbaren Urheber des Christenthums seiner Natur nach über die Menschlichkeit erhebt, und ihn dadurch, in dem Wahne, ihn zu ehren, erniedrigt, indem er seifeiner moralifchen, felbft erftrebten Würde fo viel entzieht, als ihm wunderhaft gegeben wird; 2) den Partikularismus, welcher für den Chriften ganz befondre Wahrheiten, von denen die Vernunft nichts weifs, und demnach auch ganz befondre Pflichten und eine ganz befondre Seligkeit, welche für andre Menfchen nicht beftimmt feyn follen, ftatuirt. Ganz rationaliftifch verlangt Hr. *B.* ferner von den Pofitiviften (S. 88 ff.) die Anerkennung, dafs fie den Begriff einer wunderbaren Infpiration des N. T. ganz fallen laffen, und unter den Schriften und einzelnen Ausfprüchen den Unterfchied machen follen, dafs fie eine Offenbarung Gottes nur in dem finden, was die fittlich religiöfe Bildung der Lefer (unftreitig: der Lefer aller Zeiten und Bildungsftufen) befördert, wobey dann, wie bekannt, manche Judaismen der Apoftel, wenn gleich fchwerlich auch aus der Bergpredigt, die der Vf. S. 97 recht paffend als Kern und Typus des ganzen Evangeliums darftellt, würden aus dem geftrichen werden müffen, was man etwa Dogmatik Jefu nennen könnte. Mag nun der Vf. noch fo eindringlich die Gefahren fchildern, in welche die Pofitiviften die ganze Religionsanficht ftürzen würden, wenn fie diefen feinen Foderungen nicht nachgäben (S. 98 ff.); wir dürfen wohl nicht ohne Grund zweifeln, dafs er viele finden werde, die feinem Worte gehorchten.

Abfchn. III. *Realismus und Idealismus.* Die Behandlung diefes Gegenfatzes möchte in Hinficht der theoretifchen Entwickelung bey weitem fchwieriger feyn, wie auch einige nicht recht klar gewordne Demonftrationen bezeugen, als in der praktifchen Anwendung, obwohl bey den beiden vorigen eher das Gegentheil Statt fand: denn Hr. *B.* gefteht am Ende felbft (S. 148 f.) dafs die Theologen in der Praxis hier ftets ziemlich einig gewefen, indem auch die eifrigften Supernaturaliften von ihrer ganzen Dogmatik, fo wie von jedem einzelnen Lehrfatze derfelben nicht nur den Vorwurf der moralifchen Nutzlofigkeit oder Schädlichkeit ftets abzuwenden, fondern auch darzuthun fuchten, jede Lehre habe ihren fpeciellen moralifchen Werth; und dagegen die Idealiften eingeftehn mufsten, es würde unzweckmäfsig feyn, reine Moral ohne Rückficht auf Religion zu predigen, und man habe vielmehr die Glaubenslehre zum Troft und zur Ermuthigung häufig anzuwenden. In Hinficht des erften Theils diefes Zugeftändniffes, was doch viel Wahres haben mag, würden dem Vf. jedoch der berüchtigte *Hugh Rofs* und feine deutfchen Freunde widerfprechen: denn diefer unwiffende Verunglimpfer deutfcher Theologie findet bekanntlich die Urfache des Verderbens, in welchem *er* fie liegen fieht, darin, dafs man „den ganz unftatthaften Grundfatz aufgeftellt habe: keine moralifch-fchädliche oder auch nur moralifch-nutzlofe Lehre könne wahrhaft Lehre des Chriftenthums feyn," — und meint: Dann würde es mit den Artikeln der *high church* fchlecht ausfehen, worin er wohl Recht hat. Den Gegenfatz nun fpricht unfer Vf. fo aus: der religiöfe

Realismus fagt: Es herrfche die Glaub
Religion im engern Sinne) über die
d. h. in der Moral kann nur das wa
mit der Religion übereinftimmt, wei
Wille Gottes betrachtet werden mufs;
Idealismus aber behauptet: Die Mora
fchen über die Religion, d. h. wir e
Idee der Heiligkeit Gottes nur durch d
fen fich ausfprechende Sittengefetz als
Gewifsheit, die da gewufst, nicht ge
mithin mufs der Wille Gottes mit den
übereinftimmen; alle andern moralif
fchaften Gottes find aber von feiner H
hängig, mithin müffen alle nach jenen,
nach dem Sittengefetz beurtheilt werde
diefem widerfpricht, kann in der Re
wahr feyn. Der Fehlfchlufs, welcher i
cip des Realismus liegt, wird vom V
entwickelt und widerlegt; in dem angel
gungsfatze aber: Das Chriftenthum ift m
ligiöfe Wahrheit, d. h. eine Glaube
welche in allen ihren Punkten fittlichen
kann man wohl kaum einen eigentlich
(Rationalismus und) Idealismus über de
ohne Zufammentreffen an einem dritten S
verkennen, in fofern der Grundfatz des
eigentlich blofs wiederholt, und nur n
apodictifch, fondern affertorifch ausgef
für den die einzelnen Lehren prüfenden
eben dadurch fchon Gefetz wird. Diefs e
aus der gefammten Anwendung, welche
von macht, z. B. in dem Beweife (S.
Vernunftmäfsigkeit der Offenbarung J
hauptfächlich auf ihrer Uebereinftimmun
Sittengefetz; ferner (S. 133 ff.) dafs d
Realismus leicht zum Pantheismus und E
mus führe, welche beide völlig aufserhalb
des Chriftenthums lägen, u. f. w. Doch
Verirrungen, welche man dem Idealismus
könnte, läfst der Vf. nicht ungerügt, wo c
man habe die Religion fälfchlich Poefie
genannt, recht anfprechend und überze
führt wird, weniger aber der: dafs keine
Glaubenslehre und die Pflichtenlehre
von einander abhängig feyn können, fo
die erftere von der letztern, wobey, fo
Satz und fo befriedigend er in feinem erf
entwickelt ift, doch als ein nicht unb
Mangel erfcheint, dafs der Umftand nicht
hoben und gehörig klar gemacht worden:
gar keine *moralifche* Verpflichtung geben,
glauben oder nicht zu glauben; fondern d
fche (Verftandes-) Glaube beruht auf fubje
friedigung unferes Denkens durch Zeug
religiöfe (Vernunft-) Glaube auf fubjectiv
digung durch Vernunftgründe; beide
aufser bey Alogern, welche felbft das De
fen, durchaus zwingend und unabwei
Menfch *mufs* glauben, was ihm jene Gr
ftellen, er *kann* nicht glauben, fondern

ſich einbilden, er glaube, was ihnen widerſpricht, er *kann* nicht, und wenn alle Schätze der Welt ihn zum Gegentheil lockten oder alle Martern ihn zwingen wollten." Dieſs zu entwickeln und anzuwenden wäre hier der Ort geweſen, und wenn man von dieſer Wahrheit alle Zeloten überführen könnte, ſo würde alle Glaubensverfolgung von ſelbſt aufhören müſſen.

In dem *Schluſſe* drängt der Vf., auſser einer Apologie ſeiner ganzen Darſtellung, auch noch die Behandlung einiger Gegenſtände zuſammen, welche zwar den betrachteten analog ſind, aber doch nicht mit ihnen in ſeinen Plan, den er auch in Hinſicht der äuſsern Form ſtreng ſyſtematiſch verfolgt, aufgenommen werden konnten. Wir wollen den Inhalt kurz angeben und bey den intereſſanteren Stellen verweilen. I. *Das Ganze der Abhandlung hat ſyſtematiſche Einheit*, denn 1) die Gegenſätze ſind unter ſich aufs engſte verbunden; 2) ſie waren nothwendig auf dieſe Weiſe zu ſcheiden; 3) ſie ſind ein in ſich geſchloſsnes Ganze: denn unter ihnen muſs alles begriffen ſeyn, was mit Recht chriſtliche Theologie heiſst. Man kann ihnen nämlich nicht etwa noch z. B. den Myſticismus beyordnen: denn weder Papismus, Poſitivismus und Realismus noch ihre Gegenſätze ſind ihrer Natur nach nothwendig myſtiſch, aber ſie können es alle mehr oder minder werden. „Der edle und reine Myſticismus wird durch die Möglichkeit, einen moraliſch-religiöſen Sinn mit ſeinen Ausdrücken zu verbinden, begrenzt; und ſo wird hingegen unedel und unrein aller Myſticismus heiſsen müſſen, ſobald er vom ſchmalen Pfade einer durch Tugend bedingten Frömmigkeit auf den breiten Weg einer bloſsen, nach keiner moraliſchen Bedingtheit des Glaubens und Hoffens fragenden, und ſo von der Vernunft ſich gänzlich losſagenden Gefühlsreligion hinüberſchweift." — Ferner aber läſst ſich zeigen, daſs alle Lehren der Dogmatik, über welche je Streit geweſen, nach jenen drey Gegenſätzen beurtheilt werden können, was hier an einigen Beyſpielen dargethan wird, zuerſt an dem Abendmalsſtreit, der angeblich nach dem Grundſatze: Das Chriſtenthum iſt kirchliche Religion! durch die Anſicht geſchlichtet werden ſoll, „nach welcher in dieſem Brote und Weine Leib und Blut Jeſu Chriſti, dem Wortſinne nach ſeine Perſon, der Sache nach der geiſtige Jeſus Chriſtus, gleich der religiöſen Wahrheit, geiſtig empfangen und genoſſen wird." II. Die *theologiſchen Denkarten*, welche von dieſer Unterſuchung ausgeſchloſſen werden muſsten, weil ſie der Religion Jeſu widerſtreben, ſind 1) *Hierarchismus*, welcher durch den Grundſatz: Kirche und Religion ſind einerley! Aberglauben und Prieſterheiligkeit nothwendig macht; 2) *Supernaturalismus*, welcher die Vernunft in Feſſeln legen und den Menſchen zum vernunftloſen Thier, wenigſtens zum unperſönlichen Sklaven herabwürdigen will durch den Grundſatz: die übernatürlich geoffenbarte Religion iſt der der Vernunft an Umfang wenigſtens gleich, an Sicherheit und Werth hingegen noch mehr als ſie; 3) der *Pantheismus*, welcher mit der Perſönlichkeit des Menſchen alle Moral aufhebt und ſich in den troſtloſeſten Unglauben ſtürzt. Alle dieſe drey Denkarten ſtehen aber unter einander in einer gewiſſen Verbindung. III. Wie ſollen die durch das Ganze der Abhandlung unter einander einig Gewordenen ſich in Abſicht auf das Chriſtenthum verhalten? 1) die gemeinſchaftlichen *Feinde* ſollen ſie, ſo lange nicht offenbarer Nachtheil der Religion dabey iſt, mit Geduld ertragen und nur den Hierarchiſten in gerechtem Unwillen, gleich Jeſu, ſich thätig widerſetzen; 2) mit den *Freunden* und *Amtsbrüdern* ſollen ſie einmüthig nach dem groſsen Ziele des Chriſtenthums ſtreben, und feſt verbunden den Angriffen trotzen; 3) das Volk ſollen ſie mit der gröſsten Aufrichtigkeit nach ihrer Ueberzeugung, aber zugleich mit einer der Lehrweisheit Jeſu ähnlichen Vorſicht belehren.

Rec. bemerkt zum Schluſs: Faſt alles Einzelne in vorliegendem Werke iſt wahr und gut, nicht ſelten ſelbſt von einer neuen Seite dargeſtellt; aber der Vf. irrt, wenn er meint, vom Rationalismus unabhängig zu ſeyn und gleichſam über ihm zu ſtehen; er ſchmeichelt ſich mit vergeblicher Hoffnung, wenn er erwartet, auch nur die alle zu vereinen, welche ſein Buch mit Nachdenken leſen, was nicht leicht iſt, ſich aber auch belohnt.

SCHÖNE KÜNSTE.

Koblenz, in Comm. b. Hölſcher: *Gedichte* von *A. M. Laſinsky*, geb. *v. Knapp*. 1827. 135 S. 8. (16 gGr.)

Die Verfaſſerin nimmt in dem Vorworte für ihre poetiſchen Verſuche die Nachſicht der Beurtheiler in Anſpruch; und dieſe wollen wir ihr gern zukommen laſſen. Die hier gegebenen Lieder ſind gewiſs warm und innig empfunden, allein an der Form iſt gar viel zu tadeln. *Muſik* wird als — ⏑ gemeſſen und den Worten *Menſch*, *Knabe*, im vierten Fall die Beugungsſylbe *en* entzogen (den Menſch, den Knab). Auf das Einzelne der die Natur, Freundſchaft und häusliche Verhältniſſe feyernden Gedichte können wir uns hier nicht einlaſſen. Nur ſey noch erwähnt, daſs das Lied „Freundſchaft" S. 40. die meiſte Vollendung beſitzt, und höchſt anſprechende, wohl ausgedruckte Ideen hat. An Härten der Sprache und Verskunſt fehlt es ihm freylich auch nicht.

ALLGEMEINE LITERATUR - ZEITUNG

September 1828.

KIRCHENGESCHICHTE.

Leipzig, b. Friedr. Fleiſcher: *Der Theophilus des Johann Valentin Andreä.* Aus dem Lateiniſchen überſetzt von *Karl Theodor Pabſt.* 1826. X u. 122 S. 8. (10 gr.)

Joh. Val. Andreä iſt, ſeiner groſsen, ſegensreichen Wirkſamkeit und dem Geiſte ſeiner zahlreichen paraboliſchen und ſatiriſchen Schriften nach, ſeit *Herder* in den zerſtreuten Blättern und in den Briefen über das Studium der Theologie ſein Andenken erneuerte und anziehende Probeſtücke aus ſeinen Schriften in Ueberſetzungen mittheilte, unſern theologiſchen Zeitgenoſſen nicht mehr unbekannt. Auch iſt man durch den Abdruck ſeiner Selbſtbiographie in *Seybold's* Sammlung, und noch vollſtändiger durch *Hoſsbach's* Darſtellung ſeiner Lebensverhältniſſe und ſeines Zeitalters in den Stand geſetzt worden, die geſchichtlichen Beziehungen in ſeinen Schriften richtig zu beurtheilen und aufzufaſſen. Dieſe Schriften ſelbſt aber ſind ſo originell in der Auffaſſung und Darſtellung, ſo reich an richtigen Urtheilen und neuen Anſichten, ſo anziehend durch überſtrömenden Witz und derbe Ironie, daſs eine Erneuerung derſelben, bey ihrer Seltenheit, Vielen wünſchenswerth erſcheinen möchte, und zwar müſſen wir es mit dem Ueberſetzer zweckmäſsig finden, wenn bey dieſer einer deutſchen Ueberſetzung der Vorzug vor einem wiederholten Abdruck des lateiniſchen Originals ertheilt wird, da *Andreä's* Latinität nicht ſo beſchaffen iſt, daſs ſie zum Leſen anlocken könnte. Der Theophilus, welchen auch *Hoſsbach* S. 146 als eine der reichhaltigſten ſeiner Schriften betrachtet, war zu einer ſolchen Bearbeitung vorzüglich geeignet, da die Gegenſtände, welche er behandelt, auch in unſern Zeiten vielfach zur Sprache gekommen ſind, und die Rügen der herrſchenden Sitte und Denkart, zu welchen ſie veranlaſſen, auch noch jetzt treffend erſcheinen. Bey der Anwendung der Schriften *Andreä's*, überhaupt auf die Verhältniſſe der Gegenwart, zumal in kirchlich-religiöſer und theologiſcher Hinſicht, halten wir es jedoch nicht für überflüſſig, einem leicht möglichen Miſsbrauche durch Vorſichtsmaaſsregeln, zu welchen ihre Eigenthümlichkeit führt, vorzubeugen. *Andreä's* Darſtellung nämlich iſt bey ihrem Reichthum von Ueberladung und Ziererey nicht freyzuſprechen, und gefällt ſich beſonders in Häufung der Antitheſen, in künſtlichen und geſuchten Vergleichungen, in Spielerey mit Worten und Aſſonanzen. Dazu kommt eine einſeitige Befangenheit in den Privatmeinungen ſeines Vorbildes, jenes Megalander, wie er Luthern nennt. Die bemerkten Eigenheiten des Stils nun ſind von ſolcher Art, daſs ſie bey Schilderungen leicht zu Uebertreibungen fortreiſsen, indem um eines Gegenſatzes oder einer Vergleichung willen die Farben ſtärker aufgetragen werden, als es die Wahrheit geſtattet. Von der andern Seite zeigt ſich auch ſein theologiſches Urtheil beſchränkt durch die Abhängigkeit von einer Auctorität, welche kein *evangeliſcher* Chriſt als eine ſolche anerkennen kann. Endlich aber finden wir in *A's* Schriften Andeutungen einer Leidenſchaftlichkeit des Gemüthes, welche die Betrachtung der Gegenſtände von verſchiedenen Seiten und Geſichtspunkten aus erſchweren, wenn nicht unmöglich machen muſste. Daher nun erklärt es ſich, daſs in ſeinen Urtheilen und Beſchreibungen, neben manchen treffenden und überraſchenden Wahrheiten, auch immer ſehr viel Einſeitiges, Schiefes und Uebertriebenes ſich vorfindet, ſo daſs eine ſcharfe Urtheilskraft dazu gehört, um durch den Glanz der erſtern nicht blind zu werden gegen das Letztere, wie es den meiſten Leſern ſogenannter „geiſtreicher" Schriften zu widerfahren pflegt. Es wäre aber in der That ein Unglück, und würde zu neuen Verwirrungen führen, wenn man anfinge die ſo oft einſeitigen, ſchiefen und übertriebenen Urtheile *Andreä's* über die Verhältniſſe ſeines Zeitalters, ohne Weiteres auf ähnliche oder ähnlich ſcheinende der Gegenwart überzutragen. Am wenigſten befürchten wir einen ſolchen Miſsbrauch von dem erſten, eigentlich zweyten, Dialog des Theophilus (den erſten, welcher eine Rechtfertigung der eigenen Rechtglaubigkeit enthält, glaubte der Ueb., da er weniger allgemeines Intereſſe haben kann, weglaſſen zu müſſen) *über chriſtliche Disciplin*, da er mit ſolcher Umſicht für lebendige, in ſtrenger Sittenzucht wirkſame Frömmigkeit und gegen unfruchtbare Rechtgläubigkeit und eine Erleuchtung, welche auf den Willen und die Geſinnung ohne Einfluſs bleibt, eifert, daſs weder diejenigen, welche die chriſtliche *Demuth* durch ein *unnatürliches*, gegen Vernunft und Schrift, Geſchichte und Erfahrung ſtreitendes, Bekenntniſs *natürlicher* Unfähigkeit zum ſittlich guten Wollen und Handeln, und die *Liebe* durch Liebeſtändeleyen mit dem Heilande, ihrem Seelenbräutigam, erfüllt zu haben wähnen; noch auch die, welche das Weſen der chriſtlichen Frömmigkeit durch allerley Gefühlserregungen in ſich aufgenommen zu haben träumen, daraus Beſchönigung ihrer Verirrungen entnehmen zu können hoffen

fen dürfen. Selbst die (S. 86 f.) gegen die Rechtgläubigen jener Zeiten in Schutz genommenen Mystiker *Joh. Arndt* und *Joh. Gerhard*, verrathen bey allem Hange zum religiösen Bilderspiel so viel regen Eifer für Sittenstrenge, so viel praktischen Sinn, dass unsere Mystiker sich mit ihnen nicht vergleichen dürfen. Die Empfehlung strengerer Sittenaufsicht und der Einführung eines Sittengerichtes, dessen heilsame Wirkungen *A.* in Genf kennen gelernt hatte, S. 19 f., wird zwar den Weltkindern unserer Tage zum Anstoss gereichen, aber auf diejenigen ihres Eindrucks nicht verfehlen, welche sich lebendig bewusst sind, dass die christliche Kirche, ihrem Wesen nach, eine *ethische Gemeinschaft* darstellen soll. Bey *A.*, dem strengen Lutheraner, hat diese Anempfehlung calvinischer Einrichtungen etwas Auffallendes und zeugt dafür, dass seine Confessions-Befangenheit mehr die dogmatischen Unterscheidungspunkte, als die sittlichen Grundsätze und Tugendmittel umfasste. Weit eher könnte der zweyte Dialog, welcher unter der Aufschrift *über christliche Literatur* die Art der Unterweisung und Zucht auf den Schulen und Universitäten geisselt, zu falschen Ansichten und missbräuchlichen Anwendungen führen. Denn so viel Wahres und Schönes hier gesagt wird über die Pflichten und Sitten der Lehrer, über die Nothwendigkeit der Sprachstudien, über die Schädlichkeit der Zersplitterung des Unterrichts in vielerley Gegenstände, über die Fehlerhaftigkeit der gewöhnlichen Methode Logik und Rhetorik zu lehren, endlich über die Liederlichkeit der Studirenden und die Gewissenlosigkeit in Ertheilung der akademischen Würden; so zieht sich doch durch das Ganze ein Widerwille gegen die klassischen Studien, welcher Nichts weniger, als ihre gänzliche Verdrängung aus den Gymnasien beabsichtigt. Dieser blinde Eifer gegen die herrlichsten Denkmale des menschlichen Geistes, welchen bekanntlich die Zeloten unserer Zeit mit *A.*, so wenig sie ihm auch sonst gleichen, theilen, stützt sich aber auf den ganz schief aufgefassten Gegensatz des Heidnischen und Christlichen, der menschlichen Vernunft und der göttlichen Offenbarung. Allerdings steht das Heidnische, als solches, dem Christlichen entgegen und die Vernunft gewährt nicht die Gewissheit und Beruhigung, welche der Christ aus der Offenbarung Gottes in Christo schöpft. Aber was die Schriftwerke der Griechen und Römer unsterblich macht, was sie zu den sichersten und allseitigsten Bildungsmitteln für den ganzen Menschen erhebt, der Sinn für sittliche Grösse, für Maass und Einklang, für Wahrheit und Schönheit, welchen sie wecken, ist nicht heidnischer sondern christlicher Art, und die Vernunft, welche die Ideen des Wahren, Guten und Schönen in ihren Schriften zur vollständigsten Anschauung führt und mit Begeisterung für sie erfüllt, ist ihrem Wesen nach nicht verschieden von der, welche in Christo als göttliche Offenbarung sich kund giebt. Daher müssen sie auch, richtig benutzt, vorbereiten und empfänglich machen für die christliche Wahrheit, ja zur richtigen Auffassung und Würdigung derselben von dem grössten Nutzen werden, wie denn auch schon in den ersten Jahrhunderten die aufgeklärtesten und gebildetsten unter den Vätern und Lehrern der Kirche an sich selbst erfahren zu haben bezeugen, dass hellenische Wissenschaft und Kunst den Weg anbahne zur tieferen und vollkommneren Einsicht in die Wahrheiten des christlichen Glaubens. Die *Ermahnung* endlich *an die Diener der evangelischen Kirche*, mit welcher sich das Büchlein schliesst, rügt in prophetischer Begeisterung den weltlichen Sinn, den Geiz und Ehrgeiz, den Widerspruch zwischen dem Leben und Lehren, durch welchen die Lehrer des Christenthums sich und ihren heiligen Beruf schänden. Diese Ermahnung ist voll goldener, inhaltschwerer Wahrheiten und verdient die ernstlichste Beherzigung auch in jetzigen Zeiten. Sie schliesst sich S. 117 f. mit einer sehr beredten und bewegten Vertheidigung des Büchleins, welches der Vf. unter Anderem auch deshalb will geschrieben haben, „um den neuen unter uns schleichenden Umtrieben und scharfen Bissen der verzückten Minirer und Enthusiasten zu begegnen, welche, weil Einige schlafsüchtig sind, von der Wachsamkeit Vieler, weil Einige verdorben sind, von der Unbescholtenheit einer grossen Anzahl, weil Einige treulos waren, von der Treue der Meisten zu ungerecht und giftig denken." Grade diese Menschenart wird aber in den Dialogen nirgends scharf und bestimmt gezeichnet, ja von den Fehlern der Einseitigkeit und Uebertreibung, welche sich bey ihr finden, können sie selbst wohl kaum freygesprochen werden.

Der Uebersetzer hat die grossen Schwierigkeiten seiner Arbeit im Ganzen glücklich gelöst und die Eigenthümlichkeiten der Darstellungsweise *Andreä's* mit vieler Gewandtheit nachzubilden gewusst. Wo er ungewiss blieb, ob er den rechten Sinn getroffen oder seine Uebersetzung ihn vollständig wiedergegeben habe, führt er die Worte des Originals in Noten an, ja einmal S. 83 giebt er eine in der Uebersetzung weggelassene Stelle nur am Rande mit den Worten des Originals, weil ihm der Sinn derselben, wenigstens in ihrem Zusammenhange, dunkel geblieben war. Rec. vermuthet, dass *A.* hier den übermüthigen Lehrern, welche „die Quellen Israels ausgeschöpft zu haben" vorgeben und doch nichts wahrhaft Nützliches der Jugend beyzubringen wissen, nicht ohne Ironie und Spott Solche wolle vorgezogen wissen, welche, durch eigene Schuld der Gelegenheit Unterricht zu ertheilen beraubt und brodlos geworden, sobald man ihnen wieder Vertrauen schenkt, leicht mehr als jene leisten würden. Doch scheint bey diesen Aeusserungen auf bestimmte Zeiterscheinungen hingedeutet zu werden, welche wir nicht aufzuklären vermögen. Bey der Stelle S. 11 *parta ingenii decora, non iisdem genii pecora importentur* werden *genii pecora* übersetzt durch „Missgeburten des Zeitgenius," wobey die Note an das Verschwinden eines edlern Stils will gedacht wissen. Aber *genii pecora* können nur viehische Aus-

Ausſchweifungen eines ſinnlichen Wohllebens ſeyn, und der Satz, in welchem ſich das Wortſpiel ſchwerlich genau nachbilden läſst, hat den Sinn: möge mit der geiſtigen Bildung, welche wir erlangt haben, nur nicht Ueppigkeit und Schwelgerey zugleich Eingang finden. S. 68 bedeutet *reipublicae imponere* nicht: *dem Staate zur Laſt legen*, ſondern *den Staat hintergehen*, hinters Licht führen. Der Sinn iſt: den Staat (durch Ertheilung akademiſcher Würden an Unfähige) zu hintergehen, gelte als Betrug und äuſserſte Benachtheiligung, wie man ſie keinem Künſtler oder Handwerker glaubt verzeihen zu dürfen. Hie und da hat der Ueberſetzer auch zweckmäſsige hiſtoriſche Erläuterungen in den Noten beygefügt. Wir bemerken dazu nur, daſs der S. 19 angeführte Genfer Prediger (bey welchem ſich *A.* im J. 1611 aufhielt) nicht *Soaron*, ſondern *Scaron* hieſs.

D. v. C.

Hamburg, b. Perthes u. Beſſer: *Stephan Kempe's wahrhafter Bericht, die Kirchenſachen in Hamburg vom Anfange des Evangelii betreffend*, aus dem Niederſächſiſchen ins Hochdeutſche übertragen und als Beytrag zur Feyer des *dritten Reformations-Jubelfeſtes der Hamburgiſchen Kirche* herausgegeben von *L. C. G. Strauch*, Paſtor an der St. Nicolai-Kirche und Scholarcha. 1828. IV u. 47 S. 8.

Am 28. April 1828 waren drey Jahrhunderte verfloſſen, ſeit die Reformation *in Hamburg* entſcheidend ſiegte und angenommen ward: denn der 28ſte April d. J. 1528 war der Tag, wo der ganze Rath, die Bürgerſchaft und die Prediger von allen Parteyen ſich verſammelten und Rath und Bürgerſchaft den Beſchluſs faſsten, „daſs der Theil der Prediger, welcher befunden würde Gottes Wort nicht gepredigt zu haben, weiche und auch geſtraft würde." Das Andenken an dieſen Sieg der geläuterten Lehre ward, wie billig, am Sonntage Cantate 1828 mit kirchlicher Feyer begangen. Soll aber eine ſolche Feyer die Gemüther ergreifen und Gutes für die Folge wirken, ſo muſs der Hergang und Zuſammenhang der Ereigniſſe, an welche ſie erinnert, Allen klar vorliegen. Es war daher ein ſehr guter Gedanke des Hn. P. *Strauch*, den treuen und wahrhaften Bericht über jene Begebenheiten, den ein Augenzeuge und Theilnehmer derſelben verfaſste, wieder ans Licht zu ziehen und allgemeiner bekannt zu machen. Der Berichterſtatter iſt der Baccal. Theol. *Stephan Kempe*, der ums Jahr 1523 von Roſtock Geſchäftehalber nach Hamburg gekommen war, und hier mit Beyfall gepredigt hatte, dann auf Bitten der Einwohner daſelbſt blieb und erſt Prediger an der Marien-Magdalenen-, dann 1527 Paſtor an der St. Catharinen-Kirche ward, als welcher er am 23. October (nicht 20ſten, wie S. 48 ſteht) 1540 ſtarb. Dieſer „treue, ſtandhafte, freudige Kämpfer um Gottes Wort" war einer der erſten und wirkſamſten Verbreiter der nachher durch Bugenhagen feſter begründeten Reformation in dem bis dahin von den Pfaffen in geiſtiger Zwingherrſchaft gehaltenen Hamburg: denn den ſchon alternden *Otto Stemmel*, der bereits im J. 1521 in der Catharinenkirche ein reineres Chriſtenthum zu lehren begann, hatten die Ränke und Verfolgungen der Katholiken nur zu bald zum Verſtummen gebracht. Was nun *Kempe* in jenen Tagen und insbeſondere in den Jahren 1528 bis 29 erlebt, erarbeitet, erkämpft und erfahren hat, das hat er ſelbſt niedergeſchrieben. Es iſt aber dieſe in niederſächſiſcher Sprache verfaſste Erzählung zu jener Zeit nicht gedruckt erſchienen, ſondern nur in Abſchriften erhalten, von denen eine der älteſten, v. J. 1554, ſich auf der Wolfenbüttler Bibliothek befindet. *Nicol. Staphorſt* (Predig. zu St. Johannis, ſt. 1731) hat ſie in ſeiner Hamburg. Kirchengeſchichte Th. 2, B. 1. S. 89 ff. in der Originalſprache abdrukken laſſen; eine Uebertragung ins Hochdeutſche findet ſich in Dr. *Joh. Friedr. Moyer's* Evangel. Hamburg 1698. 12., welche bey der zweyten Jubelfeyer der Reformation im J. 1717 wieder aufgelegt ward; der letzte Abdruck findet ſich in der „Samml. einiger evangeliſchen und päpſtiſchen Geſchichtſchreiber, welche die Hamb. Reformat. in Niederſ. Sprache zu der Zeit beſchrieben haben, ins Hochd. überſetzt Frankf. u. Leipz. 1728."

Hr. P. *Str.* liefert nun hier zuerſt von S. 1—37 eine neue Uebertragung des Berichts ins Hochdeutſche. Es durfte alſo S. 4 d. Vorr. nicht heiſsen: „Mein Streben ging dahin, einen möglichſt reinen *Text* zu liefern," denn darunter kann man doch nur das Original verſtehen, welches ſich gleichwohl hier *nicht* findet, deſſen Abdruck aber wohl Mancher, dem der dickleibige Staphorſt nicht zur Hand iſt, gewünſcht haben möchte. Der Staphorſt'ſche Text liegt der Uebertragung zum Grunde, iſt jedoch nach einem in den Hamb. Miniſterial-Acten befindlichen Manuſcript an manchen Stellen berichtigt. Rec. hat Hn. *Str's* Ueberſetzung mit dem Original durchgängig verglichen und nicht nur gefunden, daſs ſie daſſelbe treu und genau wiedergiebt, ſondern auch, daſs „die alte, ſchlichte, treuherzige, oft kindliche Sprache" gut nachgeahmt iſt. Hie und da ſcheint die Treue ſogar zu ängſtlich, wie z. B., wenn S. 1. die Worte *is he geſchwecket* durch *ward er geſchwächt* gegeben worden, wofür wir lieber einfach *ward er ſchwach* ſetzen würden. Dagegen hätte der Satz *darover de gantze Papeſchop gantz ſchwerlicken gegrellet* (*gegrettet* iſt eine falſche Leſart) *und getornet was* (S. 2) wohl kräftiger übertragen werden können, als durch die Worte: „*ſo gerieth hierüber die ganze Pfaffenſchaft in heftigen Zorn*" geſchehen iſt.

Mit inniger Theilnahme wird Jeder dieſen einfach treuen Bericht leſen, und mit hoher Achtung erfüllt werden theils für die Reformatoren, die mit edler Mäſsigung ihr Werk vollführten und nicht mit „Külen und Speten," Keulen und Spieſsen, ſondern durch die Kraft der Wahrheit ſiegen wollten, theils für die Weisheit des Senats, der (im J. 1526) ein Mandat erlieſs, in welchem es §. 3 heiſst: „Materien, welche ſtreitig und ſo verwirrend (richtiger

wohl

wohl *verwirrt, verwickelt,* — *vorworlich* im Original) sind, dafs der gemeine Mann sie nicht verstehen kann, auch demselben weder nöthig, noch fruchtbar zu wissen, soll man nicht predigen." — Von S. 38—43 folgen einige erläuternde Anmerkungen, von denen aber die dritte unnöthig war, wenn Hr. *Str.* das im Original stehende Wort „Promotor" beybehalten hätte, statt es durch „*Beförderer*" zu übersetzen. Es sind nämlich in dem ganzen Bericht alle Titel und gelehrten *termini technici* — man erlaube uns diesen Ausdruck —, aber auch nur diese, Lateinisch gegeben; hätte Kempe den Dr. B. Moller seinen Beförderer und Wohlthäter nennen wollen, so würde er gewifs nicht den lateinischen Ausdruck Promotor gewählt haben; unter „Praeceptor und Promotor" versteht er offenbar seinen akademischen Lehrer und den, der ihm die Würde eines Baccalaureus zu Rostock ertheilt hatte. Diese Würde besteht indefs nicht blofs „in England," sondern wird auch jetzt noch auf deutschen Universitäten, z. B. in Leipzig, und nicht blofs in der theologischen Facultät, sondern auch in andern, namentlich der medicinischen, ertheilt. Aber die Würde eines *Baccalaureus artium*, als unterster Gradus, den die philosophische Facultät giebt, ist nur in England üblich. — Was den Anm. 7. besprochenen Ausdruck „Legist" betrifft, so bezeichnet er hier gewifs, wie auch Hr. *Str.* andeutet, ein geistliches Amt am Dom, wahrscheinlich den sonst oft vorkommenden „Lesemeister." Einen „Lehrer des kanonischen Rechts" konnte man wohl unmöglich einen Legisten nennen; denn, juridisch genommen, bezieht sich der Ausdruck nicht blofs „mehr auf das bürgerliche Recht," sondern einzig und allein darauf; Legisten und Decretisten (Lehrer des kanonischen Rechts) wurden ja bekanntlich genau unterschieden. —

Recht von Herzen stimmt Rec. übrigens dem Herausgeber bey, wenn derselbe in dem S. 44—47 befindlichen Schlufsworte sagt: „O, dafs die späten Enkel ihnen (den Begründern der Reformation) darin nacheiferten! — Gottes Wort lasset Richter seyn, das war die Losung, — eine christliche gewifs! So werde es wieder!" Mehr begehren ja Die nicht, die auf ein reines, durch Menschensatzungen nicht entstelltes Christenthum dringen, und sich nicht entschliessen können, die unveräusserlichen Rechte des Gewissens und das Ansehn der Bibel aufzugeben, um Lehr- oder gar Glaubensvorschriften in Symbolen zu finden, die selbst nach der Absicht ihrer Urheber nie zum Regulativ für *alle Zeiten* bestimmt waren, sondern erst durch eine spätere beschränktere Ansicht dazu erhoben werden sollten, — eine Ansicht, der gewissenhafte und wackere Lehrer des Christenthums, als einer freyen Religion des Geistes nie huldigen können.

Eine passende äussere Ausschmückung des interessanten Büchleins wäre vielleicht das Bildnifs des Stephan Kempe gewesen nach dem in Staphorst zu S. [illegible] mitgetheilten Kupferstich. Auch würden wir der vom M. *Joach. Westphal* verfafsten lateinischen Grabschrift, die auf die Namen Stephan (Kranz, Krone) und Kempe (Kämpfer) sehr sinnig anspielt, ein Plätzchen gegönnt haben. Sie steht bey Staphorst S. 68 und lautet:

Conditur hoc tumulo Stephanus cognomine Kempe
Convenit officio nomen utrumque suo.
Pro palma strenue certavit miles Iesu,
Fortiter asseruit dogmata sacra Dei.
A domino reddita (?) ei promissa corona,
Corpora cum surgent jam resonante tuba.

Für *reddita* (V. 5), das gegen das Metrum und den Sinn arg verstöfst, würden wir etwa *reddetur* gesetzt haben.

SCHÖNE KÜNSTE.

DRESDEN u. LEIPZIG, in d. Arnold. Buchh.: *Paul Jones*, ein Roman von *Allan Cunningham*. Aus dem Engl. übers. von *Wilh. Ad. Lindau*. 1827. *Erster* Theil. 291 S. *Zweyter* Theil. 246 S. 8.

Durch des genialen Amerikaners *Cooper Lootsen* ist die Aufmerksamkeit der Lesewelt auf den im nordamerikanischen Freyheitskriege berühmten schottischen Seehelden, *Paul Jones*, gelenkt worden, und wohl Mancher hat gewünscht, von den weitern Schicksalen desselben in romantischer Darstellung Kunde zu bekommen. Dafs sein Leben zu einer solchen Darstellung Stoff darbieten würde, konnte schon aus dem Wenigen, was historisch davon ist, abgenommen werden. Der auch in Deutschland schon rühmlich bekannte *Cunningham* hat diefs in dem vorliegenden Romane versucht, und unstreitig werden den *zwey* Theilen, aus welchen derselbe jetzt besteht, noch andere folgen: denn die Lebensgeschichte des merkwürdigen Mannes ist bey dem Zeitpunkte abgebrochen, wo sie welthistorisches Interesse gewinnt. *John Paul* der Sohn eines Landmanns an der Küste des Solway in Schottland, mit einem edeln und nach Freyheit und Ehre dürstenden Gemüthe begabt, wird durch mannigfache Ungerechtigkeiten, die ein schottischer Edelmann, mit dem er erzogen ist, gegen ihn verübt, bewogen, sein Vaterland mit Gefühlen der Rache zu verlassen und dem sich aus Englands Fesseln losringenden Amerika Geist und Arm zu weihen. Das ist der Kern der hier erzählten Geschichte, die nur einen kurzen Zeitabschnitt begreift. Der Ton derselben und die Art der Darstellung sind ganz, wie man es an Englischen Romanen älterer und neuerer Zeit gewohnt ist. Vorzüge und Mängel gleichen denen auf ein Haar, die an *Walter Scott*, *Cooper* und *Washington Irwing* bemerkt worden sind. Eine tiefe, anziehende Charakterschilderung, treue Sitten- und Landschaftsgemälde, aber dabey zuweilen langweilige Breite und unerfreuliche Geschwätzigkeit. So ist gar zu sehr gedehnt alles, was zur Zeichnung der frommen Anhänger des Covenant gehört, und mitunter sind die Züge etwas sehr ins Karrikaturmäfsige spielend. Die Uebersetzung ist, wie sich von dem sprachgewandten *Lindau* erwarten liefs, sehr gelungen.

ALLGEMEINE LITERATUR - ZEITUNG

September 1828.

LITERARISCHE NACHRICHTEN.

Universitäten.

Berlin.

Verzeichniss der Vorlesungen, welche von der Friedrich - Wilhelms - Universität daselbst im Winterhalbenjahre 1828—1829 vom 20. Octbr. an gehalten werden.

Gottesgelahrtheit.

Die *Grundsätze der Auslegungskunst* und *der Kritik* trägt Hr. Prof. Dr. *Schleiermacher* in fünf wöchentlichen Stunden vor.

Die *Einleitung ins A. T.* trägt in vier wöchentl. Stunden vor Hr. Prof. Lic. *Hengstenberg*.

Die *historisch - kritische Einleitung ins N. T.* fünfmal die Woche Hr. Prof. Lic. *Bleek*.

Die *Einleitung ins N. T.* viermal die Woche Hr. Lic. *Rheinwald*.

Die *Genesis* erklärt an vier Tagen wöchentl. Hr. Prof. Lic. *Bleek*.

Ausgewählte Stücke der Genesis erklärt Hr. Prof. Dr. *Bellermann* Mittw. und Sonnab.

Die *Psalmen* erklärt viermal wöchentl. Hr. Prof. Lic. *Hengstenberg*.

Die *Weissagungen des Jesaias* erklärt viermal wöchentl. Hr. Lic. *Uhlemann*.

Die *drey ersten Evangelien* nach de Wette's u. Lücke's Synopsis erklärt täglich Hr. Lic. *v. Gerlach*.

Die *Briefe an die Korinther* wöchentl. viermal Hr. Prof. Lic. *Bleek*.

Die *Pastoralbriefe* in zwey wöchentl. Stunden Hr. Lic. *Rheinwald* unentgeldlich.

Den *Brief an die Hebräer* und *die katholischen Briefe* fünfmal wöchentl., Mont., Dienst., Donnerst. und Freyt. von 11—12 Uhr, und Mittw. von 12—1 Uhr Hr. Prof. Dr. *Neander*.

Eine *Uebersicht der ganzen Kirchengeschichte* giebt in fünf wöchentl. Stunden Hr. Lic. *Rheinwald*.

Die *Reformationsgeschichte* und die *neuere Kirchengeschichte nach der Reformation* trägt Hr. Prof. Dr. *Neander* in vier wöchentl. Stunden Mont., Dienst., Donnerst. u. Freyt. öffentl. vor.

Die *neuere Kirchengeschichte* von der Mitte des 17ten Jahrhunderts an erzählt in drey Stunden wöchentl. unentgeltlich Hr. Lic. *v. Gerlach*.

Die *Dogmengeschichte* trägt die Woche fünfmal vor Hr. Prof. Dr. *Neander*.

Die *theologische Moral* fünfmal die Woche Hr. Prof. Dr. *Marheinecke*.

Die *christliche Sittenlehre* in fünf wöchentl. Stunden Hr. Prof. Dr. *Schleiermacher*.

Ueber die *Bedeutung der neuern Philosophie in der Theologie* wird Hr. Prof. Dr. *Marheinecke* wöchentlich zweymal öffentl. Vorträge halten.

Die *Homiletik* trägt viermal wöchentlich vor Hr. Prof. Dr. *Strauss*.

Die *Liturgik* Mittw. öffentlich *Derselbe*.

Die *homiletischen Uebungen* setzt *Derselbe* Mont. und Dienst. öffentl. fort.

Rechtsgelahrtheit.

Encyclopädie des positiven Rechts lehrt nach Schmalz fünfmal wöchentl. Hr. Prof. *Biener*.

Naturrecht viermal wöchentl. Hr. Prof. *Schmalz*.

Naturrecht oder *Rechtsphilosophie*, in Verbindung mit *Universalrechtsgeschichte*, Hr. Prof. *Gans* fünfmal wöchentl.

Die *äussere Rechtsgeschichte* nach seiner hist. - dogmatischen Darstellung Hr. Dr. *Moosdorfer - Rossberger*.

Geschichte des röm. Rechts nach Klenze's Grundriss fünf - bis sechsmal wöchentl. Hr. Dr. *Böcking*.

Das *zwanzigste Buch der Pandecten* erklärt Hr. Prof. *Bethmann - Hollweg* Mittw.

Institutionen und *Antiquitäten des röm. Rechts* trägt Hr. Prof. *Klenze* viermal wöchentl. vor.

Institutionen des röm. Rechts fünfmal Hr. Prof. *Gans*.

Exegetisch wird Hr. Dr. *Böcking* die *Institutionen Justinian's* u. *Gajus* nach seiner und Klenze's synoptischer Ausgabe (Berl. 1828.) erklären fünfmal wöchentl.

Pandecten lehrt Hr. Prof. *v. Savigny* fünfmal wöchentl.

Ein *Repetitorium über die Pandecten* nach seinem System des Civilrechts giebt viermal wöchentl. Hr. Dr. *Moosdorfer - Rossberger*.

Das *Erbrecht* lehrt nach seinem System des Civilrechts mit Hinweisung auf Mackeldey's Lehrbuch viermal wöchentl. *Derselbe*.

Das *Erbrecht* nach seinem Grundrisse Hr. Dr. *Rudorff* fünfmal wöchentl.

Das *gemeine* und *Preuss. Erbrecht* Hr. Dr. *Steltzer*.

Das *Actionenrecht* Mittw. Hr. Dr. *Rudorff*.

Katholisches und *protestantisches Kirchenrecht* fünfmal wöchentl. Hr. Dr. *Laspeyres*.

Kanonisches Recht mit Berücksichtigung des Preuss. Kirchenrechts nach Schmalz viermal Hr. Dr. *Moosdorfer - Rossberger*.

Kanonisches Recht nach Wiese Hr. Dr. *Steltzer*.
Dasselbe fünfmal Hr. Dr. *Pütter*.
Die *Verfassung der katholischen Kirche in den Preuss. Staaten* lehrt Hr. Dr. *Laspeyres* Mittw. u. Sonnab.
Ueber die *Quellen und Hülfsmittel der deutschen Staats- und Rechtsgeschichte* liest Hr. Prof. *v. Lancizolle*.
Deutsche Staats- und Rechtsgeschichte lehrt sechsmal wöchentl. *Derselbe*.
Deutsche Reichs- u. Rechtsgeschichte viermal wöchentl. Hr. Prof. *Phillips*.
Deutsches Staatsrecht Hr. Prof. *Schmalz* fünfmal wöchentl. öffentlich.
Deutsches Staatsrecht mit besonderer Rücksicht auf Preussen fünfmal Hr. Prof. *v. Lancizolle*.
Deutsches Privatrecht mit Einschluss des Lehn- Handels- und Seerechts sechsmal Hr. Prof. *Schmalz*.
Dasselbe viermal wöchentlich von 9—11 und einmal (Mittw.) von 9—10 Uhr Hr. Prof. *Phillips*.
Das *Seerecht* öffentl. Hr. Prof. *Homeyer* Mittw. u. Sonnab.
Forst- und Jagdrecht viermal Hr. Dr. *Laspeyres*.
Das *Lehnrecht* Hr. Prof. *Sprickmann*.
Dasselbe Hr. Dr. *Laspeyres* nach Pätz.
Einzelne wichtige Stücke des *deutschen Privatrechts* lehrt einmal wöchentl. Hr. Dr. *Pütter*.
Die *Geschichte des Criminalrechts* trägt öffentl. Hr. Prof. *Klenze* Sonnab. vor.
Geschichte des gemeinen und *Preuss. Criminalrechts* Hr. Dr. *Steltzer*.
Ueber *merkwürdige Criminalfälle* mit besonderer Rücksicht auf die Theorie des Processes liest Hr. Prof. *Jarcke* Sonnab.
Ueber die *Engl. Geschwornengerichte* Hr. Prof. *Phillips* Mittw.
Das *Criminalrecht* und den *Criminalprocess* lehrt nach Feuerbach Hr. Prof. *Biener* fünfmal.
Das *gemeine Deutsche* und *Preuss. Criminalrecht und Criminalprocess* Hr. Prof. *Jarcke*.
Gemeinen und *Preuss. Civilprocess* Hr. Prof. *Bethmann-Hollweg*.
Denselben Hr. Prof. *Schmalz* viermal.
Denselben Hr. Dr. *Moosdorfer-Rossberger* viermal.
Denselben mit *praktischen Uebungen* privatissime einmal wöchentl. Freyt.
Die *Geschichte des röm. Civilprocesses* wird unentgeltlich in lateinischer Sprache zweymal wöchentlich vortragen Hr. Dr. *Pütter*.
Das *Preuss. Landrecht* lehrt Hr. Prof. *Homeyer* täglich.
Dasselbe Hr. Prof. *v. Reibnitz* Mont. und Freyt.
Dasselbe Hr. Prof. *Jarcke*.
Den *Preuss. Civilprocess* in Vergleichung mit dem gemeinen und französischen Hr. Prof. *v. Reibnitz* Mont. und Freyt.
Den *Preuss. Civilprocess* fünfmal Hr. Prof. *Jarcke*.
Ueber die *neueste Geschichte* seit dem Jahre 1814 mit besonderer Rücksicht auf öffentliches Recht liest Hr. Prof. *Gans* Mittw.
Zu *Repetitorien* und *Examinatorien* sowohl über die ganze Rechtsgelehrtheit als über einzelne Theile derselben, in deutscher oder lateinischer Sprache, erbieten sich Hr. Dr. *Moosdorfer-Rossberger* und Hr. Dr. *Pütter*.

Heilkunde.

Die *Anatomie* lehrt Hr. Prof. *Rudolphi* täglich.
Die *Osteologie* Hr. Prof. *Knape* Mont., Dienst, Donnerst. u. Freyt.
Die *Syndesmologie*, *Derselbe* Donnerst. u. Freyt. öffentl.
Die *Splanchnologie*, *Derselbe* Mont., Dienst., Donnerst. u. Freyt.
Die *Anatomie der Sinneswerkzeuge* und nach deren Beendigung die *Naturgeschichte der Eingeweidewürmer* Hr. Prof. *Rudolphi* Mittw. u. Sonnab. öffentl.
Die *praktischen anatomischen Uebungen* leiten die Hnn. Proff. *Knape* und *Rudolphi* gemeinschaftlich.
Ein *Repetitorium* über die *Anatomie* hält Hr. Dr. *Schlemm* Mont., Dienst., Donnerst. u. Freyt.
Eine *Einleitung in die Pflanzen-Physiologie* giebt Hr. Prof. *Horkel* Mittw. u. Sonnab. öffentl.
Die *allgemeine Physiologie* lehrt *Derselbe* Mont., Dienst., Donnerst. u. Freyt.
Die *allgemeine* und *besondere Physiologie* Hr. Dr. *Eck* sechsmal wöchentl.
Eine *Einleitung in das anatomisch-physiologische Studium der wirbellosen Thiere* giebt Hr. Prof. *Ehrenberg* zweymal die Woche öffentl.
Die *Pathologie* lehrt Hr. Prof. *Hufeland* d. j. Mont., Dienst., Donnerst. u. Freyt.
Die *allgemeine Pathologie* Hr. Prof. *Bartels* nach eigenem Lehrbuche Mont., Dienst., Donnerst. und Sonnab.
Dieselbe Hr. Prof. *Hecker* Mont., Dienst. u. Donnerst.
Die *specielle Pathologie*, *Derselbe* wöchentl. sechsmal.
Dieselbe Hr. Prof. *Reich* sechsmal wöchentl.
Die *pathologische Anatomie* Hr. Prof. *Rudolphi* Mont., Dienst., Donnerst. u. Freyt.
Die *Semiotik* Hr. Prof. *Hufeland d. j.* Mittw. u. Sonnab. öffentl.
Die *Pharmakologie* Hr. Prof. *Link* sechsmal wöchentl.
Die *Arzneymittellehre* Hr. Prof. *Osann* sechsmal wöchentlich.
Die *praktische Arzneymittellehre* Hr. Dr. *Sundelin* Mont., Dienst., Donnerst. u. Freyt.
Ueber *Arzney-* und *Giftpflanzen* wird Hr. Prof. *Schultz* lesen und zur Erläuterung Pflanzen aus dem Herbarium vorzeigen Mittw. u. Sonnab. öffentl.
Demonstrationen über *medicinische Botanik* und *Zoologie* durch Vorzeigung der nöthigen rohen Arzneymittel und Abbildungen erläutert hält Hr. Dr. *Brandt* viermal wöchentl.
Ueber die *Heilquellen Deutschlands* liest Hr. Prof. *Osann* Mittw. u. Sonnab. öffentl.
Das *Formulare* lehrt Hr. Prof. *Casper* Mont. u. Donnerst. Die zu diesen Vorlesungen gehörigen Repetitorien über *Materia medica* und pharmaceutischen Uebungen werden in besonderen Stunden, wie bisher, gehalten werden.
Die *allgemeine Therapie* lehrt Hr. Dr. *Oppert* Mont., Mittw. u. Sonnab.
Die *Pathologie* so wie die *allgemeine* und *specielle Therapie der Geisteskrankheiten* Hr. Prof. *Horn* Mittw. u. Sonnab. öffentl.

Die

Die *ſpecielle Pathologie* und *Therapie* Hr. Prof. *Bartels* fünfmal wöchentl.

Dieſelbe Hr. Prof. *Wagner* ſechsmal wöchentl.

Die *ſpecielle Therapie der hitzigen* und *chroniſchen Krankheiten* Hr. Prof. *Horn* Mont., Dienst., Donnerst. u. Freyt.

Die *noſologiſche beſondere Therapie* trägt nach eigenen Heften mit vorausgehender Auseinanderſetzung der allgemeinen Grundſätze des Heilverfahrens Hr. Prof. *Wolfart* Dienst., Mittw., Freyt. u. Sonnab. vor.

Den *zweyten* Theil der *ſpeciellen Therapie* Hr. Prof. *Hufeland d. j.* ſechsmal wöchentl.

Eine *Fortſetzung ſeiner Vorleſungen über ſpecielle Therapie* giebt Hr. Prof. *Hufeland d. ä.* zweymal wöchentl. öffentlich.

Die *Lehre von den Krankheiten des innern Menſchen, oder der Seele und des Geiſtes*, Hr. Prof. *Kranichfeld* Mont., Mittw. u. Freyt.

Ueber die *anſteckenden Krankheiten* lieſt Hr. Prof. *Reich* Sonnab. öffentl.

Die *Pathologie* und *Therapie der Krankheiten mit materieller Grundlage* trägt Hr. Dr. *Sundelin* Mittw. und Sonnab. unentgeltlich vor.

Dieſelbe Hr. Dr. *Oppert* Dienst. u. Freyt. unentgeldl.

Die *Lehre von den Kinderkrankheiten* Hr. Prof. *Casper* Mont. u. Sonnab. öffentl.

Die *Lehre von den Frauen- u. Kinderkrankheiten* Hr. Dr. *Friedländer* Dienst. u. Freyt.

Die *Lehre von den Augenkrankheiten* wird Hr. Prof. *Ruſt* Donnerst. öffentl. vortragen, und zugleich an Leichnamen zeigen, wie die Augenoperationen verrichtet werden müſſen.

Die *Lehre von den Augenkrankheiten* trägt Hr. Prof. *Jüngken* fünfmal wöchentl. öffentlich vor.

Die *Anatomie, Phyſiologie, Pathologie* und *Therapie des menſchlichen Auges*, in Verbindung mit den an demſelben vorkommenden chirurgiſchen Operationen, Hr. Prof. *Kranichfeld*.

Ausgewählte Haupttheile aus der praktiſchen Heilkunde trägt Hr. Prof. *Wolfart* Mont. u. Donnerst. öffentlich vor.

Die *allgemeine* und *ſpecielle Chirurgie* lehrt Hr. Prof. *Ruſt* ſechsmal wöchentl. und wird zugleich die *Lehre von den ſyphilitiſchen Krankheiten* abhandeln.

Die *allgemeine Chirurgie* lehrt Hr. Prof. *Kluge* Donnerst. und Freyt.

Die *Akiurgie* oder die Lehre von den geſammten chirurgiſchen Operationen trägt Hr. Prof. *von Gräfe* Mont., Dienst., Donnerst. u. Freyt. vor.

Dieſelbe Hr. Prof. *Jüngken* fünfmal wöchentl. Die Demonſtrationen und Uebungen an Leichnamen werden in beſondern Stunden angeſtellt.

Ueber *Knochenbrüche* und *Verrenkungen* lieſt Hr. Prof. *Kluge* Dienst.

Die *geſammte Zahnheilkunde* lehrt Hr. Dr. *Heſſe* Donnerst. u. Freyt.

Die *Anfangsgründe der Entbindungskunde* trägt Hr. Prof. *Kluge* Mittw. u. Sonnab. öffentl. vor.

Derſelbe lieſt über *theoretiſche* und *praktiſche Entbindungskunde* Mont. Die zu dieſen Vorträgen gehörenden Nachweiſungen und Uebungen werden in beſonderen Stunden wöchentl. zweymal ſtatt finden.

Die *theoret.* und *prakt. Entbindungskunde* lehrt Hr. Dr. *Friedländer* Mont., Mittw. u. Sonnab.

Dieſelbe Hr. Dr. *von Siebold* viermal wöchentl. unentgeltlich.

Derſelbe wird ein *Examinatorium über praktiſche Geburtshülfe*, verbunden mit Uebungen am Fantom, nach ſeinem Handbuche (Anleitung zum geburtshülfl. technischen Verfahren am Fantom) dreymal wöchentl. halten.

Die *ſtationäre ärztliche Klinik* leitet Hr. Prof. *Bartels* täglich.

Die *kliniſchen Uebungen im königl. poliklin. Inſtitut* leitet Hr. Prof. *Hufeland d. ä.* in Verbindung mit Hrn. Prof. *Oſann* und Hrn. Dr. *Buſſe*.

Die *mediciniſch-praktiſchen Uebungen* für ſeine Zuhörer wird Hr. Prof. *Wolfart* in der bisherigen Weiſe fortſetzen.

Die *Klinik der Chirurgie* und *Augenheilkunde* im chirurgiſchen und ophthalmiatriſchen Inſtitut der Univerſität leitet Hr. Prof. *v. Gräfe* Mont., Dienst., Donnerst. u. Freyt.

Die *praktiſchen Uebungen am Krankenbette* in der chirurgiſchen Klinik im Charité-Krankenhauſe leitet Hr. Prof. *Ruſt* Dienst., Mittw., Freyt. u. Sonnab.

Die *praktiſchen Uebungen am Krankenbette* im Clinicum für Augenkranke des Charité-Krankenhauſes leitet Hr. Prof. *Jüngken* fünfmal wöchentl.

Ueber die *veneriſchen Krankheiten* wird Hr. Prof. *Kluge* im Charité-Krankenhauſe Mittw. u. Sonnab. *kliniſchen Unterricht* ertheilen.

Geburtshülfliche Klinik Hr. Dr. *Friedländer* Mittw., Donnerst. u. Sonnab.

Die *gerichtliche Anthropologie* lehrt Hr. Prof. *Knape* Mont., Dienst., Donnerst. u. Freyt.

Die *gerichtliche Medicin* mit *praktiſchen Uebungen* in der *Abfaſſung von Befundſcheinen, Gutachten* u. ſ. w., Hr. Prof. *Casper* Dienst., Mitt. u. Freyt.

Dieſelbe Hr. Dr. *Barez* Mont., Dienst., Donnerst. und Freyt.

Die *mediciniſche Polizey* Hr. Prof. *Wagner* Mittw. und Sonnab. öffentl.

Die *Erklärung der Aphorismen des Hippokrates* wird Hr. Prof. *Bartels* Mittw. öffentl. fortſetzen.

Die *wichtigſten mediciniſchen Syſteme alter und neuer Zeit* wird Hr. Prof. *Hecker* in zwey Stunden öffentlich abhandeln.

Die *philoſophiſche Geſchichte der Medicin und Pſychiatrie* von Paracelſus bis auf die gegenwärtige Zeit, nächſt einer *Einleitung in das Weſen und Studium der pſychiſchen Heilkunſt*, trägt Hr. Dr. *Damerow* Mittw. u. Sonnab. unentgeldlich vor.

Unterricht in den Augenoperationen ſo wie *in den einzelnen Theilen der Medicin und Chirurgie* giebt Hr. Prof. *Jüngken* privatiſſime.

Unterricht in chirurgiſchen Operationen am Leichnam ertheilt Hr. Dr. *Schlemm* privatiſſime.

Unterricht in der chirurgiſchen Verbandlehre giebt Hr Dr. *v. Siebold*.

Zu *Repetitorien* über *alle Theile der Medicin* ist Hr. Dr. *Sundelin* erbötig.

Die *Thierheilkunde für Kameralisten* und *Oekonomen* lehrt Hr. Dr. *Reckleben* Mittw., Freyt. u. Sonnab.

Die *Lehre von den Seuchen sämmtl. Hausthiere* in Verbindung mit *gerichtlicher Thierheilkunde* trägt *Derselbe* wöchentl. dreymal vor.

Philosophische Wissenschaften.

Eine *allgemeine Einleitung* in das *Studium der Philosophie* wird Hr. Dr. *Beneke* während der drey ersten Wochen des Semesters Mont., Dienst., Donnerst. u. Freyt. unentgeldlich geben.

Die *Grundlegung zur Philosophie* oder die Theorie der gesammten Erkenntniss mit Inbegriff der *Logik* wird Hr. Dr. *Schopenhauer* lehren Mont., Donnerst. und Freyt.

Logik Hr. Prof. *H. Ritter* nach Anleitung seines Abrisses fünfmal wöchentl.

Logik als Kunstlehre des Denkens Hr. Dr. *Beneke* viermal wöchentl.

Logik und *Metaphysik* Hr. Prof. *v. Henning* fünfmal wöchentl.

Logik und *Metaphysik* Hr. Dr. *Michelet* viermal wöchentl.

Logik und *Psychologie* Hr. Dr. *v. Keyserlingk* sechsmal wöchentlich.

Psychologie in Verbindung mit einer Uebersicht der *Lehre von den Seelenkrankheiten* Hr. Dr. *Beneke* fünfmal wöchentl.

Ueber *Gott* und *Welt* wird Hr. Prof. *H. Ritter* Mont. u. Donnerst. öffentlich lesen.

Aesthetik oder Philosophie der Kunst wird Hr. Prof. *Hegel* fünfmal wöchentl. vortragen.

Aesthetik oder allgemeine Kunstlehre Hr. Prof. *Tölken* viermal wöchentl.

Die *Philosophie der Weltgeschichte* Hr. Prof. *Hegel* viermal wöchentl.

Die *Geschichte der alten Philosophie* Hr. Dr. *Rötscher* viermal wöchentl.

Den *letzten* Theil der *Geschichte der Philosophie* oder die *Geschichte der christlichen Philosophie* Hr. Prof. *H. Ritter* fünfmal wöchentl.

Die *Geschichte der neuesten Systeme der Philosophie seit Kant* Hr. Dr. *Michelet* Mittw. u. Sonnab. unentgeldl.

Mathematische Wissenschaften.

Eine *Einleitung* in die *Algebra* und *Analysis* wird Hr. Prof. *Ohm* nach seinem Lehrbuche der niedern Analysis (neue Ausg. Berl. 1826. Theil I.) Freyt. öffentl. vortragen.

Die *Analysis des Endlichen* und die *ebene Trigonometrie* Hr. Prof. *Ideler* fünfmal wöchentl.

Die *Lehre von den Kegelschnitten*, *Derselbe* viertägig.

Die *Theorie der Kegelschnitte* Hr. Prof. *Grüson* Dienst. u. Freyt. öffentlich.

Die *analytische Curvenlehre*, insbesondere die *Theorie der Kegelschnitte*, Hr. Prof. *Ohm* nach seinem Lehrbuche (die analytische Geometrie in ihren Elementen) Mont., Dienst. u. Donnerst.

Differential-Rechnung Dr. Prof. *Dirksen* dreymal wöchentl.

Differential- und *Integral-Rechnung* Hr. Prof. *Ohm* viermal wöchentl.

Anwendung der Integral-Rechnung auf die Geometrie Hr. Prof. *Dirksen* Sonnab. öffentl.

Analytische Dynamik, *Derselbe* dreymal wöchentl.

Höhere Geodäsie nebst Geschichte der vorzüglichsten Gradmessungen, von Eratosthenes bis auf unsere Zeiten, Hr. Prof. *Oltmanns* Dienst. u. Donerst.

Theoretische Astronomie Hr. Dr. *Encke*, Mitgl. d. Akad. der Wissensch., Dienst. u. Freyt.

Die *Phänomena des Aratus*, in Verbindung mit astrognostischen Uebungen auf der königl. Sternwarte, Hr. Prof. *Ideler* Dienst. u. Freyt. öffentl.

Kosmographie Hr. Prof. *Oltmanns* Dienst. u. Donnerst.

Naturwissenschaften.

Die *Encyclopädie der gesammten Naturwissenschaften* Hr. Prof. *Schultz* fünfmal wöchentl.

Allgemeine Naturlehre wird Hr. Prof. *Erman* Mont., Mittw. u. Freyt. vortragen.

Experimentalphysik, durch Experimente erläutert, Hr. Prof. *Hermbstädt* (nach Fischers Handb. d. mechan. Naturlehre) fünfmal wöchentl.

Dieselbe Hr. Prof. *Turte* Dienst. u. Donnerst.

Die *Lehre* von der *Electricität*, vom *Magnetismus* und vom *Lichte*, Hr. Prof. *Fischer* Mittw. u. Sonnab.

Die *Lehre* vom *Magnetismus* und der *Electricität* Hr. Prof. *Erman* Dienst., Donnerst. u. Freyt.

Allgemeine theoretische und *experimentelle Chemie*, durch *Experimente* erläutert, Hr. Prof. *Hermbstädt* (nach Berzelius), Mont., Dienst., Mittw., Donnerst., Freyt. von 9—10, und Sonnab. von 3—4 Uhr.

Theoretische Chemie in besonderer Beziehung auf *Technologie* nach seinem Lehrbuche Hr. Prof. *Schubarth* sechsmal die Woche.

Ein *Examinatorium* über *Chemie* hält *Derselbe* Mittw., Donnerst. u. Freyt.

Experimentalchemie mit *erläuternden Versuchen* Hr. Prof. *Mitscherlich* (nach Berzelius Lehrb. d. Chemie, übersetzt von *Wöhler*) fünfmal wöchentl.

Zoochemie, *Derselbe* Sonnab. öffentlich.

Theoretische und *praktische Pharmacie*, oder Lehre von der Kenntniss und Zubereitung der chemischen Arzneymittel, Hr. Prof. *Hermbstädt* (nach der *Pharmacopoea Borussica* und Geiger's Handb. d. Pharmacie), durch Versuche erläutert, fünfmal wöchentl.

Ueber die *pharmaceutisch - chemischen Operationen* *Derselbe* Sonnab. öffentl.

Ueber die *Auffindung der Gifte*, besonders der *unorganischen*, bey *Vergiftungen*, Hr. Prof. *H. Rose* Sonnab. öffentl.

Chemisch-analytische Uebungen wird *Derselbe* täglich halten.

Ein *Examinatorium über analytische Chemie*, *Derselbe* Mont. u. Mittw.

Ueber die *Anwendung der Mineralien* in der *Technologie* und *Pharmacie* wird Hr. Prof. *G. Rose* Dienst. u. Donnerst. öffentl. lesen.

Eine

Eine *Einleitung* in die *allgemeine Naturgeschichte* und *Biologie* wird Hr. Dr. *Brandt* zweymal wöchentlich unentgeldlich vortragen.

Allgemeine Naturgeschichte in Verbindung mit speciellen und häufigen Demonstrationen, *Derselbe* wöchentlich fünfmal.

Mineralogie wird Hr. Prof. *Weiss* sechsmal wöchentlich vortragen.

Krystallographie, *Derselbe* viermal wöchentl.

Von den *Gesetzen der beschreibenden Botanik* wird Hr. Prof. *Hayne* Sonnab. öffentl. handeln.

Die *Physiologie der Gewächse*, vorzüglich der *Bäume* und *Sträucher*, in Verbindung mit Terminologie, wird *Derselbe* Mont., Dienst. u. Freyt. lehren.

Ueber die *kryptogamischen Gewächse* wird Hr. Prof. *v. Schlechtendal* Mittw. öffentlich lesen.

Ueber *Nahrungs*-, *Arzney*- und *Giftpflanzen* nach natürlichen Familien, *Derselbe* viermal wöchentl.

Praktische Uebungen zur Erkennung der officinellen giftigen und *Nahrungspflanzen* wird *Derselbe* viermal wöchentl. anstellen.

Allgemeine Zoologie wird Hr. Prof. *Lichtenstein* sechsmal wöchentl. lehren.

Ornithologie Hr. Dr. *Wiegmann* Mont., Dienst., Donnerst., Freyt. u. Sonnab.

Die *Naturgeschichte der Raubvögel* Hr. Prof. *Lichtenstein* Mont. u. Freyt. öffentl.

Entomologie Hr. Prof. *Klug* zweymal wöchentlich öffentlich.

Interpretation von *Aristoteles Thiergeschichte* nach der kleinen Bekker'schen Ausgabe derselben, trägt Hr. Dr. *Wiegmann* Mont. u. Donnerst. unentgeltlich vor.

Staats- und *Kameralwissenschaften*.

Staatsrecht und *Politik*, verbunden mit einer Darstellung der Verfassung und Verwaltung in den wichtigsten Staaten, wird Hr. Prof. *v. Raumer* viermal wöchentl. lehren.

Ueber die *Kameralwissenschaften* liest fünfmal wöchentl. Hr. Prof. *Schmalz*.

Politische Oekonomie oder *National*- und *Staatswirthschaft* Hr. Prof. *v. Henning* viermal wöchentl.

Finanzwissenschaft Hr. Prof. *Hoffmann* viermal wöchentlich.

Statistik der deutschen Staaten Hr. Dr. *Stein* Mittw. u. Sonnab.

Statistik des Preussischen Staats Hr. Prof. *Hoffmann* viermal wöchentl. öffentlich.

Kameral-, *ökonomische* und *Forstchemie*, oder die Chemie in Anwendung auf landwirthschaftliche, forstwirthschaftliche und technische Gewerbe, durch Experimente erläutert, Hr. Prof. *Hermbstädt* (nach seinen Grundsätzen der Kameralchemie) fünfmal wöchentl.

Encyclopädie der Forstwissenschaften Hr. Prof. *Pfeil* viermal wöchentl.

Darstellung der geschichtlichen Entwickelung der Forstwissenschaft, verbunden mit einer kritischen Uebersicht der forstwissenschaftlichen Literatur, *Derselbe* Mittw. u. Freyt.

Forsteinrichtung und *Schätzung* Hr. Prof. *Pfeil* Mont., Dienst. u. Donnerst.

Die *physischen Grundlehren der Forstwissenschaft* trägt Hr. Prof. *Turte* Dienst. von 10—11, u. Donnerst. von 10—12 Uhr vor.

Den *mineralischen Theil der Bodenkunde* für den *Forstmann* Hr. Prof. *Weiss* Mittw. u. Sonnab.

Zu einem *theoretisch-praktischen Examinatorium* über *Forstwissenschaften* erbietet sich Hr. Prof. *Pfeil* sechsmal wöchentl. privatissime.

Landwirthschaftslehren mit besonderer Berücksichtigung des Bedürfnisses der Kameralisten wird Hr. Prof. *Störig* Mont., Mittw. u. Sonnab. vortragen.

Landwirthschaftl. Vorbereitungslehre, *Derselbe* Dienst. u. Freyt. öffentlich.

Viehzucht, *Derselbe* Mont., Mittw. u. Sonnab.

Geschichte und *Geographie*.

Geschichte des Alterthums wird Hr. Dr. *E. A. Schmidt* viermal wöchentl. vortragen.

Geschichte des Mittelalters Hr. Prof. *Wilken* viermal wöchentl.

Neuere Geschichte seit dem 16ten Jahrhundert Hr. Prof. *v. Raumer* viertägig.

Die *Geschichte Kaiser Karls des Fünften* und der *Deutschen Reformation*, *Derselbe* Sonnab. öffentl.

Geschichte der neuesten Zeit, mit *besonderer Rücksicht auf öffentliches Recht*, Hr. Prof. *Gans* Mittw. öffentl.

Die *Geschichte* der *Entstehung des Preussischen Staats* und der *Ausbildung seiner Verfassung* Hr. Prof. *v. Henning* Mittw. öffentl.

Geschichte des Preussischen Staats seit dem Anfange des 17ten Jahrhunderts, mit besonderer Berücksichtigung jedoch der früheren Geschichte der Mark Brandenburg, Hr. Prof. *Stuhr* fünfmal wöchentl. öffentlich.

Geschichtliche Uebersicht der Ereignisse in Europa seit Ausbruch der französischen Staatsumwälzung bis auf den Congress zu Verona Hr. Dr. *v. Keyserlingk* fünfmal wöchentl.

Geschichte Portugals Hr. Dr. *E. A. Schmidt* einmal wöchentl. unentgeldlich.

Historisch-kritische Uebungen wird Hr. Prof. *Wilken* Mittw. anstellen.

Die *allgemeine Erdkunde* wird Hr. Prof. *C. Ritter* in fünf wöchentl. Stunden lehren.

Die *alte Geographie Italiens*, *Derselbe* Mittw. öffentl.

Beschreibung von Deutschland Hr. Prof. *Zeune* Mittw. u. Sonnab.

Hydrographie der westindischen Inseln und *Küstenländer* Hr. Prof. *Oltmanns* Sonnab. öffentl.

Kunstgeschichte.

Ueber die *Epochen der Künste bey den Alten* wird Hr. Prof. *Hirt* Mont. u. Freyt. öffentl. handeln.

Die *Geschichte der Baukunst bey den Aegyptern* und andern *orientalischen Völkern* wird *Derselbe* vortragen.

Die *Geschichte der griechischen* und *römischen Baukunst* von den ältesten Zeiten bis auf die Regierung Justinian's Hr. Prof. *Tölken*.

Einleitung in die *Gemmenkunde*, *Derselbe* Sonnab. öffentl.

Phi-

Philologische Wissenschaften.

Allgemeine Sprachengeschichte lehrt Hr. Prof. *Bopp* Mittw. u. Sonnab. öffentl.

Römische Geschichte und *Antiquitäten* Hr. Prof. *Zumpt* fünfmal wöchentl.

Römische Literaturgeschichte Hr. Prof. *Bernhardy* Mont., Dienst. u. Donnerst.

Die *Metrik der Griechen* und *Römer* Hr. Prof. *Böckh* viermal wöchentl.

Ueber *Catull* und die *lyrische Poesie der Römer überhaupt* mit *Erklärung auserlesener Gedichte Catull's* liest Hr. Dr. *Heyse* zweymal wöchentl. unentgeldl.

Horaz'ens lyrische Gedichte erklärt Hr. Prof. *Bernhardy* viertägig.

Einige Reden Cicero's Hr. Prof. *Zumpt* Sonnab. öffentl.

Lateinische Stilübungen hält Hr. Prof. *Lachmann* Mont., Mittw. u. Freyt.

Die *Geschichte der griechischen Poesie* wird Hr. Dr. *Röt-scher* Mittw. u. Sonnab. vortragen.

Pindar's Olympische und *Pythische Gesänge* erklärt Hr. Prof. *Böckh* fünfmal wöchentl.

Des *Sophocles Oedipus auf Colonos* Hr. Dr. *Lange* viermal wöchentl.

Den *Herodot* in Verbindung mit einer *Einleitung über den Ursprung und Fortgang der Geschichtschreibung bey den Griechen* Hr. Dr. *Heyse* viermal wöchentl.

Des *Aeschines Rede gegen den Ktesiphon* Hr. Prof. *Bekker* Mittw. u. Sonnab. öffentl.

Die *vornehmsten griechischen Grammatiker* wird *Derselbe* privatissime theils erklären, theils erklären lassen.

Die *hebräische Grammatik* mit Uebungen im Schreiben und Uebersetzen lehrt nach seiner Sprachlehre (Berl. 1827.) Hr. Lic. *Uhlemann* viermal wöchentl.

Die *Elemente der syrischen Sprache* lehrt zweymal die Woche Hr. Prof. Lic. *Hengstenberg* öffentl.

Die *Elemente der syrischen Sprache*, verbunden mit Uebungen im Uebersetzen nach seiner syrischen Sprachlehre (Berl. 1828.), lehrt in zwey wöchentlichen Stunden Hr. Lic. *Uhlemann* unentgeltlich.

Arabische Grammatik trägt Hr. Prof. *Bopp* vor (nach Th. Chr. Tychsen) Dienst., Donnerst. u. Freyt.

Erklärung auserlesener Episoden des Mahâ - Bhârata; Derselbe Mittw. u. Sonnab. öffentl.

Orientalische Mythologie Hr. Prof. *Stuhr* fünfmal wöchentlich.

Ueber *deutsche Grammatik* liest Hr. Prof. *Lachmann* Dienst. u. Donnerst. öffentl.

Allgemeine Literär - Geschichte Hr. Dr. *Hotho* viermal wöchentlich.

Geschichte der neuern Poesie trägt Hr. Prof. *F. W. V. Schmidt* fünfmal wöchentl. vor.

Ueber *Göthe als Dichter* und *seine poetischen Werke* Hr. Dr. *Hotho* Mont. unentgeltlich.

Altdeutsche und *altnordische Mythologie* Hr. Prof. *v. d. Hagen* zweymal wöchentl. öffentlich.

Erklärung der Edda - Lieder von den Nibelungen, Derselbe nach seiner Ausgabe derselben (Berlin 1812.) in vier Stunden wöchentl.

Nibelunge Not erklärt Hr. Prof. *Lachmann* nach der neuesten Ausgabe von 1826 mit vorausgehender Einleitung über die Geschichte des Gedichts und der Sage, fünfmal wöchentlich.

Literaturgeschichte des Mittelalters und der neueren Zeit trägt Hr. Prof. *v. d. Hagen* nach Wachler's Lehrbuch (Leipz. 1828.) viermal wöchentl. vor.

Racine's Trauerspiel Athalie erklärt Hr. Prof. *Schmidt* Mittw. öffentlich.

Hr. Lector *Franceson* wird in der unentgeltlichen Erklärung von *Dante's Divina Commedia* fortfahren zweymal wöchentlich.

Derselbe wird einen Cursus der *spanischen Sprache* eröffnen zweymal wöchentlich; ferner einen Cursus der *französischen Sprache* in eben so viel Stunden, beide nach seinen Grammatiken dieser Sprachen.

Hr. Lector Dr. *v. Seymour* wird unentgeldlich mit der Erklärung der *Klage* von *Young* fortfahren und von der englischen Aussprache handeln zweymal wöchentlich.

Derselbe erbietet sich zum *Privatunterricht* in der *englischen Sprache*.

Musik und *gymnastische Künste.*

Hr. Musikdirector *Klein* leitet den *akademischen Sänger - Chor* für *Kirchenmusik*, an welchem Studirende unentgeldlich Theil nehmen können.

Unterricht im *Fechten* und *Voltigiren* geben Hr. Fechtmeister *Felmy* und Hr. *Eiselen*, letzterer auch in den *allgemeinen Leibesübungen*, sowohl für *Geübtere* als für *Anfänger* in besondern Abtheilungen.

Unterricht im *Reiten* wird auf der Königl. Reitbahn ertheilt.

Oeffentliche gelehrte Anstalten.

Die *Königl. Bibliothek* ist zum Gebrauche der Studirenden täglich offen.

Die *Sternwarte*, der *botanische Garten*, das *anatomische*, *zootomische* und *zoologische Museum*, das *Mineralien - Kabinet*, die *Sammlung chirurgischer Instrumente* und *Bandagen*, die *Sammlung von Gypsabgüssen* und *Kunstwerken* u. s. w. werden bey den Vorlesungen benutzt, und können von Studirenden, die sich gehörigen Orts melden, besucht werden.

Die *exegetischen Uebungen des theologischen Seminars* leitet Hr. Prof. *Hengstenberg*, die *kirchen -* und *dogmengeschichtlichen* Hr. Prof. Dr. *Marheinecke* und Hr. Prof. Dr. *Neander*.

Im *philologischen Seminar* wird Hr. Prof. *Böckh* die Mitglieder den *Sophokles* erklären lassen und die übrigen Uebungen wie gewöhnlich leiten, Mittw. von 11 — 12, und Sonnab. von 10 — 12 Uhr.

Hr. Prof. *Bernhardy* wird die Mitglieder des philologischen Seminars Mittw. u. Freyt. *Cicero's Academica* erklären lassen.

LITE-

LITERARISCHE ANZEIGEN.

I. Neue periodische Schriften.

Neue medicinisch - chirurgische Zeitschrift.

Friedreich, J. B., und *A. R. Hesselbach, Bibliothek der deutschen Medicin und Chirurgie.* 1ster Jahrgang. 1828. in 6 Heften. gr. 8. Brosch.

Diese neue empfehlungswerthe Zeitschrift liefert Auszüge *aller* neu erscheinenden deutschen medicinisch-chirurgischen Werke nach einem vorgezeichneten Plane. In den ersten drey bereits erschienenen Heften findet man auf 46 enggedruckten Bogen die Auszüge aus 34 neuen Werken. Jedem Hefte ist ein *„Allgemeiner Anzeiger für Aerzte und Wundärzte"* beygegeben, welcher der gegenseitigen Mittheilung solcher Gegenstände, die dem Arzte und Wundarzte merkwürdig und wichtig sind, gewidmet ist und deshalb Nachrichten von Beobachtungen, Erfindungen, Verbesserungen, Berichtigungen, Einrichtungen, Errichtungen, Anstalten, Verordnungen, Preisfragen, Beförderungen, Belohnungen, Ehrenbezeigungen und Todesanzeigen, nebst Anerbietungen, Aufforderungen, Beantwortungen, Bitten und Erklärungen enthält.

Die Brauchbarkeit dieser Zeitschrift, welche vielen Aerzten eine grosse kostspielige Bibliothek ersetzen und eine genaue und vollständige Uebersicht der med. chir. Literatur liefern soll und wird, geht aus dem Gesagten hervor.

Der ganze Jahrgang von 6 Heften kostet 9 Fl. 54 Kr. Rhein. oder 5 Rthlr. 12 gGr. Sächs. In allen Buchhandlungen Deutschlands und der Schweiz sind die ersten Hefte zu erhalten und einzusehen. Das 4te Heft ist unter der Presse und erscheint zu Ende unterzeichneten Monats.

Würzburg, im August 1828.

Karl Strecker.

II. Ankündigungen neuer Bücher.

So eben ist neu erschienen und in allen Buchhandlungen zu haben:

Tommasini, J., Spatziergang durch *Kalabrien und Apulien*. 8. Konstanz, bey W. Wallis. 1828. 301 S. Auf feinem Velinpapier. Brosch. Preis 1 Rthlr. 8 gr. oder 2 Fl.

Viele Reisen sind in der neuern Zeit zur Erforschung unbekannter Gegenden in entfernten Welttheilen gemacht, darüber aber manche Gegenden Europas vernachlässigt, jedoch keine mehr als das einst so berühmte Kalabrien: die wenigen Reisenden, welche die Hauptpunkte dieses Landes flüchtig berührten, geben fast nur die Beschreibung der Alterthümer und zerstreute statistische Nachrichten. Der Verfasser des gegenwärtigen Werks, bekannt durch seine *Briefe aus Sicilien* (Berlin 1825), ist Kalabrien und Sicilien zu Fuss und allein durchreist, und in mannigfaltige Berührung mit den Einwohnern gekommen, wodurch es ihm möglich ward, ein lebendiges und treues Gemälde des Landes und der Sitten und Gebräuche seiner Bewohner aufzustellen, welches gewiss nicht bloss seiner Neuheit wegen mit Interesse wird gelesen werden.

Schulbücher.

Der erste Leseunterricht in einer naturgemässen Stufenfolge von *J. G. Gerbing*, Lehrer an der Bürgerschule zu Weimar. 8. Neustadt, bey Wagner. (Preis 3 gr. oder 15 Kr.)

Der Schulfreund, ein Lesebuch für acht- bis zehnjährige Kinder. Herausgegeben von *M. E. L. Schweitzer*, Bürgerschuldirector und Seminarinspector in Weimar. 8. Ebendas. (Preis 3 gr. oder 15 Kr.)

Vorgenannte beide Lesebücher wurden auf besondere Veranlassung des Grossherzogl. S. Ober-Consistoriums zu Weimar herausgegeben und sogleich zur Einführung in dortiger Bürgerschule bestimmt. Sie sind in jeder Buchhandlung zu haben.

Bey Wilhelm Engelmann in Leipzig ist erschienen:

Gedichte von *Karl Moriz von Kessel* 8. Preis 12 gr.

Bey Johann Wilhelm Heyer in Darmstadt ist erschienen und durch alle Buchhandlungen zu beziehen:

Bender, C., Franz von Sickingen vor Darmstadt; historisches Drama mit einem geschichtlichen Anhang 8. Geh. (In Comm.) à 12 gGr. oder 54 Kr.

Bender, Dr. *I. H.*, Grundsätze des deutschen Handlungsrechts; 2ter Band die Grundsätze des Wechselrechts enthaltend. 8. (Erscheint noch im laufenden Jahre.)

Hild, Friedrich, Aeltere Militairchronik des Grossherzogthums Hessen von 1567 bis 1790, mit dem Bildniss Landgraf Georg I. 8. (In Comm.)
Dasselbe Werk Velinpapier.

Lauteschläger, Dr. *G.*, die Einfälle der Normänner in Deutschland; eine historische Abhandlung. 4. à 9 gGr. oder 40 Kr.

— — Rechnungs-Aufgaben. Zum Gebrauche für Lehrer und Schüler, vorzüglich in Volksschulen. 1stes Bändchen. 8. à 9 gGr. oder 40 Kr.

Lennig, Franziska, die neue Levana oder Natur, Kunst und Schönheit; Erziehlehre in 2 Bänden. 8. 1 Rthlr. 12 gGr. oder 2 Fl. 45 Kr.

Lyn-

Lyncker, L., Anleitung zum Situationszeichnen, mit 15 Kupf. 4te Aufl. verb. von *Pabst.* 4. à 2 Rthlr. oder 3 Fl. 36 Kr. (Erscheint noch im laufenden Jahre.)

Regifter, alphabetifches, der von 1806 bis Ende 1827 in dem Grofsherzogthum Heffen erlaffenen Verordnungen; 2te Abtheilung: die Jahre 1824 bis 1827 und die Landtagsabfchiede von 1824 und 1827 umfaffend. gr. 4. (Erfcheint noch im laufenden Jahre.)

Schaffnit, G., geometrifche Conftructionslehre oder darftellende Geometrie (Géométrie defcriptive) mit 8 Kupfertafeln. 8. 1 Rthlr. oder 1 Fl. 48 Kr.

von Stark, A., Rink, Freyherr, Anleitung für die Grofsh. Heff. Bürgermeifter und Beygeordneten zur Verfehung ihres Dienftes. 4. 1 Rthlr. oder 1 Fl. 48 Kr.

Ueberficht der Gefchichte des Grofsherzogthums Heffen und bey Rhein in 6 fynchroniftifchen Tabellen in Median Format. 9 gGr. oder 40 Kr.

Bey W. Trinius in Stralfund ift fo eben erfchienen:

Gefchichte der Belagerung Stralfunds durch Wallenftein im Jahre 1628. Von Dr. *E. H. Zober.* Mit einem Plane der Stadt Stralfund und deren Umgebung zur Zeit der Wallenfteinfchen Belagerung. 4. Preis 2 Rthlr.

Von dem architectonifchen Werke des Conferenzrath und Ober-Baudirectors *Hanfen* in Copenhagen ift jetzt das *fünfte* Heft, die Schlofskirche dafelbft betreffend, erfchienen, und in Copenhagen in der Gyldendal'fchen Buchhandlung, und in Hamburg in der Buchhandlung der Herren Perthes u. Beffer zu bekommen. Zugleich erfolgt hierbey die Befchreibung der vier vorhergegangenen Hefte und ein Generalplan vom Rathhaufe, wobey zu bemerken, dafs von nun an regelmäfsig alle zwey Monat ein neues Heft erfcheinen wird. Von den bereits herausgekommenen Heften find auch noch einige Exemplare für den Subfcriptionspreis an benannten Orten zu erhalten.

III. Auctionen.

Bücher-Auction in Braunfchweig.

Den 16ten October d. J. und an den folgenden Tagen, foll die aus 2595 Bänden beftehende Bücherfammlung des verftorbenen Stadtdirectors *Wilmerding* hiefelbft, aus allen Theilen der Wiffenfchaften, befonders aber juriftifchen und hiftorifchen Inhalts, worunter viele *Brunfvicenfia*, Seltenheiten, Handfchriften, Landkarten, Pläne, Riffe u. f. w. öffentlich meiftbietend verkauft werden. Die Verzeichniffe find in allen Buchhandlungen, die fich deshalb an mich oder meinen Commiffionair Hn. *H. E. Graefe* in Leipzig wenden wollen, zu haben.

Braunfchweig, den 5. Auguft 1828.

Friedr. Vieweg.

IV. Herabgefetzte Bücher-Preife.

Die Klage mancher Pharmaceuten, dafs ihnen die Anfchaffung nützlicher chemifcher Schriften durch den Preis erfchwert wird, hat uns veranlafst:

Du Menil's chemifche Forfchungen im Gebiete der anorganifchen Natur, enthaltend über 50 intereffante Analyfen. gr. 8. (27½ Bogen) von 2 Rthlr. 6 gGr. auf 1 Rthlr. 6 gGr.

auf einige Zeit herabzufetzen, indem wir es für verdienftlich halten, diefes in *von Leonhardt* Oryktognofie in fo vielen Stellen, und in andern chemifchen Werken, als fo lehrreich gefchilderte, fchätzbare Buch durch diefes anfehnliche Opfer unter den beffern Theil des chemifch pharmaceutifchen Publicums zu verbreiten.

Helwing'fche Hofbuchhandlung.

V. Vermifchte Anzeigen.

Notiz

wegen Aufhören der Subfcription auf Tzfchirner's ausgewählte Predigten.

1817—1828. 3 Bde. 75—80 Bogen.

Dafs mit Ende des Septembers die Subfcriptionsliften auf diefes vortreffliche Werk gefchloffen werden, und der Subfcriptionspreis beym Erfcheinen im October aufhört, dagegen der Ladenpreis von 4 Rthlr. 16 gr. eintritt, verfehlen wir nicht hierdurch nochmals bekannt zu machen.

Leipzig, den 13. Auguft 1828.

J. C. Hinrichs'fche Buchhandlung.

Verkauf wohlfeiler Bücher.

Sechstes und fiebentes Verzeichnifs von gebundenen Büchern aus allen wiffenfchaftlichen Fächern, welche um beygefetzte höchft niedrige Preife zu haben find. à 2 Ggr.

Achtes und neuntes Verzeichnifs von gebundenen Büchern, als: Romanen, Erzählungen, Novellen, dramat. Werken, Reifen, Tafchenbüchern und vermifchten Schriften, welche um beygefetzte höchft billige Preife zu haben find. à 2 gGr.

Jede Buchhandlung wird Aufträge gern an mich befördern.

Dr. Vogler zu Halberftadt.

ALLGEMEINE LITERATUR-ZEITUNG

September 1828.

RECHTSGELAHRTHEIT.

Darmstadt, b. Leske: *Pragmatiſche Geſchichte der Verhandlungen der Landſtände des Groſsherzogthums Heſſen im Jahre 1827 über die proponirte neue Stadt- und Landgerichtsordnung und die damit in Verbindung ſtehenden weiteren Geſetze nach officiellen Quellen*, von Dr. G. *Weber*, Generaladvocat am Caſſationshof, Hofgerichtsrath in Darmſtadt, Mitglied der Geſetzgebungscommiſſion u. ſ. w. 1828. (18 gr.)

Der Wunſch, daſs die nämliche Rechtsverfaſſung und das nämliche Geſetz in allen Provinzen des Staats gelte, und ein neues feſtes Band der Bürger unter ſich begründe, keimt leicht begreiflich bey jedem Staatsbürger auf, der ſein Vaterland liebt; das Beſtehen eines Staats aus verſchiedenen Landestheilen, die zuvor anderen Herrſchern angehörten und durch politiſche Ereigniſſe erſt neu mit einem anderen Staate vereinigt wurden, iſt ein Hinderniſs dieſer Gleichheit der Geſetzgebung, jedoch leicht da zu beſeitigen, wo die neue hinzukommende Provinz ſchon bisher immer einem deutſchen Staate angehörte, und daher das bisherige Recht der Provinz im Weſentlichen auf den nämlichen Elementen und Inſtituten beruhte, die das gemeine deutſche Recht charakteriſiren. Die Einführung eines neuen Geſetzbuches in allen Provinzen hat dann keine Schwierigkeit, und es würde kleinlicher, von der Regierung mit Recht nicht zu beachtender Eigenſinn oder Unverſtand ſeyn, wenn die neue Provinz gegen die Einführung des neuen allgemeinen Geſetzes deswegen proteſtiren wollte, weil z. B. bisher der Appellationstermin in der Provinz 80 Tage betrug, und nach dem neuen Geſetze nur 10 Tage betragen ſollte, oder weil das neue Geſetz die Appellationen beſchränkt, oder die richterliche Proceſsdirection ausdehnt (ſogenannte Unterſuchungsmaxime einführt), während bisher die ſogenannte miſsverſtandene Verhandlungsmaxime die Langſamkeit der Proceſsführung ſicherte, und dadurch die Advocaten der Provinz bereicherte. Ein völlig anderes Verhältniſs tritt aber da ein, wo zu einem deutſchen Staate eine Provinz, die bisher mit Frankreich vereinigt war, gekommen iſt, und durch Einführung eines allgemeinen Geſetzbuches in allen Provinzen das bisher in der neu hinzugekommenen Provinz beobachtete franzöſiſche Recht abgeſchafft, dagegen aber eine durchaus neue Rechtsverfaſſung eingeführt werden ſoll. Preuſsen, Baiern, Heſſen ſind in dieſer Lage, und hier verdient die Frage: wie weit eine gerechte und weiſe Regierung bey Einführung eines allgemeinen Geſetzbuchs das bisherige Recht der rheiniſchen Provinzen fortbeſtehen laſſen ſoll, die gröſste Aufmerkſamkeit. — Geht man von einem höheren Standpunkte aus, und betrachtet man darnach die Geſetzgebung, wie ſie in den rheiniſchen Provinzen beſteht, als mehr den Forderungen anpaſſend, welche die Proceſspolitik an den Geſetzgeber macht; nimmt man an, daſs in dieſer Geſetzgebung ſchon alles realiſirt ſey, was in Bezug auf Oeffentlichkeit, Mündlichkeit und Collegialverfaſſung u. ſ. w. die neue Zeit ſo laut verlangt, ſo ſcheint freylich das Aufdringen der Geſetzgebung des Mutterlandes, mit dem die rheiniſche Provinz vereinigt wurde, eine Verurtheilung zum Rückſchritt zu ſeyn; die Unterthanen der Provinz aber könnten das neue Geſchenk, welches um einige Jahrzehende ſie zurückzuwerfen drohte, nicht mit Liebe, und die Regierung, welche die legislative Operation an ihnen machen wollte, nicht mit Vertrauen betrachten. Allein die Frage, ob die in der Provinz einzuführende Geſetzgebung beſſer iſt, als die bisherige rheiniſche oder franzöſiſche, iſt eben die ſchwierige, und billig frägt man, wer darüber entſcheiden ſoll? — Rec. gehört weder zu denjenigen, welche Alles, was die Regierung den Landſtänden vorlegt, ſchon deswegen für vortrefflich erkennt, weil es von der Regierung ausgeht, noch zu den Perſonen, welche die ſogenannte Volksſtimme für Gottesſtimme halten, und das, was angeblich die Stimme der Nation und die Forderung der Zeit ſeyn ſoll, ſchon deswegen als die trefflichſte Einrichtung erkennen. Leider wirken ſo häufig politiſche Rückſichten und Vorurtheile von beiden Seiten, und hindern das Erkennen der Wahrheit; es wird immer gewiſſe Perſonen geben, die bey der neuen Einrichtung etwas zu gewinnen oder zu verlieren haben, und daher nicht unparteyiſch ſeyn können; einzelne in Zeitungen oder Flugſchriften laut werdende Stimmen aus der Provinz, die das Glück des Volkes preiſen und verſichern, wie die Provinz mit Begeiſterung an ihren bisherigen Einrichtungen hange, ſind keine zuverläſſigen Zeugniſſe; nur zu oft ſind dieſe Verſicherungen bloſs die Stimmen derjenigen, welche bey der bisherigen Einrichtung ihrem Stande nach ſich ſehr gut befinden, und miſstrauiſch auf das Neue ſehen, z. B. Advocaten, Gerichtsvollzieher, Notarien; häufig beruht das Anpreiſen der bisherigen Einrichtung nur auf der Gewöhnung an das Alte, an deſſen Formen nun einmal die Juriſten eingeübt ſind, oder es iſt die Folge der Un-

Unkenntniſs, welche gegen die deutſchen Einrichtungen zu Felde zieht, weil ſie dieſelben nicht genauer kennt, ihre ehrwürdigen, durch ein paar Geſpräche oder Reiſen nicht ſo leicht aufzufaſſenden Grundlagen nicht zu würdigen verſteht, und von Richtertyranney, von Actenbergen, von Geheimniſskrämerey mit allen ihren Schreckniſſen ſchwatzt. — Rec. verhehlt ſeine Ueberzeugung nicht, daſs da, wo ein dem vorigen Jahrhunderte noch angehöriges, in dem Hauptſtaate geltendes Geſetzbuch in der rheiniſchen Provinz eingeführt werden ſollte, dieſs Aufdringen ihm für die Provinz kein glückliches Ereigniſs erſchiene, weil er überzeugt iſt, daſs ſeit zwanzig Jahren ſo viele Forderungen als unabweislich ſich aufgedrungen haben, ſo viele Elemente, worauf die Geſetzbücher des vorigen Jahrhunderts noch berechnet waren, weggefallen, und viele Bande gelöſet worden ſind, daſs das alte Geſetzbuch ſchwerlich den Vorzug vor den franzöſiſchen Einrichtungen behaupten zu wollen wagen kann. — Ein ganz anderes Verhältniſs geſtaltet ſich aber da, wo die Staatsregierung eine neue Geſetzgebung, die nach den Forderungen der Zeit gearbeitet iſt, ſo weit die Regierung ſie berückſichtigen zu müſſen für zweckmäſsig hielt, für den Mutterſtaat, wie für die rheiniſche Provinz gleichförmig einführen will. Ein nahe liegendes Beyſpiel bietet das Königreich Baiern. Der neue, den Ständen 1827 vorgelegte Entwurf iſt ſo berechnet, daſs er den Forderungen der Zeit entſprechen ſoll; (ob freylich nicht eine gewiſſe Halbheit, die alles, auch Heterogenes, vereinigen, und von *allen* Geſetzgebungen etwas entlehnen wollte, ohne deswegen die heterogenen Theile zu *einem* harmoniſchen Ganzen vereinigt zu haben, dem Entwurfe zum Vorwurfe gemacht werden kann, iſt eine andere Frage); nach dem Entwurf des Einführungsgeſetzes der neuen Proceſsordnung für das Königreich Baiern ſoll erſt durch ein beſonderes Geſetz der Termin zur Einführung der Proceſsordnung im Rheinkreiſe beſtimmt werden, ſobald alle nöthigen Vorbereitungen vollendet ſind. Man ſieht aus dieſer Erklärung, daſs die neue Proceſsordnung auch im Rheinkreiſe nach der Abſicht der Regierung eingeführt werden ſoll, daſs man aber die Umgeſtaltung der beſtehenden Einrichtungen erſt allmählig machen wollte. Geſpannt ſieht man nun den nächſten Diſcuſſionen auf dem Baier. Landtage insbeſondere auch in der Beziehung entgegen, ob von Seite der rheinländiſchen Deputirten nicht Proteſtationen gegen Einführung im Rheinkreiſe erfolgen werden. Vorausgeſetzt, daſs die neue Proceſsordnung von den Ständen überhaupt für die älteren Kreiſe des Königreichs als eine materiell und formell zweckmäſsige, eine gerechte und gründliche Urtheilsfällung ſichernde, und wohlfeile und ſchnelle Proceſsführung begründende Geſetzgebung würde anerkannt werden, wäre wohl nicht einzuſehen, warum der Rheinkreis gegen die neue Geſetzgebung proteſtiren ſollte. Wird der Entwurf im Allgemeinen unverändert angenommen, ſo wird es dann erſt auf die Modificationen ankommen, unter welchen die Baier. Regierung den Entwurf auf den Rheinkreis anwenden will. Die Schwierigkeiten dieſer Anwendung ſind nicht gering; Rec. kann nicht glauben, daſs man für Rheinbaiern das wohlthätige Notariatsinſtitut, die Trennung der Juſtiz von der Adminiſtration aufzuheben geſonnen iſt; und er glaubt eben ſo, daſs der Entwurf im Rheinkreiſe eingeführt werden könne, wenn man auch die Anſtalten der freywilligen Gerichtsbarkeit in ihrer bisherigen Geſtalt dort beſtehen laſſen will, weil dadurch das Weſen der Proceſsordnung nicht leidet; Rec. ſpricht endlich ſeine Ueberzeugung aus, daſs er es für eine dringende Forderung halte, daſs in allen *Provinzen* des nämlichen Reiches nur *ein* Geſetzbuch gelte; diejenigen, welche für das unbedingte Fortbeſtehen der franzöſ. Jurisprudenz in der rheiniſchen Provinz ſich erklären, können mit Recht gefragt werden, wie lange denn nach ihrer Meinung der Iſolirungszuſtand fortdauern ſoll? — Die Wichtigkeit dieſer Betrachtungen zeigt recht deutlich die Geſchichte der Verhandlungen auf dem Landtage von 1827 im Groſsherzogthum Heſſen über die von der Staatsregierung den Ständen vorgelegten Geſetzesentwürfe. — Schon 1816 hatte die Groſsh. Heſſiſche Regierung die Abfaſſung einer neuen, dem geſammten Groſsherzogthume gemeinſamen Geſetzgebung ausgeſprochen; die Grundzüge der künftigen Juſtizverfaſſung und des Verfahrens wurden 1817 bekannt gemacht; die Ordnung des gewöhnlichen Verfahrens bey den Stadt- und Landgerichten, und hierauf bearbeitete Mittelgerichtsordnung wurde 1818 durch den Druck verbreitet; erſt 1826 legte die Staatsregierung der Deputirtenkammer mehrere Geſetzesentwürfe vor, nämlich den Entwurf der Stadt- und Landgerichtsordnung für das geſammte Groſsherzogthum, einen Entwurf über die Competenz der rheinheſſiſchen Gerichte, einen Geſetzesentwurf über das Verfahren bey den Mittel- und Obergerichten, Geſetzentwurf über auſserordentliches Verfahren in den Provinzen Starkenburg und Oberheſſen, und Entwurf über auſserordentliches Verfahren bey den rheinheſſiſchen Friedensgerichten. In der Kammer wurden nun von dem Ausſchuſſe Berathungen über die Entwürfe gehalten; der Ausſchuſs vereinigte ſich über mehrere Zuſätze und Abänderungen im urſprünglichen Entwurf; trug aber im Ganzen auf die Annahme an. In der Zwiſchenzeit wurden Stimmen aus Rheinheſſen laut; es waren zu mannigfaltige Intereſſen dabey gefährdet, als daſs man auf ruhige Annahme der Entwürfe von Seite der Rheinheſſen hätte hoffen können; es erſchien eine Schrift unter dem Titel: Betrachtungen über die am 18ten September 1826 der zweyten Kammer der Landſtände von Heſſen vorgelegten Geſetzesentwürfe, das gerichtliche Verfahren in bürgerlichen Rechtsſtreitigkeiten betr., Straſsburg 1826. Die Abſicht der Verfaſſer war, zu zeigen, daſs die Entwürfe der franzöſiſchen Geſetzgebung weit nachſtänden, und daſs ihre Einführung in Rheinheſſen nicht wünſchenswerth wäre; der Staatsprocurator *Parcus*, Mitglied des Ausſchuſſes,

gab

gab ein Separatvotum (in der vorliegenden Schrift S. 23—29 abgedruckt) und bey der Discuſſion in der Kammer waren es vorzüglich vier Redner, die gegen den Geſetzesvorſchlag ſprachen (die Reden des Abgeordneten Trommler und die von Kertel ſind in der Extrabeylage der neuen Mainzer Zeitung Nr. 123. 125. von 1827 abgedruckt). Parcus entwickelte ſein Separatvotum in einer ſcharfſinnigen Rede; die Discuſſionen begannen ziemlich lebhaft; die Regierungscommiſſäre unterlieſsen nichts, um die Entwürfe gegen die vorgebrachten Einwendungen zu retten; allein das Reſultat der Abſtimmung war, daſs die Majorität die Einführung der Landgerichtsordnung in Rheinheſſen ohne gleichzeitige Miteinführung einer das Verfahren auch der höheren Gerichte regulirenden ganz vollſtändigen Proceſsordnung unthunlich ſey, und durch Majorität *einer* Stimme wurde beſchloſſen, das ganze Geſetz nur unter der Bedingung der vorläufigen Suſpenſion für Rheinheſſen anzunehmen. In der erſten Kammer, in welcher Kanzler Arens einen ſehr beachtungswürdigen Bericht erſtattete, wurde beſchloſſen, der von der zweyten Kammer votirten reſpectiven Ablehnung der Landgerichtsordnung nicht beyzutreten, vielmehr dieſe unbedingt anzunehmen; die zweyte Kammer beharrte auf ihren Entſchlüſſen, und die Folge davon war, daſs in dem Landtagsabſchiede die Staatsregierung in die Anſicht der zweyten Kammer nicht einging, die Einführung der Untergerichtsordnung bloſs in den Provinzen Starkenburg und Oberheſſen, ſo daſs für Rheinheſſen die Einführung ſuſpendirt werden ſollte, nicht als ausführbar erklärte, und ſo die Geſetzesentwürfe zurücknahm. — Ueber alle dieſe Umſtände liefert die Schrift, von welcher oben der Titel angegeben wurde, merkwürdige Notizen, welche ſelbſt ein allgemeineres Intereſſe für ganz Deutſchland haben. Man wird dadurch in den Stand geſetzt, einen Blick in das innere Treiben und die oft ſonderbaren Schickſale zu thun, welche die Geſetzesentwürfe haben, wenn ſie Landſtänden vorgelegt werden. Dadurch aber, daſs die Schrift auch die Geſetzesentwürfe und die von dem Ausſchuſſe vorgeſchlagenen Zuſätze und Abänderungen, zugleich die Reden der Regierungscommiſſäre und mehrerer Deputirten über die Geſetzesentwürfe mittheilt, erhält man einen Beytrag zum Studium eines intereſſanten legislativen Products; und da der Herausgeber ſelbſt als Regierungscommiſſär an den Discuſſionen Theil nahm, und häufig in den Noten ſeine eigenen Anſichten über die vielbeſprochenen Punkte der Proceſslegislation mittheilt, gewinnt man manche beachtungswürdige Bemerkung eben über die Gegenſtände, wo die Verſchiedenheit des franzöſiſchen Rechts und der deutſchen proceſſualiſchen Einrichtungen am meiſten hervortritt. Der Herausgeber geht S. 7 von der Anſicht aus, daſs die franzöſiſche Gerichtsverfaſſung und Proceſſualgeſetzgebung eigentlich nur für *Reiche* gegeben iſt, für Unbemittelte aber als ein Heſperidengarten daſteht. An dieſer Behauptung iſt allerdings wahr, daſs die Ausdehnung der Gerichtsbezirke eine groſse Unbequemlichkeit für die Rechtsſuchenden begründet, und der geringſte Schritt zum Tribunale mit nicht geringen Koſten begleitet iſt (erwäge man nur den Fall, wo ein Ausländer gegen einen Franzoſen klagen will, und wo ſchon die Beſtellung der Caution, zu welcher der Kläger als Ausländer gehalten iſt, Koſten verurſacht, von denen man in Deutſchland gar nichts weiſs). Wahr iſt es auch, daſs die klagende Partey häufig Monate lange warten muſs, bis ihr Proceſs endlich in die Sitzung gebracht wird, und daſs die Koſten, vorzüglich des Vollſtreckungsverfahrens, ſelbſt wegen der geringſten Forderungen eine Höhe erreichen, welche den unbemittelten Kläger von der Rechtsverfolgung abſchrecken; allein die Gegner des franzöſiſchen Verfahrens vergeſſen zu leicht, daſs die groſsen Koſten vorzüglich durch das Enrégiſtrement veranlaſst werden, welches ohne alle Schwierigkeit von der Proceſsordnung ſelbſt getrennt werden kann, und daſs nicht das Verfahren bis zur Erlangung eines Urtheils, ſondern das durch ſo viele unnöthige Formalitäten erſchwerte Vollſtreckungsverfahren das eigentlich koſtſpielige iſt. Wenn es zwar oft lange dauert, bis die Sache in die Sitzung kommt, ſo kann doch Niemand leugnen, daſs von dem Momente an, als einmal die Sache in die Sitzung gebracht iſt, der Proceſs in weit kürzerer Zeit in Frankreich entſchieden wird als in Deutſchland, und fände nicht im franzöſiſchen Proceſſe das ſonderbare Verfahren in Bezug auf Urtheilsexpedition und Redaction (wegen des Inſtituts der ſogenannten Qualites) Statt, ſo würden gegen den franzöſ. Proceſs (betrachtet vom Standpunkte der Schnelligkeit des Verfahrens) wenig Einwendungen zu machen ſeyn. — Die vorliegende Schrift enthält manche intereſſante Bemerkung über den franzöſ. Proceſs, den zwar der Herausgeber im Ganzen zu ſtrenge beurtheilt, ſo wie auch gegen manche Behauptung von Einrichtungen, die der Vf. im franzöſ. Verfahren finden will, groſse Zweifel obwalten. Der Vf. erklärt z. B. S. 128 in der Note, daſs auch der *Code de procedure* das Recht des Gerichts erkenne auf den bloſsen Klagevortrag, ohne daſs der Beklagte darüber erſt gehört zu werden braucht, das Abweiſungsurtheil auszuſprechen. Kein franzöſiſcher Praktiker wird dieſer Behauptung beyſtimmen. Wenn der Vf. ſich auf Art. 150 des *Code de proc.* beziehet, und auf die Worte: *ſi elles ſe trouvent juſtes et bien verifiées*, ſo gehen die Worte nur auf das Défaut-Urtheil, und bezeichnen die Bedingung, unter welcher das Gericht dem Kläger auf ſein einſeitiges Anrufen, wenn der Ungehorſam des Beklagten hergeſtellt iſt, die Concluſionen zuſprechen kann; hier geht das Geſetz davon aus, daſs der Beklagte durch ſein Auſsenbleiben als verzichtend auf die Einreden erſcheint, und es kann dem Vf. nicht unbekannt ſeyn, daſs eben in Frankreich über die Auslegung des Art. 150 zweierley Meinungen herrſchen, da mehrere angeſehene Juriſten (mit Berufung auf *Code de proc.* Art. 194, und 1824 des *Code civil*) den Satz aufſtellen, daſs der bloſse Un-

Ungehorsam des Beklagten als stillschweigendes Geständniss anzusehen sey, so dass für den Kläger auf seinen Antrag immer im Falle des Ungehorsams des Beklagten gesprochen werden müsste. Wenn nun zwar diese Ansicht nicht zu billigen ist, so ist doch eben so gewiss, dass nie ein französisches Gericht in der Sitzung auf den Klagevortrag des Klägers die Abweisung der Klage aussprechen wird, wenn nicht der Anwald des Beklagten zuvor gehört worden ist. Es ist nicht schwierig zu beweisen, dass eine solche Abweisung der Klage dem Geiste des französischen Processes widersprechen würde.

Die vorliegende Schrift verdient in dreyfacher Beziehung betrachtet zu werden: 1) in so fern geprüft werden soll, ob die Art, wie man in Hessen den Landständen die Verschmelzung der rheinhessischen Justiz mit der althessischen Procedur vorschlug, völlig zweckmässig war, 2) in wie fern die einzelnen Gesetzesvorschläge Billigung verdienten, und 3) sind die verschiedenen legislativen Punkte, welche in den Verhandlungen zur Sprache kommen, näher zu würdigen. — Rec. ist überzeugt, dass grösstentheils die fragmentarische Art, und die Aengstlichkeit, mit welcher die hessische Staatsregierung die Verschmelzung der Institutionen vorschlug, als Ursache anzusehen ist, warum die Landstände die Propositionen nicht angenommen haben. Man würde irren, wenn man glaubte, dass eine aus *einem* Gusse vollständige, für das ganze Grossherzogthum einzuführende, und den Processgang aller Instanzen umfassende Gerichtsordnung den Ständen vorgelegt werden sollte; wäre diess geschehen, so würden viele Einwendungen, welche man gegen die Gesetzesvorschläge machte, weggefallen seyn; bey manchen Deputirten, welche gegen den Entwurf stimmten, lag der verborgene Grund ihres Benehmens in einem gewissen Misstrauen, welches nicht ohne Besorgniss auf die Zersplitterung und Zerstückelung sah, welche aus der Art der neu einzuführenden Procedur entstehen konnte, und zugleich fürchtete, dass man in der Folge, wenn nur einmal die jetzt vorgelegten Gesetze eingeführt wären, noch andere Entwürfe vorlegen würde, zu deren Annahme dann die Stände aus Consequenz, weil einmal der erste Schritt gethan war, genöthigt wären. — Nach den von der hessischen Regierung vorgelegten Entwürfen, sollte zunächst eine Untergerichtsordnung, die für die Gerichte der Provinzen Oberhessen und Starkenburg eben so, wie für die rheinhessischen Gerichte gelten sollte, eingeführt werden; diese Ordnung sollte aber in Rheinhessen bey den Friedensgerichten gelten; um aber diese Gerichte mehr den deutschen Untergerichten zu assimiliren, so wollte man die Competenz der Friedensgerichte erweitern, so dass sie über alle rein persönliche und Mobiliarklagen ohne Rücksicht auf den Betrag des Gegenstandes sprechen könnten. — Für die Mittel- und Obergerichte aber sollte in der Provinz Starkenburg und Oberhessen der gemeine deutsche Process fortbestehen, und bey dem Kreisgerichte und Obergerichte zu Mainz der *Code de procedure* fortgelten; um aber doch einige Verbesserungen für die deutschen wie für die rheinhessischen Gerichte zu geben, so schlug ein Gesetzesentwurf (abgedruckt in dieser Schrift S. 96) einige allgemeine Bestimmungen vor, z. B. über die processhindernden Einreden, über Berufung gegen Interlocute, und hob einige Artikel des *Code de proc.*, z. B. den Art. 150, auf. Darnach sollten in Rheinhessen noch immer zwey Gesetzgebungen, die neue Untergerichtsordnung und die französische, fortdauern, was aber grosse Missverhältnisse hätte herbeyführen müssen. Wenn daher der Abgeordnete, *Parcus*, in dieser Beziehung gegen die isolirte Einführung der Untergerichtsordnung sprach, so hatte er gewiss Recht, da nur persönliche und Mobiliarklagen von den rheinhessischen Friedensgerichten nach der neuen Untergerichtsordnung, alle dinglichen Klagen aber nach der französischen Processordnung hätten verhandelt werden müssen, da bey Incidentpunkten, deren Entscheidung die Competenz der Friedensgerichte überstieg, nach dem französ. Verfahren, eben so wie bey der Vollstreckung der Urtheile verhandelt worden wäre, so hätte es an unpassenden in einander auf keine Art eingreifenden Verhandlungen nicht fehlen können, und es lässt sich kaum glauben, dass die Rheinhessen unter der doppelten Gesetzgebung sich glücklich gefühlt hätten, obwohl nicht geleugnet werden darf, dass durch die neue Untergerichtsordnung manchen Missbräuchen des bisherigen französ. Verfahrens abgeholfen worden wäre. — Noch bedenklicher wäre es geworden, wenn nach dem Gesetzesvorschlage bey dem Kreisgerichte, wo der französische Code fortdauernd bestehen blieb, einzelne Artikel des Code wegfallen und andere eingeschoben werden sollten, z. B. wegen der processhindernden Einreden. Das französ. Recht weiss von diesen Einreden so wenig als von der eventuellen Litiscontestation; wer mag glauben, dass eine solche neue Verfügung in den ganzen Organismus des französ. Processes, worin die Eventualmaxime unbekannt ist, leicht eingeschoben werden konnte? — Man kann es daher nur beklagen, dass die hessische Staatsregierung nicht eine vollständige, die Aufhebung des gemeinen Processes wie des französischen Code voraussetzende, auf alle Instanzen sich beziehende Gerichtsordnung den Ständen vorgelegt hat. Gewiss wäre jetzt schon Hessen im Besitze einer gleichförmigen weisen Process-Gesetzgebung.

(Der Beschluss folgt.)

ALLGEMEINE LITERATUR-ZEITUNG

September 1828.

RECHTSGELAHRTHEIT.

DARMSTADT, b. Leske: *Pragmatische Geschichte der Verhandlungen der Landstände des Grossherzogthums Hessen im Jahre 1827 über die proponirte neue Stadt- und Landgerichtsordnung und die damit in Verbindung stehenden weiteren Gesetze nach officiellen Quellen*, von Dr. G. *Weber* u. s. w.

(Beschluss der im vorigen Stück abgebrochenen Recension.)

Betrachtet man die den Landständen im Entwurfe vorgelegte Untergerichtsordnung selbst, so scheint dem Rec. ein grosser Theil der Einwendungen, die gegen den Entwurf in einzelnen Schriften und in den Discussionen vorgebracht wurden, nicht begründet, und in der Voraussetzung, dass eine Prozessordnung für Einzelnrichter (Rec. ist freylich von der Nothwendigkeit der möglichsten Ausdehnung der Kollegialverfassung überzeugt) gegeben werden musste, verdient der vorgelegte Entwurf eine achtungswürdige Anerkennung, obwohl manche Bedenklichkeiten nicht zu unterdrücken sind. Dem Entwurf liegt, nach Versicherung des Vfs., S. 53, die Verhandlungsmaxime zum Grunde; allein erwägt man, dass nach Art. 1 es Pflicht des Richters ist, durch zweckmässige Fragen zu entwickeln und (wie der Artikel 1 sagt) dasjenige, was dem Rechte einer Partey entspricht, zu berücksichtigen, wenn auch die Partey selbst ihre Rechte nicht genügend ausgeführt hätte. Erwägt man, dass nach Art. 2 rechtliche Ausführungen nicht vorkommen und nur Andeutungen der Rechtsgründe protokollirt werden dürfen, daher der Richter von Amtswegen alle Rechtsgründe ergänzen muss; betrachtet man genauer den innigen Zusammenhang des faktischen Vorbringens mit dem rechtlichen, und erkennt man, dass durch diesen Ausspruch des Gesetzes das richterliche Erfüllungsrecht über seine natürlichen Grenzen ausgedehnt werden kann; prüft man genauer die in Art. 3—7 dem Richter gestattete Befugniss, die Klage ohne weiteres abzuweisen, ohne dass der Beklagte gehört wird, so sieht man bald, dass das sogenannte Verhandlungsprincip mehr dem *Namen* als der *Sache nach* im Entwurfe vorkommt. Uebrigens ist man auf dem Landtage bey der Frage: ob Untersuchungsmaxime dem Entwurf zum Grunde liege, oft von willkürlichen Voraussetzungen ausgegangen (s. die vorliegende Schrift S. 126). Es enthält daher die neue Procesordnung ein Mittelding zwischen gemeinrechtlichem Verfahren und zwischen preussischer Untersuchungsmaxime, ohne dass übrigens jene Voraussetzungen im Entwurfe sich finden, unter denen in Preussen die zuletzt erwähnte Maxime ihr erhabenes Ziel verfolgt. — Das Verfahren nach dem Entwurfe soll mündlich *ad protocollum* seyn, und es ist schon bemerkt worden, dass Rechtsgründe nur *angedeutet* (auch der baiersche Entwurf von 1825 hatte diesen unpassenden Ausdruck, der neueste baiersche Entwurf von 1827, §. 124 hat dafür den Ausdruck: *kurz angegeben* gewählt) werden sollen. In Preussen werden zwar auch keine Rechtsausführungen protokollirt, allein den Parteyen ist erlaubt, am Schlusse der Verhandlung Deduktionen einzureichen, wovon der hessische Entwurf nichts erwähnt. — Zwar gestattet der Art. 2, dass die Parteyen mündlich ihre Rechtsausführungen vortragen, und es ist richtig, dass auch vor dem französischen Friedensgerichte nur mündliche Vorträge dieser Art vorkommen; allein hüthe man sich wohl, auf das Beyspiel Frankreichs sich zu berufen: denn der französische Friedensrichter erkennt nur über ganz einfache Fälle (bis 100 Francs) während nach dem hessischen Gesetze Processe über 100000 fl. an die Friedensgerichte gewiesen sind, wenn nur die Klage eine persönliche ist. Auch kommt bey dem französischen Friedensrichter keine Protokollirung vor, während in Hessen diese Form die Hauptsache ist, und daher leicht vorausgesehen werden kann, dass die (noch aus Gnade gestattete) mündliche Verhandlung von dem Richter für eine blosse Nebensache angesehen werden wird, um die er sich nicht viel kümmert, so dass die Partey ins Blaue plädiren kann. Da ferner der Art. 1 ohnehin die Beyziehung der Advokaten wenig begünstigt, und die unterliegende Partey keine Kosten, die durch Zuziehung eines Advokaten veranlasst wurden, zu bezahlen braucht, so würde es mit den sogenannten mündlichen Verhandlungen misslich aussehen. — Der Art. 53 des Entwurfs erklärt, dass wenn beide Theile wollen, dass schriftlich verhandelt werde, und sie diess zu Protokoll aussprechen, es vom Ermessen des Richters abhange, in den Fällen, wo der Streitsgegenstand die Berufungssumme erreicht, das schriftliche Verfahren zu verordnen; jedoch müsse der Landrichter berücksichtigen, dass diese Form nur als seltene Ausnahme eintreten dürfe. Schwerlich befriedigt diese Vorschrift; denn dadurch wird nun die wichtige Frage: ob schriftlich verhandelt werden darf, theils von dem Umstande, dass *beide* Parteyen einwilligen, theils vom Ermessen des Richters abhängig gemacht; wenn man nun erwägt, wie in den meiſten Fällen eine Partey ſchon aus Eigenſinn oder aus Widerſpruchsgeiſt einer andern Meinung als ihr Gegner ſeyn wird, ſo wird es ſchwer halten, ihre Vereinigung über dieſen Punkt zu bewirken, und der Beklagte, der die wichtigſten, aber auf verwickelten Verhältniſſen beruhenden Einreden hat, kann darauf rechnen, daſs der Kläger, der ein Intereſſe hat, daſs die Einrede ſummariſcher aufgefaſst wird, nicht in ſchriftliche Verhandlung einwilligen werde. Kommt aber auch in ſeltenen Fällen die Vereinigung zu Stande, ſo hängt es erſt noch von der Gnade des Richters ab, ob er das ſchriftliche Verfahren zulaſſen will, und es iſt eben ſo vorauszuſehen, daſs der mit Geſchäften ohnehin überladene, eilfertige und ungeduldige Richter ſelten dieſs Verfahren geſtatten wird, während der träge und gleichgültige, oder ängſtliche Richter gern daſſelbe bewilligt, um der Proceſsinſtruktion zu Protokoll überhoben zu ſeyn. — Der Art. 62 will noch, daſs wenn ſchriftlich verhandelt wird, der Richter einen *ſtatus cauſae* den Parteyen vorleſe, und es iſt beiden Parteyen erlaubt, dasjenige, was ſie glauben zur Berichtigung der richterlichen Darſtellung des Sachverhältniſſes bemerken zu müſſen, vorzutragen. — Vergebens aber ſucht man nach befriedigenden Gründen für dieſen ausſchlieſsenden Gebrauch des *ſtatus cauſae* beym ſchriftlichen Verfahren. Da wo kein Schriftenwechſel Statt findet, wo keine Beweisinterlokute vorkommen, wirkt er ſehr wohlthätig; in einem Proceſſe, der auf Schriftenwechſel beruhet, hat er einen geringeren Werth, verzögert die Urtheilsfällung, legt den Richtern eine unnöthige Laſt auf, und veranlaſst allerley neue Bemerkungen und ſogenannte Berichtigungen des Vorbringens von Seiten der Parteyen, was mit der Eventualmaxime nicht wohl verträglich ſeyn möchte. — Groſsen Widerſpruch hat bey den Landſtänden das im Entwurf, Art. 4—7, weit ausgedehnte richterliche Abweiſungsrecht der Klage gefunden. Nach dem Entwurfe kann der Richter, wenn er findet, daſs der Kläger überhaupt oder allein vor Gericht zu handeln unfähig ſey, ihn zu dem Nöthigen anweiſen, auch da, wo er findet, daſs der angeblich Bevollmächtigte des Klägers gar nicht oder nicht gehörig bevollmächtigt ſey, und der Bevollmächtigte nicht zur Caution ſich erbietet, die Einleitung des Proceſſes verſagen, und wenn er ſieht, daſs die Klage, nach dem was zu ihrer Begründung vorgebracht worden iſt, entweder noch zur Zeit nicht Statt finde oder gänzlich unrechtlich ſey, eben ſo die Einleitung des Verfahrens vor der Hand oder unbedingt verweigern. — Rec. glaubt allerdings, daſs die richterliche Proceſsdirektion ſchon ſogleich bey Prüfung der Klageſchrift thätig ſeyn muſs; aber der Entwurf hat offenbar die Rechte des Richters zu weit ausgedehnt, gefährliche Willkür deſſelben begünſtigt, Proceſsverzögerungen und unnöthige Koſten veranlaſst (z. B. wenn an das Obergericht Berufung ergriffen, und von dieſem die Ladung doch bewilligt wird). Erwäge man doch, wie ſelten nach der Klage ſchon, die abſichtlich kurz geſtellt wird, über die Gerechtigkeit des Anſpruchs geurtheilt werden kann, und erſt im Laufe des Streits das wahre Rechtsverhältniſs ſich darſtellt; berückſichtigt man, wie oft der Richter ſich Rechtsgründe und Einreden denken kann, deren Ungrund dann vom Kläger bey der Replik nachzuweiſen iſt, ſo giebt man dem Richter eine gefährliche Waffe in die Hand. Die Berufung gegen das Abſchlagsdekret hebt die Nachtheile nicht auf, denn es tritt, wenn das Obergericht findet, daſs der Unterrichter geirrt habe, die neue Schwierigkeit ein, ob man in dieſem Falle die Sache doch wieder zur Verhandlung an den vorigen Richter weiſen ſoll, welcher eben nicht geeignet iſt, dem Kläger, gegen welchen ſich der Beamte ſchon einmal ausſprach, Vertrauen einzuflöſsen, oder ob das Obergericht ſelbſt die Sache zur Entſcheidung behalten will, in welchem Falle den Parteyen eine Inſtanz entzogen, und ein anderes Verfahren, als das von dem Unterrichter Statt findende aufgedrungen wird. —

Das bisher Angeführte mag hinreichen, um zu zeigen, wie die Landſtände allerdings Urſache hatten, gegen einzelne Beſtimmungen des Entwurfs ſich zu erklären. — Mit Vergnügen verweilt man aber bey vielen ſehr zweckmäſsigen Vorſchriften des Entwurfs, und mehreren für die Legislation höchſt bedeutenden Verhandlungen und Bemerkungen, welche theils von dem Herausgeber in den Noten gemacht werden, theils in den gehaltenen Reden vorkommen. — Dahin gehört die intereſſante Frage über Einzelnrichter, und ihren Vorzug vor Collegialgerichten in erſter Inſtanz; der Herausgeber nimmt S. 124—142 in ſeinen Reden die Einzelnrichter gegen manche Vorwürfe in Schutz, und er hat gewiſs Recht, wenn er damit die Vorurtheile mancher franzöſiſchen Juriſten bekämpft, welche mit einem deutſchen Unterrichter (er heiſse Landrichter oder Amtmann) die Idee eines Beamten, der die Geiſel ſchwingt und alle Amtsuntergebenen nach Laune prügeln laſſen kann, unzertrennlich verknüpft ſich vorſtellen, und jeden Unterrichter als einen Tyrannen ſich denken. Daſs Einzelnrichter nicht entbehrt werden können, und eine in erſter Inſtanz nur collegialiſch ausgeübte Juſtiz eine ſehr koſtſpielige und wegen der groſsen Ausdehnung der Gerichtsbezirke, die dadurch veranlaſst würde, für die Unterthanen drückende Organiſation ſeyn würde, glaubt Rec. auch; daſs aber die Ausdehnung, mit welcher von den nach dem heſſiſchen Entwurfe zu organiſirenden Gerichten die Juſtiz verwaltet werden ſoll, den Forderungen nicht entſpricht, welche an den Geſetzgeber in Bezug auf Gründlichkeit der Entſcheidungen gemacht werden können, möchte nicht ſchwer zu erweiſen ſeyn. — Beſonders intereſſante Bemerkungen kommen an verſchiedenen Stellen der Schrift über das Recht des Richters vor, die Klage von Amtswegen abzuweiſen, z. B. S. 20. 57. 59. 72. 100. 128. 134. 169—181. Der Herausgeber ſucht dieſs Recht auf alle mögliche Weiſe und mit unverkennbarem

barem Scharfſinn und praktiſcher Gewandtheit zu vertheidigen. Im Groſsherzogthum Baden hatte ein Geſetz vom 17ten May 1827 dieſs Recht des Richters, Klagen *a limine judicii* abzuweiſen, ſehr eingeſchränkt, und nur mehr für die Fälle zugegeben, wenn der Kläger um die Einleitung einer nach den obwaltenden Verhältniſſen unzuläſſigen Proceſsart bittet, oder die Klagſchrift in formeller Hinſicht mangelhaft erſcheint; — der Herausgeber ſucht zwar S. 172—178 die Unzweckmäſsigkeit dieſer Verordnung zu zeigen; allein Rec. glaubt nicht, daſs es ihm gelungen iſt; der Verhandlungsmaxime widerſpricht dieſs Abweiſungsrecht auf das beſtimmteſte, und doch hat der Herausgeber an ſo vielen Stellen der Schrift verſichert, daſs der neue Entwurf auf der Verhandlungsmaxime beruhe. — Es hätte nicht verſchwiegen werden ſollen, daſs in neuerer Zeit angeſehene, durch gründliche theoretiſche Proceſskenntniſſe ausgezeichnete Praktiker, z. B. *Puchta*, in der Schrift: *Ueber die bürgerliche Rechtspflege und Gerichtsverfaſſung*, S. 74, und *Scheuerlen* in der *Tübinger kritiſchen Zeitſchrift*, 1. Bd. S. 103, ſich gegen das Abweiſungsrecht erklären. — Wenn der Entwurf §. 7. dem Richter das Recht giebt, die Einleitung des Proceſſes dann unbedingt zu verſagen, wenn er findet, daſs die Klage *gänzlich unrechtlich* iſt, und man die höchſte Unbeſtimmtheit des Ausdrucks: *gänzlich unrechtlich*, erwägt, ſo kann man die Beſorgniſſe der Landſtände in Bezug auf dieſs Abweiſungsrecht ſo wenig als die Einwendungen dagegen in der Schrift: *Betrachtungen über die vorgelegten Geſetzesentwürfe*, S. 36—41, für ungegründet halten.

Bonn, b. Weber: *Rheiniſches Muſeum für Jurisprudenz.* Herausgegeben von *Friedr. Blume, J. C. Haſſe, G. F. Puchta* und *Ed. Puggé.* *Erſter* Jahrgang 1827, in *vier* Heften. *Zweyter* Jahrgang 1828. *Erſtes* und *zweytes* Heft. 8. (Preis jedes Jahrganges 3 Rthlr., jedes einzelnen Heftes 1 Rthlr.)

Der *erſte* Jahrgang auch unter dem Titel:

Rheiniſches Muſeum für Jurisprudenz, Philologie, Geſchichte und griechiſche Philoſophie. Herausgegeben von *J. C. Haſſe, A. Boeckh, B. G. Niebuhr* und *C. A. Brandis.*

Da die A. L. Z. *dem Rheiniſchen Muſeum* durch den unterzeichneten gemeinſamen Mitherausgeber gewiſſermaſsen verſchwiſtert iſt, ſo darf ſie, der jetzigen Ordnung zufolge, ſtatt eigentlicher Beurtheilung nur einen kürzeren Bericht über daſſelbe geben. Es verdankt dieſe Zeitſchrift ihre Entſtehung einem ſchönen Bunde der Philologie und Jurisprudenz, welcher ſich bey dem erſten Bande ſchon in dem Titel des Buches ausgeſprochen hat. Die ſpätere Aenderung, nach welcher zwey getrennte Hälften für juriſtiſche und für philologiſche Gegenſtände beſtehen, iſt bloſs eine Folge des Wunſches, durch freyere Bewegung der einzelnen Theile das Fortſchreiten des Ganzen deſto beſſer zu fördern; ſie iſt zugleich die Veranlaſſung, daſs auch dieſe Anzeige bloſs auf die juriſtiſche Hälfte des Muſeums beſchränkt werden kann.

Schon der Inhalt der bisher erſchienenen ſechs Hefte widerlegt hinreichend die hin und wieder geäuſserte Vermuthung, als ſey dieſe Zeitſchrift ausſchlieſsend für römiſches Recht beſtimmt. Vielmehr ſoll dieſelbe ſo wenig auf irgend eine Rechtsquelle, als auf irgend einen beſtimmten Rechtstheil beſchränkt werden, und es liegt nicht in ihrem Plane, ſondern bloſs in äuſseren Zufälligkeiten, wenn ſie bisher wenigſtens über Criminalrecht und Kirchenrecht noch gar nichts enthalten hat. Für das Criminalrecht finden ſich ohnehin ſchon abgeſonderte Zeitſchriften in Menge; das Kirchenrecht aber ſchien ſeit geraumer Zeit verurtheilt zu ſeyn, mehr in Flugſchriften und Tageblättern beſprochen, als in gründlichen Zeitſchriften bearbeitet zu werden; deſto beſſer, wenn es dem *Rheiniſchen Muſeum* in der Folge gelingen ſollte, ihm eine würdigere Stelle zu bereiten. — Ordnen wir aber die bisher aufgenommenen Abhandlungen nach ihrem Inhalte, ſo ergiebt ſich folgende ſyſtematiſche Ueberſicht.

I. *Zur äuſseren Jurisprudenz.* 1) Ueber die Eigenthümlichkeit des *jus gentium* nach den Vorſtellungen der Römer, von Hn. *G. J. R. Dirkſen* in Königsberg (Bd. I. S. 1). 2) Ueber die Reden der römiſchen Kaiſer, und deren Einfluſs auf die Geſetzgebung. Von demſelben (Bd. II. S. 94). 3) Die Oekonomie des Edikts, vom Hn. Prof. *Heffter* in Bonn (Bd. I. S. 51). 4) Zu *Johannes Lydus de magiſtratibus.* Von demſelben (II, 117). 5) Ueber eine Handſchrift des Anſegiſus und der *lex Salica*, in der Univerſitäts-Bibliothek zu Bonn, von Demſelben (I, 158). 6) Bemerkungen über das Wörterbuch des *Briſſonius*, ſo wie über die Vorarbeiten und ſpäteren Ergänzungen deſſelben, von Hn. *G. J. R. Dirkſen* (II, 42). 7) Ueber eine Recenſion von *Savigny's* Rechtsgeſchichte in den Berliner Jahrbüchern für wiſſenſchaftliche Kritik. Von Hn. Prof. *Puchta* in Erlangen (I, 327). 8) Ueber den neueſten Zuſtand der Jurisprudenz in Portugal. Von dem Unterzeichneten (II, 242).

II. *Zum materiellen Rechte.* 1) Ueber *pupilli infantiae vel pubertati proximi*, von Hn. *G. J. R. Dirkſen* (I, 316). 2) Ueber die verſchiedenen Arten des Eigenthums und die verſchiedene Geſtaltung der Eigenthumsklagen, von Hn. Prof. *Unterholzner* in Breslau (I, 129). 3) Ueber das Verhältniſs des Eigenthums zu den Servituten, von *Puchta* (I, 286). 4) Ueber die Negatorienklage. Von Demſelben (I, 165). 5) Ueber die *pro herede uſucapio*, von Hn. Dr. *Arndts* in Bonn (II, 125). 6) Von der Beſtellung der Servituten durch ſimple Verträge und Stipulationen, von *Haſſe* (I, 64). 7) Welche Wirkung tritt ein, wenn der Uſusfructus an einen Extraneus cedirt wird? Von *Puggé* (I, 145). 8) Beytrag zur Lehre von der Compenſation, vom Hn. Prof. *Bethmann-Hollweg*

in

in Berlin (I, 257). 9) Zur Lehre von der *bonorum venditio*, von *Puggé* (II, 87). 10) Von dem Recht der *lex Cincia*, von *Hasse* (I, 185). 11) Ueber Gellius X, 23, die Ehescheidung betreffend, von Demselben (II, 106). 12) Zwey Abhandlungen über Ehe und *dos*, von Demselben (II, 1. 75). 13) Ueber Erbvertrag, Vertrag über eine fremde Erbschaft, Schenkung Todes halber und wechselseitiges Testament, von Demselben (II, 149). 14) Mittheilung eines alten römischen Testaments, nebst Anmerkungen von *Puggé* (I, 249). 15) Ueber die Worte *divisis tribunalibus* in *fr.* 75 *pr. de legat.* II. von Hn. Prof. *Heffter* (1, 112).

Blume.

SCHÖNE KÜNSTE.

LEIPZIG, b. Bossange: *Friedrich Styndal, oder das verhängnissvolle Jahr*, von *Keratry*. Aus dem Französischen von *L. Storch*. *Drey* Bände. 1828. (8 Rthlr.)

Rec. kann nicht bergen, dass ihm etwas unheimlich zu Muthe ward, als ihm die drey ziemlich starken Bände eines aus dem Französischen übersetzten Romans zum Durchlesen vorlagen; desto angenehmer ward er aber überrascht, als er ein deutsches Originalwerk zu lesen glaubte, welches ihn mit jedem Blatte mehr anzog, da Wien der Schauplatz ist, und fast alle handelnde Personen berühmte Deutsche sind. In dem Vorwort bittet der Verfasser, ein geachteter französischer Schriftsteller, die Referenten der Journale: ihren Lesern ein gewisses Räthsel nicht zu entdecken, welches den Knoten der Erzählung schürzt, und er darum so gut als möglich zu verstecken gesucht habe, weil sonst der Lectüre des Buchs aller Reiz würde genommen werden. Dieser billigen Bitte nachgebend, will Rec. dem Leser das Vergnügen, diess Werk selbst zu lesen, durch einen Auszug der Geschichte nicht verkümmern, sondern nur so viel daraus anführen, als nöthig ist, um ihm den Inhalt anschaulich zu machen. Im Jahr 1767 wurde *Archangely*, (derselbe, der nachmals unsern *Winkelmann* in Triest ermordete,) wegen eines in Wien begangenen Verbrechens, zum Richtplatz geführt, aber auf Verwendung der jungen verwittweten Fürstin von Oedenburg begnadigt. — *Styndal*, der Held dieses Romans, welcher sich als ein reicher reisender Engländer in Wien aufhält, befindet sich zufällig in der Nähe des Wagens der Fürstin, der durch die Volksmasse in eine Nebengasse gedrängt wird, als diese den Entschluss fasst: den Verbrecher zu retten, und zu diesem Zwecke einen Cavalier ihrer Begleitung nach der Hofburg schickt. Zur Beschleunigung dieser Sendung wirkt *Styndal* dadurch mit, dass er dem Cavalier seine Pferde giebt, und *Archangely* wird gerettet. Hierdurch wird eine Bekanntschaft zwischen der Fürstin und dem Helden dieses Romans angeknüpft, welche demselben Zutritt in den Palast von Oedenburg und zu dem Zirkel verstattet, der sich wöchentlich um die Fürstin versammelt, und aus den gelehrtesten und gebildetsten Männern und Frauen der Wiener grossen Welt besteht. Durch die glänzenden Talente, welche *Styndal* in dieser Gesellschaft zu entwickeln Gelegenheit findet, entsteht eine edle Liebe zwischen beiden, deren allmählige Fortschritte, bis zur süssesten Vertraulichkeit, vom Vf. in einer vollendeten Sprache erzählt werden, die jedem gebildeten Leser durch die Blicke, welche sie ihn in die geheimsten Tiefen des weiblichen Herzens thun lässt, hohen Genuss gewähren wird. Hindernisse, die sich in *Styndals* Persönlichkeit finden, und sich der Vereinigung beider Liebenden entgegen stellen, sind es, die den Knoten der Erzählung schürzen, dessen Auflösung der Vf. dem Leser gern bis zum Ende des Buchs vorenthalten möchte. Diess ist ihm auch ziemlich gelungen, nur würde er das Geheimniss noch besser verborgen haben, wenn er die Anekdote, die den Schlüssel dazu enthält, nicht vom Helden der Geschichte selbst, sondern von einem jeden dritten in der Gesellschaft hätte erzählen lassen. — Die handelnden Personen in diesem Roman, sind ausser den beiden Hauptpersonen und einigen erdichteten Figuranten: die Kaiserin Maria Theresia, der Kaiser Joseph, Fürst Caunitz, der Leibarzt van Swieten, Baron Sperges, Holger, Metastasio, Duval, Noverre, Haydn, Winkelmann, Cardinal Rohan u. s. w., deren Charaktere sämmtlich mit historischer Treue durchgeführt sind. Schon diese Namen lassen nichts Gewöhnliches von einem Roman erwarten, in dem sie handelnd verflochten sind; auch ist es nicht bloss die Geschichte der edlen Liebe, welche den Leser so anziehend unterhält, sondern auch die philosophischen Unterhaltungen über wichtige Gegenstände, welche in den Abendzirkeln der Fürstin Statt finden, aber wohl etwas weniger ausgedehnt seyn könnten, geben dem Buche Werth und machen es selbst belehrend, indem man über Verschiedenheit des Cultus, über die Vortheile und Nachtheile der grossen Städte, über die Ansicht der ehelichen Verbindung in Frankreich und England, über Zweykampf, Todes-Strafen, und Schönheit der Kunst, bald den ernsten Styndal, oder den leichtfüssigen Noverre, den derben van Swieten, den kindlichen Duval und den gelehrten Winkelmann sich ihrem Charakter getreu aussprechen hört, und zugleich, da sie nicht selten wegen Verschiedenheit ihrer Meinungen sich mit einander überwerfen, dem Leser zur Belustigung dienen. Diess wird hinlänglich seyn: auf dieses interessante Werk aufmerksam zu machen, welches leider durch manche bedeutende Druckfehler entstellt ist.

ALLGEMEINE LITERATUR-ZEITUNG

September 1828.

LITERARISCHE ANZEIGEN.

I. Neue periodifche Schriften.

Im Verlage der Unterzeichneten erfcheint:

Zeitfchrift für die Geiftlichkeit des Erzbisthums Freiburg. 8vo.

In zwanglofen Heften, wovon jedoch nicht mehr als vier in einem Jahre erfcheinen. Bereits hat das *erfte* Heft die Preffe verlaffen, ift 19 Bogen ftark, und koftet in Umfchlag geheftet 1 Fl. 48 Kr. rhein., oder 1 Rthlr. fächf.

Auf Veranlaffung und nach dem Wunfche *Seiner Hochwürden und Gnaden des Herrn Erzbifchofs*, erfcheint für den Hochwürdigen Clerus der gefammten Erzdiözefe obige Zeitfchrift, welche die merkwürdigften neueften Erfcheinungen in der theologifchen Literatur ihm mit Beurtheilung zur Kenntnifs brächte, um es den ältern Geiftlichen zu erleichtern, mit den wiffenfchaftlichen Fortfchritten der Zeit in Bekanntfchaft zu bleiben, und ihnen zugleich den Stoff einer angenehmen Unterhaltung in den Stunden der Erholung in die Hände zu legen; den jüngern Geiftlichen aber, zu ihrer Fortbildung und Erweiterung der Kenntniffe, die fie in ihrem fchönen und wohlthätigen Berufe leiten und unterftützen, Anregung zu geben und verhülflich zu feyn.

In der Wahl der Schriften wird eine befondere Rückficht auf folche genommen, welche dem ausübenden Seelforger Bemerkungen und Ideen zur Ausführung anbiethen, und wo fie auch gerade nicht eine unmittelbare Beziehung dahin hätten, doch in jeder Schrift immer das hervorheben, was zunächst in feelforgliche Anwendung kommen kann.

Keinem Zweige der theologifchen Literatur wird die Aufmerkfamkeit entzogen, fondern allen die erforderliche Rückficht gewidmet, wie fie nach dem Grundriffe der Wiffenfchaft auf einander folgen.

Den Anfang machen jene Schriften, welche diefen Grundrifs felbft darlegen. — Sohin kommen die biblifchen Wiffenfchaften, die Gefchichte der chriftlichen Kirche, verbunden mit jener der Väter, welche durch ihre Werke die Kirche erleuchtet haben, oder der im Lehr-Berufe verdienter Männer vergangenen Alter. Dann folgt die Glaubenslehre und die Sittenlehre, hierauf die Paftoral-Wiffenfchaft mit allen ihren Theilen, Katechetik, Homiletik und Liturgie; die Pädagogik mit eingefchloffen, und das Kirchenrecht. Gefchieht es, dafs alle Fächer nicht immer gleichmäfsig

ausgefüllt werden, fo wird dennoch, wie es die Umftände erlauben, auf jedes Bedacht genommen. Ausgehobene Stücke aus Paftoral-Conferenzen, die fich zur öffentlichen Bekanntmachung eignen, erhalten ebenfalls eine Stelle.

Jedes Heft wird ein gröfserer Auffatz, oder ein paar kleinere eröffnen. Der Anhang liefert Erzbifchöfliche Verordnungen und Nachrichten (von welchen diefe Zeitfchrift die einzige Collection bildet) verfchiedenen Inhalts, welche den Kirchfprengel von *Freiburg* und die mit ihm verbundenen *Suffragan-Diözefen* betreffen, und endlich Todes-Anzeigen verdienter Seelforger mit kurzem Lebensbefchriebe.

Alle folide Buchhandlungen nehmen Beftellungen darauf an.

Freiburg, im May 1828.

Herder'fche Kunft- und Buchhandlung.

II. Ankündigungen neuer Bücher.

Es find neu erfchienen und in allen Buchhandlungen zu haben:

Kirchliche Katechifationen über die Sonn- und Fefttags-Evangelien des ganzen Jahres von M. *Gottl. Eufebius Fifcher*, Superintendenten zu Sangerhaufen. *Erftes* Bändchen. 8. Neuftadt an d. O., bey J. K. G. Wagner. 15½ Bogen. (Preis 12 gr. oder 54 Kr.)

Der Hr. Verfaffer wünfcht, mit diefen Katechifationen eine praktifche Anleitung zur katechetifchen Behandlung biblifcher Abfchnitte zu geben.

Bericht

über einige philologifche Verlagsunternehmungen der J. C. Hinrichs'fchen Buchhandlung in Leipzig vom Jahre 1828.

Anecdota graeca. E. Codd. Bibl. Reg. Parifin. defcripfit *Ludovicus Bachmannus.* Volumina II. 1828. 8 maj. Charta holland. 7½ Rthlr. Ch. impr. gall. 5½ Rthlr.

Primo Volumine continentur Lexica Segueriana tria, ex antiquiffimo Cod. Parifin. nr. 345. membran. defcripta: 1) *Συναγωγὴ λέξεων χρησίμων ἐκ διαφόρων σοφῶν τε καὶ ῥητόρων πολλῶν.* Gloffarium integrum, cujus

cujus primam literam ante quatuordecim annos ex eodem Cod. descriptam edidit Im. Bekkerus, Anecdot. Vol. I. p. 319—476. 2) *Λεξικὸν τῆς Γραμματικῆς*. Pertinet hoc Glossarium ad Theodosii Alexandrini Grammaticam. 3) *Λέξεις ἐγκείμεναι τοῖς κανόσι κατὰ στοιχεῖον*. Sequuntur deinde Scriptorum, Rerum et Vocabulorum Indices accuratissimi.

Quae secundo Volumine continentur, partim ex eodem Cod. Parisin. 345. petita sunt, partim ex Supplem. Codd. Parisin. nr. 70. et 122. 1) Maximi Planudae Dialogus ineditus de rebus Grammaticis. 2) Ejusdem Tractatus ineditus de Syntaxi. 3) Isaacii Monachi opusculum de metris poeticis. 4) Lexicon Lycophroneum sive Scholia in Lycophronis Alexandram antiquissima. 5) Anonymi tractatus de Verborum constructione. 6) Lexicon Lucianeum, sive Scholia in Lucianum, editis Scholiis haud raro integriora et uberiora. 7) Epimetrum, sive Excerpta ex opusculis Grammat. Thomae Mag. Moschopuli, Ammonii aliorumque; quibus accedunt Variae Lectiones in Phrynichi Eclogam, Herodiani fragmenta, Horapollinem et Batrachomyomachiam Homericam, e Codd. Parisin. nr. 70. 192. 2831 et 2723 excerptae. Sequuntur Annotatio critica, et Scriptorum Vocabulorumque Indices.

Beck, Prof. *I. R. G.*, Auctarium Lexici Latino-Graeci manualis ex optt. scriptorum collectum. 8. Schreibp. 8 gr. oder 10 Sgr. Druckp. 6 gr. oder 7½ Sgr.

Dessen Lexicon Latino-Graecum man. *mit* Auctar. 1 Rthlr. 4 gr.

Ciceronis, *M. T.*, ut ferunt *Rhetoricorum ad Herennium* libri IV. *Ejusdem de Inventione rhetorica* libri II. Editionem Graevio-Burmannianam in Germania repetendam cur. suasque notas adj. *Frid. Lindemannus.* 8 maj. Lips. (49 B.) holl. Postp. 5 Rthlr. 8 gr. oder 5 Rthlr. 10 Sgr. W. Druckp. 3 Rthlr. 20 gr. oder 3 Rthlr. 15 Sgr.

Obgleich das philolog. Publicum seit 2 Jahren auf die Erscheinung dieser äusserst reichhaltigen Ausgabe in gespannter Erwartung war, so dürfte es doch durch diese Verzögerung nur gewonnen haben.

Erasmi, *Desid. Roter.*, Colloquia. Ad fidem optimorum exemplorum denuo edita cum scholiis selectis variorum. Curavit God. Stallbaum. 8 maj. (29 B.) 1½ Rthlr.

Lange schon wurde eine neue gute Handausgabe der trefflichen *Colloquia famil.* des grossen *Erasmus* gewünscht, und der rühmlichst bekannte Herausg. hat sich durch deren Besorgung ein wahres Verdienst für Gelehrtenschulen u. s. w. erworben.

Im Verlage von Joh. Friedr. Leich in Leipzig neu erschienen:

Ueber Goethe; literarische und artistische Nachrichten, herausgegeben von *Alfr. Nicolovius.* 1ster Theil. Mit 2 Schattenrissen (Goethe's Vater und Mutter.) 2 Rthlr. 6 gr.

Die Jugend-Freunde; ein Gemälde aus der christlichen Gemüthswelt. Broschirt 1 Rthlr.

Deutsches Land und deutsches Volk. Von *J. C. F. Gutsmuths* und Dr. *J. A. Jacobi.* 2ter Band. 2ter u. 3ter Theil. — *Jacobi's* Volk. 2ter u. 3ter Theil (des ganzen Werks IVter u. Vter Band). Jeder Theil mit 1 Kupfer.

Nota. Die resp. Pränumeranten, welche an die vormalige Verlagshandlung *fünf* Bände bezahlten, erhielten obige Bände von mir unentgeldlich; für frühere Pränumeranten auf einzelne Bände kosten diese *beiden* Bände zusammen nur 1 Rthlr. 12 Gr. Sächs.

Jacobi, *J. A.*, Vorgeschichte des deutschen Volks und Reichs. In 3 Theilen, mit Kupfern. 5 Rthlr.

Unter der Presse ist:

Gutsmuths, deutsches Land. 3ter Th. Mit 2 Kupfern.

Tzschirner's Vorlesungen über die christliche Glaubenslehre, herausgegeben von *K. Hase.*

Elegante Taschenausgaben.

Im Verlage der Unterzeichneten sind so eben erschienen, und durch alle Buchhandlungen zu erhalten:

I. THE WORKS OF WALTER SCOTT,
VOL. 121 — 126.
CONTAINING:
a) CHRONICLES OF THE CANONGATE;
3 VOLUMES.
b) TALES OF A GRANDFATHER;
3 VOLUMES.

II. Walter Scott's sämmtliche Romane,
Bd. 90 — 92.
Inhalt:
Die Chronik von Canongate; aus dem Engl. von *K. L. Kannegiesser.* 3 Thle.

III. Lord Byron's sämmtliche Werke,
Bd. 28 — 31.
Inhalt:

Bd. 28. a) *Brief an *** über Pope's Leben.* b) *Monodie auf Sheridan's Tod.* c) *Parlamentsreden.* Aus dem Engl. von *K. L. Kannegiesser.*

Bd. 29 — 31. *Don Juan.* 9 — 16. *Gesang.* Uebersetzt von *W. Reinhold.* 3 Thle.

Jedes Bändchen mit einem netten Titelkupfer kostet im Ladenpr. 8 Groschen *roh*, und 9 Groschen *geheftet*.

Sie sind, wie alle unsere Taschenausgaben, auf das schönste Schweizer Velinpapier correct und sauber gedruckt, und nicht wie die jetzt so häufig erscheinenden, auf *graues Löschpapier* gedruckten, von Druckfehlern wimmelnden, und nur *scheinbar* wohlfeileren Taschenausgaben hingesudelt.

Ende

Ende unterzeichneten Monats erscheint der 93ste bis 95ste Band von *Walter Scott's* Romanen, enthaltend: „*Erzählungen eines Grofsvaters*; übersetzt von *K. L. Kannegiefser*, 3 Theile."

Zwickau, den 5. August 1828.

Gebrüder Schumann.

Bey A. Rücker in Berlin erschien:

Natur, Mensch, Vernunft, in ihrem Wesen und Zusammenhange dargestellt von *W. A. Keiper* und *W. A. Klütz*. gr. 8. (33 Bogen.) 2 Rthlr. 15 Sgr.

Es ist erschienen und in allen Buchhandlungen zu haben:

Handbuch für angehende Juristen zum Gebrauch während der Universitätszeit und bey dem Eintritte in das Geschäftsleben, von Dr. *C. A. Tittmann*, K. Sächs. Hof- und Justizrath u. f. w. gr. 8. Halle, b. Hemmerde u. Schwetschke. 48½ Bogen. (3 Rthlr.)

Diese Handbuch enthält 1) eine *juristische Encyclopädie und Methodologie*, dann 2) *kurze Systeme der einzelnen Rechtstheile*, des Privat- des Staats-Straf-Kirchen- und Lehnrechts, so wie der Theorie der Rechtsverfolgung mit der dazu gehörenden Lehre vom Civil- und Strafprocefs, und endlich 3) eine *Anleitung zur Vorbereitung auf das juristische Geschäftsleben*. Alles ist so gefafst, dafs es der junge Jurist für sich lesen und *ohne Hülfe eines Andern* verstehen könne. Die *erste* Abtheilung soll ihn von dem Gegenstande den er auf der Universität zu erlernen hat, von den Collegien die darüber auf den Universitäten gelesen werden und von der Art und Weise unterrichten, durch welche er jene Kenntnisse leichter erlangen könne. Die *zweyte* soll ihm dazu dienen, sich theils auf die Collegia über die einzelnen Rechtstheile, die er jedes Halbjahr zu hören hat, *vorzubereiten*, theils nach gehörtem Collegio die Hauptsachen leichter *wiederholen* zu können. Durch die *dritte* soll dem jungen Juristen der Weg gezeigt werden, den er nach allgemeinen Regeln sowohl, als nach den Vorschriften der Gesetze, zu seiner Bildung zum Geschäftsmanne, zu gehen hat.

Subscriptions-Anzeige für Schulen.

In der Fleckeisen'schen Buchhandlung in Helmstädt wird eine Schulausgabe

des *Cornelius Nepos*

mit erklärenden und grammat. Anmerkungen vom Herrn Prorector an dem Stiftsgymn. zu Zeitz M. *Joh. Ch. Dähne*

auf Subscription erscheinen.

Eine vollständige Ankündigung nebst Probe haben wir bereits zur nähern Ansicht in allen Buchhandlungen niedergelegt, wir enthalten uns hier daher alles dessen, was der Hr. Herausgeber über den Zweck und die Einrichtung dieser Ausgabe zu sagen für nöthig gehalten hat. — Das Ganze wird ungefähr 20—24 Bogen stark werden, wer sich also an uns oder an eine andere ihm nahe Buchhandlung von heut bis Ende dieses Jahrs mit Bestellungen wendet, dem erlassen wir das Exempl. im Subscr. Preise für 18 gGr. oder 1 Fl. 21 Kr. rhein. Privatsammlern bewilligen wir, die sich in Schulen diesem Geschäfte unterziehen, und sich direct an uns wenden, aufserdem noch bey 8 Expl. das 9te frey. Nach der Erscheinung tritt ein höherer Ladenpreis ein.

Bey Boike in Berlin ist erschienen:

Der Grimmenstein.

Erzählung

von *Alexander Brenikowski*.

2 Theile. 2 Rthlr. 16 gr.

Bey Fr. Laue in Berlin ist erschienen, und durch alle Buchhandlungen zu beziehen:

P. Ch. A. Louis

anatomisch-pathologische

Untersuchungen

über

die Erweichung mit Verdünnung und Zerstörung der Schleimhaut des Magens: über die Hypertrophie der Muskelhaut des Magens im Magenkrebs: über die Durchlöcherung des Dickdarms: über Leberabcesse: über den Bandwurm und seine Behandlung: über den Croup oder die häutige Bräune bey Erwachsenen: über Pericarditis: über die Communication des rechten Herzens mit dem linken: über den Zustand des Rückenmarkes beym Knochenfrafs der Wirbelbeine: über plötzliche und unvorhergesehene Todesfälle: über langsame vorhergesehene und unerklärliche Todesfälle.

Aus dem französischen von

Dr. *G. Bünger*

in 2 Abtheil. Preis 2 Rthlr.

(od. 3 Fl. Conv. M. od. 3 Fl. 36 Kr. Rh.)

Beide Theile der

Epistolarum obscurorum virorum ad D. M. Ortuinum Gratium volumina duo ex tam multis libris conglutinata, quod unus pinguis Cocus per decem annos oves, boves, sues, grues, passeres, anseres etc. coquere, vel aliquis fumosus calefactor centum magna hypocausta per viginti annos ab eis calefacere posset. Accesserunt huic editioni epistola magistri Benedicti Passavanti ad D. Petrum Lysetum et la Complainte de Messire Pierre Lyset sur le trépas de son feu nez,

wozu Herr Domprediger Dr. Rotermundt eine Vorrede mit historischen Notizen über die Verhältnisse, welche die

die Veranlaffung zu diefen Briefen gegeben und Nachrichten über die darin vorkommenden Haupt-Perfonen gefchrieben, find in grofs Octav auf *weifsem Medianpapier* fehr deutlich gedruckt in allen guten Buchhandlungen zu haben für 1 Rthlr. 6 gGr.

Helwing'fche Hof-Buchhandlung.

Bey Wilhelm Engelmann in Leipzig ift fo eben erfchienen:

Riedel, Dr. *J. C. L.*, Ein Beytrag zu den Erfahrungen über die nachtheilige Wirkung der Leidenfchaften und Gemüthsaffecten, hauptfächlich der Furcht und des Schreckens auf den menfchlichen Körper. 8. Preis 4 gr.

III. Neue Wand- u. Handkarten.

Bey J. D. Grüfon und Comp. in Breslau ift erfchienen und durch alle Buchhandlungen zu haben:

Schul-Atlas der ganzen Erde
zum Gebrauch beym erften und zweyten Elementar-Unterricht der Geographie
von
Krümmer,
Director des Seminariums zu Dorpat,

enthaltend:

1) *Wandkarten:* Die Planigloben, 2 Blatt 12 Ggr. oder 15 Sgr. Europa, Afien, Afrika, Nordamerika, Südamerika und Deutfchland, jede 4 Blatt. Preis 16 Ggr. oder 20 Sgr.

Auftralien, 3 Blatt, 14 Ggr. oder 17½ Sgr.

Italien, Spanien, Frankreich, Niederlande, Preufsen, England, Schweden und Norwegen, Rufsland, europ. Türkey, jede in 4 Blatt. Preis 14 Ggr. oder 17½ Sgr.

2) *Handkarten*, jede auf 1 Blatt: Europa, Afien, Afrika, Nordamerika, Südamerika, Italien, Deutfchland I., jede 5 Ggr. oder 6¼ Sgr.

Deutfchland II., Preufsen, Frankreich, Spanien, Schweiz, Niederlande, England, Dänemark, Schweden und Norwegen, Rufsland, europ. Türkey, jede zu 4 Ggr. oder 5 Sgr.

Sämmtliche Karten find auf ftarkes Schreibpapier gedruckt, um ärmeren Schulen die Koften des Aufziehens auf Leinwand zu erfparen, und obgleich der ganze Atlas im Zufammenhange fteht, wird doch auch jede Karte einzeln zu den beygefetzten Preifen abgelaffen.

Es wäre zu wünfchen, dafs diefe methodifchen Karten in allen Elementarfchulen eingeführt würden; die geographifchen Kenntniffe würden der Jugend dann ficher viel leichter und gründlicher beygebracht werden.

Die gröfste und befte Empfehlung, welche aufser vielen andern diefem Unternehmen zu Theil geworden, ift unftreitig das Circularfchreiben *Eines Hohen Königl. Preufs. Minifteriums* an fämmtliche *hohe Königl. Regierungen, Confiftorien* und *Schulbehörden*. Der Inhalt derfelben ift folgender:

„Die Königl. Regierung in Breslau hatte in ihrem „Amtsblatte die von *Krümmer* gezeichneten Hand- „und Wandkarten, als durch richtige Zeichnung „und guten Druck ausgezeichnet und für den Ge„brauch in Elementarfchulen wohl geeignet, den „Schulbehörden und Schullehrern ihres Bezirks em„pfohlen. Das Minifterium billigt diefe Empfehlung „nicht nur, fondern wünfcht auch die gedachten „Karten noch allgemeiner bekannt und benutzt zu „fehen. Der geographifche Unterricht hat durch „den allgemeinen und häufigen Gebrauch der nicht „mit Namen überladenen, dagegen aber ein in grofsen „und ftarken Zügen hervortretendes Bild von Natur„grenzen, Gebirgszügen, Flufsgebieten u. f. w. dar„bietenden Wandkarten, entfchieden gewonnen, „und entfteht durch die Verbindung von Wand- „und Handkarten gleicher Art in den Schulen ein „ähnlicher Vortheil, wie durch die Verbindung von „Wand- und Handfibeln gleichen Inhalts. Die „Krümmer'fchen Karten bieten einen Cyclus von „Wand- und Handkarten dar, wie er für den Schul„gebrauch zu wünfchen, und in welchem die Mühe, „dasjenige zu leiften, was zu dem angegebenen Preife „und bey einer erften umfaffenden Unternehmung „diefer Art geleiftet werden konnte, nicht zu ver„kennen ift u. f. w.

Berlin, den 23. Jan. 1828.

Minifterium der geiftlichen Unterrichts- und Medicinal-Angelegenheiten,
gez. v. *Altenftein*.

IV. Vermifchte Anzeigen.

Bisher war die Beforgung fchwedifcher Bücher mit mancherley Schwierigkeiten verknüpft, dafs wir öfters eingegangne Beftellungen uneffectuirt laffen mufsten. Den Freunden der fchwedifchen Literatur machen wir deshalb hiemit die Anzeige, dafs wir in Folge angeknüpfter Verbindungen nunmehr im Stande find, nicht nur etwanige uns zukommende Aufträge billig zu beforgen, fondern auch, da wir ein Lager der beften und gangbarften Werke unterhalten, prompt zu liefern.

Stralfund, im Auguft 1828.

Löffler'fche Buchhandlung.

ALLGEMEINE LITERATUR-ZEITUNG

September 1828.

HEILKUNDE.

Leipzig, b. Engelmann: *Ueber chronische Krankheiten des männlichen Alters, ihre Vorbeugung* und *Heilung* von Dr. *Fidelis Scheu*, Ordinarius des Prämonstratenser-Stifts Tepl, und ausübendem Arzte zu Marienbad in Böhmen. 1826. 21 Bogen gr. 8. (1 Rthlr. 12 gGr.)

Der Vf. hat dem ärztlichen Publikum ein schönes Geschenk mit diesem Buche gemacht, das gewissermaßen als eine Fortsetzung und Commentar seiner frühern Schrift über Krankheitsanlagen anzusehen ist. Das Buch leistet weit mehr als der Titel verspricht, indem der Vf. nicht nur einen neuen, durch das Licht der Physiologie erhellten, Weg zur tiefern Kenntnifs und also auch Heilung der chronischen Krankheiten des männlichen Alters betreten hat, sondern auch viele treffliche Winke über Entstehung, Verhütung und Heilung der Krankheiten des kindlichen Alters giebt, indem gerade auf der Erkenntnifs dieses Theils der Heilkunde die Grundidee seiner Ansichten beruht. Rec. glaubt hauptsächlich von dem Wege Rechenschaft geben zu müssen, den der Vf. eingeschlagen hat, indem er die specielleren Abhandlungen über einzelne Krankheitsformen nur kurz berührt, da sie eines genauern Auszugs nicht fähig seyn möchten.

Der Vf. setzte sich die Aufgabe nicht blofs die formelle Erkenntnifs der chronischen Krankheiten und die Art des Hervortretens derselben in der Erscheinung zu zeigen, sondern auch hauptsächlich durch welche innere, in der Organisation des Individuums selbst liegende Bedingungen sich die chronischen Krankheiten entwickeln. Er betrachtet das menschliche Leben als einen Kreislauf, wo in jedem Lebensalter ein System vorherrscht, wie es die natürliche Entwickelung des Organismus erheischt, wodurch eben die Anlage zu verschiedenen Krankheiten in den verschiedenen Lebensaltern bedingt wird. Indem nun das normale Uebergewicht des einen oder des anderen Systems zum abnormen gesteigert wird, entsteht die Krankheit, sowohl durch übermäfsige als durch zurückbleibende Entwickelung. Durch genaue Nachforschung bey chronischen Krankheiten im männlichen Alter über die Krankheiten ihrer frühern Lebensperiode lernte der Vf. die, an verschiedene Altersstufen gebundne Präponderanz bestimmter Organe und Systeme im menschlichen Organismus kennen, und zugleich die Art und Weise, wie eine Krankheit die andere vorbereitet, indem das Vorherrschen des einen oder des andern Systems oder Organs beschleunigt oder zurückgehalten wird. Diese Ideen mufsten auch die der Vorbeugung gegen chronische Krankheiten erwecken, indem sich die Krankheiten des männlichen Alters aus denen der Kinderjahre prognosticiren lassen.

Die erste Abtheilung handelt *von den Krankheitsanlagen in der zweyten oder rückwärts gehenden Lebenshälfte*. Nachdem der Vf. über den nicht zu fassenden Begriff des Lebens gesprochen, deutet er an, wie die Lebenskraft, welche das Ganze des Organismus zusammenhält und die verschiedene Thätigkeit aller Organe und Systeme zu einem gemeinschaftlichen Zweck, *dem der vollkommensten Lebensäufserung in ihren mannichfachen Erscheinungen*, regelt, immer eine und dieselbe bleibt, und weder durch Alter, Constitution, Krankheit, Arzneymittel oder veränderte Lebensart vermehrt, vermindert oder abgeleitet werden kann. Nur auf eine indirekte Weise kann ihre Wirksamkeit verändert werden, indem die Hindernisse, welche eben dadurch die Krankheit bedingen, dafs sie nicht normal und frey in der Fortbildung und dem beständigen Stoffwechsel des Organismus wirken kann, entweder durch Krankheitsanlage und einwirkende Schädlichkeit herbeygeführt, oder durch passende Arzneymittel beseitigt werden.

In dem folgenden §. giebt der Vf. seine Ideen über den Begriff der Gesundheit, der, absolut gefafst, keine Präponderanz des einen oder des andern Organs oder Systems zuläfst, also auch theoretisch nur in *einem* Momente des Lebens, in der *Akme* desselben, existiren kann. In jedem Alter, in jedem Geschlecht, bey jedem Individuum ist die Gesundheit verschieden, wie die Organisation eines jeden verschieden ist. Diese relative Gesundheit wird also durch die *normale* Präponderanz des einen oder des andern Organs bedingt, wie dieses oder jenes zur Fortbildung oder Rückbildung des ganzen Organismus nöthig ist. Aber eben so, wie die *abnorme* Präponderanz die Krankheit hervorruft, eben so spornt sie die übrigen Organe zur Reaktion dagegen an, und diese Reaktion, die Erscheinung der Krankheit, ist das Heilbestreben der Natur, die *vis naturae medicatrix*, welche das Gleichgewicht bis zur *normalen* Präponderanz wieder herzustellen sucht. Hierauf bemüht sich der Vf. ein Bild von dem zu geben, was im Organismus vorgeht, wenn sich Krankheit erzeugt. Sie ent-

entſteht, ſagt er, aus der Krankheitsanlage, ſo, daſs entweder die eine regelwidrige Bedingung die anderen Lebensverrichtungen nach und nach in ihren Kreis zieht, und ſie ebenfalls abnorm macht, bis zum Grade der Unverträglichkeit mit der Beſtimmung des Individuums, oder indem jene die Reaktion der übrigen höheren Sphären excitirt, und ſomit ein fieberhafter Zuſtand zur Erhaltung des Ganzen erzeugt wird. Die Krankheit werde falſch definirt, wenn ſie eine Störung der Harmonie der Organe und Syſteme des thieriſchen Körpers und ihrer Verrichtungen genannt wäre. Denn ſonſt wäre der Menſch ſchon zu einer Zeit krank, wo ihn andere und er ſich ſelbſt noch für geſund hielten, und er finge in dem Augenblicke zu geneſen an, wo er ſich und andern als krank erſchiene, d. h. wo die Reconſtruction der geſtörten Bildungsakte beginne. Hier widerſpricht ſich aber der Vf. theils ſelbſt, theils dehnt er den Begriff der Krankheitanlage im *geſunden* Menſchen zu weit aus. Denn erſtlich ſagt er ſelbſt, daſs die wirkliche Harmonie aller Syſteme und Organe nur in dem Moment der *Akme* des Lebens exiſtiren könne; zweytens wird jedesmal, ſobald der Kreis, in welchem das relative Uebergewicht der verſchiedenen Syſteme und Organe normal ſchwanken darf, überſchritten wird, ſogleich Reaktion entſtehen, und dadurch die Erſcheinung der Krankheit hervortreten. Das ſchlieſst aber keineswegs die weitere Ausdehnung des Begriffes von Krankheitsanlage aus, daſs nämlich eine Krankheit wieder die Krankheitsanlage zu einer andern ſeyn kann, wie z. B. *Pneumonie* Krankheitsanlage zur *Phthiſis* iſt, *Ple:hora abdominalis* zu Hämorrhoiden, u. ſ. w. Krankheitsanlage im *geſunden* Menſchen kann aber nur das normale, an die verſchiedenen Entwickelungsſtufen und Temperaments-Verſchiedenheiten geknüpfte, Vorherrſchen des einen oder des andern Syſtems oder Organs ſeyn, ſo lange es noch keine Störungen in dem Lebensproceſs hervorgerufen hat.

Dem Vorwurfe der Einſeitigkeit, als ob nur innere Miſsverhältniſſe die Krankheit bedingten, entgeht der Vf. durch den Lehrſatz, daſs die letzte Urſache der Krankheit in einem Miſsverhältniſſe des Individuums zur (äuſsern) Welt — in dem Unvermögen liege, ſeine eigne Spontaneität gegen ihre Einwirkung ferner zu behaupten. Als Kranker wird derſelbe Menſch anders von der Auſsenwelt afficirt, als da er noch geſund war, indem ſeine Receptivität verändert iſt, demnach geht die Aufgabe für den Arzt dahin, dieſe abnorme Receptivität der normalen wieder näher zu bringen, wodurch auch die Produkte dieſes Miſsverhältniſſes des Individuums zur Welt möglich gemacht werden, wenn nun auch die Reaktion der Lebenskraft gehörig geleitet wird.

Die Beyſpiele, die der Vf. für ſeine Behauptung anführt, wo er verſchiedene Vorläufer eines *Gichtfiebers* beobachtete, das, zweckmäſsig geleitet und nur dynamiſch behandelt, auch jene Vorläufer beſeitigte, ſind erläuternd. Aber auch hier geht er wieder zu weit, indem er behauptet ſämmtliche Individuen, die an heftigem Gliederreiſsen, chroniſcher Diarrhoe oder Verſtopfung, Kurzathmigkeit, Sodbrennen, Verſchleimung u. ſ. w. litten, ſeyen nicht krank, ſondern nur in innormaler Krankheitsanlage geweſen. Aber ſind jene Erſcheinungen nicht Folge einer Reaktion, eines, wenn auch nur ſchwachen, Heilbeſtrebens der Natur? Eben dieſe geringe Selbſthülfe der Natur bezeichnet den Charakter der chroniſchen Krankheiten, ſie ſind, wie der Vf. richtig ſagt, *die nothwendige Folge einzelner krankhaft präponderirender Eingeweide, die als Hemmungspunkte der Idee der Lebenskraft widerſprechen, ihr Reaktionsvermögen ableiten und höchſtens fruchtloſe depaſcirende Fieber erlauben.* Und wo wäre dann die Grenze zwiſchen Krankheitsanlage und Krankheit? Nur die Reaktion des Organismus können wir wahrnehmen, und von der Erſcheinung erſt rückwärts auf die Präponderanz eines Organs oder Syſtems und den dieſes zum innormalen ſteigernden Reiz ſchlieſsen. Richtig ſagt der Vf. wieder, *jede Krankheit iſt ein Lebenslauf im Kleinen, der ſein Incrementum, ſeine Akme, und ſein Decrementum hat.* Aber auch an jedem Tage wiederholt ſich dieſes Schwanken, und in den Mittag fällt die *Akme*, das gröſste Gleichgewicht.

Nun folgt eine Skizze des Lebens in dieſem Bezuge, nur flüchtig die Zeit der Kindheit und Jugend berührend, bis zum Mannesalter, der *Akme* des Lebens, wo kein Syſtem, kein Organ vorherrſcht oder unterliegt, wie auch ihre reſpectiven Kräfte gegen einander ankämpfen, ſich gegenſeitig hemmen und wieder unterſtützen. Es wird gezeigt, wie jetzt nach und nach das Venenſyſtem immer überwiegender wird und dagegen die Kraft der Arterien und Nerven zurücktritt; dieſem folgt das Capillargefäſsſyſtem und endlich das Saugaderſyſtem, als den letzten Dienſt vor dem Tode aus Altersſchwäche verrichtend, nachdem es bey dem Foetus als erſtes thätiges Organ aufgetreten. Mit wenigen Worten wird eine deutliche Geſchichte des ganzen Verlaufs des Lebens gegeben, wie ein Syſtem mit ſeinen ihm zugehörenden Organen dem andern in der Herrſchaft folgt, bis endlich der Körper ſich ſelbſt verzehrt hat, und er vergangen iſt, wie er entſtand. Aus dieſen Sätzen und aus der Erfahrung zieht der Vf. nun den richtigen Schluſs, daſs zuweilen eintretende Krankheitsproceſſe den Körper wieder herſtellen können, indem ſie das Gleichgewicht wieder zurückführen, und ſo das Leben zu verlängern vermögen. Daraus und aus mehreren aufgeführten lehrreichen Beyſpielen wird nun gefolgert, daſs der Menſch, durch Beſchränkung der Präponderanz der untergeordneten Syſteme, ſein Leben zu verlängern vermöge. Nicht bloſs Uebung des Körpers zur Ertragung von Mühſeligkeiten und Bekämpfung der äuſsern ſtörenden Einflüſſe, verbunden mit einer zweckmäſsigen Diät, ſondern vorzüglich auch eine erfreuliche Thätigkeit des Geiſtes werden als Hauptmittel zur Verlänlängerung des Lebens geprieſen und durch Beyſpiele belegt. Nachdem auch von dem geringen Einfluſſe des mittlern Klimas auf die Geſundheit im Allgemeinen die Rede geweſen, kommt der Vf. auf die Kultur der Haut, und zeigt wie wichtig dieſe, beſonders im Kindesalter iſt, und läſst mehrere ſehr wichtige praktiſche Regeln über Diätetik der Kinder und die Behandlung der Krankheiten des kindlichen Alters folgen. Nicht ganz einverſtanden iſt Rec. mit den Anſichten des Vfs. über die Anwendung der Bäder im erſten Lebensalter, die dieſer ſehr beſchränken will.

Nachdem der Satz aufgeſtellt und durchgeführt iſt, daſs alle Bildung und Ernährung des thieriſchen Körpers von der vereinten Wirkung des Venen- Capillar- und Lymphſyſtems ausgehe, während ſich das Arterien- und Nervenſyſtem bloſs als beſchränkende, regelnde, veredelnde Potenzen verhalten, die der Wucherung Schranken ſetzen und den reinthieriſchen Stoff zur Erhabenheit des menſchlichen (! welche Functionen verrichten denn dieſe Syſteme bey den übrigen warmblütigen Thieren?) erheben, geht der Vf. weiter zur genauern Erörterung der Wirkſamkeit des Capillar- und Lymphſyſtems. Seine Anſichten über die Verrichtungen des Harngefäſsſyſtems ſind aber nicht deutlich genug ausgeſprochen, und der ganze § nicht verſtändlich genug. Klarer, reichhaltiger und lehrreicher iſt der folgende über das Saugaderſyſtem, wo dargethan wird, daſs es den doppelten Zweck erfülle, den der Einſaugung und Aſſimilation des Fremden, und den der Ausſcheidung des nicht aſſimilirbaren. Hierzu aber bedarf es verſchiedener Modificationen; auf ſeiner niedrigſten Stufe ſaugt es bloſs ein, nimmt bloſs auf; zur Drüſe geſteigert, ſchlieſst es ſich der Vene näher an, und wird aſſimilirend und animaliſirend; zuletzt ſcheidet es wieder Säfte aus, die theils zur Erhöhung der Aſſimilirbarkeit des Fremden dienen, (wie Speichel, Galle, *ſuccus pancreaticus* u. ſ. w.) theils als ſchädliche Stoffe entfernt werden müſſen (wie unmerkliche Ausdünſtung der Haut, u. a. m.). Alle Krankheitsanlage in der zweyten Lebenshälfte führt der Vf. auf die krankhafte Präponderanz dieſes Syſtems, mit Inbegriff des Venenſyſtems, zurück, die entweder durch einen fremden Reiz aufgeregt, oder durch eine groſse Schwäche des Arterien- und Nervenſyſtems (alſo durch poſitives oder relatives Uebergewicht) bedingt wird.

Die Präponderanz des Venenſyſtems, ſagt der Vf. im folgenden §, ſpricht ſich verſchieden aus. Er unterſcheidet fünf verſchiedene dadurch bedingte Krankheitsanlagen. 1) Die Vollblütigkeit, die, in der Jugend allgemein, im ſpätern Alter aber in einzelnen Organen und Syſtemen ſtärker hervortritt, und ſich als *Plethora abdominalis, pulmonalis, hepatica, lienalis, haemorrhoïdalis*, als Gicht und Hypochondrie ausſpricht; ob aber, wie der Vf. beſtimmt ausſpricht, die *allgemeine* Vollblütigkeit *immer* bleibt, möchte wohl beſtritten werden dürfen. Das ganze Venenſyſtem, heiſst es nun weiter, neigt ſich hier zum Entzündlichen hin, und oft tritt noch eine groſse Reizbarkeit des ganzen Nervenſyſtems hinzu, wie es ſich oft in der Periode vor der Menſtruation zeigt, wodurch die Behandlung der krankhaften Zufälle häufig ſo ſchwierig wird. 2) Deutlich *entzündliche* Form des Venenſyſtems, wirkliche Venenentzündung. Hier hat ſich der Vf. durch ſein Syſtem zu weit führen laſſen. Denn hier iſt ſchon völlige Krankheit und nicht mehr bloſs Krankheitsanlage, denn jede Entzündung iſt die Form der Reaktion des afficirten Organs. Daſſelbe gilt von der dritten Form, die Folge der erſten, wie der Vf. ſelbſt ſagt, wenn die Präponderanz des Venenſyſtems bereits auf das Capillar- und lymphatiſche Syſtem übergegangen iſt, wo das Arterien- und Nervenſyſtem die Reaktion übernommen haben, woraus ſich dann meiſt die Krankheiten der Schleimhäute, von übermäſsiger Schleimſekretion bis zur Membranbildung, entwickeln. 4) Krankhafte Venenreizbarkeit mit einem ſchwachen, krankhaft empfindlichen Nervenſyſtem verbunden. 5) Die Form der *Kachexie*, die ſich als Bleichſucht in Männern und Weibern ausſpricht. Der Vf. hätte vielleicht beſſer gethan, wenn er primäre und ſecundäre Krankheitsanlage unterſchieden hätte. Nur 1 und 4 könnten als primäre Krankheitsanlage gelten; die zweyte und dritte Form entwickelt ſich aus der erſten, die fünfte aus der vierten, ſind alſo ſekundäre Krankheitsanlagen und ſchon wirkliche Krankheit. Jede Krankheit iſt auch wieder Krankheitsanlage, aber unſeres Bedünkens gehören bloſs die primären Krankheitsanlagen hierher, weil ſonſt die ganze Pathologie hier abgehandelt werden müſste. Uebrigens ſind die hier angeführten Krankheitszuſtände, ihre Symptomatik, Prognoſe und Therapie, ſchön und kurz geſchildert. Ausführlicher und voll wichtiger praktiſcher Fingerzeige iſt die Abhandlung über die Kachexie.

Der zweyte Hauptabſchnitt des Buches handelt ſpecieller von den chroniſchen Krankheiten des männlichen Alters. Zuerſt werden die durch *Schärfen* bedingten Krankheitsformen durchgegangen, ein Ausdruck, der bey manchen anſtoſsen, aber von den meiſten Praktikern vertheidigt werden wird. Die abnorme Thätigkeit der Haut wird als Hauptmoment der meiſten Krankheiten dieſer Klaſſe angeſehen, indem der Vf. zeigt, daſs die Hauptbeſchaffenheit bey allen den Individuen mangelhaft iſt und war, die überhaupt eine unvollkommene Körperorganiſation in die zweyte Lebenshälfte hinübertragen. Die krankhafte Beſchaffenheit der Haut, die ſich in der Kindheit und Jugend oft durch Ausſchlagskrankheiten zeigt, macht häufig einer krankhaften Reizbarkeit der innern Häute Platz, die hier genauer charakteriſirt wird. Ein eigenes Kapitel widmet der Vf. dem Sodbrennen und der ſauren Schärfe insbeſondere. Beide Krankheitszuſtände unterſcheidet der Vf. Das Sodbrennen *Pyroſis, Soda acida*, ſagt er, iſt immer Folge der Leber- und Milzplethora und meiſt Vorläufer der Gicht, Hämorrhoiden, Hypochondrie oder Hyſterie. Die nächſte Urſache iſt eine veränderte Beſchaffenheit des Magenſaftes, die

wie-

wieder vorzüglich von dem Zuſtande der Milz und Leber abhängt. Hier ſind auflöſende Mittel indicirt; während ſich bey der ſauren Schärfe die abſorbirenden hülfreich erweiſen. Hierauf folgen mehrere Krankengeſchichten, zum Beweiſe für die Lehre von der ſauren Schärfe und dem Zuſammenhange dieſer Krankheit mit dem Symptome des Sodbrennens und der krankhaften Affection der Nieren.

Aus der krankhaften Reizbarkeit der innern Häute und der daraus folgenden leichten Erkältungsfähigkeit gewiſſer Subjekte, leitet der Vf. die katarrhaliſchen, rheumatiſchen und gichtiſchen Beſchwerden ab, wozu er mehrere Beweiſe anführt. Alle drey Formen erklärt er für Folgen dieſes einen Miſsverhältniſſes, und leugnet ihre weſentliche Verſchiedenheit, die bloſs in Hinſicht auf den Sitz der Krankheit, das verſchiedene Wirkungsvermögen des Körpers und den verſchiedenen Zuſtand der vorzüglich vom Venen- und Lymphſyſtem abhängigen Syſteme und ihren conſenſuellen und antagoniſtiſchen Verhältniſſen exiſtirt. Bey allen dreyen findet man daſſelbe Fieber, erhöhte Reizbarkeit der innern Häute, mit gröſserer oder geringerer Affection ganzer Eingeweide und Syſteme, Präponderanz des Venenſyſtems mit Neigung zu exſudativer Entzündung.

In der folgenden Abhandlung über Gichtanlage, Gicht, ihre vollkommnen Metaſtaſen, und das Podagra insbeſondere, ſtellt der Vf. folgende Gegenſätze auf: acute und chroniſche Gicht, vollkommene und unvollkommene, neuentſtandene und veraltete, offenbare und verſteckte. Was hier von vorn herein über jede einzelne Form geſagt wird, iſt praktiſch und bewährt, doch möchte es nicht logiſch genug geordnet ſeyn. Aus den folgenden Beyſpielen ſucht der Vf. darzuthun, daſs Katarrhe, Rheumatismen und Gicht (nicht jedesmal die ausgebildete) mit einem krankhaften Zuſtande der Leber verbunden ſind. Was er über das Podagra ſagt, die in der Jugend vorhergehenden Beſchwerden, die ſeine Ausbildung bedingenden und begünſtigenden Veränderungen des Organismus im ſpätern Lebensalter und die den Ausbruch herbeyführenden Gelegenheitsurſachen, zeigt von groſser Erfahrung und Umſicht. Es folgt daraus, daſs jeder Anfall das Werk einer thätigen Reaktion der Lebenskraft iſt, mit dem Beſtreben, den Körper von einem ſchadhaften Stoffe zu befreyen; daſs alle verſchiedenen Formen der Gicht von dem verſchiedenen Grade der Energie der Hauptfactoren des Lebens und der bereits in Krankheitsanlage begriffenen Eingeweide abhangen, indem der Ausſcheidung des krankhaften Stoffes bald dieſes bald jenes Hinderniſs entgegenſteht; und endlich, daſs die Verderbniſs der feſten und flüſſigen Theile im Körper nicht ſowohl die Urſache als die Folge des Uebels iſt. Dieſer letzte Punkt wird im Folgenden noch weitläuftiger erörtert. Es wird die groſse Aehnlichkeit der Gicht mit den exanthematiſchen Krankheiten gezeigt, die einer Ablagerung ihrer Schärfe auf die Haut und Ausſcheidung durch Ausſchlag und Abſchuppung bedürfen, wie jene, nur ohne ſichtbaren Ausſchlag (der aber doch zuweilen zugegen iſt; [illegible] iſt die acute gichtiſche Gelenkentzündung nicht mit dem *Eryſipelas* ſehr nahe verwandt?). Es ſind alſo, ſagt er weiter, katarrhaliſche, rheumatiſche und Gichtkrankheiten *exanthematiſche Krankheitsformen* eigner Art, die in den *innern Häuten* beginnen, und ſich in der äuſsern Haut oder ihren Stellvertretern, den Nieren, enden. Die ererbte ſowohl, wie die erworbene Anlage dazu depotenzirt die Thätigkeit der äuſsern Haut, indem ſie, mit der Reizung der innern Häute, die Präponderanz des Venenſyſtems, beſonders der gröſsern Stämme, und dadurch die der Leber, der Milz und des Gekröſes erhöht. Die hierauf folgenden Vorſchriften, die ererbte Anlage zu tilgen und die Erzeugung zu verhüten, beruhen vorzüglich darauf, alles anzuwenden, was die äuſsere Haut in ihrer gehörigen Lebensthätigkeit erhält, ihre Kraft ſchützt und vermehrt. Die Lehre von der Behandlung iſt ſehr einfach, d. h. bey der vollkommenen metaſtatiſchen Gicht, dem Podagra: Geduld, antiphlogiſtiſche Diät and Flanell; nur bey hohen Graden von Entzündung Blutentziehung, Salpeter, Oxymel u. ſ. w. Bey zu geringer Thätigkeit, aromatiſcher Thee, *Spiritus Mindereri*, *Antimonialia*, *Campher*, u. ſ. w.; nur bey hohen Graden von Schwäche *Valeriana*, *Serpentaria*, *Phosphor*, *Opium* mit Gewürz, *Ol. aetherea*, *ſal volat. c. c.*, *Campher* in groſsen Doſen, unterſtützt durch nahrhafte, reizende gewürzhafte Koſt. Bey der unvollkommenen metaſtatiſchen Gicht, d. h. bey den chroniſchen, unregelmäſsigen, anomalen Gichtbeſchwerden, wird eine zwiefache Behandlung empfohlen, jedesmal einzig aus Rückſicht auf die hemmende Urſache der zur Haut ſtrebenden Metaſtaſe. Je nachdem dieſe Urſache nun entweder in dem Mangel expandirender, austreibender Kräfte der Hauptfaktoren des Lebens, oder in Störung und Unterbrechung der innern fortlaufenden Kette, durch in krankhafter Präponderanz begriffenen Organe, werden entweder die permanent ſtärkenden und reizenden Mittel innerlich und äuſserlich angewandt, oder das Hinderniſs, es ſey ein *Contentum* oder ein *Continens*, muſs aus dem Wege geräumt werden; im erſten Falle durch die ausleerende Methode, im zweyten durch die antiſpasmodiſche oder antiphlogiſtiſche. Wo ſchon Ausſchwitzungen, Verhärtungen, mit einem Wort, wo ſich ſchon anfangende Desorganiſationen der afficirten Theile eingeſchlichen haben, da werden die ſogenannten *Alterantia* empfohlen, Queckſilber, *Arnica*, *Rhus toxicodendron*, *Gummi Guajaci*, u. ſ. w.; hier auch die auflöſenden Mineralwaſſer, Fomentationen, Duſch- und Dampfbäder, Brenncylinder, Elektricität und Galvanismus. Bey gänzlich veralteter Gicht, wo ſchon vollkommene Kachexie eingetreten iſt, geht die Hauptindication nur auf Stärkung und Verbeſſerung der Säfte durch gute, nahrhafte Koſt, guten Wein, bittere magenſtärkende Mittel, *Martialia* und *Antacida*. Dabey wird auf die Einſchränkung der Bäder aufmerkſam gemacht.

(Der Beſchluſs folgt.)

ALLGEMEINE LITERATUR-ZEITUNG

September 1828.

HEILKUNDE.

Leipzig, b. Engelmann: *Ueber chronische Krankheiten des männlichen Alters, ihre Vorbeugung und Heilung* von Dr. *Fidelis Scheu* u. s. w.

(*Beschluss der im vorigen Stück abgebrochenen Recension.*)

Von den speciellen Krankheitsformen, denen die Gicht oft zum Grunde liegt, führt der Vf. hier auf: die gichtischen Magenbeschwerden, Dyspepsie, Gichtkolik, Diarrhöe und Dysenterie, gichtische Abscesse der Gedärme, gichtische Nervenaffectionen, wie Hysterie, Melancholie, Schwindel, Zahnweh und Augenschmerzen, Nierenbeschwerden, Tripper u. s. w. Die hier vorgeschlagene Behandlung ist sehr einfach und ihre Wirksamkeit einleuchtend.

Das Gemälde, das der Vf. von der Hämorrhoidalkrankheit so schön als treffend entwirft, ist keines Auszugs fähig, nur möchten wir doch dem Satze widersprechen, dass Hämorrhoidarii nicht eigentlich Kranke seyen, sondern nur in der Krankheitsanlage zu gastrischen Krankheiten, zum Scorbut und allen Arten von Kachexien begriffene. Aber sind Hämorrhoidalbeschwerden nicht schon Reaktionen nach gestörtem Gleichgewicht? dass sie der Herd von zahllosen Krankheiten sind, wird niemand leugnen.

Auch bey der *Melaena* erkennt der Vf. wieder das Bestreben der Lebensthätigkeit sich gegen die präponderirende Venosität in's Gleichgewicht zu setzen, so wie bey dem *morbus haemorrhagicus Werlhofii*, verschiedenen Arten von Petechien und Blutflecken, auch beym *Erysipelas*, Krankheiten, welche immer durch Fehler der Leber, der Milz und anderer Eingeweide bedingt werden. Ganz besonders gehört noch dahin das Blutbrechen, wo die präponderirende Venosität im Unterleibe vorzugsweise die Milz ergreift, wovon mehrere lehrreiche Krankengeschichten erzählt werden. Hierauf folgt eine Abhandlung über das *Asthma*. Nie sah der Vf. einen am *Asthma* Leidenden frey vom fehlerhaften Zustande der Unterleibseingeweide und der Lungenhäute zugleich. *Anginá pectoris*, nur dem Grade nach vom *Asthma periodicum* verschieden, hat seine Ursache in *dem Ergriffenseyn der fibrösen innern Häute des Herzens und der Lungen von dem Gichtreize.* Dieser Ansicht gemäss ist auch die ganze vorgeschlagene Curart eingerichtet, immer aber auf die Idee der Präponderanz des Venensystems in den grössern Eingeweiden, der Leber und Milz, die sich dann oft vergrössert zeigen, zurückgeführt. Aus denselben Quellen wird die *Peripneumonia notha* abgeleitet, so wie der sie begleitende Schleimhusten und die darauf folgende *Paralysis pulmonum suffocatoria.* Nur solche Subjekte, heisst es ferner, sind ihr ausgesetzt, die schon lange an einer krankhaften Präponderanz des Venen- und Lymphsystems, besonders des letztern, leiden, die bereits Schärfen in ihren Lungen beherbergen und krankhaft reizbare Lungen, besonders in Bezug auf ihren lymphatischen Antheil, haben. Dieselben ursächlichen Momente, Präponderanz des Venensystems des Unterleibes mit gestörter Hautfunction, treten bey *Diabetes* ein, nur dass hier die Nieren die ableitenden Functionen übernehmen, und alles immer weiter in ihren Kreis hineinziehen, wodurch alsdann die Ernährung gestört wird und endlich völlige *Phthisis* erfolgt. Aber selten, fährt der Vf. fort, wird eine solche Präponderanz der niedern Systeme des organischen Körpers ohne Entzündung eines einzelnen Eingeweides seyn, wodurch wohl Wassersucht, aber nicht *Diabetes* zulässig wird; die Affektion der Nieren wird nicht leicht jene Höhe erreichen, die sich, wie die Entzündung der Schleimhäute, mit einer starken Absonderung verträgt, und endlich wird noch seltener eine Vereinigung beiderley krankhafter Zustände zusammentreffen, wie sie zur Bildung der Harnruhr nöthig ist. Bey der Behandlung räumt er mit Recht den stärkenden, nährenden und bittern Mitteln erst den zweyten Platz ein, den ersten Platz aber den Mitteln, welche die in den Säften obwaltenden Schärfen abzustumpfen und auszutilgen, und die gewöhnlich dabey unterdrückte Hautausdünstung wieder hervorzurufen vermögen.

Die Entstehung der Wassersucht leitet der Vf. von einer Entmischung des Blutes und einem die Kette unterbrechenden krankhaften Organe ab. Immer liegt eine krankhafte Präponderanz des Venensystems zum Grunde, diese mag nun direkt statt finden oder indirekt, eine vikariirende Thätigkeit hervorrufen oder unterdrücken. Bey der Behandlung redet der Vf. der *Paracentese* sehr das Wort, indem durch die Entleerung des Wassers ein bedeutender Druck entfernt, und also ein Haupthinderniss der Heilung weggeräumt werde. Nur solche Kranke, sagt er, sey es ihm gelungen zu heilen, wo es möglich gewesen, die innere ableitende Ursache zu heben. Ueber die verschiedene Indication verschiedener, in der Wassersucht heilsamen, Mittel finden wir viele praktische Winke; besonders interessant ist, was der Vf. über die Anwendung der Wasserbäder beym Oedem sagt, wo die Indicationen und Con-

Contraindicationen genauer festgestellt werden. Alles ist zweckmäfsig durch Krankengeschichten erläutert. Auf denselben Grundsätzen ruhen des Vfs. Lehren von den sogenannten Nervenkrankheiten, Hypochondrie, Hysterie, Ohnmacht, Convulsionen u. s. w. Ueberall sieht er nur die Reaktion der krankhaft afficirten Theile, und erkennt darin das Heilbestreben der Natur, und die Fingerzeige zu einem rationellen Heilverfahren. Den Beschlufs dieser Abtheilung macht eine gehaltvolle Abhandlung über den Schlagflufs, die Anlage dazu und die Mittel diese Anlage nach und nach aufzuheben.

Als Schlufs des Ganzen, gleichsam um es noch völlig abzurunden, ist noch ein Kapitel angehängt über die, durch das hohe Alter bedingte, Krankheitsanlage, wo die Veränderungen, welche die Hauptsysteme erleiden, erwogen werden und gezeigt wird, wie im Greise diejenigen Organe wieder hervortreten, die sich schon beym Kinde prädominirend zeigten. — φρ.

Frankfurt a. M., b. Wesché: *Beobachtungen über die organischen Veränderungen im Auge, nach Staaroperationen* von *Wilhelm Sömmerring*, Med. et Chirurg. Dr. (warum die Titel Lateinisch?). Mit 3 Steindrucktafeln. 1828. 84 S. 8. (16 gGr.)

Der das Studium der Anatomie des Auges lange Zeit mit Vorliebe und grofser Genauigkeit betreibende Vf. glaubte mit völligem Rechte, dafs über den Vorzug der verschiedenen Staaroperationen vor einander durch sorgfältige Untersuchung der Veränderungen, die sich nach denselben in dem Auge finden, mit gröfserer Gewifsheit als früherhin werde entschieden werden können, und liefs es sich daher angelegen seyn, die Augen solcher verstorbenen Personen zu erlangen, an denen er entweder selbst oder Andere diese oder jene Staaroperation bey Lebzeiten vollzogen hatten. Die Schwierigkeit in der Erreichung seines Zweckes machte es erst jetzt möglich die Resultate seiner Untersuchungen an 8 Augen bekannt zu machen, und diese Schrift seinem hochverdienten Vater *Samuel Thomas v. Sömmerring* am Tage seines 50jährigen Doctorjubiläums zu überreichen.

Nachdem der Vf. die Beobachtungen genau erzählt hat, giebt er zuerst in ein paar Worten seine Ansicht vom Linsensysteme im gesunden Zustand, ohne dabey auf Widerlegung anders meinender einzugehen. Bey den verschiedensten Untersuchungsarten fand er nie den mindesten Zusammenhang durch Gefäfse oder Zellstofffasern zwischen der Linse und ihrer Kapsel, und folgert daraus, dafs sich die Linse also nur aus dem *humor Morgagni* gebildet haben, und von ihm ernährt werden könne; ihre gleichsam crystallinisch regelmäfsige Structur sieht er als „ein Resultat der schon im Leben stattfindenden reinen Polar- und Central-Attraction bey dem allmählichen Festwerden der Morgagnischen Feuchtigkeit" an, sie fände sich fast ganz ebenso im Glaskopfe, Schwefelkiefe, ja selbst in Gallen- und Harnsteinen. Auch bey der Linse sey der Kern stets am festesten; diefs ist jedoch beym Glaskopfe und Schwefelkiese nicht der Fall. Kaum scheint es Rec. nöthig, dafs Hr. *S.* jetzt noch die Meinung widerlegt, dafs die Kapsel gar nicht an die Spitzen des Faltenkranzes befestigt sey. Die straffen, fast elastischen Fäden der *Zonula Zinnii* liegen immer zwischen den Ciliarfortsätzen, und mit ihnen gelangen auch die ernährenden Gefäfse zur Linsenkapsel, aufser den im Fötusalter durch den *humor vitreus* als Centralarterie zu ihr gehenden Gefäfsstämmen. Den Beobachtungen *Home's* und *Ramsden's* gemäfs hält der Vf. Formveränderungen der Hornhaut für sehr wichtig zum Sehen in verschiedene Fernen, und glaubt, dafs sie wichtiger selbst sind, als Formveränderung oder Entfernung der Linse.

Nach mehrerem anderen, was ebenfalls wichtig, aber weniger bestritten und allgemeiner bekannt scheint, wendet sich der Vf. S. 56 zu einer Betrachtung über die Entwickelung des grauen Staares. Sie sey ursprünglich wohl meistentheils in Entzündung der Kapsel und vermehrter oder verminderter oder krankhaft veränderter *Secretion* sowohl als *Resorption* (wird stets *Resorbtion* geschrieben) zu suchen. Es wäre wünschenswerth an einem andern Orte auch die Ansichten des Vfs. über die seltener vorkommenden Ursachen des grauen Staares zu erfahren, die von *Ph. v. Walther* noch nicht bereits in klares Licht gesetzt sind.

Der häufigste Fall, den der Vf. bis jetzt beobachtete, und an vielen *lebenden* Personen, die er theils durch *Reclination,* theils durch *Keratonyxis* operirte, nachweisen kann, scheint ihm der, dafs die Kapsel nur in ihrer Mitte zerrissen wird, und die Linse entweder durch Ausziehung oder Niederdrückung sogleich oder durch Zerstückelung und Auffaugung später (soll wohl heifsen durch Zerstückelung und später folgende Auffaugung) aus ihr entfernt wird, während sie selbst mit ihrem ganzen Rande, oder wenigstens mit dem gröfsten Theile desselben, am Faltenkranze mittelst der *Zonula Zinnii* befestigt bleibt. Diese noch festsitzenden Kapselreste verlieren ihre Blasenform, fallen in eine flache Membran zusammen, werden nach Entfernung der Linse noch fort ernährt, bleiben nicht selten klar, trüben sich aber oft allmählig, und man sieht unter seinen Augen einen Nachstaar entstehen. — Nach des Vfs. Meinung erstreckt sich die traumatische, den Nachstaar erzeugende Entzündung von dem Faltenkranz aus auf die Kapsel, und er glaubt als ein Zeichen dieser Entzündung sowohl, als der der Iris, den nicht selten vorkommenden rosenrothen Gefäfsring um die *Cornea* ansehen zu können, eine Meinung, die schon von andern z. B. von *Travers* und *Guthrie* aufgestellt wurde. Uebrigens kann sich Rec. nicht ganz von der Richtigkeit hinsichtlich dieser Verbreitungsart der Entzündung überzeugen, da sich sehr häufig keine Spuren davon wahrnehmen lassen, ja überdiefs auch, wie

wie der Vf. ſelbſt angiebt, die Zipfel des Faltenkranzes nicht nur in keiner organiſchen Verbindung mit der Kapſel ſtehen, ſondern ſogar nur den *Canqlis Petiti* berühren.

Eine andere Art des Nachſtaares wird in Folge der Entzündung der verletzten Kapſelreſte und davon herrührender Ausſchwitzung plaſtiſcher Lymphe, die ſich zu Fäden und Membranen vereinigt, gebildet, die eine frey hinter der *Iris* liegende Scheidewand machen, in deren Mitte jedoch oft ein Loch zurückbleibt. Durch ſeine Unterſuchungen überzeugt ſagt der Vf. S. 68: die Bildung eines häutigen Nachſtaares ſey Produkt plaſtiſcher Entzündung der Kapſelreſte, unabhängig von Entzündung der Iris, denn nur wo die Kapſel ganz oder zum Theil zurückbliebe, bilde er ſich auch ganz oder theilweiſe aus; er zeige das Streben der Natur das zerſtörte Linſenſyſtem wieder zu ergänzen.

Das Auffallendſte was bey den Unterſuchungen gefunden wurde, war eine in dem friſchen Auge durchſichtige, erſt im Weingeiſte u. ſ. w. als weiſse käſige Maſſe ſichtbar werdende Subſtanz, die Hr. *S.* für eine von den Kapſelreſten abgeſonderte der Linſe analoge Subſtanz hält, die, da die Kapſel in der Mitte mehrentheils zerſtört iſt, gewöhnlich einen mehr oder weniger vollſtändigen Ring bildet, der am ausgebildeteſten iſt, wo längere Zeit Entzündung Statt fand, und vom Vf. Kryſtallwulſt genannt wird.

Für die operative Augenheilkunde von ſehr groſser Wichtigkeit ſind nun endlich auch die von Hn. *S.* gefundenen Reſultate hinſichtlich der Zeit, die zur Auflöſung und Aufſaugung einer umgelegten Linſe erforderlich wird. Nach 8 Jahren, aber auch nach 8 Jahren fand ſie ſich völlig reſorbirt, während ſie in einem andern in der umgelegten Kapſel unverändert geblieben war. Nach 2 Jahren fand ſich in beiden Augen eines Mannes noch der Kern des Staares von der Gröſse einer Linſe als harter Körper auf dem Boden des Auges befeſtigt, und daſſelbe war nach 18 Monaten in einem anderen Auge der Fall. Was Hr. *S.* über Lage und Wirkung des Linſenkernes angiebt, iſt ſehr leſenswerth, kann jedoch hier, wenn es nicht rein abgeſchrieben werden ſoll, nicht mitgetheilt werden. Von der Wundnarbe lieſs ſich immer nur mit Mühe eine Spur auſsen auf der *Sclerotica* wahrnehmen, ein paar Mal erſchien ſie als ein durchſcheinendes knorpliches Pünktchen, allein immer lieſs ſie weder auf *Sclerotica* noch *Choroidea* eine Spur zurück.

Man wird aus dem Angegebenen erſehen haben, daſs dieſes kleine Schriftchen von vielfachem Intereſſe für Phyſiologen und Augenärzte iſt. Möge der Vf. auch fernerhin ſeine ſorgſamen Unterſuchungen fortſetzen, und dem lernbegierigen Publikum nicht vorenthalten; mögen auch andere dazu berufene zu ähnlichen Forſchungen angeregt werden.

Papier und Druck, häufige Druckfehler ausgenommen, ſind gut, und auch die beygefügten Tafeln verdeutlichen das, was ſie vorſtellen ſollen.

Heidelberg u. Leipzig, in d. neuen Akadem. Buchh. von Groos: *Die Krankheiten des Gehörorganes.* Ein Handbuch zum Gebrauche ſeiner Vorleſungen, von *Karl Joſeph Beck*, der Arzneywiſſenſchaft Doctor, ordentl. Prof. an der hohen Schule in Freyburg, und mehrerer gelehrten Geſellſchaften Mitgliede. 1827. X u. 296 S. in 8. (1 Rthlr. 16 gGr.)

Da unſre Kenntniſſe über die Krankheiten des Gehörorgans, in diagnoſtiſcher ſowohl, als therapeutiſcher Hinſicht, noch ſehr gering ſind, ſo verdient jeder Verſuch, der uns dem endlichen Ziele näher bringt, unſern Dank. Aus dieſem Geſichtspunkte betrachtet verdient auch die Mühe, welcher ſich der Vf. bey der Ausarbeitung des vor uns liegenden Werkes unterzog, unſre Anerkennung; und finden wir in demſelben auch eben nichts Neues, ſo iſt doch das Alte, bereits Bekannte, mit groſser Sorgfalt in einer zweckmäſsigen Ordnung, mit Kritik vermiſcht, zuſammengeſtellt.

In der *Einleitung* ſpricht der Vf. erſt über die Function des Gehörorgans, dann über die Folgen der angeborenen und erworbenen Taubheit in phyſiſcher und pſychiſcher Beziehung, liefert hierauf einen Ueberblick über die frühern und gegenwärtigen Leiſtungen in Erforſchung und Behandlung der Krankheiten des Gehörorgans, und zuletzt eine Ueberſicht der dieſen Gegenſtand betreffenden Literatur. Im *erſten* Buche, oder dem *technischen Theile*, handelt er zuerſt die *Unterſuchungslehre* ab. Er ſpricht daher hier von der Unterſuchung im Allgemeinen, und von der des Gehörganges und der Ohrmuſchel, des Trommelhäutchens, des Zitzenfortſatzes, der Euſtachiſchen Röhre, und über die Perceptions-Fähigkeit der Gehörnerven. Dann kommt er zur *Heilmittellehre*, bey welcher er ſich über die Art der Anwendung der Salben, Einſpritzungen, Eintröpflungen, Verdünſtungen und Räucherungen, Duſch- und Tropfbäder, Einreibungen, Brenn- und Aetzmittel, der Elektricität, des Galvanismus und des verſtärkten Schalles ausläſst. In der *Operationslehre* ſpricht er von der Durchbohrung der Trommelhaut, von der Anbohrung des Zitzenfortſatzes, von dem Durchſtechen der Ohrläppchen, und von der Ohrbildung. In der *Protheſis* und *Cosmetik* handelt er die hohlen und dichten Leiter des Schalles umſtändlich ab.

Das *zweyte* Buch umfaſst den *pathologiſchen* Theil, der wieder in einen pathogeniſchen und pathologiſch-anatomiſchen abgetheilt iſt. Beſonders letzterer iſt mit vieler Sorgfalt ausgearbeitet. Im *dritten* Buche endlich kommen wir zu denjenigen Theil, der uns am meiſten intereſſiren muſste, nämlich zur *Noſologie der Gehörkrankheiten.* Sehr paſſend theilt der Vf. dieſe Krankheiten in zwey Hauptklaſſen, in dynamiſch-organiſche, und in mechaniſche Störungen ein; in die erſtere Klaſſe bringt er daher die Krankheiten des plaſtiſchen, des irritablen und des ſenſiblen Apparates. Dieſer Eintheilung ge-

gemäfs handelt er zuerst die *Krankheiten des plastischen Apparates* ab, und unter diesen *A.* die Entzündungen. *a*) *Otitis externa.* *b*) *O. interna.* *c*) *Myringitis.* *d*) *Syringitis Eustachiana.* Bey der äufseren Ohrentzündung will der Vf. immer mit Erfolg das *Empl. vesic. perp.* auf die Gegend des Zitzenfortsatzes aufgelegt haben! Wenn bey der innern Ohrentzündung die Erscheinungen das Vorhandenseyn eines *Secretums* in der Trommelhöhle bezeichnen und es nicht gelingt, dasselbe durch die Eustachische Trompete auszuleeren, so soll man die Eröffnung des Trommelfells nicht der Natur überlassen, weil diese gewöhnlich mit einer ausgebreiteten Zerstörung des Trommelfells und mit Verlust der Gehörknöchelchen dieses Geschäft übernimmt, und da, ehe die Oeffnung geschieht, Ergiefsungen des Eiters in das Labyrinth und in die Zellen des Zitzenfortsatzes Statt finden können! *B.* Fehlerhafte Secretionen. *a*) Abnormer Zustand des Ohrenschmalzes. Das laue Wasser eignet sich am besten zu Einspritzungen, da es als Lösungsmittel des Ohrenschmalzes vor den seifenartigen, alkalischen und öligen Mitteln den Vorzug verdient. *b*) *Otorrhoea externa.* *c*) *Otorrh. interna.* Vor der Anwendung adstringirender Einspritzungen wird mit Recht sehr gewarnt; bevor nicht die zum Grunde liegenden Ursachen beseitigt, und vicariirende Ausscheidungen hervorgerufen worden sind, dürfen sie nicht angewendet werden. *d*) Fehlerhafter Secretionszustand des Labyrinthwassers. Oefters beobachtet, jedoch nicht durch genau bezeichnende Symptome erkennbar ist die Taubheit, welche durch diesen Fehler bedingt wird. *C.* Störungen durch vermehrte Nutrition. *a*) Vergröfserung des äufseren Ohres und Wucherung der den Gehörgang umkleidenden Membran. *b*) Verdickung des Trommelfells. Läfst sich ein Zurückführen zum normalen Zustande nicht erwarten, so soll man die Taubheit durch die Perforation des Trommelfells zu beseitigen suchen. *c*) Wucherung der Membran der Paukenhöhle. (Sie möchte, abgesehen von der vielleicht vorhandenen *Otorrhoea*, schwer zu erkennen seyn!) *D.* Störungen durch mangelhafte und perverse Nutrition. *a*) Geschwüre der äufsern Ohrtheile und Fisteln, aufserhalb des Ohres erzeugt, in dieses einmündend. *b*) *Caries* im Ohre. Sie geht entweder ursprünglich von den Knochen oder von den in Ulceration übergegangenen Weichtheilen aus. *c*) Atrophie und Phthisis des Trommelfells. Eine Herstellung des Integritätszustandes läfst sich durch kein Heilverfahren bewirken. Die zu lösende Aufgabe besteht darin, den Krankheitsprocefs zu beschränken und die Verbreitung des Uebels zu verhüten. Durch Reinigung des Ohres, durch Ausfüllen des Gehörganges mit Baumwolle, oder durch das Einlegen einer Membran trachte man die Beschädigung von dem innern Ohre abzuwenden. *d*) Atrophie der Gehörnerven. Das angeborne oder durch das Alter veranlafste Leiden dieser Art läfst keine Heilung zu. *E.* Störungen durch neue Bildungen veranlafst. *a*) Polypen des Ohres. Das Ausreifsen ist nach dem Vf. die zweckmäfsigste Weise, dieselben zu entfernen; nicht anwendbar aber ist es, wenn die Polypen auf dem Trommelfelle sitzen, in welchem Falle man sie abbinden mufs, zu welchem Behufe ein besonderes Instrument S. 199 empfohlen wird. *b*) Neu erzeugte häutige Gebilde, Anhäufungen der Säfte und Concretionen in der Trommelhöhle und im Zitzenfortsatze. Die durch Blutextravasat hervorgebrachte Taubheit tritt plötzlich ein, nachdem eine heftige Erschütterung oder dergl. eingewirkt hatte, drückender, dumpfer Schmerz folgt nach, und das ausgetretene Blut wird beym frischen Uebel durch das Trommelfell durchblicken, diesem eine bläulichte Färbung mittheilen. (?) Kommt durch die *Tuba* injicirtes warmes Wasser blutig wieder heraus, so ist die Diagnose klar! — In der zweyten Abtheilung, die *Krankheiten* des *irritabeln Apparates*, beschreibt der Vf. *A.* den Krampf. Bey einem hohen Grade desselben soll das Trommelfell sackartig zurückgezogen, und dadurch die Reihe der Gehörknöchelchen aus der normalen Lage gerückt werden. (?) Einspritzungen durch die Eustachische Trompete empfiehlt der Vf. in diesen Fällen besonders. *B.* Lähmung und Erschlaffung, *a*) der Ohrmuschel. *b*) des Trommelfells. — In der dritten Abtheilung, die *Krankheiten des sensiblen Apparats*, handelt er folgende Zufälle ab. *A.* Schmerz, *Otalgia.* Der Sitz dieses Uebels ist die *Chorda tympani*, die sich in einem entzündeten Zustande befindet. *B.* Störungen der Sensation. *a*) Nervöse Taubheit. Es stellt sich hier dasselbe Verhalten dar, wie bey der verjährten Amaurose, wo durch krankhafte Nutrition und Secretion allmählig die äufsern und innern Theile des Auges Glanz und Durchsichtigkeit verlieren. (Ein gewifs sehr passender Vergleich!) Ebenso, wie durch Blut- und Säfteverlust schwarzer Staar entstehen kann, kann auch Taubheit sich bilden. *b*) Verstimmung des Gehörs.

Die *mechanischen Störungen* machen die zweyte Klasse aus. Der Vf. betrachtet hier: *A.* die abnorme Cohäsion. *a*) Imperforation und Verengerung des Gehörganges. *b*) Verschliefsung und Verstopfung der Eustachischen Trompete. Eine theilweise, in der Röhre befindliche Verwachsung kann gehoben werden, nicht aber eine die ganze Länge der Röhre oder die Ausmündungsstelle umfassende Verwachsung. Im letzteren Falle pafst die Eröffnung des Trommelfells oder die Anbohrung des Zitzenfortsatzes. *B.* Abnorme Trennung. Wunden. Das Vorkommen eines Bruches der Ohrknorpel bezweifelt der Vf. mit Recht. Durch den Verlust der Ohrmuschel sollen nur solche Personen anhaltend leiden, bey welchen das Gehör vor der Beschädigung keine grofse Feinheit und Schärfe hatte. *C.* Fremde Körper.

Ein sehr vollständiges alphabetisches Sachregister beschliefst dieses brauchbare, besonders zu Vorlesungen recht gut sich eignende Handbuch. — Druck und Papier sind ausgezeichnet schön.

Dt. Dhlff.

ALLGEMEINE LITERATUR - ZEITUNG

September 1828.

LITERARISCHE ANZEIGEN.

I. Antikritik.

Unter Nr. 136. dieſer A. L. Z. hat ein anonymer Kriticus, ohne Zweifel aber kein junger Mann mehr, meine Schrift *über Freyheit und Nothwendigkeit* (Leipzig, 1828.) auf eine Weiſe vor ſeinen Richterſtuhl gezogen, die einem jeden, der die Abhandlung verſtanden hat, ſeine gänzliche Unfähigkeit allein ſchon zum Referenten, geſchweige zum Recenſenten derſelben beurkunden muſs, da ſie ihm von vorn bis hinten ein verſiegelt Buch geblieben iſt. Allein dieſem unglücklichen Umſtande, keiner Unredlichkeit, darf es daher beygemeſſen werden, daſs der gute Mann nicht nur in ſeinen dürftigen Relationen theils das wichtigſte ganz unberührt läſst, theils aus dem Zuſammenhange geriſſene Einzelnheiten entweder entſtellt oder *ad libitum* combinirt, und mir Behauptungen und Beſtrebungen andichtet, die mir nicht im Traume eingefallen ſind: ſondern auch in dem wenigen, was ſeine Feder kritiſch zu Papier gebracht, mit einer Unbefangenheit, die unverſchämt genannt werden könnte, wenn ſie nicht lächerlich wäre, immer mit Einwendungen mir entgegentritt, deren Nichtigkeit und Ungereimtheit ich eben lang und breit dargethan, ohne ſich im Mindeſten auf eine Widerlegung dieſer Argumente einzulaſſen. Aus demſelben Grunde kann es mir nun zwar auch gar nicht in den Sinn kommen, über ſeine Recenſion hier ausführlich mit ihm zu rechten. Denn hat er mich erſt nicht verſtanden, ſo würde er mich auch jetzt nicht verſtehn; und wer ſich, wie der Ungenannte, aus Mangel an metaphyſiſchem Organ in die Mittelbegriffe meiner Unterſuchung ſo wenig finden kann, daſs er z. B. ſchlechterdings nicht einſieht, es liege ſchon in dem Begriff der Abhängigkeit, daſs das Abhängige, um eben abhängig ſeyn zu können, zugleich ein Selbſtſtändiges ſeyn muſs (ſelbſt wenn ihm ausdrücklich noch zu bedenken gegeben wird, daſs ja Paſſives in der Beziehung, in welcher es paſſiv gedacht wird, doch nicht *als* Paſſives, ſondern nur als Gegentheil des Paſſiven leidend ſeyn kann): mit dem muſs mir ein Dispüt zu jenem Ende eine vergebliche Mühe ſcheinen. Im allgemeinen jedoch glaubte ich der Wahrheit und mir ſelber vorſtehende Erklärung ſchuldig zu ſeyn, und erlaube mir zugleich bey dieſer Gelegenheit laut den Wunſch zu erkennen zu geben, daſs es bald einem Manne von gründlicher Wiſſenſchaft und rückſichtsloſem Intereſſe für die Wahrheit gefallen möge, meine Schrift ohne Schonung, aber mit Verſtand und Gerechtigkeit einer öffentlichen Prüfung zu unterwerfen. Ich behaupte hier wiederholt, das Problem der Freyheit philoſophiſch und theologiſch wirklich in derſelben gelöſt zu haben, und zwar, indem der Aufgabe überhaupt nur ſo genügt werden konnte, zugleich mit ſpeculativer Begründung chriſtlich-theiſtiſcher Weltanſicht im Gegenſatz zu aller andern, namentlich pantheiſtiſchen. Wer das anmaſsend nennt, der zeige die Unrechtmäſsigkeit meiner Anſprüche, widrigenfalls ſein Vorwurf auf ihn ſelber zurückfällt.

Thorn, den 12. Julius 1828.

W. Voigt.

Antwort des Recenſenten.

Ob des Vfs. Löſung des Problems, wie die Freyheit des Menſchen mit deſſen Abhängigkeit von Gott vereinbar ſey, gelten könne, oder nicht, beruht, wie ſein Buch und die hier getadelte Recenſion deſſelben bezeugen, zuletzt einzig auf der Statthaftigkeit, oder Verwerflichkeit des Gedankens von „einer continuirlich derivativen Abſolutheit", womit übrigens er fälſchlich die in der vorſtehenden Antikritik genannte „abhängige Selbſtſtändigkeit" für identiſch hält. Das „continuirlich" kann und will Rec. dabey unberückſichtigt laſſen, da es nur eine Nebenbeſtimmung zum Hauptbegriffe hinzuthut. Aber in Rückſicht des letztern fragt Rec. abermals jeden denkenden Leſer: Wie laſſen ſich Derivativität und Abſolutheit ohne Widerſpruch zuſammen denken? Wäre dieſs möglich, ſo müſste auch Gottes Weſen als ein derivatives gedacht werden können; denn daſs es als ein abſolutes gedacht werden muſs, verſteht ſich. Vermag aber wirklich dieſer Hr. *V.* ein Seyn (ob Gottes, oder des menſchlichen Geiſtes, von deſſen Freyheit er die derivative Abſolutheit behauptet, darauf kommt an ſich hier nichts an; weil jetzt nicht die Rede davon iſt, von welchem Dinge dieſer Begriff gelten ſolle, ſondern bloſs davon, ob er ſelbſt gültig ſey) ſich vorzuſtellen, welches zugleich, d. i. in Einem Begriffe, abſolut, mithin primitiv, und auch derivativ, mithin nicht primitiv, wäre? Nun, dann vermag er, ſo viel Rec. einzuſehen im Stande iſt, mehr, als Wunder zu thun, da der Begriff eines Wunders wenigſtens ſich nicht ſelbſt widerſpricht, und ſeine vermeinte Löſung jener Aufgabe iſt dann dem Rec. noch unbegreiflicher, als dieſer Aufgabe Inhalt und Gegenſtand. Auf ſein Schelten des Rec., der allerdings „kein junger Mann mehr" iſt, erwiedert dieſer nichts, weil es der Begründung entbehrt.

behrt. Daſs aber Hr. *V.* von der Richtigkeit ſeiner Löſung enthuſiaſtiſch für ſeine Perſon überzeugt ſey, bezweifelt Rec. keinen Augenblick, ſondern ſieht vielmehr eben dieſs als den alleinigen Grund ſeines Unwillens über eine ſolche Recenſion, und hiermit auch als den der ganzen Antikritik an, in welcher demnach, ſo wie in dem Hauptabſchnitte des Buchs, nicht objective, ſondern individuale, folglich bloſs nur ſubjective Wahrheit gegeben iſt. *Der Rec.*

II. Ankündigungen neuer Bücher.

Verlags-Bericht
von Th. Chr. Fr. Enslin in Berlin,
vom Jahre 1828.

Dr. *C. A. W. Berends*
Vorleſungen
über praktiſche Arzneywiſſenſchaft,
herausgegeben von Dr. *Karl Sundelin.*

3ter Band, *Entzündungen.* 2 Rthlr. 4 gr.

4ter Band, *acute Exantheme, Rheumatismus, Katarrh, Gicht, Ruhr, Gallenruhr* und die *Blutflüſſe.* 2 Rthlr. 14 gr.

Pädagogiſche Blätter,
herausgegeben von dem *Berliniſchen Schullehrer-Verein* für das deutſche Volksſchulweſen, 1ſter Bd. 2tes Heft.
Broſch. 18 gr.

Neue Bühnenſpiele.
Nach dem Engliſchen, Franzöſiſchen und Italieniſchen, für das deutſche Theater frey bearbeitet
von *Karl Blum.*
Sauber broſchirt 1 Rthlr. 12 gr.

Inhalt:

1) Stadt und Land, Schauſpiel in 5 Acten nach *Th. Morton* (einzeln 16 gr.).
2) Die Mäntel, oder der Schneider in Liſſabon, Luſtſpiel in 2 Acten nach *Scribe* (einzeln 6 gr.).
3) Herr von Ich, Luſtſpiel in 1 Act nach *Delongchamps* (einzeln 6 gr.).
4) Mirandolina, Luſtſpiel in 3 Acten nach *Goldoni* (einzeln 10 gr.).

Pathologie des Weichſelzopfs,
ein Verſuch nach Erfahrungen von Dr. *E. Bondi.* 8 gr.

Geſchichte Napoleon Bonaparte's,
von *Friedr. Buchholz.* 2ter Band. 3 Rthlr. 12 gr.

Ueber die Seeſchlacht bey Navarin
und deren wahrſcheinliche Folgen, von *Fr. Buchholz.*
Broſch. 6 gr.

Vertheidigung der Urheber
des preuſsiſchen Landrechts, gegen die Beſchuldigungen eines Ungenannten, von *Fr. Buchholz.* Broſch. 4 gr.

Neue Monatſchrift für Deutſchland
hiſtoriſch-politiſchen Inhalts,
herausgegeben
von
Friedrich Buchholz.
Der Jahrgang von 12 Monatsheften 8 Rthlr.

Die Drillinge,
Luſtſpiel in 4 Aufzügen.
Aus dem Franzöſiſchen des Herrn *von Bonin.*
Neu bearbeitet nach der Darſtellung auf der Königlichen Schaubühne zu Berlin. 12 gr.

Gebete für das jugendliche Alter,
zum Schul- und Haus-Gebrauch, in gebundener Rede, von *Aug. Hörſchelmann.* 8 gr.

Hans Kohlhas,
hiſtor. vaterländ. Trauerſpiel, von *G. A. v. Maltitz.*
Mit 1 Kupfer. Geb. 1 Rthlr. 8 gGr.

Zwey Predigten bey der Amts-Veränderung
von *F. A. Piſchon.* Br. 5 gr.

Der
Waſſerkrebs der Kinder,
eine Monographie vom Stabsarzt Dr. *A. L. Richter.*
Mit 2 ſchönen color. Kpfrn. Sauber broſch. 22 gr.

Anleitung
zum geburtshülflichen techniſchen Verfahren
am Phantome,
als Vorbereitung zur künftigen Ausübung der Geburtshülfe,
von
Dr. *Ed. Casp. Jac. v. Siebold.* 1 Rthlr.

Taſchenbuch
der ärztlichen Receptirkunſt
und der
Arzneyformeln,
nach den Methoden der berühmteſten Aerzte;
herausgegeben
von Dr. *Karl Sundelin.*
Als Supplement zu der Heilmittellehre deſſelben Verfaſſers.

Zwey Bändchen in Taſchenformat (elegant gedruckt auf feines Druck-Velinpapier), welche enthalten:
1ſtes Bändchen, *Receptirkunſt,*
2tes Bändchen, *Arzneyformeln.*
Preis beider Theile, ſauber gebunden und in Futteral, 1 Rthlr. 16 gr.

Beweis
der unſchädlichen und heilſamen Wirkungen
des Badens im Winter,
nebſt Belehrungen über die zweckmäſsigſte Art des Gebrauchs der Bäder und Trinkkuren zur Winterszeit,
von Dr. *S. G. Vogel.* Br. 6 gr.

Lite-

Literarische Annalen der gesammten Heilkunde
in Verbindung
mit
den Herren v. *Ammon*, *Breschet*, *Carus*, *Clarus*, *Dieffenbach*, *Erdmann*, *Haindorf*, *Köhler*, *Koreff*, *Kreyssig*, *Lichtenstädt*, *Reichenbach*, *Sachse*, *Schilling*, *Seiler*, *Steffen*, *S. G. Vogel*, *Wagner*, *Wendt*
u. m. a.;
herausgegeben
von
Dr. und Prof. *J. F. C. Hecker*.
Der Jahrgang von 12 Monatsheften 8 Rthlr.

Pragmatische Geschichte
der religiösen Cultur und des sittlichen Lebens der Christen, von der Begründung des Christenthums bis auf die neuesten Zeiten. *Erster* Theil, enthaltend die erste Periode von Christus bis zum Nicänischen Concil; von Dr. *Amad. Wiessner*. 3 Rthlr.

Vorstehende Werke sind in allen guten Buchhandlungen vorräthig.

Bey Joh. Georg Schmitz in Köln ist so eben erschienen und durch alle Buchhandlungen zu beziehen:

Die
Untersuchung der Brust
zur Erkenntnifs
der Brustkrankheiten
von
V. Collin,
Doctor der Medicin und Hülfsarzt der Bürgerspitäler zu Paris.
Aus dem Französischen übersetzt und mit Zusätzen vorzüglich nach Lännec's Beobachtungen vermehrt
von
F. J. Bourel,
der Medicin Beflissenem.
Mit einer Vorrede begleitet
von
F. Nasse,
Professor der Medicin, Director der medicinischen Klinik zu Bonn u. s. w.
Nebst
einem Anhange
über
die Anwendung des Stethoskops
bey
Organen aufser der Brusthöhle.
gr. 8. Preis 20 gr.

Für Geschichtsfreunde.

Weltliche Geschichtsschule, oder historische Denkwürdigkeiten und unterhaltende Erzählungen aus der Welt- und Menschengeschichte der Vorzeit in bunter Reihe dargestellt von *Godofred Querner*. gr. 8. Geh. Neustadt a. d. O., bey J. K. G. Wagner. (Preis 22 gr. oder 1 Fl. 40 Kr.)

Eine anziehende Zusammenstellung von Erzählungen aus alten Chroniken und anderen seltenen historischen Schriften. Für Leser, welche die Unterhaltung mehr aus dem Bereiche der wirklichen Vergangenheit, als in der Romanenliteratur suchen.

Dieses Buch ist durch alle Buchhandlungen zu haben.

Den vielfachen Anfragen begegnend zeigen wir an, dafs nun vollständig erschienen ist:

K. H. L. Pölitz
Die
Staatswissenschaften
im Lichte unserer Zeit.
2te verm. Aufl. 5 Bde. (190 Bog. in gr. 8.) 1827–1828.
10 Rthlr. 16 gr.
Einzeln: 1ster Bd. $2\frac{1}{3}$ Rthlr. — 2ter Bd. $2\frac{1}{3}$ Rthlr. — 3ter Bd. $2\frac{1}{3}$ Rthlr. — 4ter Bd. $3\frac{1}{3}$ Rthlr. — 5ter Bd. $1\frac{1}{3}$ Rthlr.

Als praktischer Commentar zu diesem Werke ist von demselben Verf. im Jahre 1826 erschienen:

Die Staatensysteme
Europa's und Amerika's,
seit dem Jahre 1783 bis 1826 geschichtlich-politisch dargestellt in *drey* Bänden; gr. 8. (83 Bogen.)
Weifs Druckpap. 5 Rthlr. 8 gr. Ord. Druckp. 4 Rthlr.

Leipzig, im August 1828.
J. C. Hinrichs'sche Buchhandlung.

Neue
Verlags- und Commissionsbücher
der
Buchhandlung des Waisenhauses in Halle,
Jubilate-Messe 1828.
durch alle Buchhandlungen zu beziehen:

Arndt, *J.*, Erinnerungspunkte vor Lesung der heil. Schrift. 8. $1\frac{1}{2}$ gr.

Biblia hebraica manualia ad praestantiores editiones accurata. Cura et studio *Joh. Simonis*. Accesserunt I. Analysis et explicatio variant. lectionum, quas Kethibh et Kri vocant. II. Interpretatio Epicriseon Masorethicarum, singulis libris biblicis subjectar. III. Explicatio notarum marginal. textui s. hinc inde additar. IV. Vocabularium omnium vocum vet. Testamenti hebraicar. et chaldaicar. denuo emendat. edit. Editio IV. emendat. 8 maj. 4 Rthlr. 12 gr.

Ciceronis, *M. T.*, de natura Deorum libri III. Ex nova recens. Ernestiana. Adjunctis lection. Gruterianis. 8. 5 gr.

Fuhr–

Fuhrmann, W. D., Handwörterbuch der chriftlichen Religions- und Kirchengefchichte. Zugleich als Hülfsmittel bey dem Gebrauche der Tabellen von *Seiler, Rofenmüller, Vater.* 2ter Band. gr. 8. 2 Rthlr. 12 gr.

(3ter und letzter Band erfcheint auch noch in diefem Jahre.)

Gefangbuch, evangel.-lutherifches, zum Gebrauch der Stadt Halle und der umliegenden Gegend. Neue Ausgabe. 8.

Gefchichte, neuere, der evangel. Miffions-Anftalten zu Bekehrung der Heiden in Oftindien. 7ten Bandes 3tes Stück oder 75ftes St. 4. 10 gr.

Hauspoftille, evangel., auch für den kirchlichen Gebrauch, enthaltend Predigten über die Sonn- und Fefttagsevangelien und einige frey gewählte Texte, 2ter Band. gr. 8. 10 gr.

Auch unter dem Titel:

Paffionspredigten, zwölf, über die Texte aus der Leidensgefchichte, nebft einer Charfreytagspredigt und zwey Ofterpredigten.

Hoffmanni, Dr. *A. Th.*, Grammaticae fyriacae libri III. 4 maj. 4 Rthlr. Weifs Druckpapier 4 Rthlr. 8 gr.

Hoyer, Generalmajor *v.*, Lehrbuch für den Elementar-Unterricht in den Kriegswiffenfchaften. Den Divifionsfchulen der Königl. Preufs. Armee gewidmet. 2 Theile, gr. 8. 2 Rthlr. 16 gr.

Junker, J. C. W., bibl. Catechismus für Volksfchulen. Mit dazu gehörigen Erläuterungen und Beziehungen auf das Handbuch gemeinnützigér Kenntniffe, 18te Auflage. 8. 2 gr.

Kohlraufch, Dr. *Fr.*, die Gefchichten und Lehren der heil. Schrift alten und neuen Teftaments, zum Gebrauch der Schulen und des Privatunterrichts bearbeitet. Mit einer Vorrede von Dr. *A. H. Niemeyer.* Zwey Abtheilungen. 12te unveränderte Auflage. gr. 8. 16 gr.

Lange, Dr. *G.*, Commentatio de fententiarum nexu locisque difficilioribus Horatii fatyrae I, 1. Adjuncta eft annal. fcholae lat. Halenf. part. III. auct. Prof. Dr. *J. G. Diek.* 8 maj. Geh. 4 gr.

Niemeyer, Dr. *W. H.*, Zeitfchrift für Geburtshülfe und praktifche Medicin. Eine Sammlung eigener und fremder Beobachtungen und Erfahrungen. 1ften Bandes 1ftes Stück. Mit 5 Kupfertafeln. gr. 8. Geh. 2 Rthlr.

Vater, Dr. *J. S.*, fynchroniftifche Tafeln der Kirchengefchichte, vom Urfprunge des Chriftenthums bis auf die gegenwärtige Zeit, nach den bewährteften Hülfsmitteln. Mit einem Vorwort vom Herrn Canzler *Niemeyer.* 5te Aufl. Fol. 1 Rthlr. 12 gr.

Wochenblatt, Hallifches patriotifches, zur Beförderung nützlicher Kenntniffe und wohlthätiger Zwecke, herausgegeben von Dr. *A. H. Niemeyer* und Dr. *H. B. Wagnitz.* 29fter Jahrg. 8. 1 Rthlr.

Nächftens erfcheint:

Knapp, Dr. *G. Chr.*, Leben und Charaktere einiger gelehrten und frommen Männer des vorigen Jahrhunderts. Nebft einigen kleinen theologifchen Auffätzen. Nach deffen Tode gefammelt und herausgegeben. 8.

In der Gradmann'fchen Buchhandlung in Ravensburg ift erfchienen und in allen Buchhandlungen zu haben:

Locherer, J. N., Gefchichte der chriftl. Religion und Kirche. 5ter Theil. (46 B.) Subfcriptions Preis 2 Rthlr. 20 gr.

— — *Kurze Predigten* über die Sonn- und Fefttäglichen Evangelien des katholifchen Kirchenjahrs. 2 Bändchen. 1 Rthlr. 8 gr.

(Diefen wird in Kurzem noch ein 3tes Bändchen, Gelegenheitsreden enthaltend, nachfolgen.)

III. Herabgefetzte Bücher-Preife.

Durch alle folide Buchhandlungen ift von mir zu beziehen:

Reife der Ruffifch-Kaiferl. aufserordentl. Gefandtfchaft an die Othomanifche Pforte im Jahre 1793. Vertraute Briefe eines Efthländers (*Heinr. von Reimers*) an einen feiner Freunde in Reval. Mit 6 grofsen Kupfern in Royalfolio, dem Porträt Sultan Selim III. und 1 Karte. 3 Bände in gr. 4, prachtvoll gedruckt auf franzöf. Papier. St. Petersburg auf kaiferl. Koften. Früherer Preis 16 Rthlr., jetzt *herabgefetzt* auf 8 Rthlr., *ohne* die Kupfer 3 Rthlr.

Gemälde von Konftantinopel von *Friedrich Murhard.* Zweyte verbeff. und vermehrte Auflage. Mit 1 Kupfer in grofs Royal Folio und 2 kleinern Kupfern. 2 Bände in 8. Früherer Preis 4 Rthlr. *jetzt* 3 Rthlr.

Konftantinopel und St. Petersburg. Der Orient und der Norden. Eine Zeitfchrift, herausgegeben von Hn. *von Reimers* und *Fr. Murhard.* 4 Bände in 8. Mit Kupfern. Früherer Preis 13 Rthlr. jetzt 6 Rthlr.

Durch die neueften *politifchen* Ereigniffe angeregt, verdienen diefe Werke jetzt empfohlen zu werden. Wer fie *alle drey* zufammen nimmt, erhält fie für 12 Rthlr. und die „Reife" *mit den Kupfern.*

Leipzig, im Auguft 1828.

Joh. Friedr. Leich.

ALLGEMEINE LITERATUR-ZEITUNG

September 1828.

PHILOSOPHIE.

Leipzig, b. Brockhaus: *Allgemeines Handwörterbuch der philoſophiſchen Wiſſenſchaften, nebſt ihrer Literatur und Geſchichte.* Nach dem heutigen Standpunkte der Wiſſenſchaft bearbeitet und herausgegeben von *Wilhelm Traugott Krug. Erſter* Band. *A—E.* 1827. 755 S. *Zweyter* Band. *F—M.* 1827. 881 S. 8. (4 Rthlr.)

Der Vf. hält Wörterbücher für ein literariſches Bedürfniſs, weil es Menſchen giebt, die gern nach ſolchen Büchern greifen, und da wollte er dieſem Bedürfniſs in Bezug auf die Philoſophie abhelfen. Das Unternehmen, von einer und derſelben Hand durchgeführt, ſetzt ungewöhnliche Kenntniſſe und beharrlichen Fleiſs voraus, die unſerm Vf. nicht mangeln, und wodurch dann ein gröſseres Ebenmaaſs und eine beſſere Harmonie des Ganzen erreicht wird, als wenn Verſchiedene an einzelnen Artikeln hätten arbeiten wollen, was in der Philoſophie zugleich am wunderlichſten ausfallen müſste, weil die Anſichten dieſer Wiſſenſchaft ſo wenig zur Uebereinſtimmung gediehen ſind. Die Frage, wie ein wiſſenſchaftliches, alſo auch ein philoſophiſches Wörterbuch beſchaffen ſeyn müſſe, um dem Bedürfniſſe zu entſprechen, wird in der Vorrede dahin beſtimmt, es müſſe möglichſt vollſtändig, möglichſt deutlich, möglichſt kurz und bequem ſeyn; und wir finden, daſs die vorliegenden Bände dieſe Eigenſchaften wirklich haben. Dabey iſt ſehr leicht möglich, wie der Vf. ſelbſt bemerkt, daſs ihm irgend ein philoſophiſches Kunſtwort, was dieſer oder jener Philoſoph gebraucht, oder irgend ein zur Geſchichte der Philoſophie gehöriger Name, oder irgend ein zur Literatur der Philoſophie gehöriges Buch entgangen ſey. Das ſchadet der Brauchbarkeit nie. Kürze aber war Hauptbedingung, denn das Werk ſoll nicht ſtärker, als 4 Bände von 45 - 50 Bogen werden. Hierin wird gewöhnlich am meiſten gefehlt; und die Bemerkung iſt ſehr wahr: „bey ſolchen Arbeiten iſt es viel ſchwieriger, kurz zu ſeyn, und Maaſs zu halten, als ſich ins Unendliche gehen zu laſſen." Ob der Vf. die jetzt lebenden Philoſophen in ſein Wörterbuch aufnehmen ſolle, war er anfangs zweifelhaft. „Denn (Vorr. S. VIII.) einmal iſt ihre Philoſophie noch nicht als abgeſchloſſen zu betrachten, ſie können ihre Anſichten ändern, vielleicht gar noch ein ihrem jetzigen ganz entgegengeſetztes Syſtem aufſtellen. Beyſpiele der Art enthält die Geſchichte der Philoſophie in Menge. Ueberdieſs ſind Manche ſo kitzlich, daſs ſie jedes nicht beyfällige Urtheil als Beleidigung ihrer Perſon, wenigſtens als Verkennung ihrer Verdienſte aufnehmen und dann bitter rügen." Inzwiſchen ſind ſie aufgenommen worden, und zwar mit Recht, weil vorauszuſetzen war, daſs die Leſer und Benutzer des Werks nach ihnen ſuchen würden. Doch ſind diejenigen ausgeſchloſſen, welche nicht durch einige gröſsere und bedeutende Werke philoſophiſchen Inhalts die Aufmerkſamkeit des philoſophiſchen Publicums auf ſich gezogen haben. Des Urtheils über die Zeitgenoſſen hat ſich der Vf. meiſtens enthalten, und wo es nicht füglich umgangen werden konnte, bittet er zu bedenken, daſs die Philoſophen nun einmal nicht einig ſind, und es vor dem Jahr 2440 auch ſchwerlich werden dürften. Daſs die eigne philoſophiſche Anſicht des Vf. im Werke die herrſchende iſt, muſs man ganz natürlich und unvermeidlich finden. Myſtiſche und phantaſtiſche Erklärungen wird man daher vergebens ſuchen.

Zur nähern Charakteriſtik diene folgendes. — *A* — ohne weiteren Beyſatz bedeutet in der Philoſophie das Erſte, was ſchlechthin ohne weitere Bedingung geſetzt iſt, und daher auch das Abſolute heiſst, worauf denn alles Uebrige als ein Relatives zu beziehen wäre. Ob es ein ſolches *A* in und für die menſchliche Erkenntniſs gebe, iſt noch keinesweges befriedigend beantwortet. Man ſollte daher auch nicht die Philoſophie gradezu für eine Wiſſenſchaft des Abſoluten erklären, wie neuerlich von den ſogenannten Naturphiloſophen geſchehen. Denn wenn gleich der Philoſoph danach forſchen mag, ſo iſt es doch ſehr zweifelhaft, ob er es zu erkennen, mithin eine wahre Wiſſenſchaft davon zu erlangen vermöge. Die logiſche Bedeutung der Formel *A* = *A* wird vom Vf. entwickelt, und daſs dadurch Nichts über den Inhalt eines Dinges ausgeſagt werde, mithin die ganze Philoſophie nicht daraus abgeleitet werden könne. — *Abſchwur.* Beym Wechſel des religiöſen Bekenntniſſes oder beym Uebertritt aus einer Kirche in die andere laſſen manche Kirchen den Uebertretenden auch den alten Glauben abſchwören und dafür den neuen zuſchwören. Das Eine iſt ſo ungereimt, wie das Andere, da niemand im Voraus wiſſen kann, ob ſeine Ueberzeugungen immer dieſelben bleiben werden. Es iſt daher auch gewiſſenlos, einen ſolchen Eid zu fodern und zu leiſten. Er hat eben deswegen gar keine verbindende Kraft. — *Adel.* Die Streitfrage darüber iſt: ſoll es im Staate einen Realadel geben, der ſich nothwendig in Familien fortpflanzt, mithin zugleich Geburtsadel iſt? Denn wider den bloſsen Verdienſt- oder

oder Titularadel wird ſo leicht niemand etwas einwenden, weil ihn jeder durch perſönliches Verdienſt erlangen kann, und niemanden dadurch eine Laſt aufgebürdet, oder ein Vortheil entzogen wird. — *Alexandriniſche Philoſophie.* Dieſe blieb nicht auf Alexandrien beſchränkt, ſondern verbreitete ſich überall hin, wo philoſophirt wurde, ſo daſs ſie am Ende alle Schulen gleichſam verſchlang, aber eben dadurch, ſo wie durch ihren Hang zum Myſticismus und Fanatismus, zur Magie und Theurgie, den gänzlichen Verfall der Philoſophie herbeyführte. — *Alleinweiſe* iſt Gott, weil er der Allwiſſende iſt. Es hat jedoch Menſchen gegeben, ſelbſt unter den Philoſophen, welche ſich alleinweiſe dünkten. Dieſe angebliche Alleinweisheit iſt aber eigentlich die höchſte Thorheit, weil man dabey die Schranken der menſchlichen Natur und der Individualität vergiſst. — *Amerikaniſche Philoſophie.* Obgleich bis jetzt noch keine eigenthümliche vorhanden iſt, meint der Vf., könnte doch kommen, daſs Europäer nach Amerika reiſen würden, nicht um Gold und Silber, ſondern um edlere Schätze der Weisheit zu holen. — Unter dem Artikel *Ammon* wird auſser dem Alexandriniſchen Philoſophen auch des deutſchen Oberhofpredigers gedacht, als eines philoſophirenden Theologen, der noch nicht mit ſich ſelbſt einig geworden iſt, ob er es mit der Vernunft halten ſolle oder nicht, indem ſich oft ein gewiſſes Schwanken zwiſchen Rationalismus und Supernaturalismus zeige. — *Amphibien Philoſophen* ſind ſolche, die ein doppeltes Syſtem haben, z. B. theoretiſch dem Idealismus, praktiſch dem Realismus huldigen, oder auch ſolche, die als Philoſophen ſkeptiſch, als Theologen ſupernaturaliſtiſch dogmatiſch denken. — Unter *Anarchie* wird eines philoſophiſchen Anarchismus gedacht, „der bedeuten ſoll, daſs es der Philoſophie noch an gewiſſen von Allen als wahr anerkannten Principien fehle. In dieſem Zuſtande befindet ſich die Philoſophie allerdings; es iſt aber die Frage, ob ſie je herauskommen werde, da hier faſt jeder Denker mehr oder weniger ſeinen eignen Weg geht. Und eben ſo iſt es die Frage, ob dieſs ein ſo groſses Unglück ſey, als Manche glauben." — *Anſicht* wird jetzt häufig für Meinung gebraucht, weil die Meinungen in den Wiſſenſchaften, beſonders in der Philoſophie, in Verruf gekommen. Man ſtellt alſo jetzt *neue Anſichten* ſtatt *neuer Meinungen* auf, wodurch aber die Sache um kein Haar beſſer wird. — *Aufklärung.* Nur durch ſie wird der Menſch zum Menſchen, und darum iſt es auch ein Hauptzweck der Philoſophie, die Aufklärung zu befördern. Die Philoſophen ſind eben deswegen die gebornen Miniſter der Aufklärung, obgleich ohne Portefeuille und Excellenz. — *Baader* Franz hat auch einige Abhandlungen über die Ekſtaſe geſchrieben; wie denn überhaupt ſeine Art zu philoſophiren ſelbſt etwas ekſtatiſch iſt und ſich mehr zum dunkeln Myſticismus, als zur hellen Wiſſenſchaftlichkeit hinneigt. (Deſſen neuerdings erſchienene Vorleſungen ſind in der Literatur nicht beygefügt, weil ſie wohl dem Vf. bey Abfaſſung des Artikels noch nicht bekannt ſeyn konnten.) — *Bardili.* Sein Syſtem ward durch *Reinhold* weder verſtändlicher noch gründlicher, und fand auch weiter keine Anhänger, ſo daſs es jetzt beynahe vergeſſen iſt. — *Bewuſstſeyn* iſt Wiſſen vom Seyn, eine unmittelbare Verknüpfung von beidem, die eben, weil ſie durch Nichts vermittelt iſt, auch nicht weiter erklärt und begriffen werden kann. Niemand kann daher ſagen, wann und auf welche Weiſe er zum Bewuſstſeyn gekommen. Er hätte dann ſchon ein anderes Bewuſstſeyn haben müſſen, um mittelſt deſſelben ſich der Entſtehung von jenem bewuſst zu werden. — *Bildungskraft* ... es kann dem Naturphiloſophen nicht erlaubt ſeyn, dieſes Princip als ein übernatürliches, dämoniſches oder göttliches zu betrachten. Denn ein ſolches wäre völlig transſcendent; auch würde man mit Hülfe deſſelben eigentlich gar nichts erklären und begreifen, ſondern nur ſeiner Unwiſſenheit ein ſcheinbar frommes Mäntelchen umhängen. — *Böhme,* Jacob, ein ſchwärmeriſcher Schuſter des 16ten u. 17ten Jahrh., dem man die Ehre erwieſen, ihn unter die Philoſophen zu zählen, weil er zuweilen auch ein vernünftiges Wort geſprochen. — *Buch* überhaupt iſt gleichſam ein erſtarrter Geiſt, der eines anderen Geiſtes harret, um durch ihn belebt zu werden. — *Cardan.* Ein Syſtem der Philoſophie hatte er nicht, weil ſein Geiſt zu ungeordnet und flüchtig war, um ein ſolches zu begründen und auszubauen. — *Charlatan.* James *Crichton,* geb. 1560, war einer. Das Geſchlecht der philoſophiſchen Charlatane iſt jedoch mit ihm nicht ausgeſtorben, ſondern hat ſich bis auf unſre Zeiten erhalten. Ich meine aber hier nicht den ſog. Philoſophen *Pittſchaft,* der bereits verſchollen iſt. Die philoſophiſchen Charlatane unſrer Zeit ſind weit manierlicher. Man erkennt ſie nur an dem dunklen Orakeltone, mit welchem ſie ihre Weisheit zu Tage fördern, an der eigenthümlichen Sehergabe oder Anſchauungskraft, die ihnen beywohnt, und die ſie auch von denen fodern, welche ihre erhabnen *Lehren* faſſen wollen; an der frommen Salbung endlich, mit der ſie die Lehren der poſitiven Religion ihren Philoſophemen überall einzuweben wiſſen, um denſelben einen myſtiſchen Anſtrich zu geben, weil der Myſticismus eben an der Tagesordnung iſt. Ihre Namen aber verſchweige ich aus billigem Reſpecte vor ſo groſsen Leuten. — *Deliriren,* heiſst eigentlich von der graden Linie abweichen, dann wahnſinnig ſeyn. Zuweilen heiſst es auch ſo viel als phantaſiren oder ſchwärmen; und da dieſs ſelbſt manche Philoſophen gethan haben, ſo giebt es auch philoſophiſche Schriften und Syſteme, die ſo ausſehen, als wenn der Urheber ſich im Delirio befunden hätte, als ſie dieſelben hervorbrachten. — *Deutſche* oder *germaniſche Philoſophie.* Nach der Scholaſtik Leibnitz, Wolf, Kant u. ſ. w. Die nicht deutſchen Philoſophen ſind gegen die deutſchen ziemlich zurückgeblieben. Es fragt ſich aber, ob ſich die deutſche Philoſophie lange auf dieſem Culminations-

punkte

punkte behaupten werde, besonders, wenn so viele gute Köpfe fortfahren sollten, sich einem mystischen Nebelwesen haltungslos hinzugeben, oder den Tiefsinn darin zu suchen, dass sie eine Sprache reden, die kaum der Einheimische, geschweige der Ausländer versteht. Man kann es daher auch den Ausländern nicht so gar übel deuten, wenn sie sich im Ganzen genommen bisher so wenig um unsre Philosophie bekümmert, und unser Streben nach dem Idealischen meist für phantastische Träumerey erklärt haben. — *Erwartungsrecht* ist ein ganz neumodisches Recht, hervorgegangen aus dem 13ten Art. der deutschen Bundesacte, besagend, dass alle deutsche Staaten eine ständische Verfassung haben werden; was wohl ursprünglich nichts anders heissen sollte als *sollen*. Man benutzte aber jenen Ausdruck, um zu sagen, die deutschen Völker hätten dadurch kein Recht bekommen, eine solche Verfassung zu *fodern*, sondern bloss ein Recht, sie zu *erwarten*.

Das rasche Folgen des *zweyten* Bandes nach dem *ersten*, mag wohl als ein Beweis der Brauchbarkeit und Zweckmässigkeit des Werks im Allgemeinen angesehen werden. Dennoch haben wir einige Klagen vernommen, dass man über die Lehre neuerer Philosophen — wovon es Vielen lieb sey Uebersicht zu gewinnen, ohne die Quellen zu studiren, — in diesem W. B. zu wenig finde. Man bedenkt dabey nicht die grossen Schwierigkeiten, welche solcher übersichtlichen Darstellung einer Lehre der Lebenden sich entgegenstellen. Von Verstorbenen, wie *Kant* und *Fichte*, ist das Nöthigste für den ersten Bedarf gegeben, bey noch Lebenden nicht so. So heisst es, z. B. Art. *Fries*, seine philosophischen Schriften sind oft wegen Mangels einer klaren und bestimmten Darstellung schwer zu verstehen; Art. *Hegel*, er hat sein System bis jetzt nur theilweise dargestellt, und da er in der Kunst der Darstellung nichts weniger als Meister sey, vielmehr seine Schriften eben so sehr an Dunkelheit, als an einer gewissen trocknen Härte leiden, so sey es kaum möglich, über seine Philosophie ein sichres Urtheil zu fällen; Art. *Herbart*, sein System der Philosophie ist bis jetzt noch nicht zu derjenigen Entwickelung und Ausbildung gediehen, welche eine sichere Darstellung und Beurtheilung desselben erlaubte, besonders da es der eignen Darstellungen des Urhebers zuweilen am nöthigen Lichte fehlte, um seine Ansicht gehörig aufzufassen. — Diese Kürze als eine Nothtugend hat indess der Vf. auch dort beobachtet, wo es ihm am leichtesten gewesen wäre ausführlicher zu seyn, nämlich bey seiner eigenen philosophischen Lehre.

Diese Anführungen mögen genügen, die Art und Weise der Behandlung des Vfs kenntlich zu machen. Bey manchen Artikeln entsteht eine gewisse Verwunderung, wie sie in ein philosophisches Wörterbuch hineinkommen, welches wahrscheinlich der Vollständigkeit wegen geschehen. Z. B. *Affenliebe*, wobey der Nachäffung und Manier erwähnt wird; *Ahn*, *Ahnenstolz*; *Anleihen*, wobey eines vernünftigen Anleihesystems gedacht wird; *Anstand*; *Arbeit*, wobey Arbeitsamkeit als Tugend vorkommt, *Arbeitslohn*; *Bordell* bedarf keiner Erklärung, also nur die rechtsphilosophische Frage: darf der Staat solche Anstalten dulden oder wohl gar schützen? Nein. — Auch *Etiquette* hätten die meisten schwerlich in diesem W. B. gesucht, zumal der Vf. bemerkt, in der Philosophie könne, wie in keiner Wissenschaft, die Etiquette berücksichtigt werden, da es hier einzig um die Erforschung der Wahrheit zu thun sey. Also weder um sie zu empfehlen, noch von ihr abzurathen, steht der Artikel da; denn jenes passt nicht, und dieses ist überflüssig, weil die Philosophen in ihrem Betragen gegen einander weniger als Nichts von Etiquette zu beobachten pflegen. — Bey Anführungen der Schriften neuerer philosophischer Schriftsteller wäre Misstrauen gegen Meusel bisweilen nöthig gewesen.

PP.

PHYSIK.

GIESSEN, b. Heyer: *Hand- und Lehr-Buch der Naturlehre*, zum Gebrauche für Vorlesungen und zum eignen Studium neu entworfen von *Georg Gottlieb Schmidt*. Mit 13 Kupfertafeln. 1826. X u. 684 S. gr. 8. (3 Rthlr.)

Die Naturwissenschaften überhaupt und insbesondere die Physik fangen an sich bey uns immer weiter zu verbreiten. Ein offenbarer Beweis hiervon ist, dass — die verdienstliche Arbeit der neuen Ausgabe des Gehler'schen Lexicons, das regelmässig seiner Vollendung näher kommt, nicht zu erwähnen — in demselben Jahre 1826 ausser dem vorliegenden Handbuche, ähnlicher Bücher noch mehrere, entweder als erste Ausgaben oder als neue Bearbeitungen erschienen sind, namentlich die Hand- und Lehrbücher von *Fries*, *Mayer*, *Baumgartner*, *Fischer* und *Poppe*.

Was die Würdigung des vorliegenden Handbuches betrifft, so kann Rec. kurz seyn, weil der Vf. als ein Veteran seines Faches rühmlichst bekannt ist. Es kommt nur darauf an, denjenigen, der mit der physikalischen Literatur vertraut ist, aufmerksam zu machen auf die Beziehung, in welcher diese Ausgabe zu der letzten Aufgabe steht, und für denjenigen, der hierin mehr Laie ist, kurz den Inhalt und die Art der Abfassung anzudeuten.

Was den ersten Punkt betrifft, so liegt uns eine vollständige Umarbeitung der letzten Ausgabe vor. Wir führen hierüber die eignen Worte unseres Vfs. in der Vorrede an. „Der Plan und die Anordnung des frühern Handbuches sind beybehalten, dagegen die verwickelten mathematischen Rechnungen weggelassen, und alles ist so gemeinfasslich dargestellt worden, als es die Natur der Sache erlaubte, ohne der Gründlichkeit und dem wissenschaftlichen Vortrage zu viel zu vergeben. Den chemischen Theil habe ich kürzer gefasst, um für die eigentlich physikalischen Lehren mehr Raum zu gewinnen, und auch die nützlichsten Anwendungen derselben kurz berühren zu können." Der Vf. hat alle neue Entdekkunkungen, die seit der letzten Ausgabe seines Handbuches in dem Gebiete der Physik gemacht worden sind, Entdeckungen, die so bedeutend sind, dass sie allein für sich ein starkes Handbuch ausfüllen, mit Sorgfalt in seinen Vortrag verwebt. Hierbey hat er aber, ohne mit zu großer Vorliebe beym Neuen zu verweilen, diesem nur denjenigen Raum bestimmt, den es im großen Ganzen zu verdienen scheint.

Wir gehen zu einer gedrängten Anzeige des Inhaltes über. Nach einer kurzen Einleitung beschäftigt sich der Vf. im *ersten* Abschnitte mit den allgemeinen Eigenschaften der Körper, im *zweyten* und *dritten* Abschnitte (S. 43—118) mit den Erscheinungen und Erklärungen die in das Gebiet der Statik und Mechanik gehören. Die Ueberschrift des *dritten* Abschnittes: „Vom Gleichgewichte und der Bewegung von Kräften an festen Körpern" könnte leicht etwas befremdend erscheinen. Der *vierte* Abschnitt (119—168) hat die hydrostatischen und hydraulischen Lehren zum Gegenstande, im *fünften* Abschnitte (169—233) wird von der Aerostatik, im *sechsten* (234—258) von der Akustik gehandelt. *Siebenter* Abschnitt (259—303): Von den besondern anziehenden Kräften, welche das Ansteigen der Flüssigkeiten in den Haarröhrchen und die sogenannten chemischen Verwandtschaften bewirken. Der *achte* Abschnitt (309—380) enthält den chemischen Theil unter der Ueberschrift: Nähere Betrachtung einiger allgemein verbreiteten einfachen und zusammengesetzten Körper. *Neunter* Abschnitt (381—452): Von der Wärme. *Zehnter* Abschnitt (453—582): Vom Lichte. *Elfter* Abschnitt (583—639): Von der Electricität (mit Einschluss des Galvanismus). *Zwölfter* Abschnitt (640—684): Vom Magnetismus. Dieser Abschnitt begreift die Erscheinungen des Electromagnetismus, des Thermomagnetismus, und zum Schlusse die, von *Arago* vor einigen Jahren entdeckte, Erregungsweise des Magnetismus durch schnelle Umdrehung auch nicht magnetischer Körper.

Der Stil in vorliegendem Werke ist klar, deutlich und einfach, der Vf. verbreitet sich mit Ruhe über seinen Gegenstand, ohne irgend weitschweifig zu werden. Nur hier und da ist Rec. einem unbestimmten Ausdrucke begegnet; er erwähnt beyspielsweise folgenden Satzes: „Zwey Körper von gleicher Temperatur nach dem Thermometer aber von sehr ungleicher Dichte, fühlen sich ungleich warm an, der dichtere heisser, der lockere minder heiss" (S. 403) der offenbar nur dann wahr ist, wann die Temperatur der beiden Körper die Temperatur der Hand übersteigt. Das Ganze ist in Paragraphen abgetheilt; in der Regel ist der Hauptinhalt an die Spitze jedes Paragraphen gestellt und dann sind weitere Ausführungen und Belege, die enger gedruckt sind, hinzugefügt.

Eine Hauptschwierigkeit in der Abfassung eines Lehrbuches der Physik liegt darin, dass, auf dem heutigen Standpunkte der Wissenschaft, über die Theorie der Imponderabilien eine völlige Ungewissheit herrscht. Um den Leser nicht zur Einseitigkeit zu verleiten ist es nothwendig allen Nachdruck darauf zu legen, dass die verschiedenen Theorien auf blosse Hypothesen beruhen, die sich keiner unmittelbaren Prüfung unterwerfen lassen. Je mehr die Folgerungen die aus einer solchen Hypothese gezogen werden können, und die Resultate der auf dieselbe fussenden Rechnung mit der Erfahrung übereinstimmen, desto mehr gewinnt die bezügliche Theorie an Wahrscheinlichkeit. Im strengen Sinne des Wortes ist keine Theorie vollkommen begründet; eine einzige neue Erscheinung kann eine, lange Zeit hindurch für zulässig gehaltene, Theorie wankend machen. In diesem Sinne drückt sich auch der Vf. bey der Lehre vom Lichte folgendermaassen aus: „Jede dieser Hypothesen (das Emanationssystem und das Vibrations- oder Undulationssystem) an sich ist zulässig, und diejenige, welche die verschiedenen Erscheinungen des Lichtes am befriedigensten erkläret, wird den Vorzug verdienen. Aber die Entscheidung fällt schwer, da wir jetzt mehrere Eigenschaften des Lichtes kennen gelernt haben, die sich bald nach der einen bald nach der andern Vorstellungsweise befriedigender erklären." (Vor Allem haben die sogenannten Interferenzerscheinungen sich gar nicht dem Emanationssysteme schmiegen wollen. Rec.) — — „Es (das Emanationssystem) ist besonders für einen gemeinfasslichern Vortrag geeigneter, und erkläret unstreitig manche Phänomen*en* (?) — befriedigender — als die Undulationstheorie. Der zweyte Grund bestimmt mich hier dem Emanationssystem zu folgen, und nur hier und da die Erklärungsart der andern Hypothese anzuführen." (S. 464). Eben so wenig absprechend äussert sich der Vf. über die Theorie des Electromagnetismus. Schon daraus, dass er unter der Rubrik vom Magnetismus von der Oersted'schen Entdeckung handelt, geht hervor, dass er, und zwar immer noch mit der Mehrzahl der deutschen Naturforscher, sich den electrischen Strom als eine den Magnetismus erregende Kraft vorstellt. „Indessen" sagt er zum Schlusse S. 676 — „gestehen wir gerne, dass die angenommene Hypothese eben so willkürlich ist als die von *Ampère* vorausgesetzten den Magnet*en* (?) nach bestimmten Richtungen umkreisenden Ströme. Erwarten wir also von der Zukunft nähere Aufschlüsse über den wahren Zusammenhang der magnetischen und electrischen Erscheinungen."

Die Formen: Krystal*len*, Magnet*en*, Phänome*nen* u. s. w. die durchgehends vorkommen, scheinen Provincialismen zu seyn. *Kreiss* ist nicht mehr die gebräuchliche Schreibart.

Schliesslich bemerkt Rec. nur noch zur Empfehlung des vorliegenden Handbuches, dass dasselbe auch noch auf andern Universitäten als derjenigen, die sich des Wirkens des Vf. zu erfreuen hat, den Vorträgen über Experimentalphysik zu Grunde gelegt wird.

ALLGEMEINE LITERATUR - ZEITUNG

September 1828.

POLITISCHE ÖKONOMIE.

PARIS, b. Delaunay: *Nouveaux principes d'économie politique*, ou de la richesse dans les rapports avec la population, par *F. C. L. Simonde de Sismondi*. Deuxième édition. 1827. 2 Bde. in 8. zus. 1014 S. (Pr. 12 Fr.)

Des Vfs. selbst eingestandene Absicht geht dahin, *Adam Smith's* berühmte Doctrin zu entwickeln und zu vervollständigen. Die erste Ausgabe dieses Werks erschien bereits vor acht Jahren, fand aber nicht überall Billigung von Seiten derjenigen staatswirthschaftlichen Schriftstellen, welche mit Recht als die vornehmsten Beförderer dieser Wissenschaft genannt werden und deren Meinungen Hr. *v. S.* seither im Wesentlichen getheilt hatte. Seine damalige Apostasie ward durch die Handelskrisis hervorgerufen, welche die Welt zu jener Epoche betrübte und deren Ursachen er sich, in Gemässheit der bis dahin angenommenen Principien, auf keinerley befriedigende Weise zu erklären vermochte. Seine desfallsigen Forschungen leiteten ihn nun auf eine andere Bahn, wo er auf seine frühern Meinungsgenossen, *Say*, *Ricardo* u. s. w. als Gegner stiess. Inzwischen haben die neuerlichen Vorgänge im Bereiche der Handelswelt, vornehmlich in England, die der Vf. hinsichtlich ihrer ursächlichen Verhältnisse mit grosser Aufmerksamkeit studirte, ihn nur in seiner Theorie bestätigt. Andrerseits aber sind die mannichfaltigen Kritiken, wozu die erste Ausgabe Anlass gab, von Hn. *v. S.* nicht unbeachtet gelassen worden; und so ist denn diese zweyte, gänzlich umgearbeitete, Auflage seines frühern Werks erschienen. — Bey der Analyse desselben werden wir vornehmlich Rücksicht auf Hn. *Say's* Controverse nehmen, mit dessen, in seinem *traité d'économie politique* entwickelten, System unser Vf. bey weitem zum Oeftern in Widerspruch tritt. — Der Vf. beginnt mit einer Darlegung der Grundsätze der Wissenschaft; hiernächst zeigt er, welchen Missbräuchen das *Adam Smith'sche* System Eingang zu verschaffen strebt, und endlich deutet er die Mittel an, wodurch diesen Missbräuchen abzuhelfen ist. — Mit Bezugnahme auf eines seiner ältern Werke, *de la richesse commerciale*, sagt derselbe: er habe lange die Bahn verfolgt, worauf noch heute die Oekonomisten wandeln und, nach dem Urtheile des Publicums, in eben jenem Werke bewiesen, dass er solche wohl kannte, sollte er auch keine neuen Entdeckungen darauf gemacht haben. Wir haben das angeführte Buch nicht bey der Hand; allein Hn. *v. S's.* neuestes Produkt kann uns eben nicht bewegen, jenem Urtheile so unbedingt beyzupflichten. Wir vermissen darin manches Erforderniss einer genauen und vollständigen Darlegung der Grundsätze der Staatswirthschaft. Der Begriff von Production wird gar nicht festgestellt und nur höchst unvollkommen gezeigt, in welcher Weise dieselbe von statten geht. Zwar nimmt Hr. *v. S.* mit *Adam Smith* die Arbeit, als die Quelle jedweden Reichthums an; allein man vermisst eine erschöpfende Definition von dem, was Arbeit ist und ihrer Mittel. Auch kann man nicht einmal sagen, dass *v. S.* Alles von dieser Quelle ableitet, wie er doch es zu beabsichtigen behauptet: denn er gesteht z. B. dem Boden eine erzeugende, ihm von Natur beywohnende und von jeder Arbeit unabhängige Kraft zu. „Das Productiv-Vermögen eines Hammerwerks, sagt er unter Andern, hat man *lediglich* einer frühern Arbeit des Menschen zu verdanken, der solches *von Grund aus schuf*; während das Productiv-Vermögen des Bodens nur *zum Theil* jener frühern Arbeit zuzuschreiben ist: denn in dem Boden liegt eine erzeugende Kraft, die nicht vom Menschen kömmt." Diese Unterscheidung ist überdiess, beyläufig gesagt, ganz falsch: denn der Mensch hat so wenig das Hammerwerk, wie den Boden *von Grund aus* geschaffen; hinsichtlich beider benutzte er bloss zu einem gewissen Zwecke die ihm von der Natur zur Verfügung gestellten Kräfte; allein als eigentlicher Schöpfer kann er weder in dem einen noch in dem andern Falle betrachtet werden. — Mit *Adam Smith* und andern Oekonomisten nennt auch Hr. *v. S.* unproductiv die Arbeiten der Staatsbeamten, Advokaten, Aerzte, Lehrer, Gelehrten, Künstler, weil, wie er sagt, das, was sie machen, *keine materielle Gestalt annimmt und sich nicht aufbewahren läfst.* Eine berichtigende Erörterung dieses Irrthums des berühmten Schottländers würde uns zu weit führen. Wir begnügen uns demnach zu bemerken, dass Hr. *Say*, den Irrthum gewahrend, Produkte dieser Art *immaterielle* nennt, allein nichts desto weniger behauptet, — was ebenfalls falsch ist, — es würden dieselben in dem Augenblicke ihrer Erzeugung vernichtet. Hr. *v. S.* dagegen geräth offenbar mit sich selber in Widerspruch, wenn er, jenes Theorems ungeachtet, Gelehrte und Künstler unter die reellesten Reichthümer einer Nation ganz ausdrücklich mit begreift. Um sich consequent zu bleiben, hätte er demnach zu den productivsten Beschäftigungen auch diejenigen zählen sollen, welche die Künstler und die Gelehrten erzeugen, und folglich auch alle die-

diejenigen, welche die Erziehung, die Unterweiſung, die Bildung, die Erhaltung der Menſchen bezwecken. — Hinſichtlich derjenigen Arbeiten, die Hr. *v. S.* ausſchlieſslich productive nennt, vermiſst man die erforderlichen Diſtinctionen. So unterſcheidet zwar der Vf. den Handel von der Landwirthſchaft, allein er begreift unter *induſtrie commerciale* Fabrication und Verführung der Waaren. Auch vermengt er beſtändig Handel und Austauſch der Gegenſtände mit einander; und indeſſen er darzuthun verabſäumt, in welcher Weiſe der Handel productiv iſt, will er beweiſen, wie es der Austauſch iſt und verfällt ſo in einen alten längſt aufgegebenen Irrthum. — Auch beſtimmt er, unſers Bedünkens, ſehr mangelhaft, die Natur und die Verrichtungen des Geldes. Er gewahrt darin, das *Zeichen*, das *Unterpfand*, den *Maaſsſtab* des Werths, da es doch keines von allen dreyen iſt. Er macht daraus ein Handels-Medium, da es doch nur ein Tauſch-Medium iſt. — Vermochten die Begriffe, welche Hr. *v. S.* über die Natur der unterſchiedlichen Arbeiten zu ertheilen ſucht, uns nicht zu befriedigen, ſo konnten uns diejenigen, welche er über die Beförderungsmittel derſelben giebt, ebenfalls nur ziemlich unvollſtändig erſcheinen. Nirgends findet man in dem Werke auch nur ein Wort über den Antheil, den die Kapitalien an der Production nehmen. Kaum drey Seiten des Buches ſind der Darſtellung des Einfluſſes gewidmet, den die Theilung der Arbeit und das Maſchinenweſen äuſsern, und in wenigen Zeilen nur wird der Mitwirkung wiſſenſchaftlicher Kenntniſſe dabey erwähnt. — Allein Hr. *v. S.* hatte, was ihm zur Entſchuldigung gereichen dürfte, weniger die Abſicht, die Entwickelung der Arbeitskräfte umſtändlich darzulegen, als vielmehr den Miſsbrauch anzudeuten, der damit getrieben, das Uebermaaſs zu ſchildern, bis zu welchem die Production geſteigert werden kann, und endlich die Gefahren einer Freyheit und Concurrenz zu zeigen, welche, indem ſie die Kräfte der Induſtrie aufs Höchſte erregen, ebenfalls, wie er bemerkt, ganz vorzüglich dahin ſtreben, eine übermäſsige Production hervorzurufen. — Und dieſs iſt der weſentliche Zweck, die originelle Seite von Hn. *v. S's.* Buch. Klagen ähnlicher Art enthält bereits die erſte Ausgabe von 1819. „Ich habe ſeitdem nicht aufgehört, ſagt er, auf dieſe Krankheit des geſellſchaftlichen Körpers (das Uebermaaſs der Production) aufmerkſam zu machen; allein unaufhörlich hat ſolche ſich ſeitdem nur noch verſchlimmert.“ — Unterſuchen wir jetzt in Kürze, ob es denn wahr iſt, daſs man zu viel producire. Hr. *Say*, mit welchem unſer Vf. deshalb vornehmlich im Streit befangen iſt, ſtellt dieſe Behauptung deſſelben gänzlich in Abrede und ſtützt ſich dabey ſeiner Seit zuerſt auf die Thatſache, daſs bis jetzt noch keine Nation mit allen dem, was ſie bedarf, vollſtändig verſehen iſt und ſogar unter denjenigen, welche für blühend gehalten werden, ¾ der Bevölkerung an ſolchen Produkten Mangel leiden, die als nothwendig nicht etwa in einer reichen Familie, ſondern ſogar in einer beſcheidenen Haushaltung betrachtet werden. Allein dieſe Thatſache, erwiedert Hr. *v. S.*, beweiſe nichts gegen ſeine Behauptung. Er leugnet nicht, daſs es eine Menge Menſchen giebt, die neben jenen angehäuften Produkten, welche zu kaufen ſie nicht das Vermögen haben, im Elende ſchmachten; allein es komme, ſagt er, nicht darauf an zu wiſſen, ob die Production den Bedürfniſſen dieſer unglücklichen Weſen angemeſſen, ſondern lediglich, ob dieſelbe im Verhältniſſe zu den Kauf-Mitteln im Allgemeinen ſtehe; ob es nicht möglich, daſs gewiſſe Menſchen im Vergleiche zu den Hülfsquellen Anderer zu viel produciren? daſs dieſs aber nicht bloſs möglich, ſondern daſs dem wirklich ſo ſey, dieſs beweiſt, nach unſerm Vf., die Ueberführung der Märkte. — Hr. *Say*, der früherhin behauptet hatte, man müſſe den eigentlichen Grund dieſer Ueberführung viel weniger in dem Uebermaaſse der Production einerſeits, als vielmehr darin ſuchen, daſs andererſeits nicht genug producirt werde, um die benöthigten Kaufmittel anzuſchaffen, hat neuerdings eine andere Bahn der Controverſe betreten. Wenn man den richtigen Begriff mit dem Worte *Production* verbindet, ſagt er, ſo wird man nimmer behaupten wollen, es ſey möglich zu viel zu produciren. Unter Production nämlich müſſe man nur die wahre, d. h. diejenige Production verſtehen, welche Nutzen gewähre; unverkäufliche Produkte erzeugen, heiſse nicht wirklich produciren; nur in verkäuflichen Gütern beſtehe der einzige reelle Reichthum. — Da nun Hr. *v. S.* ſeines Theils niemals geſagt hat, man könne zu viel gute Geſchäfte machen, auch nicht behauptet, man producire zu viel, ſo lange es noch möglich iſt, das, was man producirt, zu verkaufen, ſondern da er ſich nur darüber beklagt, daſs man über dieſe Grenze hinaus producire, daſs gewiſſe Menſchen zu viel Güter, im Verhältniſſe zu den Kaufmitteln Anderer, erzeugen, und daſs aus dieſem Grunde ein Theil jener Güter entweder unverkauft bleibt, oder nur unter ihrem Koſtenpreiſe verkauft werden können: ſo ſtehen die Anſichten beider Oekonomiſten, bis auf eine gewiſſe Grenze, keineswegs mit einander in Widerſpruch. Und ſowohl dieſe Behauptung wie das, was der Vf. von den Uebeln ſagt, deren Urſache er in dem von ihm ſogenannten Uebermaaſse der Production findet, kann nur des Rec. Beyſtimmung erhalten. Sicherlich können aus dem Miſsbrauche der Gelegenheiten Geſchäfte zu unternehmen, zu erzwingen, zu übertreiben, nur die gröſsten Unzuträglichkeiten entſpringen, wie die Erfahrungen der letzten Jahre es dargethan haben. Hr. *v. S.* hat demnach ebenfalls recht, wenn er ſagt, man könne gewiſſen Arbeiten eine zu groſse Ausdehnung geben, und wenn er ſich in Klagen über die traurigen Folgen ergieſst, welche dieſe Uebertreibung nach ſich zieht. — Aber minder glücklich war, unſers Bedünkens, der Vf. in ſeinem Verſuche, die Urſachen dieſer Uebertreibung zu erklären. Nach ſeiner Meinung liegt der Miſsbrauch, den man von den Kräften

der

der Induſtrie macht, in dieſen Kräften ſelber, in Allem, was die Production begünſtigt, in der Concurrenz der Producenten, in der Thätigkeit, der Sparſamkeit, in der Anhäufung der Capitalien, in den Maſchinen, den neuen Erfindungen, in dem Rathe, alle dieſe Dinge zu vermehren und zu vervollkommnen. Nicht Eines derſelben giebt es, wogegen ſich Hr. *v. S.* nicht erhöbe, und dem er nicht einen gröſsern oder geringern Antheil an dem Uebel zuſchriebe, worüber er ſich beklagt. — Augenfällig folgt aber der Vf. in allen dieſen Beziehungen einem falſchen Geſichtspunkte. Die uns zu Gebote ſtehenden Productions-Mittel können nicht ſchuld an dem Uebel ſeyn, das wir durch deren Miſsbrauch uns zufügen; die Urſache dieſes Uebels iſt vielmehr in der Schwierigkeit zu ſuchen, einen richtigen Gebrauch von jenen Mitteln zu machen, in unſerer Unbekanntſchaft mit der Art, ſie zweckmäſsig anzuwenden, in der Begierde unſere Unternehmungen auszudehnen, ohne genau zu wiſſen in welcher Richtung und bis zu welcher Grenze ſolche auszudehnen zuträglich iſt. — Als dieſe Grenze weiſet ihnen nun zwar Hr. *v. S.* das bereits vorhandene Einkommen an, indem er ſagt, die wirkſame Frage nach den Produkten des einen Jahres bemeſſe ſich nach dem Betrage des Einkommens des vorhergehenden. Allein dieſes Theorem iſt ſchon um deswillen nicht haltbar, wenn man nur erwägt, daſs die Produkte ziemlich allgemein gleichzeitig entſtehen und gegen einander ausgetauſcht werden, wie z. B. die Brotfrüchte des Landbauers und die Gewerbe des Fabrikanten. Und auſserdem würde jenes Theorem, wäre es in der Wahrheit begründet, jedwedes Fortſchreiten der Nationalwirthſchaft gänzlich unmöglich machen. Denn wie wäre ein vermehrter Ertrag derſelben auch nur denkbar, wenn die Production durch die Frage, dieſe aber durch die jedesmalige Production des vorhergehenden Jahres beſchränkt wäre? Unabweisliche logiſche Conſequenzen eines ſolchen Syſtems ſind demnach: die Unmöglichkeit jenes Fortſchreitens, ein nationalwirthſchaftlicher Beharrungszuſtand. — In Kürze wollen wir hier nur bemerken, daſs Hn. *Say's* und ſeiner Meinungsgenoſſen Theorie von den Abſatzwegen (*débouchés*) das hier in Rede ſtehende Problem ſchon bey weitem befriedigender zu löſen ſtrebt. Viele Spekulanten aber wiſſen gar nicht einmal, was ein *débouché* iſt; tauſende von Menſchen ſind mit Hervorbringung von Waaren beſchäftigt, ohne auch nur im Mindeſten die Umſtände zu kennen, die deren Abſatz zu verſichern am geeignetеſten ſind, und ſogar diejenigen, welche es wiſſen, vermögen nicht immer den Grad der Ausdehnung zu beurtheilen, bis zu welchem ſie mit Vortheil ihre Geſchäfte betreiben können. Es iſt ferner zu bemerken, daſs es ihnen äuſserſt ſchwierig iſt, die Natur und die Ausdehnung der Bedürfniſſe, die ſie zu befriedigen haben, zu kennen, daſs dieſe Bedürfniſſe ſtets wechſeln, und daſs ſogar, kennten ſie ſolche, die Zahl und die Mittel ihrer Concurrenten ihnen doch immer unbekannt bleiben würden, ſie mithin niemals genau wiſſen können, auf welche Grenzen ſie ſich zu beſchränken haben. Auſserdem ſehen ſich auch noch Viele genöthigt, fortwährend eine gewiſſe Anzahl von Waaren einer beſtimmten Art, lediglich zur Unterhaltung ihrer Werkſtätten, zu verfertigen. Endlich aber kann man nicht in Abrede ſtellen, daſs ſich die Oekonomiſten ſeither mehr darauf legten, das Verfahren der Induſtrie im Allgemeinen zu beſchreiben, als den Miſsbrauch zu zeigen, den man möglicher Weiſe von ihren Kräften machen kann und die Grenzen ſonſt nützlicher Unternehmungen — beſonders bey einer gewiſſen Organiſation der Geſellſchaft und einer gewiſſen Vertheilung des Reichthums — anzugeben. Anſtatt deſſen lehren ſie, — und dieſs iſt auch im Weſentlichen Hn. *Say's* Doctrin — daſs ein Ueberfluſs an Produkten ſtets das Bedürfniſs ſie zu conſumiren hervorrufe, daſs die Bedürfniſſe ſtets nach Maaſsgabe der producirten Quantität ſteigen; und dieſe Lehren können, man muſs es zugeben, nebſt allem Uebrigen, wohl dazu beytragen, die Producenten zu veranlaſſen, jene Schranken zu überſteigen, innerhalb denen ſich zu halten ihnen ſonſt die Klugheit gebieten würde. — Indeſſen hat Hn. *Say's* Syſtem vor dem des Hn. *v. S.* in ſofern den Vorzug, als es auf eine klare und befriedigende Weiſe die Fortſchritte der Production und des Handels erklärt. In der That entſpringt ſtets aus der Zunahme der Production die Zunahme der Frage; und man kann ſich keine andere Urſache derſelben auch nur denken. Die Wirkungen der Arbeitstheilung und der Charakter der Handels-Operationen ſind ebenfalls ſehr verſtändig aus einandergeſetzt. Auch ertheilt das Syſtem Erläuterungen über die ſtattgehabten Handelskreiſe, die nicht ganz unbefriedigt laſſen. Endlich aber ſtimmt es mit der Philoſophie überein, der es unbegreiflich iſt, daſs man der Entwickelung der menſchlichen Thätigkeit Schranken ſetzen ſolle. — Allein um den Abſatzwegen eine ſehr groſse Ausdehnung zu geben, um den Austauſch der Produkte zu erleichtern und zu vervielfältigen, genügt es nicht, wie Hr. *Say* und andere Oekonomiſten ſeiner Schule ſagen, daſs eine groſse Maſſe von Produkten erzeugt werden, noch daſs dieſe in einem richtigen Verhältniſſe zu einander ſtehen; vor Allem iſt erforderlich, daſs ſie in angemeſſener Weiſe unter der Bevölkerung ſelber vertheilt ſind. — Die deshalb ſtattfindende Ungleichheit iſt Hn. *v. S.* nicht entgangen; es empört dieſe Wahrnehmung, die er beſonders in England zu machen Gelegenheit hatte, ſein Innerſtes und Alles, was er in ſeinem Werke zu Gunſten jener Klaſſen ſagt, „die Alles produciren und deren Genüſſe ſich mit jedem Tage vermindern" gereicht ſeinem Herzen nur zur höchſten Ehre. Allein anſtatt dieſe ungleiche Vertheilung des producirten Reichthums als eine der Urſachen zu bezeichnen, die der Production das gröſste Hinderniſs in den Weg legen, beklagt er ſich über die Production und beſchuldigt ſie die Urſache der ungleichen Vertheilung des Reichthums

thums zu seyn. Wünschen, wie unser Vf., die niedern Klassen der Gesellschaft möchten minder beklagenswerth seyn, ist gewiss sehr menschlich und verständig; allein er irrt sich über die Ursachen ihres Elendes. Diese liegen nicht in den Kräften der Industrie, sondern in ihren eignen Lastern und in denen jener Klassen, die ihre Stellung missbrauchen, um den anderen Unrecht zuzufügen. In sofern sich Hr. *v. S.* gegen dieses Unrecht erhebt, und dessen Wiedergutmachung verlangt, kann man ihm nur um so aufrichtiger beystimmen, da das Elend des grofsen Haufens für die Reichen selber eine Quelle der Bedrängniss ist. Denn mit der zunehmenden Armuth müssen sich die Tauschgegenstände vermindern und der Reichthum verliert an Werth, so wie gegentheils eine zahlreiche und blühende Bevölkerung, die viel Bedürfnisse und Mittel hat, den Reichen nur zu statten kommen kann, da sie ihnen die bereitesten Abnehmer für ihre Erzeugnisse darbietet. Die Abstellung aller der Ungerechtigkeiten fördern, die sich der Bildung einer solchen Bevölkerung hindernd in den Weg stellen, ist menschlich, sogar politisch; allein man kann von dem Gesetzgeber nicht mit Hn. *v. S.* verlangen, dass er *unmittelbar* für das Wohlseyn der niedern Klassen sorge, viel weniger noch, dass er solches sicher stelle, indem er, nach dem Ermessen seiner Weisheit, die Bewegungen der Industrie und der Bevölkerung aufzuhalten oder zu beschleunigen sucht. — Am Schlusse des Werks sagt Hr. *v. S.*, die Dazwischenkunft der Staatsgewalt bey den Arbeiten der Industrie sey mindestens in soweit nothwendig, als erforderlich, um dem Uebel abzuhelfen, das sie angerichtet. Diess zugegeben, so liegt darin zugleich das förmliche Eingeständniss, dass jene Einmischung schädlich war und ein Widerspruch mit jener andern Doctrin des Hn. *v. S.*, „es sey unwahr, dass sich die Regierung nicht in das Fortschreiten des Reichthums mischen dürfe; sie sey vielmehr verpflichtet, die Bewegungen der Industrie zu leiten, der Concurrenz Grenzen zu setzen, und solche Einrichtungen zu treffen, dass Niemand Noth leide u. s. w." — Allerdings — und diess ist der Inbegriff unsrer Kritik, — hat Hr. *v. S.* das Daseyn eines sehr reellen Uebels bewiesen, nämlich den Nothstand der zahlreichsten Klassen in Mitte der Entwicklung des Reichthums und des immer höher steigenden Flores aller Künste. Allein es entspringt, wie augenfällig, diess Uebel keineswegs aus dem Systeme, das zu bekämpfen er unternahm und welches dahin strebt, allen Agentien der Production die gröfsest mögliche Ausdehnung und Thätigkeit zu geben, noch ist das von ihm gegen jenes Uebel geforderte Mittel statthaft, die Regierung solle dazwischen treten, um die Thätigkeit der Producenten zu mäfsigen und die Vertheilung der Produkte nach Billigkeit zu reguliren. Hr. *v. S.* schreibt dem Systeme der freyen Concurrenz Uebel zu, die lediglich die Frucht des Monopols sind, dessen Wirkungen, selbst wenn jedwede Bevorrechtung aufgehoben werden sollte, noch lange empfunden werden dürften. Endlich ist Hr. *v. S.* in seinem Vorhaben, *Adam Smith's* Doctrin zu verbessern und ein System der Nationalwirthschaft auf einer neuen Grundlage zu errichten, eben nicht glücklich gewesen; und er konnte es auch nicht seyn. Alles, was er gegen die freye Concurrenz und die Erhöhung der productiven Kräfte der Arbeit sagt, ist, unsers Bedünkens, durchaus falsch. Allein er hat sehr wichtige Fragen zur Sprache gebracht; und hat er dieselben auch keineswegs befriedigend gelöset, so bahnte er doch den Weg zu deren Lösung an, indem er Anlass zu ihrer Erörterung gab. — Man findet übrigens in dem Werke viele neue und geistreiche Ansichten entwickelt, — wie z. B. des Vfs. Untersuchungen über den landwirthschaftlichen Reichthum, — welche, reichen sie auch nicht hin, um den für dasselbe gewählten Titel zu rechtfertigen, dennoch die Wissenschaft selber nur zu befördern streben.

SCHÖNE KÜNSTE.

Leipzig, b. Glück: *Der Major oder die Wendungen des Geschicks.* Romantisches Gemälde aus dem menschlichen Leben von *S. Behri Schmidt.* 1828. 198 S. 8. (1 Rthlr.)

Die Fabel dieses kleinen Romans ist trotz vieler Unwahrscheinlichkeiten doch gewöhnlich. An Lebendigkeit der Darstellung fehlt es nicht ganz, aber wie weit der Vf. in der deutschen Sprachlehre und im Stil gekommen ist, mag der Leser aus folgenden Probestücken abnehmen: — *Sich verbreitete* Gerüchte. — Ihr um das Vaterland *verdient gemachter Heldenmuth.* — Ich *entwand* die Summe. — Kann ich *Sie helfen*? — Eine Drohung *von höhern Orts* ausgegangen. — Neue *sich mit ihm zugetragene* Ereignisse u. s. w.

Halberstadt, b. Brüggemann: *Irrlichter.* Erzählungen von *Wilhelm Albo.* 1827. *Erstes* Bändchen 231 S. *Zweytes* Bändchen 216 S. 8. (1 Rthlr. 12 gGr.)

Die hier gelieferten fünf Erzählungen erheben sich durchaus nicht über den Kreis des Gewöhnlichen. Sie haben wirklich etwas von der Irrlichternatur, und verlocken den Leser wenn nicht in einen Sumpf, doch auf das öde traurige Feld der Langweile.

ALLGEMEINE LITERATUR - ZEITUNG

September 1828.

LITERARISCHE NACHRICHTEN.

I. Todesfälle.

Der Maler *Choris*, Begleiter O. v. Kotzebues auf deſſen Reiſe um die Welt, der ſich im J. 1827 von Frankreich aus über Cuba und Neu Orleans nach Vera-Cruz begeben, um von hier aus einen groſsen Theil von Amerika zu bereiſen, wurde im März d. J. auf dem Wege nach Jalapa, zwiſchen Puento-National und Plan del Rio von Räubern ermordet. Er war 1795 zu Yekaterinoslaff in Klein Ruſsland von deutſchen Aeltern geboren, beſuchte das Gymnaſium zu Kharkoff, und verrieth ſchon frühzeitig die glücklichſten Anlagen zum Zeichnen und Malen, namentlich zur Bildniſsmalerey. Deshalb nahm ihn ſchon 1813 der berühmte Botaniker Marſchall von Biberſtein auf ſeiner Reiſe in den Kaukaſus zum Begleiter; er zeichnete die Pflanzen zu der *flora caucaſiana*. 1814 kam er nach St. Petersburg in die Akademie der ſchönen Künſte, und noch in demſelben Jahre wurde er auserſehen, O. v. Kotzebue auf ſeiner Reiſe um die Welt zu begleiten. Auf dieſer Reiſe, die von 1815 bis 1818 dauerte, zeichnete er die Wilden Amerikas und der Südſee und alle ihre Geräthſchaften. Im Jahre 1819 ging er nach Paris um ſeine *maleriſche Reiſe um die Welt*, wozu *Cuvier*, *Chamiſſo* und *Gall* die Beſchreibungen lieferten, herauszugeben, und lernte, damit ſeine Zeichnungen nichts von ihrer Originalität verlieren ſollten, ſelbſt lithographiren. Dieſe Zeichnungen ſind es, wodurch er ſich ſein Hauptverdienſt erworben hat. Der Charakter derſelben iſt ergreifende Wahrheit, ſprechende Natur und Originalität.

Am 17. Junius ſtarb zu Wiehe der daſige Juſtizcommiſſär *Alex. Ockhardt* im 86ſten Lebensjahre. Er war daſelbſt am 18. May 1743 geboren, und gab 1781 eine Anweiſung zu Vertheidigungsſchriften in Druck.

Zu Weimar am 24. Junius der Profeſſor *Weichardt*, 42 Jahr alt.

Zu Würzburg am 11. Julius der Rector magn., ordentl. Profeſſor des Natur- und deutſchen Rechts und der Polizey-Wiſſenſchaften an daſiger Univerſität, Dr. *Caspar Metzger*, geboren zu Sommerach den 15. März 1777.

Zu Kiel an demſelben Tage der Senior der Univerſität, Conferenzrath, Dr. und Pr O. med., *Georg Weber*, Ritter des Danebrog-Ordens, 76 Jahr alt.

Am 17. Julius zu Eythra bey Leipzig der daſige Paſtor *Heinr. Cornel. Hecker* im 64 Lebensjahre. Er ward zu Roda bey Jena im J. 1764 geboren, erhielt 1797 das Paſtorat zu Heyn und Creudnitz bey Borna, und ward 1809 von da nach Eythra verſetzt. Auſser den im 18ten Bde. des gel. Deutſchl. angezeigten Amtsreden gab er noch 1811 ohne ſeinen Namen „Bemerkung über C. M. Wieland's Euthanaſie" in Druck. Auch hat er zu den Rehkopfiſchen und Löffleriſchen Prediger-Journalen, ſowie zu dem Altenburger Unterhaltungsblatt für den deutſchen Bürger und Landmann einige Beyträge geliefert.

Zu Warmbrunn in Schleſien ſtarb den 17. Julius der durch ſeine *Hiſtorien* und *Phantaſieſtücke* rühmlichſt bekannte Schriftſteller *C. Weiſsflog*, Stadtgerichtsdirector zu Sagan.

Zu München den 25. Julius der berühmte Kupferſtecher *Karl Ernſt Heſs*, Profeſſor an der Akademie der bildenden Künſte, im 78ſten Jahre ſeines Alters.

Zu Berlin am 5. Aug. der als praktiſcher Arzt ausgezeichnete Dr. *H. Meyer*, geboren zu Stettin den 2. Julius 1767. In den erſten Jahren ſeiner Praxis hielt er ſehr beſuchte Vorleſungen über Phyſiologie, über die er auch ein Compendium herausgegeben hat.

Zu Mainz den 6. Aug. der Director der proviſoriſchen Verwaltungs-Commiſſion der Rheinſchifffahrt, *Ockart*, wahrſcheinlich der älteſte Schifffahrtsbeamte am ganzen Rheinſtrome. Er hat ſich nicht unrühmlich auch als Schriftſteller in ſeinem Fache bekannt gemacht.

II. Beförderungen u. Ehrenbezeigungen.

Die Königliche Akademie der Wiſſenſchaften zu Turin hat am 26. Junius den Privatdocenten Hn. Dr. *Wilh. Weber* zu Halle zu ihrem correſpondirenden Mitgliede für die Klaſſe der phyſiſchen und mathematiſchen Wiſſenſchaften ernannt.

Hr. Dr. *Hermann Fr. Kilian* iſt zum auſserordentl. Profeſſor in der mediciniſchen Facultät zu Bonn ernannt, auch iſt ihm daſelbſt die zeitige Direction der geburtshülflich-kliniſchen Anſtalt übertragen worden.

Der wirkliche Staatsrath, Hr. Dr. med. *von Loder* in Moskau, hat bey der Feyer ſeines Doctorjubiläums, auſser einem erneueten Diplom von der Univerſität Göttingen und andern Ehrenbezeigungen, von Sr. Maj. dem Kaiſer von Ruſsland das Groſskreuz des St. Wladimir-Ordens nebſt einem ehrenvollen Reſcript, und von Sr. Maj. dem Könige von Preuſsen den rothen Adlerorden erhalten.

Dem Profeffor der Rechte an der Univerfität Göttingen, Hn. Dr. *Göfchen*, ift der Charakter und Rang eines Hofraths beygelegt; und der bisherige Privatdocent und aufserordentl. Beyfitzer der Juriftenfacultät, Hr. Dr. *W. Th. Kraut*, wie auch der bisherige Privatdocent Hr. Dr. *W. Franke*, zu aufserordentlichen Profefforen in der juriftifchen Facultät und letzterer zum aufserordentl. Beyfitzer der Spruchfacultät ernannt.

Hr. Dr. *Karl Fr. Haufe*, bisher Privatdocent an der Univerfität Leipzig, hat die Profeffur der Geburtshülfe und die Direction des Entbindungsinftituts an der chirurgifch-medicinifchen Akademie in Dresden erhalten.

Hr. *Fr. Rofen* zu Berlin ift zum Profeffor *L. L. Orientalium* auf der Univerfität zu London ernannt.

Hr. Prof. *E. Eichwald* (früher in Kafan) ift Profeffor der Zoologie und vergleichenden Anatomie in Wilna geworden.

Hr. Dr. *Grafer*, bisher Lehrer am Pädagogium in Halle, hat die vierte Lehrerftelle als Subrector am Gymnafium zu Naumburg erhalten.

Der bisherige Profeffor der theoretifchen Medicin und Director der poliklinifchen Anftalt für innere Krankheiten bey der chirurgifch-medicinifchen Akademie in Dresden, Hr. Dr. *Choulant*, ift in die erledigte Profeffur der praktifchen Medicin und in die Direction der ftehenden Klinik für innere Krankheiten aufgerückt.

Hr. Dr. *Schmitthenner*, Director des Seminars zu Idftein, ift zum Profeffor der Gefchichte an der Univerfität Giefsen ernannt worden.

Der bisherige, auch als Schriftfteller bekannt gewordene Regierungs-Affeffor, Hr. *Karl von Salza und Lichtenau* (geb. zu Wurzen am 19. Jun. 1802) ift zum Regier. Referendar befördert worden.

Die erledigte 3te Hofpredigerftelle zu Dresden ift dem auch als Schriftfteller rühmlichft bekannten 4ten Diacon. an der Kreuzkirche zu Dresden, Hn. *Aug. Franke*, übertragen worden.

Dem Gefchichts- und Bildnifsmaler, Hn. *Ehregott Grünler*, hat der Grofsherzog von Weimar den Charakter eines Profeffors verliehen.

Am diesjährigen Königl. Sächfifchen Ordenstage erhielten unter andern auch folgende als Schriftfteller rühmlich bekannte Gelehrte Decorationen: das Comthurkreuz des Civil-Verd. Ordens der Grofsherzogl. Weimarfche Geheime Rath Hr. Dr. *Chriftian Wilh. Schweitzer*; das Ritterkreuz: der Bergrath und Oberbergamts-Affeffor Hr. *Joh. Karl Freyesleben* zu Freyberg, der Hof- und Juftizrath, auch Geh. Referendar Hr. Dr. *Maximilian Günther*, der Hofrath Dr. *Joh. Conr. Sickel*, Bürgermeifter zu Leipzig, der Dr. *Chriftian Aug. Fürchtegott Hayner*, Arzt am Zuchthaufe zu Waldheim, und der Dr. *Ernft Pienitz*, Arzt an der Irrenanftalt zu Sonnenftein.

Der König von Baiern hat dem Geh. Hofrath und Profeffor Dr. *Siebenkees* in Nürnberg, in Anerkennung feiner 50 Jahre hindurch an den Hochfchulen zu Altorf und Landshut mit feltener Berufstreue und unermüdetem Eifer geleifteten Dienfte, das Ehrenkreuz des Ludwigsordens verliehen.

LITERARISCHE ANZEIGEN.

I. Neue periodifche Schriften.

So eben ift erfchienen und verfandt:

Annalen der Phyfik und Chemie. Herausgegeben zu Berlin von *I. C. Poggendorff.* Jahrgang 1828. 5ten oder 13ten Bandes 1ftes Heft (der ganzen Folge 89ften Bandes 1ftes Heft). Mit 3 Kupfert. gr. 8. Brofch. Preis des Jahrgangs von 12 Heften 9 Rthlr. 8 gr.

Enthält:

1) Beftimmung der richtigen Form und Anzahl der Zähne am Räderwerk. Von *A. Müller.* 2) Nachträge zu meinen Unterfuchungen über das Thermometer. Von *P. N. C. Egen.* 3) Unterfuchung des Waffers der Heilquelle zu Ronneby in Blekingen. Von *J. J. Berzelius.* 4) Ueber das Verhalten des Schwefelwafferftoffgafes gegen Queckfilberlöfungen. Von *H. Rofe.* 5) Unterfuchung des Fahlunits. Von *Trolle-Wachtmeifter.* 6) Ueber die öhligen und harzigen Producte der trocknen Deftillation des Holzes. Von *J. J. Berzelius.* 7) Mineralogifch-chemifche Unterfuchung einiger Varietäten des Diallags. Von *Fr. Köhler.* 8) Verfuche über die Bildung von Blitzröhren. 9) Reductionsformel über das Queckfilber-Thermometer bey hohen Wärmegraden. Von *E. F. August.* 10) Ueber die Berechnung der Expanfivkraft des Wafferdunftes. Von *Demfelben.* 11) Berechnung der vom Monde bewirkten atmofphärifchen Fluth. Von Hn. *Bouvard.* 12) Notiz über die täglichen Schwenkungen des Barometers auf dem grofsen St. Bernhard. 13) Ueber das Erdbeben in den Rhein- und Niederlanden vom 23. Februar 1828. Von *P. N. C. Egen.* 14) Ueber das fchwarze kohlenfaure Kupferoxyd. Von Hn. *Gay-Luffac.* 15) Ueber den Nickelglanz am Harze. Von *J. C. L. Zinken.* Zufatz von *H. Rofe.* 16) Ueber die Winkel des Quadratoctaëders beym Königsftein. Von *G. Rofe.* 17) Ueber die Zerfetzung des Ammoniaks durch Metalle. Von Hn. *Felix Savart.* 18) Bemerkungen über die Darftellung des Broms, des Kaliums und des Natriums. Von *Hermann.* 19) Nachfchrift zu dem Auffatz des Hn. *Egen* über das Erdbeben vom 23. Februar 1828.

1828. 20) Auszug aus dem Programm der holländischen Gesellschaft der Wissenschaften zu Harlem für das Jahr 1828.

Leipzig, den 21. Julius 1828.

Joh. Ambr. Barth.

II. Ankündigungen neuer Bücher.

Neue Edition der lateinischen Klassiker.

Bey Karl Hoffmann in Stuttgart sind erschienen und in allen Buchhandlungen zu haben:

Auctores classici latini, ad optimorum fidem editi, cum variarum lectionum delectu, curante *Carolo Zell*, Ph. Dr. et ant. lit. in univ. Friburg. prof. Vol. I—VIII. 8. 2ter Subscript. Preis 36 Kr. oder 9 gGr. pr. Band.

Inhalt der bis jetzt erschienenen Bände:

Vol. I. *Ciceronis* de republica quae supersunt; accedit variarum lectionum delectus cum singulorum librorum argumentis. Curavit *Car. Zell.*

Vol. II. III. *Horatii Flacci* Opera omnia, ad optimorum librorum fidem edita cum variarum lectionum delectu. Curavit *Car. Zell.*

Vol. IV. *Phaedri* fabulae, ad opt. libr. fid. edit. cum v. l. d. et nondum vulgatis Desbillonii notis. Cur. *Car. Zell.*

Vol. V—VII. *Caesaris* commentarii de bello gallico et civili, accedunt libri de bello Alex. Afric. et Hisp., cur. *Ant. Baumstark*, Ph. Dr. et A. A. L. L. mag.

Vol. VIII. *Cornelii Nepotis* quae supersunt. Cur. *Seb. Feldbausch.*

Obige Sammlung umfaßt alle klassischen lateinischen Schriftsteller. Die bereits erschienenen Bände beweisen, welche innere und äußere Vorzüge sie außer ihrer Wohlfeilheit auszeichnen und der Aufmerksamkeit jedes Gelehrten vom Fache, des Studirenden und im Allgemeinen jedes Gebildeten, für den Werth der geistigen Denkmäler des Alterthums Empfänglichen, empfehlen. Die Fortsetzung wird in rascher Folge geliefert.

Man erhält auch jeden Autor einzeln à 36 Kr. oder 9 Ggr. pr. Vol.

Ein Kritiker im *Hesperus* 1828. Nr. 19. äußert sich über diese Ausgabe auf nachfolgende, günstige Weise:

„Diese Ausgabe läßt als Schulausgabe in der That „nichts zu wünschen übrig; ja wir zweifeln, ob in „Deutschland bis jetzt eine elegantere erschienen sey, „so nett, bequem und deutlich ist der Druck, so schön „ist das Papier, so zierlich der äußere Umschlag. „Durch die Druckanordnung ist das rechte Mittel zwi„schen den augenverderblichen Taschenausgaben und „dem Luxus größerer Prachteditionen getroffen wor„den, gerade wie es sich für Schulen gehört. Weit „wichtiger aber ist die ausnehmende Correctheit des „Textes, sowohl im kritischen als typographischen „Sinn."

In demselben Verlage erscheinen:

The literary treasures of England, a complete collection of the poetical masterpieces of the most celebrated english poets. Published by Dr. *Ch. Weil.* 8. Br. Subscriptionspreis 36 Kr. oder 9 gGr. der Band.

Die besten poetischen Werke aller britischen Dichter, von Spencer und Shakespeare an bis herab auf Byron, Scott und Moore, erscheinen in dieser Sammlung, die ein sehr billiger Preis, Eleganz und Correctheit jedem Freunde der englischen Literatur empfehlen. Vol. I. und II. sind versendet und können in allen Buchhandlungen angesehen werden.

Im Verlage von Wilhelm Engelmann in Leipzig ist erschienen:

Ueber die Erkenntniß und Kur des Brustkrampfs Erwachsener von Dr. *J. H. Hoffbauer.* gr. 8. 1 Rthlr.

Folgendes Buch ist so eben erschienen und in allen Buchhandlungen zu haben:

Lojola und Ganganelli, oder: die Jesuiten im Stande ihrer Erhöhung und ihrer Erniedrigung dargestellt von *K. Wunster*. gr. 8. Neustadt a. d. O., bey J. K. G. Wagner. (Preis 18 gr. oder 1 Fl. 21 Kr.)

Bey Palm und Enke in Erlangen ist erschienen und in allen Buchhandlungen zu haben:

De nonnullis, quae in theologia nostrae aetatis dogmatica desiderantur. Commentatio theologica, auctore *J. Rust*, Theol. et Philos. Doctore, ecclesiae reformatae francogallicae Erlangensis Pastore. 8 maj. 8 gr. Sächs. oder 36 Kr. Rh.

In einer Zeit, in welcher die Gegenstände der Religion und Theologie so große Theilnahme in Anspruch nehmen, kann die Erscheinung dieser Schrift nur willkommen seyn. Ohne sich auf die Erörterung einzelner Punkte ausführlich einzulassen, geht sie auf den Mittelpunkt der wichtigsten religiös-theologischen Streitfragen ein. Sie thut diess, indem sie die Bestrebungen der Dogmatik seit der Reformation bis auf unsere Zeit nachweist und den Satz begründet, dass bisher auch in dieser Wissenschaft Vernunft und Evangelium nicht in der Stellung aufgefasst wurden, die sie nothwendig zu ein-

einander haben. Besonders wird der Versuch eines der berühmtesten Theologen unsrer Zeit, der Religion und Dogmatik durch die Wiedereinführung der Gefühlsherrschaft im religiösen Leben Vorschub zu leisten, gewürdigt und gezeigt, dass derselbe folgerecht durchgeführt, die Religion ihrer Würde beraube, das Christenthum in seiner innersten Wurzel verletze, und die Freyheit des Menschen beschränke. Zum Schlusse giebt der Hr. Vf. seine eigenen Ansichten über Begriff, Inhalt und Form der Glaubenslehre an, und weist nach, wie sie construirt werden müsse, wenn einestheils ihre Eigenthümlichkeit und Selbstständigkeit bewahrt, anderntheils aber auch ihre nothwendige innere Beziehung zur Philosophie geehrt werden soll.

Oehlenschläger's neuestes Trauerspiel:
„Die Wäringer in Constantinopel"
in 5 Akten. In 8. Geh. Preis 1 Rthlr. 10 Sgr.
(Berlin 1828, Schlesinger.)

Je länger der berühmte Dichter geschwiegen, um so willkommener wird dem deutschen Publicum seine neueste dramatische Dichtung seyn, welche in Dänischer Sprache auf dem Kopenhagener Theater die allgemeine Theilnahme gewonnen hat, und wir zweifeln nicht, dass unser Publicum aus dieser Tragödie erkennen wird, wie Oehlenschläger stets der Dichter bleibt, dem es mehr zu thun ist um den ewigen Dichterruhm, als um den lärmenden Beyfall einiger Abende.

Eben haben wir an alle Buchhandlungen versandt:

Dr. *C. G. D. Stein's Reisen nach den vorzüglichsten Hauptstädten von Mittel-Europa.* — Eine Schilderung der Länder und Städte, ihrer Bewohner, Naturschönheiten, Sehenswürdigkeiten u. s. w. 4tes Bändchen: *Reise über Aachen, Brüssel nach Paris, Strasburg und Basel, durch Baden, Hessen, Franken und Thüringen.* Mit 1 Ansicht von Freyburg und 1 Karte von Baiern, Würtemberg und Baden. 8. (24½ B.) à part 1 Rthlr. 12 gr.

Das 5te Bändchen, das Königreich der Niederlande und England enthaltend, erscheint zur Mich. Messe.

Das 6te Bändchen durch Baiern, Salzburg, Tyrol, Ober-Italien, die Schweiz und Würtemberg erscheint zu Neujahr 1829.

Diese so compendiöse als elegante kleine Reisebibliothek wird bis zur Erscheinung des 6ten Bändchens noch zu den äusserst billigen Subscript. Preise von 4½ Rthlr. Conv. Münze erlassen; sie ersetzt vermöge des am Ende kommenden *Hauptregisters* eine Menge weitläuftiger Werke, indem sie über alles Bemerkungswerthe möglichst vollständige Erläuterung giebt. Beym 3ten und 4ten Bändchen hat die Verlagshandlung bereits 16 Druckbogen mehr dem Publicum geliefert, als sie versprochen, so wie die äussere Ausstattung Aller Erwartungen befriedigt hat.

Geschichte der Verbreitung des Protestantismus in Spanien und seiner Unterdrückung durch die Inquisition im 16ten Jahrhundert. Aus dem Französ. gr. 8. Geh. 12 gr.

Eine interessante Darstellung schauderhafter Thatsachen.

Verzeichniss von Büchern, Landkarten u. s. w., welche vom Januar bis Junius 1828 neu erschienen oder neu aufgelegt worden sind, mit Bemerkung der Bogenzahl, der Verleger und Preise im Sächs. und Preuss. Cour., nebst andern literarischen Notizen und einem wissenschaftl. Repertorium. 60ste Forts. (16½ B. 8.) 8 gr.

Diesem jetzt 12000mal aufgelegten Bücherverzeichniss haben wir durch eine wesentliche Erweiterung des Registers eine allgemein gewünschte Verbesserung gegeben.

Leipzig, den 12. Junius 1828.

J. C. Hinrichs'sche Buchhandlung.

W. Scott's Life of Napoleon.

In allen guten Buchhandlungen ist zu haben:

THE
LIFE
OF
NAPOLEON BUONAPARTE
EMPEROR OF THE FRENCH.
BY THE AUTHOR OF „WAVERLEY," etc.
Complete in 18 Volumes. With 18 Cuts.
Zwickau, printed for Brothers Schumann 1828.

Der Ladenpreis dieser schönen, auf das feinste Schweizer Velinpapier höchst correkt und sauber gedruckten Taschenausgabe, beträgt für sämmtl. 18 Bände nicht mehr als 6 Rthlr. für das *rohe*, und 6 Rthlr. 18 gr. für das sauber geheftete Exemplar.

Die in *London* erschienene Ausgabe desselben Werks kostet 36 Rthlr.

Gebrüder Schumann.

Bey Wilh. Kaiser in Bremen ist so eben erschienen und in allen Buchhandlungen zu haben:

Krummacher, Friedr. Ad., St. Ansgar. Die alte Zeit und die neue Zeit. Zur Geschichte der christlichen Kirche, der Hierarchie, der Wunder und Reliquien. 8. 1 Rthlr.

Menken, Gottfr., Blicke in das Leben des Apostels Paulus und der ersten Christengemeinen. Nach etlichen Kapiteln der Apostelgeschichte. gr. 8. 2 Rthlr.

ALLGEMEINE LITERATUR-ZEITUNG

September 1828.

STAATSWISSENSCHAFTEN.

Berlin, b. Duncker u. Humblot: *Zur Vermittelung der Extreme in den Meinungen;* von *Friedrich Ancillon. Erſter* Theil. Geſchichte und Politik. 1828. XIV u. 427 S. 8. (1 Rthlr. 20 gGr.)

Es iſt eine erfreuliche Erſcheinung, und verbürgt die mächtigen Fortſchritte unſers Zeitalters in der Vervollkommnung des geſellſchaftlichen Zuſtandes unter den gebildeten Völkern unſers Erdtheils, daſs die groſsen politiſchen Bewegungen der drey letzten Jahrzehende, und die durchgreifenden Veränderungen, welche ſie im europäiſchen Staatenſyſteme bewirkten, *ſo bald* geendigt haben, und daſs ein Zuſtand der Ruhe, der Beſonnenheit und der umſichtigſten Entwickelung der geſammten innern Staatskräfte an die Stelle jener Erſchütterungen getreten iſt. Die Stimme der Demagogen iſt verſchollen; die erbärmliche Flugſchriftſtellerey, die in die deutſche Literatur wie eine Schmarotzerpflanze ſich eingedrängt hatte, iſt bedeutend vermindert worden; der gröſste Theil der Nation, und, was noch mehr ſagen will, der *edlere* und *gebildetere* Theil derſelben will weder Revolution, noch Reaction, ſondern raſtloſes Fortſchreiten in der geiſtigen Entwickelung, wie in der Erſtrebung einer ſichern Unterlage der öffentlichen Wohlfahrt, und verlangt von den Regierungen bloſs die Gewährleiſtung dieſes Fortſchreitens in dem Erreichen und Behaupten der, durch höhere Kraftanſtrengung erworbenen, geiſtigen und ſinnlichen Güter.

Unverkennbar haben auf dieſe Richtung und Stimmung der gleichzeitigen gebildeten europäiſchen Völker die Schriften der ausgezeichnetſten Politiker, namentlich in Frankreich und Deutſchland, bedeutend eingewirkt. Dieſe Wirkſamkeit war aber nur unter der Vorausſetzung möglich, daſs die gebildeten Völker in unſerer Zeit allmählig *zur politiſchen Mündigkeit* gelangten; denn dieſe Mündigkeit bewährt ſich zunächſt in dem ſichern Tacte, die wichtigſten Güter des innern und äuſsern Staatslebens — bürgerliche Freyheit, Freyheit des Wortes und der Preſſe, Sicherheit des Eigenthums, freyen Verkehr mit dem Auslande, und Herrſchaft des Rechts in allen Zweigen der Verwaltung, namentlich Rechtlichkeit und Gewiſſenhaftigkeit in den Finanzen, — richtig zu beurtheilen, mit Beſtimmtheit feſtzuhalten, und die beiden Extreme der Revolution und Reaction, als die einzigen Feinde der Herrſchaft des Rechts und der Erſtrebung der Geſammtwohlfahrt, zu erkennen und zu vermeiden.

Allerdings iſt es ſchwer, ja beynahe unmöglich, die unſichtbare Macht der Idee nach ihrem Einfluſſe auf die Denk- und Handelsweiſe des lebenden Geſchlechts im Einzelnen nachzuweiſen; allein ohne dieſe Macht, und ohne dieſen Einfluſs wäre die gegenwärtige politiſche Stimmung der gebildeten Stände in der Mitte der geſitteten Völker und Reiche unſers Erdtheils nicht zu erklären. — Unter den Schriftſtellern aber, welche, noch mitten im Kampfe für die beiden Extreme, den ſichern *Mittelweg* der Wahrheit, der Gerechtigkeit und des *allmähligen* Fortſchreitens im innern Staatsleben empfahlen, nachwieſen, und für deſſen Verwirklichung nachdrucksvoll thätig waren, behauptet der geh. Legationsrath *Ancillon* eine der erſten und ehrenvollſten Stellen. Denn in ſeiner geiſtigen Individualität vereinigen ſich eben die *drey* Haupteigenſchaften, ohne welche das geſprochene und geſchriebene Wort der Macht des Eindruckes auf die Gemüther denkender Zeitgenoſſen ermangelt. Dieſe drey Eigenſchaften ſind: *philoſophiſcher Geiſt* ohne Schulphiloſophie; *Pragmatismus in der Geſchichte*, ohne Mikrologie in Namen und Zahlen, und ein klarer, würdevoller, kräftiger, Vernunft und Gefühl gleichmäſsig ergreifender, *Stil in der Darſtellung*. Niemand, der *Ancillons* Schriften kennt, iſt darüber in Zweifel, daſs dieſem Gelehrten die Meiſterſchaft in den drey genannten Eigenſchaften zukommt, und daſs eben durch deren innigſte Verbindung die *ſchriftſtelleriſche Individualität* deſſelben bezeichnet wird. In ſeinen Schriften findet ſich eine geläuterte Philoſophie, ohne irgend den Anklang eines Syſtems, es werde nun nach Fichte, Schelling oder Hegel genannt. Durchgehends ſteht zugleich mit ſeiner Philoſophie die tiefſte Kenntniſs und die pragmatiſche Behandlung der Geſchichte in Verbindung, ohne je die kleine Jagd nach einzelnen losgeriſſenen Thatſachen, Anekdoten oder ſchielenden Beyſpielen zu treiben. Geiſtvoll, groſsartig und aufgeboten für den beabſichtigten politiſchen Treffpunkt, iſt ſeine Anwendung der Thatſachen der Geſchichte ſtets berechnet auf das, was den Staaten und der Menſchheit im Ganzen und Groſsen frommt, ohne bey Einzelnheiten zu verweilen, welche ſehr leicht bald *für*, bald *wider* die aufgeſtellten politiſchen Lehren und Ergebniſſe gebraucht werden können. Dazu kommt endlich ein Stil, gediegen wie bey den Claſſikern des Alterthums, und doch voll deutſcher Eigenthümlichkeit, die an Gelehrſamkeit, Haltung und Würde die ſtiliſtiſche Farbengebung der Franzoſen überragt, ein Stil, in welchem Gründlichkeit der Belehrung mit trefflicher Periodirung und den feinſten Schattirungen, deren unſere hochgebildete Sprache fähig iſt, in der innigſten und gleichmäſsigſten Verbindung ſteht.

Rec. hat die Verpflichtung, dieſes im Allgemeinen ausgeſprochene Urtheil aus dem vorliegenden Werke zu beweiſen. Es iſt, weder nach ſeiner Beſtimmung, noch nach ſeiner Ausführung, ein ſchulgerechtes Syſtem der Politik, in welchem die einzelnen Theile, abgeleitet aus einem an die Spitze geſtellten Princip, zu einem nothwendig verbundenen organiſchen Ganzen erſcheinen müſſen. Es beſteht vielmehr der vorliegende Theil aus *zwölf* einzelnen *Abhandlungen*, welche zwar die wichtigſten Gegenſtände der Politik unſers Zeitalters berühren, und unter ſich durch Verwandtſchaft des Stoffes zuſammenhangen, ohne doch von dem Vf. ſelbſt in eine *nothwendige* Verbindung gebracht worden zu ſeyn.

Welchem politiſchen Syſteme der Vf., bey Behandlung der einzelnen Stoffe, folge, ſagt ſchon der Titel. Sein Syſtem iſt das *Syſtem der Vermittelung zwiſchen den Extremen.* Er kennt die äuſserſten Endpunkte in den politiſchen Meinungen unſers Zeitalters; die äuſserſte rechte und linke Seite; er ſelbſt hält ſich aber in der Mitte, im Centrum, zwiſchen beiden, ohne je den leidenſchaftlichen Anhängern und Bekennern des einen oder des andern Extrems ſich anzunähern, oder ihnen mit halben und ganzen Bewilligungen entgegen zu kommen. Sehr wahr ſagt er (S. IX) der Vorrede: „Jede von ihrer Umgebung getrennte, von den Wurzeln, die ſie mit andern Ideen verbinden, losgeriſſene Idee *geſtaltet ſich zu einem Extrem*, welches, als ausſchlieſsliches Princip aufgeſtellt, keine Wahrheit haben kann. Ein ſolches Verfahren hat gewöhnlich zur Folge, daſs man ihm als Correctiv *ein anderes Extrem entgegenſetzt*, welches aber, ſtatt als Heilmittel zu wirken, nur eine andere nicht minder gefährliche Krankheit des Geiſtes veranlaſst. Die extremen Meinungen und Urtheile *entſtehen* aus *verſchiedenen* Quellen; bald aus einem engen, beſchränkten Verſtande; bald aus einer leidenſchaftlichen Bewegung des Gemüths, die das Auge trübt, Umſicht und Einſicht verhindert. Oefters auch, bey einem umfaſſenden Geiſte und mit ruhiger Beſonnenheit, verfährt man *abſichtlich* auf dieſe Art, um gewiſſen Lieblingsideen Eingang zu verſchaffen. Aber welches auch der Urſprung einer ſolchen Einſeitigkeit ſeyn mag; ſo bleibt ſie immer gleich verderblich. Sie iſt es um ſo mehr, da in der Regel ſolche einſeitige Extreme viel Anhänger finden. Sie verführen die ſchwachen Köpfe durch ihre anſcheinende Einfachheit, die lebhaften Gemüther durch die grellen glänzenden Farben, mit welchen man ſie ausmahlt, und die energiſchen Menſchen durch eine Art von Kraft, die in ihnen zu liegen ſcheint. Die Wahrheit hat aber vielleicht keine gröſseren Feinde als die excentriſchen Urtheile und die extremen Meinungen. Dieſes iſt beſonders mit der *Geſchichte* und der *Politik* der Fall. Extreme Meinungen ſind hier mehr, als irgendwo, am unrechten Orte, und wirken am verderblichſten, weil hier ſehr leicht unrichtige Begriffe *zu ungerechten Handlungen* verführen, und excentriſche Ideen eine abnorme und excentriſche Thätigkeit erzeugen." Darauf erklärt der Vf., daſs er eine *Vermittelung* zwiſchen den Extremen in der Geſchichte und Politik an einigen Lehren derſelben verſucht habe, und ſchlieſst das Vorwort mit folgender treffend bezeichnenden Stelle: „Wer ſich zu keinem der feindſeligen Banner, die leider in der politiſchen Welt ſich bekämpfen, bekennt, ſelbſt aber bey einer jeden Frage den extremen Meinungen die Spitze bietet, *hat in der Regel beide kriegführende Parteyen gegen ſich*, und läuft Gefahr, von beiden verkannt und verſchrieen zu werden. Allein gerade dieſes Schickſal muſs ihn erfreuen, weil es ihm die Wahrheit ſeiner Behauptungen gewiſſermaſsen verbürgt. Mit der Zeit legt ſich die Hitze des Kampfes, die bewegten Gemüther gelangen zur Ruhe, die Leidenſchaften kühlen ſich ab, die Intereſſen, ſo wie die Ideen, gleichen ſich durch Nachdenken und Erfahrung aus, und *am Ende behält die Wahrheit doch allein Recht.*"

Rec. berichtet nun, nachdem er bereits den richtigen Standpunkt für die Beurtheilung dieſes gehaltvollen Werkes ausgemittelt zu haben glaubt, über den Inhalt der einzelnen *zwölf* Abhandlungen.

1) *Ueber die Einwirkung der klimatiſchen Verhältniſſe auf den Menſchen.* — *Satz:* Das Klima in ſeiner allgemeinſten Bedeutung, als der Inbegriff aller materiellen Bedingungen des Lebens, entſcheidet ausſchlieſslich über den Geiſt, den Charakter, die Neigungen, die Laſter und die Tugenden, die äſthetiſche und wiſſenſchaftliche Tendenz eines Volkes; die moraliſchen Urſachen ſind nur Wirkungen der phyſiſchen. *Gegenſatz:* Die materiellen Urſachen veranlaſſen Vieles im Menſchen, beſtimmen und entſcheiden Nichts. Die geiſtigen und moraliſchen Urſachen bedingen Alles, und die Freyheit überflügelt und beſiegt die anſcheinende Nothwendigkeit. — Der Vf. zeigt mit vielen ſchlagenden Beyſpielen, welchen Einfluſs das Clima auf die Individuen und Völker in den verſchiedenſten Erdtheilen und zwar unverkennbar behauptet, ob er gleich auch *nachweiſet*, daſs es der Freyheit möglich iſt, *die Einflüſſe des Klima zu beſiegen.* Er verweilt deſshalb im Einzelnen bey der Geſchlechtsliebe, bey der Polygamie, bey den verſchiedenen Arten des Muthes, bey der Beweglichkeit und Ruhe im Charakter der Völker, bey der Neigung zum beſchaulichen Leben, bey dem Hange zu geiſtigen Getränken, bey dem Selbſtmorde, bey der Lebensart und Nahrungsweiſe u. ſ. w. Wir hören ihn ſelbſt in einigen Stellen, wo er den Mittelweg zwiſchen den beiden aufgeſtellten

Extre-

Extremen zeigt. S. 8: „In Kleinigkeiten hat, in Hinsicht der Verhältnisse der beiden Geschlechter, der griechische Polytheismus, so wie späterhin die christliche Religion, ganz andere Früchte getragen, als die mahomedanische. Freye Staaten haben da geblühet, wo unter der eisernen Ruthe des Despotismus Alles hinwelkt. Kleinasien war in der Cultur dem eigentlichen Griechenlande vorangegangen; so grofs war der Schwung, den gerade das herrliche Klima und das gesegnete Land, von den moralischen Ursachen befördert und unterstützt, dem Geiste gegeben hatten. Die Polygamie und die mahomedanische Religion haben Alles verdorben und zerstört. Aber beide sind nicht Früchte des Klima; da die eine früher in denselben Ländern nicht bekannt war, und die andere über Länder sich verbreitet hat, die in Hinsicht des Klima von dem Orte ihrer Geburt, von ihrer Wiege, Arabien, sehr verschieden sind." — S. 11: „Dafs eine rastlose, fortschreitende, sich stets erneuernde, bald zerstörende, bald schaffende Bewegung der Hauptcharakter von Europa ist; dafs die Ruhe, eine ununterbrochene, immer wieder zurückkehrende, sich immer von selbst wieder erzeugende Ruhe, das Charakteristische von Asien sey, ist gar nicht zu leugnen. Wenn ich von der Bewegung hier rede, so gilt es nicht diejenige, die aus dem Wechsel der Begebenheiten entsteht; denn Asien hat, wo nicht mehr, doch gewifs eben so viele und so grofse Begebenheiten erlebt, als Europa; aber ich rede von der Bewegung der Ideen, der Sitten, der Verhältnisse, und so auch von der Ruhe und dem Stillstande derselben. Dafs *diese* Ruhe sich nicht allein und ausschliefslich aus dem Klima erklären läfst, beweiset die einfache Thatsache, dafs nach (beynahe) vier Jahrhunderten die Osmanen in Europa in ihrem ganzen bürgerlichen und politischen Wesen dieselbe Unbeweglichkeit und Unwandelbarkeit zeigen. Woher dieses sonderbare Phänomen von den bürgerlichen und politischen Institutionen der Türken? Wo die Gesetzgebung sich auf eine solche Religion, wie die mahomedanische, gründet, oder vielmehr mit einer solchen zusammenfällt; wo die Vielweiberey die physische und moralische Ausartung herbeyführt; wo auf den häuslichen Despotismus sich der politische stützt und erhebt; wo die erobernde Nation sich fortwährend von der eroberten absondert und unterscheidet; wo es ein durch Gewalt herrschendes und ein unter dem Drucke gehaltenes Volk giebt: da fürchtet man über Alles jede Bewegung; da darf, und will, und kann man sich nicht frey bewegen." —

Rec. kann es sich nicht versagen, aus dieser ersten höchst reichhaltigen Abhandlung noch einige Stellen mitzutheilen. S. 17: „Bemerkenswerth ist es, dafs da, wo der *Wein* wächst, er der Gesundheit des Menschen am meisten frommt, ja zu dessen Erhaltung beytragen kann, wogegen er in den kalten Ländern, denen der Weinbau versagt ist, öfters sehr nachtheilig auf den physischen Menschen einwirkt. Denn in den heifsen Gegenden neigt sich das Blut leicht zur Auflösung, in den kalten zur Entzündung, und doch, durch einen sonderbaren Widerspruch der Natur, lieben die Nordländer weit mehr als die Südländer die hitzigen geistigen Getränke. In den warmen Ländern führen sie weit seltener zu Excessen, als in den kalten; in den erstern stimmen sie zur Heiterkeit, in den letztern oft zu finstern und heftigen Leidenschaften." — S. 20: „Es ist schwerer, ein finsteres, aber lebendiges Volk zu leiten und zu regieren, als ein lebhaftes, munteres, fröhliches, oder als ein phlegmatisches, träges, trauriges, verschlossenes. Das erstere nimmt Alles von der ernsten Seite und überlegt sehr reiflich; es ist zugleich im Handeln thätig und rasch. Das andere betrachtet Alles von der leichten Seite; durch seine gute Laune, so wie durch seinen Witz, erhöhet es das Vergnügen, und mildert den Schmerz, und gleitet über Alles weg. Ein drittes Volk ist wenig aufgelegt zum schnellen Denken, noch weniger zum schnellen Handeln, und brütet lange leidenschaftlos über denselben Gegenstand. Das erste Volk sind die *Engländer*, das zweyte die *Franzosen*, das dritte die *Holländer*. Alle drey Völker, obgleich ihr Klima sich nicht verändert hat, sind zu verschiedenen Zeitaltern auf eine ganz entgegengesetzte Art beherrscht und regiert worden. Ein Beweis mehr, dafs die moralischen Ursachen in ihrer Wirksamkeit die physischen sehr überwiegen. Hatte der Engländer nicht denselben klimatischen Charakter unter Heinrich VIII., und der Franzosen unter Ludwig XII., den sie später gehabt und entwickelt haben? und doch wie verschieden von dem, was sie heute sind!"

Der letzte Theil dieser Abhandlung ist der Versinnlichung des *Unterschiedes zwischen der klassischen und romantischen Dichtkunst* gewidmet. Der Vf. leitet (S. 25) diese Verschiedenheit nicht ab vom Klima, sondern von dem Unterschiede der alten und der neuen Welt. Nur schwer versagt es sich der Rec., die ganze dahin gehörende Darstellung hier wörtlich aufzunehmen.

2) *Ueber die Verdienste des Mittelalters.* — *Satz:* Das Mittelalter war die Zeit der Unwissenheit, der Barbarey, und bietet in jeder Hinsicht ein Gemählde von Despotismus und Sklaverey dar, das nur Abscheu und Verachtung erregt und verdient. *Gegensatz:* Das Mittelalter war eine Zeit der Jugend, der Blüthe, des regen Lebens, eine poetische Zeit, wo Phantasie und Gemüth die herrlichsten Früchte trugen; wo die Alleinherrschaft, das Princip des Despotismus, nicht existirte, und wo es mehr individuelle Freyheit gab, als zu irgend einer andern Zeit. — Rec. schlägt es dem Vf. hoch an, dafs er sein Urtheil über die verschiedenen Ansichten des Mittelalters in sein Werk aufnahm. Bekanntlich waren es die *Reactionsmänner*, die vor ungefähr 20 Jahren, mit echt jesuitischer Gewandtheit, die Lobpreisungen des Mittelalters begannen, und unter der Hülle altdeutscher dichterischer Formen und der scheinbaren

Glanz-

Glanzſeite des Ritterthums, der freyen Entwickelung des dritten Standes einen unüberſteigbaren Damm ſetzen, und *den Ariſtokratismus*, ſelbſt auf Koſten der Regentenmacht, die im Mittelalter allerdings ſehr beſchränkt war, *auf ſeinen Höhepunkt ſteigern* wollten. Für dieſen Zweck ward das Gute des Mittelalters, als einer Uebergangszeit zu etwas Beſſern — was es nach dem Zeugniſſe der Geſchichte iſt, — über die Gebühr gefeyert, die Schattenſeite der Rohheit, der Unfreyheit, der Leibeigenſchaft und Eigenhörigkeit möglich verhüllt, und in dem alten Schutte ſo lange gewühlt, bis man das jugendliche Gemüth mit veralteten Geſängen von Minne und Tapferkeit beſtach, die Gelehrten durch kritiſche Ausgaben der Schriftſteller des Mittelalters lockte, und die Herſtellung der glücklichen Zeiten der Prieſterbevormundung und der Herrſchaft des Vaticans, unter dem Mohnſafte der Dichtkunſt und der Wiedererneuerung verſchwundener Helden-Tugenden, einleitete. In der That lieſsen ſich viele durch das fein berechnete Spiel täuſchen und überſahen dabey, daſs eine nicht unbedeutende Anzahl dieſer Verfechter des Mittelalters entweder *Betrüger*, meiſt heimliche Katholiken oder förmliche Apoſtaten des Proteſtantismus, oder *Betrogene* waren, denen man die Herſtellung einer Vergangenheit als möglich vorſpiegelte, um ihren Blick und ihre Thatkraft von der Herbeyführung einer beſſern Zukunft aus den politiſchen Wirren und Kämpfen einer verdüſterten Gegenwart abzulenken. In *dieſer* Zeit war es, wo ſich die beiden vom Vf. bezeichneten Extreme in der Anſicht und Beurtheilung des Mittelalters bildeten. Doch darf dabey nicht vergeſſen werden, daſs viele treffliche Köpfe, ohne die Ahnung jener verſteckten Abſichten der Tonangeber, aus reiner Liebe zur altdeutſchen Dichtkunſt und Sitte, der Bearbeitung der lang vernachläſſigten Quellen derſelben ſich unterzogen, und Verdienſtliches leiſteten, indem ſie dem Verkannten ſein Recht herſtellten. — Wie richtig der Vf. den wahren Geiſt des Mittelalters auffaſste, und wie ſein politiſcher Blick die Schlingen erkannte, welche Jeſuitismus und Ariſtokratismus dem Geiſte aufblühender Jünglinge vermittelſt der gegebenen Richtung auf das Mittelalter legten, bezeugt folgende Stelle (S. 39): „Die Feudalverfaſſung, die aus dem Kriege und der Eroberung ſich entfaltete, aber als Keim ſchon in den germaniſchen Wäldern vorgefunden ward; das Uebergewicht der geiſtlichen Gewalt über die weltliche, und ſpäter der Kampf beider um die Herrſchaft; das Ritterthum, mit der abenteuerlichen Tapferkeit, der wilden Ungebundenheit, dem religiöſen Gehorſam, der ſchwärmeriſchen Minne, und der Liebe zum Geſange, die es belebten; die Gründung und das Emporkommen der Städte, dieſer Pflanzſchulen der Freyheit und der Cultur, hier begünſtigt, dort befehdet, bald ſiegend, bald von den Rittern und den Fürſten unterdrückt; endlich die Leibeigenſchaft, welche die Baſis zu dieſem Gebäude und zu dieſer Geſtaltung bildete, wie der todte Boden die lebende Natur trägt: *dieſs waren die Hauptumriſſe des Mittelalters.*" — Rec. fügt hinzu: So wenig die hundert Säulen des Palaſtes zu Ingelheim, die Trümmern vom Rheinſteine, vom Drachenfels, vom Mäuſethurme bey Bingen und von Sonnenberg bey Wiesbaden ſich wieder erheben werden; ſo wenig iſt auch das Mittelalter wieder herzuſtellen. Dankbar wollen wir anerkennen, was es zu *ſeiner* Zeit leiſtete; wie die bürgerliche Freyheit, der Gewerbsfleiſs und der Handel in den entſtehenden Städten begann; wie die Gelehrſamkeit nothdürftig in den Kloſterſchulen gepflegt ward, und nicht verkennen wollen wir, daſs damals die Mehrheit des Volkes der Prieſterleitung bedurfte; allein das neunzehnte Jahrhundert iſt den Kinderſchuhen des neunten und des dreyzehnten entwachſen. Die Zünfte und Innungen haben geleiſtet, was ſie konnten, ſich aber für unſere Zeit überlebt. Die Gelehrſamkeit iſt geſichert *ohne* Klöſter; und Klöſter ſind *vocabula obſoleta* in dem Lexikon der Cultur des neunzehnten Jahrhunderts. Eben ſo entwachſen die mündig werdenden Völker der Prieſterbevormundung, und an die Stelle der Doppelregierung der Ariſtokratie und Theokratie des Mittelalters iſt im Laufe der Zeit die erhöhte Regentenmacht getreten, und in der Einheit des Bürgerthums und der Heiligkeit des Throns die Macht der Vielherrſcher in den Burgen der Zwingherrn und in den Refectorien der Klöſter und Domcapitel untergegangen. Oder wollen wir die Leichen des dreyzehnten und vierzehnten Jahrhunderts mit ihrem Modergeruche wieder unter das lebende Geſchlecht ſtellen? Bedarf man, neben dem Siege des Smithſchen Grundſatzes von der Theilung der Arbeit, der Wiederherſtellung der Klöſter mit arbeitſcheuen Mönchen und Nonnen? Wünſchen wir die Unſicherheit der Straſsen aus den Zeiten zurück, wo, nach *Schlözers* Kraftſprache, Ritter und Räuber ſynonym waren? — *Quousque tandem!* — Der Vf. giebt, wie er ſich ſelbſt (S. 50) ausdrückt, dem Mittelalter, was ihm gebührt, und namentlich entwickelt er das *Entſtehen der ſtändiſchen Verfaſſungen* (S. 47) in dieſer Zeit. Allein der Vf. iſt zu ſehr Geſchichtskenner und Staatsmann, um die Schattenſeiten des Mittelalters ſich und Andern zu verhehlen. „Die Sucht, ſagt er, das Mittelalter weit über die Gegenwart zu erheben, und deſſen Sitten, Gebräuche, Vergnügungen, Lebensart, Baukunſt, Dichtungen, Inſtitutionen wo möglich wieder hervorzurufen, in unſere Zeit zu verpflanzen oder wenigſtens nachzuahmen, *hat beſonders in Deutſchland um ſich gegriffen, und eine Menge unnützer, ja verderblicher Verſuche veranlaſst.*" — Mit vielem Tacte läſst der Vf. ſogleich auf dieſe Abhandlung über das Mittelalter die des jetzigen Zeitalters folgen.

(Die Fortſetzung folgt.)

ALLGEMEINE LITERATUR-ZEITUNG

September 1828.

STAATSWISSENSCHAFTEN.

Berlin, b. Duncker u. Humblot: *Zur Vermittelung der Extreme in den Meinungen;* von *Friedrich Ancillon* u. s. w.

(*Fortsetzung der im vorigen Stück abgebrochenen Recension.*)

5) *Ueber den Charakter und die Fortschritte des jetzigen Zeitalters.* — *Satz:* Unsere Zeit überflügelt alle andere Zeiten, und, mit ihr verglichen, sind die früheren Perioden arme und elende Zeiten. *Gegensatz.* Unsere Zeit ist eine ausgeartete Zeit, die mit den frühern, frischern, reinern Perioden die Vergleichung nicht aushält. — Der Vf. steht nicht feindlich gegen die Zeit da, die ihn selbst bildete und auf die Höhe hob, die er als Schriftsteller und Staatsmann erreichte; auch rühmt er von ihr, was ihr nicht abgesprochen werden kann, die fast ans Unglaubliche grenzende Erweiterung und Vervollkommnung der *materiellen Cultur*, unterstützt von dem mächtigen Anbaue der Naturwissenschaften, und von der vermehrten Circulation des Geldes. Dabey will Rec. der Behauptung des Vfs. nicht widersprechen: „ein sinnlicher Materialismus sey die Haupttendenz des Zeitalters (S. 74)." — Allein in einigen andern Behauptungen kann Rec. *nicht* dem Vf. beystimmen. Der Vf. sagt (S. 79): „man sey in neuerer Zeit, trotz aller Anstrengungen der Denker, den Alten nicht viel vorgeeilt." Diess muss (S. 81) in Hinsicht der *Logik* dem Vf., unter Einschränkungen, zugestanden werden. Will er aber unter den Griechen einen Metaphysiker mit *Leibnitz, Kant* und *Fichte* vergleichen. — In der *Ethik* gesteht der Vf. den Vorzug unsrer Zeit zu, erklärt aber die Fortschritte dieser Wissenschaft „*einzig und allein* für eine Frucht der gereinigten christlichen Lehre." Rec. ist nicht gemeint, den hohen Werth des Christenthums für die Begründung und Verbreitung reinsittlicher Grundsätze zu verringern; er gesteht sogar ein, dass in den letzten 50 Jahren protestantische Theologen sich gleichgrosse Verdienste um den wissenschaftlichen Anbau der Sittenlehre erworben haben, als die Philosophen selbst; allein übersehen darf bey dieser Vervollkommnung nicht werden, dass sie zum Theil eine nothwendige Folge *der gesammten Fortbildung der Philosophie überhaupt* war. Die reinere Moral *Kant's* und sein kategorischer Imperativ, so wie *Fichte's* herrliche — nur etwas überspannte, jetzt zu wenig geachtete — Sittenlehre stand *mit ihrer Metaphysik* in unmittelbarer Verbindung, und gehörte deshalb dem Kreise der Philosophie ausschliessend an. Was *Joh. Wilh. Schmid, Karl Chstn. Erh. Schmid, Franz Volkmar Reinhard, Stäudlin, Schleiermacher, Ammon* u. a. für die Sittenlehre leisteten, muss zur einen Hälfte auf ihre, aus dem Zeitalter hervorgegangene, *philosophische* Bildung, und zur andern auf ihre vertraute Bekanntschaft mit dem Geiste des Christenthums gebracht werden. — Eben so, wie bey der Ethik, ist Rec. auch bey der *Geschichte* nicht der Meinung des Vfs. Gern gesteht er mit dem Vf. den alten Geschichtsschreibern den hohen moralischen Ernst, mit welchem sie die Begebenheiten erfassen, und den pragmatischen Zusammenhang zu, welchen sie in die Entwickelung der Thatsachen brachten, so wie die Individualität ihrer Charakterzeichnungen. Allein wie sehr unterscheidet sich die Geschichtsschreibung *unsrer* Zeit von der Geschichtsschreibung im Alterthume durch die Kritik und das Studium der Quellen, durch die unermesslichen Massen des zu gestaltenden Stoffes, durch die Ausdehnung der darzustellenden Thatsachen auf fünf Erdtheile, durch den ganz andern politischen Geist in dem innern Leben der Staaten und in ihrem äussern Verkehre, und durch die grosse Verschiedenheit der ausgebildeten neuern Sprachen und Sprachformen von den Sprachformen der alten Welt! — Dass übrigens die *Staatswissenschaften* — bey gerechter Verwerthung des politischen Charakters der Schriftsteller Griechenlands und Roms — in *unserer* Zeit auf einer ganz andern Stufe der Bildung und Reife stehen, als in der Vergangenheit, gesteht der Vf. selbst ein, wenn er gleich darin (S. 87) Recht hat, dass die Politik *als Wissenschaft* in unsrer Zeit mehr gewonnen habe, als die Politik *als Kunst*. Mit Recht hebt er die *Staatswirthschaft* und *Statistik*, als zwey Staatswissenschaften (S. 88) hervor, die nach ihrer Begründung, Durchbildung und „parallelen gleichzeitigen Bearbeitung" *unserm* Zeitalter angehören. — Sehr richtig urtheilt der Vf. (S. 92), dass „in Hinsicht der *Intensität* das Licht der Wissenschaft und der Künste *nicht* in dem Grade und in dem Verhältnisse in allen Verzweigungen derselben zugenommen habe, als man gewöhnlich annimmt, dass es sich aber anders mit der *Verbreitung* der Aufklärung verhalte." Er sagt ausdrücklich (S. 94): „Es lässt sich nicht verkennen, dass mehr Menschen in allen Klassen der Gesellschaft an dem Lichte, welches in den obern Regionen der Wissenschaft aufgegangen ist, Theil nehmen. Gewisse Kenntnisse sind allgemeiner geworden; man findet häufiger eine gewisse Selbstthätig-

keit

keit des Verstandes, und der Sinn für Wissen und Erkennen hat unstreitig zugenommen." Zu den Umständen, welche die bedeutende Ausdehnung des Lichtes erklärbar machen, zählt der Vf. die Reformation der Kirche, die Erfindung und stete Vervollkommnung der Buchdruckerkunst, die Vervielfältigung der Handelsverhältnisse unter den Völkern, die Verfeinerung des geselligen Lebens, die Annäherung der verschiedenen Stände, und die Verbesserung des Volksunterrichts. — Wenn aber der Vf., nach der Aufzählung dieser Thatsachen, (S. 95) hinzufügt: „lauter Umstände, *die mit den eigentlichen Fortschritten des menschlichen Geistes nichts gemein haben*;" so versteht Rec. — gelind gesprochen — diesen Ausspruch nicht. Denn unverkennbar ist *der menschliche Geist seit* der Erfindung der Buchdruckerkunst, *seit* der Reformation und *seit* den genannten Ereignissen, in intellectueller und moralischer Hinsicht *fortgeschritten*, wenn gleich weder Aufklärung noch Sittlichkeit *gleichmässig* über alle Stände im Staate sich verbreiten konnten. Doch gern tritt der Rec. dem Vf. in folgender trefflichen Stelle (S. 99) bey: „Ein jedes Wesen soll das werden, was in seiner Natur liegt, und alle seine Kräfte seiner Lage und seinen Verhältnissen gemäss entwickeln. Vor allen soll der Mensch seine mannigfaltigen Vermögen und Fähigkeiten, so weit die Umstände ihm solches erlauben, ausbilden und anwenden, und vorzugsweise den Verstand und die Vernunft selbstthätig vervollkommnen. Ausser dem Gesetze Gottes und der Tugend, diesem Ausflusse der Gottheit, giebt es freylich auf dieser Erde kein unbedingtes Gut; alles übrige hat nur einen relativen Werth, und man muss dessen Nachtheile gegen dessen Vortheile abwägen. Aber es ist unbedingt nothwendig, dass jeder Mensch sich stets fortbewege, und den Kreis seiner Gedanken, so wie den seiner Handlungen allmählig erweitere. Dieses bringt die Gewalt der Zeit, so wie unsere Bestimmung mit sich. *Keiner hat das Recht, diesen ewigen Gang des Menschengeschlechts zu stören, zu lähmen, zu hemmen.* Glücklicherweise, wenn man es auch thun wollte, wäre auf die Länge ein solcher böser Wille unvermögend und ohnmächtig."

4) *Ueber die Gewalt der öffentlichen Meinung.* — *Satz:* Die öffentliche Meinung ist mehr, als je, die Hauptmacht in der politischen Welt, und muss als Leitstern den Regierungen voranleuchten, und von ihnen befolgt werden. Man muss sie in allen politischen Angelegenheiten, besonders in der Gesetzgebung, befragen und beachten. *Gegensatz:* Die öffentliche Meinung ist ein irriger, schwankender, vorübergehender Wahn, eine usurpirte Gewalt. Weit entfernt, das Lebensprincip der Staaten zu seyn, giebt sie denselben falsche Richtungen, und setzt sie beständigen Störungen aus. — Der Vf., geht von der Thatsache (S. 121) aus: es habe zu jeder Zeit eine öffentliche Meinung in einem jeden Staate gegeben, bey den Alten, so wie bey den Neuern. Denn zu einer jeden Zeit habe die Mehrheit der Menschen in einem jeden Staate über die Begebenheiten des Tages, die innern und äussern Verhältnisse des Staates, die Gesetze, die Verordnungen, das Verfahren der Regierung und den Zustand des Landes, Meinungen gefasst und geäussert. *Drey* Ursachen hätten aber zunächst zu der grossen Veränderung des Einflusses derselben in neuern Zeit mitgewirkt. Der gesellige Verkehr sey häufiger und inniger geworden; die Schriftstellerey habe grosse Fortschritte gemacht (dabey viel Wahres und Starkes über die Zeit- und Flugschriften); der Credit sey erschaffen worden als die erste Grundlage und nothwendige Bedingung des Staatslebens. — Sein Resultat über die öffentliche Meinung ist (S. 129) folgendes: „Sie hat nie einen absoluten, wohl aber zuweilen einen relativen Werth. Sie kann daher weder als Norm, noch als leitendes Princip dienen. An sich schwankend, unsicher, veränderlich, kann sie nie als festes Princip gelten; bey ihrem ungewissen Gange und ihrer stets wechselnden Richtung können die Regierungen eben so wenig, als die Privatleute, sie nicht ohne Gefahr benutzen, um sich zu orientiren, oder sich ihrer Leitung überlassen. Die Meinung der Bessern, der Unterrichteten, der Einsichtsvollen kann unstreitig Ansprüche auf Beachtung machen, und sehr oft unser eigenes Urtheil begründen, oder rechtfertigen und verstärken. Allein diese Auswahl der Menschheit bildet nie die Mehrzahl, sondern die Minorität. Wenn nun schon die Einzelnen sich über die Meinung erheben müssen, um sicher zu gehen und ihre Würde zu behaupten: so kann dieses um so mehr *von den Regierungen* gefordert werden. Diese müssen einen ganz andern Maassstab ihrer Entschliessungen und Unternehmungen haben, als den der jedesmaligen hörbaren öffentlichen Stimme des Augenblicks." — Diess ist allerdings im Allgemeinen wahr und gegründet, doch immer nur sobald die Regierung, nach ihrer Intelligenz, nach ihrem reinen Willen und nach ihrer, aus beiden hervorgehenden, Macht *über* der öffentlichen Meinung steht. Hätte man in Frankreich zur rechten Zeit die öffentliche Meinung gewürdigt; es wäre keine Revolution ausgebrochen. Eben so regierte die Dynastie Stuart wahrscheinlich noch über England, wenn Jacob II. die öffentliche Meinung gehört und verstanden hätte. Und was war es, das *Napoleon's* Herrschaft untergrub? Die öffentliche Meinung der gesitteten Völker unsers Erdtheils. — Nur wenn die Regierungen höher stehen in der *Cultur*, als ihre Völker, wenn Gerechtigkeit *ihr* leitender Maasstab ist und Ordnung in den Finanzen waltet, können sie die Schwankungen der öffentlichen Meinung sich selbst überlassen. In diesem Sinne sprach *Talleyrand* (1821) in der Pairskammer: „Ich kenne jemand, der mehr Verstand hat, als Voltaire; mehr Verstand, als Bonaparte; mehr Verstand, als die Weltpiloten, und mehr Verstand, als alle Minister, die waren, sind, und seyn werden; nämlich: *die öffentliche Meinung*."

5) *Ueber*

5) *Ueber die Gesetzgebung der Presse.* — *Satz:* Die Pressfreyheit ist die eigentliche Schutzwehr gegen die Missgriffe und Missbräuche der Regierung, und zumal in repräsentativen Verfassungen, die erste Bedingung des Gedeihens der gesellschaftlichen Ordnung. *Gegensatz:* Die Pressfreyheit ist das auflösende Princip der Regierungen, die Quelle des Missvergnügens und des Ungehorsams der Völker. — Der Vf. sagt (S. 140) von der *Presse:* „Sie hat sich zu einer Macht gestaltet; diess ist weder zu verkennen, noch zu leugnen. Der Hebel, der früher nur in den Händen der Regierenden war, ist in der That theilweise in die Hände der Regierten übergegangen, und die, welche früher gehoben wurden, können jetzt leicht das Ganze aus den Angeln heben.“ Der Vf. geht darüber in die Untersuchung über das Wohlthätige und die Nachtheile der Pressfreyheit ein. Er gedenkt der zwey Hauptmittel, welche man anwendet, den Nachtheilen und Missbräuchen des gedruckten Wortes abzuhelfen, der *Censur* und der *Strafgesetze.* Er würdigt beide. Er gesteht die Unmöglichkeit ein, auf eine feste, klare, evidente Art nach Grundsätzen zu bestimmen, was in den Schriften durchgehen kann und soll, und was als gefährlicher Irrthum oder verderbliche Lüge sträflich ist und bestraft werden muss. Sehr wahr sagt er (S. 152): „Am Ende kommt bey der Presse Alles auf die *Anwendung* der Instructionen oder der Gesetze an. Die Anwendung aber hängt *von der Urtheilskraft des Censors oder Richters ab, und diese von ihrer Persönlichkeit.* Ihr Charakter, ihr Geist, ihre Grundsätze, ihre Unabhängigkeit von der lärmenden Meinung des Tages, *werden immer den Ausschlag geben.* Aus allen diesen Eigenschaften ihrer Intelligenz und ihres Willens bildet sich bey ihnen eine Art von moralischer Ueberzeugung und von moralischem Tacte, der in jedem einzelnen Falle selten fehlschlagen wird, wenn es gilt, die Pressfreyheit von der Pressfrechheit, kühne aber ruhige Untersuchungen von kecken Verunglimpfungen, ernste Prüfung der gesellschaftlichen Einrichtungen von frevelhaften Angriffen auf dieselben, einen besonnenen, festen Ton, und eine männliche kräftige Sprache von einer heftigen Leidenschaftlichkeit zu unterscheiden. Die Aussprüche eines solchen Tacts werden oft nicht auf bestimmte Grundsätze und allgemein geltende Kennzeichen zurückgeführt, oder aus Vernunftschlüssen gerechtfertigt werden können. Aber wenn der Geist einer Regierung grossartig und hochsinnig ist, wenn er, auf Recht und Vernunft gegründet, beides zum alleinigen Zwecke hat; *so wird die Wahl der Censoren und der Richter in der Regel gut ausfallen,* und eine solche Regierung wird, ohne absolute Normen, über Wahrheit und Irrthum, über das Gefährliche und Schädliche oder das Gefahrlose und Nützliche, in den meisten Fällen das Richtige treffen, *die Fortschritte der wahren Aufklärung durch freye Bewegung der Ideen begünstigen, die Bewegung selbst vor ihren Verirrungen und Ausschweifungen bewahren, und derselben Maass und Ziel setzen.* So steht die Sache, und schwerlich wird sie weiter gebracht werden können. Die Presse ist, vermöge ihrer Natur, durch Gesetzgebung unbezwinglich. Man muss sich mit ihren unvermeidlichen Nachtheilen, wie mit ihren Vortheilen abfinden, und will man die Früchte ihrer Freyheit geniessen, so muss man auch manchen Auswuchs derselben ruhig ertragen.“ — Dieses geschichtsmässig begründete und politisch grossartige Urtheil sollte auf allen Tischen der Obercensurbehörden und der Censoren selbst in Stereotypenschrift angetroffen werden.

6) *Ueber die Perfectibilität der bürgerlichen Gesellschaft, ihre Bedingungen und Triebfedern.* — *Satz:* das menschliche Geschlecht, um vorwärts zu gehen, muss in einer steten Bewegung begriffen seyn. Unbeweglichkeit ist in jeder Hinsicht mit dessen Bestimmung unverträglich. Die Neuerungen, sollten sie auch zu Umwälzungen führen, sind in der Natur des Menschen gegründet, und das Beharren beym Alten seiner Natur widersprechend. *Gegensatz:* Beharrlichkeit ist das erste Bedürfniss der Völker, so wie der Individuen. Eine stete Bewegung reibt den einzelnen Menschen auf, und zerstäubt am Ende auch die Kräfte der Staaten. Man muss am Erworbenen festhalten; wo nicht, so kommt man zu keinem Besitze. — Der Vf. vermittelt beide Extreme durch das klar gedachte Resultat (S. 170): „Beides, das veränderliche Element und das permanente, eine stete Bewegung und eine gewisse Beharrlichkeit, ein Festhalten des Erworbenen und ein Fortschreiten im Erwerben, müssen in der moralischen Welt, wie in der physischen, statt finden, und in einem gewissen Gleichgewichte stehen, wenn die Natur des Menschen ihre völlige Entwickelung erhalten und die Gesellschaft ihren Zweck erreichen soll.“ Diese Abhandlung gehört zu den trefflichsten des Werkes; sie muss aber, mit den Vorschlägen des Vfs, namentlich über die Erziehung, *ganz* gelesen werden.

7) *Ueber den Begriff und die Beurtheilung der politischen Revolutionen.* — *Satz:* Die politischen Revolutionen sind zu gewissen Zeiten unvermeidlich und nothwendig, wie die grossen Naturbegebenheiten. *Gegensatz:* Die Revolutionen sind nie nothwendig, sondern immer zufällig, nie die Wirkung allgemeiner Ursachen, sondern das Verbrechen einzelner Menschen. — Lehrreich, warnend, und dargestellt nach Thatsachen der Geschichte, ist diese wichtige Abhandlung, bey welcher Rec. nur einige Einreden sich erlauben wird. Völlig übereinstimmend mit dem Rec. nennt der Vf. (S. 218) eine politische Revolution „die totale plötzliche, von einer unrechtmässigen Gewalt unternommene und durchgesetzte Veränderung der Regierung, *der Verfassung,* der Souverainetät in einem Staate. Der Hauptcharakter derselben liegt immer in der Unrechtmässigkeit der Gewalt, von welcher sie ausgeht. — Auf solche Umwälzungen allein sollte der Ausdruck „politische Revolution“ angewandt werden; aber man bezeichnet auch oft damit verbrecherische Verschwörungen, die nur die Person des Regenten bedroht oder betroffen haben, die aber die Organi-

ganifation und den Sitz der fouverainen Gewalt eben fo wenig, als die Erbfolgegefetze gefährdeten." — In diefem Sinne wird die Trennung der Schweiz (S. 221) von Oeftreich, des Niederlands von Spanien gewürdigt und gerechtfertigt. Mit gefchichtlicher Wahrheit wird die britifche Revolution gefchildert. Der Vf. fagt: „hätte Karl I. zur rechten Zeit den gerechten Forderungen des Parlaments und der neuen Richtung, welche die Bedürfniffe, die Wünfche, die Ideen genommen hatten, etwas nachgegeben; dann aber, als die angreifende Partey rafch vorwärts ging, immer wilder um fich griff, und den Thron feiner Stütze in der Perfon des tugendhaften (??) und unglücklichen Strafford beraubte, überlegte Feftigkeit und befonnenen Widerftand geleiftet: fo wäre der heftige Streit nicht in einen bürgerlichen Krieg ausgeartet. So kam es, dafs da, *wo eine Reform nothwendig hätte eintreten müffen*, und allen Gebrechen und Befchwerden abgeholfen haben würde, die Bewegung der Gemüther aufs höchfte ftieg" u. f. w. Mit gleicher gefchichtlicher Treue wird das Betragen Karls II. und Jacobs II. *nach* der Reftauration dargeftellt. „*Jacob II.*, fo kann man mit Wahrheit fagen, *verfuchte eine Revolution zu machen*, indem er die ganze Souverainetät an fich ziehen wollte. Das Parlament, vermöge des ihm gebührenden Antheils an derfelben, hatte in feinem Widerftande und feinen gefetzmäfsigen Bemühungen zum Zwecke, diefen Verfuch zu vereiteln, die Verfaffung zu befchützen, und das Königthum in den daffelbe umgebenden Schranken bey feinen Rechten, wie bey feinen Pflichten feftzuhalten."

Wenn aber der Vf. in derfelben Abhandlung den Kaifer Jofeph II. einen „*wilden* Reformator feiner Staaten" nennt: fo wünfchte Rec. wohl, dafs in einer *zweyten* Auflage jenes Prädicat mit dem eines „*rafchen*" Reformators vertaufcht würde. Wenn Jofeph II. „wild" reformirte; wie foll man — nach einer Steigerung — das Reformiren Peters I. bezeichnen? Ueberhaupt betrachtet Rec. den Kaifer Jofeph II. in einem günftigern Lichte, als der Vf. Welches Licht brach, während des nicht einmal vollftändigen Jahrzehends feiner Regierung, für die Staaten der öftreichifchen Monarchie an! Wie regten fich damals die Geifter! Wie viel gewannen Bevölkerung, Landwirthfchaft und Wohlftand bey der Aufhebung von 624 Klöftern! Doch hätten, wie bey Friedrich II., mehr als 40 Regierungsjahre dazu gehört, fein begonnenes Werk zu confolidiren und zu vollenden, die Prieftermacht in ihre Grenzen gegen die Regentengewalt zu bringen, und feine Völker mit feiner Gröfse zu verföhnen. — Eben fo kann Rec. nur theilweife (S. 231) dem Vf. beyftimmen, wenn er fagt: „Es ift eben fo wenig den Maximen der politifchen Klugheit, als den ftrengen Grundfätzen der Gerechtigkeit angemeffen, den Rechtszuftand bey einem Volke *durch eine ganz neue Gefetzgebung zu erfchüttern*." Der Vf. hat Recht, wenn diefs eine folche Gefetzgebung wäre, wodurch ein Volk von feiner Vergangenheit losgeriffen würde. Allein *eine Reform* (nicht eine Revolution) der Gefetzbücher (und nur die Revolution „erfchüttert") ift dringendes Bedürfnifs der Zeit, und zwar im bürgerlichen, im Straf- und Handelsgefetzbuche. Es ift unerklärbar wenn geiftvolle Männer unferer Zeit den *Beruf für Gefetzgebung* abweifen, und die Führer der Staaten überreden wollen, wir hätten völlig genug an dem Gemengfel des römifchen, deutfchen, canonifchen und provinciellen Rechts. Nie ift ein Zeitalter mehr, als das unfrige, reif für eine, auf gefchichtliche Unterlage geftützte, verbefferte Gefetzgebung gewefen. Wäre diefs nicht: fo hätte fich der *Code Napoléon* in Frankreich nicht erhalten, und eben fo wenig die öffentliche und mündliche Rechtspflege in den Ländern, die fich daran gewöhnt haben. Man reife nur am linken Rheinufer von der Grenze des bayerfchen Rheinkreifes bis an die Grenze des Niederlands, und frage Hohe und Niedrige, ob fie eine Veränderung der Rechtspflege wünfchen? *Vox populi, vox Dei!*

(*Der Befchlufs folgt.*)

SCHÖNE KÜNSTE.

KÖNIGSBERG, im Verl. d. Gebr. Bornträger: *Wladimir der Grofse:* ein epifches Gedicht in drey Gefängen, von *E. J. Stagnelius*. Aus dem Schwedifchen überfetzt von *Olof Berg*. 1827. 160 S. 8. (20 gr.)

Der Vf. des Originals der vorliegenden epifchen Dichtung, *Eric Johann Stagnelius*, ftarb in der Blüthe feines Talents, 30 Jahre alt, im Jahre 1823. Er hatte fich vorzüglich nach deutfchen Dichtern, namentlich nach A. W. von Schlegel gebildet. Eine Ausgabe feiner Werke von *L. Hammarsköld* beforgt, erfchien in 3 Theilen 1824 bis 26 b. A. Wiborg in Stockholm. Rec. kennt nur den hier gegebenen, von dem Ueberfetzer der jetztregierenden Kaiferin von Rufsland gewidmeten, *Wladimir des Grofsen*. Diefes kleine Epos behandelt die Gefchichte der Bekehrung des Novgorod'fchen Fürften Wladimir zum *Chriften*, nach der Eroberung von Theodofia, wo er die Schwefter des griechifchen Kaifers kennen lernt und lieb gewinnt. Die Anlage des Ganzen ift einfach und natürlich, die gebrauchten Bilder find erhaben, edel und lieblich; die Behandlung erfcheint geiftreich. Nur von himmlifchen Erfcheinungen ift faft zu viel Gebrauch gemacht. Ueber die Treue der Ueberfetzung kann Rec. nicht urtheilen, da er das Original nicht vor fich hat. Der Bau der Hexameter ift *leicht*, nur möchte zuweilen gegen die Regel von der *Hauptcäfur* im 3ten Fufse gefehlt feyn. Von falfchen Meffungen ift Rec. nur aufgeftofsen: ungezählt, wo der Accent durchaus die Sylbe *un* lang macht. Anftatt *Donnergepolter*, wenn es gleich auch Vofs gebraucht hat, würde Rec. lieber *Donnergetöfe* fagen. Undeutfch ift: Mancher Romania's Sohn; warum nicht lieber: Mancher Römerin Sohn?

ALLGEMEINE LITERATUR-ZEITUNG

September 1828.

STAATSWISSENSCHAFTEN.

BERLIN, b. Duncker u. Humblot: *Zur Vermittelung der Extreme in den Meinungen*; von *Friedrich Ancillon* u. f. w.

(Beschlufs der im vorigen Stück abgebrochenen Recension.)

Sehr bezeichnend fagt der Vf. (S. 235): „die rechtmäfsige Gewalt im Staate exiftirt nur für das Volk, und das Wohl deffelben foll ftets ihr höchfter und alleiniger Zweck feyn." Wenn aber der Vf., fogleich im Folgenden, anzunehmen fcheint, als ob die philofophifche Lehre *von einem Staatsgrundvertrage* damit unvereinbar wäre, und als ob der Staatsgrundvertrag auf der neumodifchen Theorie beruhe, „dafs der Wille des Volkes die einzige Quelle der rechtmäfsigen Gewalt fey;" fo widerfpricht Rec. aus Ueberzeugung. Rec. lehrt feit länger als 30 Jahren im Staatsrechte, dafs der Staat auf Vertrag — auf der ftillfchweigenden Uebereinkunft über die Herrfchaft des Rechts im innern Staatsleben, folglich auch in dem Verhältniffe zwifchen den Regierenden und den Regierten — beruhe; allein *der* Theorie, „dafs der Wille des Volkes die einzige Quelle der rechtmäfsigen Gewalt fey," hat er eben fo lange widerfprochen und entgegen gearbeitet. Auch dürfte der Bürger von Genf fchwerlich mehr noch als Stimmführer der gegenwärtigen Staatsrechtslehre gelten! Er berührte das *eine* Extrem, wie *Graswinkel*, *von Haller* und ihre Nachtreter das *Zweyte*. Die Wahrheit liegt in der Mitte zwifchen den Extremen; diefs ift auch des Vfs. geläuterte Ueberzeugung! Wie trefflich und gefchichtlich begründet ift doch folgende Stelle (S. 239): „Wenn bey einem Volke, wo die obern Klaffen verftimmt find, die untern fich unglücklich fühlen, die vermeintlichen Weltverbefferer mit ihren falfchen Theorieen hervortreten, und allen Klaffen Heil und Segen verfprechen, wenn dieselben ins Leben übergehen könnten; fo findet eine politifche Revolution einen vorbereiteten Boden, auf welchem fie fich mit einer furchtbaren Schnelligkeit entwickelt. *Ohne ihre Verbindung mit den geiftigen und phyfifchen Bedürfniffen* würden die falfchen Lehren in der Region der Speculationen harmlos und unfruchtbar geblieben feyn, und ohne die Richtung, die fie durch die falfchen Lehren erhält, würde die Unzufriedenheit keinen gewaltfamen Ausbruch verurfacht, fondern auf allerley Wegen fich Luft gemacht haben, ohne den Staat in die Luft zu fprengen. *Nur das Zufammentreffen der unreifen, verderblichen Lehren und der Bedürfniffe bildet die Gefahr:* denn alsdann treten die Ideen, mit dem phyfifchen Arme und der wilden Kraft der Menge bewaffnet, in die Wirklichkeit ein." — In völliger Uebereinftimmung mit dem Rec. erklärt der Vf. fich dahin (S. 241): „Die erfte Pflicht der Regierung ift, den jedesmaligen Zuftand der Gefellfchaft zu beobachten, zu unterfuchen, und fich von den Veränderungen, welche von dem Fort- oder Rückfchreiten der Cultur unzertrennlich find, genau Rechenfchaft zu geben. *Sie mufs die Zeit in ihren Geftaltungen und Phänomenen erkennen, prüfen, abfchätzen, und mit Ruhe und Einficht die Veränderungen in die Gefetzgebung und in die Formen des Staates eintreten laffen*, welche der Geftaltung der Gefellfchaft und den Erfcheinungen der Zeit angemeffen find. *Auf diefem Wege ftellen die Regierungen fich höher, als die Zeit.*" — Diefs ift der Weg der Reformen, die in der Wirklichkeit jedesmal *von oben* ausgehen, fobald die Regierungen in der That *höher* ftehen, als das Volk. In *diefem* Sinne hat Napoleons Wort volle Wahrheit; „Alles *für* das Volk, nichts *durch* das Volk!"

8) *Ueber die vorbereitenden und bewirkenden Urfachen der franzöfifchen Revolution.* — *Satz:* Die franzöfifche Revolution, feit langer Zeit vorbereitet, lag tief in allgemeinen Urfachen verborgen; fie war alfo unvermeidlich, und das alleinige nothwendige Mittel, Frankreich zu retten. *Gegenfatz:* Die franzöfifche Revolution war einzig und allein das Werk der Leidenfchaften, fie war von zufälligen Urfachen herbeygeführt, und ftürzte Frankreich ins Verderben. — Das Refultat, das der Vf. darüber aufftellt, und im Einzelnen ausführt, ift folgendes (S. 250): „Die Wahrheit fteht auch hier in der Mitte. Um fie nicht zu verfehlen, *mufs man die beiden Gefichtspunkte verbinden und mit einander verfchmelzen.* Ohne die vorbereitenden allgemeinen Urfachen, welche in der Gefchichte von Frankreich tief verzweigt liegen, würden die individuellen Handlungen und befondern Thatfachen, welche die grofsen Begebenheiten herbeyführten, nicht Wurzel gefafst noch folche Früchte getragen haben. Allein wären die verderblichen Keime nicht aus Unbefonnenheit und Unklugheit, oder aus ruchlofen Abfichten in den vorbereiteten Boden eingefenkt worden; fo hätten die allgemeinen Urfachen wirkungslos in demfelben gefchlummert; fie hätten, durch die Zeit neutralifirt, am Ende ihre wirkende Kraft verloren." Rec. meint, die Revolutionaire hätten aus ihrer Unbedeutenheit nicht auftau-

tauchen und vorübergehend eine verderbliche Rolle spielen können, wenn man *durch Reformen*, deren Nothwendigkeit zwey Jahrzehende hindurch dringend und allgemein fühlbar sich angekündigt hatte, *dem Sturme zuvorgekommen wäre*. Solchen Reformen war aber weder Maurepas noch Calonne, weder Brienne noch Necker gewachsen. Die Regierung musste dem politisch mündig gewordenen dritten Stande eine feste selbstständige Stellung neben dem Adel und der Geistlichkeit, dem Staate eine, der britischen nachgebildete, Charte (wie erst 1814 geschah), und der Monarchie ein *alle* Stände gleichmässig umschliessendes Steuersystem geben, wodurch der Staatsbankerott beseitigt und das Deficit gehoben ward; — und die Revolution war vermieden. — Bey gutgeordneten Finanzen, bey gleichmässig vertheilten, gerechten und mässigen Abgaben, bey einer, auf die Vergangenheit des Volkes gestützten, neuen Verfassung, und bey der gleichen Berechtigung aller politisch - mündig gewordenen Staatsbürger, *sind Revolutionen moralisch unmöglich*. Denn alle politische Gährungsstoffe sind dann neutralisirt; von wo her soll also der Feuerbrand geworfen werden? — So entscheidet auch der Vf. (S. 299): „*Reformen, durchgreifende, grossartige, rechtliche Reformen waren nothwendig*, und es war unvermeidlich, dass die Regierung solche, nach einem grossen umsichtigen Plane, mit Muth, mit Kraft, mit Beharrlichkeit unternehmen und vollziehen musste, wenn sie nicht ihrem Untergange, so wie dem des Staates, entgegen gehen wollte. Die Energie, die Einsicht einzelner Männer reichte zu einer solchen riesenhaften Arbeit nicht hin. Es musste *ein organisches Princip der Heilung und der Belebung* in den Staat eingeführt oder zurückberufen werden, welches durch seine Intelligenz die zweckmässigsten Verbesserungen auffasste, denselben durch sein Ansehen Einfluss verschaffte, durch eine gesetzliche Gewalt sie einführte, und vermöge einer dauernden Einwirkung ihre Vollendung sicherte. *Ein solches Princip konnten allein die Generalstände abgeben. — Ludwig XVI. hätte sogleich mit einem Verfassungsplane die Stände eröffnen müssen*, hätte ein solcher die Grundzüge der alten ständischen Verfassung aufgestellt, und nur die nothwendigen Abänderungen derselben, die der vorhandene Zustand der Cultur, der Bildung, der Eigenthums- und Vermögens-Verhältnisse angab und forderte, eintreten lassen; so wäre das Meiste beybehalten, den Bedürfnissen der Zeit angepasst, und durch Modificationen das Wesen derselben um so fester begründet worden. *Bey der Eröffnung der Generalstände wäre ein solcher Plan mit Freuden aufgenommen worden.*"

9) *Ueber den Einfluss der Freyheit auf den Flor der Literatur und der Künste.* — *Satz:* Die Freyheit ist die erste und nothwendige Bedingung der Fortschritte der Künste und der Wissenschaften; ohne sie giebt es keine höhere Cultur. *Gegensatz:* Die Freyheit und die Formen, welche dieselbe zu begründen und zu verbürgen scheinen, haben gar keinen Einfluss auf Entwickelung des Genies und die Ausbildung der Geisteswerke eines Volkes. — Der Vf. giebt in diesem Abschnitte einen kurzen Umriss der Geschichte der Literatur in mehrern europäischen Ländern (Griechenland, Rom, im neuern Italien, Frankreich, England, Deutschland), neigt sich aber zu dem Resultate hin (S. 328): „Dass, so gross auch der Antheil der Freyheit in Hinsicht der Belebung der geistigen Cultur sey, es doch unstreitig andere, entscheidendere (?) Bedingungen derselben gebe, und dass unter diesen *der Macht und dem Reichthume eines Volkes der erste Rang* gebühre." — Rec. gesteht diess nur theilweise, und mehr in Hinsicht auf die Künste, als auf die Literatur im engern Sinne, zu; es würde aber zu weit führen, diess hier geschichtlich erschöpfend aus einander zu setzen.

10) *Ueber den Begriff der Rechtmässigkeit im Staatswesen und in der Gesetzgebung.* — *Satz:* Die politischen Gewalten sind nur dann rechtmässig, wenn sie aus dem Nationalwillen hervorgehen. Dasselbe gilt von recht- und zweckmässigen Gesetzen. Alles ist in der Gesellschaft das Werk der Menschen, und es ist Wahn oder Trug, wenn man die souveraine Gewalt von Gott herrühren lässt. *Gegensatz:* Die gesellschaftliche Ordnung, so wie sie thatsächlich in den verschiedenen Ländern besteht, ist Gottes Werk; von ihm allein haben die alten Formen und Gesetze ihre Kraft erhalten, und sie abändern, verdrängen, durch andere ersetzen, ist ein wahrer Frevel. — Nach dem Vf. entstanden die Staaten, wie die Sprachen, aus dem Bedürfnisse und aus dem Triebe der Geselligkeit. Welches aber auch die Geschichte des Ursprungs dieses oder jenes Staates, dieser oder jener Sprache war, so tragen sie doch alle das *Gepräge der menschlichen Natur*, aus welcher sie hervorgegangen sind. Nachdem schon Jahrhunderte lang die Staaten kräftig geblüht und gelebt hatten, untersuchte man ihren Ursprung, die Natur ihrer Verfassung u. s. w. „Aus der Vergleichung der Sprachlehren ward eine Art von allgemeiner Sprachlehre gebildet, welche die allgemeinen Grundzüge aller Sprachen aufstellte, ihre Aehnlichkeiten verglich, und sie auf die Urgesetze des Denk- und Gefühlsvermögens des Menschen zurückführte und bezog. Aus der Vergleichung des Organismus der verschiedenen Staaten, der ihnen eigenthümlichen Einrichtungen, der Natur der Verhältnisse, der politischen Gewalten in einem jeden, *gestaltete sich eine allgemeine Staatswissenschaft*, welche das Gemeinsame aller Staaten in Hinsicht ihrer Recht-, so wie ihrer Zweckmässigkeit enthalten und zum Maassstabe aller dienen sollte." — So scharfsinnig und ansprechend diese Vergleichung ist; so treffend ist auch das aus den folgenden Untersuchungen abgeleitete Resultat (S. 361): „Die bürgerliche Gesellschaft kann ohne das Daseyn einer obersten Gewalt, welche den einzelnen Menschen und Familien, aus welchen die Gesellschaft besteht, Einheit, Bildung und Haltung giebt, nicht einmal gedacht werden. Ein solcher Wille hat sich allenthalben, wo es Staaten gegeben hat und giebt, aus den Bedürfnissen, den Verhält-

nissen

müssen, den Umständen erzeugt. Der Hauptzweck eines jeden Staates liegt wesentlich in der Begründung und Feststellung eines Rechtszustandes, der, mit äusserem Zwange verbunden, das Eigenthum und die persönliche Freyheit Aller beschützt. *Die oberste politische Gewalt*, aus welcher alle andere Gewalten fliessen, *ist also eine rechtmässige Thatsache*, für welche auch eine Verjährung eintritt (der Begriff der Verjährung ist dem philosophischen Staatsrechte fremd, und bloss ein Gegenstand des *positiven* Rechts; er ist aber auch im Staatsrechte völlig entbehrlich, weil in demselben der Begriff einer *rechtmässigen Thatsache* ausreicht — Rec.), und die nur dann als unrechtmässig erscheint, wenn sie eine rechtmässige Gewalt umgestossen hat, um sich selbst an ihre Stelle zu setzen und sich auf ihren Trümmern zu erheben. Die Souverainetät ist heilig, wie jeder andere Besitz, und ist es um so mehr, als jeder andere Besitz in der Heiligkeit der souverainen Gewalt die allein ihn schützende Aegide findet. Die Nothwendigkeit eines solchen obersten Willens ergiebt sich aus dem Zwecke der bürgerlichen Gesellschaft, der unveränderlich und ewig derselbe bleibt." — Mit dieser geschichtlichen Deduction der *Legitimität* muss jeder Kenner der Geschichte einverstanden seyn. Damit bringt der Vf. aber auch *religiöse* Gründe in Verbindung, die in der Form, wie sie der Vf. *ausdrückt*, die Vernunft überzeugen, ohne doch den Lehrern der unmittelbaren Abstammung der unbeschränkten Regentengewalt von Gott Zugeständnisse in *ihrem* Sinne zu machen. S. 363: „Es existirt ein höheres Recht, über alle Souverainetät erhaben, das in der unsichtbaren, übersinnlichen Welt seine Quelle hat: *das Gesetz Gottes. Die gesellschaftliche oberste Gewalt ist zwar rechtmässig gegründet*, wenn sie aus den Bedürfnissen entstanden, mit dem Volke sich geschichtlich entfaltet hat, den Stempel der Zeit trägt, die Nationalität hervorgebracht, und, sich zugleich mit ihr verzweigend, mit ihr ein Ganzes bildet. Aber sie ist nur dann ehrwürdig in jedem Sinne des Wortes, wenn sie gerecht verfährt, das ewige Recht in Ehren hält, vernünftige Gesetze giebt, den wohlerworbenen Besitz beschützt und die Freyheit eines jeden nur insofern beschränkt, als die Freyheit Aller es erfordert. Denn beruht in der That die oberste politische Gewalt auf dem Willen Gottes. Er will dieselbe, nicht allein weil sie die erste Bedingung des Daseyns der bürgerlichen Gesellschaft ist, und diese zur Bestimmung des Menschen gehört, sondern er will sie, weil sie in ihren Geboten und Verboten seinen eigenen Willen ausspricht, und seinen ewigen Gesetzen gemäss handelt. So heiligt die Gottheit das Werk der Menschen, und ertheilt denselben eine hohe Würde und eine lebendige Kraft." — Als endliches Resultat über den Begriff der Legitimität stellt der Vf. (S. 366) auf: „In einem jeden Staate giebt es keine höhere Gewalt, als die Souverainetät, und ohne ihre Existenz giebt es keinen Staat. Allein es giebt ein *höheres* Recht als das Recht, welches die souveraine Gewalt ausspricht, indem sie Gesetze giebt. *Dieses Recht ist das ewige Vernunftrecht*, oder das Gesetz Gottes. Die Worte *rechtmässige Gesetze* haben also einen doppelten Sinn, je nachdem man sie entweder mit ihrer Quelle, oder mit ihrem Gegenstande und ihrer Natur zusammenhält. Im ersten Sinne sind sie rechtmässig, wenn sie von der rechtmässigen obersten Staatsgewalt ausgehen; im zweyten, wenn sie dem höhern Vernunftrechte entsprechen, und dem Zwecke der Gesellschaft angemessen sind."

11) *Ueber die politischen Constitutionen.* — *Satz*: Politische Constitutionen sind das einzige Mittel, den Uebeln, welche die bürgerliche Gesellschaft drücken, abzuhelfen und vorzubeugen. Die politischen Formen eines Staates entscheiden allein über sein Glück oder Unglück. Damit aber dergleichen Formen ihren Zweck erreichen, müssen sie nach allgemeinen Grundsätzen folgerecht entstehen, und nicht ein zusammengestoppeltes Flickwerk seyn. *Gegensatz*: Politische Formen sind in der Regel gleichgültig, und können oft sehr schädlich werden. Es ist eine Krankheit der Zeit, auf dieselben einen grossen Werth zu legen, und von ihnen die Heilung der Gebrechen der Staaten zu erwarten. — Der Vf. unterscheidet mit dem ihm eigenthümlichen Scharfsinne zwischen den Verfassungen, welche auf einer *geschichtlichen Unterlage* beruhen, deren Zweckmässigkeit er preiset, und den Verfassungen, welche nur die Entwickelung einiger allgemeinen Grundsätze enthalten, bey deren Aufstellung man von einer jeden National-Individualität und von alten Zeit- und Ortsverhältnissen abstrahirt. „Verfassungen dieser Art, die mit einem Mal auftreten, reissen ein Volk von seiner Vergangenheit los, wurzeln nur auf der Oberfläche der Gegenwart, und können die Zukunft weder vorbereiten noch begründen." — Sehr treffend sind die darauf folgenden Bemerkungen über die *französische Charte*. Er nennt sie „eine Art von Sühne zwischen der Vergangenheit und Gegenwart, von Abfindung der alten mit der neuern Zeit," und erinnert daran (was auch von *von Raumer* in seiner Schrift *über die preussische Städteordnung* geschah), dass sie der eigentlichen Grundlage eines solchen Gebäudes ermangele: *der Municipal- und Communal-Ordnungen und der Provinzialversammlungen*, durch welche allein das Ganze Zusammenhang, Festigkeit und Einheit erhalten kann. — Wenn aber der Vf. in der Folge behauptet (S. 390): „die historischen Verfassungen seyen selten oder nie niedergeschrieben;" so ist diess nicht geschichtlich begründet. Es ist diess allerdings mit der englischen Verfassung der Fall, und mehrere von den neuern schriftlichen Verfassungen, welche, ohne Rücksicht auf die geschichtliche Unterlage des innern Staatslebens gegeben wurden, sind, nach kurzer Dauer, wieder erloschen. Allein sollten die schriftlichen Grundgesetze des nordamerikanischen Bundesstaates von 1787 und 1789, des Königreichs der Niederlande von 1815, des Königreichs Norwegen von 1814, des Königreichs Schweden von 1809, des Königreichs Bayern von

1818,

1818, des Königreichs Würtemberg von 1819, der Grofsherzogthümer Baden, Weimar, Darmstadt u. a. der historischen Unterlage ermangeln? Sie leisten ja eben das, was der Vf. (S. 379—386) von einer guten Constitution verlangt, und verhalten sich, nach des Rec. Ansicht, zu dem Bürgerthume in denselben Verhältnissen, wie schriftliche Religionsurkunden zu dem Kirchenthume, und zu dem festen Bestehen der Religionen. So wie die Exegese an dieser heiligen Urkunde sich seit Jahrhunderten geübt hat: so wird es in unsrer Zeit auch mit der grammatischen und historischen Interpretation der politischen Urkunden, d. h. der Verfassungen, geschehn!

12) *Ueber die Beurtheilungen der englischen Verfassung.* — *Satz:* Die repräsentativen Verfassungen der Monarchieen sind Schöpfungen unsrer Zeit. Sie sind die grofse Tendenz des Zeitalters, sie beruhen auf dem Vorbilde der englischen Verfassung, und müssen dieser nachgebildet werden. *Gegensatz:* Die repräsentativen Verfassungen gefährden immer das Wesen der Monarchie, und die englische Verfassung, die den andern neuern zum Vorbilde dient, verdient diesen Vorzug nicht. — Der Vf. geht von dem sehr richtigen Grundsatze aus, es bestehe das Wesen der repräsentativen Verfassung in einer Monarchie in der Vertretung *aller* Interessen neben dem Throne, der obersten Staatsgewalt unbeschadet. Eben so wahr ist der von ihm aufgestellte *geschichtliche* Satz, „das Feudalwesen in seiner Eigenthümlichkeit war ursprünglich eine wirkliche Repräsentation des Grundbesitzes." Allein folgt nicht selbst aus diesen Prämissen des Vfs., dafs, wenn *alle* Interessen neben dem Throne vertreten werden sollen, in *unsrer* Zeit, neben der Repräsentation des Grundbesitzes, die immer *primo loco* stehen mufs, auch der Besitz im Gewerbswesen und im Handel, und der Besitz der Intelligenz — von welcher im Mittelalter wenig Spur und sie blofs in den Händen der Geistlichkeit war — vertreten werden müssen? Der Souverain ist nicht blofs Souverain der Grundbesitzer; sein Recht, seine Pflicht und seine Macht gilt in gleichem Grade den Interessen der Gewerbe, des Handels, der Wissenschaft und der Kunst. Sind die Vordersätze des Vfs. richtig, so ergeben sich diese Folgerungen daraus von selbst, schon nach der Logik. — Ueber die *englische* Verfassung, nach deren Licht- und Schattenseiten, sagt übrigens der Vf. so viel Treffliches, dafs diese gediegene Abhandlung des Vfs. ganz gelesen werden mufs.

Mit erhöhter Achtung gegen den philosophischen Sinn, die tiefe geschichtliche Kenntnifs und den gemäfsigten Geist der Politik des Vfs trennt sich der Rec. von der Beurtheilung dieser ausgezeichneten Schrift. Sie ist darauf berechnet, und ganz dazu geeignet, einen bedeutenden Einflufs auf die politischen Ansichten und Lehren unsrer Zeit zu behaupten. Sie geht den einzig richtigen Weg in unserm vielfach bewegten Zeitalter: *den Mittelweg zwischen den Extremen.* Möge sie belehrend, warnend, versöhnend unter allen gebildeten Klassen des Volkes bis hinauf zu den Fürstenstühlen wirken, und möge der Vf. die *Fortsetzung* dem Publicum nicht länger vorenthalten.

STATISTIK.

Stuttgart u. Tübingen, b. Cotta: *Statistik und Staatenkunde.* Ein Beytrag zur Staatenkunde von Europa. Von *C. A.* Freyherrn *von Malchus*, Königl. Würtemb. Finanz-Präsidenten, Commandeur des Kön. Würt. Civil-Verdienst-Ordens. 1826. XVI u. 588 S. gr. 8. (3 Rthlr.)

Der durch sein öffentliches Leben und die von ihm herausgegebene Politik der innern Staatsverwaltung bekannte Vf. hat die seit *Schlözer* in neuern Zeiten häufig bearbeitete Statistik durch eine neue Schrift vermehrt. Hr. *v. Malchus* unterscheidet mit *Niemann* Statistik und Staatskunde (S. 7), und versteht unter jener die Theorie und unter dieser ihre praktische Anwendung auf einen gegebenen Staat. Bekanntlich stimmen aber wenige mit diesem willkürlich angenommenen Unterschied überein. Hr. *v. Malchus* hat nach S. VII. in seiner Schrift vorzüglich den staatswirthschaftlichen Gesichtspunkt aufzufassen gesucht; aber bey sorgfältigem Lesen wird man nur zuweilen Andeutungen dieses Gegenstandes und keine bestimmteren Erörterungen finden. Der Vf. hat nicht alle Staaten Europens beachtet, sondern nur die 5 präponderirenden, wie er sie nennt, genauer und meistens vergleichend dargestellt, und die übrigen nur in einer kurzen Uebersicht zusammengestellt. Aber die meisten Data des Vfs. sind alt oder von frühern Jahren, und daher hat er sie zum Theil in einem Nachtrag (S. 540 f.) durch neuere berichtigt und ergänzt. Nachdem er in der Einleitung (S. 1 f.) über die Aufgabe und den Zweck der Staatenkunde, ihre Quellen und Literatur gesprochen, so legt er (S. 40 f.) die Quellen der Grundkraft der Staaten, das Areal und die Population dar, so wie (S. 242 f.) die Elemente von Nationalreichthum, die Manufactur- und Fabrikthätigkeit, Handel, Geldcirculation, (S. 336 f.) das National- und Staatseinkommen, so wie die öffentliche Schuld der europäischen Staaten, (S. 400 f.) die Verfassung und (S. 503 f.) die Verwaltung derselben. S. 556 f. findet sich eine Uebersicht der höhern Unterrichts- und der vorzüglichern gelehrten Anstalten, die aber auch mehrere Berichtigungen und Ergänzungen erfodert, welche der Raum hier mitzutheilen verbietet, und die der Vf. aus mehrern neuern geographischen und statistischen Schriften ersehen kann, wo auch die eigentlich statistischen Nachrichten über Frequenz u. s. w. mitgetheilt sind. Dasselbe gilt auch von der Uebersicht der Stärke einer Anzahl von Bibliotheken (S. 574 f.), der ebenfalls die Vollständigkeit abgeht.

ALLGEMEINE LITERATUR-ZEITUNG

September 1828.

LITERARISCHE ANZEIGEN.

I. Antikritik.

Es hat dem Herrn Dr. *Bach* in Oppeln gefallen, in den Jahrbüchern für Philologie und Pädagogik von 1827. Bd. II. Heft 2. S. 198 in einer Anmerkung sich in einer Nachrecension über mein Programm von 1825: *qua via et rationes juvenes Graeci ac Romani ad rempublicam bene gerendam instituti fuerint*, auszuschütten, und die vermeintlichen Mängel der Recension (Bd. I. Heft 2.) des Herrn Dr. *Günther*, die mit Besonnenheit und Anerkennung abgefaſst war, zu ergänzen. Ich würde, allen literarischen Fehden feind, seine Aeuſserungen als Ausbrüche einer gewissen Jugendlichkeit mit Stillschweigen übergehen, wenn nicht aus dem Ganzen hervorleuchtete, daſs erregte Religionsparteylichkeit dieſs Urtheil des Hrn. *B.* befangen hätte (Hr. *B.* ist Katholik), den Sinn meiner Darstellung zu entstellen, und mir sogar religiöse Unduldsamkeit vorzuwerfen.

Nach einer solchen Offensive wird es mir Hr. *B.* doch wohl gestatten, in die Defensive zu treten und ihn auf seinem Streifzuge Schritt für Schritt zu begleiten. Und dieſs um so mehr, da das Programm selbst gewiſs in wenige Hände gelangt ist, und ich demnach dem einseitigen Urtheil des Hrn. *B.* unterworfen bleiben würde.

Herr Dr. *Günther*, den wir unter andern auch als einen geistvollen, gelehrten und gerechten Recensenten in denselben Jahrbüchern, bey Gelegenheit der Beurtheilung von *Pölitz* Gesammtgebiet der teutschen Sprache, kennen gelernt haben, hatte meine Schrift sachreich genannt und ihr nur „*vielleicht* eine etwas lichtvollere Anordnung gewünscht." Auch der Hallische Recensent (in den Ergänz. Bl. 1827. Nr. 16.) hatte auf den darin enthaltenen Reichthum an Gedanken und alten Erziehungsmaximen aufmerksam gemacht. Beide hatten eine genügende Inhaltsanzeige gegeben, wobey jedoch dem Hallischen Rec. meine Haupteintheilung im allgemeine, aus dem Volkscharakter entsprungene Beförderungs- und besondere National-Erziehungsmittel und Staatseinrichtungen der Griechen und Römer nicht, wie dem Hrn. Dr. *G.*, entgangen war. Dennoch will Hr. *B.* darin eine plan- und ordnungslose Zusammenstellung finden, da doch sowohl aus den erwähnten Inhaltsanzeigen, als aus dem Programme selbst sich jeder unbefangene Leser leicht vom Gegentheil überzeugen kann. Dennoch soll plötzlich von den Griechen auf die Römer übergesprungen seyn, da doch eine Nebeneinanderstellung beider Zweck der Schrift und auf die frühere Einfachheit des römischen Nationalcharakters durch die Fabricii und Catones S. 11. hingewiesen war, wobey es wegen der Bekanntheit des Stoffes keiner Ausführung bedurfte und der späterhin eingetretene Contrast der Hauptgedanken wohl zu versinnlichen geeignet war. — Der schlimmste Wirrwarr soll sich (S. 20 f.) finden in den Abschnitten über die militärische, philosophische, mathematische und oratorische Bildung in Athen. Aber diese ist ja nur ebendaselbst (S. 20) erwähnt, nicht ausgeführt. Woher denn die *Möglichkeit* eines Wirrwarrs? Erschöpfen wollte und konnte ich das Thema nicht, wie auch im Vorworte erklärt ist, da es sich zu einem besondern Schriftwerke eignet und es mir dazu an Muſse und Hülfsmitteln fehlte. Ferner in den Abschnitten über die kriegerische Erziehung der Römer und das Studium der Grammatik, Rhetorik u. s. w. bey denselben. Hier aber ist auch der Natur des Gegenstandes gemäſs die Stufenfolge in gedrängter Kürze so angegeben, wie sie von der Geschichte und in allen Lehrbüchern der Alterthümer dargestellt wird. Die Hauptstelle bey *Thucydides* II, 35—46 ist gar nicht übersehen, und am rechten Orte, S. 39, als ein Hauptmuster der λόγοι ἐπιτάφιοι angeführt. Auch wird (S. 19) der zu bekannte Unterschied der Athenischen und Lacedämonischen Erziehungsweise nur erwähnt, ganz und gar nicht erörtert. Hr. *B.* hat sich nicht die Mühe genommen, die Stelle bey *Thucydides* wieder und genauer zu lesen: denn sonst würde er gefunden haben, daſs nur c. 39 in einem einzigen Satze von der Lacedämonischen Erziehung, im Ganzen aber von den Vorzügen der Athenischen Staatsverfassung die Rede ist, wobey freylich ein Seitenblick auf Lacedämon nicht ausbleiben konnte.

Daſs die öffentliche Vorlesung der Herodotischen Geschichtsbücher ein Mährchen sey, darüber sind die Acten nicht geschlossen. *Wolf* in seinen Vorträgen über Herodot (ich hörte sie im Sommer 1797) bezweifelte nur die Erzählung von Olympia. Die Zweifel *Bredow's*, eines Schülers von *Wolf*, und *Dahlmann's* entschiedene Einwürfe hat *C. G. L. Heyse* (cf. *Beck's* Repert. 1827. II, S. 281.) scharfsinnig angegriffen. Ihm tritt der gelehrte Prof. *C. W. Krüger* in Berlin vollkommen bey (Jahrb. für wissenschaftl. Kritik 1828. Febr. S. 229 f.), und verspricht nächstens die Sache noch fester zu begründen, so daſs die angefochtene Thatsache für jetzt auf keine Weise in die Reihe der Mährchen zu zu verweifen ift und alfo auch *J. v. Müller* kein Mährchen nacherzählt hat.

Das *immo metuit* (*coronam*) als eine Verfchlimmbefferung des *invenit* mufs ich zurückweifen, da *corona* hier in der abgeleiteten Bedeutung, die auch fchon bey *Scheller* nachzulefen ift, gebraucht wird, und Hr. *B.* mich alfo nicht verftanden hat.

Hierauf rügt Hr. *B.* als Abfchweifung auf Fremdartiges 1) S. 32 die Klage über gedankenlofes Nachfchreiben akademifcher Vorlefungen. Ift diefe Klage nicht leider nur zu gegründet? Kann fie zum Ueberflufs erhoben werden in einer Jugendfchrift, die von Jünglingen gelefen wird, die bald die akademifche Laufbahn beginnen werden? Es ift dort die Rede von der Schreibfeligkeit unferer Zeit und der ungenügenden oder ganz vernachläffigten Uebung im freyen mündlichen Vortrage in Vergleichung mit dem Alterthume. Ift diefs Abfchweifung auf Fremdartiges? Ift es nicht Zweck und Pflicht einer folchen Gelegenheitsfchrift, folchem Unwefen überall entgegen zu treten, und das Beffere möglichft zu fördern? Will Hr. *B.* den Schulmännern als Gefetz auflegen, ihre Programme nach Einer, oder vielmehr feiner Schul-Chrie zu zimmern? Oder follen auch fernerhin die Gefetze der freyen Ideen-Affociation und Combination im Schriftenthum walten, fobald fie eine einflufsreiche Wahrheit zur Sprache bringen, und nicht gegen die Grundregeln der Logik verftofsen? Der Hallifche Recenfent hat die ganze Stelle fogar wörtlich angeführt, doch nur, weil er ihr beypflichtet. — 2) Soll S. 36 (eigentlich wohl 37) ein Ausfall auf die Philofophie feyn. — Man traut feinen Augen kaum, wie Hr. *B.* in diefer Stelle einen Ausfall auf die Philofophie hat finden können, da fie nicht nur nicht einen Tadel derfelben, fondern fonnenklar ein bedeutfames Lob enthält in den Worten: *Haec enim omni tempore omnium, quibus humanae res et divinae curae effent cordique, lux et genuina nutrix effe vifa eft.* Wohl heifst es S. 24, wo des Studiums der Philofophie bey den Römern als eines Beförderungsmittels rednerifcher Fertigkeit gedacht wird: *Quam facultatem, oratoribus Anglorum exceptis, poftea, non dicam, interiffe, fed nunquam viguiffe eft fatendum, eandemque in fcholis philofophorum, ut faepius funt hodie, fpinofis et confufis illis deprimi magis, obtundi et minui quam excoli, acui et augeri, valde eft dolendum.* — Hier habe ich gewifs alle befonnenen und reifern Beobachter der Zeichen der Zeit auf meiner Seite; ja nicht lange vor feinem frühen Tode hat noch der treffliche Satiriker *W. Hauff* in feinen Mittheilungen des Satan daffelbe Urtheil niedergelegt. Satan erzählt uns nämlich, wie er Collegien befucht und auch die Philofophie nicht verfäumt habe, deren Vorträge ihm fo gut wie Franzöfifch einem Esquimaux klangen, und die er mit einer himmelhohen und mit myftifchem Firnifs ausgepinfelten Jakobsleiter vergleicht. (Vergl. Jen. L. Z. Nr. 58.) Gewifs hat hier der Dichter, eben fo wenig wie ich in jener Stelle, einen *Krug*, *Fries*, *Gerlach* und andere ihnen gleichende *hell*leuchtende Zierden des deutfchen philofophifchen Lehrftuhls im Sinne gehabt. — 3) Rechnet dazu Hr. *B.* auch den Schlufs des Programms und zieht meine religiöfe Duldfamkeit in Zweifel. Und diefs fcheint der Hauptzweck feiner Bemühungen gewefen zu feyn, wozu die übrigen nur einen Weg bahnen follten, da er dabey auffallend verweilt. Der klare Sinn meiner Behauptung ift, dafs die Gefchichte der Staaten, die fich einer geläuterten Chriftusreligion, wie die proteftantifche, erfreuen, eine Mehrheit von tüchtigen und zugleich redlichen und edlen Staatsmännern aufftellen können, in Vergleichung mit den Katholifchen „*apud quos ecclefia viget, extra quam non datur falus.*" — *Hinc illae lacrymae!* Aber es ift hiftorifch gewifs. Der Verf. beweife das Gegentheil, feit dem Zeitalter der Reformation; er beweife es von den Zeiten eines *Hugo Grotius* her, bis auf *Wafhington* und *Canning*. Die ftrahlendfte Zierde Frankreichs war *Sully*, ein Proteftant. Weltbekannt dagegen ift der heillofe Einflufs, den das entartete Chriftenthum, Tradition und Hierarchie, den Bibelverbot, Mönchsthum und Inquifition, den Priefter- und Jefuiten-Lehren auf das Staatswohl gehabt haben. Diefs und kein anderer war der Grund, weshalb noch neulich der Herzog v. Wellington die wichtigen Worte ausfprach: „die katholifche Religion pafst nicht zu dem Geifte unferer Regierung."

Wegen meiner religiöfen Duldfamkeit bedarf ich auch Hrn. *B's* Richterfpruch nicht. Ich habe meine religiöfen Anfichten deutlich und unverhohlen in *meiner* Denkfchrift auf die erfte allgemeine Jubelfeyer der Reformation in Weftpreufsen 1817 niedergelegt und darin auch mit freudiger Anerkennung die Züge von Duldfamkeit aufbewahrt, die von Seiten der katholifchen Glaubensgenoffen damals fichtbar wurden, weshalb fogar ein katholifches Gymnafium die Schrift feiner Lefebibliothek einverleibte. Vier Recenfionen diefer Schrift in ausgezeichneten literarifchen Blättern find mir zugekommen (neue theologifche Annalen von Dr. *L. Wachler* 1820, Febr. u. März. Kritifche Prediger-Bibliothek von Dr. *J. Röhr*, Bd. II. Heft I. 1821. Jenaifche Lit. Zeit. 1823. Febr. und Hallifche Lit. Zeit. 1823.), alle haben ihr einen nichtgefuchten Beyfall über meine Erwartung ertheilt, und keine hat eine Spur unduldfamer Gefinnungen wahrgenommen. Eben fo unnöthig beunruhigt fich Hr. *B.* durch den Gedanken, dafs die Zöglinge unferer Anftalt gemifchter Confeffion find. So lange fie befteht, hat fie oft Jahre lang gar keinen, zuweilen einen oder zwey katholifche Zöglinge gehabt. Unter diefen war erft ein einziger, der zur Univerfität vorbereitet wurde. Eben diefer befuchte, aus freyem Triebe, die evangelifchen Religionsftunden und — blieb Katholik. — Uebrigens wären auch die Hälfte Katholiken; die Wahrheit foll der Jugend auf keine Weife unfrey vorenthalten oder verdeckt werden. Endlich giebt noch der angeführte Lukretifche Vers: *Tantum religio potuit fuadere malorum*, Hrn. *B.* Anlafs zu der anmafsenden Aeufserung, dafs ich die Religion, d. h. den göttlichen Geift des Chriftenthums von dem Einfluffe der materiellen Welt auf alle Handlungen fterblicher Wefen fchlechterdings nicht zu unterfcheiden gelernt habe. — Nur zu unbedächtig und fubjectiv (feine Worte gegen mich) hat Hr. *B.* den kla-

klaren Sinn dieser Stelle entstellt. Von dem Afterglauben und seinen verruchten Wirkungen, von Satzungen und Gebräuchen ist die Rede, worüber schon in der bezeichneten Stelle Lukrez geklagt.

Nach der Syllogistik des Hrn. *B.* soll nun aus den angeführten Worten der oben erwähnte Tadel gefolgert werden. Es bedarf nur des geringsten logischen Scharfsinns, um einzusehen, dass gerade das Gegentheil gefolgert werden muss. Gleich ungehörig ist daher auch die Vergleichung der verurtheilten Philologie. Es galt hier nicht den Missbrauch einer guten Sache, sondern die Schlechtigkeit und das Verderben der Urgrundsätze verwerflicher Lehren, die dem Wesen und göttlichen Geiste der wahrhaftigen Lehre ewig feindselig gegenüberstehen, und die jetzt selbst von den erleuchtetsten und edelsten Katholiken (man denke nur an den trefflichen *v. Rottek*) als solche anerkannt werden.

Möge Hr. *B.* künftig ruhig lesen und überlegen, ehe er urtheilt und schreibt, und sich in den, auch gegen einen andern verdienten Pädagogen, in demselben Heft, gegen Hrn. Dr. *Müller* überschrittenen Grenzen der Humanität erhalten, die einem Schulmanne, der noch nicht lange angefangen hat, sich Verdienste zu erwerben, gegen Aeltere seines Gleichen doppelt geziemt. Die vornehme Selbstsucht, Lieblosigkeit und Bitterkeit, womit seit einiger Zeit in den pädagogischen und philologischen Zeitschriften allerley Kriege geführt werden, möchten doch in der That mehr und mehr die Vorwürfe bestätigen, die von vielen Seiten her der Philologie gemacht sind, und eine Aufforderung für den würdigen Herausgeber der Jahrb. Hrn. M. *Jahn* enthalten, dem rhadamantischen Unwesen zu steuern. Möge uns im 19ten Jahrhundert der Himmel vor der Wiederkehr eines *Caspar Scioppius* und *Klotz* unerfreulichen Andenkens bewahren!

Sollte Hr. *B.* auch hierauf noch etwas erwiedern: so erkläre ich im Voraus, dass ich schweigen werde, er möchte dann das preussische Landrecht verletzen.

Marienwerder, im Julius 1828.

Pudor,
Conrector am Königl. Gymnasium.

II. Ankündigungen neuer Bücher.

Stereotypen-Ausgabe
des
Corpus juris civilis
in 1 Band in klein Folio.

Von der durch Herrn Reg. Rath und Prof. Dr. *Beck* besorgten, von Herrn Tauchnitz stereotypirten und von mir verlegten Handausgabe des *Corpus juris civilis* sind die Institutionen statt eines Probeblattes an die meisten Buchhandlungen versendet worden, und liegen daselbst zur Ansicht, und so weit die Exemplare reichen, zur unentgeldlichen Auslieferung vor. Die Pandekten und so mit die ganze erste Abtheilung werden mit Anfang des Jahrs 1829, der Codex und die Novellen sammt weiterm Anhange im Laufe desselben Jahres erscheinen. Der Preis des Ganzen wird zwischen 3—4 Rthlr. betragen, zahlbar bey Ablieferung der ersten Abtheilung. Es wird mir angenehm seyn die Bestellungen bald zu erhalten, um darnach die Stärke des ersten Abzuges einzurichten.

Leipzig, im August 1828.

Karl Cnobloch.

Bey Mauritius in Greifswald sind folgende empfehlenswerthe Schriften erschienen:

Agardh, species Algarum. Vol. I. p. 1. 2. 3 Rthlr. Vol. II. p. 1. ist unter der Presse.

Idem, systema Algarum. 2 Rthlr.

Creplin, observationes de entozois c. tab. 16 gGr.

Epistola Pauli ad Romanos interpr. et c. annot. *E. G. A. Boeckel.* 5 gGr.

Fries, *El.*, systema mycologicum, sistens fungorum ordines, genera et species. Vol. I. II. p. 1. 2. 5 Rthlr. 16 gGr.

Idem, Commentarius ad eadem sub titulo Elenchus fungorum. Vol. I. 1 Rthlr. 4 gGr.

Idem, systema orbis vegetabilis. P. I. Plantae homonemeae. 2 Rthlr.

Gesterding, *F.*, Lehre vom Pfandrecht nach Grundf. des röm. Rechts. 1 Rthlr. 16 gGr.

Dessen entwickelte Lehre vom Eigenthum nach Grundf. des röm. Rechts. 2 Rthlr.

Dessen die Irrthümer der alten und neuen Juristen. In einer Reihe von Abhandlungen und Monographieen. 1 Rthlr. 12 gr.

Derselbe, über Schuldverbindlichkeit als Object des Pfandrechts. 9 gGr.

Guta-Lagh, das ist: Der Insel Gothland altes Rechtsbuch, herausgegeben von *C. Schildener*. 3 Rthlr.

Gutjahr, *C. Th.*, quaestiones juris romani antiqui. 10 gGr.

Mühlenbruch (in Halle), die Lehre von der Cession der Förderungsrechte nach Grundf. des röm. Rechts. Zweyte Ausgabe. 3 Rthlr. 8 gGr.

Mohnike, *G. Ch. Fr.*, Geschichte der Literatur der Griechen und Römer. 1ster Bd. 2 Rthlr. 8 gGr.

Psalmi, ex recensione textus hebraei et vers. antiq. lat. versi. notisque critic. et philol. illustr. Berbini. 1 Rthlr. 8 gGr.

Schlegel, *G.*, Handbuch der praktischen Pastoralwissenschaft, herausgegeben von *J. E. Parow*. 1 Rthlr. 8 gGr.

Schoemann, *G.*, de comitiis Atheniensium libri III. 2 Rthlr.

Idem, de sortitione Judicum apud Athenienses. 5 gGr.

Schubert, *F. G. de*, de authentia atque indole infantiae Jesu Christi historiae a Matthaeo, et Luca exhibitae commentatio. 16 gGr.

The-

Theomela, oder Hallelujah. 2 Theile, zweyte verbess. Auflage. 2 Rthlr. 16 gGr.

Xenophontis de expeditione Cyri commentarii e rec. et not. select. Hutchinsonii cur. Roesbeck. 16 gGr.

Maximum seu Archimetria (*Th. Thorild*). 1 Rth'r. 8 gGr.

Hagemeister (Geheim. Oberjustizrath) Anleitung zur mündlichen Instruction der Processe bis zum Spruch 8 gGr.

In der Weidmann'schen Buchhandlung in Leipzig ist erschienen:

Die Stände von Blois oder der Tod der Herren von Guise. In einer Reihe geschichtlich-wahrer Handlungen aus dem Jahr 1588. Nach dem Französischen des Verfassers der Barricaden (*L. Vitert*) von *A. H. v. Weyrauch.* 2 Thle. 8. Broschirt 2 Rthlr. 8 gr.

Der Griechische Robinson. Ein Lesebuch für die deutsche Jugend. 2 Thle. 8. Broschirt. 1 Rthlr. 20 gr.

Kori, Dr. *S.*, *System des Concurs-Processes*, nebst der Lehre von den Klassen der Gläubiger. Zweyte verbesserte und vermehrte Auflage. gr. 8. 1 Rthlr. 12 gr.

Taillefer, M., *Neue französische Grammatik*, oder allgemeine und besondere Grundsätze der französischen Sprache, durch lehrreiche und unterhaltende Beyspiele aus französischen Klassikern bestätigt. Zum Gebrauch für Schulen und Privatunterricht. gr. 8. 26 Bogen. 16 gr.

Bey Karl Schaumburg u. Comp. in Wien sind so eben erschienen und in allen Buchhandlungen Deutschlands zu den beygesetzten Preisen zu haben:

Chiolich von Löwensberg, neues Befestigungssystem, oder das Gleichgewicht zwischen dem Angreifer und Vertheidiger, gr. 8. mit 24 Plänen in quer Folio. Wien 1828. Geheftet. 4 Rthlr. 20 Sgr. oder 8 Fl. 24 Kr. Rhein.

Gölis, tractatus de rite cognoscenda et sananda angina membranacea. 8. Viennae. Geheft. 20 Sgr. oder 1 Fl. 12 Kr. Rhein.

Pfahlen, jus georgicum regni Hungariae et partium eidem adnexarum commentatus est. 8 maj. Viennae 3 Rthlr. oder 5 Fl. 24 Kr. Rhein.

Schlegel, *Fr. von*, Philosophie des Lebens, in 15 Vorlesungen gehalten zu Wien im J. 1827. gr. 8. Wien 1828. 2 Rthlr. oder 3 Fl. 36 Kr. Rhein.

Schwarzer, Lehrmethode zum Unterrichte der Taubstummen in der Tonsprache für Lehrer. gr. 8. Wien 1828. 2 Rthlr. oder 3 Fl. 36 Kr. Rhein.

Neue Arten von Pelargonien deutschen Ursprunges, als Beytrag zu *Robert Sweet's Geranieen*, herausgegeben von einigen deutschen Gartenfreunden, mit Text von *L. Trattinick*, 34 Hefte. gr. 8. Jedes Heft mit 4 color. Blättern. Wien 1825 bis 1828. à Heft 47½ Sgr. oder 1 Fl. 36 Kr. Rhein.

Wien, im August 1828.

Für Kameralisten und Oekonomen.

Die Reinertragsschätzung des Grundbesitzes, nebst Vorschriften zu einer auf Vermessung, Bonitirung und Katastrirung gegründeten Steuerregulirung theoretisch und praktisch dargestellt von *L. Freyh. von Gross*, Grossh. S. Kammerh. und Steuerrathe. Nebst zwey Planen. 8. Steif geh. Neustadt an d. O., bey J. K. G. Wagner. 18 Bogen. (Preis 1 Rthlr. oder 1 Fl. 48 Kr.)

Dieses neu erschienene Buch ist in jeder Buchhandlung zu haben.

III. Auctionen.

Am Montage, den 20. October und folgende Tage, wird im grösseren Hörsaale des akademischen Gymnasiums eine Bücher-Auction von Doubletten der hiesigen Stadt-Bibliothek gehalten werden. Das 13 Bogen starke Verzeichniss über die zum Verkauf bestimmten 3480 Bände, ist durch *Perthes u. Besser* zu beziehen und von diesen an die angesehensten Buchhandlungen versandt worden.

Hamburg, im Julius 1828.

IV. Herabgesetzte Bücher-Preise.

Durch alle solide Buchhandlungen ist von mir zu beziehen:

Ossian's Gedichte in Umrissen, erfunden und gestochen von *J. C. Ruhl*, Bildhauer in Cassel. III Hefte mit 40 Platten in gross-quer-Fol., einem allegor. Titelkupfer und einer Erklärung dieser Platten von *Heinze*. Früherer Preis 12 Rthlr., *jetzt* 5 Rthlr.

Diese trefflich ausgeführten Umrisse sind allen Verehrern der Gesänge jenes Caledonischen Barden *als* eine höchst nützliche Zugabe zu empfehlen. *Der auf* mehr als die Hälfte *herabgesetzte Preis* wird die Anschaffung auch Unbemittelten sehr erleichtern.

Leipzig, im September 1828.

Joh. Friedr. Leich.

ALLGEMEINE LITERATUR-ZEITUNG

September 1828.

LANDWIRTHSCHAFT.

Weimar, im Ind.-Compt: *Neues und Nutzbares aus dem Gebiete der Haus- und Landwirthschaft, und der dieselben fördernden Natur- und Gewerbskunde.* Redigirt von *W. Weissenborn.* — *Erster* Band 1825. 358 gespalt. Seit. incl. Register. 2 Taf. Abb. 8 eingedruckte Steindrucke und Holzschn. *Zweyter* Bd. 1826. gleiche Seitenz. 1 Taf. Abb. 13 eingedr. Steindrucke u. Holzschn. *Dritter* Bd. 1827. gleiche Seitenz. 3 Taf. Abb. 26 eingedr. Holzschn. med. 4. (6 Rthlr.)

Die Herausgeber dieser Zeitschrift glauben im Stande zu seyn, den Lesern derselben immer ziemlich bald, und auf eine nicht ungenügende Weise, eine Uebersicht dessen verschaffen zu können, was in Beziehung auf Haus- und Landwirthschaft und hierher gehörige Technologie, Neues und Wichtiges in Deutschland, Frankreich, Italien, England, Dänemark, Schweden, Russland und in Nordamerika vorgeschlagen und ausgeführt wird. Es stehen ihnen in der neuesten In- und ausländischen Literatur und durch Correspondenz viele Quellen zu Gebote, aus denen sie schöpfen können, und sie wollen nicht unterlassen, sie mit Auswahl zu vermehren.

Da die Herausgeber nur Neues und Wichtiges mittheilen wollen, so setzt diess voraus, dass sie mit dem Alten vollkommen bekannt sind, auch Kenntniss des Fachs genug haben, um beurtheilen zu können, was wirklich wichtig ist. Denn nur zu solchen Kritikern, welche diesen Forderungen entsprechen, kann man hinsichtlich solcher Mittheilungen Zutrauen fassen. Es wäre daher sehr am rechten Platz gewesen, wenn sich die Herausgeber genannt hätten, um so mehr als der Redacteur weder als theoretischer noch als praktischer Landwirth bekannt ist.

Bey der Menge von Schriften, besonders aber auch Zeitschriften, welche im Fache der Landwirthschaft und ihrer Hülfswissenschaften erscheinen, wäre allerdings eine Zeitschrift nach obigem Plane bearbeitet, sehr willkommen: denn sie würde den Ankauf mancher Druckwaare ersparen, welche nur der Verkäufer zu loben vermag. Eine solche aber vermögen nur Sachkenner zu bearbeiten; denn sie darf sich nicht begnügen bloss Journal-Artikel wiederzugeben oder zu übersetzen, sondern sie muss überall zur Quelle gehen und aus

dieser selbst schöpfen. Diess scheint aber hier wenig der Fall gewesen zu seyn. Meist sind die Aufsätze nichts als Uebersetzungen aus ausländischen Zeitschriften, nicht aus den Originalwerken und von deutschen scheint „die landwirthschaftliche Zeitung für Churhessen" eine Hauptfundgrube des *Herausgebers* gewesen zu seyn. Auch sind viele kleine Aufsätze aus Loudons Encyklopädie entlehnt, ohne die Quelle zu nennen.

Wir wollen indessen die vor uns liegenden drey Bände etwas genauer durchgehen, um theils auf das Wesentlichste darin aufmerksam zu machen, theils unsere Angaben mit Beyspielen zu belegen.

1. Ueber das Waschen der Wolle, übersetzt aus der *Biblioth. universelle,* nicht aus dem Originalwerk *Nouveau traité sur la laine. Paris* 1824. bearbeitet, welches noch reichere Ausbeute gegeben haben würde. Es werden hinlängliche Gründe angegeben, das kalte Waschen der Wolle nach der Schur zu empfehlen. — Ueber den Vorzug der Kühe für landwirthschaftliche Arbeiten und das Anjochen des Rindviehs. Wieder nur übersetzter Auszug, der den Gegenstand des Anjochens, worüber längst entschieden, unrichtig behandelt. — Mit der Kartoffelwäsche dürfte Hr. *de Thyry* keiner tüchtigen deutschen Hausfrau vorkommen, sie würde den Franzosen tüchtig und mit Recht auslachen. — Eben so steht es mit dem Getreidesäen *Devred's.* Soll und kann einmal so viel Arbeit und Personal (was bedächtlich nicht gezählt ist) angewandt werden, so möchte wohl das Pflanzen vorzuziehen seyn. — Wegen der Bereitung des wasserdichten Firnisses von *Fariman,* hätte „*Schmieder über Wasserdichtmachung der Zeuge*" nachgesehen werden sollen; der Redacteur würde sich dann belehrt haben, *wie* diesem Recepte zu trauen ist. — Die Aufbewahrung des Getreides in bleyernen Cylindern (blecherne würden dieselben Dienste thun, und den Vorzug haben, leichter und wohlfeiler zu seyn) verdient wohl den Vorzug vor den Silos. — Ueber die jährliche Frühlingswachsärnte giebt jedes gute Bienenbuch mehr Belehrung, als hier französische Weisheit, noch überdiess (gegen das Ende) zum Theil unrichtig, mittheilt. Wir begreifen nicht, wie einer der Herausgeber, oder gar der Redact., darin etwas Neues und Wichtiges finden kann! — Die Ausrottung der Herbstzeitlose muss im Herbst mit der Blüthe beginnen, die schon als Knospe ausgerissen werden muss, dann treibt

diese

diese *alte* Zwiebel im Frühjahre keinen Saamen und Blätter, sondern die junge blofs letztere. So ist zu dem Alten, Bekannten noch Unrichtiges gekommen! — Den deutschen Oekonomen, heifst es hier, wäre *Trifolium rubens* versuchsweise zum Anbau zu empfehlen. Schade nur, dafs sie denselben schon längst kennen, so wie die Umstände, unter welchen er zu empfehlen ist! — Von der Kaschemir-Ziege ist eine Abhandlung in Nr. 5 enthalten, welche denen als Leitfaden dienen kann, die sich vielleicht mit der Zucht dieser Thiere abgeben wollen. — Ueber die Behandlung der Butter und über Kartoffelbau sind aus dem *Farmers Magazine* beachtenswerthe Bemerkungen mitgetheilt. — Wichtig ist die Entdeckung der Schädlichkeit der Oelkuchen von Buchnüssen (– Eckern) für Pferde. — Angenehm wird manchem Landwirthe der Auszug aus dem *Hortus gramineus Woburnensis* seyn, der inzwischen auch schon jetzt ins Deutsche übersetzt ist. — Den wohlfeilen sich selbst drehenden Bratspiefs aus einer Nufsbaumruthe aus dem *Weekly-Register* (doch wohl als Neues und Wichtiges) mitgetheilt, fanden wir schon in vielen alten Büchern als ergetzliches Kunststückchen! — Dankbar ist es dagegen anzuerkennen, dafs der Herausgeber auf *Petri's* Werk über die Futterpflanzen aufmerksam gemacht hat, wenn er gleich seinen Auszug nicht aus dem Original, sondern aus dem Land- und Hauswirth machte. Die Empfehlung der Erdbirnen verdiente wohl eine nähere Prüfung. — Eine Abhandlung über den Mergel empfehlen wir den Landwirthen zur Beachtung und zu comparativen Versuchen. — Eine, wie es scheint, Original-Abhandlung über Strohgeflechte, als einen neuen Erwerbszweig für das Landvolk empfehlen wir allen Gutsherrschaften, denen ihre Unterthanen am Herzen liegen. — Willkommen wird manchem der Auszug aus *Favre's* Preisschrift, über das Mästen des Rindviehes seyn. — Aus *Tredgold's* Werke über Heizung sind ebenfalls brauchbare Auszüge mitgetheilt.

II. Aus dem zweyten Bande finden wir Folgendes zu bemerken. Die Bereitung der Dinte zum Zeichnen der Wäsche ist keinem Layen anzurathen, auch ist die angegebene Methode zu unsicher und das Präparat wird die *Wäsche zerfressen.* — Was aus *de Vinde's* Schrift über wohlfeile ländliche Bauten mitgetheilt ist, verdient sorgfältige Beachtung. Doch scheint uns *eine* Erfahrung noch nicht hinlänglich, um die Brauchbarkeit des Bauens mit kurzem Holze sicher zu bestätigen. Auch möchte, wenn einmal Ersparnifs eingeführt werden soll, noch überall, wo es in horizontale Lage kommt, hochkantiges Holz anzuwenden seyn. Querbalken von 8 Zoll Quadrat sind offenbar zu schwach für eine Länge von 10—12 Fufs, es sind wohl die Seitenmaafse, also 9 Zoll gemeint. — Obstbauer und Branntweinbrenner mögen den Auffatz über Branntwein aus getrockneten Zwetschken nicht übersehen. — Auf den zweckmäfsigen Norm[illegible]schen Schiebkarren S. 71. machen wir ebenfalls [illegible]merksam, so wie auf die daselbst beschriebenen [illegible]fenen Scheunen. Namentlich sollte man überall [illegible] Schneiden des Zimmerholzes mit der Säge be[illegible]tzen, statt des langsamen nutzbares Holz versch[illegible]denden Behauens. — Sehr interessant sind die Br[illegible] über den Ackerbau Frankreichs. — Allen Land[illegible]wirthen, welche sich der Knochendüngung be[illegible]nen wollen, wird die Abbildung und Beschreib[illegible] einer Knochenmühle S. 152 willkommen seyn. — Aus den Berliner Nachrichten wird eine Notiz [illegible]getheilt, woraus hervorgeht, dafs wir in Deutschland wohl manche Dampfmaschine entbehren können, wenn an deren Statt eine Wasserleitung angelegt wird, die viel weniger kostet. — Bey Lamarcks Calefactor erinnerten wir uns lebhaft [illegible] unsern Kinderjahren einer ganz auf dieselbe Weise verfertigten Kaffeekanne im älterlichen Hause, welche dem Knaben zuwider war, weil er seinen Trank daraus immer zu heifs erhielt. — *Mellin's* Verfahren Ziegel, (auch wohl Backsteine) durch Theeranstrich dauerhafter zu machen, ist mit Recht der Vergessenheit entzogen. — Nach Kasthofers Bemerkung, werden gedörrte und pulverisirte Hasel- und Ulmenblätter in einigen Gegenden der Schweiz, als nahrhaft und gesund, den Schweinen gegeben. — Die Angabe, dafs zum Gewinnen mehreren und bessern Branntweins Brunnen-, nicht aber fliefsendes Wasser anzuwenden sey, verdient wohl eine genauere Prüfung. — Die Abhandlung von *Cline* über die Gestalt der Hausthiere ist empfehlenswerth. — Wir enthalten uns gern, über einen Gegenstand abzusprechen, über welchen andere Erfahrungen haben, oder zu haben meinen; doch hindert uns dies nicht unsere Meinung über die Bienenstöcke in freyer Luft dahin auszusprechen, dafs wir die gerühmten Vorzüge derselben noch keinesweges als bewiesen annehmen können, da nur ein einziger Nachtheil, dafs man nämlich ein besonderes Winter*local* für die Stöcke haben mufs, jene aufwiegt, *ohne der* Leichtigkeit zu gedenken, mit welcher diese Stöcke beraubt werden können. Die Vorwürfe, welche die Vff. andern Einrichtungen machen, finden wir keinesweges gegründet, wenigstens sollte es uns nicht schwer werden, sie gründlich zu widerlegen, wäre hier der Ort dazu.

III. Im *dritten* Bande befindet sich ein Auffatz von *Feburier*, welcher einige gute Fingerzeige über Wechselwirthschaft enthält. — Nach einer Mittheilung aus dem Heilbronner Wochenblatt, scheint der Hanfklee noch einer nähern Prüfung hinsichtlich seiner Empfehlung als Futterkraut werth. — Ueber Entenzucht findet sich ein interessanter Auffatz S. 68. — Die Nützlichkeit von Dr. *Faust's* Samenbau, in Baiern genügend von der Regierung anerkannt, wird hier durch ein Beyspiel aus der Schweiz noch mehr dargethan. — Ein Auffatz über die Hagelableiter aus dem Bericht der Linnéischen Gesellschaft in Paris,

Paris, empfiehlt dieselben wiederholt. — Ueber das Trocknen der Gemüse besitzen wir eine eigene Abhandlung von *Eisen*. Wir haben nach derselben mehrmals Versuche sorgfältigst angestellt, indessen aber hat es uns mit Wurzelwerk, namentlich Kohlrabi so wenig, als mit Blumenkohl gelingen wollen. Das Trocknen der Bohnen, Schoten, Zuckererbsen ist längst bekannt und wohl in den meisten Haushaltungen eingeführt. — Eine Anweisung zu fuselfreyer Bereitung des Kartoffelbranntweins wird manchem Landwirth willkommen seyn. — Wichtig ist die Abhandlung über die Krankheit der Seidenwürmer. — Bey der Bemerkung S. 182. über mangelhafte Buchführung der Oekonomen hätte der Herausgeber immerhin auf *Thaer's* gründliche Anweisung dazu verweisen können, statt auf ein noch nicht gedrucktes Werk von *Beckmann* aufmerksam zu machen, das ihm schwerlich weiter als aus der Anzeige bekannt war. — Gegen *Field's* Angabe der Entstehung des Mutterkorns läfst sich viel einwenden. Die Beobachtungen sind nicht genau; 'dafs die Fliegen — weichrüsselich — die Körner anstechen, davon läfst sich fast geradezu das Gegentheil behaupten. Wenn aber einige Thatsachen richtig sind, so wird die Meinung, dafs das Mutterkorn wirklich ein Schwamm ist, wahrscheinlicher. — Der Haferkasten, der von selbst zeigt, wie viel herausgenommen wurde, ist nicht unzweckmäfsig, nur müfste die Scheibe mit dem Zeiger verborgen seyn, damit der Dienstbote nichts an derselben ändern könne durch gewaltsames Biegen der Zeigeruhr. — Ein Versuch mit den „Hefenplätzchen," leicht zu machen, würde manche Hausfrau von dem Bäcker unabhängiger machen. — Das Recept zur Erhaltung der Kohlsorten findet sich zweymal eingerückt. — Der Aufsatz von *Stephenson* über den Seidenbau ist sehr zu empfehlen, wenn auch Manches von dem Gesagten nicht ganz zweckmäfsig ist. — Wenn die Angabe des Werths des in England erzeugten Opiums wirklich gegründet ist, so verdient dieser neue landwirthschaftliche Erwerbszweig allerdings Empfehlung. — Die Wiesenverjüngung des Hn. *Franzius* in Aurich ist nicht neu!! sondern längst bekannt und weitläufig von *Pohl* in seiner Schrift über Wiesenverjüngung erörtert. — *Tinea cereana* und *Melonella* sind nur Männchen und Weibchen einer Art. —

In dem vorstehenden Auszuge haben wir natürlich nur auf einige der wichtigern Gegenstände hindeuten können. Doch wird derselbe genügen, um unsere Angaben zu belegen.

Schätzenswerth sind im Allgemeinen die Mittheilungen aus den ausländischen Journalen, nur hätten wir ihnen, wie schon gesagt, durchgängig einen sachverständigen Bearbeiter gewünscht. Was die Auszüge aus deutschen Journalen betrifft, so betrachten wir diese als ziemlich überflüssig. Das ganze Unternehmen aber erschwert des Landwirths Studium nur noch mehr; denn er findet weitläufige Aufsätze aus fremden Sprachen *übersetzt*, bey denen ein gedrängter Auszug genügt hätte, und *Auszüge* aus deutschen Schriften, welche die Originale nicht entbehrlich machen. So erscheint denn das Ganze als eine ziemlich unzweckmäfsige, ungenügende Compilation.

Würden dagegen die Herausgeber unsere Winke benutzen, von *Allem*, auch von dem Falschen zur Warnung, Nachricht ertheilen; genaue Nachweisung über die Quellen, selbst bey den Miscellen, geben; kurze kritische Anzeigen der deutschen und ausländischen Literatur liefern: so erhielt der Landwirth ein Journal, was ihm Zeit und Geld sparte, jene, indem er in demselben alles Neue vereinigt fände, dieses, indem es ihm der Anschaffung anderer überhöbe.

BADESCHRIFTEN.

Aachen, b. La Ruelle u. Destez: *Aachen und seine Heilquellen.* Ein Taschenbuch für Badegäste, von Dr. *G. Reumont*, Königl. Preufsischem Medicinal-Rathe und Brunnenarzt zu Aachen u. s. w. 1828. XVI u. 182 S. Taschenb.-Format.

Man kann wohl ohne alle Uebertreibung und mit Bestimmtheit behaupten, dafs es nicht allein in Deutschland, sondern in ganz Europa nur wenige Naturforscher und Aerzte geben mag, denen *Aachen's* Heilquellen unbekannt wären! Zum Erstaunen grofs ist die Zahl derer, welche an diesen heilbringenden Quellen Gesundheit und Verlängerung des Lebens gefunden haben! So sehr auch der Ruf der Quellen und Bäder, mithin auch ihre wandelbare Frequenz, vom Eigensinn der Mode und tausend äufsern — mitunter selbst zufälligen — Verhältnissen abhangen; so sehr auch, zumal in der neuesten Zeit, Gewinnsucht, Eigennutz und sogar nicht selten handgreifliche Charlatanerie sich oft rastlos bemühen, unbedeutende Quellen, deren Werth manchmal blofs ein „finanzieller" ist, durch eine Legion von Journalen, mittelbar und unmittelbar, in eine ephemere Berühmtheit hineinzuschmuggeln: so werden doch niemals hiedurch Quellen von dem innern und erprobten Werth, wie ihn die *Aachener* Quellen besitzen, und deren Kräfte schon länger als ein *Jahrtausend* sich immer mehr und mehr entfaltet und erprobt haben, von Sachkundigen und Unparteyischen verkannt werden.

Es war daher Rec., der *Aachen* schon über dreyfsig Jahre, in ärztlicher und chemischer Beziehung, kannte, recht erfreulich, unter den zahllosen Lobhudeleyen so vieler minderwichtigen Quellen, von einem *Arzte*, wie Hr. *R.* ist, der bereits eine lange Reihe von Jahren die Heilkraft derselben *an Ort und Stelle*, bey einer grofsen Menge von Kranken aller Stände und unter den mannichfaltigsten Verhältnissen, kennen gelernt hat, wieder Etwas über diese wirksamen Wasser zu hören. Derselbe hat schon im Jahre 1810, in Verbindung mit Hn. *Mon-*

Monheim über die Aachener Mineralwasser eine wohlaufgenommene Schrift dem Publicum mitgetheilt (*Analyse des eaux Sulfureuses d'Aix-la Chapelle*, par *G. Reumont* et *J. P. J. Monheim*), welche indessen vorzüglich den Chemiker und Naturforscher interessirt, während diese den Zweck hat, dem *gebildeten Publicum* einen passenden Leitfaden in die Hand zu geben; wodurch aber auch *Aerzte* in Stand gesetzt werden, zu sehen, was sie von *Aachen's* Quellen eigentlich zu erwarten haben.

Die *Einleitung* ist historisch-poëtisch und bildet den Uebergang zu der Topographie von *Aachen* und seiner Umgebung; sie enthält zugleich eine poëtische Beschreibung der *Entdeckung* der Aachener Quellen, von Frau *von Chézy*. Der *zweyte* Abschnitt enthält die Topographie Aachen's, so wie der Umgegend; der *dritte* (doch nur kurz) geognostische Bemerkungen über die Stadt und ihre Umgebungen; der *vierte* die *Flora* von der Umgebung Aachens und im *fünften* sind die physischen und chemischen Eigenschaften der Quellen enthalten.

Die chemische Analyse ist aus der oben angeführten, im Jahr 1810 herausgekommenen, Schrift genommen; jedoch mit der Berichtigung, dass der Schwefel nicht an *Stickgas*, wie die beiden Herrn früher geglaubt hatten, sondern an *Wasserstoffgas* gebunden sey, wie den *Chemikern* aus *Schweigger's Journal* hinreichend bekannt ist. Im *sechsten* Abschnitte werden die physischen und chemischen Eigenschaften des *Pockenbrünnchens*, der *Trinkquelle* und der *nicht geschwefelten* Quelle, nämlich des *Kochbrunnens* mitgetheilt.

Der *siebente* Abschnitt enthält die *medicinischen* Eigenschaften der Aachener Quellen. Man sieht in diesem Abschnitte, dass hier ein erfahrner und sachkundiger Arzt das Wort führt. Der Vf. ist der Meinung (welcher Rec. beypflichtet), dass, wenn von dem Werthe oder Unwerthe eines Mineralwassers die Rede ist, wir nicht die Ausbeute der *chemischen* Untersuchungen, sondern die der *ärztlichen* Beobachtungen: die Wirkungen auf unsern Organismus, für das *Hauptmoment* halten müssen, und behauptet unumwunden, dass man die *künstlichen* Mineralwasser mit *Unrecht* für völlig identisch mit den *natürlichen* erkläre. Auch gehört Hr. *R.* zu jenen Aerzten, bey denen die Imponderabilien in den Mineralquellen von ungemein grossem Werthe sind, was, wie Rec. glaubt, gerade bey *praktischen Aerzten* häufig der Fall seyn *muss*, und nur bey jenen Chemikern nicht der Fall seyn *kann*, welche aus dem engen Kreise ihrer chemischen Versuche Erscheinungen apodictisch wegleugnen, welche sich nicht gegenwärtig schon im chemischen Laboratorium augenscheinlich nachweisen lassen, und die all Agentien der Natur in die Retorte leiten, auswaschen, trocknen, wägen und in wohlverstopften Fläschchen aufbewahren wollen.

Hr. *R.* führt nun die verschiedenen Krankheitsformen auf, in welchen sich diese warmen Schwefelquellen, nach allgemein bestätiger Erfahrung, vorzüglich hülfreich bewiesen. Im *achten* Abschnitte theilt derselbe einzelne und detaillirte Beobachtungen aus seinem grossen Schatz von Erfahrungen über die heilsamen Wirkungen der Aachener Quellen mit, welche eben so interessant als belehrend sind.

Im *neunten* Abschnitt wird das Verhalten und die Diät der Badegäste (was für das nichtärztliche Publikum von so grossem Interesse ist) mit vieler Sachkenntniss mitgetheilt. Hier wird auch beyläufig Hr. *Mosch*, der über *Aachen* (so wie über viele andre Heilquellen) manches Unrichtige in's Publikum gebracht hat, zurechtgewiesen. — Im *zehnten* Abschnitt ist die Rede von der Vorbereitung zur Badekur, von der gleichzeitigen Anwendung von Arzneymitteln und der Nachkur. Hr. *R.* spricht auch hier als einsichtsvoller Praktiker aus langjähriger Erfahrung, und tadelt eine solche Vorkur, wie sie der Dr. *Fenner von Fenneberg* (in seinem Taschenbuche für Gesundbrunnen und Bäder im Jahr 1817) beschrieben hat.

Im *Nachtrage* sind verschiedene *Nova* aufgeführt, welche zum Theil sich während des Druckes dieser Schrift für Aachen ereignet haben. Rec. wünscht dieser Schrift recht viele Leser. Sie empfiehlt sich ausserdem noch durch äussere Eleganz.

JUGENDSCHRIFTEN.

Berlin, in Nauck's Buchh.: *Das deutsche Buch.* Aus deutschen Musterschriften, nach der Zeitfolge gesammelt von *Fr. Heyne*. 1828. *Erste* Abtheilung, für junge Leser von zehn bis zwölf Jahren. 152 S. *Zweyte* Abtheilung, für junge Leser von zwölf bis funfzehn Jahren. 260 S. gr. 8. (Zusammen 18 gGr.)

Eine sehr zweckmässige Sammlung, der wir sowohl um ihrer guten Auswahl, als um des angenehmen Aeussern und des wohlfeilen Preises willen recht vielen Gebrauch, auch in Schulanstalten wünschen. Möchte die *dritte* Abtheilung recht bald erscheinen.

ALLGEMEINE LITERATUR-ZEITUNG

September 1828.

LITERARISCHE NACHRICHTEN.

Univerſitäten.

Halle.

Verzeichniſs
der
auf der Königl. vereinten Friedrichs-Univerſität Halle-Wittenberg im Winter-Halbjahre 18 28/29 vom 20ſten October bis 11ten April zu haltenden Vorleſungen und der damit verbundenen öffentlichen Anſtalten.

A. Vorleſungen.

I) Theologie.

Encyklopädie und *Methodologie* des *theologiſchen Studiums* lehren die Hnn. Licent. *Franke* und Dr. *Guerike*, letzterer in Verbindung mit der *theol. Literärgeſchichte.*

Theologiſche Bücherkunde trägt Hr. Prof. Dr. *Fritzſche* vor.

Ueber die *Kirchenväter* lieſt Hr. Prof. *Böhmer.*

Von *Büchern des A. T.* werden erklärt: die *Pſalmen* von dem Hn. Conſ. Rath Dr. *Geſenius* und vom Hn. Prof. Dr. *Stange*; der Prophet *Ezechiel* vom Hn. Prof. Dr. *Wahl*; das Buch *Samuels* vom Hn. Dr. *Schott*; einzelne Kapitel aus den *hiſtoriſchen Büchern des A. T.* von dem Hn. Licent. Dr. *Rödiger.*

Eine *hiſtoriſch-kritiſche Einleitung* in die *Bücher des N. T.* trägt Hr. Licent. Dr. *Guerike* vor.

Von *Büchern des N. T.* werden erklärt: das *Evangelium Johannis* und die *Apoſtelgeſchichte* vom Hn. Prof. Dr. *Wegſcheider*; die *Briefe* an die *Theſſalon.*, *Korinth.*, *Galat.*, *Epheſ.*, *Philipper* und *Koloſſer* vom Hn. Prof. Dr. *Thilo*; die *Briefe des Apoſt. Jacobus*, und *Paulus Br.* an die *Römer* und die *Galater* vom Hn. Prof. *Böhmer.*

Die *exegetiſch-homiletiſch-praktiſchen Vorleſungen über die Parabeln Jeſu Chriſti* ſetzt Hr. Prof. Dr. *Marks* fort.

Die *Hermeneutik* lehrt Hr. Prof. Dr. *Weber.*

Einleitung in die *dogmatiſche Theologie* trägt Hr. Prof. Dr. *Fritzſche* vor.

Chriſtliche Dogmengeſchichte lehrt Hr. Prof. Dr. *Thilo.*

Dogmatik trägt Hr. Prof. Dr. *Weber* vor.

Symboliſche Dogmatik, verbunden mit einer *Geſchichte der ſymboliſchen Bücher*, Hr. Prof. Dr. *Wegſcheider.*

Chriſtliche Moral die Hnn. Proff. Dr. *Wegſcheider* und Dr. *Fritzſche.*

Die *Kirchengeſchichte* trägt Hr. Conſ. R. Dr. *Geſenius* bis auf Gregor VII. vor, und Hr. Licent. Dr. *Guerike* von Gregor VII. bis auf unſre Zeiten.

Die *Homiletik* lehren Hr. Conſ. R. Dr. *Wagnitz* und Hr. Licent. *Franke.*

Die *Katechetik* Hr. Prof. Dr. *Weber* und Hr. Conſ. R. Dr. *Wagnitz.*

Die *Liturgik* trägt Hr. Prof. Dr. *Marks* vor.

Im *Königl. theologiſchen Seminarium* leitet Hr. Conſ. R. Dr. *Geſenius* die Uebungen in der *Exegeſe des A. T.*, Hr. Prof. Dr. *Wegſcheider* die *des N. T.*, Hr. Prof. Dr. *Thilo* die *theologiſch-hiſtoriſchen*, Hr. Prof. Dr. *Weber* die der *ſyſtemat. Theologie*, Hr. Prof. Dr. *Marks* die *homiletiſchen* und *liturgiſchen*, und Hr. Conſ. R. Dr. *Wagnitz* die *katechetiſchen Uebungen* der Seminariſten.

Examinatorien und *Disputatorien* über *dogmatiſche* und *exegetiſche Gegenſtände* halten die Hnn. Prof. Dr. *Fritzſche* und *Böhmer.*

* * *

Hr. Prof. Dr. *Tholuck* iſt, wegen ſeiner Reiſe nach Italien, auch für das nächſte Halbjahr von Haltung der Vorleſungen entbunden.

II) Jurisprudenz.

Encyklopädie und *Methodologie* der *Rechtswiſſenſchaft* trägt Hr. Prof. Dr. *Pernice* vor.

Juriſtiſche Kritik und *Hermeneutik* lehrt Hr. Prof. Dr. *Blume.*

Die *vergleichende Jurisprudenz* trägt *Ebenderſelbe* vor.

Die *Geſchichte des römiſchen Rechts* erzählt Hr. Dr. *Pfotenhauer.*

Inſtitutionen und *Geſchichte des röm. Rechts* trägt Hr. Prof. Dr. *Pernice* nach ſeinem Grundriſſe vor.

Inſtitutionen des röm. Rechts Hr. Dr. *Pfotenhauer.*

Das XVIII. und XIX. Buch der *Digeſten* erläutert Hr. Prof. Dr. *Blume.*

Die *Pandecten* trägt Hr. Geh. Juſtizrath Dr. *Mühlenbruch* nach der 2ten Ausg. ſeines Lehrbuchs vor.

Das *Erbrecht* Hr. Hofger. Rath Dr. *Pfotenhauer* und Hr. Prof. Dr. *Blume.*

Die *deutſche Reichs-* und *Rechtsgeſchichte* erzählt Hr. Prof. Dr. *Pernice.*

Deutſches Privatrecht trägt Hr. Prof. Dr. *Dieck* vor nach ſeinem Grundriſſe.

Das *Lehnrecht*, *Ebenderſelbe* nach ſeinem Lehrbuche.

Preu-

Preussisches Civilrecht lehrt Hr. Prof. Dr. *Salchow*.
Deutsches Staatsrecht Hr. Prof. Dr. *Dieck*.
Gemeines und *Preussisches Criminalrecht* Hr. Prof. Dr. *Salchow* nach der 3ten Ausg. seines Handbuchs.
Kirchenrecht trägt Hr. Prof. Dr. *Blume* vor nach seinem Grundrisse.
Handelsrecht Hr. Prof. Dr. *Dieck*.
Den *gemeinen* und *preuss. Civil-Process* Hr. Hofger. R. Dr. *Pfotenhauer* nach Martin und eigenen Sätzen. Auch lehrt *Derselbe* die *Anwendung der Grundsätze des Civil-* und *Criminalrechts* auf einzelne Fälle.

Examinatorien über das Civilrecht halten Hr. Hofger. R. Dr. *Pfotenhauer* und Hr. Geh. Just. R. Dr. *Mühlenbruch* in lateinischer Sprache.
Ein *Examinatorium* über die ersten Anfangsgründe der Rechtswissenschaft Hr. Dr. *Pfotenhauer*.
Ein *Disputatorium* über auserwählte Rechts-Controversen hält Hr. Prof. Dr. *Pernice* in lat. Sprache.

* * *

Hr. Geh. Just. R. Dr. *Schmelzer* ist, seiner Gesundheit wegen, auch für das nächste Halbjahr von Haltung der Vorlesungen entbunden.

III) *Medicin.*

Anatomie des menschlichen Körpers trägt Hr. Geh. Medicinalrath Dr. *Meckel* vor.
Die *pathologische Anatomie*, *Ebenderselbe*.
Die *praktische Zergliederungskunst* lehrt *Ebenderselbe*.
Die *Diätetik* trägt Hr. Prof. Dr. *Schreger* vor.
Allgemeine Pathologie und *Therapie* lehrt Hr. Prof. Dr. *Krukenberg*; einzelne Theile der *besondern Pathologie* und *Therapie* trägt *Ebenderselbe* vor.
Die *Semiotik* lehrt Hr. Prof. Dr. *Friedländer* in lateinischer Sprache.
Ueber die *Entzündungen des serösen Systems* liest Hr. Prof. Dr. *Dzondi*.
Ueber *Augenkrankheiten* Hr. Regierungsrath Dr. *Weinhold*.
Ueber *Kinderkrankheiten* Hr. Prof. Dr. *Niemeyer*.
Ueber die *Krankheiten der Weiber*, *Ebenderselbe*.
Die *Theorie* und *Praxis der Entbindungskunst* lehrt *Ebenderselbe*.
Allgemeine und *besondere Chirurgie* lehren Hr. Prof. Dr. *Dzondi* und Hr. Reg. R. Dr. *Weinhold*.
Arzneymittellehre tragen die Hnn. Proff. Dr. *Düffer*, Dr. *Friedländer* und Dr. *Schreger* vor.
Die *pharmaceutische Chemie* lehrt Hr. Prof. Dr. *Schweigger-Seidel*.
Ueber die *verschiedenen Arzneyformen* und die *Receptirkunst* liest Hr. Prof. Dr. *Düffer*.
Ueber die *preuss. Pharmacopöe* Hr. Prof. Dr. *Schweigger-Seidel*.
Medicinische Polizey trägt *Ebenderselbe* vor.

Die *medicinisch-klinischen Uebungen* leitet fortwährend Hr. Prof. Dr. *Krukenberg*.
Chirurgisch-klinische und *ophthalmologische Uebungen* Hr. Reg. R. Dr. *Weinhold* und Hr. Prof. Dr. *Dzondi*.
Disputatorien und *Examinatorien* halten die Hnn. Proff. Dr. *Düffer*, Dr. *Krukenberg* und Dr. *Schreger*.
Ein *Examinatorium* über *pharmaceutische Gegenstände* Hr. Prof. Dr. *Schweigger-Seidel*.

IV) *Philosophie* und *Pädagogik.*

Encyklopädie und *Methodologie der Philosophie* trägt Hr. Prof. Dr. *Hinrichs* vor.
Die *allgemeine Geschichte der Philosophie* erzählt Hr. Prof. Dr. *Gruber*; die *Geschichte der orientalischen Philosophie*, *Ebenderselbe*.
Die *Geschichte der neuern Philosophie* erzählt Hr. Dr. *Mussmann*.
Fundamentalphilosophie trägt Hr. Prof. Dr. *Gerlach* vor.
Die *Logik* lehren die Hnn. Proff. Dr. *Gerlach* und Dr. *Tieftrunk* nach ihren Lehrbüchern.
Logik und *Dialektik* trägt Hr. Dr. *Mussmann* nach seinem Grundrisse vor.
Metaphysik lehrt Hr. Prof. Dr. *Hinrichs*.
Aesthetik, *Ebenderselbe*.
Aesthetische Vorlesungen über Göthe's *Faust* hält *Ebenderselbe*.
Ueber das *Nibelungenlied* liest Hr. Dr. *Rosenkranz*.
Anthropologie lehrt Hr. Prof. Dr. *Gruber*.
Psychologie trägt Hr. Prof. Dr. *Tieftrunk* vor.
Naturrecht lehrt Hr. Prof. Dr. *Gerlach* nach seinem Handb., und Hr. Prof. Dr. *Blume*.
Religionsphilosophie Hr. Prof. Dr. *Gerlach* nach seinem Lehrb., und Hr. Dr. *Rosenkranz*.

Im *Königl. pädagogischen Seminarium* werden fortdauernd *didaktische* Uebungen von dem Hn. Prof. Dr. *Jacobs* geleitet.
Zur Wiederholung und Uebung philosophischer Lehrgegenstände wird Hr. Dr. *Mussmann* eine philosophische Gesellschaft veranstalten.

V) *Mathematik.*

Die *Geometrie* lehrt Hr. Prof. Dr. *Rosenberger*.
Die *analytische Geometrie* Hr. Prof. Dr. *Scherk*; auch setzt *Derselbe* die Uebungen seiner *mathematischen Gesellschaft* fort.
Ebene und *sphärische Trigonometrie* lehren die Hnn. Proff. Dr. *Gartz* und Dr. *Rosenberger*.
Einleitung in die *Analysis des Unendlichen* liest Hr. Prof. Dr. *Gartz*.
Die *Infinitesimal-Rechnung* trägt Hr. Prof. Dr. *Rosenberger* vor.
Die *Differential-* und *Integral-Rechnung* Hr. Prof. Dr. *Gartz*.
Die *Integral-Rechnung* Hr. Prof. Dr. *Scherk*.
Die *Akustik* lehrt Hr. Dr. *Weber*.

VI) *Naturwissenschaften.*

Ueber die *Naturphilosophie der Alten* liest Hr. Prof. Dr. *Schweigger*.

Die

Die *Grundlehren der Phyſik* trägt Hr. Prof. Dr. *Tieftrunk* vor.
Experimentalphyſik lehren Hr. Prof. Dr. *Kaemtz* und Hr. Dr. *Weber*.
Chemie trägt Hr. Prof. Dr. *Schweigger* vor; auch leitet *Derſelbe* die *Studien ſeiner phyſikaliſchen Geſellſchaft* und *Uebungen* in phyſikaliſchen und chemiſchen Verſuchen.
Meteorologie trägt Hr. Prof. Dr. *Kaemtz* vor.
Mineralogie lehrt Hr. Prof. Dr. *Germar*.
Die *Verſteinerungskunde* trägt *Ebenderſelbe* vor.
Ueber das *natürliche Pflanzenſyſtem* leſen die Hnn. Proff. Dr. *Sprengel* und Dr. *Kaulfuſs*.
Die *Naturgeſchichte der Kryptogamen* erläutern *Ebendieſelben*.
Die *allgemeine Naturgeſchichte der Thiere* trägt Hr. Prof. Dr. *Nitzſch* vor, und Hr. Dr. *Buhle* nach ſeinem Lehrbuche.
Helminthologie lehrt Hr. Prof. Dr. *Nitzſch*.

* * *

Hr. Prof. Dr. *Hoffmann* iſt mit höchſter Erlaubniſs auf einer wiſſenſchaftlichen Reiſe im Auslande.

VII) *Staats- u. Kameralwiſſenſchaften.*

Forſttechnologie lehrt Hr. Prof. Dr. *Kaulfuſs*.
Ueber die *Naturgeſchichte der Hausthiere* und deren *ökonomiſchen Nutzen* lieſt Hr. Dr. *Buhle*.
Vieharzneykunde lehrt Hr. Prof. Dr. *Schreger*.

VIII) *Hiſtoriſche Wiſſenſchaften.*

Die *Univerſalgeſchichte* trägt Hr. Prof. Dr. *Leo* nach Wachler vor.
Die *alte Geſchichte* erzählt Hr. Dr. *Pfaff*.
Die *Geſchichte des Mittelalters* trägt Hr. Prof. Dr. *Leo* nach ſeinem Handbuche vor.
Die *Geſchichte des Mittelalters* und *der neuern Zeit* Hr. Prof. Dr. *Voigtel*.
Die *Geſchichte der Kreuzzüge* Hr. Dr. *Pfaff*.
Die *Geſchichte der Teutſchen* trägt *Ebenderſelbe* vor.
Die *Geſchichte der neuern Kriege* erzählt Hr. General-Major Dr. *v. Hoyer*.
Die *Geographie der italieniſchen Staaten* trägt Hr. Prof. Dr. *Leo* vor.

Die Uebungen der *hiſtoriſchen Geſellſchaft* leitet Hr. Prof. Dr. *Voigtel*.

IX) *Philologie* und *neuere Sprachkunde.*

1) Klaſſiſche Philologie, griechiſche und römiſche Literatur.

Ueber *Zweck* und *Methode der philologiſchen Studien* lieſt Hr. Prof. Dr. *Reiſig*.
Philologiſche Encyklopädie lehrt Hr. Prof. Dr. *Jacobs*.
Die *Geſchichte der Beredſamkeit* bey den *Griechen* und *Römern* erzählt Hr. Prof. Dr. *Raabe*.
Von Werken *griechiſcher Schriftſteller* werden erklärt: *Plato's Phädon* vom Hn. Hofrath Dr. *Schütz*; das *erſte Buch des Thucydides* und *Pindar's Gedichte* vom Hn. Prof. Dr. *Meier*; *Lucian's Todtengeſpräche* vom Hn. Prof. Dr. *Lange*.
Die *römiſchen Alterthümer* tragen vor die Hnn. Proff. Dr. *Meier* und Dr. *Reiſig*.
Von Werken *römiſcher Schriftſteller* werden erklärt: *Cicero's erſtes Buch der tuskulan. Disputationen* vom Hn. Hofrath Dr. *Schütz*; *Cicero's Buch von den Pflichten* vom Hn. Prof. Dr. *Jacobs*; *Horaz'ens philoſophiſche Oden* vom Hn. Prof. Dr. *Raabe*; *Horaz'ens Briefe* vom Hn. Prof. Dr. *Lange*.

Im *Königl. philologiſchen Seminarium* werden die Theilnehmer im *Interpretiren*, *Disputiren* und *Lateinſchreiben* vom Hn. Hofr. Dr. *Schütz* und Hn. Prof. Dr. *Meier* unterrichtet.
Auch leitet Hr. Prof. Dr. *Lange* Uebungen im *Lateinſprechen* und *Schreiben*.

2) Morgenländiſche Sprachen.

Die *ſemitiſchen Dialecte* lehrt Hr. Prof. Dr. *Wahl*.
Hebräiſche Grammatik Hr. Dr. *Schott* nach Geſenius Lehrbüchern, und Hr. Licent. Dr. *Rödiger*.
Schwierigere Gegenſtände der hebr. Grammatik erläutert Hr. Conſ. R. Dr. *Geſenius*.
Das *Aramäiſche* lehrt Hr. Dr. *Schott*.
Eine grammatiſche *Vergleichung* der *ſyriſchen* und *hebräiſchen Sprache* trägt Hr. Licent. Dr. *Rödiger* vor.
Die *arabiſche Sprache* lehren Hr. Prof. Dr. *Wahl* und Hr. Dr. *Schott*.
Ausgewählte *Stellen arabiſcher Schriftſteller* aus Koſegarten's Chreſtomathie erläutert Hr. Licent. Dr. *Rödiger*.
Das *Perſiſche*, *Koptiſche* und das *Sanskrit* lehrt Hr. Prof. Dr. *Wahl*.
Die *chineſiſche Sprache* Hr. Dr. *Schott*.
Uebungen im *Interpretiren* und *Disputiren* leitet *Ebenderſelbe*.

3) Neue abendländiſche Sprachen.

Dante's Hölle erläutert Hr. Prof. Dr. *Blanc*.
Die *franzöſiſche Sprache* lehrt Hr. Lector *Masnier* und Hr. *Bonafont*.
Voltaire's Tragödien erklärt Hr. Prof. Dr. *Blanc*.
Die *Geſchichte der engländiſchen Literatur* erzählt Hr. Gen.-Major Dr. *v. Hoyer*.
Ueber die *engländiſchen Dichter* lieſt *Ebenderſelbe*.

X) *Schöne* und *gymnaſtiſche Künſte.*

Die *allgemeine Geſchichte der zeichnenden Künſte* erzählt Hr. Prof. Dr. *Prange*.
Die *Geſchichte der Malerkunſt in Italien* Hr. Prof. Dr. *Weiſe*.
Uebungen im *Zeichnen* leiten die Hnn. Proff. Dr. *Prange* und Dr. *Weiſe*, und Hr. Zeichnenlehrer *Herſchel*.

Den *Generalbaſs* lehrt Hr. Muſikdirector *Naue*.
Im *Kirchengeſange* unterrichtet *Ebenderſelbe*.

Die

Die *Tanzkunst* lehrt Hr. *Wehrhahn.*
Die *Reitkunst* Hr. Stallmeister *André.*
Die *Fechtkunst* Hr. *Urban.*

B. Oeffentliche Anstalten.

I. Seminarien: theologisches, pädagogisches und philologisches.
II. Historische Gesellschaft.
III. Anatomisches Theater und zootomisches Museum.
IV. Klinische Anstalten: medicinische und chirurgisch-ophthalmologische Klinik und Entbindungs-Anstalt.
V. Botanischer Garten.
VI. Sternwarte.
VII. Physikalisches Museum und chemisches Laboratorium.
VIII. Zoologisches Museum und mineralogisches Kabinet.
IX. Akademische Bibliothek.
X. Kupferstich-Sammlung.
XI. Thüringisch-Sächsischer Verein zur Erforschung des vaterländischen Alterthums und Erhaltung seiner Denkmale.

LITERARISCHE ANZEIGEN.

I. Ankündigungen neuer Bücher.

Bey J. J. Bohné in Cassel ist erschienen:

Collmann, C. L., Abrégé de la description et de l'histoire de l'Egypte. Für Freunde der Geschichts- und Länderkunde und zum Gebrauch beym Unterricht. Mit 1 Kärtchen vom alten Aegypten. 8. 1828. 16 gr.

Holzapfel, Dr. *J. L.*, Leitfaden beym Religionsunterricht in Schulen. 8. 1828. 12 gr.

Krauskopf, J., Theoretisch-praktische Zeichenkunst 1ster Theil, unter dem Titel: Anleitung zum geometrisch-richtigen Sehen, Vergleichen und Beurtheilen, als Grundlage eines guten Zeichnenunterrichts. Mit 60 Vorlegebl. und 1 Erklärungstafel. gr. 4. in Carton. 40 S. Text. 1 Rthlr. 20 gr.

Kühne, Dr. *F. T.*, Dialogues for the use of young persons who learn to speak englifh. 2. edition. 8. 1828. 12 gr.

Dessen, Gallicismen nebst Ausdrücken und Redensarten u. s. w. 1828. 12 gr.

Sickler, Dr. *F. C. L.*, Handbuch der alten Geographie für Gymnasien und zum Selbstunterricht. Mit 5 Kärtchen. gr. 8. 1824. 3 Rthlr. 12 gr.

Dessen Leitfaden beym Unterricht in der alten Geographie. 8. 1826. 14 gr.

— —. Atlas der alten Geographie in 19 lith. Blättern. quer Folio, illum. 2 Rthlr.

Bey J. A. Barth in Leipzig ist so eben erschienen und in allen Buchhandlungen zu haben:

Hering, C. W., Geschichte des Sächsischen Hochlandes, mit besonderer Beziehung auf das Amt Lauterstein und angrenzende Städte, Schlösser und Rittergüter. 3 Theile, mit einem Titelkupfer. gr. 8. 3 Rthlr.

Eine über 700 angewachsene Zahl von Subscribenten aus allen Ständen und Gegenden, an deren Spitze selbst die Prinzen und Prinzessinnen unsers erhabenen Königshauses stehen, beweist die Theilnahme, die man schon bey der ersten Anzeige überall dem Unternehmen des tüchtigen Verfassers schenkte. Da dem Werke von Seiten der Behörden, wie von denen der gründlichsten Geschichtskenner die freundlichste und vielseitigste Unterstützung zu Theil wurde, wie diess auch der Vf. dankbar in der Vorrede rühmt: so gestaltete es sich für jeden Freund der Geschichte zu einer um so anziehenderen Erscheinung, und verdient das ihm auch bereits von der Kritik gespendete Lob in einem hohen Grade. Der Preis ist bey sauberem Drucke und weissem Papiere möglichst billig gestellt.

II. Auctionen.

Bücher-Auction in Halle.

Den 13. October und folg. Tage werden die von dem allhier verstorbenen Hn. Ober-Bibliothekar und Professor *Joh. Sam. Ersch* und mehreren Andern nachgelassene Bibliotheken, vorzügliche Bücher aus allen Wissenschaften enthaltend, ganz besonders aber ausgezeichnet in der *Geschichte, Geographie, Statistik, Literaturgeschichte, Theologie, Philologie, Philosophie, Medicin* u. s. w., wobey *viele seltene* und *kostbare Werke*, nebst einer Abtheilung *ganz neuer vorzüglicher Werke* aus allen Wissenschaften bis zur neuesten Zeit, wobey auch mehrere engl., französ., ital., spanische u. s. w., ausserdem viele Journale, Zeitschriften, Landkarten, Musikalien u. s. w., gegen gleich baare Zahlung öffentlich versteigert.

Aufträge dazu übernehmen die schon bekannten Herren Auctionatoren und Commissionäre in Berlin, Bremen, Coburg, Erfurt, Gotha, Halberstadt, Hamburg, Hannover, Jena, Leipzig, Marburg, Nordhausen, Nürnberg, Prag, Weimar, Wien u. s. w.

Hier in Halle, ausser dem Unterzeichneten, Hr. Registrator *Deichmann* in d. Expedit. der Allgem. Lit. Zeit., die Buchhandl. von Hn. *Fr. Ruff* und Hr. Antiquar *Weidlich*, bey denen auch überall das reichhaltige (26 Bogen starke) Verzeichniss zu haben ist.

Halle, im August 1828.

J. Fr. Lippert, Auctionator.

ALLGEMEINE LITERATUR - ZEITUNG

September 1828.

PFERDEZUCHT.

Königsberg, b. d. Gebr. Bornträger: *Versuch eines Beweises, dass die Pferderennen in England, so wie sie jetzt bestehen, kein wesentliches Beförderungs-Mittel der bessern edlen Pferdezucht in Deutschland werden können.* Von *C. F. W. von Burgsdorf*, Königl. Landstallmeister von Ostpreussen und Lithauen, Director des Königl. Hauptgestütes u. s. w. 1827. 122 S. 8.

Der als praktischer Pferdezüchter und auch als Schriftsteller rühmlich bekannte Vf. hat uns hiermit einer kleinen, doch für Pferdezüchter und Pferdeliebhaber sehr wichtigen Schrift beschenkt, worin er uns sehr vielen Aufschluss über Englands Pferdezucht giebt und mit grossem Scharfsinn seinen Beweis durchführt.

Es war derselbe schon im Jahr 1817 in England, um Zuchtpferde für die Königl. Preuss. Gestüte einzukaufen; er fand sich, hinsichts der dortigen Pferdezucht, in seinen mässigen Erwartungen sehr getäuscht, er sagt S. 6 darüber folgendes: „Ich trat gleichsam nur in einen grossen Spiel-Klubb, wo einzig und allein der *glückliche* Würfel die Aufmerksamkeit der Spieler fesselt, der *unglückliche* aber keiner Beachtung werth gehalten wird. Das englische Wettrennen ist das grösste Hazardspiel in der Welt. *Nur als solches* hat es jetzt Interesse, sogar nur für die erstern Volksklassen dort, jede höhere Tendenz bey der Züchtung des edlen Pferdes ist ihnen jetzt eine völlig unbekannte Seite. Ebenmaass, Regelmässigkeit im Bau und Gange, Reinheit der Knochen, Gewandtheit und Schönheit, gehören durchaus nicht mehr zu ihren jetzigen Forderungen. Die höchste Schnelligkeit allein ist die ersehnte Eigenschaft, denn wenige Linienbreite entscheidet über den Gewinn und Verlust ausserordentlich grosser Summen. Es ward mir schon dazumal wahrlich sehr schwer, noch einige der bessern Pferde aufzufinden, und ich blieb zu der Ueberzeugung gezwungen: *Dass jene einzige Richtung der Engländer bey der Zucht ihrer Vollblutspferde, diesen ganzen Stamm verderben müsse.* Dass solches aber von da ab bis jetzt, als ich im Jahre 1826 diess schöne Eiland wieder besuchte, also in nicht vollen 10 Jahren, in dem Grade schon der Fall seyn würde, wie ich es gefunden, habe ich dennoch nicht geglaubt."

Höchst interessant ist das was der Vf. von dem Körperbau einiger englischen Renner sagt, welche am häufigsten siegten und denjenigen, von welchen

man grosse Erwartungen hegte, oder welche als Lieblinge der wettlustigen Engländer im Augenblick galten. Jene hatten Hirschhälse, waren vorne niedrig, hatten steile Kruppen und steile Sprunggelenke; ihr Bau erinnert an den der Windhunde. Der 8jährige *Belzoni*, dessen Besitzer die für ihn gebotenen 10,000 Guin. ausschlug, hatte einen unverhältnissmässigen grossen hässlichen Kopf und einen, von seinem Urgrossvater, Grossvater und Vater ererbten, ausgebildeten Spatt auf dem linken Fuss. *Tarras*, der *Winner of the great St. Leger* geworden, hat einen hohen Rücken und noch dazu krumme, knieweite Vorderbeine und so schlechte Hufe, dass man bemerkte, wie nur der durch starken Regen erweichte Renngrund seinen Lauf möglich machte, wäre der Boden trocken und hart gewesen, so hätte *Tarras* nie gewinnen können.

Merkwürdig ist es nach dem Vf. dass „England, diess immer noch als Vorbild für jeden Pferdezüchter des Auslandes ausposaunte Land" im Jahr 1826 nicht 100 Stück Pferde *ausgeführt*, wohl aber über 1000 Stück aus Holstein u. s. w. eingeführt hat. Diess allein beweist dass die Pferdezucht dieses Landes eine falsche Richtung genommen haben muss, was der Vf. vorliegender Schrift auch durch Mittheilungen mehrerer Thatsachen und durch daraus mit Scharfsinn und Kennerblick gefolgerten Schlüssen hinreichend bestätigt und so wahrscheinlich jeden Deutschen, der bisher das Heil unserer Pferdezucht in der Einführung der Pferderennen, so wie sie jetzt in England bestehen, suchte, belehren.

Keinesweges ist es aber des Vfs. Meinung, dass das, was in England noch gutes von Pferden zu finden ist, von den deutschen Pferdezüchtern unbenutzt gelassen werden soll; er empfiehlt es vielmehr sehr, dass deutsche Privatleute die Kosten nicht scheuen mögen, sich einige von den wenigen noch nicht ausgearteten Pferden aus England zu holen, weniger um Wettrennen anzustellen, als um den in ihnen niedergelegten orientalischen Typus weiter zu verbreiten.

Diess wird genug seyn, um auf den sehr interessanten Inhalt dieser Schrift aufmerksam zu machen; doch muss man das Ganze lesen, und dann wird jeder unbefangene Pferdezüchter und Pferdekenner finden, dass hier nicht zu viel zu ihrem Lobe gesagt ist.

Hr. *v. B.* theilt uns hinter dieser Schrift noch die Uebersetzung einiger interessanten Abhandlungen von dem Engländer *Nicol. Henry Smith* mit. Die erste ist betitelt: *Beobachtungen über die Zucht des*

Renn-

Rennpferdes, nebst Bemerkungen über die comparative Vorzüglichkeit des englischen Rennpferdes des heutigen Tags und früherer Zeit, und einer Nachricht über die fremden Hengste und Stuten welche in England eingeführt worden, so wie über die Leistungen ihrer Abkömmlinge als Rennpferde u. s. w.

Der Vf. dieser interessanten Bemerkungen, für deren Mittheilung Hr. *v. B.* den Dank aller denkenden Pferdezüchter verdient, scheint hauptsächlich die Kunst gute Pferde zu erziehen in der grofsen Sorgfalt und Sachkenntnifs, aber besonders *in der grofsen Aufmerksamkeit in der Auswahl der Stuten und Hengste zu suchen.* „Der Hauptpunkt, auf welchen es hiebey ankommt, ist, seiner Meinung nach, das *Ebenmaafs:* und je besser wir im Stande sind, über die wahre Form zu urtheilen, und je mehr wir uns bemühen, in dieser Hinsicht das Nöthige zu leisten, um desto mehr werden wir uns der Vollkommenheit auch nähern." S. 43 sagt der Vf. „die Würdigung des besten Beschälers hängt indessen davon ab, dafs er zuerst gute Stuten gehabt habe, denn hat er nur schlechte gehabt, so werden ohne allen Zweifel die Abkömmlinge auch nur von gemeiner Gestalt seyn, und das Pferd als ein schlechter Beschäler erscheinen." Diefs ist eine Wahrheit, die sich auch bey andern Hausthieren bestätigt; der Werth eines guten Merinobockes wird am besten erkannt in seinen Jungen, die er mit edeln Müttern erzeugte, aber oft sehr verkannt, wenn derselbe nur mit schlechten Mestitzen gepaart wurde. Der Vf. sagt ferner, dafs viele gute Renner sich als schlechte Beschäler, und viele gute Beschäler sich als schlechte Renner gezeigt haben, und führt mehrere merkwürdige Thatsachen dafür an. S. 56 bemerkt er, „dafs im Ganzen von solchen Stuten, welche weder trainirt waren noch gelaufen hatten, eine gröfsere Anzahl Gewinner erzeugt worden, als von denjenigen, die als Wettrenner gebraucht wurden, und dafs die Zahl der Stuten, welche von guter Gestalt waren, und nachmals Gewinner erzeugten, diejenigen übersteigt, welche gute Rennpferde, aber mangelhafte Zuchtstuten waren." — Dieses möchte wohl als Beweis dienen können, dafs das Rennen im Ganzen der Pferdezucht nichts weniger als günstig ist und dafs es hauptsächlich bey der Wahl der Zuchtstuten auf eine gute Auswahl hinsichts ihrer zweckmäfsigen Körperform u. s. w. ankommt. S. 60 sagt der Vf. mit Recht: „der Züchter, welcher seine Stuten und Hengste mit Aufmerksamkeit in Rücksicht auf Abstammung, Ebenmaafs, Temperatur und Constitution, überhaupt auf alle Punkte, die am wahrscheinlichsten das Wesentliche der Schnelligkeit und der Kraft [warum nicht auch der Ausdauer?] erzeugen, zusammen bringt, mufs allemal einen bessern Erfolg haben, als derjenige, der diese festgesetzten Regeln gar keiner Aufmerksamkeit würdigt." Was er gleich darauf von dem Einflufs des Vaters und der Mutter auf die Jungen, hinsichts der Aehnlichkeit mit einem oder dem andern sagt, verdient alle Beachtung der Thierzüchter. Dasselbe gilt auch von dem, was der Vf. vom Kr zen verschiedener Rassen mittheilt; es ist der für die Inzucht (*in and in*) und ist dafür, dafs edeln Rassen so viel als möglich, ja sogar im nahesten Verwandtschaft sollten zu erhalten ges werden, und meint, dafs jene physischen Hindern welche gewöhnlich angenommen werden, ni vorhanden sind. Hier, so wie über alle in di Abhandlung, sind eine Menge Thatsachen zur stätigung für die ausgesprochene Meinung bey fügt, was ihren Werth sehr erhöht. —

Die nun folgende Abhandlung führt die Ueb schrift: *Gedanken über Pferdezucht.* Auch sie e hält viel beherzigungswerthes für Thierzücht Der Vf. ist überzeugt „dafs eine gröfsere Anz Gewinner hervorgebracht werden würde, we man die Hengste und Stuten von der edelsten Ra nicht so ohne Unterschied zusammen liefse, als bey dem jetzigen System der Pferdezucht der *Fa* ist." Man sollte es kaum glauben, dafs es mög sey, dafs die englischen Pferdezüchter ihre ede Rassen so ohne Unterschied paaren. Da diefs aber wirklich geschieht und da in der Regel den Sieger auch als Beschäler der Vorzug ohne weitere Berücksichtigung seiner Fehler u. s. w. eingeräumt wird, so ist es kein Wunder, wenn die englische Pferdezucht mit grofser Schnelligkeit rückwärts geht. S. 76 sagt der Vf. dieser Abhandlung: „Ich bin geneigt zu glauben, dafs, wenn man im Besitz einer guten Rasse ist, es recht sey, darin zu verbleiben, und dafs es zugleich recht ist, *auch ein einzelnes Mal mit einer fremden zu mischen*, und dann, wie er weiterhin sagt, zu demselben Geschlecht zurückzugehen." — Diesem letzten Satz scheint er besonders zugethan zu seyn und beweist durch mehrere Thatsachen, dafs mehrere berühmte Pferde aus einer solchen Inzucht mit einmaligem Kreuzen hervorgegangen sind, was höchst wichtig für jeden rationellen Thierzüchter ist und darum volle Beherzigung verdient.

Die *dritte* Abhandlung führt den Titel: *Beobachtungen über den Charakter und das Blut unserer Rennpferde in frühern Zeiten, mit einer Beschreibung der mehrsten ausländischen Hengste und ihrer Abkunft.* Der Vf. meint, es wäre zu bewundern, dafs (in England) das arabische und ausländische Blut, welches in vergangnen Zeiten mit Recht so hoch geschätzt wurde, nun so ganz aus der Mode gekommen ist. Er sagt dann *S. 101:* „Aber, wenn die frühern Pferde besser waren, als die jetzigen, so fordert der gemeine Menschenverstand nichts weiter, als wieder zu demselben Blute zurück zu gehen, welches diese Vorzüglichkeit hervorbrachte." — Meint nun man müsse wieder arabische, türkische und berberische Pferde brauchen. Wenn aber, wie uns Hr. *v. Burgsdorf* versichert und es mit unumstöfslichen Beweisen belegt, hauptsächlich die englische Pferdezucht im Allgemeinen dadurch verschlechtert wurde, dafs bey

bey ihr nur die höchste Schnelligkeit allein die ersehnte Eigenschaft und dass diese nur die einzige Richtung der Engländer bey der Zucht ihrer Vollblutpferde ist, und sich doch noch edle Pferde mit erwünschten, reellern Eigenschaften, obschon sehr einzeln, in England finden, so ist Rec. der Meinung, man würde schneller zum Ziele kommen, wenn man diese wenigen grossen, starken, wohlproportionirten, knochenreinen und nicht entkräfteten Thiere zur Hervorbringung eines bessern Stammes benutzte, als wenn Original-Araber, die trotz ihrer vorzüglichen Eigenschaften, dennoch nicht unsern Forderungen, die wir jetzt an ein edles Pferd machen, entsprechen, geholt und zur Zucht gebraucht werden. Letzteres ist ja ein wirkliches von vorne Anfangen, und wie viel Zeit muss vergehen, bevor aus einem rein arabischen Stamme Pferde hervorgehen die den Forderungen der jetzigen Zeit völlig genügen! Der Vf. schiebt die Schuld, wenn neuere Versuche, orientalische Pferde in England zur Zucht zu brauchen, misslangen, hauptsächlich darauf, dass gewöhnlich nur mittelmässige und schlechte Stuten mit ausländischen Beschälern gedeckt wurden, weil man es nicht wagt, vorzügliche Stuten dazu zu benutzen und kein Füllen, das, von einem berühmten inländischen Beschäler gefallen, theuer bezahlt wird, einem solchen Versuch opfern will. Auf diese Art könne der Werth eines Beschälers gar nicht ermittelt werden: denn „die erste Stute, welche dem Araber *Godolphie* zufällig zugeschickt wurde, war glücklicherweise eine gute; wäre das Gegentheil der Fall gewesen, so ist es wahrscheinlich, dass ihm nie eine andere würde zugeschickt worden seyn."

Diese *drey* Abhandlungen zeigen deutlich, dass man auch in England es einsieht, dass die dortige Pferdezucht sich sehr verschlechtert hat; nur scheint es, als wenn man dort die wahre Ursache dieses Verfalls noch nicht aufgefunden hat, vielleicht manche englische Pferdezüchter sie nicht auffinden wollen. —

GESCHICHTE.

1) Leipzig, b. Serig: *Ein Blick auf die Geschichte des Königreichs Hannover*, von *Karl Christian von Leutsch*, der deutschen Gesellschaft zu Erforschung vaterländischer Sprache und Alterthümer in Leipzig ordentlichem Mitglied. *Zweyte*, mit einer Gaugeographie und Gaukarte des alten Herzogthums Sachsen vermehrte Auflage. 1827. VIII, 92. u. LXXXIII S. in Octav, und einer Karte. (18 gGr.)

2) *Ebend.: Markgraf Gero.* Ein Beytrag zum Verständniss der deutschen Reichsgeschichte unter den Ottonen, so wie der Geschichten von Brandenburg, Meissen, Thüringen u. s. w.; von *Karl Christian von Leutsch* u. s. w. Nebst einer Gaugeographie von Thüringen und der Ostmark und zwey Karten. 1828. VIII u. 259 S. im grössten Octav. (2 Rthlr.)

Der Vf. beider Werke, dem wir ausserdem eine „Geschichte des Preussischen Reichs von dessen Entstehung bis auf die neueste Zeit" in drey Bänden, Berlin b. Pauli 1825, und eine sehr geniale „Anleitung zur Auslegung der Griechischen und Römischen Mythen." Leipzig 1828 zu verdanken haben, deren Beurtheilung jedoch Rec., da beide Gegenstände seine Studien wenig berührt haben, Männern vom Fache überlassen muss, tritt in den obengenannten beiden Büchern, als ein so gründlicher und fleissiger Forscher der Geschichte des Mittelalters auf, dass dieselben in einem hohen Grade Beachtung verdienen.

Das erste derselben erschien bereits theilweise, nämlich die erste Abtheilung desselben, welche den Blick auf die Geschichte des Königreichs Hannover enthält, im Jahre 1822, und ist in diesen Blättern Jahrg. 1822. Nr. 278 S. 421 fg. beurtheilt. Diese Abtheilung möge daher hier um so eher übergangen werden, als die sogenannte zweyte Auflage derselben, nur eben jene schon damals gedruckten und in das Publicum gekommenen Bogen enthält, denen nur ein neues Titelblatt und die zweyte Abtheilung, die Gaugeographie des alten Herzogthums Sachsen enthaltend, nebst der Gaukarte gegenwärtig beygegeben ist. Also von dieser zweyten Abtheilung soll nur die Rede seyn, wiewohl ein tiefes Hineingehen in das überreiche Detail derselben die Grenzen dieser Blätter bey weitem übersteigen würde, und sich Rec. um so mehr für jetzt der Prüfung dieses Details überheben möchte, als in einigen Monaten, die denselben Gegenstand bezielende Preisschrift des Landdrosten *von Wersebe* im Druck erscheinen wird, und er es vorzieht, nach deren Einsicht, sich über diejenigen Punkte zu äussern, über welche er bis jetzt mit dem Vf. nicht völlig übereinstimmen kann, wohin z. B. der *Pagus Laeni* gehört, an dessen von dem Vf. angegebenen Orte, vielleicht eher der *Pagus Osterwalde* zu finden seyn dürfte. Dagegen steht Rec. nicht an, im allgemeinen sein Urtheil über die vorliegende Arbeit dahin auszusprechen, dass er dieselbe für eine höchst verdienstliche und gelungene erklärt, deren meiste Angaben auch als vollkommen richtig anzusehen sind. Geschöpft sind dieselben, mit Uebergehung aller Polemik, aus den gleichzeitigen Schriftstellern und den Urkunden selbst, und was sehr zweckmässig ist, so ist bey jeder Angabe der in den einzelnen Gauen belegenen Ortschaften jedesmal das Datum der Urkunde angegeben, so dass dadurch die Arbeit selbst eine Zuverlässigkeit erhalten hat, welche den meisten Schriften über diesen Gegenstand abgeht. Die Gaue selbst sind nach ihren Grenzen genau angegeben, und die einzelnen Ortschaften, die zu denselben gehörten, verzeichnet. Das alte Herzogthum Sachsen zerfiel in vier Provinzen *Westphalen*, zu welchem der Vf. alles rechnet, was von Sachsen unter dem Erzstift

Cölln

Cölln und dem Bisthum Münſter ſtand, *Engern*, das ſich bis an Hildesheim und im Norden bis an das Meer erſtreckte, *Oſtphalen*, welches von der Elbe begrenzt wurde, und *Nordalbingien*, nördlich von dieſem Strom belegen, zu welchem der Vf. anhangsweiſe noch das zählt, was zwar von Slaven bewohnt war, jedoch erſt unter dem Erzſtift Hamburg, dann unter Verden, weiter unter Oldenburg ſtand, und ſeit Otto's I. Zeiten den Billungiſchen Herzogen unterworfen war. In *Weſtphalen* findet der Vf. folgende 13 Gaue: *Hamaland*, *Schoppingus*, *Sudergo*, *Dreini*, *Sturmethi*, *Weſtfalon*, *Hrecwithi*, *Grainga*, *Burſibant*, *Agredingo*, *Laingo*, *Derſiburg*, *Leri*; in Engern: *Wimodia*, *Hoſtingabi*, *Roſogau*, *Hogtrunga*, *Enterigawi*, *Lidbetegowe*, *Hedergo*, *Weſſaga*, *Thiatmelli*, *Huetiga*, *Aſterburgi*, *Patherga*, *Almunga*, *Nithega*, *Ittergau*, *Thilithi*, *Auga*, *Sturmi*, *Lainga*, *Grindiriga*, *Bukki*, *Merſtem*, *Wikanavelde*, *Suilbergi*, *Moronga*, *Lagne*, *Liſca*; in *Oſtphalen:* nur *Bardaga*, *Drewani*, *Laeni*, *Grethe*, *Muldeſe*, *Flotwida*, *Aſtphala* oder *Valim*, *Scotelingon*, *Guddingon*, *Aringho*, *Flenithi* oder *Fleithi*, *Ambergau*, weil der Vf. den Sprengel von Halberſtadt mit ſeinen Gauen von dem Herzogthume Sachſen ausſchlieſst; endlich in *Nordalbingien: Thetmarſi*, *Sturmarii*, *Holſatia*, die *Marca Heidebi*, ſodann die *Wagiri*, *Polabi*, *Obotriti*, *Kiſſini*, *Warnahi*, *Cerecepani* und *Rugiani* oder *Rani*. Drey ſehr zweckmäſsige Regiſter ſchlieſsen dieſe Abhandlung, nämlich ein alphabetiſches der Herzoge und Grafen; ein chronologiſches über die Folge derſelben, in ſofern deren Jahre beſtimmt angegeben ſind, und endlich ein geographiſches über die erwähnten Ortſchaften. Zu bemerken iſt noch, daſs in dem folgenden Werke, eine Berichtigung zu dieſem enthalten iſt, indem in demſelben noch folgende Gauen für Weſtphalen ausgemittelt ſind: *Dorerinſis*, *Boroctra*, *Ruriogao*, *Heriber*, *Avelgowe*.

Faſt mit noch gröſserm, Rec. möchte ſagen, unſäglichem Fleiſse, und einer ſehr treffenden Urtheilskraft iſt das zweyte Werk über den Markgraf *Gero* abgefaſst. Es zerfällt in zwey Hauptabſchnitte. Der erſtere umfaſst die Jahre 912 bis 988, und enthält eine vollſtändige Zuſammenſtellung aller in den gleichzeitigen Schriftſtellern ſich findender Thatſachen über dieſe Periode der deutſchen Reichsgeſchichte, und deren genaue Aneinanderreihung der Jahrszahlen und Daten, wodurch die bisherige Geſchichte der Ottonen zuerſt einen feſten Halt gewonnen hat, und unſtreitig die Anſchauung des regen Lebens während der Kriege Otto's I. gegen ſeine Brüder und den Herzog Eberhard, und gegen ſeinen Sohn und den Herzog Conrad um ein ſehr Bedeutendes erleichtert worden iſt. Vorzugsweiſe ſind hier auſserdem die ausführlichen, oft ganze Blätter ausmachenden, und ſehr reichhaltigen Anmerkungen unter dem Texte zu erwähnen, in welchen derſelbe bedeutende Erläuterungen in jeder Hinſicht enthält, und in welchen ſo manche geographiſche, genealogiſche und chronologiſche Schwierigkeit beſeitigt worden iſt. Daſs zahlloſe Irrthümer in den frühern Darſtellungen über den für die Geſchichte Brandenburgs ſo äuſserſt wichtigen Markgraf *Gero* hier berichtigt werden, bedarf kaum einer Erwähnung; ein Anhang giebt noch eine Ueberſicht ſeiner Nachfolger bis auf Markgraf Albrecht von Brandenburg (965—1136), aus welcher der Beſitzſtand jedes Jahrs auf das deutlichſte erſehen werden kann. Der zweyte Hauptabſchnitt enthält die Gaugeographie von Thüringen oder der ſorbiſchen Mark, auf dieſelbe muſterhafte Weiſe bearbeitet, wie die Gaugeographie des Herzogthums Sachſen. Der Vf. hat in derſelben folgende Gaue erforſcht: In der *Provincia Sudthuringiae*, den *pagus Weſtergau*, *Eichsfeld*, *Altgau*, *Nabelgau*, *Engilin* oder *Engilde*, *Huſitin*, vielleicht auch *Oſtergau*; in der *Diöces von Halberſtadt*, den *pagus Belka* oder *Belkesheim*, *Moſidi* oder *Moſuedi*, *Heilanga*, *Derlingo*, *Nordthuringo*, *Harthago*, *Suabago*, *Friſenoveld*, *Haſſegau*; im Stift *Havelberg*; *Zemzizi*, *Liezizi*, *Nielitizi*, *Deſſeri*, *Linagga*, *Murizi*, *Tholenz*, *Ploth*, *Mizerez*, *Brotwin*, *Wanzlo*, *Weſtze*; im Stift *Brandenburg: Moraciani* oder *Morazena* oder *Mortſani*, *Ciervisti* oder *Zerbiſte*, *Ploni*, *Zpriavani*, *Heveldun*, *Uueri* oder *Uucri*, *Riaciani*, *Zamzizi*, *Daſſia*, *Luſici*; in der ſogenannten Mark *Lauſitz: Serimunt*, *Cierviſti*, *Koledici*, *Suiſili* oder *Suſali*, *Scitici*, *Nitaze*, *Nitzizi*, *Luſici*, *Nice* oder *Nicciti*, *Selpuli*, *Zara* oder *Sarawe*, *Diedeſi*, *Cilenſi*, *Nudzici*, *Neletici*, *Weitao* oder *Vedu*, *Tuchurini*, *Orlgau*, *Plisni*, *Gera* oder *Geraha*, *Scuntira*, *Chutici*, *Zwikowe*, *Delemenci*, *Niſani*, *Milzeni* oder *Milſa*. — S. 228 fg. iſt noch bemerkenswerth, daſs der Vf. die Behauptung des Dr. *Leo*, „von der Entſtehung und Bedeutung der deutſchen Herzogsämter nach Karl dem Gr.," daſs nämlich die deutſchen Herzogsämter aus Abfindungen ſolcher Glieder der königlichen Familie hervorgegangen ſeyen, die nicht ſelbſt Anſpruch auf die königliche Würde gehabt hätten, nach Rec. Dafürhalten, ſehr bündig widerlegt, und dagegen ſeine eigene, auch ſchon S. 64 vorgetragene Anſicht, nach welcher die Entſtehung der deutſchen Herzogthümer nach Karl dem Gr. aus der Vereinigung der weltlichen Sendbotenwürde mit dem Beſitz mehrerer Grafſchaften oder der Grafſchaft in mehreren Gauen, abgeleitet wird, ſehr wahrſcheinlich gemacht hat. Ein ſehr reichhaltiges Regiſter ſchlieſst auch dieſes Werk. Die Karten ſind ſauber ausgefallen, auch macht das Aeuſsere des Buchs der Verlagshandlung alle Ehre.

ALLGEMEINE LITERATUR - ZEITUNG

September 1828.

TECHNOLOGIE.

Frankfurt a. M., b. Brönner: *Die beste und wohlfeilste Feuerungsart*, nach einem neuen Systeme theoretisch dargestellt, mit ausführlicher Anweisung zur praktischen Anwendung, von *Joh. Wilh. Busch.* Mit zehn Steindrucktafeln und einer Tabelle. 1826. 48 S. 4. (2½ Rthlr.)

Wenn gleich einzelne Gegenden noch jetzt mehr Holz liefern als die Consumtion fordert, in andern der Ausfall durch fossile Brennstoffe gedeckt wird, so ist doch gewiss, dass der Nachkommenschaft ihr Bedarf nur durch zeitige Beschränkung des Verbrauchs, vornehmlich durch Sparfeuerung gesichert werden kann. Diese zu fördern, wählte der Vf. zum Gegenstande seines Nachdenkens und unternahm zahlreiche Versuche, welche ihn auf die Construction sehr wirksamer Oefen führten, die er anfertigen und bey J. G. B. Trost in Frf. a. M. verkaufen lässt. Diese Schrift, bestimmt seine Erfindung noch gemeinnütziger zu machen, ist gewiss ein sehr schätzbarer Beytrag zur Ofenbaukunst, wenn auch nicht ganz in dem Sinne, den der Titel mit einiger Prätension ausspricht.

Die Einleitung stellt in 37 Paragraphen die Grundsätze auf, von welchen der Vf. ausging. Sie legen allerdings einen Beweis ab, dass er nicht ganz empirisch verfuhr, sind auch grösseren Theiles richtig, zum Theil aber gar nicht so unumstösslich, als der Vf. zu glauben scheint. Unrichtig z. B. wird §. 4 der dreyfache Aggregatzustand der Körper geradehin vom Gehalt an latenten Wärmestoff hergeleitet. Indessen sind das Sätze, die hier keinen praktischen Einfluss haben, mithin füglich zu übersehen. Wenn §. 13 und 18 die Ursache der Wärmeentwickelung durch Feuer in einem Uebergange des Sauerstoffs aus der Gasform in die feste gesucht wird, so gilt das nur von Metallverbrennungen, dagegen bey anderen die Wärmeentlassung nur Folge der Verdichtung des Sauerstoffgases durch Auflösung anderer Stoffe ist. Man sieht nicht ein, wie der Vf. dazu komme auf jenen paradoxen Satz die Regel zu bauen, dass man das Sauerstoffgas in einen festen Körper umwandeln müsse, um Heizung zu bewirken. Unter §. 32 folgert der Vf. also: „Die Flamme ist ein Kegel, also die Kreisform die zweckmässigste zur Umgebung der Flamme." Damit will er vorbereiten, dass der cylindrische Ofen den Vorzug vor prismatischen habe; allein jener Schluss fehlt im Vordersatze. Nur die Lichtflamme ist ein einfacher Kegel, und zwar nur bey rundem Docht. Die Holzflamme ist eine Gruppirung von Kegeln, deren Gestalt im Ganzen von der Figur der brennenden Basis abhängt. Verbrennen zwey Stücke Holz in paralleler Lage neben einander, oder im Kreuz auf einander gelegt, so bildet das Feuer in beiden Fällen eine vierseitige Pyramide, und dann ist das Rechteck die zweckmässige Figur zum Durchschnitt des Ofenkastens, die beste Form desselben aber eine Pyramide. Das ist um so gewisser, als derjenige Ofen die meiste Wärme gleichzeitig ausströmt, welcher, bey gleichem Rauminhalt, der Zimmerluft die grösste Oberfläche darbietet. Nach der Kugel ist aber die des Cylinders die kleinste. — Unter §. 33 wird aus der Zündungsweite eines Papiers an der Lichtflamme gefolgert, dass die Spitze der Flamme zwölfmal mehr Hitze gebe als eine Seitenfläche, und darauf die Regel gebaut, dass man Töpfe nicht in die Flamme einsenken müsse, um Feuerung zu ersparen. Ein einziger Versuch mit einem Lampenofen würde den Vf. überführen, wie viel grösser die Wirkung der Flamme ist, wenn sie um das Gefäss spielt, als wenn nur die Spitze den Boden berührt. Unter §. 36 wird empfohlen die Rauchabzüge trichterförmig zu erweitern, auf fünf Schuh Länge um einen Zoll. Unbezweifelt würde dadurch die Absetzung des Glanzrusses vermindert, aber ebenso gewiss auch die Absetzung der Wärme, von welcher jene die Folge ist.

Rec. war verbunden zu obigen Ausstellungen, damit man nicht dem Titel nach, theoretische Entdeckungen suche, will aber damit kein ungünstiges Vorurtheil gegen den eigentlichen Werth dieser Schrift erwecken. Wir sind schon daran gewöhnt die Theorieen der Praktiker von ihren Leistungen zu trennen. Offenbar sind die Oefen des Vfs. weit besser als seine Theorie, die nur zum Staat beygegeben ist und ohne Schaden weggeblieben wäre. Rec. abstrahirt daher nun von dem „neuen System" und bemüht sich dem wahrhaft Guten, welches der praktische Theil der Schrift enthält, Anerkennung zu verschaffen. Dieser zerfällt in *drey* Abschnitte, überschrieben: Stubenofen, Herd und Kesselfeuerung.

A. *Der Stubenofen,* (S. 10—25). Der neuerfundene des Vfs. ist äusserlich ein Cylinder, aus Ringen von Gusseisen aufgebaut. Er ist der Mantel eines inneren Hohlkernes von gleicher Höhe, der, gleichfalls von Eisen, ein hohles, vier- oder fünfseitiges Prisma bildet und mit Grand oder grobem Kies ausgefüllt wird. Beide, der Cylinder und das Prisma, stehen concentrisch und mit gemeinschaftlicher Achse auf der Bodenplatte, welche den Aufatz vom Feuerkaften fcheidet. Der Zwifchenraum zwifchen beiden ift längs der Seitenkanten des Prisma's durch zolldicke Backfteine in vier oder fünf Kammern getheilt. Eine derfelben nimmt durch die geöffnete Bodenplatte den Feuerftrom auf. Alle Kammern communiciren, abwechfelnd oben und unten, durch Oeffnungen, welche im Durchmeffer zunehmen, fo dafs jede folgende um einen halben Zoll weiter ift als die dem Feuer nähere. Der heifse Rauch ftreicht auf und ab durch die Kammern, die ftatt der Züge dienen, um den Hohlkern und dann oben oder unten in die Effe aus. Der Ofen kann eben fowohl im Zimmer als von aufsen heizbar eingerichtet werden. Er wird mit zehn Zoll lang gefchnittenem Holze, oder mit Steinkohlen, Braunkohlen, Torf oder Lohkuchen gefeuert.

Der ganze Ofen ift nur fünf Fufs vier Zoll hoch und vierzehn Zoll dick. Dennoch wird durch ihn ein Zimmer von 25 Fufs Länge, 20 Fufs Breite und 12 Fufs Höhe vollkommen durchgeheizt. Wenn man die körperlichen Inhalte berechnet, fo ergiebt fich das Verhältnifs zwifchen Ofen und Zimmer, wie 8 : 6000 oder 1 : 750, eine ungewöhnliche grofse Differenz, die bedeutende Raumerfparnifs mit fich führt. Die elegante Säulenform dient nicht weniger zur Empfehlung.

Ein folcher Ofen ward zur Probe einen ganzen Tag über geheizt, und zur Vergleichung daneben ein gewöhnlicher Cylindercirculirofen gleicher Gröfse in einem Zimmer von gleicher Gröfse. Die Wärme der Zimmer ward jede halbe Stunde in verfchiedenen Entfernungen von den Oefen und verfchiedenen Höhen forgfältig beobachtet, auch einige Stunden nach dem Niederbrennen der letzten Einlage. Die der Schrift angehängte Vergleichungstabelle ftellt die fämmtlichen Beobachtungen fehr überfichtlich dar. Aus denfelben folgt, dafs der neue Ofen bey gleicher Erwärmung des Zimmers nur etwa halb fo viel Brennmaterial erforderte; dafs ferner das mit dem neuen Ofen geheizte Zimmer nicht fo fchnell erkaltete; dafs endlich der Unterfchied zwifchen den Temperaturen an der Decke und am Boden des Zimmers nicht fo grofs war als bey einem gewöhnlichen Circulirofen; und dafs diefer neue Ofen defshalb das Austrocknen feuchter Zimmer fehr befördere. Diefe Vortheile nehmen gewifs die Aufmerkfamkeit der Architekten und Phyfiker in Anfpruch, und fichern dem Vf. deren Dank für die Bekanntmachung feiner Erfindung. Das längere Anhalten der Wärme rührt ohne Zweifel von der langfamen Wärmeleitung des lockeren Kiefes her. Diefer Theil der Anlage ift eine glückliche Nachahmung der Kugelöfen. Statt dafs die Züge der gewöhnlichen Oefen in der Höhe fich ausbreiten und da vornehmlich wirkfam find, findet hier die ganze Circulation des Rauchs unter einer Höhe von fünf Fufs ftatt, wie bey der Treibhausheizung, fo dafs die Erwärmung von unten anhebt und fich nun durch das Auffteigen warmer Luftfchichten nach oben verbreitet. Statt dafs bey den gewöhnlichen Zugöfen der Rauch als Wärmeträger nur einmal benutzt wird, kehrt er hier zweymal zur[illegible] und wird durch die heifse Deckplatte des Feue[illegible] ftems wiederholt erhitzt, die er nach einer [illegible] Seite des Ofens ausbreitet. Diefe wiederholte [illegible] wärmung verhütet, dafs der Rauch nicht ftocke, [illegible] ches bey fo tiefem Niederdrücken gewifs der [illegible] feyn würde, wenn er erkaltete. Zur Gleichförmi[illegible] keit des Abzuges trägt unftreitig viel bey, dafs [illegible] Uebergänge aus einer Kammer in die andere fich [illegible] fenweife erweitern; dadurch aber, dafs die erwärm[illegible] Luft abwechfelnd fteigen und finken mufs, wird [illegible] Strom etwas verzögert, die atmofphärifche L[illegible] kann daher auch nur langfam folgen und die Verbrennung erfolgt nicht fo fchnell als beym gewöhnlichen Windofen; bey dem Sackofen dagegen fehlt die Regulirung in der Bewegung der heifsen Luft. Wenn alfo auch die Elemente der neuen Erfindung fchon einzeln da waren, dem Erfinder gehört doch das Verdienft, fie glücklich vereinigt zu haben, [illegible] mehrere Zwecke zufammen zu erreichen und [illegible] Wirkung hervorzubringen, wie noch Keiner [illegible] ihm.

B. *Der Herd* (S. 25—36). Der hier befchrieben[illegible] vereiniget Kochanftalt, Bratofen und Wafchkeffel. Er ift im Wefentlichen von den fchon verbreiteten Sparherden wenig verfchieden. Die am Schluffe der Schrift (S. 44—47) mitgetheilte Vergleichung des Holzverbrandes bey dem vom Vf. angelegten Kafernen-Probeherde mit dem früher gebrauchten fpricht laut genug für erfteren, hat aber nur locale Beziehung, da die frühere Einrichtung nicht angegeben ift. Allgemeineres Intereffe hat die (S. 11 u. 28 f.) empfohlene Verbindung des Sparherdes mit dem Stubenofen, die, wenn fchon nicht neu, doch wenig verfucht ift. Die dabey zum Grunde liegende Idee, den noch heifs vom Herde abziehenden Rauch durch die Zimmerwand dem Stubenofen zuzuführen, und diefen damit zu heizen, verfpricht manche Vortheile. Der Stubenofen ift von der oben befchriebenen Einrichtung, wird aber bey geringer Kälte gar *nicht befonders* geheizt. Soll Letzteres gefchehen, fo *wird* die Verbindung mit dem Herde durch einen Schieber gefperrt. Die oft gehörte Klage, dafs der Holzverbrand bey gelinder Witterung immer gröfser ausfalle, als er nach Verhältnifs follte, weil doch einmal geheizt werden müffe, das entfprechende Maafs aber nicht leicht zu treffen fey, fcheint durch folche Wechfelheizung ganz einfach befeitiget zu werden. Allein Rec. kann nicht umhin, den Zweifel auszufprechen, ob die verheifsene Wirkung fich *in der* That bewähren könne. Der Rauch wird in dem kalten Ofen zufammenfallen und nicht im Stande feyn den Widerftand der fallenden Züge zu überwinden, da die Beyhülfe vom heifsen Kerne wegfällt. Er wird alfo ftocken, auf den Herd nachtheilig zurückwirken, vielleicht die Küche felbft anfüllen, und fo würde ein Zweck mit dem andern verfehlt, ftatt beide zu erreichen. Nimmt man auch an, dafs der Rauch gehörig fteigen und fallen werde, fo wird dann der Stubenofen zur Effe und die Züge fal-

[fa]llen sich mit Rufs. Wenn aber nachher der Stubenofen selbst geheizt wird, so thut er keine Wirkung, weil der innere Nichtleiter die Absetzung der Wärme vereitelt. Bey scharfem Luftzuge entzündet sich wohl der Rufs in den Zügen und dann brennt sich der Ofen selbst aus, aber nicht ohne Gefahr des Zerspringens. Drittens endlich liegt in der Sache ein gewisser Widerspruch. Nur da, wo überflüssige Hitze ungenutzt entweichen würde, läfst sich eine Nebenheizung anbringen. Leistet des Vfs. Sparherd das, was Rec. glaubt, so verbraucht er die erregte Wärme selbst; bliebe aber viel übrig, so wär's kein Sparherd. Thatsachen und Belege, wie unter *A* für den Stubenofen zeugen, fehlen hier ganz.

C. *Der Kesselbau* (S. 36—40). Um einen wichtigen Zweig der Herdfeuerung nicht unberührt zu lassen, liefert der Vf. hier einen Kesselherd mit Circulirfeuer zu technischem Gebrauche, aber ohne bestimmte Hinweisung auf ein besonderes Gewerbe. Diese Unterlassung ist misslich. Wenn man erwägt, wie verschiedene Umstände bey den Arbeiten des Färbers, des Seifensieders, des Lichtgiefsers, des Leimsieders, des Zuckersieders, Bierbrauers, Hutmachers u. s. w. vorkommen, auf welche bey Anlage des Kesselherdes Rücksicht zu nehmen ist, so kann man gewifs nicht eine und dieselbe Vorrichtung für alle oder viele Gewerbe zugleich empfehlen. Die hier beschriebene mag für manche Auflösungsarbeiten, namentlich für Ausziehung der Farbestoffe, sehr passend seyn. Die Holzersparnifs, auf welche hier lediglich Rücksicht genommen wird, mufs in anderen Fällen besonderen Zwecken untergeordnet, sogar aufgeopfert werden. Unter den nachfolgenden Schlufsbemerkungen wird (S. 42 und 43) aufmerksam gemacht; dafs diese Kesselfeuerungsart mit Ersparung von mehr als der Hälfte an Brennmaterial auf Dampfmaschinen anwendbar seyn werde. Das wäre ungemein wichtig, insbesondere für die Dampfschifffahrt; allein Versuche und Erfahrung müfsten erst beglaubigen, dafs es thunlich sey, ohne die dort nothwendige rasche Verdampfung zu verzögern.

Die Anweisungen zum Aufbau der beiden Oefen, des Herdes und des Sparkessels sind sehr ausführlich und so verständlich, dafs allenfalls ein tüchtiger Handwerksmann ohne andere Leitung darnach arbeiten kann. Die sauber im Umrifs gezeichneten Steintafeln, welche auf sechs ganzen und sieben halben Grofsfoliobogen in einem besonderen Umschlage beygegeben sind, stellen die beschriebenen Anlagen und einzelnen Theile im Grundrifs, Aufrifs und Durchschnitt nach verjüngtem Maafsstabe, mehrentheils auch in perspectivischer Ansicht dar.

Schnieder.

VERMISCHTE SCHRIFTEN.

HAMBURG, b. Perthes: *Wahrnehmungen einer Seherin.* Herausgegeben von *J. F. v. Meyer. Erster* Theil. 1827. X u. 400 S. 8. (2 Rthlr.)

Die Erscheinungen des Lebensmagnetismus verdienen mit Recht eine Aufmerksamkeit der Zeitgenossen, sowohl wegen der Heilkraft, welche sich darin kund giebt, als wegen der übrigen damit verbundenen Umstände, und es ist eben so übereilt, sie für blofse Täuschungen zu erklären, als mit phantastischer Hingebung mancherley Wunder, oder philosophische und theologische Aufschlüsse von ihnen zu erwarten. Merkwürdig bleibt immer, dafs die Aussagen der Hellsehenden sich gemeinhin auf Religion und das unsichtbare Reich des Geistes beziehen, dessen Enthüllung der Gegenstand so vieler menschlichen Forschungen von jeher gewesen ist; dafs sie zugleich als Resultate einer höhern Wahrnehmung hervortreten, die nicht allemal mit der übrigen Bildung der Individuen in sichtbarem Zusammenhange steht. So hatte denn auch jene Seherin, die uns der Herausgeber vorführt, laut seiner darüber mitgetheilten Nachricht, nie eine wissenschaftliche Bildung erhalten, war in den achtziger Jahren des vorigen Jahrhunderts in die magnetische Krise gesetzt, und hellsehend geworden. Schon damals erschienen über sie einige kleine Schriften, die hier mitgetheilten Wahrnehmungen sind jünger, vom Jahr 1788, und bey ihr fand sich das Eigene, dafs sie durch die intellectuelle Beschaffenheit ihrer Krisen eine bleibende Ausbildung ihres Innern erhielt. Der Herausgeber hat sich aller eignen Einmischung enthalten und möglichste Treue im Wiedergeben sich zur Pflicht gemacht, was ungemein zu billigen ist. Er bemerkt über das in den zerstreuten Aeufserungen hervorleuchtende System der Seherin: sie behauptet das Daseyn dreyer Theile des Menschen, Leib, Seele und Geist, sieht die Geschichte der Menschheit in innigem Zusammenhange mit der Erlösungswahrheit, betrachtet die Menschheit überhaupt, nach Zeit und Ort, nur als Ein Ganzes, den ganzen Menschen als Einen Leib, welchem durch die väterliche Leitung Gottes zur Herstellung und Vollendung geholfen wird; die Natur ist ihr ein Buch Gottes, ein Bilderwort seiner Offenbarungen und Eigenschaften; sie erklärt endlich den Magnetismus für etwas viel Allgemeineres und Höheres, als wohl unter ihm verstanden zu werden pflegt, nämlich für die Entbindung der ganzen ursprünglichen Lichtnatur des Menschen, in ihren verschiedenen Theilen, Vermögen und Beziehungen.

Uns scheint die Bildung dieser Seherin aus der Bibel geflossen, gleichwie ihre Frömmigkeit, und hiemit sind ihre Ansichten von der Geschichte, dafs sie die Zeitläufe der Vorwelt am Volk Israel mifst (S. 181), dafs sie drey Kräfte des Geistes Gottes, Wind, Feuer, Licht oder Leben (S. 191) annimmt, u. s. w. übereinstimmend, zugleich schliefst sich daran, wie auch bey manchen andern frommen Lesern der heiligen Schrift, ein gewisser Quietismus, ein Pantheismus in Form der Emanationslehre, der denn wieder zu mystischen, ja selbst kabbalistischen Vorstellungen sich hinneigt. Hierüber sogleich ein Verdammungsurtheil zu sprechen, sey ferne: denn wahre Gottesfurcht und Gottergebenheit sind in jeder Gestalt hochzuschätzen; allein dafs grade eine hö-

höhere Weisheit oder ein beſonderer Aufſchluſs über Gott und Menſchen ſich darin verkünde, wird von den Gleichgeſinnten etwas raſch vorausgeſetzt. Wenigſtens fand Rec. im Ganzen keine Ausſagen, die nicht ſonſt in der Geſchichte ſchon Eigenthum des menſchlichen Denkens geworden wären, und nun hier als unmittelbare Wahrnehmungen hervortreten. Einen Unterſchied zwiſchen Geiſt und Seele haben manche Pſychologen angenommen, unſere Seherin ſetzt die letztere als Bindeglied zwiſchen Geiſt und Materie. „Der Geiſt könnte die plumpe Materie, den Körper, ohne die Seele nicht in Bewegung ſetzen; der Geiſt, wie er von Gott ausgegangen iſt, verhält ſich zur Materie wie ein Stein, den man aufs Waſſer ſetzt, durch die Seele aber kann er benutzt werden. Die Hauptkraft der Seele iſt eine äuſserſte feine lichthelle Materie; ſie iſt etwas Erſchaffenes, der Geiſt iſt etwas Gegebenes" (S. 138). „Die weſentlichſten Theile der Seele ſind Feuer, Wind, Licht" (S. 141); „der Sinn, dieſe Haupteigenſchaft der Seele, iſt ein inneres Licht, kein materielles, ein inneres Auge, daſs von Allem gleichſam berührt wird. Der Geiſt kann nicht auf gleiche Art berührt werden, ſeine Eigenſchaft iſt Denken, ihn kann nur der Geiſt Gottes berühren. Der Seele kann ſich Gott nur auf ſinnliche Art zeigen, dem Geiſte zeigt er ſich anders und ohne Zuthun der Seele, doch theilt ihr der Geiſt davon mit" (S. 157). Das Leben in der Natur iſt das Licht, das Alles in Bewegung ſetzt, wodurch die Luft iſt, was ſie iſt, das Alles gehörig vertheilt, jedes Ding an dem ihm beſtimmten Platze feſthält u. ſ. w. (S. 161). „Die Farben der Seele ſind ſanft und fein, oder ſchwer und grob. Die Seele einiger Menſchen hat, gleichwie der Lichtſtrahl, etwas Gelbliches" (S. 206). Nach S. 214 iſt die Farbe unſerer Seele im Ganzen grauweiſs. „Der Geiſt iſt ein Weſen das in ſich ſelbſt lebt, immerdar wirkſam iſt, und zu wirken nicht aufhören kann. So wie die von der Kraft des Geiſtes verurſachte Wirkung ſich von ihr noch weiter entfernt und tiefer herabwirkt, entſteht Materie, dieſe iſt nichts Weſentliches" (S. 229). Der Geiſt bringt mittelſt des Lebens Bewegung in die Materie und wirkt in ihr; er geht aus und nimmt wahr, daſs alle Körper zuſammengehören, nur Einen ausmachen" (S. 255).

Schon hierin ſind Züge der Emanationslehre kennbar, ſie kehren auch an anderen Orten wieder, und werden mit dem Magnetismus in Verbindung geſetzt. „So wie das Leben in der Natur eine einzige Kraft iſt, und doch Millionen verſchiedener Wirkungen macht, ſo iſt es auch mit dem Magnetismus, und deshalb iſt er nie ganz zu erklären" (S. 142). „Vom Geiſte können wir uns keinen Begriff machen, weil er eine Einheit iſt. Wie der Geiſt, dieſe Einheit, ausgeht, ſo entſteht Mehre[illegible] entſtehen mehrere Kräfte, Weltgeiſt, Weltſeele, [illegible] ſ. w. und aus dieſen das Mannichfaltige in der Sc[illegible]pfung" (S. 243). „Gott iſt im Leben der We[illegible] (S. 321). „Gott iſt uns in der Materie ſo nahe, [illegible] wenn er ſelbſt in ihr wäre." „Die unſichtbare Sch[illegible]pfung, aus welcher die ſichtbare entſtanden iſt, b[illegible]ſteht immer in der Welt, und iſt von Gott ausgegangen." (S. 172). „Es giebt auch unſichtbare M[illegible]terie" (S. 179). Die Entſtehung der Materie wi[illegible] S. 386 beſchrieben. Es ging Leben von Gott au[illegible] aus ihm entſtand ein Dunſtkreis, aus dieſem e[illegible] Rauchdampf, aus dieſem ging der Erdklos oder da[illegible] feſte Salz hervor. Unſer Geiſt iſt auf andere Wei[illegible] wie das Leben in der Natur von Gott ausgegangen. Jedes Weſen, je nach der Beſchaffenheit ſeines Berufs und ſeiner Beſtimmung, geht auf eine andere Weiſe von Gott aus (S. 173). Alle Geiſter der Menſchen ſind einerley Art. Die Geiſter der Engel haben ſchon eine andere Beſtimmung; zwar ſind ſie den Geiſtern der Menſchen ähnlich, aber doch ander[illegible] (S. 174). Der Teufel iſt ein Geiſt, wie die Engel ſind, er kann nur mittelbar auf Menſchen wirken, iſt gebunden, wird aber, wenn es das Beſte der Menſchheit erfodert, losgelaſſen. Er bedient ſich gewiſſer Mittel und dieſe ſind die Satanaſſe (S. 291). Chriſtus, das Licht, das Leben, die Schöpfung, bleibt immer für uns das Mittel Gott zu ſehen (S. 325). Das Leben des Geiſtes iſt vom Leben in der Natur unterſchieden und doch Eins; deren Einheit in Gott iſt in Gott *Vater* genannt (S. 392). — Wir enthalten uns, mehr Aeuſserungen dieſer Art hervorzuheben, welche im Buche rhapſodiſch wiederkehren, und bemerken nur noch, wie von der Seherin empfohlen wird: „Gott wolle uns Alles mit Weisheit *recht* lieben lehren! Die wahre Liebe läſst Nichts unbenutzt; denn in Allem iſt etwas Gutes. Haben wir ſie, ſo haben wir auch mehr magnetiſche Kraft, und wirken beſſer auf Andere" (S. 187). Und wo von beſonderen Kenntniſſen, auch ärztlichen, *die Rede iſt*, welche der Menſch erhält, wenn er ſich der *Natur* überläſst und in ſich einkehrt, ſagt ſie: „Dergleichen Kenntniſſe ſind immer mit Beſcheidenheit und Demuth gepaart; des Menſchen Beruf in Rückſicht auf Andere geht dahin, allen Leidenden durch Troſt und Theilnahme und mittelſt ſeiner Fähigkeiten zu helfen, er muſs ſich nicht höher achten als Andere, ſoll ſich der Führung Gottes überlaſſen. Wir müſſen Alles um Gottes und unſertwillen thun, nicht um des Tadels oder des Lobes der Menſchen *willen*, denn Tadel oder Lob iſt nicht mehr, *als* wenn ein Thier mich anbrummt oder mir ſchmeichelt" (S. 199). — Tadle oder lobe nun der Leſer, wie er wolle.

PP.

LLGEMEINE LITERATUR-ZEITUNG

September 1828.

LITERARISCHE ANZEIGEN.

I. Ankündigungen neuer Bücher.

Von

Niemeyer's Charakteristik der Bibel ird, im Einverständniss mit der Familie des verorbenen Verfassers, eine neue Auflage vorbereitet, orüber das Nähere in kurzer Zeit zur Kenntniss des ublicums kommen soll.

Vielfache, deshalb an uns ergangene Anfragen eranlassen uns zu dieser vorläufigen Anzeige.

Halle, den 11. September 1828.

Gebauer'sche Buchhandlung.

Bey Mauritius in Greifswald ist erschienen:

E. Fries, elenchus fungorum, sistens comment. in syst. mycol. Vol. 1. 1 Rthlr. 4 gr.

Vol. 2. erscheint zu Michaelis.

Weinzauber, Deutschlands Liedertafeln zugedacht. 4 gr.

Die Felsen von Nivrodonofs, vom Verf. der Novitze von St. Marienhein. 2 Thle. 2 Rthlr.

So eben hat die Presse verlassen und ist im Verlage bey Franz Wimmer, Buchhändler in Wien, so wie in allen übrigen Buchhandlungen Deutschlands (Leipzig bey J. A. Barth) zu haben:

Doctor *Bretschneider's Heinrich und Antonio* oder die Proselyten der Römischen und Evangelischen Kirche, fortgesetzt von *J. Handschuh*, Weltpriester. gr. 8. Wien 1828. Geheftet im Umschlag 1 Rthlr. 8 gr. oder 2 Fl. 24 Kr. Rhein.

Die Verlagshandlung glaubt zur Anempfehlung dieses Werkes auf die Tendenz desselben aufmerksam machen zu müssen. Nämlich die vom Hn. General-Superintendenten Dr. *Bretschneider* zu Gotha, in seiner Schrift „Heinrich und Antonio" ausgesprochenen Ansichten über die katholische Kirche zurecht zu weisen. Jedoch kann dasselbe auch unabhängig von dieser Schrift wohl verstanden werden, und wird gewiss durch die Wichtigkeit des Inhaltes, als auch wegen der gründlichen und dabey doch angenehmen Durchführung desselben, jeden noch nähere Beleuchtung und Sicherstellung seines Glaubens gegen die Einwürfe anderer Confessionen Verlangen tragenden Katholiken erbauen und beruhigen, indem die darin zur Sprache gebrachten Einwürfe gegen die katholische Lehre die neuesten, und zwar aus der Feder eines der gefeyertesten protestantischen Theologen sind.

Nachstehende, bey Perthes u. Besser in Hamburg neu erschienene Bücher sind in allen Buchhandlungen zu haben:

Historische Abhandlung über die Herrschaft der Türken in Europa. Aus dem Englischen. 8. Geh. 12 Ggr.

Beleuchtung einer Gothenburger Dispache. gr. 8. Geh. 3 gGr.

Böckel, Dr. E. G. A., Predigten, zum Theil bey besondern Veranlassungen. gr. 8. 2 Rthlr.

Fricke, Dr. J. C. G., Annalen der chirurgischen Abtheilung des allgemeinen Krankenhauses in Hamburg. 1ster Band. Mit 3 Steindrucktafeln. gr. 8. 2 Rthlr. 12 gGr.

Grüning, A., französische Grammatik für Deutsche, mit Beyspielen, Uebungen und Proben zur Anwendung der Regeln. 6te, neu revidirte Ausgabe. 8. 1 Rthlr. 8 gGr.

Jacob, William, 2ter Bericht an die englische Regierung über den Anbau und Absatz des Getreides in mehreren Europäischen Continental-Staaten. gr. 8. Geh. 19 gGr.

John's, J., herzerhebende Betrachtungen für christliche Communicanten und Confirmanden. Neu herausgegeben und vermehrt von dessen Sohne *J. John*. 8. Druckp. 16 Ggr. Schreibp. 1 Rthlr.

Kempe, St., wahrhafter Bericht, die Kirchensachen in Hamburg vom Anfange des Evangelii betreffend, herausgegeben von *Strauch*. gr. 8. Geh. 4 gGr.

Magazin der ausländischen Literatur der gesammten Heilkunde, und Arbeiten des ärztlichen Vereins zu Hamburg. Herausgegeben von Dr. *G. H. Gerson*. und Dr. *N. H. Julius*. Jahrg. 1828. 6 Hefte. Geh. 6 Rthlr.

3 Hefte sind hiervon bis jetzt versandt; das 4te ist unter der Presse.

Merle d'Aubigné, J. H., der häusliche Gottesdienst; eine Predigt über Josua XXIV. 15. Aus dem Französischen. 8. Geh. 5 gGr.

Nolte, Dr. E. F., novitiae florae holfaticae, five supplementum alterum primitiarum florae holfaticae G. H. Weberi. 8. 16 gGr.

Rambach, A. J., Entwürfe der, über die evangelifchen Texte gehaltenen Predigten. 9te Sammlung. gr. 8. Drckp. 1 Rthlr. 8 gGr. Schrbp. 1 Rthlr. 16 gGr.

Rautenberg, J. W., Denkblätter der Predigten, welche in der Kirche zu St. Georg vor Hamburg gehalten find. 7te Sammlung. gr. 8. 1 Rthlr. 6 gGr.

Schröder, M., die Obftforten meiner Baumfchule auf dem Burgfelde vor Hamburg. 1fte Liefer. Aepfel. gr. 8. 21 gGr.

Schumacher, H. C., aftronomifche Hülfstafeln für 1828. gr. 8. Geh. 1 Rthlr. 8 gGr.

Weftphalen, Dr. N. A., Verfuch einer geordneten Zufammenftellung kurzer Nachweifungen über fämmtl. Hamburgifche Staats-Verwaltungs-Behörden. gr. 8. Geh. Druckp. 1 Rthlr. 16 gGr. Schreibp. 2 Rthlr.

Wolter's, O. L. S., Betrachtungen über die 7 letzten Worte des fterbenden Erlöfers. 6 Faftenpredigten. gr. 8. 12 gGr.

Hamburg, im Julius 1828.

Neuefte Verlagsbücher
der Etlinger'fchen Buch- und Kunfthandlung zu Würzburg, welche durch alle folide Buchhandlungen zu beziehen find:

Aufgaben, 600, aus der deutfchen Sprach- und Rechtfchreiblehre, zur Selbftbefchäftigung der Schüler in Volksfchulen. *Vierte*, umgearbeitete u. vermehrte Auflage. 8. Geheftet 8 gr. oder 30 Kr.

Balling, J. G., Syftem der Naturphilofophie. Mit 6 Zeichnungen. gr. 8. 18 gr. oder 1 Fl. 12 Kr.

Beftand der katholifchen Kirche auf dem ganzen Erdkreife. gr. 8. Geh. 6 gr. oder 24 Kr.

Eckartshaufen, H. v., Gott ift die reinfte Liebe. Meine Betrachtungen und mein Gebet. Durchgefehen, verbeffert und vermehrt von *J. M. Gehrig*. Neue, einzig rechtmäfsige *Original-Ausgabe*, mit 3 fchönen Kupfern. In Tafchenformat. Auf ordinär Druckpapier 9 gr. oder 36 Kr.
Auf weifs Druckpap. 12 gr. oder 48 Kr.
Auf Schreibpap. 16 gr. oder 1 Fl.
Auf Velinpap 20 gr. oder 1 Fl. 20 Kr.

Flechier, C., Leben des berühmten Cardinals *Franz Ximenes von Cisneros*. Aus dem Franzöfifchen überfetzt von *P. Fritz*. *Erfter* Theil. gr. 8. 1 Rthlr. oder 1 Fl. 30 Kr.

Fuchs, Dr. C. H., hiftorifche Unterfuchungen über *Angina maligna*, und ihr Verhältnifs zu Scharlach und Croup. gr. 8. Geh. 16 gr. oder 1 Fl.

Gehrig, J. M., Sonn- und Fefttägliche Predigten und Homilien, nebft einigen Gelegenheits-Reden, und einem Curfe Faften-Predigten: die heilige Meffe der katholifchen Kirche. *Zwey* Theile. *Zweyte*, verbefferte Auflage. Mit *Gehrig's* Porträt. 8. 1 R 12 gr. oder 2 Fl. 24 Kr.

Hergenröther, *Joh. Bapt.*, kurze Ermunterung und leitung zur Obftbaumzucht. Für die Bewohner Königreichs Bayern. 8. Geh. 6 gr. oder 24 Kr.

Ketzer-Lexicon, oder gefchichtliche Darftellung Irrlehren, Spaltungen und fonderbaren Meinung im Chriftenthume, vom Anbeginn deffelben bis unfere Zeiten; in alphabetifcher Ordnung. Aus d Franzöfifchen überfetzt, vielfach verbeffert und vermehrt von *P. Fritz*. *Erfter* und *zweyter* Ba 1fte und 2te Abtheilung, die hiftorifche Einleitu und die Buchftaben *A—K* enthaltend. gr. 8. A Druckpapier 3 Rthlr. 12 gr. oder 5 Fl. 24 Kr. Da felbe auf fein Schreibpapier 4 Rthlr. 18 gr. od 7 Fl. 12 Kr. (Der 3te Band enthält die Buchftab *L—Z*, und erfcheint noch in diefem Jahre.)

Kreis-Meffung des Archimedes von Syrakus, mit dem dazu gehörigen Commentar des Eutokius v Askalon. Griechifch und deutfch, mit Anmerkungen begleitet, und einer Einleitung; welche fi vorzüglich über die Zahlen-Bezeichnungsarten u das Zahlen-Syftem der Griechen ausbreitet, vo *J. Gutenäcker*. Mit einer Figurentafel. *Zweyte*, unveränderte Auflage. 8. 12 gr. oder 48 Kr.

Mühlich, Prof. *A.*, Leitfaden bey dem Unterrichte in der Rhetorik im engeren Sinne, zum Gebrauche in den Obergymnafialklaffen. *Dritte*, verbefferte Auflage. 8. 12 gr. oder 48 Kr.

Müller, *A.*, Anleitung zum geiftlichen Gefchäfts-Stil und zur geiftlichen Gefchäfts-Verwaltung, fowohl nach dem gemeinen Kirchenrechte, als nach den befondern kön. bayerifchen Verordnungen. Nebft einem Anhange von Formularen aller Arten von Gefchäfts-Auffätzen, welche in den verfchiedenen Verzweigungen der geiftlichen Amts-Verwaltung vorkommen, zunächft für katholifche Geiftliche. *Zweyte*, umgearbeitete und vermehrte Auflage. gr. 8. 1 Rthlr. 16 gr. oder 2 Fl. 45 Kr.

Parizek, *A.*, der Weg zur Seligkeit. Ein Gebetbuch für gutgefinnte katholifche Chriften. Durchgefehen, verbeffert und vermehrt von einem katholifchen Geiftlichen der Diöces Regensburg. Mit 3 fchönen Kupfern. Tafchenformat Auf ordinär Papier 8 gr. oder 30 Kr.
Daffelbe auf weifs Druckpap. 10 gr. oder 40 Kr.
Daffelbe auf Poftpapier 14 gr. oder 54 Kr.

Pfifter, F. G., Gedanken und Betrachtungen über die 5 Bücher *Mofes*. Ein Commentar. Mit einem fchönen Titelkupfer, gezeichnet von *Heideloff*, und geftochen von *Bitthaufer*. *Zweyte*, unveränderte Auflage. gr. 8. 1 Rthlr. 8 gr. oder 2 Fl.

Reihenfolge, chronologifche, der römifchen Päpfte von *Petrus* bis auf *Leo XII*. Aus dem römifchen Staats-Kalender ins Deutfche übertragen, und mit Zufätzen verfehen von einem katholifchen Geiftlichen. Nebft einem Anhange: Beftand der katholifchen Kirche auf dem ganzen Erdkreife. 3te verm. Aufl. Mit dem fehr sehr ähnlichen Porträt *Leo XII.* und einer Ansicht der St. Peterskirche zu Rom. gr. 8. 1 Rthlr. 16 gr. oder 2 Fl. 45 Kr.

Russwurm, H., das heilige Kreuz und das Gebet des Herrn in 10 Predigten erklärt; nebst einer Zugabe mehrerer Festpredigten und einigen Grabreden. 8. 1 Rthlr. oder 1 Fl. 30 Kr.

Selchow, Dr. *J. H.*, Erzählungen von den Sitten, Gebräuchen und Meinungen fremder Völker. Ein lehrreiches Unterhaltungsbuch für die liebe Jugend. Mit 6 illuminirten Kupfern, worauf 36 fremde Völker abgebildet sind. Neue Auflage. 8. Gebunden 1 Rthlr. oder 1 Fl. 30 Kr.

Weg, der, zum Himmel, oder: Andachten der christlichen Kirche auf alle Tage und Feste des Jahres. Für Katholiken. Vom Uebersetzer der Religion nach *Raçine*. *Zweyte*, vermehrte Original-Ausgabe. Mit 3 schönen Kupfern und einem gestochenen Titel nebst Vignette. 8. Auf Druckpapier 16 gr. oder 1 Fl. Auf fein Schreibpapier 1 Rthlr. oder 1 Fl. 30 Kr.

Zeller, Dr. *F. B.*, die Molkenkur in Verbindung mit der Mineral-Brunnenkur. Ein menschenfreundlicher Wink für Alle, denen daran gelegen ist, ihre Gesundheit zu erhalten, und ihr Leben zu verlängern. *Zweyte*, vermehrte und verbesserte Auflage. Mit einer Ansicht des Kreuzberges nebst dem Kloster im Untermainkreise. Taschenformat. Geheftet 9 gr. oder 36 Kr.

Erwin,
Novelle* von *Karl Wenn*.
Preis 1 Rthlr. 10 Sgr. (Berlin 1828, Schlesinger.)

Eine Novelle, die, wenn gleich von einem noch nicht bekannten Namen, sich doch ihrem Gehalte und der ausgezeichnet schönen Form nach, den besten der geistreicheren Unterhaltung gewidmeten Romanen an die Seite stellt.

In der Palm'schen Verlagsbuchhandlung in Erlangen ist erschienen und in allen Buchhandlungen zu haben:

Glück, Dr. *C. F. von*, ausführliche Erläuterung der Pandecten nach Hellfeld, ein Commentar, 30sten Bandes 1ster u. 2ter Th. 2 Fl. 24 Kr. od. 1 Rthlr. 12 gr.

Hildebrandt's, Dr. *Fr.*, Lehrbuch der Physiologie, 6te verb. Ausgabe, herausgegeben von Dr. *C. Hohnbaum*. gr. 8. 3 Fl. 15 Kr. od. 2 Rthlr. 4 gr.

Kelber, J. G., der Sectengeist, oder über das Unchristenthum der Christen. Den Christen aller Kirchen gewidmet. 8. 30 Kr. od. 8 gr.

Mayer, J. T., gründl. u. ausführlicher Unterricht zur prakt. Geometrie. 4ter Th. 4te verb. Aufl.

Auch unter dem Titel:

— — vollständige u. gründl. Anweisung zur Verzeichnung der Land-, See- und Himmelskarten, und der Netze zu Coniglobien u. Kugeln. 8. 3 Fl. 45 Kr. od. 2 Rthlr. 12 gr.

Ovidius Naso, Festkalender. Im Versmasse des Originals übersetzt und mit Anmerkungen begleitet von *Karl Geib*. 8. 1 Fl. 15 Kr. od. 20 gr.

Persoon, C. H., Mycologia Europaea, seu completa omnium fungorum in variis Europaeae regionibus dedectorum enumeratio, Sect. III. Part. I. cum Tab. VIII. coloratis. 8 maj. 5 Fl. 15 Kr. od. 3 Rthlr. 12 gr.

Auch unter dem Titel:

— — Monographia Agaricorum, comprehendens enumerationem omnium specierum hucusque cognitarum, cum Tab. VIII. colorat. 8 maj. 5 Fl. 18 Kr. od. 3 Rthlr. 12 gr.

Proteus. Zeitschrift für Geschichte der gesammten Naturlehre, herausgegeben von Dr. *K. W. G. Kastner*. 1sten Bdes 1stes u. 2tes Heft. gr. 8. Jedes 1 Fl. 30 Kr. od. 1 Rthlr.

Puchta, Dr. *G. F.*, das Gewohnheitsrecht. 1ster Theil. gr. 8. 1 Fl. 45 Kr. od. 1 Rthlr. 4 gr.

Schulfreund für die deutschen Bundesstaaten, 11tes Bdchen, oder des Baierschen Schulfreunds 21stes Bändchen, herausgeg. von Dr. *H. Stephani*. 8. 1 Fl. od. 16 gr.

Stephani, Dr. *H.*, über Gymnasien, ihre eigentliche Bestimmung und zweckmässigste Einrichtung. 8. 45 Kr. od. 12 gr.

In der Rein'schen Buchhandlung in Leipzig ist erschienen und durch alle Buchhandlungen à 4 gr. zu erhalten:

Oratio Philippica prima

Philosophiae et superstitionis certamina, quae ardentissima flagrant hac nostra memoria, inde ab aeterno jam fuerunt conserta

d. XII. Julii MDCCCXXVIII. in academia Lipsiensi habita ab *E. T. Hoepfnero*, Prof.

Die *Oratio secunda* werden wir zur Zeit von demselben Verfasser auch noch bringen.

Leipzig, im August 1828.

Rein'sche Buchhandlung.

So eben ist bey mir erschienen und in allen Buchhandlungen zu erhalten:

Müllner's
dramatische Werke.
Erste rechtmäsige, vollständige
und vom Verfasser verbesserte Gesammtausgabe.
Sieben Theile auf feinem geglättetem Velin-Papier, mit 7 Titel-Vignetten. kl. 8. 117 Bogen.
Subscr. Pr. 3 Rthlr. 12 gGr. C. M. (6 Fl. 18 Kr. Rheinl.)

Diese mit grosser typographischer Sorgfalt ausgestattete Ausgabe wird allen Freunden dramatischer

Kunst

Kunſt und Literatur, ſo wie den zahlreichen Beſitzern der Werke unſerer klaſſiſchen deutſchen Schriftſteller, eine angenehme Erſcheinung und wünſchenswerthe Vermehrung ihrer Sammlungen ſeyn.

Der ſehr billige Subſcriptionspreis erliſcht Michaelis d. J., und tritt ſodann der Ladenpreis von 5 Rthlr. ein.

Braunſchweig, im Auguſt 1828.

Friedrich Vieweg.

Bey Auguſt Schmid in Jena erſcheint auf Pränumeration und Subſcription:

Corpus juris canonici in compendium redegit brevibusque adnotationibus criticis et locis parallelis inſtruxit G. A. Martin, Prof. in acad. Jen.

Pränumerationspreis 2 Rthlr., Subſcriptionspr. 3 Rthlr. Ausführliche Anzeigen mit einer Probe der Bearbeitung ſind in jeder Buchhandlung zu haben.

So eben iſt erſchienen:

Sammlung der ausgezeichnetſten humoriſtiſchen und komiſchen Romane des Auslandes, in neuen zeitgemäſsen Bearbeitungen. 3ter, 4ter, 5ter Band, oder

Peregrine Pickle 3ter, 4ter, 5ter, Band. Aus dem Engl. des Smollet überſetzt von *H. W. von Vogt.*

Mit obigen Bänden iſt dieſer klaſſiſche Roman, der durch ſeinen glänzenden Humor, durch den treffenden Witz und die charakteriſtiſchen Schilderungen der verſchiedenartigſten Stände der Geſellſchaft zu den ausgezeichnetſten Werken in dieſer Art gehört und als dieſes auch längſt bey allen gebildeten Nationen anerkannt ward, beendet. Die Fortſetzung der für die Sammlung beſtimmten Bände, wird nunmehr in raſcher Aufeinanderfolge ſtatt finden, und zunächſt des Spaniers *Alemann's* berühmter komiſcher Roman:

Guzmann von Alfarache

nach Le Sages Bearbeitung folgen, dieſem aber ſich das andere in der früheren Ankündigung erwähnte Werk: *Triſtram Shandy von Sterne* u. ſ. w. anſchlieſsen.

Das Publicum erhält ſomit in dieſer Auswahl des Trefflichſten und Geiſtreichſten was Spanien, Frankreich und England in dieſer Art gab, eine Reihe der durch Lebensbeobachtungen, Ironie, Humor und Witz, lehrreichſten und unterhaltendſten Schriften, die längſt überall zu den geiſtigſten Genüſſen gezählt wurden, die ſich der Gebildete verſchaffen kann.

Die zeitgemäſsen Formen, in welche dieſe neuen Bearbeitungen gebracht worden, ſo wie die Reinheit und Eleganz des Stils, werden Jedem ſelbſt bey flüchtiger Durchſicht der vorliegenden Bände von „*Peregrine Pickle*" ſich kund geben, und man wird die äuſsere Ausſtattung des Ganzen dem angemeſſen finden, daſs durch unſer Unternehmen das Publicum zugleich eine der wohlfeilſten, zierlichſten und genuſsreichſten Sammlungen erhält, die irgendwo in dieſer Art noch veranſtaltet worden ſind, und die ſicher in keiner öffentlichen oder Privatbibliothek fehlen darf, welche auf irgend einige Vollſtändigkeit Anſpruch macht.

Der Subſcriptionspreis bleibt bis zur Erſcheinung der erſten 12 Bändchen 9 gGr. oder 11¼ Sgr. Einzelne Werke oder Bände dieſer Sammlung werden nur zu 12 gGr. oder 15 Sgr. pro Bändchen verkauft.

Altenburg, im Auguſt 1828.

Die Hofbuchdruckerey.

So eben iſt erſchienen und in allen Buchhandlungen zu haben:

Holſt, A. F., Beleuchtung der Hauptgründe für den Glauben an Erinnerung und Wiederſehn nach dem Tode. 8. 16 gr.

Nützer, F. A., Kleines juriſtiſches Handwörterbuch, oder: *Erklärung der in der Rechtsſprache vorkommenden fremden und unverſtändlichen Wörter, Sprachwendungen und Redensarten;* ein *nützliches Handbuch für den Bürger, Landmann und jeden Nichtjuriſten,* nach den beſten Quellen und Hülfsmitteln und unter Mitwirkung eines Rechtsgelehrten bearbeitet. 8. 12 gr.

Eiſenberg, im Auguſt 1828.

Schöne'ſche Buchhandlung.

II. Vermiſchte Anzeigen.

Der Unterzeichnete hat nach dem Tode des bisherigen Herausgebers des *Journal für Geburtshülfe Frauenzimmer- und Kinder-Krankheiten,* Frankfurt a. M., bey Fr. Varrentrapp, die Redaction *deſſelben* übernommen. Er erſucht demnach alle *Hn. Aerzte,* Wundärzte und Geburtshelfer, auch fernerhin thätigen Antheil an dieſer Zeitſchrift zu nehmen, und den Unterzeichneten mit ihren Beyträgen, ſeyen dieſelben aus dem Gebiete ihrer Praxis, oder ſeyen es Originalaufſätze, welche ſich auf Geburtshülfe, Frauenzimmer- und Kinderkrankheiten beziehen, zu beehren. Es werden zugleich die Hn. Einſender erſucht, ihre Beyträge, wenn ſie im ſüdlichen Deutſchland leben, an Hn. Franz Varrentrapp nach Frankfurt a. M., wenn ſie näher bey Leipzig wohnen, oder durch Buchhandlungen zur Sendung dahin Gelegenheit haben, an Hn. Georg Mittler Buchhändler daſ. mit dem Zuſatze „Beyträge für *v. Siebold's* Journal" oder an mich unmittelbar poſtfrey adreſſiren zu wollen.

Berlin, im Auguſt 1828.

Dr. *Eduard v. Siebold.*

ALLGEMEINE LITERATUR-ZEITUNG

September 1828.

REISEBESCHREIBUNGEN.

Amsterdam, b. Sulpke: *Land- en Zeetogten in Nederlands Indie, en eenige britsche etablissementen*, gedaan in de Jaren 1817 tot 1826, door *Johannes Olivier, Lz.*, vorheen Secretaris te Palembang. Met Platen. 1828. 480 S. 8.

Der Titel sagt eine Unwahrheit: die Reise ist bloss nach Java und der dabey belegenen Insel Bali gemacht, beschreibt keine andere Gegend des niederländischen Ostindiens und berührt nicht einmal eine britische Kolonie. Zwar erwähnt der Vf. in dem *ersten* Kapitel, das er als Einleitung voraufschickt, er habe sich auf verschiedenen Niederlassungen von Java, Sumatra, Banka, den Molukken und Malaca lange aufgehalten, habe während der Zeit mehrere britische Besitzungen besucht, sey bey der Rückgabe von Malaca, Riomo und Padang zugegen gewesen und habe auch den ersten Zug gegen den vormaligen Sultan Machmud Badr Uldin von Palembang, der den Untergang dieses Reichs herbeyführte, mitgemacht; allein von allen dem findet man in der vorliegenden Reise nur das, was er auf Java und Bali gesehen hat; von den versprochenen Platten aber nichts weiter, als eine Titelvignette und eine Ansicht des Königsplans bey Batavia, die ganz füglich wegbleiben konnten; dagegen fehlt eine Charte, worauf der Reiseweg nachgewiesen wird, und die doch so nothwendig gewesen wäre, ganz.

Es ist bekannt, dass das holländische Gouvernement in Hinsicht seiner Kolonien von jeher ängstlich die Maxime befolgte, die ihm die kleinen Handelsstaaten der Vorzeit Tyros, Sydon, selbst das mächtigere Kartago vorgezeichnet hatten: der Kaufmann wünschte einen Schleyer über das Feld seiner Spekulationen geworfen und die Holländer verbargen daher sorgfältig, was über Reichthum, Produktion und Werth ihrer Kolonien das mindeste Licht verbreiten konnte! Bis zu dem letzten Zehntel des 18ten Jahrhunderts wusste man von dem niederländischen Reiche in Indien so gut wie nichts, und wir würden noch immer in dieser Dunkelheit tappen, wenn nicht die Briten während ihrer temporären Besitznahme von einigen dieser Kolonien den Schleyer weggezogen und sowohl dem Geographen und Naturforscher als dem Statistiker die Einsicht gestattet hätten! Durch Raffles, Thorn und Crawford haben wir im ersten Viertel des 19ten Jahrhunderts mehr von ihrer Hauptbesitzung Java erfahren, als die Holländer uns in zwey vollen Jahrhunderten ihrer Herrschaft mitzutheilen für gut befunden haben! Aber eben darum sind nun auch die Nationalschriftsteller Hollands herzlich böse, wohl weniger darüber, dass die Briten ihnen den Vorsprung abgewonnen, sondern hauptsächlich, dass sie überall an das Licht gezogen haben, was zu fortwährender Dunkelheit verdammt war. Desshalb wird jetzt alles hervorgesucht, was die Glaubwürdigkeit der britischen Berichtgeber verdächtig machen kann, und auch in dieser Reisebeschreibung herrscht die Tendenz vor, überall die schwachen Seiten der Raffleschen *history* aufzusuchen und ihn als einen leichtgläubigen und wo möglich, unwissenden Erzähler darzustellen. Allein wenn Raffles keinen andern Gegner, als Hn. Olivier, findet, so dürfte seine Glaubwürdigkeit im Ganzen immerhin bey Ehren bleiben, ob es schon scheint, dass er in einigen Nebendingen geirrt haben kann!

Der Vf. des vorliegenden Reiseberichts schildert ebenmässig nicht bloss, was er mit eignen Augen sah, sondern manches hat er aus den Angaben eines unterrichteten javanischen Häuptlings, des Pandscheran Aria Tiakra Nagara, geschöpft, mit dem er eine genaue Freundschaft geschlossen hatte und der ihm viele Aufschlüsse über das Innere der Insel, über seine Landsleute und deren Charakter und Lebensart mittheilte. Behutsam geht er über alles weg, was statistischen Anstrich hat; er begnügt sich, eine oberflächliche Ansicht des Landes zu geben und hat es dagegen vorzüglich mit dem Menschen, sowohl dem Pflanzer als dem Eingebornen zu thun, worüber er indess manches Merkwürdige und Interessante beybringt. Naturforscher vom Fache ist er nicht, nur beyläufig erhalten wir durch ihn Notizen über einige Naturgegenstände, indess sind auch diese nicht unwichtig. Die Darstellung selbst ist höchst einfach und flösst dadurch Vertrauen ein. Folgen wir ihm durch die 25 Hauptstücke oder Kapitel, worin er sein Thema eingetheilt hat:

In I. macht der Vf. Bekanntschaft mit seinem Leser, stellt ihn auf den Standpunkt, woraus er seine Darstellung betrachten soll und fügt einige allgemeine Bemerkungen über Reisen und Reisebeschreiber hinzu. II. Der Vf. kommt, nach einer glücklichen Reise von 100 Tagen, 1. Sept. 1717, auf der Rhede von Batavia an. Beschreibung dieser grossen Rhede, die wenigstens 1200 Fahrzeuge aller Art fassen kann und durch 17 Eilande vor den Fluten des hohen Meeres gedeckt, aber doch nicht überall sicher ist: sie hat nirgends festen Ankergrund, sondern derselbe Moor, der den nahen Strand bedeckt, macht auch die Grundfläche der Rhede aus, der Anker dringt

dringt immer tiefer und tiefer in dieſe ein und nicht ſelten geſchieht es, daſs die Fluth die Schiffe ankerlos macht und gegen einander ſchleudert. Die Eilande, woran man die Schiffe zum Theil hängt, ſind wahre Korallenklippen, das wichtigſte darunter, Onruſt, wo vormals die oſtindiſche Geſellſchaft ihre Magazine und ihre Hoſpitäler hatte; als die Briten 1816 von Batavia abzogen, zerſtörten ſie zwar die Feſtungswerke und was auf dieſem Eilande zu beſchädigen ſtand, indeſs iſt alles ſeitdem ſorgfältiger durch den Generalgouverneur van der Capellen wieder hergeſtellt. Anſicht von Batavia nach der Waſſerſeite; Einfahrt in den Fluſs, der nach Batavia hinaufführt, wo ſogleich eine Menge von Booten das ankommende Schiff umgaben und die köſtlichſten Früchte feil boten; Warnung vor deren übermäſsigem Genuſs — ein bewährtes Sprichwort ſagt: Obſt iſt des Morgens Arzney, des Abends Gift! Die Umgebungen des Fluſſes von Batavia, der vom früheſten Morgen bis zum Mittage von kleinen Fahrzeugen und Proas wimmelt; die Stadt ſelbſt: ſie iſt nicht weiter, was ſie vormals war, das Amſterdam Oſtindiens, die Königin des Oſtens: vorbey iſt ihr Glanz, ihre öffentlichen Paläſte, ihr groſses Kaſtell, ihre Wälle und Mauern liegen in Trümmern oder ſind abgebrochen, die Kirchen ſtehen leer, die Wohnhäuſer verſchloſſen, kaum daſs ein einzelner Neger zur Wache darin hauſet, und nur zu gewiſſen Zeiten ſieht man den Kaufmann, den Handwerker auf eine oder zwey Stunden des Morgens in ihre Mauern zurückkehren, um Geſchäfte abzumachen. Sonſt wird man kaum ein europäiſches Geſicht auf den Straſsen gewahr, und nur in der nahen Vorſtadt, dem Kampong Tjing, findet man das Gewühl und das rege Leben wieder, das ſonſt die Hauptſtadt der Niederländer auszeichnete, aber dieſer Kampong iſt auch bey weitem geſunder, nicht ſo von ſtehenden Kanälen durchzogen, deren peſtartige Ausdünſtungen die Stadt verödet haben. Etwas über die Betriebſamkeit der Schineſen, die der Handel hierher führt, die hier keine Hütten bauen und nach einem temporären Aufenthalte ihren Erwerb, wie der Savoyarde und Tyroler, in die Heimath zurücktragen. Die Zahl derſelben wächſt von Jahre zu Jahre: die Rückkehrenden machen den Ankömmlingen Platz, aber letzterer werden immer mehr und der Kampong vergröſsert ſich daher zuſehends. Da der gröſsere Theil deſſelben vor einigen Jahren durch eine Feuersbrunſt vernichtet war, ſo beſtehen jetzt faſt alle Wohnungen aus Bambushütten. Groſse Toleranz des Gouvernements: neben dem Chriſten wandelt der Moslem, der Buddhiſt, der Foit ruhig und friedlich ſeinen Gang, und unter den chriſtlichen Religionsparteyen haben faſt alle Kirchen und Secten auf Java Tempel und Altäre. III. Batavia ſank in Ruinen, weil die Peſt aus ſeinem Boden hauchte: es iſt in ſeinen vom Strande entferntern Vorörtern wieder auferſtanden! Dieſe ſind Molenvliet, der nördlichere, dann Ryswick, Noordwick und Weltevreden die ſüdlicher liegenden Stadttheile, in welchen ſich jetzt die ganze europäiſche Bevölkerung concentrirt hat. [...] ſchreibung von Molenvliet und ſeiner vorneh[...] Gebäude, worunter auch die Buchdruckerey, [...] der Bataviaſche Courant, das Staatsblatt, der A[...] nach und die Memoiren der Bataviſchen Geſell[...] der Wiſſenſchaften erſcheinen. Der ſchineſiſch[...] nal ſcheidet es vom Tjina Kampong. IV. Rys[...] wo der Generalgouverneur reſidirt und das St[...] ſekretariat mit allen Centralbehörden den Sitz ha[...] Noordwick, der Sitz des Handels, 1822 durch e[...] Brand gröſstentheils zerſtört, und Weltevreden, [...] drey übrigen Vorörter von Batavia, ſämmtlich [...] wärts von Molenvliet; zwiſchen Ryswick [...] Noordwyck im N. und Weltevreden im S. liegt [...] groſse und ſchöne Königsplan, wo die Pferderen[...] gehalten werden und wo der Tummelplatz der [...] taviſchen ſchönen Welt iſt. Weltevreden ſelbſt [...] eigentlich das Soldatenquartier, auch findet ſich [...] ſelbſt einer der beſuchteſten Marktplätze, der [...] Snin, der jeden Montag gehalten wird. Etwas [...] die Bataviſchen Märkte, über die ausgeſtellten Waren und die Schineſen, die ſich darauf umhertreiben. V. Batavias nächſte Umgebungen, die Deſſas oder Dörfer, die in der Regel zwiſchen Fruchtwäldern [...] einem Kanale belegen ſind und 50 bis 100 und mehrere Wohnungen enthalten. Der hieſige Reiſsbau; der Büffel, das allgemeine Laſtthier; gewöhnliche Maaſse und Gewichte; Klima von Batavia, verglichen mit dem von Buitenzorg: wenn der Thermometer zu Batavia Mittags auf 88 bis 89° ſteht, ſo weiſet er zu Buitenzorg auf 83 bis 84° — mithin Unterſchied zwiſchen Strand und Binnenland 5°. Etwas über die *Cholera morbus*, doch nur allgemeine Bemerkungen, meiſtens nach *Johnſons on the influence of tropical climates*, und über die Muſſuhns. Die Fiſchereyen am Strande: im eigentlichen Sinne des Worts wimmelt das Meer von Fiſchen. VI. Reiſe nach dem Malaiſchen Kampong, 10 Palen von Weltevreden, wohin längs dem groſsen Fluſſe ein reizender mit Bäumen bepflanzter Weg führt, an welchem europäiſche Landhäuſer (Luſthuizen) überall hingebauet ſind. Das Dorf Meeſter Comelis, das Malaieſche Dorf, wo der Vf. die erſten Kaffeepflanzungen fand. 1718 brachte der Generalgouverneur Zwaerdekroon die erſte Kaffeepflanze nach Java und jetzt führt die Inſel jährlich gegen 260,000 Centner aus. Die Staude, die in der Regel unter dem Schatten der Dadap (*erythrina corallolendrum*) aufwächſt, wird erſt mit dem dritten Jahre fruchtbar, und giebt während der trocknen Jahrszeit zwey- auch wohl drey Ernten: allein es iſt eine ſehr ekle Pflanze, die die vorſichtigſte Behandlung erfordert, wenn ſie gedeihen ſoll, und häufig zerſtören Witterung und andere Zufälle die ganze Hoffnung ihres Pflegers. VII. VIII. Die Javaneſen, ihr Charakter, ihre Sitten und Gebräuche. Einer der intereſſanteren Abſchnitte: der Vf. reiſet mit ſeinem Gaſtfreunde zur Hochzeit eines Demang (die Staatsbeamten in Java zerfallen in vier Klaſſen, Tommonggong, Ingebeig, Ranga und Demang, wovon die untere, der Demang, rang, ſoviel als Bezirksamtmann vorſtellt), und dieſs giebt ihm Gelegenheit, die dabey vorkommenden Gebräuche zu ſchildern. Die Javaneſen ſind Moslems: das Geſetz giebt ihnen das Recht, vier Weiber zu nehmen, aber nur der Vornehme bedient ich dieſes Rechts, weil jede Frau von ihrem Gatten n der Woche zwey- wenigſtens einmal eine Umarmung verlangen darf, und der geringe Mann dieſe Verpflichtung nicht immer, wie der Vornehme, umgehen kann. Der gemeine Mann begnügt ſich daher n der Regel nur mit einer Frau: je vornehmer er iſt, deſto ſtärker iſt auch ſein Harem mit Frauen und Sclavinnen bevölkert: bey einem Häuptling von Toebang fand der Vf. nicht weniger als 68 Kinder. Die Ehen ſind gewöhnlich nicht ſehr fruchtbar: wenn eine Frau 4 oder 5 Kinder geboren hat, ſo iſt ihre Fruchtbarkeit vorbey. Die drey Arten zu heirathen, heiſsen Diödjör, Ambilanak und Semando: Erklärung und Bedeutung derſelben. Uebrigens werden die Frauen ſehr anſtändig und zärtlich behandelt: ſie ſind nichts weniger als Sclavinnen, wenn das Geſetz ihnen ſchon den Namen beylegt. Eben ſo zärtlich iſt der Javaneſe gegen ſeine Kinder, die Kinder gegen ihre Aeltern; überhaupt ſein Charakter, beſonders in den Berggegenden, gut; am Strande dagegen herrſchen verdorbene Sitten, die vorzüglich durch die Annäherung und Vermiſchung mit Fremden entſtanden ſind. Er iſt wahrhaft religiös, ohne doch viel auf Ceremonien zu halten; er iſt mäſsig, reinlich, ehrlich und gaſtfrey, aber auch, wie alle Völker, die unter einer ſo heiſsen Sonne vegetiren, höchſt ſinnlich und in der Liebe ausſchweifend. Zu den Hauptfehlern der Javaneſen gehört die Rachſucht: die Ehre iſt ihr höchſtes Gut, und kein Volk auf der Erde in dieſem Punkte kitzlicher. Es iſt beſſer, mit Ehre ſterben, als mit Schande leben! iſt das Sprichwort, das ſie ſtets im Munde führen. Ihre Hauptwaffe iſt der Kris, eine Art Dolch, den jeder Javaneſe ſtets bey ſich führt, und der ſtets in Bereitſchaft gehalten wird, um eine zugefügte Beleidigung blutig zu rächen. Indeſs iſt der Amock, oder jenes Geſchrey, womit ſie in der Raſerey auf ihren Feind eindringen, lange ſo häufig nicht mehr, als die Reiſenden es geſchildert haben. In dieſer Raſerey, die häufig durch den Genuſs von Opium verſtärkt wird, kennt ſich der Javaneſe ſelbſt nicht mehr: ſein Leben gilt ihm nichts, wo es darauf ankommt, ſeinen Rachedurſt zu befriedigen. IX. Die Pflanzer im Gegenſätze zu den Eingebornen. Wenn ſchon der Europäer im Ganzen ſeine vaterländiſchen Sitten und Gebräuche in ſein neues Vaterland hinüber getragen hat, ſo werden dieſe doch durch den heiſsen Himmel und durch eine andere Lebensart modificirt. Selbſt der Holländer hat ſich dazu bequemen müſſen. X. Vergnügungen der Javaneſen. Ihre Familienfeſte; Hahnengefechte, Ballſpiele, beide mit Wetten verknüpft, Büffel- und Tiegergefechte, wobey in der Regel der erſte Sieger bleibt (abgeſchafft ſind durch die Holländer die gräſslichen Schauſpiele, worin man Miſſethäter nur mit einem abgebrochenen Kris den Tigern bloſsſtellte; das letzte dieſer Art ſoll 1812 Statt gefunden haben), Büffel- und andere Arten von Gefechten, ohne die der Javaneſe, wie der Brite, nicht leben kann und wovon wenigſtens ein Paar jedes ſeiner Feſte verherrlichen müſſen. XI. Der Vf. ſieht ſich in der Nachbarſchaft um. Die Flüſſe werden meiſtens von Kaimans oder Krokodillen bevölkert, die häufig eine anſehnliche Gröſse erlangen; ſelten greift das blutgierige und gefräſsige Thier einen Menſchen an, und die Prieſter unterlaſſen nicht, dieſs ihren Beſchwörungen zuzuſchreiben. Ein ähnliches Mährchen erzählt der Vf. von dem Madjan-bömie, einem groſsen Tiger, der jede Nacht einen Kampong durchſucht, um den Abfall vom Fleiſche oder das Aas daraus abzuholen, dafür aber ſo dankbar iſt, nie ein Kind oder ſonſt einen Menſchen darin anzufallen, vielmehr jedes andere Thier ſeines Geſchlechts fortjagt, und ſo den Wächter des Kampongs macht. XII. Reiſe nach Buitenzorg, oder in die Gebirgsregion der Inſel. Buitenzorg war vormals eine Wüſtung, die 1745 der Generalgouverneur van Imhof erwarb und daſelbſt einen Sommerpalaſt erbauete, wo die Generalgouverneure ſeitdem in der Regel die ſchöne Jahreszeit zubringen. Bey den Eingebornen heiſst der Ort, nach einem nahbelegenen Kampong, Bogor, es iſt jetzt der Hauptort einer eigenen Provinz, die Buitenzorg heiſst und 1815 auf 42½ Quadratmeilen 76,312 Einwohner zählte. Der Ort liegt etwa 3,000 Fuſs über dem Meere; 2 Palen davon ſieht man die Trümmer der alten javaneſiſchen Hauptſtadt Padjadjaran. XIII. Anſicht der Umgegend: ſo fruchtbar ſie iſt, ſo ſchwach iſt ſie bevölkert, und das koſtbarſte Reiſsland liegt noch unter Dornen und Diſteln begraben. Geologiſche Beſchaffenheit des Gebirgs; höchſt oberflächlich: der Berg Karang liefert jährlich 26 bis 30 Sikols Salanganenneſter (*hirundo eſculenta*), die ſich in den Höhlen dieſes Berges finden, mithin nicht bloſs dem Strande angehören, obwohl die meiſten Salanganenneſter von dem ſüdlichen Geſtade Javas geholt werden. Auch hier gehören die Hölen beſtimmten Eigenthümern, welche die Einſammlung nach einer gewiſſen Obſervanz betreiben laſſen. Noch findet man auf dieſem Berge den Karetbaum, woraus das elaſtiſche Gummi gezogen wird. Der Vf. beſchreibt dieſen Baum nicht weiter. XIV. Landbau um Buitenzorg; Reichthum des Pflanzenreichs, beſonders in Hinſicht der ökonomiſchen Pflanzen, doch nichts, was wir nicht ſchon aus Raffles und Crawford wüſsten. XV. Botaniſche Ausflüchte: Aufzählungen einiger wildwachſenden Pflanzen, im Ganzen höchſt dürftig und unbeſtimmt, da der Vf. nicht Botaniſt iſt. XVI. Anlagen des Gouvernements in dieſem Theile von Java; die groſse Waſſerleitung oder vielmehr der Kanal, der die Kolonie Buitenzorg mit Batavia in Verbindung ſetzt, und der Pflanzengarten (*Plantentuin*). XVII. Die *Präangerregentſchaften*, eine Provinz, die etwa 465¼ Quadratmeilen, 1815 mit 243,648 Einwohnern enthält. Was der Vf. über den Urſprung des Namens, über die Geſchichte derſelben

und

und über den Untergang des Reichs Padjadjaran, über den eingeführten Kaffeebau u. s. w. beybringt, ist nicht neu. XVIII. Der Vf. macht oder erneuert die Bekanntschaft mit dem Pandscheran Aria Tiakra Nagara, durch den er manche Aufschlüsse über den innern Zustand der Insel erhält, und im Stande ist, die übertriebenen Mährchen, die von den ältern Reisebeschreibern auf Rechnung Javas in Umlauf gebracht waren, zu berichtigen; indess hat Rec. wenig gefunden, womit er nicht schon früher auf dem Reinen war. Was er vom Pohon Oepas (Bohon Upas) beybringt, ist längst bekannt: scheint es doch, dass er S. 269 u. 270 die ganze Anmerkung des Weim. Handb. XV, 642 ausgezogen habe, oder vielmehr Beide schöpften aus einer Quelle. XIX. Was ihm der Pandscheran ferner mittheilt. Unter den Spielen, die in Java gebräuchlich sind, ist das Damen- und das Schachspiel; jenes haben die Holländer dahin gebracht, dieses ist aus Persien gekommen. Titel und Würden der Javanesen; etwas ausführlicher als im Weim. Handbuche XV, 693 u. f., und bis auf die untern Staatsdiener und die Geistlichkeit ausgedehnt: auch auf Java giebt es Hadschis (Mekkapilger) und Seyid (Nachkommen des Propheten) mit besonderer Auszeichnung. Kuhpockenimpfung, hier durch Priester verbreitet: in 7 Jahren, von 1816 bis 1821 sind allein in den Präangerlanden 68,564 Personen geimpft. XX. Eine Ollapotrida über verschiedene Gegenstände, die indess nicht uninteressant dargestellt sind. Beschreibung einer Büffeljagd; Traurigkeit des Thiers nach dem Verluste seiner Freyheit; geringe Neigung der Javanesen zur Viehzucht und Ursachen davon; man geniesst wenig Büffelfleisch und nur bey religiösen Festen darf dasselbe nicht fehlen. Eben so mässig ist der Javanese im Genusse von Ziegen- und Schöpsenfleische, dagegen werden eine grosse Zahl von Fischen verzehrt. Beschreibung des Fischfangs sowohl in den Flüssen als im Meere. Da sich dabey die Fischer zuweilen der Musik bedienen, so nimmt der Vf. Gelegenheit, auf diese und auf ihre musikalischen Instrumente zu kommen. Proben Javanesischer Dichtkunst; ihre Fortschritte in den Wissenschaften, alles nur oberflächlich.

(Der Beschluss folgt.)

SCHÖNE KÜNSTE.

Leipzig, b. Engelmann: *Kunz von Kauffung.* Von *Ludwig Storch* 1828. *Erster* Theil. VII u. 268 S. *Zweyter* Theil. 240 S. *Dritter Theil.* 260 S. 8. (4 Rthlr.)

Rec. nahm diesen Roman mit sehr günstigen Erwartungen zur Hand, theils weil die demselben zu Grunde liegende Begebenheit an und für sich Stoff genug zu einer anziehenden Darstellung enthält, theils weil der Vf. unter den erzählenden Schriftstellern immer schon einen nicht unrühmlichen Rang behauptet hat. Allein diese Erwartungen sind nicht befriedigt worden. St eines zusammenhängenden, in allen Theilen überei stimmenden Seelengemäldes des sonst tapfern und e renwerthen Prinzenräubers, dem die damalige Zeit m ihren Sitten und Gewohnheiten zur angemessen Staffage hätte dienen können, ist das Ganze nur e loses Gewebe von einzelnen Begebenheiten, in dene eine Menge von Charakteren auftritt und wirkt, wel che alle nur skizzirt und sehr flach gehalten sind. E fehlt freylich nicht an Stellen, welche den Leser wo befriedigen und seiner Phantasie eine erwünschte Nah rung gewähren; aber dann sinkt Anordnung und Dar stellung bald wieder zu der Art und Weise gewöhnli cher Rittergeschichten herab. Der Hauptheld selbst, Kunz von Kauffung, erscheint in der bey weitem grössern Hälfte des Buches als ein tapferer und gutmüthiger, aber dabey schwacher und leichtsinniger Mann, und der Grimm, der ihn zuletzt zu der Unglücksthat veranlasst, ist viel zu wenig motivirt, fast mehr als Werk der Einflüsterung seines frühern Todfeindes, Apels von Vizthum. Dieser letztere spielt die Rol des vollendeten Bösewichts, hat aber darin doch eine gewisse Kraft, die Bewunderung erweckt, und ist bey weitem am besten gehalten. Die beiden Fürsten Friedrich und Wilhelm tragen einzelne gelungene Züge. Dass der Vf. einen Liebestrank zu Hülfe nimmt, um die wahnsinnige Liebe des letzteren zu einem wollüstigen und herrschsüchtigen Weibe zu begründen, ist zwar im Geiste der Zeit, nur hätte er selbst in der Darstellung diesen Aberglauben nicht theilen und die That als wirklich geschehen ausmalen, sondern bloss andeuten sollen. Eben so erscheint auch das geheimnissvolle Wirken der Zigeuner oder Tatern, wie sie hier heissen, zu bedeutungsreich. Sie sind fast die unsichtbaren Triebfedern von allem Wichtigen, was geschieht. Diess ist unstreitig zu viel Ehre für sie, ein so liebliches Wesen auch diese Estrella ist, welche an Preciosa erinnert. Die Episode mit Lehnchen und Wieland erweckt anfangs auch grössere Erwartungen, als sie nachher erfüllt. Am vollendetsten steht der Charakter der Churfürstin in ihrer reinen, edlen deutschen Sitte da; aber *die Landgräfin*, die im Anfange durch ihr Wesen grosse Theilnahme erweckt, sinkt zuletzt zu einer blossen Betschwester herab und lässt sich ohne wahre Grösse zertreten. Kunzens Frau, die der Vf. erst fast zu seinem bösen Engel zu machen geneigt ist, indem er sie das Streben nach hohen Dingen in ihn erwecken lässt, zieht zuletzt durch Grösse im Unglück mehr an. Der Hauptfehler des Romans, aus dem alle übrigen entspringen, ist seine Länge und Breite. Hätte der Vf. nur die Hauptbegebenheiten aufgefasst, und hier schärfer und bestimmter gezeichnet, lange Dialogen vermieden, und die Schilderungen von Schlachten und Schlossbränden auf eine oder zwey reducirt, da sie sich doch alle ähnlich sehen; so hätte er in einem etwas starken Bande, bey seiner Gewandtheit vielleicht etwas sehr Gutes geliefert und die schärfer sehenden Kritiker befriedigt, statt dass er jetzt bloss die gewöhnliche Lesewelt ergetzt.

ALLGEMEINE LITERATUR-ZEITUNG

September 1828.

REISEBESCHREIBUNGEN.

Amsterdam, b. Sulpke: *Land- en Zeetogten in Nederlands Indie, en eenige britsche etablissementen,* — — door *Johannes Olivier* etc.

(*Beschluss der im vorigen Stück abgebrochenen Recension.*)

XXI. Die Feuerspeyer in Java: der Gedé; der Salak, der Patoeha, der Goenong Goentoer oder Donnerberg und die an und auf demselben wachsenden Pflanzen; die Thiere, die sich darauf aufhalten. Vulkanische Eruptionen. Der Vf. nimmt Gelegenheit, Raffles durch Reinwardts Beobachtungen zu verbessern. Die Ausbrüche des Mer-api und des Galoenggoeng im Jahre 1822, die 88 Kampongs zerstörten und 4,000 Menschen das Leben kosteten. Javanesische Ueberlieferungen von ältern Eruptionen. XXII. Der Vf. beschreibt die Waffenkammer von Aria Tiakra Nagara, und kommt dabey auf die Art der Javanesen, Kriege zu führen, auf ihre Taktik, auf die von den Niederländern abgesetzten und abgefundenen Herrscher, auf die Hofetikette, auf die Vorrechte und Regalien der eingebornen Fürsten, und auf einige andre Gegenstände, worüber ihm der Pandscherur Auskunft giebt. Die Regierung der Javanesischen Fürsten ist völlig despotisch, der Unterthan Sklav und seine Lage unter der niederländischen Regierung wahrhaft verbessert; dass dessen ungeachtet Unzufriedenheit herrsche, und was die Ursachen davon sind, darüber giebt der Vf. Winke, ohne weiter zu berühren, wo eigentlich das Uebel stecke! Rückreise nach Batavia. XXIII. Ausflug von Batavia nach dem Westen der Insel. Bantam liegt etwa 40 Palen (14 geogr. Meilen) von Batavia. Der Weg dahin führt durch ein ebenes Land auf einer guten Landstrasse; aber diese Stadt und der vormalige Pallast des Sultans sind, wie Batavia verlassen und verfallen, die pestilenzialische Luft hat die Einwohner genöthigt, sich einige Palen landeinwärts zu Sirang (Ceram) niederzulassen, wo auch die niederländische Verwaltung der Provinz den Sitz genommen hat. Der Bantamsche Fluss heisst Tykandé und ist voller raubgieriger Krokodile. In der Nachbarschaft hauset ein sundaischer Volksstamm Badoels, der sich vor den Verfolgungen der Moslem in die Gebirge gezogen und bisher seine vaterländischen Sitten und Religion mit Glück behauptet hat. Die Nachrichten, die der Vf. über diesen Stamm beybringt, sollen zum Theil zur Berichtigung von Raffles dienen, sind aus dem Munde des (kürzlich verstorbnen) Naturforschers *Blume* und eine der interessantesten Episoden des Buchs. XXIV. Seefahrt längs der Nordküste von Java, eigentlich um die Seeräuber, die auf den Boompjes Eilanden und auf der Küsteninsel Mandalique Schlupfwinkel hatten, zu verjagen. Nachdem dieser Zweck zum Theil erreicht war, fuhr der Vf. nach Cheribon, wo er das Grab des Ibn Scheikh *Moelana* und den 8,000 Fuss hohen Vulkan *Tjerimai*, den *Blume* bestiegen und beschrieben hat, vor sich sah, begab sich sodann nach Samarang, einer Stadt von 30,000 wohlhabenden Einw., von da nach Surabaya, dem blühendsten Handelsplatze im ganzen niederländischen Java, und, nachdem sie die Strasse Madura dublirt, nach Banjoewangie, der Hauptstadt einer eignen Provinz, wovon eine kurze Nachricht gegeben wird: es ist die östlichste Provinz der ganzen Insel, wird nur durch die 1 geogr. Meile breite Strasse Bali von dem gleichnamigen Eilande geschieden und zählte 1815 auf 5,930 Qu. Meilen nur 8,857 Einw. Da der Vf. daselbst einen Auftrag von dem Gouvernement zu besorgen hatte, so musste er sich eine Zeitlang zu Banjoewangie aufhalten, und hatte Gelegenheit das Eiland Bali genauer kennen zu lernen. XXV. Das Eiland Bali, das erste und vorderste in der Reihe der kleinen Sundainseln, ist eins der bedeutendsten: man giebt ihm 7 Fürstenthümer und eine Bevölkerung von 985,000 Köpfen, nämlich:

Fürstenthum	Karangasam	150,000	Einw,	50,000	Krieger
—	—	Boliling	150,000	—	20,000	—
—	—	Badong	150,000	—	20,000	—
—	—	Djanjar	160,000	—	30,000	—
—	—	Manggoei	160,000	—	50,000	—
—	—	Tabanan	180,000	—	35,000	—
—	—	Klongkong	75,000	—	14,000	—
		Total	985,000	Einw.	179,000	Krieger.

Wahrscheinlich stammt diese zahlreiche Bevölkerung aus Java ab; die herrschende Religion ist die brahmanische, das Volk in 4 Kasten getheilt, wovon die erste die Priester (Braminen), die zweyte die Fürsten und Edlen (Schatries), die dritte die mittlere, und die vierte, die untere Kaste umfasst. Die Leichen der beiden edlen Kasten werden verbrannt, die der dritten begraben, die der vierten wilden Thieren zur Speise überlassen. Schilderung der Sitten und Gebräuche der Balinesen, ihre Tempel, Wohnungen, Feste, Charakter, Kleidung, Speisen, Industrie, Handel — alles höchst lesenswerth, da wir von dieser Insel bisher wenig mehr wussten, als was uns die holländischen Gesandten an den König von Bali 1633 und Thorn in seinem *conquest of Java* mitgetheilt hatten.

G. Hassel.

POLITIK.

London u. Brüssel, b. Tarlier: *Les Souverains de l'Europe* en 1828, et leurs héritiers présomptifs, leurs gouvernements, leurs cabinets, leurs ambassadeurs, leurs chargés d'affaires dans les diverses cours. 1828. gr. 8.

Es find vornehmlich zwey Urfachen, welche uns veranlafst haben, die vorliegende Schrift in diefen Blättern einer Prüfung zu unterwerfen. Die eine ift der hochtrabende und vielverfprechende Titel derfelben. Ein Buch mit einer folchen Auffchrift, die auf Enthüllung von Staatsgeheimniffen, auf politifche Anecdoten hindeutet, findet in Frankreich und Belgien Lefer genug, weil man da, zum gröfsten Theile, zu verwöhnt ift, um nach einer ernften Lectüre zu greifen, welche man wohl breit und pedantifch zu nennen pflegt. Aber leider! giebt es auch in Deutfchland dieffeits und jenfeits des Rheins in diefer Zeit Leute genug, die folche franzöfifche Brofchüren, bald der Sprache, bald der fogenannten liberalen Gefinnung wegen, gern lefen und denen wohl auch die vorliegende Schrift willkommen feyn dürfte. Die zweyte Urfache aber ift, einmal durch recht auffallende Beweife zu zeigen, wie vorurtheilsvoll und flach franzöfifche Schriftfteller der neuern Zeit oft in gefchichtlichen Dingen verfahren, mit welcher bewundernswürdigen Sicherheit fie über Perfonen und Angelegenheiten fprechen, die fie nur oberflächlich kennen, und wie fie alles blofs im Lichte ihres Landes zu betrachten pflegen. Doch wir gehen zur vorliegenden Schrift über.

Europa im Jahre 1828 — das ift der Inhalt diefes Buches. Charakteriftiken der regierenden Herren, ihrer Thronfolger, der Minifter (die jedoch meiftentheils fehr kurz ausfällt), Aufzählung der Gefandten, — diefe Theile bilden das Gemälde. Die Tendenz des Buches ift überall, conftitutionellen Grundfätzen zu huldigen, und wo diefe nicht vorwalten, da ift Defpotismus, fo namentlich in Preufsen und in Dänemark. Solche Vorwürfe aus der Feder eines franzöfifchen Schriftftellers (denn wir glauben, dafs wir hier einen folchen vor uns haben, indem unter Tarlier'fcher Firma jetzt vieles erfcheint, was man in Paris nicht drucken zu dürfen meint) verdienen eigentlich nur belächelt zu werden, wenn fie nicht, namentlich in einigen deutfchen Ländern, doch für wahr gehalten würden. Die glänzenden Reden in der Deputirtenkammer, die weitläuftigen Raifonnements im dem Conftitutionnel, mit einem Worte die ganze franzöfifche Beweglichkeit beftechen auch gar Manchen auf beiden Ufern des Rheins und laffen ihn die bedächtigen Schritte weifer Regierungen als abfichtliche Zögerung oder Mangel an gutem Willen erfcheinen. Das zeigt fich namentlich da, wo keine angeftammte Liebe zu den Regenten hat im Lande felbft grofs werden können, da vergifst man am leichteften, dafs die Anhänglichkeit der Franzofen an die Charte eine mehr negative als eine pofitive fey, dafs fie mehr das gröfsere Uebel fürchten, was nach ihrem nichten hereinbrechen könnte, als dafs fie diefelbe für ganz vollkommen halten. Es ift diefen Gegenftand neuerdings von den Hnn. v. R...mer und *Streckfufs* in ihren Einleitungen zu den ...kannten Schriften *über die preufsifche Städte...nung* mit fo vieler Umficht und Klarheit geha... worden, dafs man diefen Schriften defshalb ... möglichft grofse Verbreitung wünfchen mufs.

Wenden wir uns nun zu den Einzelnheiten d...fer Schrift, und den Proben franzöfifcher Leic...fertigkeit. Gleich bey *England* wird S. 9. Georg... am 8. April 1796 verheirathet, feine Tochter Ch...lotte aber ift fchon am 7. Januar 1796 geboren. V... Minifter *Caftlereagh* heifst es S. 10. *l'odieufe adm...niftration de Caftlereagh, qui depuis a coûté tant d... larmes à l'humanité*, ganz im Geifte Bonaparte's u... feiner getreuen Schildknappen *O'Meara's* (II. 15... Stuttg. Ueberf.) und *Las Cafes* (VI. 108. VIII. 18... X. 122 f. Dresdn. Ueberf.) S. 14. wird die K. Ca...line fehr bedauert, weil fie eines beffern Lo... würdig gewefen wäre, auch geäufsert, dafs fie v...muthlich vergiftet worden wäre, ja S. 16. *fchilt* Georg IV. fogar den aus feiner Umgebung, welch... der Königin den Titel Majeftät giebt. Aus welch... Quelle mag wohl der Vf. dies gefchöpft, oder w... mag ihm folche Mährchen aufgebunden haben?

Bey *Oeftreich* wird nun S. 32 ganz beftimmt angegeben, dafs Leopold II. vergiftet worden fey. Das ift auch echt franzöfifch, denn es klingt etwa... theatralifch: wer wird fich da um das Wie u... Woher kümmern. Aber ungerügt darf man folche Dinge nicht laffen, da fie fich aus leicht begreiflichen Gründen gar zu leicht fortpflanzen. Man muſs fich daher — um etwas Verwandtes zu berühren — um fo mehr wundern, dafs in den neuerdings erfchienenen *Denkwürdigkeiten eines vornehmen Staatsbeamten* (die zum Theil dem Fürften *Hardenberg* angehören follen) Th. I. S. 11. Ueberf. wiederum konnte gefagt werden, dafs der brandenburgifche *Minifter* Graf *Schwarzenberg* im Gefängniffe fey *enthauptet* worden. *Cosmar* in feiner Schrift über den Grafen hat in den Beylagen S. 54 — 62 das Für und Wider fo forgfältig abgewogen, dafs wohl kein Zweifel mehr übrig feyn kann. Solche Dinge hätte Hr. *Röder*, der Ueberfetzer jener Memoiren, verbeffern follen: dergleichen Zufätze wären nützlicher gewefen, als feine Raifonnements. Was fonft noch über Oeftreich, das regierende Haus und die Minifter gefagt ift, übergeben wir, weil wir fo unehrerbietige Aeufserungen nicht abfchreiben mögen.

Dänemark heifst S. 69. *la terre claffique du defpotisme*, und trotz diefes Vorwurfes lefen wir S. 81.: *l'adminiftration interieure du D. eft un veritable modèle: c'eft un des pays de l'Europe, ou chofe étrange fans doute, fous le gouvernement le plus abfolu du continent, ou jouit le plus de liberté politique et de la tolerance religieufe la plus étendue.* Fiel es denn dem Vf. nicht ein, diefs etwas genauer unterfuchen zu wollen?

Bey

Bey *Preussen* wird S. 219. ein unerfreuliches Bild von der Regierung Friedrich Wilhelms II. gesehen, dann die Verbesserungen bey dem Regierungsantritte des jetzigen Königs erwähnt; der Regierung aber doch vorgeworfen, dass sie weder kühn noch aufgeklärt genug gewesen sey, alle eingewurzelten Missbräuche abzustellen. *Le developpement*, heisst es S. 220., *des talens administratifs avoit rencontré des grands obstacles dans le système adopté de mettre d'anciens officiers à la tête des principaux départements.* Also *Goldbeck*, *Voss*, *Struensee*, *Heinitz*, *Reck*, *Alvensleben* und andre waren verabschiedete Officiere? Doch weiter: *d'après les maximes du gouvernement despotique, toujours très simple dans ses combinaisons on regardoit comme un avantage précieux et une grande économie de soins et de temps, de confier de diverses portions de l'autorité royale à des vieux militaires, qui, façonnés de leur jeunesse à l'obéissance passive, transmettoient l'impulsion comme ils avoient reçu, fortement et sans hésitation.* Endlich schliesst die Tirade damit, dass die Regierung in eine *espèce d'oligarchie* ausgeartet sey, wo wenigstens sechszehn (??) Minister, jeder nach seinem Sinne, ohne Rücksicht auf die andern, ihr Amt verwaltet hätten. Nur ein leichtsinniger Franzose, der [illegible]lich fast bloss Routiniers und in den Bureaus gebildete Beamte kennt, kann so über einen Staat urtheilen, dessen anerkannter Ruhm es seit Friedrich II. Zeit ist, tüchtige, rechtliche und zugleich wissenschaftlich gebildete Beamte zu haben. Weiter unten ist denn von der glorreichen Erhebung des preussischen Volks im Jahre 1813 die Rede. „*C'est ainsi* (S, 285), *que dans la terre classique du despotisme Napoléon par un despotisme plus grand étoit parvenu à changer des sujets mécontens en citoyens exaltés.*" Wie viel mag sich der Vf. auf diese künstlichen Gegensätze eingebildet haben! Rec. entgegnet mit *von Raumer* a. a. O. S. 15. „ohne Gewalt, Unrecht und Blutvergiessen, mit einem Worte, ohne Revolution sind wir eben unter der Regierung unsers Königs durch freywillige Verträge, durch Gerechtigkeit, Weisheit und Mässigkeit auf der Bahn der wahren Freyheit und des echten Gehorsams weiter gekommen, als unsre Nachbarn." Vgl. *Streckfuss* a. a. O. S. 21 f.

Die gethanen Schritte zur Einführung einer ständischen Verfassung haben den Beyfall des Vfs., der freylich nicht ahndet, worauf es in Preussen grade ankommt, und nicht begreift, wie „ein von unten regelmässig aufsteigender Bau verständiger sey als einer, welcher die Spitze der Pyramide zuerst und in der Luft befestigen will." (Worte *v. Raumer's S. 9.*) Von dem preussischen Rheinlande meint der Vf., man sey dort unzufrieden, und giebt die Schuld besonders der gesperrten Rheinschifffahrt. Bey dieser Gelegenheit zeigt sich, welchem Lande der Vf. angehöre. „*Le souverain des Pays-bas*, heisst es S. 242., *a noblement defendu ses justes droits dans la discussion, qui s'est élevée relativement à la navigation du Rhin.*" Was die gerügte Unzufriedenheit anbetrifft, so verräth der Vf. hier dieselbe Unkunde, wie neuerdings jener „Einsiedler vom Schönforst" der im Constitutionnel vielfach über diese Verhältnisse *radotirte* (*sit venia verbo:* aber es passt hier grade). Unzufriedene Unterthanen wird es immer und überall geben: aber einem jeden wahrheitsliebenden Rheinländer wird nicht entgehen, welche Vortheile ihm seit der preussischen Besitznahme durch eine milde und gerechte Verwaltung, eine gleichmässige Beförderung aller bürgerlichen Gewerbe, ein warmes Interesse an allem Gemeinnützlichen und eine heilige Sorge für Aufklärung, Licht und die in der französischen Zeit so ganz vernachlässigte Bildung des heranwachsenden Geschlechts zu Theil geworden sind.

Zum Schluss wollen wir nur noch Einiges zur Ergetzlichkeit unsrer Leser herausheben. Bey *Frankreich* erfahren wir S. 148, dass die bekannten Worte Karl's X. bey seiner Rückkehr „es sey nichts verändert in Frankreich, *seulement un François de plus*" eine Erfindung des Ministers Beugnot seyn sollen, der sie dem Könige in den Mund gelegt habe. Von dem jetzigen Könige von Würtemberg lesen wir S. 327. Folgendes: *Guillaume étoit contraint par Napoléon d'épouser la princesse Charlotte de Bavière, deja mariée à l'empereur François II.*" Also ein Prinzessinnenraub! Dass bey den Abtretungen Preussens im Tilsiter Frieden *Puttbus* st. *Cottbus* gesetzt wird, ist wieder ein Pröbchen französischer Ignoranz in allen geographischen Dingen.

Doch es mag genug seyn, wie vielen Stoff auch das Buch noch zur Besprechung darböte. Unsre Absicht war ja auch bloss an einigen Stellen darzuthun, wie oberflächlich, in der Regel, Franzosen auswärtige Länder und Verhältnisse beurtheilen.

Um doch aber auch etwas zu loben, so bemerken wir, dass Druck und Papier recht gut sind. Ob die beygefügten Bildnisse das Verdienst der Aehnlichkeit haben, vermögen wir nicht zu bestimmen.

ARZNEYGELAHRTHEIT.

Hildesheim, im Verl. der Gerstenberg. Buchh.: *Medicinische Beobachtungen, nebst Bemerkungen über einige besondere Heilmethoden.* Von *Wilh. Elwert*, der Med., Chir. und Entbindungskunst Doctor zu Hildesheim. 1827. VIII u. 160 S. 8. (18 gGr.)

Der Vf. wollte seine Beobachtungen durch diese Zusammenstellung dauernder machen, indem die in Journalen zerstreuten eher übersehen und vergessen werden. Von S. 1 — 42 erzählt er uns 7 Krankheitsfälle von *Delirium tremens*. Der Vf., der diese Krankheit als entzündliches Leiden ansieht, will immer durch Antiphlogistica geheilt haben. Kalte Umschläge über den Kopf waren sehr nützlich. (Rec.

(Rec. verweift auf f. Rec. der Schrift: *Göden über Delir. trem.* in d. A. L. Z. und bemerkt, dafs alle ihm fpäter vorgekommenen Fälle noch mehr das dafelbft Gefagte beftätigen. Interessant war ein Fall, wo die Krankheit bey *Eryfipelas faciei bullofum* entftand. Hier waren die Augen durch Blepharophthalmia gänzlich gefchloffen; allein die Gefichtstäufchungen, das Hafchen nach Ratten, Mäufen u. f. w. fand deffen ungeachtet Statt. Ein anderer an *Del. trem.* Leidender wurde durch Geiftererfcheinungen verleitet, die Gerichtsfiegel von einem Kaften abzureifsen und aus diefem Schriften zu entfernen. Hier war alfo die Erkenntnifs der Krankheit hinfichtlich der Zurechnung wichtig. Dem Rec. ift kein anderer Fall bekannt geworden, wo *Delir. trem.* mit der gerichtl. Medicin in Collifion kam.) Die vom Vf. angeführte Literatur ift fehr mangelhaft. *Verwandlung der linken Lunge in eine Speckmaffe mit acuter Bruftwafferfucht.* S. 48. Das Entftehen der Krankheit war vom Vf., dem zweyten Arzte der Kranken nicht beobachtet. Wahrfcheinlich wurde die exfudative Entzündung verkannt und durch Diaphoretica vermehrt. Die Epikrife des Vfs. erklärt nicht viel. — *Verdickung der linken Herzhälfte ohne Erweiterung* S. 56. Im Gegenfatze mit *Burns* und *Bell* fand der Vf. den Puls- und Herzfchlag feiner beiden Kranken ftets heftig und gleichmäfsig bis kurz vor dem Tode. Die Wand des linken Ventrikels (vom Atrium ift nichts erwähnt) war 1¼ Zoll dick. Der Kranke war ein Haemorrhoidarius. Der zweyte Krankheitsfall betraf eine Frau, bey der die Menfes ceffirt hatten. Bey beiden Kranken zeigte die Section die rechte Herzhälfte normal. *Sehr grofses Herz, worin fich zwey Polypen fanden.* *Digitalis, Aq. Laurocer.*, ableitende Mittel u. f. w. thaten wohl im Verlaufe der Krankheit. Die Section zeigte ein ungewöhnlich grofses Herz und darin zwey mit den Herzwänden feft verwachfene Polypen. Gegen das Ende der Krankheit kam Leberleiden und Wafferfucht hinzu. Auch hier (wie faft immer) waren rheumatifche Befchwerden vorausgegangen. — *Grofses Sarkom im Magen.* S. 85. Der Vater und Bruder des Kranken ftarben an Unterleibsleiden, die den feinigen ähnelten und die Schwefter am Bruftkrebfe. Auch die Defcendenz des Kranken und feines Bruders litt oft an Cardialgien u. f. w. In der Gegend des Magens war eine verfchiebbare Gefchwulft von der Gröfse eines Schwaneneyes; dabey grofse Abmagerung, viel Aufftofsen und Würgen eine halbe Stunde nach dem Effen. Alle hiergegen gereichten Mittel waren nutzlos. Die Section zeigte den Magen gröfser als gewöhnlich, aber äufserlich gefund ausfehend. Nach dem Auffchneiden erblickte der Vf. eine harte, körnichte, wie mit Sch[illegible] überzogene Maffe, die im *fundus ventriculi* m[illegible] Magenwänden verwachfen war. Die Farbe de[s Ge]wächfes war afchgrau, hatte ein bis zwey [illegible] grofse Erhabenheiten und bedeutende Sehnen, [die] fich vom Stiele in die Maffe vertheilten. Je n[äher] die Verbindungsftelle des Afterorganes mit dem [Ma]gen, defto ftärker und härter die Wände des [Mag]ens; der Fufs der Gefchwulft fing ein Finger b[reit] vom *Pylorus* an und erftreckte fich 6¼ Zoll lang [in] den *fundus ventriculi.* Seine Breite war 5 Z[oll.] Starke fehnichte Partien der Muskelhäute des [Ma]gens gingen in das wohl anderthalb Pfunde wiege[nde] Sarkom über. Das Innere der Gefchwulft war g[elb]lich weifs und an einigen Stellen körnicht. [Die] Körner waren von der Gröfse einer Linfe bis zu [ei]ner Hafelnufs, und letztere enthielten grüngelbli[chen] Eiter. Blutgefäfse fanden fich häufiger am Gr[unde] als im Innern der Gefchwulft. — *Einige w[eni]ge praktifche Bemerkungen über den Magenkre[bs].* S. 97. Das Bekannte. *Febris intermittens larv[ata].* S. 102. Einige gewöhnliche Fälle mit Kopf- u[nd] Augenfchmerz. — *Nachträgliche Bemerkungen über die Wirkung der Blaufäure.* S. 108. Der Vf. ift v[on] feinen übertriebenen Lobeserhebungen der Blaufäure zurückgekommen. Er giebt fehr [st]arke Gaben; Erwachfenen oft 20 — 25 Tropfen Blaufäure, *nach Trautwein.* Kindern reicht er jetzt die *Aq. Laurocerafi* oder *Amygd. amar.* (Rec. hat fchon früher an einem andern Orte feine Beobachtung mitgetheilt, dafs beide Mittel, die Blaufäure und die blaufäurehaltigen Waffer, nicht gleiche Wirkung zeigen und alfo nicht das eine dem andern fubftituirt werden dürfe. Durch neuere Beobachter ift diefe Erfahrung beftätigt.) — *Einige Bemerkungen über die Wirkung des Brechweinfteins in entzündlichen Bruftbefchwerden.* S. 116. Die Pefchier'fche Methode wurde einige Male mit Schaden angewandt; der Vf. räth fie gegen entzündliche Bruftbefchwerden der Kinder anzuwenden.

Einige Bemerkungen über die Abkühlungsmethode, namentlich über die äufserliche Anwendung des kalten Waffers im hitzigen Fieber während des heftigften allgemeinen Schweifses. Auffallend ift es, wie die *Vis naturae medicatrix* oft die widerfinnigften Behandlungen unfchädlich macht! — *Wohlthätige Wirkung des Jodine.* (des Jods oder der Jodine) *bey fkirrhöfer Entartung der Achfel- und Bruftdrüfen.* — Eine Menge Druck- und Schreibfehler entftellen den fchlechten Stil der Abhandlungen noch mehr.

B—r.

ALLGEMEINE LITERATUR-ZEITUNG

September 1828.

LITERARISCHE NACHRICHTEN.

I. Univerſitäten.

Erlangen.

Verzeichniſs
der
am 20ſten October an der Königl. Bayer. Friedrich-Alexanders-Univerſität daſelbſt beginnenden Vorleſungen im Winterſemeſter 18²⁸⁄₂₉.

I. *Theologiſche Facultät.* *Vogel:* Dogmatik. *Kaiſer:* Symbolik, Iſagogik, Dogmatik. *Winer:* Exegeſe der Briefe an die Korinther, Dogmatik, Anfangsgründe der chaldäiſchen Sprache, Uebungen des exegetiſchen Seminars. *Engelhardt:* Kirchengeſchichte 1ſter Theil, Ueberſicht der geſammten Kirchengeſchichte, Uebungen des homiletiſchen und theologiſchen Seminars. *Krafft:* Dogmatik der reformirten Kirche, Paſtoraltheologie. *v. Ammon:* Moral, Homiletik, Katechetik, Liturgik und Paſtorale, Exegeſe der drey erſten Evangelien, Pädagogik, Uebungen des homiletiſchen und katechetiſchen Seminars. *Ackermann:* Exegeſe des Briefs an die Römer. *Ruſt:* Natürliche Theologie, Disputatorium über die Gegenſtände der Theologie, homiletiſche Uebungen.

II. *Juriſtiſche Facultät.* *von Glück:* Interpretation der juſtinianiſchen Inſtitutionen. *Gründler:* Geſchichte des deutſchen Rechtes, gemeines und bayerſches Lehnrecht, gemeines und bayerſches, preuſsiſches und franzöſiſches Wechſel- und Handelsrecht, deutſches Privatrecht, gemeines und bayerſches Kirchenrecht. *Bucher:* Erklärung des Digeſten-Titels: *de rebus dubiis*, Geſchichte des römiſchen Rechts, die juſtinianiſchen Inſtitutionen, das Recht der Forderungen. *von Wendt:* Criminalproceſs, Bayerſches Civilrecht, Vergleichende Jurisprudenz, Civilpraxis, Uebungen des juriſtiſch-praktiſchen Inſtituts. *Schunck:* Ueber das Inſtitut der Landräthe, Naturrecht, bayerſches Staatsrecht, in Verbindung mit dem deutſchen Bundesrecht. *Puchta:* Pandekten. *Hunger:* Juriſtiſche Encyklopädie, gemeines und bayerſches Criminalrecht, Erbrecht. *Felſecker:* Idee der Geſetzgebung, Criminalrecht, Repetitoria.

III. *Mediciniſche Facultät.* *Henke:* Krankheiten der verſchiedenen Lebensalter, Semiotik, ſpecielle Pathologie und Therapie der acuten Krankheiten, Uebungen im Clinicum. *Fleiſchmann:* Anatomiſche Uebungen, Specielle Anatomie, Anatomiſche Pathologie, Examinatoria. *Koch:* Ueber die kryptogamiſchen Pflanzen, Specielle Pathologie und Therapie der chroniſchen Krankheiten. *Leupoldt:* Mediciniſche Propädeutik, Pſychiatrik, Geſchichte der Heilkunde, Disputatoria. *Bayer:* Specielle Therapie der Krankheiten der Weiber, insbeſondere der Schwangern und Kindbetterinnen, Theorie und Praxis der Geburtshülfe, Praktiſche Uebungen in dem Entbindungs-Inſtitute, Examinatoria. *Jäger:* Pathologie und Therapie der chirurgiſchen Krankheiten, chirurgiſch-cliniſche Uebungen. *Trott:* Ueber einige neue Medicamente, Toxikologia, Examinatoria.

IV. *Philoſophiſche Facultät.* *Mehmel:* Logik, Moral. *Harl:* Polizey, National- und Staatsoekonomie, Landwirthſchaft, Forſtwirthſchaft. *Köppen:* Logik und Metaphyſik, Aeſthetik. *Kaſtner:* Encyklopädie der Naturwiſſenſchaften, Experimentalchemie, analytiſche Chemie. *Böttiger:* Allgemeine Statiſtik, Univerſalgeſchichte, deutſche Geſchichte, Geſchichte und Statiſtik von Bayern. *Pfaff:* Ueber das Kalenderweſen, Differential- und Integralrechnung, Elementar-Mathematik, Aſtrognoſie. *Rückert:* Auserleſene Gedichte Ephraem's, Sanskrit, Exegeſe der kleinen Propheten. *Döderlein:* Tibullus, Propertius und Juvenalis, nebſt Geſchichte der römiſchen Poeſie, Aeſchylus, Praktiſche Uebungen im philologiſchen Seminar. *v. Raumer:* Einleitung in die Geognoſie, Naturgeſchichte. *Kopp:* Cicero *de natura deorum*, Aeſchines, Aeſchylus im philolog. Seminar. *Kapp:* Metaphyſik und Logik, Colloquia, Geſchichte der Religion und Philoſophie. *Fabri:* Ueber die Verfaſſung des Königreichs Bayern, Cameralencyklopädie, Technologie, Bürgerliche Baukunſt, Politiſche Rechenkunſt. *Drechsler:* Semitiſche Sprachen, Erklärung der Pſalmen. *Martius:* Chemiſche Pharmacognoſie, über die Entdeckung der Gifte in Fällen der gerichtlichen Medicin, über die gewöhnlicheren Reagentien. *Zimmermann:* Geſchichte von Bayern, Literaturgeſchichte, griechiſche Antiquitäten, deutſche Poeſie des Mittelalters. *Irmiſcher:* Ueberſicht der Weltgeſchichte, Uebungen in der Diplomatik. *Wagner:* allgemeine Zoologie.

Unterricht in der franzöſiſchen Sprache ertheilt: *Doignon*; in der engliſchen, italieniſchen, ſpaniſchen und

und ruſſiſchen Sprache: *Otto;* in der Reitkunſt: *Eſper;* in der Fechtkunſt und andern gymnaſtiſchen Uebungen: *Roux;* im Zeichnen: *Küſter;* im Tanzen: *Hübſch.*

Die *Univerſitäts-Bibliothek* iſt wöchentlich dreymal von 1—3, und zweymal von 1—2 Uhr, das Naturalien-Kabinet Mittwochs von 1—2, und das Kabinet der chirurgiſchen Inſtrumente Samſtags von 2—3 Uhr geöffnet.

II. Todesfälle.

Zu Jena ſtarb am 8. Auguſt der Hofrath *Johann Friedr. Fuchs,* ſeit 1805 ordentlicher Profeſſor der Anatomie an daſiger Univerſität. Schon ſeit 1822 war er wegen Schwäche der untern Extremitäten am Vortrage der Anatomie gehindert, und nur Oſteologie vermochte er noch auf ſeinem Zimmer zu leſen; doch auch dieſs nicht mehr in den letzten Jahren. In ſeiner zwar nicht ſehr zahlreichen, aber ausgeſuchten anatomiſchen Sammlung zeichnen ſich beſonders die Präparate über das Gehörorgan aus.

Auf ſeinem Landſitze Tunaberg bey Upſala, an eben dieſem Tage, Dr. *Karl Peter Thunberg,* Profeſſor der Medicin und Botanik an der Univerſität Upſala, Commandeur des Waſa-Ordens, Mitglied von 66 in- und ausländiſchen Akademieen und gelehrten Geſellſchaften, Senior der Univerſität Upſala u. ſ. w. Er war in Jonköping den 11. Novbr. 1753 geboren.

Zu Salzwedel am 17. Auguſt der Subrector des daſigen Königl. Gymnaſiums, Dr. *Friedr. Wilh. Solbrig,* im 32ſten Jahre.

Zu Paris im Auguſt der berühmte franzöſiſche Bildhauer *Houdon,* Mitglied des franzöſ. Inſtituts und Ritter der Ehrenlegion. Er wurde zu Paris im J. 1741 geboren. Intereſſante Nachrichten über ihn giebt die Berliner Zeitung von Haude und Spener in einigen Blättern des Auguſtmonats.

III. Vermiſchte Nachrichten.

Am 7. September wurde zu Braunſchweig das Jubelfeſt der vor dreyhundert Jahren durch die Kirchenreformation glücklich errungenen *Geiſtesfreyheit* unter der lebhafteſten Theilnahme aller Stände feyerlichſt begangen. Durch das chriſtlich-brüderliche Zuſammenwirken des Stadtmagiſtrats und der Bürgerſchaft in Verbindung mit den Predigern war unter Dr. *Johann Bugenhagen's* Leitung die Kirchenverbeſſerung in der Stadt Braunſchweig im Jahre 1528 glücklich zu Stande gebracht, nachdem die von *B.* entworfene Kirchenordnung einſtimmig am 5ten September öffentlich angenommen worden. Das erneuerte Andenken an jene Vergangenheit wirkte um ſo wohlthätiger, da derſelbe Sinn der Einigkeit durch Beweiſe der gegenſeitigen Achtung und des Vertrauens zwiſchen Predigern und Gemeinen und der ſtädtiſchen Oberbehörde auch jetzt auf das lebhafteſte ſich ausſprach. E[illegible] eine freywillige Beyſteuer hatte die Bürgerſchaft [illegible] anſehnliche Summe, um damit etwas der Feyer W[illegible]diges zu unternehmen, ſchon in der Erwartung [illegible] feſtlichen Tages zuſammengebracht, welche nach [illegible]müthigem Beſchluſſe zur Verbeſſerung der Sch[illegible] oder zu Stipendien für Gymnaſiaſten beſtimmt iſt.

Am Vorabende des Feſtes verkündete das Gel[illegible] aller Glocken die nahe Feyer, und nachdem die P[illegible]diger mit ihren Gemeinen in ihren Pfarrkirchen [illegible] Morgen ſich der Segnungen der Reformation dank[illegible] erinnert hatten, verſammelten ſich zu einem *Hau[illegible] Nachmittags-Gottesdienſte* die Mitglieder des Magiſtr[illegible] und der höchſten Behörde, nebſt dem geiſtlichen [illegible]niſterio und den Lehrern ſämmtlicher Schulen in [illegible] groſsen Brüdernkirche, wo der Stadt- und Genera[illegible]ſuperintendent *Henke,* nach Eph. V. 8—19 den *Ei[illegible]fluſs der Reformation auf Erleuchtung und Sittlich[illegible]* ſchilderte und *zur pflichtmäſsigen Benutzung ihrer [illegible]nungen* einfach und kräftig ermunterte. Eine mit [illegible]ſchmack geordnete und ſehr präcis ausgeführte Kirchenmuſik wechſelte mit dem Geſange der Gemeine, die vor der Predigt Luther's Kernlied: „Eine feſte Burg iſt unſer Gott" — und nach derſelben ein zu [illegible] Feyer gedichtetes Loblied mit ſichtbarer Rührung und Erhebung ſang.

Zum Beſchluſſe des Feſtes war ein Mahl veranſtaltet, an welchem auſser dem Perſonale des Magiſtrats und der Geiſtlichkeit *alle Lehrer der Stadt,* von den Profeſſoren am Collegio Carolino bis zu den Seminariſten des Waiſenhauſes Theil nahmen, und zu welchem ſich auſser den geladenen Mitgliedern des Herzoglichen Staats-Miniſterii und des Herzogl. Conſiſtori[illegible] noch eine Menge einheimiſcher und auswärtiger Gäſte eingefunden hatte.

Eine ſehr ehrenvolle Theilnahme der Göttinger Univerſität an der vaterländiſchen Feyer wurde gegen das Ende des Mahles kund, welches durch *innige anſpruchloſe Fröhlichkeit ſämmtlicher Anweſenden* gewürzt wurde, da die theologiſche Facultät jener Univerſität bey dieſer Veranlaſſung den beiden geiſtlichen Räthen des Herzogl. Conſiſtoriums, den Herren Aebten von Königslutter und von Riddagshauſen *A. F. L. Hoffmeiſter* und *E. H. A. Lentz,* die *theologiſche Doctorwürde,* und die juriſtiſche Facultät dem Hrn. Magiſtratsdirector *Bode* die *juriſtiſche Doctorwürde* honoris cauſa ertheilt hatten.

Einen herrlichen Anblick gewährte noch am *ſpäten* Abend der höchſte Stadtthurm der St. Andreaskirche, welcher oben mit einem Strahlenkranze von Lampen umgeben über die Stadt hinleuchtete, ein Symbol des vor dreyhundert Jahren glücklich errungenen Lichtes, deſſen Glanz bis jetzt, Gottlob! nicht getrübt iſt und geſchützt gegen die Gefahren des neueren Obſcurantismus ſich auf die ſpäteſte Enkelwelt vererben möge.

LITE-

LITERARISCHE ANZEIGEN.

I. Neue periodische Schriften.

Vom *Journal für Prediger*, gr. 8. Halle, bey Kümmel, ist das 2te Stück des 73sten Bandes, oder 828 September - und October - Heft erschienen, nthaltend: Abhandlungen, Miscellen und 25 Recensionen.

II. Ankündigungen neuer Bücher.

Neue Werke, welche im Verlage von Kayser u. Schumann in Leipzig erschienen sind:

v. Hartitzsch, Dr., Handbuch des in Deutschland geltenden Eherechts, mit besonderer Angabe des Preussischen und Sächsischen Rechts. gr. 8.

Derselbe, Versuch einer *tabellarischen* Anleitung des *bürgerlichen Processes* zum Gebrauch *akademischer Vorlesungen*. gr. 8. Preis 1 Rthlr. 6 gr.

Diese letztere Schrift wird hauptsächlich den Herren Studirenden zur Präparation und Repetition der Vorlesungen über den Process eine willkommene Erscheinung seyn!

Billard, C., die *Schleimhaut* des *Magens* und des *Darmkanals* im gesunden sowohl als krankhaften Zustande, oder anatomisch-pathologische Untersuchungen über das verschiedenartige gesunde sowohl als krankhafte Aussehen des Magens und der Gedärme. Eine vom Athenäum der Medicin zu Paris gekrönte Preisschrift. Aus dem Französischen übersetzt und mit Anmerkungen herausgegeben von *Joh. Urban*, der gesammten Heilkunde Doctor u. s. w. gr. 8. Preis 1 Rthlr. 16 gr.

Hildebrandt, C., der *Winter auf Spitzbergen*. Ein Buch für die Jugend. Mit 4 illum. Kupfern. 8. Gebunden 1 Rthlr. 4 gr.

Obige, von dem rühmlichst bekannten Hrn. Pastor *Hildebrandt* verfasste Jugendschrift ist eben so belehrend als unterhaltend, und daher Aeltern, welche ihren Kindern ein *nützliches* Buch schenken wollen, besonders zu empfehlen, um so mehr, als des Verfassers anziehende Methode in Darstellung eines bis jetzt wenig bekannten Landes vielseitiges Interesse darbietet.

Eusebius historiae eccles. libri X. Ex nova recognitione cum aliorum ac suis prolegominis integris *Henr. Valesii* commentar. selectis *Readingi, Strothii* aliorumque viror. doct. observationibus edidit, suas animadversiones et excursus, indices emendatos ac longe locupletiores adjecit *Fr. Ad. Heinichen*. III Tomi, cum tab. lithogr. 8maj. Preis 7 Rthlr. 12 gr. Charta Vel. 10 Rthlr.

Obige Ausgabe der Kirchengeschichte des *Eusebius*, wozu der Hr. Herausgeber auch die neuesten Schriften über *Eusebius* von *Möller, Kestner, Danz* und *Reiterdahl* mit sorgfältiger Auswahl benutzt hat, kann den Freunden kirchenhistorischer und patristischer Forschung nur erfreulich seyn. Druck und Papier sind ausgezeichnet schön!

Für Lehrer und Lernende der englischen Sprache.

Knorr, C. W., Praktische *Grammatik* der *englischen Sprache*, mit einer vollständigen Anleitung und Uebungsstücken zur Anwendung der grammat. Regeln nach *Sanguin's* Methode. Zum Schul- und Privatgebrauch. gr. 8. Preis 1 Rthlr. 6 gr.

Alle in obiger Grammatik vorkommenden engl. Wörter sind, zur Erleichterung der Aussprache, genau accentuirt; die Regeln der Sprache sind deutlich vorgetragen und jeder derselben eine Uebungsaufgabe zur Anwendung der Regel beygefügt. Die Lücken, die man in den meisten Grammatiken sowohl in der Orthoepie, Etymologie als Syntaxis findet, sind so viel als möglich ausgefüllt, so dass diese Grammatik in allen ihren Theilen, in so weit es möglich, vollständig und zum praktischen Gebrauch bequem eingerichtet ist.

Das Vater Unser.
In 190 Bearbeitungen.
Ein Erbauungsbuch für jeden Christen.
Pracht-Ausgabe; Titel mit Golddruck 2 Rthlr. 16 gr.
Dasselbe in 2 Theilen gr. 8. mit 2 Kupf. 1 Rthlr. 22 gr. in 8. 1 Rthlr. 8 gr.

Chr. Niemeyer,
Das Buch der Tugenden.
In Beyspielen aus der neuern und neuesten Geschichte.
2 Theile mit 52 Bildnissen 2 Rthlr. 20 gr.
Dasselbe mit illum. Bildnissen 4 Rthlr.

In allen soliden Buchhandlungen ist zu haben:

Reinhard, L., kleines Taschenbuch für Oekonomen und Gutsbesitzer, welches nach einer vorangehenden Erläuterung verschiedener im Felde vorkommenden Figuren 1) eine Tabelle enthält, nach welcher man ein Stück Land zu einer Kasselschen-, Gudensberger-, Homberger-Metze, so wie zu einer Marburger-Meste Leinsaat, Kartoffeln u. s. w. 2) eine Tabelle, nach welcher man von einer grossen Fläche einen Acker für Schnitter und Mäher abmessen kann. Nebst einer Anweisung, wie ein Oekonom, ohne weitere geometrische Kenntnisse, die Grösse einer ungemessenen Fläche ausmessen, den Inhalt derselben durch Berechnung finden, und nach der Ackerzahl bestimmen kann.

Zugleich sind verschiedene Fruchtmaasse mit dem Kasseler Maasse verglichen, und ist dabey auch das Gewicht einer kasselschen Metze Frucht als Normalgewicht

wicht angegeben, wornach in jeder Gegend das gangbare Gemäfs auszumitteln fteht. Mit 6 Holzfchnittfiguren. Brofch. 4 gGr.

Der Verfaffer ift durch feine gemeinnützigen Schriften zu rühmlich bekannt, als dafs ich dem obigen Schriftchen, deffen Nützlichkeit für jeden Oekonomen und Landmann, fchon aus dem Titel genügend hervorgeht, noch etwas weiteres zu feiner Empfehlung beyfügen follte.

Kaffel, im Auguft 1828.

J. Luckhardt'fche Hofbuchhandlung.

Bey Eduard Weber in Bonn ift vor Kurzem erfchienen und in allen Buchhandlungen zu haben:

Diefterweg, Dr. *F. A. W.*, Raumlehre oder Geometrie, nach den jetzigen Anforderungen der Pädagogik für Lehrende und Lernende bearbeitet. Mit 9 Steintafeln. gr. 8. 1 Rthlr.

Hayn, Dr. *A.*, Abhandlungen aus dem Gebiete der Geburtshülfe. gr. 8. 14 gGr.

Nöggerath, Dr. J., Sammlung von Gefetzen und Verordnungen in Berg-, Hütten-, Hammer- und Steinbruchs-Angelegenheiten, welche feit der Wirkfamkeit des preufs.-rheinifchen Ober-Bergamts erlaffen worden und Gültigkeit befitzen. Jahrgang 1827. gr. 8. 4 gGr.

(Als Nachtrag zu der im J. 1826 erfchienenen Sammlung u. f. w. à 1 Rthlr. 8 gGr.)

Bergordnung für Neufpanien, welche in allen Theilen der Königl. Spanifchen Befitzungen Amerika's noch kraftbeftändig ift. Aus dem Span. überf. von Dr. *J. Nöggerath* u. Dr. *J. P. Pauls*. gr. 8. 1 Rthlr. 8 gGr.

Nova Acta phyfico-medica Academiae Caefareae Leopoldino-Carolinae naturae curioforum. Tom. XIII. P. 2.

Auch unter dem Titel:

Abhandlungen der Kaif. Leopold. Carolin. Akademie der Naturforfcher. XIII. Bdes 2te Abtheil. Mit vielen Kpfrn. gr. 4. 10 Rthlr.

Deycks, Dr. *F.*, de Megaricorum doctrina ejusque apud Platonem et Ariftotelem veftigiis. 8 maj. 12 gGr.

Welcker, Dr. *F. G.*, das akademifche Kunftmufeum zu Bonn. gr. 8. 10 gGr.

Rheinifches Mufeum für Philologie, Gefchichte und griechifche Philofophie. Herausgeg. von *B. G. Niebuhr* und *Ch. A. Brandis*. IIten Jahrgangs 1ftes, 2tes u. 3tes Heft. gr. 8. Preis des Jahrgangs von 4 Heften 4 Rthlr.

(Der erfte Jahrgang 1827 à 2 Rthlr.)

Rheinifches Mufeum für Jurisprudenz. Herausgeg. von *F. Blume*, *J. C. Haffe*, *G. F. Puchta* und *Ed. Puggé*. IIten Jahrgangs 1ftes, 2tes u. 3tes Heft. gr. 8. Der Jahrgang von 4 Heften 3 Rthlr.

(Der erfte Jahrgang 1827 à 2 Rthlr.)

Corpus fcriptorum hiftoriae Byzantinae. Editio emendatior et copiofior, confilio *B. G. Niebuhrii* C. F. inftituta, opera ejusdem *Niebuhrii*, Imm. Be *L. Schopeni*, *G. Dindorfii* aliorumque philolog parata. Pars III. Agathias. 8 maj. Subfcripti preis Auf feinem Druckpap. 2 Rthlr.

Auf Schreibpap. 2 Rthlr. 16 gGr.

Auf Velinpap. 3 Rthlr. 4 gGr.

Unter der Preffe find bereits folgende Abtheil gen diefes Werkes, die fämmtlich noch im Laufe d fes Jahres geliefert werden: *Cantacuzenus*, *Leo D conus*, *Nicephorus Gregoras* und *Conftantinus Porp rogenitus*. Darauf fogleich *Syncellus*, *Procopius* u. f. f.

Binnen kurzem wird gleichfalls erfcheinen:

Niebuhr, B. G., kleine hiftorifche und philologifi Schriften. *Erfter* Theil. Mit 1 Karte und 1 I fchrifttafel. gr. 8.

Neue fchönwiffenfchaftliche Schriften.

Bey mir find kürzlich erfchienen und in allen B handlungen zu haben:

v. Miltitz, C. B., gefammelte Erzählungen, 3r und 4ter Theil.

Auch unter dem Titel:

Neue gefammelte Erzählungen, 1fter u. 2ter Theil 3 Rthlr.

Rochlitz, Fr., für ruhige Stunden, 2 Thle., mi 1 Porträt und 1 Notenblatt. 3 Rthlr.

Bulgarin's, Th., fämmtliche Werke, aus dem Ruffifchen überfetzt von *A. Oldekop*. 4 Thle. 4 Rthlr.

Letztere enthalten hiftorifche Auffätze, Darftellungen aus dem Kriegerleben, Sittenfchilderungen und Erzählungen.

Leipzig, im September 1828.

Karl Cnobloch.

Bey Unterzeichnetem ift erfchienen und *in allen* Buchhandlungen zu haben:

Otto, W., Handbuch des befondern Kirchenrechts der evangelifch-chriftlichen Kirche im *Herzogthume Naffau*. Mit Tabellen. gr. 8. 5 Fl. od. 3 Rthlr.

Joh. Ad. Stein.

III. Vermifchte Anzeigen.

An Freunde der Patriftik und Kirchengefchichte.

Diefe macht der Unterzeichnete darauf aufmerkfam, dafs der im November d. J. erfcheinende *Catalog* des hiefigen Antiquars, Hrn. *W. Neubronner*, neben vielen bedeutenden Werken aus allen Literaturzweigen, befonders mehrere gröfsere und feltene aus den oben genannten Fächern enthalten wird, die als Doubletten aus der Ulmifchen Gymnafiums-Bibliothek verkauft werden.

Ulm, im Auguft 1828.

Rector u. Prof. Dr. *Mofer*.

ALLGEMEINE LITERATUR-ZEITUNG

September 1828.

CASUALREDEN.

1) Weimar, b. Hoffmann: *Trauer-Rede nach der feyerlichen Beysetzung* des weil. Durchl. Fürsten und Herrn *Karl August*, Grofsh. z. Sachfen-Weimar u. f. w. Kgl. Hoh., am 9. Julius 1828 in der Haupt- und Stadtkirche zu Weimar gehalten von Dr. *Johann Friedrich Röhr*. Nebst vorausgefchickten *Bemerkungen über die letzten Lebenstage des Vollendeten*. 1828. 31 S. gr. 8.

2) *Ebend: Gedächtnifspredigt bey der öffentlichen Todesfeyer Karl August*, Grofsh. z. S. W. u. f. w., am 10. Sonntage n. Tr. 1828 in der Haupt- und Stadtkirche zu Weimar gehalten von Dr. *Johann Friedrich Röhr*. Mit *erläuternden Anmerkungen*. 1828. 35 S. gr. 8.

Ungeachtet ihres geringen Umfangs gehören vorliegende Schriften zu den bemerkenswertheften literarifchen Erzeugniffen der neueften Zeit, da fie das Andenken eines der preiswürdigften, insbefondere auch um Beförderung der Künfte und Wiffenfchaften höchftverdienten, Regenten auf eine eben fo angemeffene als anfprechende Weife feyern. Jeder Gebildete wird fich daher fchon durch eine kurze Angabe ihres Inhalts zu einer näheren Bekanntfchaft mit denfelben angezogen fühlen.

Die Schrift unter Nr. 1. beginnt mit fehr interessanten Notizen und Bemerkungen über die letzten Lebenstage des Verewigten, welche derfelbe auf einer Reife über Halle, Magdeburg nach Potsdam und Berlin zubrachte, und an deren Ziele ihn auf der Rückreife am 14ten Junius d. J. der Tod in dem Kgl. Pr. Schloffe *Graditz* bey Torgau ereilte, nachdem er bereits am 3ten Sept. 1825, feinem 68ften Geburtstage, fein Regierungs-Jubelfeft gefeyert und dabey die frohe Hoffnung befeftigt hatte, dafs er ohne befondere lebensgefährliche Zufälle das höchfte Lebensalter erreichen werde. Wie fehr jene Hoffnung auch noch während des Aufenthalts in Berlin Nahrung fand, zeigt unter andern folgende den Verewigten treffend charakterifirende Mittheilung: „Aufser dem Genuffe, welchen der Verewigte in dem täglichen Beyfammenfeyn mit der Königl. Familie felbft und den Seinem Herzen am nächften ftehenden Gliedern derfelben fand, bereitete er Sich nach Maafsgabe feiner befondern geiftigen Eigenthümlichkeit und in der ihm fein ganzes Leben hindurch gewohnten Weife die anziehendften Genüffe anderer Art. In faft fteter Begleitung des Prinzen *Karl*, des berühmten Alexander von *Humboldt* und des geiftreichen Major von *Staff* befuchte Er alle Merkwürdigkeiten, alle Kunftfchätze, alle naturhiftorifchen Sammlungen und alle Gärten der Stadt, worin Er für Seine tiefen und umfaffenden Kenntniffe Nahrung vermuthete; fahe die Kunftftätten der ausgezeichnetften Künftler, pflog mit den gebildetften Männern Unterhaltung und Umgang, wohnte militärifchen Uebungen bey, arbeitete in den frühen Morgenftunden für fich felbft, fchrieb Briefe, brachte Sein Tagebuch in Ordnung und gab Sich bis in die tiefe Nacht hinein der raftlofeften Thätigkeit hin, fo dafs Seine nächften Umgebungen in jedem Bezuge den Mann wieder in Ihm aufgelebt fahen, der Er in Seinen rüftigen Tagen gewefen war" (S. 7). Um fo fchmerzlicher mufste den treuen Unterthanen des feltenen Regenten der Anblick des Trauerzuges feyn, mit welchem am 21ften Junius die entfeelte Hülle deffelben ihnen zugeführt wurde. Erft am 9ten Julius wurde jene in der Grofsherz. Familiengruft, welche nur erft vor einigen Jahren von dem Verewigten felbft auf dem allgemeinen Gottesacker der Stadt Weimar errichtet war, unter angemeffenen Feyerlichkeiten beygefetzt und hierauf in der Stadtkirche ein befonderer Trauergottesdienft veranftaltet, wobey nach einem von *Hummel* aufgeführten *Requiem* die hier abgedruckte *Trauerrede* gehalten ift. Nachdem der Redner in einem kurzen Eingange die Schwierigkeit angedeutet hat, bey eigener tiefer Wehmuth den Gefühlen einer allgemeinen Trauer auf eine würdige Weife Sprache zu geben, verbreitet er fich zunächft über das Herbe und Schmerzliche bey diefem Verlufte des vollendeten Fürften, welches jener dadurch erhielt, dafs er fo ganz wider Erwarten eintrat, fo fern von dem treuen Volke des Verewigten, und dafs diefes in ihm den Vater verlor, der ihm durch langen und gewohnten Befitz doppelt theuer und verehrungswürdig geworden war. Hieran knüpft der Vf. Worte des Troftes, entlehnt aus dem fchon an fich beneidenswerthen, mehr aber noch für den Vollendeten ganz unfchätzbaren Gefchick, aus diefem Leben fo zu fcheiden, wie er fchied, aus den Gedanken, dafs demfelben bey dem Vollendeten ein fo frucht- und thatenreiches Leben voranging, und dafs fein im Erforfchen und Ergründen alles Wiffenswürdigen fo unermüdeter Geift in einem höheren Dafeyn die vollfte Befriedigung findet. Das Ganze ift in einer einfachen würdigen und lebendigen Darftellung durchgeführt, und wenn man gleich einen dabey zum Grunde gelegten Bibeltext vermiffen möchte, fo werden doch in der Rede felbft öfter biblifche Ausfprüche paffend angewandt, von wel-

welches der am Schlusse befindliche gar wohl als Texteswort hätte benutzt werden mögen. Statt des verschiedentlich gebrauchten Ausdruckes: *Beysetzung*, würde Rec. des bekanntern: *Leichenbestattung* oder eines ähnlichen sich bedient haben.

In dem Eingange der unter Nr. 2. aufgeführten, durch die bekannten Vorzüge ähnlicher homiletischen Arbeiten des Vfs. rühmlichst ausgezeichneten *Gedächtnisspredigt* heisst es S. 6 unter anderm sehr wahr: „Bieten doch schon Regenten, welche weit weniger durch sich selbst, als nur durch ihre angeborne fürstliche Würde einen wichtigen Einfluss auf die menschliche Gesellschaft äussern, bey ihrem Abtreten von dem sichtbaren Schauplatze der Dinge zu einer anziehenden Erwägung ihres Seyns und Wirkens vielfachen Anlass dar: wie sollte dieses nicht in weit höherem Grade da statt finden, wo ein Regent, wie der von uns Geschiedene, durch seine blosse und reine Persönlichkeit zu einer der beachtenswerthesten Erscheinungen wurde und durch den Thron, auf welchem er sass, nur den zufälligen Vortheil erhielt, sein eigenthümliches Wesen in einem weitern Kreise anschaulich werden zu lassen?" Und so sucht dann der Vf. nach 2 Petr. 1, 14. 18. zu zeigen: *„dass eine lebendige Vergegenwärtigung unseres vollendeten Fürsten die stärkste Ermunterung für uns sey, Ihn in einem treuen Gedächtnisse zu halten."* Zuerst lenkt der Redner die Aufmerksamkeit auf den Vollendeten als *Menschen*, und zwar in näherer Beziehung auf die seltene Geisteskraft, die edle Gesinnung und die Wärme und Innigkeit des religiösen Glaubens, welcher in dem Sinnlichen das Uebersinnliche umfasst. Da der Charakter des Verewigten von Aber- und Uebergläubigen gerade in letzterer Rücksicht oft verkannt worden, so ist es um so erfreulicher, denselben von dem Vf., den der Verewigte des ungetheiltesten Vertrauens in religiösen Angelegenheiten (vgl. die Anmerkungen 9 f.) würdigte, aufs vollkommenste gerechtfertigt zu sehn. Nur folgende Aeusserung aus der Predigt sey uns vergönnt, hier mitzutheilen: „Allerdings versagte Ihm die Ungunst der Zeit, in welche Seine Kindheit und Jugend fiel, das Glück eines religiösen Unterrichts, welcher Ihm für Geist und Herz befriedigende Nahrung gewährt hätte, und das Schicksal so mancher Edeln unsers Geschlechts, sich statt der schlichten göttlichen Wahrheit des Evangeliums spitzfindige und unfruchtbare Menschensatzungen dargeboten zu sehn und dadurch in Gefahr zu kommen, Religion und Christenthum als ein widerliches Gewebe von Trug und Irrthum geringschätzig von sich zu weisen, war auch das Seinige. Aber mit Hülfe Seines bessern Selbst, bestand Er diese Gefahr und eignete sich als Lehrling Seines eigenen Geistes und Herzens die frommen Ueberzeugungen an, welche Ihm durch die Art und Weise, wie man Ihn von aussen her dazu führen wollte, verleidet worden waren." (S. 10) In einer Anmerkung S. 27 wird hinzugesetzt, dass jede Unaufmerksamkeit bey dem Vortrage der unverdaulichsten Dogmen mit dem mechanischen Auswendiglernen mehrerer Psalmen oder anderer u[illegible] standener Bibelabschnitte *gebüsst* werden [illegible] Der Vf. zeigt sodann, wie der Vollendete durch [Be]trachtung der Natur und ihrer Wunder zu Got[t] deren Urheber und Regierer in tiefer ungeheuc[hel]ter Ehrfurcht hingeleitet wurde, wie er in Ch[ristus] den echten Gottessohn erkannte und das einfa[che] von menschlichem Wahn entkleidete Gotteswort [der]selben als den sichersten Weg zur Seligkeit vere[hrte] und schätzte; unnützes Grübeln aber über das [dem] Menschen einmal Unerforschliche und zweckl[oses] Streiten über das „was kein Verstand der Verst[än]digen sieht", kaum als Uebung der menschlich[en] Denkkraft für heilsam und zulässig hielt, dagegen [...] edles und kräftiges Handeln nach Maassgabe ein[es] schlichten und festen Glaubens werth achtete; [...] er endlich von Herzen jedes Sieges sich freute, w[el]chen auf dem Gebiete des Religiösen die Vern[unft] über die Unvernunft, die Wahrheit über den [Irr]thum, das Licht über die Finsterniss und der [...] Christenglaube über verderblichen Aberglauben [da]von trug. — Der *zweyte* Theil der Pr. stellt de[n] Verewigten als *Glied der menschlichen Gesellschaft* dar, wie er sich selbst für ein solches achtete und sich von dem gemeinsamen Verbande der menschlichen Gesellschaft seiner sonstigen Verhältnisse halber keineswegs loszählte; wie er sich auch derselben als lernbegierigen Zögling hingab und seinerseits ihr geistiges und leibliches Wohl eifrigst zu fördern beflissen war. — Endlich zeigt der *dritte* Theil, wie der Vollendete als *Oberhaupt eines bestimmten bürgerlichen Vereins*, als Fürst und Regent, sich gerechten Anspruch auf eine unvergängliche Fortdauer seines Andenkens zu erwerben wusste; in wie fern ihm nichts mehr am Herzen lag, als der erste Diener des ihm anvertrauten Staates zu seyn und das Glück desselben mit der unverdrossensten Selbstthätigkeit zu schaffen, frey von herrischer Willkür, mit Gerechtigkeit und Milde die ihm anvertraute Regierung führte, und reicher Segen über Volk und *Land von* ihm ausging. Das Ganze beschliesst *eine eindringliche* Aufforderung, das Andenken des Verewigten treu zu bewahren, so dass Jeder nach Maassgabe der ihm zugetheilten irdischen Verhältnisse, nach seinem Vorbilde, die möglichste Summe des Guten zu schaffen strebe und dadurch dem erhabenen Erben seines Throns und seiner bewährten Regierungsgrundsätze die sicherste Bürgschaft der nun ihm gewidmeten Anhänglichkeit und Liebe darbiete. Schon aus dieser kurzen Inhaltsanzeige erhellt, wie trefflich geordnet der Vf. den fast zu reichhaltigen Stoff in den Umfang einer Predigt einzufügen wusste, deren allgemeinere, dem unterrichteten Zuhörer indess leicht verständliche, Andeutungen durch die hinzugefügten erläuternden Anmerkungen besonders für den nicht einheimischen Leser ein noch erhöhteres Interesse gewinnen. Mehrere jener enthalten seltne Charakterzüge von menschenfreundlicher Milde und Herablassung, von Gewissenhaftigkeit und Gerechtigkeitsliebe; andere betreffen die religiöse Denkart des

Vererewigten, in welcher letzteren Beziehung unter derem S. 28 gefagt wird: „Er hatte fich aus den nfachen Berichten der Evangeliften ein Bild von efu entworfen, vor welchem Er die tieffte Achtung npfand und freute fich, daffelbe in der gedachten chrift (des Vfs. *Paläftina* u. f. w.) wiedergefunden a haben. Mit gleichem Intereffe las Er alles für Ihn afsliche in meiner *Kritifchen Predigerbibliothek* und och in Seiner letzten Lebenszeit ftudirte Er gleicham das *Leben Jefu* von Dr. *Paulus* und machte es faft u feinem täglichen Handbuche." — In Beziehung uf den bekannten *De Valenti* wird bemerkt, dafs ie viel verbreitete und immer aufs neue wiederholte Nachricht, als fey derfelbe feiner *religiöfen Anfichten* halber erft *bürgerlich beftraft* und dann us den Weimarifchen Landen verwiefen worden, u den frechften Erfindungen des frömmelnden Lügengeiftes unferer Tage gehört. „Nur das Wort wurde ihm abgenommen, keine Conventikel mit remden Perfonen mehr zu halten, da der Unfug, ler daraus erfolgte, mit jedem Tage gröfser wurde, and die neben der Ortsfchule von ihm errichtete igene Schule einzuftellen. Er brach fein Wort und verging fich noch obendrein durch *injuriöfe Aeufserungen* gegen die Grofsh. Regierung, und *nur* diefe Injurien wurden gefetzlich, immer aber noch fehr mild an ihm geahndet. Hierauf entfchlofs er fich freywillig, feine ärztliche Praxis niederzulegen und aus dem Lande zu gehn — und fo liefs man ihn gehen. Wer hätte es wagen follen, in diefer Sache einem Fürften zu verfolgenden Maafsregeln zu rathen, welcher feine Mifsbilligung fogleich bemerkbar machte, wenn über religiöfe Schwärmereyen und einzelne Schwärmer in Seiner Gegenwart nur gefpottet wurde. Er felbft fprach ernft dagegen und bemitleidete das frömmelnde Treiben der Zeit. Bey vielen davon Behafteten fand Er die Quelle deffelben nur „in einer elenden Eitelkeit, die fich dadurch bemerkbar machen wolle." *Alle* von dem Verewigten in der Valenti'fchen Sache und dem damit zufammenhängenden Tractatenwefen ausgegangene Befehle empfahlen gegen diefe Seuche nichts als „gründlichen Schul- und Kirchenunterricht," und wie Er in diefem das wahre Heil der Staaten erkannte, fo fprach Er auch mit unverholenem Unwillen gegen alles *Pfaffen*- und *planmäfsige Verfinfterungswefen* in jeder chriftlichen Confeffion" (S. 28). Ebend. ift erwähnt, „dafs der Verewigte bey befonders feyerlichen Veranlaffungen ganz aus innerem Andachtstriebe an dem öffentlichen Gottesdienfte Theil nahm, doch es aufrichtig beklagte, dafs die öffentliche Erbauung für fein fchweres Gehör nicht paffe." „Einzelne gedruckte Predigten anziehenden Inhalts las Er mit grofser Aufmerkfamkeit und fprach gern und viel darüber. Die neueften Bewegungen auf dem Gebiete des Liturgifchen verfolgte Er mit vielem Intereffe und erklärte fich nur für das *Zweckmäfsige* und *Bewährte* in Sachen deffelben, manchmal wohl auch mit Hinzufügung einer witzigen Bemerkung über die darin gefchehenden Fehlgriffe." Mit dem Wunfche, dafs bald eine ausführliche Biographie das Andenken eines der ruhmwürdigften und in fo vieler Hinficht ausgezeichneten Regenten würdig verherrlichen möge, theilen wir zum Schluffe den nach einem folchen Verlufte in Beziehung auf den erhabenen Nachfolger des Verewigten wahrhaft troftreichen Inhalt der letzten Anmerkung mit: „Schon in feinem erften, von Petersburg aus an das Staats-Minifterium in Weimar gerichteten, Schreiben fagte *Karl Friedrich*: „„verfichern Sie meinen lieben Unterthanen, dafs Ich ganz in die *Fufstapfen Meines feligen Vaters* treten werde"", und in dem Ausfchreiben zum Huldigungs-Landtage vom 25. Julius 1828 war die wiederholte Verficherung enthalten, dafs „„Er die Werke Seines nun in Gott ruhenden Hn. Vaters ehren, erhalten, fchützen und fchirmen werde!"" — Welche erfreuliche Ausficht für Sein treues Volk!"

PHILOSOPHIE.

BRESLAU, b. Dülfon u. Comp: *Der Staat, in Hinficht auf Wefen, Wirklichkeit und Urfprung, philofophifch entwickelt.* Zur Entfcheidung der ftaatsrechtlichen Frage: ob er auf einem Vertrage beruhe. Von Dr. *Ludwig Thilo.* 1827. 212 S. 8. (1 Rthlr. 4 gr.)

Das erfte Buch handelt von dem Wefen und der Wirklichkeit des Staats. Idee ift der einer Sache felbft einwohnende Begriff der Vernunft, zugleich die Wahrheit, Innerlichkeit, das Wefen der Sache. Alfo Idee des Staats ift fein Wefen, und die Wirklichkeit ift deffen Erfcheinung. Diefes Wefen ift nie als ein Band zu achten, das die Menfchen von aufsen blofs umfchlingt, um fie zufammenzuhalten und zu leiten, fondern es bewirkt eine freye nur gefetzmäfsige Regfamkeit aller edleren Gemüthskräfte. Auch ift der Staat nicht als eine durchaus künftlerifche Willkür in der Behandlung des Stoffs vorzuftellen. Seine wefentliche Angelegenheit ift Sittlichkeit, welche das in die lebendige Wirklichkeit des freyen Willens verwandelte Gefetz ift. „Das Wefen des Staats ift das an fich vernünftige Wefen der Welt, indem diefes aus dem urkräftigen Grunde der Natur in fich felbft erwacht, und fich durch die von ihm ausgehende Entwickelung zur Bewufstheit feiner felbft und zur Freyheit erhoben hat, feine Wirklichkeit aber durch Gefinnung und That in Gefetz und Verfaffung auch in ihrer äufsern Gemeinfchaft fichtbar gewordene Eintracht der Menfchen" (S. 74). — Das zweyte Buch handelt vom Urfprunge des Staats. Aus Nichts kann Nichts entftehen. Wefen des Staats ift Idee des Allgemeinwillens, auf das Ganze gerichtet. So lange diefer uns nur noch in der Geftalt der Pflicht vorfchwebt, ift er keineswegs unfer wirklicher Wille. Zum wirklichen Staate beginnen wir die Idee erft dann zu entwickeln, nachdem wir bereits in die äufsere Gemeinfchaft zufammengetreten find, und der wefentliche Wille aller als offenbarer Wille aller hervorbricht. Diefer Uebergang

gang aus dem Wefen des Rechts in feine allgemeine Wirklichkeit ift der Urfprung des Staats. Befreyung des menfchlichen Willens ift Grund und Ziel, Anfang und Ende des Staats, nicht Zwang und Gewalt. Wie das erworbene Recht fich zum urfprünglichen, und wie die Willkür fich zum wefentlichen Willen, fo verhält fich die bürgerliche Gefellfchaft zum Staate: denn *fie* ift das Niedere, an dem *er* als das Höhere offenbar werden foll. Nicht nur *über* den Staat, felbft *mit ihm* fchliefsen wir keinen eigentlichen Vertrag. Diefer Begriff vom Staate, als der allgemeinfchaftlichen Verwirklichung der unveräufserlichen Menfchenrechte, ftellt auf keine Weife, wie die gewöhnliche, den Staat als bereits vorhanden in den Anfang der Entwickelung. Er ift das nothwendige Ziel jener Voranftalten. Seine Nothwendigkeit ift eine fittliche, eine Aufgabe des Gefchlechts eine *evolutionäre*, keine *revolutionäre* Befreyung. Eine unerzwungene Einwilligung fetzen beide voraus, der wefentliche Wille wie die Willkür, die Anerkennung, wie der Vertrag. Während diefer fie aber nur bedingt verlangt, gleichfam als Einfatz gegen Gewinn, fordert jene fie unbedingt, als die uneigennützige dem Anfich Guten vollgebührende Huldigung. Diefe — nicht zufammenftimmende Willkür, Vertrag — ift der Urfprung der Legitimität höchfter Gewalt.

Man fieht, der Vf. ftimmt denjenigen neuern Rechtslehrern bey, welche den Staat nicht als eine blofs äufserlich zwingende Rechtsmafchiene, fondern als ein Inftitut für die fittliche Vollendung der Menfchheit betrachten. Einige feiner Aeufserungen, wie jene oben angeführte Stelle, lauten naturphilofophifcher, als die Refultate. Ob der Staat durch Vertrag oder nicht durch ihn entftanden angenommen werde, ift für fein Beftehen gleichgültig, fobald von diefer Vorausfetzung das Willkürliche und Gewaltthätige entfernt wird: denn Willkür kann ihr eignes Werk wieder vernichten, und Gewaltthätigkeit durch rechtmäfsigen Widerftand aufgehoben werden. Eine dem an fich Guten gebührende Huldigung ift der Grund wahrer Gefetzmäfsigkeit und gerechter Herrfchaft.

PP.

POPULÄRE HEILKUNDE.

Köln, b. Bachem: *Paftoral-Medicin* von *M. J. Bluff*, Dr., prakt. Arzte in Köln. 1827. X und 171 S. 8. (20 gr.)

Der Vf. hat fein kleines Werk (welches er übrigens nur als einen Leitfaden, der beym mündlichen Vortrag erweitert und erörtert werden foll, betrachtet haben will) in einen anthropologifchen und einen speciell medicinifchen Theil zerfallen laffen. In dem erfteren betrachtet er zunächft den [illegible] fchen an fich, dann den Menfchen als Staatsb[illegible] hat aber fehr unpaffend in dem letzteren Ab[illegible] Schwangerfchaft, Wochenbett und das Gefchäf[illegible] Säugung mit abgehandelt. Mit dem Grunde, [illegible] chen er für die Abhandlung der Anthropologie in [illegible] Paftoral-Medicin anführt, können wir nicht [illegible] einverftändig feyn. Er fagt nämlich, im Menf[illegible] feyen Form und Geift fo innig verfchmolzen, [illegible] keins ohne das andere beftehen könne. — Anth[illegible] pologie fey alfo dem Seelforger eben fo nöthig [illegible] dem Arzte. Das zugeftanden, fo ift darum die A[illegible] thropologie nicht ein Theil der *medicinifchen* Ken[illegible] niffe, welche dem Geiftlichen zu wiffen nützli[illegible] feyn könnte. Sie ift kein Theil der Medicin, w[illegible] fie eine Hülfswiffenfchaft derfelben ift, oder weil [illegible] von den Aerzten vorzugsweife bearbeitet würde.

Der eigentlich medicinifche Theil zerfällt [illegible] einen allgemeinen und befonderen Abfchnitt. [illegible] fpricht von den Krankheiten, in denen der Se[illegible] ger anhaltend wirkt — Onanie, Trunkenheit ([illegible] wohl heifsen Trunkfucht), Neigung zum Selbftm[illegible] Seelenkrankheiten — und von denen, in welchen [illegible] nur lebensgefährliche Zufälle hebt — Krämpfe, Vergiftungen, Ohnmacht, Scheintod. Wir haben daran auszufetzen, dafs diefe Abfchnitte, trotz ihrer Kürze, manches Unnütze enthalten, und dagegen wieder viele nothwendige Dinge vermiffen laffen. Die Idee, dem Geiftlichen Anleitung zur Abfaffung eines Krankenberichts zu geben, ift fehr gut; allein wenn der Pfarrer auch alle die Fragen, welche der Vf. aufftellt, beantwortet, fo würde der Arzt gewifs nur eine fehr verworrene Angabe vom Zuftande des Kranken erhalten. In den Abfchnitten von der Onanie und vom Selbftmorde findet fich wenig mehr als leere Worte. Die Schilderung, welche der Vf. von den Folgen der Onanie giebt, pafst auch auf andere Zuftände, und vor allen Dingen müfste er doch den Geiftlichen die Mittel an die Hand geben, *das Lafter entdecken zu können.* Bey den Krämpfen *läfst fich* der Vf. auf etwas mehr ein, als auf die Behandlung im Anfalle. — Diejenigen Krankheitszuftände, welche eine fehr fchnelle Hülfe erfordern, hätten vollftändig abgehandelt werden müffen. Der Vf. hätte alfo auch vom Schlagflufs, von der Bräune u. f. w. reden follen. Er hätte ferner von den Hausmitteln und ihrer Anwendung, von einigen Arzneymitteln, welche der Geiftliche vorräthig haben kann, etwas anführen müffen.

Wenn der Vf. von einem vernünftigen *Landgeiftlichen*, welcher fich mit der Medicin, in fo fern fie in feine Sphäre pafst, befchäftigt, ein Urtheil über fein Buch verlangt, fo kann es fchwerlich anders ausfallen, als dafs es unbrauchbar fey.

ALLGEMEINE LITERATUR-ZEITUNG

September 1828.

SCHÖNE KÜNSTE.

1) Berlin, in d. Vereinsbuchhandl.: *Die Verlobten.* Roman von *Alexander Manzoni*, übersetzt von *Daniel Lessmann*. 3 Bände. 1827. 8. (3 Rthlr.)

2) Leipzig, b. Hartmann: *Die Verlobten.* Geschichtlicher Roman von *A. Manzoni*. Deutsch von *Eduard v. Bülow*. 3 Bde. 1828. 8. (4 Rthlr. 12 gGr.)

Ein aus dem Italienischen übersetzter Roman ist eine so neue Erscheinung, dass, wenn er auch weniger bedeutend wäre als der hier in zwey Uebersetzungen anzuzeigende, er mit Recht die Aufmerksamkeit der deutschen Lesewelt in Anspruch nehmen würde. Italien, so überreich an literarischen Producten anderer Art, hatte sich in dieser Hinsicht bisher mit Uebersetzungen englischer, französischer und deutscher Romane beholfen, ohne jemals selbst etwas Bedeutendes in diesem Fache zu liefern. Der Grund scheint darin zu liegen, dass die ersten Romane, welche überhaupt in Italien bekannt wurden, die poetischen Ritterromane der normännisch-französischen Periode gewesen, welche, nach sichern Spuren, schon im 13ten und 14ten Jahrhundert sehr gelesene Volksbücher waren. Nach diesen Mustern bildete sich bey den Italienern der Geschmack für das ritterliche Epos aus, welches von der *Teseide* des *Boccaccio* bis ins 16te und 17te Jahrh. nicht bloss die grössten Dichter, wie *Bojardo*, *Ariosto*, die beiden *Tasso*, sondern auch eine Unzahl von weniger bedeutenden, zum Theil selbst dem Namen nach unbekannten, Dichtern beschäftigte. Kein Volk besitzt einen solchen Reichthum an Gedichten dieser Art, wie die Italiener, und namentlich ist der Cyclus Karls des Grossen und seiner Paladine unzählige Male in allen möglichen Abstufungen des Tones, vom ernsthaften bis zum burlesken, besungen worden. Ja, so ganz haben sich die Italiener daran gewöhnt, unter Roman ein ritterliches Heldengedicht zu verstehen, dass selbst diejenigen unter ihnen, welche über diese Gattung der Poesie historische Untersuchungen angestellt, wie *Giraldi* und *Pigna*, unter *Romanzo* sich nichts anders dachten als eben jenen poetischen Ritterroman. Der schwache Anfang des prosaischen Romans hingegen, wie er sich im *Filocopo* des *Boccaccio* darstellt, ist ohne Folgen geblieben, und wahrscheinlich hat die grosse Bewunderung, welche das *Decamerone* des nämlichen Dichters gefunden, das meiste dazu beygetragen, dass, wie der Roman in Italien von der einen Seite sich zum Ritterepos ausdehnte und erhob, er von der andern sich in der prosaischen Novellenform zersplitterte, welche ebenfalls eine durchaus volksthümliche gewordene und einen höchst bedeutenden Raum in der Literatur Italiens einnimmt. So war denn Italien, bis auf unsere Zeit, reich an ritterlichen Epopöen und an Novellen, entbehrte aber gänzlich des eigentlichen Romans. Die erbärmlichen, wenn auch für kurze Zeit bewunderten Romane des *Chiari* im vorigen Jahrhundert, und die ganz elende *Calata degli Ungheri in Italia* und einige ähnliche Schriften von *Bertolotti* in unsren Tagen, verdienen kaum als Ausnahme betrachtet zu werden und konnten, durch die Verachtung, in welche sie gesunken, nur dazu beytragen, die bessern Köpfe von der Bearbeitung dieser Dichtungsart abzuschrecken. Diesem längst gefühlten Mangel hat nun *Manzoni* in seinen *Promessi sposi* auf eine überraschende und glänzende Weise abgeholfen. Schon durch seine Tragödien und durch seine *Inni sacri* berühmt und von den Besten und Geistvollsten seines Volks bewundert, wird er als das Haupt der sogenannten Romantiker angesehen; eben desshalb aber auch von den Anhängern der französischen Schule in der Tragödie, welche wie die Franzosen selbst sich für glückliche Nachahmer der Alten ausgeben und sich selbst gern Klassiker nennen hören, mit eifersüchtigen und neidischen Augen betrachtet. Seine *Verlobten* wurden daher, wie es unter diesen Umständen nicht anders seyn konnte, von den Einen mit Bewunderung und Jubel, von den Andern mit bittrem Tadel empfangen. Unparteyische Stimmen aber, obwohl im Ganzen dem System der sogenannten Klassiker zugewendet, haben diesem Werke volle Gerechtigkeit widerfahren lassen, wenn sie auch, wie natürlich von ihrem Standpunkte aus, diess und jenes daran auszusetzen fanden. Ein ähnliches, im Ganzen günstiges und anerkennendes Urtheil liess sich auch von der deutschen Lesewelt mit einiger Sicherheit erwarten. Indessen scheint es doch, nach dem was Rec. über diesen Roman hin und wieder vernommen, dass er bey uns keine durchaus günstige Aufnahme gefunden. Anfangs darüber erstaunt musste Rec. sich jedoch bald überzeugen, dass diess nur zum kleinsten Theile von der Beschaffenheit des Werkes selbst, unendlich mehr aber von der Erbärmlichkeit vorliegender Uebersetzungen herrühre: ein Urtheil, welches hoffentlich im Folgenden seine vollkommne Begründung finden wird. Von dem Romane selbst, dessen Inhalt ge-

gewiſs den meiſten Leſern dieſer Anzeige ſchon bekannt ſeyn wird, ſey es genug zu ſagen: daſs offenbar das Hauptbeſtreben des Vfs. dahin gegangen, eine möglichſt vollſtändige, anſchauliche und lebendige Darſtellung der bürgerlichen, religiöſen und ſittlichen Verhältniſſe des Mailändiſchen im Anfang des 17ten Jahrhunderts zu liefern. Alle Fehler, welche man ihm in Italien und bey uns vorgeworfen, flieſsen einzig und allein aus dieſer Quelle. Deſshalb hat er ſcheinbar ſo unbedeutende Perſonen wie den Seidenſpinner Renzo und ſeine Verlobte Lucia zu Haupthelden ſeines Romans gewählt, denn eben hieraus flieſst für ihn der Vortheil, daſs er ſeine Leſer auf die natürlichſte Weiſe mit dem Sinn, dem Leben und Treiben der geringeren Volksklaſſen bekannt machen kann, während er doch zugleich Gelegenheit genug findet, den Adel, die Geiſtlichkeit, die Polizey, die Juſtiz und die höheren Stände überhaupt vor unſren Augen handeln zu laſſen. Ein anderer Vortheil dieſer Wahl iſt der, daſs es nun dem Leſer weniger ſtörend und unangenehm erſcheinen muſs, wenn der Vf., wie er oft thut, den Faden ſeiner Erzählung unterbricht, um uns in den trefflichſten Epiſoden mit andern Seiten des damaligen Lebens bekannt zu machen, als wenn ſeine Helden durch Stand, Bildung, Gefühle und Schickſale unſre Aufmerkſamkeit und unſre Theilnahme allzuſehr feſſelten. Freylich wird es dem trefflichen *Manzoni* in den Augen der gewöhnlichen Romanen-Leſer wenig helfen, daſs er ſie für dieſe kleinen Störungen durch die anziehendſten, bis ins Kleinſte mit der höchſten Genauigkeit ausgemalten Züge der damaligen Zeit zu entſchädigen ſucht: ſie ſind gewohnt, einen Roman nur nach dem materiellen Intereſſe zu beurtheilen, welches die Hauptperſonen deſſelben ihnen einflöſsen, und ſo müſſen denn ſolche Leſer wohl über allzugroſse Breite und Umſtändlichkeit, über Mangel an Zuſammenhang und über die Geringfügigkeit der Fabel des Romans ſelbſt klagen. Und doch iſt Rec. überzeugt, die meiſten würden, von dem Zauber der Darſtellung hingeriſſen, dieſe kleinen Mängel gern überſehen, wenn ſie nur ein treues Abbild des Originals vor Augen hätten, und wenn nicht die traurige Beſchaffenheit vorliegender Ueberſetzungen dem Leſer faſt alle Freude an dem Buche verkümmerte.

Beide Ueberſetzer haben ſich die Freyheit genommen, mit dem Original nach ihrer Willkür und ihrem Geſchmack zu verfahren; beide haben die Einleitung des Vfs., worin er nach Art anderer Romanendichter von einem alten *MS.* redet, welches er aufgefunden und nur in Beziehung auf Stil und Diction erneuert habe, weggelaſſen; beide haben auch im Verlauf der Erzählung ſich erlaubt, hie und da abzukürzen und wegzuſchneiden, doch ſo, daſs *L.* wenigſtens ehrlich die Stellen angiebt, die er übergangen, und ſein Verfahren zu rechtfertigen ſucht; wogegen er dann auch das Uebrige wenigſtens gröſstentheils Wort für Wort übertragen hat. Herr *v. B.* hat ſich die Sache leichter gemacht. Er ſcheint von der Anſicht ausgegangen zu ſeyn, nicht ſ eine treue Nachbildung eines fremden Kunſt geben zu wollen, als vielmehr nur die Leſebibl ken mit einem, nach dem Geſchmack des grö Haufens zugeſtutzten, Roman zu bereichern. wenigen Ausnahmen zieht er daher alles ins Kü erſetzt mit wenigen Worten eine lange Beſchrei und ſcheint oft, nachdem er einige Seiten des ginals geleſen, mehr aus dem Gedächtniſs den I derſelben niedergeſchrieben zu haben, als da wirklich ſeinen Autor überſetzt hätte. So enthält erſte Band der *L*ſchen Ueberſetzung 310 ſehr eng druckte Seiten in gewöhnlichem Octav, bey aber nur 278 weit kleinere und weitläuftiger druckte Seiten. Wie bequem dieſe Manier ſey, ſchwierige Stellen, die man nicht verſteht, und man eine ſchlimme Blöſse geben könnte, zu beſei gen, leuchtet von ſelbſt ein. Deſſen ungeachtet hat es nicht an reichlichen Beweiſen ſeiner Unkenn der Sprache und ſeiner Flüchtigkeit fehlen la wie wir gleich ſehen werden. Niemand wird wo dem Rec. zumuthen, daſs er ein Exercitium von 6 Bänden durchcorrigiren ſolle, wobey die nöthigen Bemerkungen leicht die Bogenzahl des Originals überſteigen könnten; aber billig iſt es, dem Leſer wenigſtens eine Probe von dem Talent und der Arbeit beider Ueberſetzer zu geben. Rec. wählt dazu das erſte Kapitel des ganzen Werks, weil doch wohl billig vorauszuſetzen iſt, daſs die Hnn. Ueberſetzer hier noch mit friſcher Kraft und Luſt und mit ganzer Aufmerkſamkeit gearbeitet haben. Dieſs Kapitel beginnt mit einer ſehr ausführlichen Beſchreibung der Gegend am ſüdlichen Ende des Comerſees, wo die Hauptperſonen des Romans ſich aufhalten. Hr. v. B. nach ſeiner löblichen Methode drängt dieſe, im Original drey ſtarke Seiten füllende, Beſchreibung in knappe zwey Seiten zuſammen. Dafür entſchädigt er uns aber gleich dadurch, daſs er das Wort *riviera* (Ufer, Geſtade) ſo oft es vorkommt, durch *Fluſs* überſetzt, und ſich auch gar nicht ſtören läſst, wenn gleich er nun genöthigt iſt, von einem *Fluſse* zu ſprechen, welcher S. 1 *eine Weile mit einer leiſen Anhöhe ſteigt*; oder ebendaſ. von einem *Fluſſe*, welcher *aus drey Gieſsbächen entſpringt*, ſtatt eines Geſtades, welches aus der Ablagerung dreyer Gieſsbäche entſtanden; oder ebendaſ. von einem *Strome* redet, welcher *von der einen Seite ein Vorgebirge*, von *der andern einen Fluſs hat.* Alle dieſe artigen Sächelchen finden ſich in den erſten 16 Zeilen. Doch vielleicht iſt Hr. *v. B.* ſpäter beſſer in den Zug des Verſtehens und Ueberſetzens gekommen: wir wollen ſehen. S. 3 heiſst es von dem Landpfarrer D. Abbondio, daſs er auf einem Spaziergange *ſeinen nächſten Gottesdienſt abbetete*; der arme Mann las nämlich in ſeinem Brevier. S. 7 *ſingt* der Nämliche *mit lauter Stimme ein Liedchen*, während er doch nur einen Vers aus einem Pſalme herſagt. S. 8 wird dem Nämlichen von einem Banditen geboten, eine gewiſſe Trauung nicht zu verrichten, denn, *wer ſie vollziehen will, den wirds gereuen*, denn er möchte

keine

ine Zeit dazu behalten; ſoll heiſsen: wer — — er wird es *nicht* bereuen, denn man wird ihm eine Zeit laſſen, es zu bereuen; man wird ihn mlich gleich ermorden, ſo wie er es thut. S. 11 erden die öffentlichen Bekanntmachungen, Ver- rdnungen, *gride, Geſchrey,* und S. 12 die Häſcher, ie Gerichtsdiener, *die unmittelbaren Richter* ge- nnt; welcher Unſinn daraus ſich über die ganze eite verbreitet, iſt leicht zu erachten. S. 19 *mache ich nicht noch verdrieſslicher,* ſtatt: trage nichts reiter auf, nämlich zu eſſen. S. 21 ſagt der arme). Abbondio in ſeiner Herzensangſt: *wenn ſie mir un indeſs die Flinten auf dem Rücken zerhauen;* nan ſollte meinen, das könnten ſie wohlfeiler mit Knütteln haben, auch ſagt das Original: wenn ich inen Flintenſchuſs in den Rücken bekommen hätte. ., 22 ſetzt dieſer Ueberſetzung die Krone auf, der- elbe Pfarrer ſagt: *Bring mir ein friſches Licht!* und er arme Mann will — etwa ſtudiren? nein, zu Bette gehen. Freylich denkt er auch nicht an Licht, ondern antwortet auf die Ermahnungen ſeiner Haus- älterin, doch einen Biſſen zu ſich zu nehmen: *ci uol un altro cerotto!* darauf gehört ein anderes Pflaſter! (mit Eſſen und Trinken iſt's nicht gethan.) Alles dieſs und vieles andere noch, was ſich nur nicht ohne Weitläuftigkeit berichten und berichti- gen lieſse, auf 22 Seiten! Denn nur ſo viel hat bey *. B.* das erſte Kapitel, welches im Original, von noch etwas gröſserem Formate, 36 Seiten füllt. — Und eine ſolche Ueberſetzung iſt, in einer merk- würdig ſchlecht geſchriebenen Zueignung, dem ed- len Veteran unſrer Literatur, *Göthen,* dedicirt! — Nicht ganz ſo toll macht es freylich Hr. L., doch läſst auch er es nicht an Schnitzern und Uebereilun- gen fehlen. S. 2 heiſst es von einem Berge am Co- merſee, man ſehe ihn von Mailands Baſteyen aus, *die gerade im Norden deſſelben liegen.* Hat denn Hr. *L.* der (Schluſswort zum 3ten Theile) „ſchöne Tage am Geſtade dieſes Sees verlebt" nicht bemerkt, daſs Mailand im Süden jenes Berges und jenes Sees liegt? Ebendaſelbſt heiſst es von den ſpaniſchen Soldaten der Garniſon von Lecco: *ſie gingen gar oft mit den Ehemännern und Vätern freundſchaft- lich Hand in Hand;* dieſelben nämlich, von denen es an dieſer Stelle heiſst: ſie lehrten die jungen Mädchen und Frauen des Landes Sittſamkeit, und erleichterten den Landleuten die ſaure Mühe der Weinleſe, indem ſie die Trauben abfraſsen. Es be- darf kaum der Erinnerung, daſs der Vf. etwas ganz anderes ſagt, nämlich: ſie careſſirten (bläuten) von Zeit zu Zeit irgend einem Vater oder einem Ehe- manne die Schultern. S. 3 *Acker,* ſoll heiſsen Dör- fer, Ortſchaften. S. 4 *Landgut,* ſt. Dorf. S. 13 *unſer erlauchter Herr hält Sie gar hoch und theuer in Ehren, la riveriſce,* grüſst Sie. S. 18 *dieſe ver- kauften Böſewichter,* ſcheint vom Ueberſ. auf die Braut bezogen; es ſind aber die armen Gerichtsdie- ner, Häſcher, gemeint. S. 20 daſs der Menſch ſich rüſtig anſtrenge, *oder ein wenig zu Gelde zu kommen ſuche, arriſchiarſi un poco,* etwas wage. S. 22 *ein Mann von Stande, galantuomo,* hier wie immer, Ehrenmann, rechtlicher Mann. S. 28 *weil Sie nie Ihre Gründe angeben mögen, non vuol mai dir la ſua ragione,* Ihr Recht vertheidigen, behaupten. Auch in dieſem erſten Kapitel fehlt es nicht an Stel- len, wo, weil der Ueberſ. ſein Original nicht ver- ſtanden und ſich begnügt hat, die Worte zu über- tragen, mehr als einmal der reinſte Unſinn zum Vor- ſchein kommt. Am ſchlechteſten ſind die Stellen ge- rathen, wo der Vf. ſich der Ironie bedient, von wel- cher der Ueberſ. gar keine Ahndung gehabt zu haben ſcheint. Das Luſtigſte iſt, daſs gewöhnlich wo der eine Ueberſetzer einen Schnitzer macht, der andere die Sache richtig verſtanden; ſo daſs man aus beiden zuſammen allenfalls den Sinn des Originals herſtellen könnte. So vieles und ſo vortreffliches Wild beher- bergt das kleine Gehege eines einzigen Kapitels, man denke alſo, welche Jagdbeute der ganze Wald lie- fern würde. Einige wenige ausgeſuchte Exemplare mögen dem Leſer noch zur Erheiterung dienen. S. 37 bey *L. in 15 Tagen,* wie im Franz. *en quinze jours,* d. h. auf Deutſch: in 14 Tagen. S. 65: *Wenn die Sache zwiſchen Euch und der Gerechtigkeit, ſo unter vier Augen entſchieden werden kann, ſo ſteht Ihr friſch, ſtate freſco;* abgeſehen von der un- glaublichen Unwiſſenheit, welche die letzten Worte verrathen, iſt auch der Sinn rein der entgegenge- ſetzte, nämlich: wenn Ihr meinem Rathe nicht folgt, und die Sache mit der Gerechtigkeit unter vier Au- gen abmachen müſst, *dann ſteht es ſchlimm um Euch.* T. II. S. 44: *Kette, Catenaccio,* ſtatt Riegel; die Kette kann nur *catenaccia* genannt werden. S. 200: *befühlte ſeine Hände,* für: ſah ihm ſcharf auf die Hände. T. III. S. 89: *Ihr Flammen ſprüht,* ſt. ſchwitzt, wodurch die Albernheit des angeführten Verſes ganz verwiſcht wird. Endlich ebendaſ. *das Grigioni Gebiet;* wer am Comerſee gelebt, ſollte doch wiſſen, was Graubündten iſt. Bey alledem bleibt dem Hn. *v. B.* der Sieg. T. I. S. 92 hat er aus römiſchen Fecialen *Plebejer* gemacht. S. 199 aus ei- ner jüngſten Tochter eine *einzige.* S. 222 aus dem Scherze eines Oheims, der zu ſeiner Nichte ſagt: ſie fahre in der Kutſche zum Paradieſe, *ſie fahre in das Paradies einer Kutſche.* T. II. S. 57 wird aus einer Glasthür eine *halbverfallene* Thür. S. 143 läſst er einen Fiſcher, der den Finger auf den Mund legt, um Stillſchweigen anzudeuten, *mit groſser Feyerlichkeit das Zeichen des Kreuzes machen.* S. 168 werden aus Predigten, die *fior di roba,* bey *L.* richtig, ausgeſuchte Stücken Arbeit heiſsen, ſol- che gemacht, die *Einer im vollen Ornate vorträgt.* S. 316 wird aus dem bekannten alten Buche *I reali di Francia, ein Legenden-Buch.* T. III. S. 15 aus einem *Bracciere,* dem *eſcudero* der Spanier, *eine Kammerfrau;* S. 54 aus einer Herzogin von Lothrin- gen, *eine Herzogin von Lorena.* — Doch wir bre- chen hier ab: welche menſchliche Geduld würde ausreichen, ſolchen Ueberſetzern Schritt vor Schritt zu folgen. Im Ganzen würde das Urtheil des Rec. über beide etwa ſo ausfallen: *L.* hat unſtreitig mehr

Auf-

Aufmerkfamkeit und Fleifs an feine Arbeit gewendet, als v. B.; dagegen wimmelt es bey ihm von undeutfchen Conftructionen und Phrafen, die man nur mit Hülfe des Originals zu entziffern im Stande ift. v. B. hat unftreitig flüchtiger gearbeitet, aber feine Ueberfetzung ift bey alledem lesbarer gerathen; fie ift für den Gaumen des gewöhnlichen Publikums zugerichtet, und wird in Lefebibliotheken vermuthlich mehr gefucht werden, als die feines unbeholfneren Nebenbuhlers. Wer von beiden aber am wenigften Italienifch verfteht, möchte fchwer zu entfcheiden feyn; wenigftens neigt fich die Wage nicht bedeutend zu Gunften des einftigen Anwohners des Comerfees.

Marburg, b. Krieger u. Comp.: *Kamönens Gaben.* Von *Theophil Ludwig Halfred.* 1828. (16 gGr.)

Diefe *Gaben* find verfchiedener Art und Natur. Die eine Erzählung, „die Brieftafche" ift wenigftens rein und verletzt Schicklichkeit und Sitte nicht; die zweyte aber „Schlofs Mernow" ift fo voll von unzüchtigen Schilderungen, dafs der Vf. es felbft für nöthig erachtet hat, fich wegen der überfchrittenen Regel der Decenz dadurch zu entfchuldigen, dafs er die Gefchichte für eine wahre erklärt. Das können wir ihm aber eben fo wenig glauben, als ihm die Sünde vergeben, die er dadurch an der gebildeten Lefewelt begangen hat.

PHYSIK.

Darmstadt, b. Heyer: *Die Lehren der Phyfik in dialogifcher Form.* Zum Selbftunterricht, zunächft für die Jugend beiderley Gefchlechts. Aus dem Englifchen nach der vierten Auflage der Converfations on natural philofophy. Mit Zufätzen von *Friedr. Vogel.* Mit 23 Kupfertafeln. 1827. XII u. 492 S. 8. (3 Rthlr.)

Die Verbreitung der Lehren der Phyfik und Chemie ift, abgefehen von der dadurch zu erreichenden gröfsern allgemeinen Bildung, insbefondere auch für die Beförderung der Induftrie von unberechenbarem Vortheil. Jedes Unternehmen, diefe Lehren populär und dadurch auch denjenigen, der nicht eine eigentliche wiffenfchaftliche Bildung hat, zugänglich zu machen, verdient Aufmunterung und Unterftützung. In England ift Alles, was den Kunftfleifs irgendwie befördert, der Belohnung gewifs; in Frankreich hat in neuefter Zeit befonders Dupin einen allgemeinen Wetteifer ins Leben gerufen, die Verbreitung der phyfikalifchen und mechanifchen Wiffenfchaften allgemein zu machen, und nach feinem Vorgange treten allerfeits frühere Schüler der polytechnifchen Schule auf, um die induftrielle Klaffe durch Vorträge und Schriften zu unterrichten. Deutfchland verräth deutlich, nicht zurück bleiben zu wollen. Das Buch von Dupin wird gewifs feinen Ueberfetzer finden, fo wie uns jetzt die Ueberfetzung einer englifchen, durchaus populären Schrift vorliegt, die, wenn auch zunächft für die Jugend gefchrieben, doch auch ein nützliches Buch in den Händen aller derjenigen Leute ift, welche zu wiffenfchaftlichen Darftellungen nicht vorbereitet find.

Die von dem Vf. gewählte dialogifche Form hat in populären Schriften, wenn fie, was der vorliegenden Schrift im Ganzen nicht abzufprechen ift, mit dem Tacte eines praktifchen Lehrers durchgeführt wird, gewifs ihre eigenthümliche Vorzüge; ob diefe überwiegend find, überläfst Rec. der Entfcheidung Anderer. Der Vf. führt uns einen Lehrer vor, der fich mit einem dreyzehnjährigen Knaben (es verfteht fich, dafs deffen Faffungsgabe hinter feinen Jahren nicht zurückgeblieben ift) unterhält, zu dem in der zweyten Gefpräche noch ein Mädchen hinzukommt, das, wie aus einer Zeichnung zur Lehre vom Hebel hervorgeht, fchon älter ift.

Es bleibt uns jetzt nur noch übrig, den Inhalt der zwanzig Gefpräche, aus welchen das Ganze befteht, fummarifch anzugeben. Gefpräch 1. Von den allgemeinen Eigenfchaften der Körper. 2. Von der Schwere. 3. Von den Gefetzen der Bewegung. 4. Von der zufammengefetzten Bewegung. 5. und 6. Von den mechanifchen Kräften. 7. Urfachen der jährlichen Bewegung der Erde. 8. Von den Planeten. 9. Von der Erde. 10. Von dem Monde. 11. Von den mechanifchen Eigenfchaften der flüffigen Körper. 12. Von den Quellen, Flüffen u. f. w. 13. Mechanifche Eigenfchaften der Luft. 14. Vom Wind und Schall. 15. Optik. 16. Fortfetzung. Von dem Sehwinkel und der Reflexion. 17. Von der Refraction der Farben (foll heifsen: Von der Refraction des Lichtes und der dadurch entftehenden Farben). 18. Bau des Auges und optifche Inftrumente. 19. Electricität. 20. Galvanismus und Magnetismus.

Aus diefer kurzen Ueberficht geht hervor, dafs der Vf. hauptfächlich die fogenannte allgemeine Phyfik zu dem Gegenftande feiner Unterhaltungen gewählt hat, und diefe wird auch, feitdem Newton feine Principien fchrieb, vorzugsweife „*natural philofophy*" genannt. Die Artikel über Electricität, Galvanismus und Magnetismus find dem Ueberfetzer ganz eigenthümlich, der durch die Ausarbeitung derfelben nach „*Schmidts* Handbuch der Naturlehre" eine Lücke des Originals ausfüllte. Die Kupfertafeln find rein geftochen und haben, um den bezüglichen Stellen des Textes gegenüber geheftet werden zu können, daffelbe Format. Den beiden letzten Gefprächen find keine Kupfertafeln hinzugegeben.

Von den „*Converfations on Chemiftry*" deffelben Vf., die in England fchon die zehnte Ausgabe erlebt haben, wird ebenfalls eine Ueberfetzung angekündigt.

ALLGEMEINE LITERATUR-ZEITUNG

September 1828.

LITERARISCHE NACHRICHTEN.

Beförderungen u. Ehrenbezeigungen.

Der auſserordentliche Profeſſor und Univerſitätsprediger zu Halle, Hr. Dr. *Benj. Adolph Marks*, iſt zum ordentlichen Profeſſor der Theologie; der bisherige Privatdocent, Hr. Dr. *v. Buchholz* in Königsberg, zum auſserordentlichen Profeſſor in der juriſtiſchen Facultät der dortigen Univerſität; und der Oberbergrath Hr. von *Charpentier* zu Brieg zum Viceberghauptmann bey dem dortigen ſchleſiſchen Oberbergamte ernannt worden.

Hr. Superintendent *Ideler* zu Beeskow hat bey ſeinem 50jährigen Dienſtjubiläum am 4. Junius von Sr. Maj. dem Könige den rothen Adlerorden 3ter Klaſſe und von der Univerſität zu Berlin das Theolog. Doctordiplom erhalten.

Hr. Profeſſor Dr. *Middeldorpf* zu Breslau iſt von der Königl. aſiatiſchen Geſellſchaft zu London zum Mitgliede ernannt. Dieſer Gelehrte wird eine neue Ausgabe des Prudentius mit groſsem kritiſchem Apparate beſorgen.

Zum Director des neugegründeten Gymnaſiums in Coesfeld iſt der bisherige Lehrer am Gymnaſium in Münſter, Hr. *Sökeland*, ernannt worden.

Der bisherige Praeceptor am Lyceum zu Oehringen, Hr. M. *Pahl*, iſt zum Rector dieſer Anſtalt ernannt und als ſolcher beſtätigt worden.

Hr. Profeſſor Dr. *Hüffell* in Herborn iſt als Miniſterial- und Kirchenrath nach Karlsruhe berufen, und wird in Kurzem ſein Amt antreten.

Durch Reſcript vom 9. Julius iſt dem bisherigen Profeſſor der Moral und Geſchichte beym adeligen Cadettencorps in Dresden, Hn. *Friedr. Chriſtian Aug. Haſſe*, die ordentliche Profeſſur (älter Stiftung) der hiſtoriſchen Hülfswiſſenſchaften in der philoſophiſchen Facultät der Univerſität Leipzig ertheilt worden.

Die Regierung von Baſel hat dem Hn. Profeſſor Dr. *de Wette*, in Folge mehrerer an ihn ergangener Rufe nach Deutſchland, die Aufſicht über das Alumneum, mit einer bedeutenden Gehaltsverbeſſerung, übertragen, in der Abſicht, den um die wiſſenſchaftliche Bildung in Baſel hochverdienten Mann der dortigen Univerſität zu erhalten. Von der theologiſchen Facultät eben dieſer Univerſität ſind bey Gelegenheit des am 1. Jun. gefeyerten Reformations-Jubiläums die Herren *Studer*, Oberdecan der Berniſchen Geiſtlichkeit, *Stapfer* und *Hünerwedel*, Profeſſoren an der Berniſchen Akademie, zu Doctoren der Theologie ernannt worden.

Der bisherige Privatdocent an der Univerſität zu Roſtock, Hr. Dr. *Friedr. Francke*, hat eine auſserordentliche Profeſſur in der philoſophiſchen Facultät erhalten. An des nach Breslau abgegangenen Hn. Prof. jur. *Ed. Huſchke's* Stelle iſt Hr. Prof. *Chr. Fr. Elvers* aus Göttingen berufen.

Hr. Profeſſor, Domherr u. Ritter *Leonhard v. Hug* zu Freyburg im Breisgau, durch ſeine *Einleitung in das Neue Teſtament* und andere Schriften rühmlich bekannt, wird im jetzigen Herbſte ſeiner Kränklichkeit halber ſeine Profeſſur niederlegen. Zu ſeinem Nachfolger iſt der Hr. Profeſſor *Scholz* am biſchöflichen Seminar in Trier berufen.

Hr. Hofrath *Joh. George Keil* in Leipzig, als italieniſcher und ſpaniſcher Sprachforſcher rühmlich bekannt, hat ein Canonicat im Stifte Wurzen erhalten.

Dem Hn. Dr. jur. *Ignatz Sonnleithner*, k. k. Rath und Profeſſor der Handelswiſſenſchaften u. ſ. w. am polytechniſchen Inſtitute in Wien, hat der Kaiſer von Oeſtreich den erblichen Adelſtand mit dem Prädicat „*Edler von*" verliehen.

Hr. Dr. *Blomfield*, bisheriger Biſchof von Cheſter, bekannt als Herausgeber mehrerer klaſſiſcher Autoren, hat die durch Dr. *Howley's* Beförderung zum Erzbiſchof von Canterbury erledigte Biſchofsſtelle von London erhalten.

Der Groſsherzog von Baden hat dem Director des Gymnaſiums zu Wertheim in Franken, Hn. Dr. *Föhliſch*, ehemaligem Mitbürger der Univerſität Halle und nachherigem Lehrer am Königl. Pädagogium daſelbſt, den Charakter und Rang als Hofrath ertheilt.

Der durch ſeine Ausgaben klaſſiſcher alter Schriftſteller rühmlich bekannte bisherige Profeſſor in Prag, Hr. Dr. *Franz Nic. Titze*, hat die Profeſſur der Univerſal- und öſtreich. Staatengeſchichte, in Verbindung mit Diplomatik und Heraldik, auf der Univerſität zu Wien erhalten.

Der zweyte Secretär an der Bibliothek zu Mailand, Hr. *Lodigiani*, iſt erſter Cuſtos derſelben geworden.

Der bisherige Oberlehrer am Gymnaſium zu Ratibor, Hr. *Eduard Häniſch*, iſt zum Director dieſer Anſtalt ernannt.

Der bisherige Conrector an der Nicolaiſchule zu Leipzig, Hr. Profeſſor *Karl Friedr. Aug. Nobbe*, hat das

das erledigte Rectorat, Hr. Prof. *Karl Heinrich Frotscher*, bisher dritter Lehrer, die *zweyte*, und Hr. M. *Alb. Forbiger* (Sohn des ersten Rectors), Herausgeber des Lucretius, bisheriger sechster Lehrer, die *dritte* Lehrstelle erhalten.

Der bisherige erste Lehrer an der Friedr. Augusts-Schule in Dresden, Hr. *H. K. Iphofen*, als pädagogischer Schriftsteller bekannt, ist als Subdiacon und Rector nach Leisnig befördert worden.

Hr. Dr. *Wetzer* hat eine ausserordentliche Professur der Theologie an der Universität in Freyburg im Breisgau erhalten.

Hr. Professor *Messerschmid* zu Altenburg ist wegen seiner Kränklichkeit pensionirt worden. Die dadurch erledigte zweyte Professur hat der bisherige Collaborator am Gymnasium in Plauen, Hr. *Joh. Gottlieb Dölling*, erhalten.

Die Akademie der Wissenschaften zu Paris [illegible] 28. Julius an die Stelle des verstorbenen Hn. [illegible] den ersten Arzt am Hospital de la Pitié, Hn. [illegible] mit grosser Stimmenmehrheit (38 gegen 8) zum [illegible]gliede gewählt.

Dem Professor der Physiologie und anat[illegible] thologie an der medicinisch-chirurg. Josephs A[illegible] zu Wien, K. K. Rath, Hn. Dr. *Joseph* Ritter v[illegible] *rer*, hat der Kaiser von Oestreich bey dessen 50 [illegible]gen Amtsjubiläum die grosse goldene Civil-Ehren[illegible]daille mit der Kette verliehen.

Hr. Dr. Med. *Rudolph Wurzer* zu Marburg, [illegible] des Geh. Hofraths und Ritters *Wurzer*, ist von [illegible] medicinischen Facultät zu Löwen, von der We[illegible]schen Gesellschaft für die gesammte Naturkunde, wie von dem nördlichen Apotheker-Verein, [illegible]glied ernannt worden.

LITERARISCHE ANZEIGEN.

I. Ankündigungen neuer Bücher.

So eben ist erschienen:

Gründliche und vollständige Anweisung zur praktischen
Forst- und Feldmesskunst
in ihrem ganzen Umfange, nebst den dazu erforderlichen Hülfswissenschaften zum
Selbst-Unterricht
für Ingenieur-Officiere, Forst- und Feldmesser, Kameralisten, Juristen, Magisträte, Landleute, Justizbeamte und Oekonomen,
von
Marcus Wölfer,
Herzogl. Sächs. Ingenieur für Land- und Wasserbauten u. s. w.

Mit 9 schwarzen und 10 illuminirten Kupfertafeln in quer 4 Folio. gr. 4. Subscriptionspreis auf Druckpap. 7 Rthlr. 12 gr. Auf Schreib-Velin-Pap. mit breitem Rand 9 Rthlr.

Vorstehend interessantes Werk enthält Alles, was der *praktische Forst- und Feldmesser* zu wissen nöthig hat; die Forst- und Feldmesskunst ist mit bestmöglichster Deutlichkeit und Gründlichkeit ausgeführt, die praktisch zu führenden Rechnungen sind auf eine kurze und deutliche Art gezeigt, kurz dieses Werk enthält das ganze Gebiet der Forst- und Feldmesskunst in *seinem* weitesten Umfange und darf mit Recht zu den *bedeutendsten Erscheinungen* der neueren Literatur gezählt werden, um so mehr, als durch Anschaffung desselben der Ankauf anderer Hülfsbücher u. s. w. erspart wird; vornehmlich aber ersetzt die in Obigem enthaltene Logarithmen-Rechnung bey den genannten Gegenständen, auch das Vega'sche Werk und macht dessen Anschaffung entbehrlich. Die *Plane* sind mit grosser Genauigkeit und Schönheit ausgeführt und werden den Sachkundigen vollkommen befriedigen.

Der Subscriptions Preis gilt nur noch bis Ende d. J., alsdann tritt der höhere Ladenpreis ein. *Forst- und Feldmess-Institute*, *Förster* und *Jäger*, so wie andere *Subscribentensammler*, erhalten in jeder Buchhandlung auf *6 Exemplare das 7te gratis*; sollte sich dessen eine Buchhandlung weigern, so beliebe man sich an uns direct zu wenden, wir liefern dann die Exemplare selbst und zwar *Portofrey*.

Leipzig, im August 1828.

Kaiser u. Schumann.

In allen Buchhandlungen ist zu haben:

K r ä h w i n k e l
wie es ist.
Ein Sittengemälde
von
Santo Domingo.
Frey nach dem Französischen bearbeitet
von
C. Niedmann.
Wolfenbüttel, 1828, im Verlags-Comptoir.
Preis, elegant brosch. 1 Rthlr. 6 gGr.

Inhalt:

1) Die Post kommt! 2) Die Wochenstube. 3) Der Ladenjüngling. 4) Preiserjagd. 5) Justiz in Krähwinkel, erstes Probestück. 6) Justiz in Krähwinkel, zweytes Probestück. 7) Justiz in Krähwinkel, drittes Probestück. 8) Accise in Krähwinkel. 9) Empfindsamkeit in Krähwinkel. 10) Complimentirsucht in Krähwinkel. 11)

[illegible]) Gl[illegible]ren-Musie in Krähwinkel. 12) Concert und [illegible]ebhaber-Theater in Krähwinkel. 13) Liebe in der [illegible]üche.

In der Schwickert'schen Buchhandlung in Leipzig sind im Laufe dieses Jahres erschienen, und in allen Buchhandlungen zu haben:

Becker, *C. F.*, Rathgeber für Organisten, denen Ihr Amt am Herzen liegt. 8. 12 gr.

Bemerkungen und Excurse über das in dem Königreich Sachsen gültige Civilrecht, nach Anleitung von *Curtius* Handbuch zusammengestellt. 1ste Abtheil. gr. 8. 2 Rthlr. 6 gr.

Bibliotheca sacra Patrum ecclesiae Graecorum. Pars II. cont. Philonis Judaei opera omnia ed. *C. E. Richter.* Vol. 1—4. 8. 3 Rthlr. 2 gr.

Gehler's, J. S. T. physikalisches Wörterbuch, neu bearbeitet von *Brandes, Gmelin, Horner, Muncke, Pfaff.* 4ten Bdes 2te Abth., G enthaltend. Mit 9 Kupfertafeln. gr. 8. Subscript. Pr. 4 Rthlr. 6 gr.

Platon's Gastmahl, ein Dialog. Hin und wieder verbessert und mit kritischen und erklärenden Anmerkungen herausgegeben von *F. A. Wolf.* Neue, nach den vorhandenen Hülfsmitteln durchgängig verbesserte Ausgabe. gr. 8. 18 gr.

Pölitz, K. H. L., praktisches Handbuch zur statarischen und cursorischen Erklärung der deutschen Klassiker, für Lehrer und Erzieher. 4 Thle. 2te verbess. und verm. Auflage. gr. 8. 6 Rthlr.

— — Bruchstücke aus den Klassikern der deutschen Nation. Aus der 2ten verbess. und verm. Auflage des Werkes für die Zöglinge besonders abgedruckt. 4 Thle. 8. 2 Rthlr. 4 gr.

Leipzig, im September 1828.

Bey mir ist erschienen und in allen Buchhandlungen zu haben:

Ueber weibliche Bildung und besonders über die Errichtung einer weiblichen Lehranstalt in Verbindung mit einer höhern Schule zur Bildung künftiger Lehrerinnen und Erzieherinnen mit Nebenbemerkungen von einem sächsischen Schulmann. 8. 5 gr.

Karl Cnobloch.

Nachstehende höchst interessante Schrift ist so eben an alle Buchhandlungen versandt:

Die Unterwelt

oder Gründe für ein bewohnbares und bewohntes Inneres unserer Erde.

8. Leipzig, bey A. Wienbrack.

Preis geh. 21 gr.

Inhalt. Einleitung — *Die Unterwelt ist bewohnbar* — Die Erde hat kein festes Inneres — Die Erde ist eine Hohlkugel — Die Erde hat Oeffnungen an den Polen — Unterirdisches Feuer, Wasser, Luft — Licht der Unterwelt — Weitere Beschaffenheit der Unterwelt — *Das Innere der Erde ist bewohnt.* Unterirdische Pflanzen, Säugethiere, Vögel, Amphibien, Fische, Insecten, Würmer, Menschen — Die Beschaffenheit des Lebens in der Unterwelt — Der Weg zur Unterwelt — Vortheile der Unterwelt. — *An die Bewohner der Erde.*

Ueber die Entwickelung der productiven und commerziellen Kräfte des Preussischen Staates.

Preis 20 Sgr. (Berlin 1828, Schlesinger.)

Die günstige Beurtheilung dieser Schrift in mehreren kritischen Blättern ist die beste Gewähr für die Richtigkeit und Wichtigkeit der darin entwickelten Ansichten, und wir glauben sie daher mit Recht *allen Behörden*, so wie *allen Klassen der productiven Gesellschaft* empfehlen zu können.

In der Cröker'schen Buchhandlung zu Jena ist erschienen und durch alle Buchhandlungen zu haben:

Dr. *J. C. Zenker*, das thierische Leben und seine Formen. Ein zoologisches Handbuch zum Gebrauch akademischer Vorlesungen und zum Selbststudium. gr. 8. 3 Rthlr.

Jedes Anpreisen dieses Werkes wäre überflüssig, da es unstreitig das beste in der Art bis jetzt erschienene ist.

So eben ist bey uns erschienen und in allen Buchhandlungen zu haben:

Vorlesungen über die Gefängnisskunde, oder über die Verbesserung der Gefängnisse, und sittliche Besserung der Gefangenen, entlassenen Sträflinge u. s. w., gehalten zu Berlin von *Nickolaus Henrich Julius*, d. A. Dr. Erweitert herausgegeben, nebst einer Einleitung über die Zahlen, Arten und Ursachen der Verbrechen in verschiedenen europäischen und amerikanischen Staaten. Berlin 1828. gr. 8. Cart. CLXVIII u. 368 Seiten mit 4 Steindrücken und 6 Tabellen. Preis 3½ Rthlr.

Die gegenwärtigen im verwichenen Jahre hieselbst vor einer glänzenden und glorreichen Versammlung von Staatsbeamten und Menschenfreunden mit Beyfall gehaltenen Vorlesungen, deren blosse Inhaltsanzeige im 14ten Hefte der Hitzig'schen Zeitschrift f. d. Criminalrechtspflege in den preuss. Staaten bereits von Hn. Prof. *Abegg* in Königsberg, als eine „Behandlung des Gegenstandes nach allen Seiten, historisch, politisch, juristisch, sittlich und religiös" (*Schunk's* Jahrbücher der gesammten juristischen Literatur Bd. 7. Seite 345 f. f.) gerühmt wurde, glauben wir bloss dem Wunsche der genannten gelehrten Juristen, so wie dem der frühern Zuhörer gemäss, als endlich im Drucke erschienen, sen, anzeigen zu dürfen. Wir halten es noch für nöthig, zu bemerken, dass die mit anständiger Eleganz und schönen Steindrucken gezierten Vorlesungen selbst, hier in sehr erweiterter Gestalt erscheinen, überdiess noch vermehrt durch eine neue, den Schlussstein der ganzen Untersuchung darbietende, auf amtliche Quellen begründete Einleitung über die Zahlen, Arten und Ursachen, der in allen Ländern zunehmenden Verbrechen, nebst Angabe der Mittel dieser Vermehrung Einhalt zu thun.

Stuhr'sche Buchhandlung in Berlin.

Bey Ch. Garthe in Marburg erschien eben und ist in allen Buchhandlungen zu haben:

Jordan, *S.*, Versuche über allgem. Staatsrecht, in systemat. Ordnung und mit Bezugnahme auf Politik vorgetragen. gr. 8. 2 Rthlr. 6 gr. oder 4 Fl. 3 Kr.

Engelbach, Dr. *F. E.*, Ueber die Usucapion zur Zeit der 12 Tafeln. 8. 12 gr. oder 54 Kr.

Neue Verlagsbücher
der Nicolai'schen Buchhandlung in Berlin und Stettin:

Aurelius Augustinus Hipponensis Sacrae Scripturae interpres. Scripsit *H. N. Clausen*, Philos. et. Theol. Dr. gr. 8. 1⅓ Rthlr.

Ausonius (*D. M.*), Mosella, Lateinisch und Deutsch. Nebst einem Anhange, enthaltend einen Abriss von des Dichters Leben, Anmerkungen zur Mosella, die Gedichte auf Bissula. Von Dr. *E. Böcking*. gr. 4. 1 Rthlr.

Blum (Dr. *K. L.*), Einleitung in Roms alte Geschichte. 8. 1 Rthlr.

Hartig (*G. L.*), Anleitung zur Prüfung der Forstkandidaten. 2te verm. Aufl. gr. 8. 10 gr. (12½ Sgr.) geheftet.

Hermes (*Fr.*), Etymolog. topograph. Beschreibung der Mark Brandenburg. gr. 8. 13 gr. (16 Sgr.)

Kranichfeld (Dr. *F. G.*), de dignitate medicaminibus nonnullus restituenda. Differt. medica. 4 maj. 1 Rthlr. geheftet.

Kretzschmer (*J. K.*), Anleitung zum Geschäftsbetriebe der Oekonomie-Commissarien bey Regulierung der gutsherrl. und bäuerl. Verhältnisse, Gemeinheitstheilungen, Ablösungen der Grundgerechtigkeiten, der Dienste und Abgaben, in Gefolge der neueren ... schen Gesetzgebung des Preuss. Staats. Mit 4 Kup. u. Tabellen. gr. 8. 3 Rthlr. 20 gr. (3 Rthlr. 25 S...

v. Lancizolle (Dr. u. Prof.), Geschichte der Bil... des Preuss. Staats. 1ster Band, in 2 Abtheilun... gr. 8. 3⅓ Rthlr.

Schmid (*Peter*), das Naturzeichnen f. d. Schul- ... Selbstunterricht. Fortsetzung der Anleitung z. Zeichenkunst. 1ster Theil mit 28 Kupfertafeln. 1⅓ Rthlr.

Worte, einige, über die im Preuss. allgem. Landre... ausgesprochenen staatsrechtl. Grundsätze von *W.* ... 8. ½ Rthlr. geh.

Zeitschrift für wissenschaftl. Bearbeitung des Preu... Rechtes herausgegeben von *A. H. Simon* und ... *L. v. Strampff*. 1sten Bandes 1stes Heft. gr. ... 1⅓ Rthlr. geh.

II. Vermischte Anzeigen.

Eingetretener Hindernisse wegen kann die ... 13ten October d. J. angesetzte Auction von der hinterlassenen Bibliothek des Hn. Prof. *Ersch* u. s. w. erst den 23sten October ihren bestimmten Anfang nehmen.

Halle, im September 1828.

J. Fr. Lippert, Auctionator.

Zur Antwort.

Die Bekanntmachung in Nr. 208 dieser A. Lit. Zeit., dass ich nicht der Verfasser der unter den Pseudonymen *Mandien* und *Niemand* erschienenen Schriften sey, würde mir einestheils sehr willkommen gewesen seyn, weil ich mir besonders durch die unter letzterem Namen erschienenen Arbeiten viele Feinde zugezogen habe, — allein auch ich denke: *suum cuique!* — und erkläre daher jene Annonce für eine grobe Verläumdung. Allem Anschein nach ist sie aus der Feder eines mir verfeindeten *Ritterromanschreibers* *), mit dem ich noch jetzt in einen Injurienprocess verwickelt bin, geflossen, und welcher aus Rache ein Localgeschwätz, das durch einige vermeintliche Personalitäten in dem von mir kürzlich erschienenen Buche: „*Krähwinkel wie es ist*," entstanden war, benutzt hat, um mich vor dem Publicum anzuschwärzen. Zu erbärmlich ist diese neue „*Krähwinkler Rache*", als dass sie eigentlich noch einen Antwort bedurft hätte!

C. Nordhelm.

---

*) Dass die oben erwähnte Notiz weder aus dem Wohnorte des Herrn *C. N.*, noch von einem *Ritterromanschreiber* eingesandt ist, bezeugt

die Expedition der A. L. Z.

MONATSREGISTER

vom

SEPTEMBER 1828.

I.

Verzeichniſs der in der Allgem. Lit. Zeit. und den Ergänzungsblättern recenſirten Schriften.

Anm. Die erſte Ziffer zeigt die Numer, die zweyte die Seite an. Der Beyſatz EB. bezeichnet die Ergänzungsblätter.

Krug,

Ely

V.

W.

Z.

(Die Summe aller angezeigten Schriften ift 70.)

II.

Verzeichnifs der literarifchen und artiftifchen Nachrichten.

Beförderungen und Ehrenbezeigungen.

Todesfälle.

Univerfitäten, Akad. u. and. gel. Anftalten.

III.

III.

Verzeichniſs der literariſchen und artiſtiſchen Anzeigen.

Ankündigungen von Buch- und Kunſthändlern.

Vermiſchte Anzeigen.

ALLGEMEINE LITERATUR-ZEITUNG

October 1828.

RÖMISCHE LITERATUR.

BERLIN, b. Nauck: *Tacitus' Agrikola. Urſchrift, Ueberſetzung, Anmerkungen und eine Abhandlung über die Kunſtform der antiken Biographie* durch *Georg Ludw. Walch.* Mit Gordons Situationskarte von den Römerſtraſsen, Lagerplätzen und anderen Ueberreſten der Römerzeit in England und Südſchottland. 1828. LXXIV u. 472 S. 8. (3 Rthlr.)

Ebend.: Caii Cornelii Taciti vita Julii Agricolae. Ad libros ſcriptos et editos recognovit, emendationibus et critica notatione fontes lectionis indicante inſtruxit *Georg. Ludov. Walchius.* 1827. VI u. 56 S. 8. (5 Sgl.)

HALLE, b. Hemmerde u. Schwetſchke: *Obſervationum in C. Cornelii Taciti opera* conſcriptarum *Specimen alterum*, quo *Traugott Frederico Benedict*, Lycei Annaemontani Rectori pie gratulatur *Georgius Henricus Walther*, ſacerdos apud Berganos in Thuringia. 1827. 48 S. 8. (6 Sgl.)

Die Biographie Agrikolas, durch welche Tacitus ſeinem Schwäher ein unvergängliches Denkmal geſetzt hat, iſt in der neueſten Zeit innerhalb wenig Jahren ſo vielfältig bearbeitet und herausgegeben worden, daſs man glauben ſollte, in dem, an Umfang kleinen Buche ſey in Kritik und Erklärung Alles, auch das Kleinſte, zumal nach dem, was ſchon von den groſsen Philologen der frühern Zeit geleiſtet worden, ſo durchgearbeitet und aufgehellet, daſs jetzt ein neuer Bearbeiter nur eine ſpärliche Nachleſe halten könne. Daſs ſich die Sache anders verhält, lehrt die vorliegende neue Bearbeitung des Hn. Prof. *Walch*, welche das Reſultat vieljähriger den Tacitus, ſo wie das geſammte Römiſche Alterthum umfaſſender Studien iſt, und für eine ausgezeichnete Bereicherung der römiſchen Literatur gehalten werden muſs. Ohne Bedenken wird der, welchem die neuſten Ausgaben dieſer Schrift bekannt geworden, dem Urtheile dieſes neuſten Herausgebers beytreten, daſs in keiner derſelben weder die Idee der Schrift entwickelt, noch ihre Form dargeſtellt, noch der Stoff kritiſch und exegetiſch bis zu dem Punkte, den bey dem Mangel ausreichender Hülfsmittel menſchliche Schwachheit erreichen kann, erſchöpft iſt; daſs keine neuere Bearbeitung ſich den gelehrtern der Vorzeit durch tieferes Eindringen in Sprach- Ort- und Zeitverhältniſſe ergänzend oder erläuternd anſchlieſst; ja daſs namentlich in der Kritik einzelner Stellen Rückſchritte gemacht worden. Von ſelbſt kann man nun erwarten, daſs Hr. *Walch* ſich ſeine Aufgabe hoch geſtellt, und in der Erklärung wie in der Kritik grade das, was ſeinen Vorgängern fehlt, zu erreichen geſucht haben werde. Und dieſes beſtätiget das Buch vom Anfange bis zu Ende.

S. IV—VIII wird von dem kritiſchen Apparat zu dieſer Schrift geſprochen. Unter den 4 Handſchriften derſelben, welche bekannt ſind und alle aus gemeinſamer Quelle ſtammen, iſt die jetzt verlorne oder verſteckte *des Puteolanus* zwar nicht älter als die andern, aber doch die am wenigſten verdorbene, und verdient Baſis des Textes zu ſeyn. Nach ihr folgt *die des Urſinus*, indeſſen *Adnotatt. ad Tacitum* in den *Fragment. veter. hiſtoricorum collect. ab Ant. Auguſtino emendat. a F. V. Antwerp.* 1594. 8. mangelhaft ausgezogen. Die dritte Stelle nimmt ein der jetzt ebenfalls verſchwundene *Cod. Vat.* 4498, aus welchem Brotier nur wenige Lesarten mitgetheilt hat. Die letzte Stelle hat die zweyte Handſchrift des Urſinus *Cd. Vat.* 3429, welche von Brotier und zuletzt für Dronke verglichen worden.

Die drey Puteolaniſchen Ausgaben, nämlich die *Puteolani princeps* in deſſen Ausgabe der *Panegyrici Lat.* ohne Druckort 1476, 4.; dann die *P. Mediolanenſis* in *P.* Ausgabe des Tacitus in Fol. wahrſcheinlich 1492; endlich die *P. Veneta* 1497. Fol. weichen wenig oder gar nicht von einander ab. Aendrungen, zum Theil ſchon Verbeſsrungen dem Rhenanus zugerechnet, enthält die Ausgabe des *Joh. Rivius*, Venedig 1512. Fol. Doch eben ſo wenig als *Rivius* haben *Beroaldus* in ſ. Ausg. Rom, 1515. Fol., und *Alciatus* in der ſeinigen, Baſel 1519. Fol. Handſchriften gebraucht. Mit dieſen ſechs Ausg. ſchlieſst die Reihe der alten Ausg., und ſie ſind im Grunde nur als *eine* zu achten. Mit des Rhenanus Ausg., Baſel 1533. Fol. hebt eine auf geläuterte Sprachkenntniſſe und glückliche Divinationsgabe ſich gründende Textesänderung an, die Baſis aller folgenden bis auf Erneſti und Brotier. Als *äuſsere Zeugen* gelten nur Puteolanus, Urſinus, Brotier; Rhenanus, Lipſius, Pichena, Gronov und Erneſti haben einen anderen Werth. — Die von Hn. *Walch* aufgenommenen Lesarten ſind von ihm mit ſolcher Gründlichkeit gerechtfertiget worden, daſs in nur wenig Stellen Widerſpruch ſtatt finden kann; und dieſes ſind ſolche, über welche die Verſchiedenheit im Urtheil nie ganz verſchwinden wird, da hier das Richtige nicht durch Rechnen und

und Messen gefunden werden kann, und die Logik nur das Irrige abzuhalten, nicht aber das Wahre einzuführen im Stande ist. Auf einige dieser Stellen werden wir in der Folge zurückkommen.

Wir gehen fort zu dem glänzendsten Theile dieser Ausgabe, zu dem, was in derselben für die Erklärung geleistet worden. Und hier ist des Vortrefflichen so viel, dass wir es für überflüssig halten, Einzelnes besonders hervorzuheben. Vielmehr verweilen wir bey einigen Stellen, wo wir den Ansichten und Entscheidungen des würdigen Herausgebers nicht beytreten können.

In der zweyten Anmerkung zu Kap. 1. S. 103 fg. zu den Worten, *ne nostris quidem temporibus — omisit*, sagt der Herausgeber, die Grundbedeutung des Aorist's sey, dass er das *früher*, *jetzt* und *künftig Vergangene* bezeichne. Diese Bestimmung kann Rec. nicht für wahr halten. Das *künftig Vergangene*, das *futurum exactum*, wird freylich durch den Aorist ausgedrückt, aber durch dessen Conjunctiv mit *ἄν*. Aber zur Bestimmung der Grundbedeutung des Aorist's kann nur der Indicativ gebraucht werden. Wie nun in diesem allein die Bedeutung des früher, oder jetzt Vergangenen liegen könne, ist nicht abzusehen. Der Aorist drückt nichts weiter aus, als das Vergangene ohne alle andere Beziehung. Ob es früher oder jetzt vergangen sey, wird entweder aus der ganzen Erzählung erkannt, oder muss durch besondere Worte angegeben werden. In dem *omisit* nun kann Rec. nichts anders erkennen, als den gewöhnlichen erzählenden Aorist, eben so, wie in den folgenden Verbis *vicit* und *supergressa est*. Will man in der Uebersetzung von *omisit* das Wort *unterlassen* gebrauchen, so muss man freylich das Präsens nehmen, wenn der Sinn nicht leiden soll; aber *omittere* ist auch nicht dasselbe, was *intermittere*, sondern *aussetzen*, *einstellen* (Kap. 18.), *aufgeben*, aufhören etwas zu thun, etwas nicht weiter gebrauchen. Beyspiele übrigens zu der Bedeutung des Aorist's, welche Hr. *Walch* in unsrer Stelle annimmt, nach welcher in diesem Tempus der Begriff des Gewohntseyns liegen soll, enthalten das 30. und 31. Kapitel des Phädrus des Plato in Menge. — Bey den folgenden Worten, *quotiens magna — invidiam*, legen wir auf Barklay's Bemerkung, *vincere* blicke auf *ignorantiam*, wie *supergredi* auf *invidiam*, mehr Gewicht, als Hr. *Walch*. Denn die Bemerkung als gültig für die Stelle anzuerkennen, fordert die Concinnität der ganzen Rede, und der Herausgeber sagt S. 305 selbst, des Tacitus Deutlichkeit bestehe hauptsächlich in der Kunst der Gegensätze. Es gehören also zusammen, *magna virtus vicit ignorantiam recti* (hat Anerkennung des Rechten erzwungen), und *nobilis virtus supergressa est invidiam* (sie hat sich durch ihren überall hin verbreiteten Ruhm so weit erhoben, dass der Neid, oder nach Kap. 5. *sinistra erga eminentes interpretatio*, sie nicht mehr erreichen kann). Dieselbe Concinnität der Rede zwingt uns auch, anders als Hr. *Walch*, zu entscheiden über die Stelle Kap. 5. *nec Agricola — ad [illegible] tus — titulum tribunatus et inscitiam, retulit*. [illegible] Herausgeber fragt: Soll man diese Worte [illegible] *Agrikola benutzte die Würde eines Tribun[illegible] seine Unerfahrenheit nicht zu Urlaub und Ver[illegible]gungen*, oder: *er benutzte die Würde eines T[illegible] nicht zu Urlaub und zu Unerfahrenheit?* und [illegible]wortet, die erste Erklärung würde dem Sch[illegible]steller einen Ungedanken aufdringen. Einen [illegible]gedanken? Mit nichten. Es beziehen sich auf [illegible]ander, *non licenter titulum tribunatus retul[illegible] voluptates*, und wiederum, *non segniter in[illegible] retulit ad commeatus*. Tacitus sagt: Agrikola gla[illegible] nicht durch seinen Tribunenrang eine Berechtig[illegible] zu Vergnügungen erhalten zu haben; auch gla[illegible] er nicht durch seine Unerfahrenheit im Kriege [illegible]ne Berechtigung erhalten zu haben, häufig u[illegible]laub nachzusuchen. Junge, unerfahrne und [illegible]sinnige Tribunen mochten wohl häufig Urlaub [illegible]chen, und auch leicht erhalten, da ihre Di[illegible] ohne Nachtheil entbehrt werden konnten. Nich[illegible] der junge, zwar noch unerfahrne, aber höher [illegible]bende Agrikola, welcher sich zum Feldherrn [illegible] bilden wollte, und (*Cic. off.* 1, 34. 123.) *ineu[illegible] aetatis inscitia senum constituenda et regenda pr[illegible]dentia est*. Hn. *Walch's* Erklärung, „er benutz[illegible] nicht trägen Sinnes zu Unwissenheit den Namen [illegible]nes Tribunen" scheint uns übrigens auch selbst f[illegible] den unmuthvollen, strafenden Tacitus zu sarkasti[illegible] und überhaupt seinem Geiste nicht angemessen. — Wir gehen fort zu einer andern vielbesprochen[illegible] Stelle, Kap. 9. *tristitiam et arrogantiam et avariti[illegible] exuerat*. Hr. *Walch* meint, in Amtsverhältnissen [illegible] dem Agr. eigen gewesen *tristitia* (abgemessene K[illegible] des Staatsmannes, welche Rang und Verhältniss fordert), *arrogantia* (Hoheitsstolz, Anmassung, welche nichts, was ihr gehört, aufopfert, auch das Kleins[illegible] nicht), *avaritia* (die strengste von Vespasian gebotene Genauigkeit). Diese Eigenschaften, welche Hr. *Walch* in der Uebersetzung gleichwohl durch Kälte, Stolz, Habsucht ausdrückt, habe er abgelegt, wenn er sich und den Seinen lebte. Zugegeben, dass die *tristitia* und *arrogantia* in dem vom Herausgeber angenommenen Sinne von einem Staatsbeamten, dessen Individualität beide fremd waren, nach Willkür angenommen und wieder abgelegt werden konnten, so kann dieses doch keineswegs auch von der *avaritia* gelten. Denn die Folgen dieser mussten die ganze Zeit der Verwaltung hindurch dauern, und Agrik. blieb in den Augen der Provinzialen immer *avarus*, wenn er es in seinen Amtsverhältnissen war. Indess Hr. *Walch* hat die Nothwendigkeit, jene Wörter in der von ihm bestimmten Bedeutung in unsrer Stelle zu nehmen, keinesweges genügend dargethan; auch werden *avaritia* und *arrogantia* in andern Stellen des Tacitus stets als Fehler bezeichnet. Beym Paulinus Kap. 15. ist das *arroganter consulere* sogar ein Grund, ihm bald einen Nachfolger zu schicken. Rec. hält also die Bedeutungen *finstrer Ernst*, *Anmassung*, *Habsucht*,

auch

ân unfrer Stelle feſt. Wie paſst dann aber *rcat?* Wie konnte Agrikola Etwas ablegen, er nie an ſich gehabt hatte? Und *exuerat* mit rHim in der Bedeutung *aberant ab eo* zu neh-, ſcheint auch nicht zuläſſig. Hr. *W.* nennt e *ſignificatio impropria* ſogar eine erträumte it. hat aber auch ſonſt im Gebrauche einzelner rter Manches, was ſehr auffällt; z. B. Kap. 17. acht er *obruere famam ſuoceſſoris* vom Vorgän-, welcher den Ruhm des Nachfolgers verdun-t. Aber der Natur nach muſs doch das *quod uitur*, eher ſeyn als das, *quod obruit*. Gleich-hl wird Niemand dieſe Stelle ändern wollen, ndern jeder wird bloſs den Begriff des Ueber-ffens feſt halten. So könnte Tacit. wohl auch *iſſe* überhaupt für *liberum eſſe* gebraucht ha-. Aber auch dieſes anzunehmen, iſt nicht un-gänglich nothwendig, und Rec. giebt folgender ſicht den Vorzug. Die genannten drey Fehler ren die gewöhnlichen Fehler der Statthalter und rden als zur Perſon deſſelben weſentlich gehö-g angeſehen. Agrik. nun hatte von dem aus die-Fehlern zuſammengeſetzten Gewande die Per-n des Statthalters in ſeiner Perſon entkleidet. er Sinn der Stelle iſt alſo: „von finſterm Ernſte, n Anmaſsung und Habſucht, den gewöhnlichen ehlern andrer Statthalter war er überhaupt frey." o machen dieſe Worte einen paſſenden Uebergang ur Beſtimmung deſſen, was dem Agrik. überhaupt igenthümlich war, nämlich *ſeveritas* ſtatt *triſtitia*, *acilitas* ſtatt *arrogantia*, *integritas* und *abſtinentia* tatt *avaritia*; denn dieſe beiden Eigenſchaften ma-hen den vollen Gegenſatz von *avaritia*. — Die Kunſt der Gegenſätze bey Tacitus läſst auch keinen Zweifel, daſs Hr. *Walch* die Stelle Kap. 12. *natura deeſt margaritis* richtig gefaſst hat. Die Gegenſätze ſind, *ars abeſt legentibus*, und, *natura deeſt margaritis* (die *ευφυΐα*, oder das was die Kenner als die eigentliche Natur der Perlen gelten laſſen, fehlt den Britanniſchen Perlen), und *avaritia deeſt nobis*. Dieſelbe Kunſt der Gegenſätze könnte endlich aber auch einigen Zweifel erregen an der Richtigkeit der von Hn. *Walch* aufgenommenen genialen Verbeſſerung von Lipſius Kap. 25. *victus Oceanus*. Es werden im Vorhergehenden jedesmal zwey Gegenſtände genannt, und nun heiſst es bloſs *victus Oceanus*. Könnte in dem *auctus Oceanus*, was die Handſchr. u. alten Ausg. haben, nicht, wie es Kap. 10. heiſst, *aeſtus et Oceanus* ſtecken? Gegen *victus* könnte auch eingewendet werden, daſs der Begriff deſſelben zum Theil ſchon *in ſua quisque facta, ſuos caſus attollerent* liege.

Wir kehren zurück zu den Worten Kap. 2. *At mihi nunc narraturo vitam defuncti — virtutibus tempora.* Nach des Herausgeb. Ueberſetzung: „Mir aber, jetzt im Begriff, das Leben eines Entſchlafenen zu erzählen, iſt Nachſicht nöthig: wonach mich nicht verlangte, ſtreifte ich nicht in grauſe, Tugenden ſo unholde Zeit." *Wer* ſoll dem Vf. Nachſicht angedeihen laſſen? *worauf* ſoll ſich dieſelbe beziehen? und wiefern liegt die Urſache dieſes Nachſichtsgeſuchs darin, daſs Tacit. in dieſer Biographie in ſo grauſe Zeiten ſtreifen will? Hr. *Walch* antwortet: nicht an das Zeitalter oder die Leſer überhaupt kann die Bitte um Nachſicht gerichtet ſeyn; ſondern an alle, welche das Agrikola geſpendete Lob nicht als Verherrlichung ihres Laſters aufnehmen und gleichmüthig überſehen konnten, an alle aus Domitians Zeit noch lebende Unheilſtifter. Nicht gegen lauten Tadel, der nicht zu fürchten war, ſondern wider geheime Anfeindung und vor dem gehäſſigen Vorwurf eines verſteckten Anklägers will Tacit. geſichert ſeyn, wenn ſeine erſte Schrift eine Kindespflicht erfüllt. Wenn *T.* bey dieſen Worten dieſes Alles beabſichtigte, ſo muſs Rec. erklären, daſs er für ſeinen Zweck ein Mittel gewählt habe, welches gar nichts wirken konnte. Die Perſonen, für die nach Hn. *Walch's* Anſicht die Worte beſtimmt waren, laſen ſie gewiſs, ohne das Mindeſte von ihrer geheimen Anfeindung aufzugeben und ohne den Tac. von dem Vorwurfe eines verſteckten Anklägers frey zu ſprechen. Kräftiger würde ſich Tac. unter Nerva's kraftloſer Milde gegen Unannehmlichkeiten von ſolchen Unheilſtiftern aus Domitians Zeit geſichert haben, wenn er zu ſeiner Schrift ſich kaiſerliche Bewilligung (wie Hooft *venia* verſteht) erbeten hätte. Doch dieſe Annahme läſst ſich gar nicht halten. — Im Folgenden hat Hr. *W.* die Lesart der alten Ausg. *ni curſaturus* beybehalten, und nimmt die Redensart *curſare tempora* in der Bedeutung von *decurrere tempora*. Dieſe Bedeutung hätte aber doch genügender gerechtfertiget werden ſollen, als es geſchehen, wogegen Bedenklichkeiten ſolcher, die am Accuſativ bey *curſare* Anſtoſs nahmen, kaum Berückſichtigung verdienten. *Decurrere tempus* nun, womit *curſare tempus* gleichbedeutend ſeyn ſoll, kann nach Rec. Dafürhalten nur von einem Geſchichtſchreiber geſagt werden, der die allgemeine Geſchichte eines ganzen Zeitraums von einem Ende bis zum andern abhandelt. Das will aber Tacitus nicht, ſondern er will nur das Leben eines einzelnen Mannes aus den für Tugenden ſo unglücklichen Zeiten des Domitian herausheben und beſchreiben, er will nicht jene ganze Regierungszeit durchlaufen, ſondern nur in die Zeiten hineinſtreifen, und das wäre *incurſare tempora*, welches keinesweges mit Pichena zu erklären, *boum vel arietum more, hoc eſt impetere vel inceſſere*. Doch würde der Begriff des Anklagens nicht auszuſchlieſsen ſeyn. Rec. beruhiget ſich indeſs mit *incuſaturus* ohne *ni*, nach dem *Cod. Vat.* 8429, und ſeine Anſicht der Stelle iſt dieſe: Tacitus ſagt, für mich war in jetziger veränderter Zeit (*nunc*, im Gegenſatz der frühern beſſern Zeit) Nachſicht unentbehrlich. Warum? das jetzige Geſchlecht iſt *incurioſa ſuorum aetas*, es wird alſo an der Lebensbeſchreibung eines Verſtorbenen, der zwar ein groſser Mann, aber nicht über den Neid erhaben war, wenig Intereſſe nehmen, wird die-

ſelbe

ſelbe für etwas überflüſſiges halten. Tacitus bittet daher alle Leſer um Nachſicht wegen deren Bekanntmachung, bey welcher er einen ſubjectiven Zweck hat, nämlich den, ſeinem Schwäher ein Ehrendenkmal zu ſetzen und ſeiner Kindespflicht zu genügen. Nicht würde ich (fährt er fort) um Nachſicht gebeten haben, wollte ich als Ankläger jener Zeiten in einer Geſchichte derſelben auftreten. Warum dann nicht? Die Geſchichte hat ihren Zweck in ſich ſelbſt; der Geſchichtſchreiber, wenn er ſich nur bewuſst iſt, daſs er Wahres erzähle, fragt nicht darnach, wie ſein Werk aufgenommen werde. Tacitus deutet alſo mit den Worten, *incuſaturus — tempora,* ſeine Geſchichtswerke an. Auf dieſe Worte bezieht ſich dann die Stelle Kap. 3. *non tamen pigebit — compoſuiſſe*, in welche die Erwähnung der wiederum erfolgten glücklichern Zeiten aufgenommen iſt; endlich der Schluſs, und vor allen das *excuſatus* am Ende, weiſt zurück auf *venia opus fuit.* So bilden das 2te u. 3te Kapitel ein herrliches in ſich ſelbſt abgeſchloſsnes Ganzes.

So wie von denen, welche *ni* beybehalten, zu dem Participium *eſſem* verſtanden werden muſs, ſo muſs auch Kap. 16. zu *pacti* verſtanden werden *eſſent,* und man muſs, wie einige thun, interpungiren: *ac, velut pacti exercitus licentiam, dux ſalutem, haec ſeditio ſine ſanguine ſtetit.* Denn, da in dem fingirten Vertrage zwiſchen dem Heerführer und dem Heere die Urſache davon liegt, daſs dieſe Meuterey kein Blut koſtete, ſo können beide Sätze nicht ſo getrennt werden, wie Hr. *Walch* gethan hat, ohne den Ausdruck unerträglich zu machen. Nicht nöthig hingegen iſt, Kap. 10. zu *velut in ſuo* zu denken *eſſet*, nämlich *mare;* vielmehr iſt hier zu verſtehen der Begriff des Participii von *eſſe*, „als wäre hier, im Innern des Feſtlandes, das Meer in ſeinem eigenen Gebiete, als gehörte dieſer Theil des Landes mit zum Meeresgebiete. — Kap. 3. finden wir die gebrauchten Ausdrücke *incondita ac rudi voce,* nicht auffallend, wenn wir annehmen, Tacitus denke ſich ſelbſt gegen über die frühern groſsen Geſchichtſchreiber, *celeberrimum quemque ingenio, clariſſima ingenia, Livium veterum, Fabium Ruſticum recentium eloquentiſſimos auctores,* und habe zugleich zu erkennen geben wollen, daſs er bey ſeinen hiſtoriſchen Werken von höhern Motiven, als Schriftſtellerruhm iſt, geleitet werde. — Kap. 4 würde eine ausführliche Erörterung der *graeca comitas* ſehr an ihrem Orte geweſen ſeyn. Hr. *Walch* überſetzt *Griechen-Feinheit;* aber Kap. 16 überſetzt er *comitas* durch *Milde*, und Kap. 22 *comis* durch *mild*, und vergleicht damit ἐρατεινός. Das Wort *Freundlichkeit* ſcheint entſprechender, obgleich nicht erſchöpfend, zu ſeyn. — Kap. 6 liegt in d… ten, *mox inter Quaeſturam ac Tribunat… atque ipſum etiam Tribunatus annum qui… tranſiit*, keine Nothwendigkeit anzunehm… dem Agr. zwiſchen Quäſtur und Tribunat *Jahr* lag. Denn des Tacit. Stil erlaubt, … Worten *mox inter Quaeſturam ac Tribunat… bis* aus dem Folgenden bloſs den allgemeinen *tempus* zu verſtehen; und dieſes hier zu th… ſogar nothwendig, da es nach der gewöh… Anſicht der Stelle, nicht *ipſum*, ſondern *ipſ…* ſsen müſste. So hätte der vom Herausgeber angeführte Maſſon (*Vit. Plin. p. 56.*) doch Re… Ueber *ſenſiſſet* zu Ende dieſes Kapitels würd… Hn. *Walch's* Meinung gern gehört haben. Ein g… licher Grammatiker, Hr. *Krüger* (Unterſuchung… Gebiet d. lat. Spr. Heft 2. S. 295.) *nimmt* eine … *lage temporum* an. — Kap. 8 ſagt Hr. *Wa…* den Worten: *nec Agricola unquam in ſuam … geſtis exſultavit;* ältere und gewöhnliche Pro… de verlangen: *nec A. unquam, ut famam ſu… geret,* oder *ad famam augendam, geſtis ſu… ſultavit.* Das iſt aber doch nicht daſſelbe, … Tac. hier ſagt, und was der vom *Herausg…* führte gründliche Forſcher (d. Vf. des Fe… S. 124.) richtig ſo erklärt: nie frohlockte A… Thaten, die zu ſeinem Ruhme ausgefallen wäre… Kap. 16 iſt *ſumpſere bellum* vielmehr mit … als mit ἤρξαντο πόλεμον zu vergleichen; letzteres … *ſuſcepere.* — Kap. 17 kann Rec. Hn. *W.* nicht b… treten in der Erklärung folgender Worte: … *Cerialis quidem alterius ſucceſſoris curam fam… obruiſſet, ſuſtinuit quoque molem Julius Fronti… vir magnus.* — „Wiewohl Cerialis auch eines … dern, d. h. gröſsern Nachfolgers Ruhm hätte … dunkeln können, leiſtete doch auch Frontinus … nem Amte Genüge." Auf dieſe Weiſe wird d… dem noch lebenden Frontinus das Lob eines groſ… Mannes ziemlich verkümmert, da es ſchicklich … war, wenn auch Cerealis als der … gröſsre dargeſtellt werden muſste, den Frontinus zu heben. Und das iſt wirklich der Fall, wenn die Stelle anders erklärt wird. Zu Anfange des Kapitels heiſst es: *Sed ubi — Veſpaſianus et Britanniam reciperavit, magni duces — Et terrorem ſtatim intulit Petilius Cerialis.* Cerialis war alſo primus *magnus dux*, und der zweyte, *alter*, ſein Nachfolger. Man trenne alſo *alterius* von *ſucceſſoris* und verſtehe dazu *ducis.* „Und wiewohl Cerialis d… zweyten, ſeines Nachfolgers, Sorgfalt und Ruf verdunkelt hatte, ebenfalls gewachſen war der La… Julius Frontinus." —

(Der Beſchluſs folgt.)

ALLGEMEINE LITERATUR-ZEITUNG

October 1828.

RÖMISCHE LITERATUR.

Berlin, b. Nauck: *Tacitus' Agrikola. Urschrift, Uebersetzung, Anmerkungen und eine Abhandlung über die Kunstform der antiken Biographie* durch *Georg Ludw. Walch* u. s. w.

Ebend.: *Caii Cornelii Taciti vita Julii Agricolae* — — edid. *Georg. Ludov. Walchius* etc.

Halle, b. Hemmerde u. Schwetschke: *Observationum in C. Cornelii Taciti opera conscriptarum Specimen alterum* — — edid. *Georgius Henricus Walther* etc.

(Beschluss der im vorigen Stück abgebrochenen Recension.)

Endlich kann Rec. Kap. 35 *bellandi*, welches auch Dronke für *bellanti* aufgenommen hat, mit der Bemerkung, *utrumque bonum; recedere tamen a vetere lectione non opus est*, noch nicht so gradezu für einen Sprachschnitzer erklären, als es vom Herausg. Vorr. S. X. und Anm. S. 360 geschieht. Wenn dieser die Construction durch Stellen, wie *Ann.* 3, 36. *Sed cultus numinum utrisque, Dianam et Apollinem venerandi*, nicht für hinlänglich gerechtfertiget hält, so hätte das wohl etwas ausführlicher bewiesen werden sollen. Die nothwendige Beziehung des *bellare* auf den *imperator* liegt übrigens im Inhalte der ganzen Stelle, und braucht nicht durch eine besondre Wortform ausgedrückt zu werden. Hr. *W.* übersetzt: „die Legionen blieben vor dem Walle stehen, hoher Ruhm beym Siege, gewann er ihn ohne Römerblut, zur Unterstützung, würden sie geschlagen." Gut; aber *bellare* heisst doch nicht *den Siege gewinnen*, und Tacitus muss sagen: die Legionen standen vor dem Walle, eine hohe Zierde des (gewonnenen) Sieges, den Krieg zu führen ohne Römerblut, oder, wenn er ohne Römerblut geführt würde. Bey der Lesart *bellanti* kann man immer noch fragen: wenn nun der Feldherr den Krieg führt und siegt ohne Römerblut, welches ist denn alsdann der hohe Ruhm beym Siege? die Antwort freylich ist, dass der Sieg kein Römerblut kostete. Und eben dieses, was bey *bellanti* erst dazu gedacht werden muss, ist in der Lesart *bellandi* ausdrücklich enthalten.

Doch genug dieser Bemerkungen, da wir unsre Leser noch bekannt machen müssen mit dem Inhalte der Abhandlung, *über die Kunstform der antiken Biographie*, S. XXXIII—LXXIV. Sie beantwortet die Frage: Welches ist *die Idee des Ganzen*, oder das, was dem Künstler vorschwebend beym Abfassen der Schrift den Mittelpunkt bildete, worauf alles Einzelne der Darstellung sich hin- und zurück bezog? Diese Idee ist (S. LXXII) die Tendenz, den mittelst des Grundprincips zur Einheit des Wissens gebrachten Stoff durch dramatische Behandlung für die Phantasie und das Gefühl als Einheit abzuschliessen. Das Grundprincip aber ist das *Absolute*, oder das Streben nach innerer Einheit und Nothwendigkeit des Mannichfaltigen. In Agrikola, dem Römischen Staatsmanne und Feldherrn, äussert es sich in einem solchen *Handeln* in jenen Verhältnissen, welches gleichsam ausgehet von *einem* Punkte und *dahin* zurückkehrt. Die den Agrikola leitende Idee hat auch Tacitus aufgefasst und in dessen Biographie darzustellen gesucht; er hat den gegebenen Stoff dieser Idee gemäss geordnet und bearbeitet, so dass die Darstellung des Charakters nur eine untergeordnete Stelle einnimmt. Wie Agrikola zu seiner Tüchtigkeit und Musterhaftigkeit im Handeln gelanget, wie bey demselben schon vom frühen Alter an Alles die Richtung zum Handeln nahm, ist nur kurz angedeutet. Nicht hat Tacitus (was neuere Biographen thun müssen) durch philosophische Betrachtungen, durch Entwicklung der Geistesthätigkeit und der Fortschritte des Mannes seinem Werke Reiz zu geben gesucht. Bey dem Römer als solchen ist das *Empfinden* gegen das *Handeln* entweder von keiner Bedeutung, oder wenigstens der Intelligenz und dem frohen Lebensgenusse untergeordnet. — Auch einen didaktischen Zweck hatte Tacitus. Er wollte an einem Muster wie Agrik. zeigen, dass auch in den ungünstigsten Zeitumständen nicht unmöglich sey, ein grosser Mann zu seyn, ja dass, wenn kluge Mässigung mit Thatkraft und Betriebsamkeit ihn leite, es *noch* vergönnt sey, in altem Glanze der Römertugend zu erscheinen. — Die Form des Werks anlangend, so ist der Stoff so dargestellt, dass er sich aus einem Mittelpunkte betrachten lässt, von welchem aus er als *ein Ganzes* erscheint. Dieser ist die Schlacht am Berge Grampius, wodurch Agrikolas Ruhm gekrönt, die Ueberwältigung Britanniens vollendet, zugleich aber auch das endliche Schicksal seines Lebens begründet ward. Zufolge dieser Ansicht zerfällt das Ganze in 3 oder 5 Abschnitte: Einleitung 1—3. Agrikolas Jugendbildung bis zur Verwaltung Britanniens 4—8 Schil-

Schilderung des Schauplatzes feiner Thaten und früherer Leiftungen 9 — 17. Agrikolas Züge und Ueberwältigung. Britanniens durch die Schlacht am Berge Grampius 18 — 38. Letzte Schickfale mit dem Epilog oder der Apoftrophe 39 — 46. — Diefe einzelnen Theile werden von Hn. *W.* S. LIX — LXXIV in Beziehung auf innern Organismus genauer betrachtet. Die ganze Abhandlung ift reich an fruchtbaren und durchgreifenden Bemerkungen über römifche Denk - und Handlungsweife überhaupt; doch fehlt ihr in der Darftellung Leichtigkeit der Ueberficht, und dem Stile Gefchmeidigkeit. Auch würde manche polemifche und ftrafende Stelle, wenn fie nicht da ftände, nicht vermifst werden. Indefs, eine folche Arbeit über ein folches Kunftwerk will nicht flüchtig gelefen, fondern forgfältig ftudirt feyn. Und fo können wir dem Vf. auch für diefen Theil feines Werkes unfern Dank nicht verfagen.

Noch einige Worte über die beygefügte deutfche Ueberfetzung. Vorr. S. XXII. fagt der Ueberfetzer: „Der Commentar hat das Einzelne, den Stoff, der Ueberfetzer das Ganze, die Form, zur Aufgabe." Rec. ift immer des Dafürhaltens gewefen, dafs fowohl der Commentator, als der Ueberfetzer jeder Beides, Stoff und Form zur Aufgabe habe, nur jeder nach der Eigenthümlichkeit feines Gefchäfts. Der vollftändige Commentar erläutert Jedes in allen Beziehungen, die Ueberfetzung ftellt Jedes, fo wie fie es vom Original empfängt, in ihrer Sprache dar, im Einzelnen, wie im Ganzen. Da aber der Genius und die Organifation der Sprachen verfchieden ift, fo ift dem Ueberfetzer nur Annäherung an jenes Ideal einer Ueberfetzung, nicht völlige Erreichung möglich, und da vom Stoffe des Originals nichts aufgeopfert werden darf, fo mufs die Form geändert werden. Soll die Form des Originals der Ueberfetzung aufgedrungen werden gegen die Natur der Sprache, in welche überfetzt wird, fo erhält man ftatt eines mit Leichtigkeit und Klarheit dahin fliefsenden Originals eine holprichte und unklare Ueberfetzung, welche ftatt des angenehmen Eindrucks des Originals auf gebildete Lefer unangenehm und widrig wirkt. Zum Beweife, wie fchwer in diefer Hinficht dem Ueberfetzer oft fein Gefchäft gemacht fey, nur ein kleines Beyfpiel aus der herrlichen Befchreibung der Schlacht am Grampius. Tacitus fagt Kap. 37. *Jam hoftium, prout cuique ingenium erat, catervae armatorum paucioribus terga praeftare, quidam inermes ultro ruere ac fe morti offerre.* Hr. *Walch* überfetzt: „Schon zeigten Schaaren vom Feinde, nach feiner Sinnesart jeglicher, vor wenigern Bewaffneten den Rücken: einige ftürzten von felbft wehrlos vor, weihten fich dem Tode." Im Original gehört *hoftium* fowohl zu *catervae armatorum*, als zu *quidam inermes;* desgleichen gehört der Satz, *prout cuique ingenium erat,* zu beiden folgenden Sätzen. Indem aber Hr. *Walch* in der Ueberfetzung das zu dem erften Satze ge ge Wort *zeigten* vor die Ueberfetzung von *cuique ingenium erat* bringt, verweifet er eben Worte blofs in die Sphäre des Satzes *caterva terga praeftare,* wodurch der Sinn der ga Stelle zerftört wird. Aufserdem ift *armat* falfch mit *paucioribus* verbunden, da doch *arm rum catervae* und *quidam inermes* einander ent gengefetzt find; *ac* ift gar nicht überfetzt. — Hn. *Walch's* Ueberfetzung mit gründlicher Ke nifs auch der deutfchen Sprache und mit vieler walt über diefelbe verfertiget ift, ift kaum nö zu erinnern. Im Einzelnen find jedoch nicht übe die entfprechendften Ausdrücke gewählt; ferner, wie die Participien zu häufig gebraucht, fo find gegen der Artikel und das Hülfswort *feyn* zu hä weggelaffen worden. Dadurch haben viele Ste zwar im Aeufsern die Form des Originals erh aber dagegen eine Härte und Unklarheit bekom die dem Original bey aller Gedrungenheit und Kü doch durchaus fremd ift.

Eine fehr angenehme Zugabe hat diefe Ausga erhalten in Gordons Situationskarte u. f. w. deffen *Itinerarium feptentrionale,* welche Hr. *W.* der freundlichen Mittheilung des Hn. Prof. Dr. *Be* aus der Göttinger Bibliothek verdankt.

Nr. 2 enthält zum Gebrauche für Schulen blo den Text der gröfsern Ausgabe, und unter demfe ben von der *varietas lectionis* fo viel, als nöthig um über die Befchaffenheit des Textes, fo wie i Hr. *W.* gegeben hat, urtheilen zu können. Zugleich foll es eine Probe einer neüen Ausgabe fämmtlich Werke des Tacitus feyn, welche er nächftens wi ans Licht treten laffen.

Eine neue Ausgabe fämmtlicher Werke de grofsen Hiftorikers mit Anmerkungen, kündiget di Schrift Nr. 3 an, mit welcher der Vf. dem Hn. Rector Benedict in Annaberg, zu dem am 27. *Julius* 1827 gefeyerten Magifterjubiläum gratulirt. *Schon* im Jahre 1819 erfchien von demfelben Vf. *fpecimen primum obfervationum ad C. Cornelii* Taciti *opera,* beym Antritte des Rectorats in Stolberg. Diefes *fpecimen alterum* nun liefert einen Beweis von feinem fortgefetzten genauen und erfolgreichen Studium des Tacitus. Es zeichnet fich befonders dadurch aus, dafs unhaltbare Verbefferungsvorfchläge und manche Aendrungen, die, als wären fie unbezweifelt richtig, bereits in dem Texte mancher Ausgaben Platz gefunden haben, mit Gründen zurückgewiefen, dagegen die Lesarten der Handfchriften, vor allen der Florentiner, in die ihnen gebührende Stelle eingewiefen worden find. In den meiften Fällen wird Hn. *Walther's* Entfcheidung gewifs Zuftimmung finden. Die behandelten Stellen find aus allen Schriften des Tacitus genommen, mit Ausnahme des *dialogus de oratoribus.*

GE-

GESCHICHTE.

Paris, b. Béchet: *Garanties à demander à l'Espagne, par M. de Pradt,* ancien archevêque de Malines. 1827. 1 Bd. in 8. von 194 S. (Pr. 4 Fr.)

Die Einführung einer repräsentativen Regierungsform in Portugal und die hierdurch zwischen diesem Königreiche und Spanien hervorgerufenen Zerwürfnisse waren für Hn. *de Pradt* ein zu willkommener Gegenstand, um dass er seine stets schreibfertige Feder nicht daran hätte üben sollen. Diesem Zeitereignisse verdanken wir gegenwärtiges Buch; allein wenn schon dasselbe, nach der Veranlassung zu schliessen, eine blosse Gelegenheitsschrift zu seyn bedünken möchte, so müssen wir doch dem ehemaligen Erzbischofe von *Mecheln,* wenn schon wir keineswegs zu seinen unbedingten Verehrern gehören, die Gerechtigkeit wiederfahren lassen, dass er auch hier, wie in den meisten Erzeugnissen seines vielumfassenden Geistes, Ansichten und Ideen entwickelt hat, welche uns der Beherzigung der hohen Politik eben nicht ganz unwürdig erschienen sind. — Hr. *de P.* beginnt, mit einiger Ruhmredigkeit freylich, an diejenigen Prophezeiungen zu erinnern, die er zu frühern Epochen machte und die, man kann es nicht in Abrede stellen, zum Theil wirklich erfüllt wurden. Er sucht auf diese Weise, zweifelsohne, sich das Vertrauen seiner Leser zu erwerben, denen jene andern Prophezeiungen des nämlichen Vfs., die der Erfolg nicht rechtfertigte, wohl nicht immer gegenwärtig sind. Allein auch nur bisweilen richtigen Blicks in die Zukunft zu schauen ist schon ein ziemlich seltenes Verdienst. Irrt man sich nimmer, so würde man mehr als Publicist, man würde ein Prophet seyn. Und sicherlich, Hr. *de P.* hat zu viel Vernunft, um auf übermenschliche Eingebungen Anspruch zu machen. — In Beziehung auf Spaniens Stellung zu Portugal geht Hr. *de P.* noch weiter, als der berühmte *Canning,* indem dieser sagte, Spanien habe aus Hass gegen die Portugal ertheilten Institutionen gehandelt. So lange, sagt unser Vf., als die eine Partey in Spanien diesen Hass nähren, die andere aber nach Institutionen verlangen wird, deren Vorbild sie an den Pforten des Königreichs gewahrt, so lange wird es unmöglich seyn Collisionen zwischen den also aufgereizten Parteyen zu verhindern: denn die Eine wird sich stets durch das, was die Andere lebhaft wünscht, bedroht glauben. Versöhnende Maassregeln vermögen weder den durch die Einführung einer Constitution in Portugal entflammten Hass, noch die an den Triumph und an die Nähe dieser Institutionen geknüpfte Hoffnung, die beide nach entgegengesetzten Richtungen hin sich wirksam äussern, zu ersticken; und ein dauerhafter Friede ist nur alsdann zu erwarten, wenn entweder in Portugal die Verfassung, oder in Spanien der mönchische Despotismus zu Grabe getragen werden möchte. — Allein Hr. *de P.* beschränkt sich nicht auf die Erörterung der zwischen den beiden Königreichen der pyrenäischen Halbinsel dermalen obwaltenden Verhältnisse: er stellt die Behauptung auf, dass Spaniens innerer Zustand eine unaufhörlich wiederkehrende Gefahr für Europa darbietet, das nicht alle zwey oder drey Jahre einen Kriegszug dorthin machen kann, um die regierende Gewalt dieses Königreichs wieder aufzurichten. — Hr. *de P.* untersucht demnächst, ob jene Gewalt den Sitten des übrigen civilisirten Europas entspricht. Giebt man auch zu, meint derselbe, dass solche, unter dem Gesichtspunkte des Absolutismus, Aehnlichkeit mit einigen andern Staatsformen haben könne, dass sie deren aber keine unter dem Gesichtspunkte des mönchischen Einflusses hat, so wird man alsbald den Grund finden, weshalb die europäische Diplomatie über die spanische Frage nicht einverstanden ist. Denn alle Könige können, bemerkt unser Publicist, die gleiche Nöthigung fühlen, demjenigen, der *Ich der König* sagt, Beystand zu leisten; wenn man aber unter dieser einfachen Form, die die gegenwärtige Gestalt der Monarchie in Spanien zu charakterisiren scheint, zwey scheinbarliche Gewalten und eine verborgene entdeckt, so können sich die Kabinette schwerlich über ein gleiches Interesse an der Erhaltung jener drey Gewalten vereinigen, die überdiess niemals mit einander einverstanden sind. Ueber diese drey Gewalten und ihre wechselseitige Beziehung erklärt sich der Vf. im Verfolg näher, indem er sagt: die Mönche üben ihren Einfluss auf das Volk unmittelbar aus; allein auf die Regierung nur mittelst Intrigue; und da die Intrigue gleicherweise die Triebfeder der absoluten Regierungen ist, so begreift man, wie sich die Umtriebe des *Mönchthums* und die Umtriebe des *Absolutismus* zugleich in der *Camarilla* concentriren. Von diesem Punkte aus werden alle grosse Revolutionen des Pallastes bewirkt, was Hr. *de P.* veranlasst zu erklären, die spanische Regierung sey mehr afrikanisch, als europäisch. Ist nun eine solche Regierung, fragt derselbe, stark oder schwach zu nennen? Diese Frage wird verschieden beantwortet; die Wahrheit aber ist dass die Stärke oder Schwäche jener Regierung, wie die des Despotismus überhaupt, von der Vereinigung oder Trennung der Parteyen, die sie leiten, abhängt. Sie kann einen wilden Krieg zur Beförderung von Interessen führen, die nicht die ihrigen sind, und, mit Aufopferung ihrer positiven Interessen, Frieden schliessen; und bis zu dem Augenblicke, wo sie von allem, was sie einzwängte, verlassen ist, kann man nicht wissen, was sie ist. Allein betrachtet man sie in diesem Zustande, so kann man unmöglich im Ernste an die reelle Macht eines Thrones glauben, der nur auf Kräfte sich stützt, die nicht die seinigen sind, oder auf Zufälligkeiten, die ausserhalb dem Bereiche seiner Voraussicht und seiner Thätigkeit liegen. — Wäre, fährt Hr. *de P.* fort, die Stärke der Regierungen noch, wie zu den Zeiten der Barbarey, unabhängig von den Interessen, welche die Wissenschaft der Verwaltung geschaffen ha-

haben, und befände sich jeder Staat isolirt, so würde Spanien lange seinen seitherigen Gang fortgehen, ohne mehr zu beklagen zu seyn, als andere Nationen, und ohne Europa Besorgnisse zu geben. Allein dem ist nicht also. Um sich davon zu überzeugen, braucht man nur die vorgeblichen Bemühungen Spaniens, sich Geld zu verschaffen, näher zu beleuchten, so wie die ängstliche Unruhe, womit sich aller Blicke auf die Vorgänge der Halbinsel heften, besonders seitdem wesentliche Veränderungen in die Regierung Portugals eingeführt wurden. Ein Etwas, das die ganze Welt interessirt, scheint sich dorthin, wie ein Mittel geflüchtet zu haben, um im Kleinen einen Versuch mit dem zu machen, was man im Grofsen nicht zu versuchen wagt. Allein die Frage ist nicht leicht, und wird es niemals seyn, weil die Regierungen, welche die Freyheiten, die sich als Neuerungen darstellen, fürchten, doch aufgeklärt genug sind, um den Despotismus durch die Militärgewalt zu begreifen, ihn aber unter dem Schutz der Mönche zu verwerfen. Ersterer bedarf einer guten Verwaltung; und diese Rücksicht allein ist den Völkern schon günstig. — Nach diesen vorgängigen Betrachtungen rückt Hr. *de P.* der Lösung seiner eigentlichen Aufgabe näher. Die Bestrebungen einer gewissen Diplomatie, welche Bürgschaften gegen die Verirrungen Spaniens in einer Ministerial-Veränderung sucht und welche glaubt, es werde alles besser gehen, gäbe man einem unumschränkten Könige Minister, die er nicht mag, an die Stelle derjenigen, die er mag, oder denen er doch zu vertrauen scheint, haben sich eben nicht des Beyfalls unseres Publicisten zu erfreuen. Diese Sucht alle Staaten in ministerielle Monarchien umzuwandeln, habe Europa, meint derselbe, genug Uebel zugefügt, nur dafs es nicht den Königen gestattet wäre, sich dagegen zu sträuben; *sie* habe die Revolution in Frankreich unvermeidlich gemacht und ihr überall da die Wege angebahnt, wo dessen Kriegsheere sich gezeigt, bis zu dem Augenblick, wo der Mifsbrauch des Sieges die Völker in einem andern Sinne zum Aufstande gebracht. Die Aehnlichkeit, welche der Zustand Spaniens unter der Herrschaft der *Bourbonen* mit dessen Zustande gegen das Ende der österreichischen Dynastie darbietet, veranlafst Hn. *de P.* zu einer historischen Abschweifung, die gewifs nicht ohne besonderes Interesse gelesen werden dürfte, was man auch sonst von den politischen Tendenzen dieses Publicisten halten mag. Derselbe bemerkt mit vielem Scharfsinne, dafs zwey Dynastien, die auf einander folgen, gemeinhin wenig Neigung einander nachzuahmen haben. sich dessen ungeachtet jene Aehnlichkeit nic kennen, so müsse ein Princip vorherrschen, d wede Antipathie überwöge. Unter Karl II. Kinder und Waschmädchen hinter dem Mon her und nannten ihn *Niquedouille* (Einfaltsp und furchtbarere Wesen, als jene, rufen Fer VII. zu, *es lebe Karl V.* Unter der österreich Dynastie war, seit Philipp II. der Fürst auf die der Repräsentation beschränkt: die *Olivarez Lerma'* übten allein die Gewalt aus. Der schwankte und siechte dahin; unter Karl II. war fremde Favorite der wahre König. Und welch Schaar von Günstlingen waren seit Philipp V. Sch richter über den Staat! die Princessin *des U Alberoni*; der Musiker *Farinelli*, der Holl *Riperda*, der Friedensfürst. — Da nun, so sc Hr. *de P.* weiter auf den Grund dieser That Spaniens Ruhm und Macht mit jeder Regier zu der Karl V. wuchs, seitdem aber, wo Freyheiten, in dem Kriege mit den kastilian Gemeinden, unterging, dieses Reich seinem V derben sich hinzuneigen begann, so ist man be tigt zu folgern, dafs, so lange die Ursache be hen, auch die Wirkung fortdauern wird; und le ner, dafs Spanien in so lange keine möglich Garantieen zu gewähren vermag, als es diejenige Regierungsart beybehält, welche die Dinge selbst bis auf diesen Punkt gebracht haben. — Diese Garantieen nun, welche Europa, das den Frieden wünscht und dessen bedarf, von Spanien zu fordern berechtigt ist, bestehen in Institutionen, die indessen näher anzugeben der Vf. für unnothwendig erachtet, weil er überzeugt ist, dafs es kein Nation giebt, die nicht die Mittel besessen, ihre Interessen zu vertheidigen und die sie nicht wieder aufzufinden vermögte, um sie ihren Sitten anzupassen. Hr. *de P.* hat sich aber, wie wir glauben, um deswillen nicht weiter in die nähere Erörterung dieser Materie eingelassen, weil er genug Erfahrung hat, um zu wissen, dafs ein *politisches* Uebel, ist es einmal eingerissen, nicht *durch die* Vernunft, sondern nur durch die Ereignisse selber geheilt werden kann; dafs sich demnach Alles, was den Publicisten möglich ist, darauf beschränkt, diese Ereignisse vorauszusehen und die thätigen Köpfe gegen jenes Idealisiren in der Politik zu warnen, woran Frankreich zu lange krankte, und dafs dessen Rathschläge in dieser Hinsicht nicht auf einige Autorität Anspruch machen dürften. —

ALLGEMEINE LITERATUR-ZEITUNG

October 1828.

LITERARISCHE NACHRICHTEN.

I. Akademieen und gel. Gesellschaften.

Am Geburtsfeste Sr. Maj. des Königs, dem 3. August, hielt die *Königl. Akademie gemeinnütziger Wissenschaften zu Erfurt* eine öffentliche Sitzung. Der Director der Akademie, Hr. Hofrath *Trommsdorff*, richtete zuerst einige Worte an die Zuhörer, und sprach dadurch den Wunsch der Akademiker aus: mit wissenschaftlichen Vorträgen zur Feyer des Tages auch Einiges beytragen zu wollen. Unter andern Fremden hatten sich als auswärtige Mitglieder der Hr. Geh. Conferenzrath *von Hoff* aus Gotha und der Hr. Ober-Consistorial-Director *Peucer* aus Weimar eingefunden. Beide wurden aufgefordert, Vorträge zu halten. Der erstere sprach *über die Einrichtung und Vorzüge eines, von ihm seit mehreren Jahren, unter andern auch auf Reisen, beobachteten Gefäßbarometers*, wobey dieses zugleich vorgezeigt und die Handhabung desselben erläutert wurde. Darauf sprach Hr. Ob. Consf. Dir. *Peucer über die Wichtigkeit der, in England zuerst von Owen gestifteten Infantschools, in Frankreich als Salles d'asyle, in den Niederlanden unter dem Namen Verwahrschulen bekannten Anstalten*, zu deren Einrichtung man auch unter andern in Preußen schon aufgefordert habe. Zuletzt hielt der Director des dortigen Gymnasiums, Hr. Dr. u. Prof. *Straß*, eine ausführliche, allgemein ansprechende Vorlesung über die *Nothwendigkeit geordneter Leibesübungen, besonders in gelehrten Schulen.* Alle Redner schlossen mit innig ausgesprochenen Wünschen für das Wohl des Königs.

Zu eben dieser Feyer hielt die *Königl. deutsche Gesellschaft zu Königsberg in Preußen* eine öffentliche Sitzung, die von dem zeitigen Secretär der Gesellschaft, Hn. Schulrath Dr. *Lucas*, mit einem Prolog eröffnet wurde. Hr. Hofrath u. Prof. Dr. *Burdach* las darauf *über die ersten Erscheinungen der Harmonie des Lebens*, und Hr. Prof. Dr. *Herbart* schloss mit einem Vortrage *über die allgemeinsten Verhältnisse der Natur.* Der festliche Vortrag im akademischen Hörsale handelte einleitungsweise *von einigen mythischen Sagen, welche die alten Preußen mit den Griechen gemein hatten.*

II. Todesfälle.

Zu Erfurt starb am 23. April Dr. *Joseph Hamilton d. Jüng.* (aus Schottland gebürtig), ehemals Professor der Physik und Mathematik an der Universität daselbst und Prior des Schottenklosters, im 74sten Jahre.

Zu Ende Julius starb in Kopenhagen der Königl. Dänische Capitain und Ritter vom Danebrog, *F. H. von Jahn*, Verfasser mehrerer historischer und militärischer Werke, im 38sten Jahre.

Ebendaselbst der Gevollmächtigte an der Rentkammer, Dr. philos. *J. G. Th. Gliemann*, durch geographische und statistische Werke bekannt, im 35sten Jahre.

Zu Stockholm am 2. August der auch als Schriftsteller verdiente ehemalige Kanzley-Präsident, Freyherr *von Ehrenheim.*

Zu Segeberg am 5. August der Consistorialrath, Propst, Pastor emerit. und Ritter vom Danebrog, *Joh. Christian Cruse*, 86 Jahr alt.

Zu Göttingen am 7. August der Dr. der Arzneywissenschaft, *Joh. Christian Uhlendorff*, im 56sten Jahre des Alters. Von 1803 bis 1819 lebte er daselbst als Privatdocent, und seitdem als Arzt.

Am 10. August zu Wurzen der K. Sächs. General-Lieut. der Cavallerie, *Karl Wilhelm Ferdin. v. Funck*, im 67sten Jahre. Er ward, seiner eignen Angabe zu Folge, zu Wolfenbüttel am 13. December 1761 *) geboren, und ist der dritte Sohn des im J. 1784 verstorb. churfürstl. Landkammerraths und Oberaufsehers im thüring. Kreise, *Ferdin. Wilh. v. Funck.* Er trat im J. 1780 als Souslieut. bey der Garde du Corps in chursächs. Dienste, ward 1784 Prem. Lieut., 1791 zu dem neuerrichteten Husarenregimente als Rittmeister versetzt, und rückte 1801 zum Major auf. Im J. 1806 ward er als Obrist-Lieut. zum Generalstabe gezogen, 1807 zum Obristen, 1809 zum General-Major und 1810 zum General-Lieut. ernannt. Im J. 1813 ward er in Ruhestand gesetzt, jedoch bisweilen noch zu diplomatischen Sendungen gebraucht. In den letzten Jahren lebte er zu Wurzen. Er war auch Ritter des K. Sächs. Milit. St. Heinr. Ord. und ward im J. 1827 bey Gelegenheit des Marburger Universit. Jubiläums, zum Doctor der Philosophie ernannt. Im 17ten Bde des Gel. Deutschl. ist von ihm eine anonyme historische Schrift angezeigt; neuerlich hat er, ebenfalls anonym, „Ge-

*) In *A. W. B. v. Uechtritz* diplomat. Nachrichten adeliger Familien ist irrig sein Geburtsort Burgwerben, und der 7te December 1753 angegeben.

„*Gemälde aus den Zeiten der Kreuzzügen*" (Leipzig 1821 — 1824 IV) herausgegeben. Auch zur *Rheinischen Thalia* und zu *Schiller's Horen* hat er einige historische Beyträge; und zur Allg. Lit. Zeit. in den Jahren 1796 — 1819 mehrere Recensionen geliefert.

Zu Nürnberg starb am 12. August der Rector der ehemaligen lateinischen Schule an der Kirche zum heiligen Geist, *Georg Balthasar Hoffmann*, im 90sten Jahre des Alters.

Auf seinem Landhause bey Montrouge am 22. Aug. der durch bedeutende Verdienste um die Physiologie und als Erfinder der Schädellehre berühmte Dr. *Johann Joseph Gall*, geboren 1758 zu Tiefenborn, einem von Gemming'schen Marktflecken im Badenschen Oberamt Pforzheim. Der Anordnung in seinem Testament gemäss wurde nach seinem Tode der Kopf vom Rumpfe getrennt, um, nachdem er gehörig präparirt worden, in seiner merkwürdigen Schädelsammlung aufgestellt zu werden. Diese Zubereitung fand in Gegenwart einer grossen Versammlung Statt, und Alle, die zugegen waren, fanden sich in ihrer Erwartung sehr getäuscht. Es zeigten sich nämlich an dem Schädel die auffallendsten Anomalien. Die Stirnhöhlen waren ungemein tief und der Schädel von ungemessener Dicke, so dass die innere Höhlung sehr eng und mithin das Gehirn ganz klein war. Die äussern Hervorragungen des Schädels entsprechen demnach in keiner Art den innern, und man ist neugierig, wie die Anhänger von Gall's diese sonderbare Erscheinung erklären werden.

Zu Göttingen starb den 23. Aug. der Prof. des R[illegible] *Joh. Friedr. Eberhard Böhmer*, im 76sten Jahre [illegible] Alters und 44sten seines öffentlichen Lehramts.

Ebendaselbst am Morgen des 24sten August[illegible] Hofrath und Professor *Georg von Sartorius Frey[herr] von Waltershausen*, Ritter des Guelfenordens, i[m sei]nem Alter von 62 Jahren. Seine Verdienste als L[ehrer] und Schriftsteller um die vaterländische Geschicht[e] um den Kreis der Staatswissenschaften, deren h[illegible] Grundsätze er verbreitete und aufrecht erhielt, sind [all]gemein bekannt.

Zu Weimar am 28. Aug. (*Göthe's* Geburtstage) [der] zu Augsburg geborene Königl. Preuss. Hofschausp[ieler] *Pius Alexander Wolf*, einer der ausgezeichnet[sten] mimischen Künstler Deutschlands, in einem Alter [von] 44 Jahren. Auch als dramatischer Dichter, nam[ent]lich durch seine *Preciosa*, hat er sich einen geach[teten] Namen erworben. Eine kurze, aber treffende Charakteristik des Künstlers hat die Berliner Haude-Spe[ner]sche Zeitung geliefert.

Zu Mainz am 4. Septbr. Dr. *Pet. Joseph Levin*, Geh. Rath und Leibwundarzt des Grossherzogs, Grosskreuz des Hessischen Verdienstordens, Director der Entbindungsanstalt und Präsident des Grossherzogl. Medicinal-Collegiums daselbst.

LITERARISCHE ANZEIGEN.

I. Neue periodische Schriften.

An das ärztliche Publicum.

Dr. C. F. Kleinert's *Repertorium der gesammten deutschen medicinisch-chirurgischen Journalistik.* *Zweyter* Jahrg. 1828. Leipzig. Kollmann. gr. Octav. 12 Hefte. 6 Rthlr. oder 10 Fl. 48 Kr.

Hiervon ist so eben das Julius Heft erschienen und versendet worden, und erscheint regelmässig jeden Monat ein Heft von *Neun* Bogen und darüber. Sollten nun einige der Herren Abonenten, von derjenigen Buchhandlung, bey welcher sie Bestellung hierauf gemacht, nicht gehörig bedient werden, so ist die Schuld davon lediglich dieser Handlung beyzumessen, die bey gehöriger Pflichterfüllung gegen den Verleger der Zeitschrift dazu in Stand gesetzt ist. — Es ist noch ein kleiner Vorrath von Exemplaren, so wohl vom ersten als vom gegenw. zweyten Jahrgang dieser verhältnissmässig wohlfeilsten med. Zeitschrift zu haben, doch sind Bestellungen darauf baldigst zu machen, damit nicht etwa später deren Ausführung unmöglich sey.

Leipzig, den 31. August 1828.

II. Ankündigungen neuer Bücher.

So eben ist bey mir erschienen und in allen Buchhandlungen Deutschlands zu haben:

Grundriss
der deutschen Sprachlehre
in steter Beziehung auf allgemeine Sprachlehre,
mit Andeutung eines dreyfachen Lehrganges
entworfen von
M. L. Löwe,
Dr. d. Philos., Professor der Vorbereitungswissenschaften an der Königl. chirurg.-medicin. Akademie und Lehrer der deutschen Sprache an der technischen Bildungs-Anstalt zu Dresden, u. s. w.
gr. 8. Preis 12 gr.

Obgleich es nicht an vielerley deutschen Sprachlehren fehlt, so hat doch der Hr. Vf. durch diese Schrift, — in welcher er vorzüglich dahin strebte, *alle allgemein gültigen Regeln der deutschen Sprache so* darzustellen, dass sie *zusammen als ein organisches Ganze*, d. h. als allseitige *Ausführung eines allgemeinen obersten Grundsatzes* erschienen, — unstreitig um die grö-

[illegible] Ausbreitung einer richtigen Kenntniss der [illegible]tschen Sprache sich ein wesentliches Verdienst er[illegible]rben. Er geht von dem Grundsatze aus, dass es [illegible] vernünftigen Unterricht in der Muttersprache [illegible]bt, wenn er nicht zugleich eine praktische (dem [illegible]hüler dem Namen nach immerhin unbekannte) Logik [illegible]. Durch einen dreyfachen Lehrgang, welcher in [illegible] Buche durch eine dreyfache Art des Drucks an[illegible]deutet ist, hat der Hr. Vf. das Werk für verschiedene [illegible]lassen, so wohl für den Anfänger als auch für gereif[illegible]re Schüler anwendbar gemacht und dadurch dem [illegible]Verke eine Brauchbarkeit gegeben, welche es vor den [illegible]eisten ähnlichen auszeichnet. Wie sehr die Methode [illegible] Hn. Vfs in jeder Hinsicht ihrem Zwecke entspricht, [illegible] derselbe während seiner mehr als zehnjährigen [illegible]dagog. Beschäftigungen, hinlänglich Gelegenheit sich [illegible] überzeugen; ich glaube daher alle Lehrer der deut[illegible]hen Sprache auffordern zu dürfen, sich mit einem [illegible]Verke bekannt zu machen, welches einem so lange [illegible]efühlten wesentlichen Bedürfniss abhilft.

Durch saubern Druck, schönes Papier und billigen [illegible]reis habe ich mich bemüht, das Buch zur Einführung [illegible]n Schulen noch empfehlenswerther zu machen.

Dresden, im September 1828.

G. Karl Wagner.

Im Verlag der Kesselring'schen Hofbuchhandlung in Hildburghausen ist erschienen und an alle Buchhandlungen versendet:

Bibliothek der vorzüglichsten und neuesten Reisebeschreibungen über alle Theile und Länder der Welt, in systematischer Ordnung. In Verbindung mit mehreren Mitarbeitern herausgegeben von *J. Hörner*. 2ter Bd. 1stes Heft, oder IV. Lieferung. Enthaltend Reisen um die Welt nach v. Humboldt und Bonpland u. s. w bearbeitet. 8. 1828. 4 gr.

Die Fortsetzung dieses interessanten Werkes wird nunmehr schnell folgen.

Fr. Gendner, Hofdiaconus, *Neun Predigten und eine Confirmationsrede*, ein Beytrag zur Beförderung des erleuchteten und thätigen christlichen Glaubens. 8. 1828. 14 gr.

Die musterhafte Ausarbeitung, der herzlich fromme Ton und die klare Darstellung, der in dieser kleinen Predigtsammlung herrscht, werden sie dem Prediger und jedem frommen Christen zur willkommenen Gabe machen.

K. W. Chr. Weinmann, *Versuch einer Ehrenrettung des Rationalismus*, oder *Widerlegung zweyer polemischen Schriften* des Hn. Dr. u. Prof. *Hahn* in Leipzig. 8. 1828. 16 gr.

Der Hr. Verfasser ist durch seine Schriften: *Würde und Hoffnung* der protestantischen Kirche u. s. w. *Darstellung* und *Kritik* der Streitfrage u. s. w. über *Tradition* u. s. w. und *Ueber das Verhältniss des Urchristenthums* u. s. w. so vortheilhaft bekannt, dass diese hier angezeigte neue Schrift keiner besondern Empfehlung bedarf.

G. L. Ziller, Thierarzt, *Praktischer Unterricht* über die Erkenntniss und Cur der gewöhnlichen *Krankheiten des Rindviehes* für angehende Thier-Aerzte, Oeconomen und Landleute. 8. 1828. 3 gr.

Bey J. F. Hartknoch in Leipzig sind so eben fertig geworden:

Die Anfangsgründe der deutschen Sprachlehre in Regeln und Aufgaben für die ersten Anfänger, von *M. W. Götzingen*. 1ster Theil. 8. *Zweyte* völlig umgearbeitete Auflage. Preis: 10 gr. oder 45 Kr. Rhein., in Partieen für Schulen 9 gr. oder 40 Kr. Rhein.

Der rasche Absatz der *ersten* Auflage, so wie die vortheilhaften Beurtheilungen in allen pädagogischen und andern kritischen Zeitschriften haben die Brauchbarkeit dieses Schulbuchs hinreichend dargethan.

Dubouchet de Romans von den Ursachen und Folgen des Mutterkatarrhs oder weissen Flusses; ingleichen *von dem nöthigen Heilverfahren und den Mitteln*, die seinem Entstehen vorbeugen und die Fortschritte desselben hemmen können. Für *Aerzte* und *Nichtärzte*. Aus dem Französ. von *Wendt*. *Zweyte* Auflage. gr. 8. Brosch. Preis: 1 Rthlr. oder 1 Fl. 48 Kr. Rhein.

Die Lustseuche, oder allgemein fassliche Anweisung, wie man sich vor den schrecklichen Folgen dieser Krankheit bewahren, und in den meisten Fällen sicher, schnell und gründlich heilen kann. Aus dem Französ. des *Delarue*. *Zweyte* Auflage. 8. Brosch. Preis 9 gr. od. 40 Kr. Rhein.

Bey mir sind erschienen:

Bilder für die Jugend,

herausgegeben von

Ernst von Houwald.

Erster Band, mit 13 Kupfern.

Preis 1 Rthlr. 20 gGr. Sächs.

Die günstige Aufnahme, welche dem, bey mir erschienenen „Buch für Kinder" u. s. w. zu Theil wurde, wird auch diesem neuen Werke des gefeyerten geist- und gemüthvollen Verfassers nicht fehlen. Das Herz des Knaben oder Jünglings müsste in der That sehr unempfänglich für das Gute seyn, wenn es z. B. in der ersten Erzählung liest, welche Verdienste um die ihm anvertraute Jugend sich ein geschickter treuer Lehrer erwirbt, und sich nicht von Dankbarkeit und Liebe zu seinem eigenen Lehrer oder Erzieher entflammt fühlen sollte. Das Mädchen oder die Jungfrau, welche in einer der folgenden Geschichten die traurigen Folgen unbeschränkter Eitelkeit wahrnimmt, müsste schon eigentlich die Sklavin dieses Fehlers seyn, wenn

wenn sie, so gewarnt, nicht den Vorsatz fassen wollte, mehr durch Bescheidenheit und Sanftmuth, als durch Stolz und Anmaſsung die Zuneigung und Achtung Anderer zu gewinnen.

Die von guten Künstlern gefertigten, die Erzählungen begleitenden Kupfer werden Lehrern, Erziehern und Aeltern, welche die Ueberzeugung theilen, daſs der Sinn für alles Nützliche, Schöne, und Edle in den zarten Herzen der Jugendwelt nicht zu oft angeregt und gestärkt werden könne, eine willkommene Zugabe seyn.

Leipzig, im Septbr. 1828.

Georg Joachim Göschen.

In unserm Verlage sind folgende neue Bücher erschienen und in allen Buchhandlungen zu haben:

Albrecht, W. E., die Gewere, als Grundlage des deutschen ältern Sachenrechts dargestellt. gr. 8. 1 Rthlr. 16 gGr.

v. Burgsdorff, C. F. W., Versuch eines Beweises, daſs die Pferderennen in England, so wie sie jetzt bestehen, kein wesentliches Beförderungsmittel der bessern edlen Pferdezucht in Deutschland werden können. 8. 12 gGr.

de la Chevallerie, A. F. L. (Obristlieut.), Preuſsische Waffenlehre mit Einschluſs der Artillerie, Fortification und Taktik, patriotisch aufgefaſst und logisch geordnet, in 33 Vorlesungen für den praktischen Dienst. gr. 8. 2 Rthlr.

v. Eichendorff, Jos., Ezelin von Romano. Trauerspiel in 5 Aufzügen. gr. 8. Geb. 1 Rthlr. 12 gGr.

Fragmenta Vaticana juris civilis antejustinianei e Cod. rescripto ab *A. Majo* edita recognov. commentario tum critico tum exegetico nec non quadruplici appendice instruxit Dr *A. Aug. de Buchholz.* 8 maj. 2 Rthlr.

Kreyssig, W. A., Erfahrungstheorie der Pflanzen- und Thierproduktion, nebst Anwendung derselben zu Feststellung sicherer Grundregeln für den Feldbau und die landwirthschaftliche Thierzucht u. s. w. 2 Theile. gr. 8. 3 Rthlr. 16 gGr.

— — Der Kartoffelbau im Groſsen. 2te Auflage. gr. 8. Geheftet 18 gGr.

Motherby, R., Taschenwörterbuch des schottischen Dialekts u. s. w. Zweyte mit einem Nachtrage vermehrte Auflage. gr. 12. Cartonirt. 1 Rthlr. 16 gGr.

— — Der Nachtrag besonders. gr. 12. Geh. 8 gGr.

v. Richthofen, Julie Baronin, die Verstoſsene. Ein Roman. 8. 20 gGr.

Schubert, Prof. *F. G.*, de Romanorum Aedilibus libri IV. quibus praemittuntur de similibus magistratibus apud potentiores populos antiquos Diss. duae. 8 maj. 3 Rthlr.

Stagnelius, E. T., Wladimir der Groſse, ein e[...] Gedicht in 3 Gesängen a. d. Schwedischen [...] *Berg.* 8. Geh. 20 gGr.

Voigt, J., Geschichte Preuſsens von den ältesten [...] bis zum Untergang der Herrschaft des deutsche[n Or]dens. 2ter Bd. Mit einer Karte. gr. 8. 3 Rthl[r.]

Wagner, J. P., über Merinos-Schaafzucht in [...] auf die Erfordernisse der Wolle für ihre An[wen]dung. Mit Berücksichtigung nördlicher Gege[nden.] Nebst 7 Steintafeln. gr. 8. 2 Rthlr. 12 gGr.

Königsberg. Gebr. Bornträg[er.]

In der J. Luckhardt'schen Hofbuchhand[lung] in Kassel, so wie in allen soliden Buchhandl[ungen] Deutschlands, ist zu haben:

Wie kann der Landmann seine Stadt-, Dorf- [und] Feldwege ohne Kosten des Staats und eigene [Un]last *zu seinem Nutzen* verbessern? Eine Preiss[chrift] der kurfürstlich hessischen Gesellschaft des A[cker]baues und der Künste. Herausgegeben von *J. C. G. Casparson.* 4te Auflage, gänzlich [um]gearbeitet von den Oberbaurathen Dr. *Fick* u[nd] *Windemuth.* Mit 1 Steindruck. 8. 1828. 10 gGr.

Ein Beweis für die Vortrefflichkeit der neuen Auflage dieses Werkchens, giebt die Anerkennung mehrerer auswärtigen Regierungen, die davon bereits einige hundert Exemplare zur Vertheilung an untere Behörden brauchten.

Dieſs nützliche Werkchen für den Landma[nn] sollte eine jede Gemeinde anschaffen.

Kassel, im August 1828.

In der Creutz'schen Buchhandlung in Magdeburg ist erschienen:

Themata zu deutschen und lateinischen Ausarbeitungen, zum Theil mit kurzen Andeutungen und Dispositionen. Für die obern Klassen der Gymnasien und höhern Bürgerschulen. Von *K. S. A. Richter*, Professor.

Die pädagogische Literatur ist nicht reich an Materialien, an kurzen Entwürfen und freyen schriftlichen Ausarbeitungen in den obern Klassen höherer Schulen; es läſst sich daher mit Recht erwarten, daſs diese aus mehr als 800, theils deutschen, theils lateinischen Aufgaben bestehende Sammlung sich des Beyfalls der Schulmänner erfreuen werde, um so mehr, da sie nicht nur dem allgemeinen Wunsche und Streben nach Abwechselung und Mannichfaltigkeit in diesen so wichtigen Uebungen wirksam entgegen kommt, sondern auch ohne alle weitschweifige Zusätze die Arbeiten des Lehrers bey der oft mühsamen und zeitraubenden Erfindung neuer Aufgaben reichlich unterstützt.

ALLGEMEINE LITERATUR-ZEITUNG

October 1828.

GRIECHISCHE LITERATUR.

Leipzig, b. Hartmann: *Anaxagorae Clazomenii Fragmenta quae superſunt*, omnia, collecta commentarioque illuſtrata ab *Eduardo Schaubach*, apud Meiningenſes Diacono. Accedunt de vita et philoſophia Anaxagorae commentationes duae. 1827. VI u. 191 S. 8. (21 gr.)

Nachdem die Eigenthümlichkeit und der innere Zuſammenhang der älteren griechiſchen Philoſophie und ihrer Monumente durch unſere Zeitgenoſſen mit regem Eifer und gründlicher Forſchungsgabe entwickelt worden, muſste auch dem Syſteme des Anaxagoras, des tiefſinnigen Vollenders der Ioniſchen Speculation, eine genügendere Darſtellung widerfahren. Denn die verſchiedenen Unterſuchungen der Früheren konnten nur als achtbare Beyträge zu umfaſſenderen Studien erſcheinen, und waren weit entfernt von einer klaren und erſchöpfenden Ueberſicht für die weſentlichen Momente, in denen die geiſtige Wirkſamkeit jenes Mannes zu begreifen war. Dem Vf. des vorliegenden Werkes gebührt die Anerkennung, daſs er die Angaben des Alterthums verbunden mit den Leiſtungen ſeiner Vorgänger zur vollſtändigeren Auffaſſung von Anaxagoras Leben, Schrift und Lehren mit Fleiſs und Urtheil vereinigt habe, wodurch die künftige Bemühung gereifter Kenner, die geſammte Maſſe der Nachrichten und Deutungen zu einem organiſchen Ganzen in veredelter Form zu verarbeiten, leichter auf dem geſicherten Boden ſich bewegen wird. Allerdings iſt von Hn. *Schaubach* der vorräthige Stoff mit treuer Forſchung und Unbefangenheit zuſammengeſtellt, geordnet und geſichtet, und zugleich durch den leichten Fluſs ſeiner lateiniſchen Rede, welche, wenn auch nicht durch ſtrenge Correctheit, doch vermöge ihrer Einfachheit ſich empfiehlt, zugänglich und genieſsbar gemacht; doch glauben wir, daſs er ſelbſt frey von Leidenſchaft ſich überzeugt habe, wie viel der eifrigen Betriebſamkeit des jugendlichen Anfängers vergönnt ſey, und welcher wiſſenſchaftliche Fortſchritt von dem Gelehrten, der mit geübtem Blick und mit vertrauter Kenntniſs dieſes ſchwierige Gebiet dereinſt behandelt, zu erwarten ſeyn werde.

Der Vf. hat ſein Buch als eine Fragmentſammlung bezeichnet, und demgemäſs ſeinen Umfang in *drey Abſchnitte* zerlegt, deren erſten die Lebensgeſchichte des Philoſophen bildet, worauf von einer kurzen hiſtoriſchen Angabe über deſſen Phyſik zu den Ueberbleibſeln derſelben der Uebergang gemacht

wird, ſo viele mit den urſprünglichen Worten und in einer gewiſſen Reihenfolge überliefert ſind, woran ſich ausführliche Erläuterungen über Sprache und Inhalt anſchlieſsen; der letzte und kürzeſte Theil ſtellt das Anaxagoreiſche Lehrgebäude in ſyſtematiſcher Ordnung dar. Daſs nun die äuſsere Geſchichte hier wie ſonſt in literariſchen Monographieen dem Ganzen der weſentlicheren Unterſuchungen gleichſam als Einleitung vorangeht, das iſt regelrecht und der Klarheit angemeſſen, deren weitläuftige Unternehmungen der Art nicht entbehren dürfen; doch nur wenige mögen der ſonſtigen Anlage und Methodik unbedingten Beyfall gewähren. Ueberhaupt ſcheint uns, daſs der Vf. den Plan und die Ausdehnung ſeiner Schrift beträchtlichen Aenderungen unterworfen haben würde, wenn er den Stand und die Geſichtspunkte heutiger philoſophiſcher Studien tiefer durchſchaut und ſich angeeignet hätte. Denn die Entwickelung von Anaxagoras geiſtiger Kraft und Thätigkeit in der Form einer Zugabe zur Sammlung ſeiner ſchriftſtelleriſchen Bruchſtücke zu betrachten, und die Summe der geſammten Combination auf die vorhandenen Fragmente zurückzuführen darf nur demjenigen verſtattet ſeyn, welcher den Fragmenten als ſolchen mit dem Vf. einen ſo ausgezeichneten Werth beylegt. Derſelbe ſpricht nämlich (S. IV.) die Erwartung aus, daſs man emſig den Trümmern ſelbſt der unbekannteſten Autoren nachzugehen und ſie in beſonderen Forſchungen zu vereinigen bemüht ſeyn werde. Allein mit Zuverſicht behaupten wir, daſs gegenwärtig kein ſo befangener Alterthümler zu finden ſey, der die Machwerke winziger und bedeutungsloſer Griechen der Erneuerung werth achten und der Wiſſenſchaft von ſolchem Treiben einen bleibenden Gewinn verheiſsen ſollte; und wir wünſchen vielmehr, daſs der Vf., hingeriſſen durch eine zu eifrige Bewunderung der klaſſiſchen Vorzeit, ſich dieſem Verlangen überlaſſen habe. Nur die groſsartigen und ſelbſtſtändigen Geiſter des Alterthums, welche mit überwiegender Gewalt in die Kette griechiſcher und römiſcher Bildung eingegriffen haben, machen Anſpruch auf die dauernde Erneuerung ihres Andenkens, wofern ſich die Kunſt und Wichtigkeit ihrer Werke durch die folgenden Schriftſteller hin ein mehr als ephemeres Gedächtniſs erwarb; dagegen läſst mangelhafte und unklare Geſtalt ihrer Monumente keine andere Möglichkeit zu, als die Herſtellung der Perſönlichkeit und hiſtoriſchen Bedeutſamkeit, mit welcher die etwanigen Fragmente in der Stellung von Autoritäten und gültigen Erinnerungen zu verflechten ſind. Der Rec. fordert hier-

mit

mit weder neues noch unerreichtes, sondern verweist für jene Methodik auf ein Muster literarischer Forschung im philosophischen Gebiete, auf *Schleiermacher's* Abhandlung über Heraklitus, dessen Verfahren auch der Vf. einschlagen musste. Wir würden auf diese Weise dem Zwecke der Untersuchung näher gekommen seyn und ein wohlverarbeitetes Buch gewonnen haben, welches an Umfang für die interessantesten sachlichen Fragen sich erweiterte und für die entbehrlichen Theile sich beschränkte. Auf 80 Seiten nämlich sind die fünf und zwanzig Fragmente, die wir kaum auf ein Dutzend anschlagen, geordnet und mit sehr umständlichen *Notae* (wie auch hier noch die Anmerkungen genannt sind) begleitet. Aber solcher Noten bedurfte es nur in geringem Maasse, die, im Fall der Vf. sich zu einem ununterbrochenen Zusammenhang der Darstellung verstanden hätte, unter den Text gesetzt, kurze Erklärungen kritischer, grammatischer und philosophischer Art enthalten hätten. Jetzt indessen wiederholt sich nicht nur und zerstreut sich die Folge der Anaxagoreischen Sätze und Ansichten, sondern es tritt auch fast unwillkürlich in der Breite unnützer und nichtssagender Expositionen die Nothwendigkeit der früher so benannten fortlaufenden Kommentare hervor. Vielleicht ist die Erwähnung einzelner solcher Belehrungen, welche als die schwächere Seite des verdienstlichen Unternehmens sich aufdringen, zweckdienlich und geeigneter, um die Wahrheit unseres Urtheils zu erweisen. Wir wollen die Inconsequenz nicht weiter rügen, womit in einem und demselben Fragmente sehr gewöhnlich neben den gemeinen oder attischen unangetasteten Formen der Ionismus in seine Rechte wieder eingesetzt worden; nicht einmal das Citat *περὶ φύσεως*, das doch als Titel nicht statt haben durfte, ist der Berichtigung unterworfen. Zuerst also billigt der Vf. S. 67 im vermeinten Eingange des griechischen Werkes aus *Pseudo-Plutarch. de plac. philos.* *νοῦς δὲ αὐτὰ διῆρε καὶ διεκόσμησε* Valckenaers Conjectur nicht, der dem Dialecte gemäss *νοῦς δὲ αὐτὰ διήρεε καὶ διεκόσμεε* vorschlug; jenes aus dem Grunde, weil der Aorist *διεκόσμησε* folge, obgleich auch andere *διαίρειν* ..., widersinnig in dieser Rede bemerkt hatten, aber auch *διεκόσμεε* nicht, weil der Aorist von allen Gewährsmännern überliefert sey. Doch wer sind (um von der Schwäche der Beweisführung zu schweigen) diese zahlreichen Stützen der alten Lesart? Keine anderen als Diogenes Laertius mit einigen so späten und ungelehrten Compilatoren, dass, ihre Namen anzuführen nicht der Mühe lohnt, während die echten und alten Zeugen nichts als den Sinn des Proömiums wiedergeben; daher die jüngeren Sammler gegen die ausdrücklichen Angaben vom Aristoteles und Simplicius nicht aufkommen. Der Vf. hilft sich aber sehr willfährig mit der Annahme, wodurch er die Zahl der Bruchstücke verdoppelt hat, dass der Philosoph seinen Grundsatz öfter in seinem Buche (ob auch einige Male im Proömium?) habe wiederholen können. Somit fällt diese ganze Kritik mit allen Anhängseln von Vermuthungen zusammen. Zu selben Eingang giebt ferner Hr. *Sch.* S. 72 fol Lehre: *καὶ γάρ* stehe für das einfache *γάρ*, wie oft bey Homer, und so gebrauche es auch (*An gorae coaevus!*) Aeschylus. Diese Anmer welche eben so trivial als fremdartig ist, hätte der Vf. selbst bey oberflächlicher Ansicht des Te ersparen können, worin *καί* seinen wörtlichen A druck behauptet: *ἄπειρα* (heisst es) *καὶ πλῆθος σμικρότητα* (das heisst doch wohl in unbegre Menge von Grösse und Kleinheit)· *καὶ γὰρ τὸ σμ ἄπειρον ἦν*, „denn, wie ungereimt es auch kl mag, sogar das Kleine war unbegrenzt." Besser wären einige Citate S. 95 beygebracht worden, neben anderen unhaltbaren Erklärungen auch *γάρ* — dem *ἀλλὰ καὶ τοῦ μεγάλου ἀεὶ ἔστι μεῖζον* (*etiam magni semper est majus* ist vermuthlic Druckfehler) entsprechen soll; eine genauere trachtung des folgenden hingegen musste ze dass oben *οὐδὲ γάρ* oder ähnlich geschrieben darauf aber als Begründung des Gedankens An goras aufstellte: „über grosses hinaus giebt es im ein grösseres und ein kleines wird von kleinem gewogen." Weiterhin äussert sich S. 98 der Vf. ga trocken: *ἀπείρων πλήθους* pro *ἀπείρων πλῆθος*, gleichsam aus Scheu vor jeder auch der einleuchtendsten Verbesserung. Jedoch anderwärts finden wir allerdings eine Emendation zugelassen, S. 100 *ἔπειτα πλέον περιχωρέει, καὶ περιχωρήσει ἐπὶ πλέον* (diess neben *πλεῖον!*): *ἐπεὶ δέ* war die Lesart des Simplicius, Hr. *Sch.* aber stiess (damit wir seine Uebersetzung von aus *περιχωρέει* übergehen) weder beym Präsens neben *ἔπειτα* an, obgleich er selbst eine erträgliche Aenderung *ἔ. πλέον περιεχώρεε* kennt, noch beym sonderbaren Sinn der Partikel. Wie nahe lag *ἐπειδή*: „Die erste Bewegung begann beym kleinen, da es eine mehr und mehr vorrückende Bewegung giebt." Nicht glücklicher ist eine Vermuthung S. 113 in demselben Fragmente, dass in *ἀλλ' ὅτεῳ πλεῖστα ἔνι, ταῦτα* — *ἔνι* zu setzen sey *ὅτεο*, *cuius rei plurima insunt*, wie wir wirklich S. 186 citirt finden; von welcher Meinung den Vf. wenn nicht *ἔνι*, doch die Vergleichung der Aristotelischen Paraphrase, auf die er sich beruft, abhalten konnte, *ὅτου δὲ πλεῖστον ἔχει ἕκαστον, τοῦτο δοκεῖν εἶναι τὴν φύσιν τοῦ πράγματος*: wobey ihm auch die Beobachtung entging, dass in des Ionikers Rede *ἓν ἕκαστον* philosophischer Terminus für Individuum sey. Nothwendig scheint uns noch ein Wort über die Behandlung der Fragmente hinzuzufügen. Man darf überzeugt seyn, dass Hr. *Sch.* selbst bey dieser Anordnung, wenn er nur eine grössere Erfahrung im fragmentarischen Theile der griechischen Literatur sich erworben hätte, in einen zweckmässigeren Plan und unbefangene Nüchternheit eingegangen wäre; jetzt aber, da er sich ohne vielseitigere Studien sogleich an den Anaxagoras gewandt, müssen wir eben so sehr die tumultuarische Aufzählung als die unkritische Anhäufung der Fragmente rügen. Fast hat es den Anschein, wenn man einige gelegentliche Aeusserungen zusammenfasst, als

ob

ob der Vf. von einer grundlosen Scham bewogen sey diese Ueberreste wo möglich auf das Doppelte zu bringen. Denn wofür soll man halten S. 124 *Similia, quid quod fere eadem dicuntur ab Anaxagora frag. 8. sed cum Anaxagoram saepius eadem perspicuitatis causa repetiisse videamus, haud dubito* etc. oder S. 129 nachdem er unbegreiflicher Weise das verkürzte Citat des Proömiums, *πάντα χρήματα ἦν ὁμοῦ, εἶτα νοῦς ἐλθὼν αὐτὰ διεκόσμησε*, aus Diogenes als ein neues Fragment angebracht hatte, mit folgender Rechtfertigung: *sine dubio Anaxagoras haec, utpote cardinem totius, saepius repetiit* (*quod quidem ab eo in aliis rebus factum esse priorum fragmentorum explicatione vidimus*) etc. sogar kommt als ein *fragm.* 24. S. 139 in *infinitiver* Form die bekannte Sentenz vor, *τὸν ἥλιον εἶναι μύδρον διάπυρον.* Dergleichen Verstöfse verrathen in gleichem Maafse Unkunde kritischer Methodik und Gleichgültigkeit gegen den Geist und die Eigenthümlichkeit der ältesten Philosophen.

Wir gehen von dieser Beleuchtung der *zweyten* Abtheilung zu den beiden anderen Abschnitten über. Der *erste* verbreitet sich, wie bemerkt, über das Leben, und Anhangsweise auch über die Schriften des Anaxagoras, wovon wir das wesentliche ausheben. Sein Geburtsjahr fällt nach wahrscheinlicher Angabe in die 70 Olympiade. Frühzeitig vernachlässigte er sein Besitzthum, um sich ohne Hemmung der Speculation und Forschung für Meteorologie hinzugeben, worin er echten Patriotismus ganz gegen die Vorstellungen seiner Zeitgenossen zu üben behauptete; wobey noch die nähere Bestimmung, schon um der möglichen und begangenen Mifsverständnisse willen (wie bey *Heind. ad Plat. Hipp.* 2.), wünschenswerth war, dafs Anaxagoras zuerst unter den Philosophen, so wie sein Anhänger Euripides unter den Dichtern, sich der Staatsverwaltung gänzlich entzog. Die verschiedenen Reisen desselben, unter anderen eine Aegyptische, werden mit Recht als unzuläfsig bezeichnet; auch ist seine Ankunft zu Athen, wo er bis zum hohen Alter verweilte, chronologischen Zweifeln unterworfen. Denn die verdorbene Stelle des Diog. Laert. II, 7. dürfte schwerlich vom Vf. sicher geheilt seyn, der für *ἐτῶν κ' ὢν* S. 15 zu schreiben räth *ἐ. μ' ὢν*, obgleich er damals nach der angenommenen Berechnung 45 Jahre erreicht haben mufste. Hierauf folgt ein Verzeichnifs seiner Zuhörer und vertrauteren Freunde; von denen nach alter Sage Demokritus ausgeschlossen war, wofür der witzige aber unzureichende Grund S. 17 aufgestellt wird, dafs wie jener als einen Freund des Lachens sich zeigte, so Anaxagoras seinem Charakter nach *ἀγέλαστος* war. Wir wollen von der erhabenen Sinnesweise dieses Mannes nicht so niedrig denken, dafs wir nicht tieferen Beweggründen den Vorzug gäben, welche auf den entgegengesetzten Principien beider beruhten, was um so weniger sich bezweifeln läfst, als die bekannte Thatsache, dafs Plato unter so vielen Denkern den einen Demokritus völlig verschweigt, auf ähnliche Verschiedenheit der Gesinnung zurückgeht. Aber die erste Stelle unter den Anhängern unseres Philosophen gebührt dem Perikles, dessen geistige Trefflichkeit und Würde schon von den Zeitgenossen auf jenen Umgang zurückgeführt wurde; und eine gleiche Einwirkung ist uns auf eine noch entschiedenere Weise durch eine Folge alter Zeugnisse wie durch die zahlreichen Belege seiner Dramen für Euripides klar. Wenn irgend der literarische Theil des Werkes lückenhaft erscheint, so mufs dieses Urtheil die überaus flüchtige Erwähnung des berühmten Tragikers treffen, wobey sich der Vf. begnügt hat auf neuere Schriften zu verweisen, deren Resultate er wie billig prüfen und anwenden mufste. Man darf sich aber wundern, dafs ihm die Wichtigkeit sorgfältiger Studien über Euripides, der die früheste Gewähr für Anaxagoras Sätze leistet und in seinen Dichtungen, vorzüglich in den Fragmenten, eine trefflich ergänzende Quelle dieser Forschung darstellt, fast gänzlich entgangen ist; dann würden wir nicht die unrichtige Behauptung (S. 21) hören: *hinc factum est ut E. saepius proferret sententias philosophicas, et physicas et ethicas*, die selbst im Falle gewisse ethische Gedanken von Anaxagoras herstammen sollten, gleich verwerflich zu nennen wäre. Noch weniger genügt der Beweis, wodurch nächst dem Ioniker Archelaus auch Sokrates, wie einige Alte berichten, in denselben Kreis der Zuhörer gezogen wird (S. 25); wir meinen die veraltete Ansicht, dafs er mit Physikern sich viel beschäftigte und deshalb unter seinem Namen die Physiker und Sophisten in Aristophanes Wolken verspottet seyen. Vollends ist es ein arger Mifsgriff, wenn der tragische Schauspieler Aesopus als Schüler des 400 Jahre älteren Anaxagoras (S. 31) bezeichnet wird, was niemandem einfallen konnte aus einer verstümmelten Aeufserung des Fronto zu folgern. Mit Recht ist aber eine Berührung des Empedokles mit Anaxagoras bezweifelt, welches mit noch gröfserer Nothwendigkeit für Themistokles geschehen mufste, wogegen die alte Ausflucht (S. 30), dafs er im Exil den Philosophen ganz in der Nähe vorgefunden hätte, keine Erwähnung verdiente. Nach einigen Aufzählungen dieser Art und nach einer allgemeinen Schilderung des Anaxagorismus, sind die inneren Gründe erwogen, welche die Anklage gegen ihn auf Atheismus veranlafsten und vorbereiteten; wofür mehr die meteorologischen Erklärungen des Mannes als seine Versuche die Vielgötterey zu vernichten, von Bedeutung seyn mufsten. Sicher ist hier am ungehörigen Orte seine allegorische Deutung über Homers Gedicht und Mythologie zur Sprache gebracht (S. 37), welcher der Vf. so wenig ihre Stelle im System des Anaxagoras anzuweisen verstanden, als er ihren eigentlichen Sinn, der im Verein mit ähnlichen Auslegungskünsten jener Zeit keinen Anstofs gab, durchschaut hat. Endlich lassen sich der Procefs und das Lebensende desselben, wozu Hr. *Sch.* die wichtigsten Momente mit Fleifs zusammengeordnet, nicht völlig von aller Dunkelheit und den vielfältigen Widersprüchen befreyen. Mit Mühe durch

Pe-

Perikles errettet. ſtarb Anaxagoras mit Heiterkeit des Gemüthes zu Lampſakus im hohen Alter, und erlangte nach ſeinem Tode göttliche Verehrung. Von Schriften die er hinterlaſſen kommen nur die Quadratur des Kreiſes und ſein Hauptwerk, die Phyſik in Betracht.

Den Beſchluſs bildet die Darſtellung *de Anaxagorae doctrina*. Wir vermiſſen an ihr zuerſt den Ueberblick und das anſchauliche Verſtändniſs, ohne welches die Eigenthümlichkeit dieſer Philoſophie und ihre weſentliche Abweichung von allen früheren Leiſtungen nicht zu begreifen iſt. Wer wollte bezweifeln, daſs jene wiſſenſchaftliche Conſtruction der Natur, welche mit umfaſſenden phyſikaliſchen und mathematiſchen Kenntniſſen, mit tiefer Beobachtung der Weltgeſetze und mit der ausgedehnteſten Reflexion von Anaxagoras unternommen war, die erſte groſsartige Erſcheinung im Felde des ſpeculirenden Verſtandes darbot, gegen welche der geſchloſſene Kreis Heraklitiſcher Phantasmen nichts als die Blüthe der Ioniſchen Einbildungskraft gewährt? Selbſt Plato, dem A. materialiſtiſche Principien nicht genügen konnten, hat der Höhe ſeiner Forſchung und ihrer mächtigen Einwirkung auf Charakterbildung und Aufklärung die gerechte Bewunderung nicht verſagt. Aber der Vf. iſt über die Auseinanderſetzung dieſes Theiles mit Stillſchweigen hinweggegangen, und hat den noch gröſseren Fehler begangen, der aus dieſer Nachläſſigkeit ſich ergab, die einzelnen Lehren wie zu einem Syſteme nach förmlichen Claſſificationen zu vertheilen: daher ſie mit den Elementen beginnen, auf denen der Proceſs der Weltordnung ruhte, und mit Theoremen von Pflanzen, vom Schlaf, von der Stimme und Urſache gewiſſer Krankheiten endigen. Allein weder mit alten Zeugniſſen noch mit innerer Wahrſcheinlichkeit läſst ſich die Annahme glaublich machen, daſs Anaxagoras gegen die Methode ſeiner Zeit und anders, als es die nothwendige Entwickelung ſeiner Sätze erforderte, ein Syſtem verſchränkter und conſequenter Darſtellung verſucht haben ſollte; ſondern alle beſondern Meinungen und Erklärungen hätten billig mit den analogen Urformen und Grundlagen des Ganzen verſchmolzen werden müſſen, wodurch erſt die Erwähnung des einzelnen fruchtbar und bedeutſam ſeyn mochte. Daher erfüllt dieſe Sammlung in ihrer gegenwärtigen Stellung, da ihr die innige Verknüpfung einer folgerechten Analyſe abgeht, nur das Maaſs eines Aggregats, welches ſich auf den Inhalt der jedesmaligen Erzählungen einſeitig zurückbezieht. Auch mangelt es an ſcharfen Erörterungen über die weſentliche Terminologie des Anaxagoras, wie den νοῦς, die ſogenannten ὁμοιομέρειαι, deren richtigere Definition der Vf. von Neueren angedeutet fand und gleichwohl mit leichter Hand zur[illegible] lieſs, über ſeine Begriffe von Entſtehung und [illegible]änderung und über den eigenthümlichen Zuſam[illegible]hang ſeiner meteorologiſchen und phyſiologi[illegible] Grundſätze. Ein tieferes Studium namentlich [illegible] Ariſtoteles würde hier gar ſehr gefördert h[illegible] welches wir in manchen Aeuſserungen des Hs. [illegible] (wie S. 78) nicht erkennen. Demnach muſs für un[illegible] Zweck eine ſummariſche Bezeichnung jener De[illegible] hinreichen. Ausgegangen wird von der Materia[illegible]ren Stoffen und Homöomerieen, deren urſprüngli[illegible] Ruhe und Vermiſchung, bis die göttliche Intelli[illegible] ſie in Bewegung ſetzte, in die περιχώρησις: wo[illegible] ſich die Bildung der Himmelskörper ſchlieſst, [illegible] che als Maſſen von Erden und Stein nur durch [illegible]förmigen Umſchwung ſich erhalten, die beka[illegible] δίνη (oder ῥόμβος); dann von der Natur und des[illegible]ſen der Sonne, des Mondes und der Geſtirne, [illegible] der Entſtehung der Meteore und Winde (S. 1[illegible] durch ein Miſsverſtändniſs des Verbi [illegible] in [illegible] *Apollon.* 1, 498, welches nichts als eine mythi[illegible] Erzählung anzeigt, dem Anaxagoras irrig die [illegible]nung beygelegt, daſs der Nemeiſche Löwe aus d[illegible] Monde gefallen ſey, und zwecklos, obgleich [illegible] *Meinek. ad Euphor.* S. 112, ἐξ ἧς für ἐν ᾗ vorgeſch[illegible]gen), von der Geſtalt und den Revolutionen der Erd[illegible] (wo der Vf. ſowenig fragm. 4 das hieher gehört [illegible] Plat. Phaed. S. 99. B. benützte, um von [illegible] Forſchungen zu ſchweigen); hierauf die Fragen von [illegible] Meere und von Flüſſen (wofür Ariſtoph. Nub. [illegible] nicht zu übergehen war, aber das Paradoxon v[illegible] der Schwärze des Schnees nicht zu erwähnen, we[illegible]ches zum Abſchnitt von Meteoren gezogen werde[illegible] muſste); weiter von den Urſachen und Formen de[illegible] Zeugung (wo doch einer vorzüglichen Betrachtung [illegible] die Anſicht des Philoſophen von den Verhältniſſe[illegible] beider Geſchlechter gewürdigt ſeyn ſollte), von der Lebenskraft der Pflanzen; nun erſt berührt Hr. Sch[illegible] den Sinn des Kunſtausdruckes νοῦς, der bey Anaxagoras ſich von ψυχή wenig ſtreng unterſcheiden lieſs; hierbey gedenkt er ſonderbarer Weiſe auch *des Gedankens*, daſs der Menſch durch den *Gebrauch ſeiner Hände* das klügſte Weſen ſey, und *leitet* ihn ab aus des Philoſophen Vorſtellung vom menſchlichen Körperbau, was vermuthlich unterblieben wäre, wenn ihm nicht die klarere Anwendung des Plutarch zu Anfang ſeiner Schrift περὶ φιλαδελφίας entfallen wäre. Dieſe Aufzählung ſchlieſst ab mit den Sätzen vom Schlaf, vom Schall, von Krankheiten, vo[illegible] Zufall. Wir ſprechen die Hoffnung aus, daſs de[illegible] Verfaſſer, dem nicht ſowohl Kenntniſs und Urtheil als Uebung und ſichere Methodik mangeln, mit gereifteren und durchdachteren Leiſtungen dieſen Theil der Wiſſenſchaft bereichern möge.

ALLGEMEINE LITERATUR - ZEITUNG

October 1828.

LITERARISCHE NACHRICHTEN.

Universitäten.

Greifswald.

Verzeichniss der Vorlesungen,

welche

auf der Königl. Universität daselbst im Winterhalbenjahre 18$\frac{28}{29}$ gehalten werden.

Anfang 20. October; Schluss 11. April.

Gottesgelahrtheit.

Das *Bild des wahren Theologen*, zur Einleitung in die theologischen Wissenschaften, entwirft Hr. Prof. *Schirmer* Montags und Dienstags, privatim.

Die *historisch - kritische Einleitung in die Bücher des Neuen Testaments* giebt Hr. Licentiat *Pelt* viermal, privatim.

Erklärung des Buchs Josua, besonders in grammatischer Hinsicht, *Derselbe* Dienstags und Freytags, öffentlich.

Erklärung des Propheten Jesaias, Hr. Prof. *Kosegarten* viermal, privatim.

Erklärung des *Briefes Pauli an die Römer* und der *beiden Briefe an die Korinther*, Hr. Prof. *Schirmer* sechsmal, öffentlich.

Erklärung der Briefe Pauli an den Timotheus und *Titus*, Hr. Licentiat *Pelt* Mittw. u. Sonnab., öffentl.

Die *Patristik des ersten, zweyten* und *dritten Jahrhunderts*, Hr. Prof. *Parow* zweymal, privatim.

Die *Reformations-* und *neuere Kirchengeschichte*, nach eignem Entwurfe, Hr. Prof. *Kosegarten* viermal, öffentlich.

Der *christlichen Dogmatik zweyten Theil*, nach Hase's Lehrbuch (1826), Hr. Prof. *Parow* viermal, öffentl.

Die *Lehre des Apostels Paulus*, Hr. Prof. *Schirmer* Mittw. u. Sonnab., privatim.

Die *christliche Moral*, nach eignem Entwurfe, Hr. Prof. *Parow* viermal, privatim.

Homiletik, nach Ammon (1826), *Ebenderselbe* Mittw. u. Sonnab., öffentl.

Katechetik, nach Dictaten, Hr. Prof. *Finelius* Mont. u. Donnerst., privatim.

Ueber die *evangelischen Pericopen*, mit Ausnahme der Fest-Evangelien, *Ebenderselbe* Dienst., Mittw. und Freyt., öffentl.

Die *Uebungen des theologisch-praktischen Seminars* leitet *Derselbe* Mittwochs, öffentlich.

Ein *Examinatorium über den Brief Jacobi* hält Hr. Licentiat *Pelt* Mittw., öffentl.

Ein *Conversatorium über theologisch - dogmatische Gegenstände*, Hr. Prof. *Parow* Mont., privatim.

Rechtsgelahrtheit.

Encyclopädie und *Methodologie des Rechts*, Hr. Prof. *Niemeyer* Mont. bis Donnerst., öffentl.

Institutionen des römischen Rechts, Hr. Prof. *Barkow* täglich, öffentl.

System der Pandecten, nach Günther's *principiis juris Romani*, Hr. Prof. *Gesterding* täglich, öffentl.

Das *römische Erbrecht*, Hr. Assessor *Feitscher* dreymal wöchentlich, öffentl.

Das *allgemeine deutsche Privatrecht*, Hr. Prof. *Schildener*, nach Dictaten, täglich, privatim.

Erklärung ausgewählter Stellen aus alten deutschen Gesetzbüchern, *Derselbe* zweymal, privatim.

Wechselrecht, Hr. Prof. *Niemeyer*, Freyt. u. Sonnab., öffentlich.

Lehnrecht, nach Pätz, Hr. Assessor *Feitscher* dreymal wöchentl., privatim.

Preussisches Civilrecht, Hr. Prof. *Niemeyer*, Montag bis Freytag, privatim.

Criminalrecht, nach Feuerbach, Hr. Prof. *Barkow* täglich, privatim.

Deutsches Bundesstaatsrecht, Hr. Prof. *Schildener*, nach Dictaten, täglich, öffentl.

Praktische Uebungen, nach Gensler's Rechtsfällen, Hr. Prof. *Gesterding* zweymal, privatim.

Heilkunde.

Medicinisch - chirurgische Propädeutik, nach Friedländer, liest Hr. Prof. *von Weigel* viermal wöchentl., öffentlich.

Menschliche Anatomie, Hr. Prof. *Rosenthal* fünfmal wöchentl., privatim.

Osteologie, *Derselbe* zweymal wöchentl., öffentlich.

Die *Secirübungen* leitet *Derselbe* privatim.

Pathologische Anatomie lehrt *Derselbe* viermal wöchentlich, privatim.

Allgemeine Pathologie, Hr. Prof. *Warnekros* viermal wöchentlich, öffentl.

Ueber *syphilitische Krankheiten* liest Hr. Dr. *Seifert* privatissime.

Medicinische Zeichenlehre, *Derselbe* dreymal wöchentl., privatim.

Allgemeine Therapie lehrt Hr. Prof. *Berndt* Montags, Dienst. u. Mittw., öffentl.

Specielle Therapie, *Derſelbe* täglich, privatim.

Chirurgie der Knochen lieſt Hr. Prof. *Sprengel* fünfmal wöchentl., privatim.

Der *ſpeciellen Chirurgie zweyten Theil*, *Derſelbe* fünfmal, öffentl.

Verbandlehre trägt Hr. Dr. *Seifert*, zweymal wöchentl., öffentlich vor.

Operationsübungen am Leichnam leitet Hr. Prof. *Sprengel* in paſſenden Nachmittagsſtunden, privatim.

Geburtshülfe lehrt Hr. Prof. *Warnekros* viermal, privatim.

Arzneymittellehre, nach Sundelin, Hr. Prof. *v. Weigel* viermal, privatim.

Pharmacie, nach der neueſten preuſsiſchen Pharmacopöe, *Derſelbe* Mont. u. Donnerst., öffentl.

Giftlehre, nach Schneider, *Derſelbe* Dienst. u. Freyt., privatim.

Zu Vorleſungen über *einzelne Theile der Arzneymittellehre*, ſo wie über *Diätetik* und *Formular*, iſt *Derſelbe* erbötig.

Gerichtliche Medicin trägt Hr. Prof. *Warnekros* vor, viermal privatim.

Mediciniſche Polizey, *Derſelbe* Mittwochs u. Sonnabends, privatiſſime.

Die *mediciniſche Klinik* leitet Hr. Prof. *Berndt* täglich, privatim.

Die *chirurgiſche Klinik*, Hr. Prof. *Sprengel* täglich, privatim,

Die *geburtshülfliche Klinik*, Hr. Prof. *Berndt* täglich, privatim.

Zu *lateiniſchen* und *deutſchen Converſatorien* und *Examinatorien* über arzneyliche Gegenſtände iſt Hr. Prof. *v. Weigel* privatiſſime erbötig.

Lateiniſche Disputirübungen und *Examinatorien* über einzelne Zweige der Medicin und Chirurgie bietet Hr. Dr. *Seifert* privatiſſime an.

Den *Hippocrates über die Knochenbrüche* erklärt Hr. Prof. *Sprengel* dreymal wöchentl., privatim.

Philoſophiſche Wiſſenſchaften.

Einleitung in die Philoſophie wird Hr. Prof. *Stiedenroth* zweymal die Woche öffentlich vortragen.

Logik, Hr. Prof. *Erichſon* Mittw. u. Sonnab., öffentl.

Metaphyſik, Hr. Prof. *Stiedenroth* zweymal die Woche, öffentl.

Dieſelbe, Hr. Prof. *Erichſon*, ebenfalls dreymal die Woche, öffentl.

Aeſthetik, *Derſelbe* Mont., Dienst., Donnerst. u. Freyt., öffentl.

Naturrecht, Hr. Prof. *Stiedenroth* zweymal wöchentl., privatim.

Pädagogik.

Erziehungslehre, Hr. Prof. *Illies*, nach eigenen Dictaten, dreymal, öffentl.

Geſchichte des Schul- und Erziehungsweſens in Deutſchland, nach Schwarz, *Derſelbe* dreymal, öffentl.

Mathematiſche Wiſſenſchaften

Reine Mathematik, Hr. Prof. *Tillberg* Mont., [illegible] Donnerst. u. Freyt., öffentl.

Erſte Gründe der Differenzial- und Integral-[illegible]*nung*, nebſt Anwendung derſelben auf Beſtim[illegible] der Kegelſchnitte und einiger andern krummen [illegible]nien, Hr. Prof. *Fiſcher* Mont., Dienst. u. Donn[illegible] öffentl.

Ebene und *ſphäriſche Trigonometrie*, *Derſelbe* in [illegible]ſelben Tagen, öffentl.

Die *Mechanik* mit den *ſtatiſchen* und *optiſchen Wi*[illegible]*ſchaften*, Hr. Prof. *Tillberg* Mont., Dienst., D[illegible]nerst. u. Freyt., öffentl.

Ueber den einen oder den andern Theil der *Mathem*[illegible] bietet Hr. Dr. *Fiſcher* privatiſſime Vorleſunge[illegible] halten an.

Auch wird *Derſelbe* ein *Converſatorium* über *M*[illegible]*matik* Mittw. u. Sonnab. halten.

Naturwiſſenſchaften.

Angewandte Naturlehre, Hr. Prof. *Tillberg* Mittw. [illegible] Sonnab., privatim.

Allgemeine Naturgeſchichte, und *ſpecielle* der *Säu*[illegible]*thiere* und *Vögel*, Hr. Prof. *Quiſtorp* wöchentl. [illegible]mal, öffentl.

Allgemeine Naturgeſchichte, nach Voigt's Handbuch, Hr. Prof. *Hornſchuch* viermal die Woche, [illegible]

Syſtematiſche Pflanzenkunde, nach dem Sexual[illegible], Hr. Prof. *Quiſtorp* viermal die Woche, privatim.

Anatomie und *Phyſiologie der Gewächſe*, nach eigenen Entwurfe, Hr. Prof. *Hornſchuch* viermal die Woche, öffentl.

Mediciniſch-pharmaceutiſche Pflanzenkunde, nach Hänle, *Derſelbe* viermal die Woche, privatim.

Naturgeſchichte der europäiſchen Vögel, nach Brehm's Handbuche, *Derſelbe* Mittw. u. Sonnab., privatim.

Theoretiſche Chemie der neuern Zeit, Hr. Prof. *Hünefeld* zweymal die Woche, öffentl.

Theoretiſche Chemie, nach eigenen Ausarbeitungen, Hr. Dr. *Fiſcher* viermal die Woche, privatim.

Chemie für *Aerzte* und *Nichtärzte*, nach *Schubert's* Lehrbuch, 2te Ausgabe, lehrt Hr. Prof. *v. Weigel* einmal die Woche, öffentl.

Angewandte mediciniſche Chemie, *Derſelbe* Mittw. und Sonnab., öffentl.

Gerichtliche Chemie, Hr. Prof. *Hünefeld* Dienst. und Freyt., öffentl.

Theoretiſch-praktiſche und *analytiſche Chemie*, *Derſelbe* viermal die Woche, privatim.

Pharmaceutiſche Chemie, *Derſelbe* zweymal wöchentl., privatim.

Chemiſche Verſuche ſtellt Hr. Prof. *v. Weigel* Mittwochs öffentlich an.

Mineralogie, nach ſeinen Sammlungen, *Derſelbe* Mittwochs u. Sonnabends, öffentl.

Ueber *einzelne Theile der Chemie* erbietet ſich Hr. Dr. *Fiſcher Vorleſungen* privatiſſime zu halten.

Ein *Converſatorium* und *Examinatorium* über *Chemie*, *Mineralogie* und andre *Naturwiſſenſchaften* erbietet ſich Hr. Prof. *v. Weigel* privatiſſime zu halten.

Ueber

Ueber einen und den andern *speciellen* Theil der *Naturgeschichte* erbieten sich die Hnn. Proff. *Quistorp* und *Hornschuch* privatissime Vorlesungen zu halten.

Geschichte der Naturlehre, besonders der *chemischen*, Hr. Dr. *Fischer*, nach eigenen Ausarbeitungen, viermal die Woche, öffentl.

Kameralwissenschaften.

Encyklopädie der Kameralwissenschaften, nach seinen Sätzen, Hr. Prof. *Fischer* viermal, privatim.

Grundsätze der deutschen Landwirthschaft, nach Beckmann's Handbuche, Hr. Prof. *Quistorp* viermal die Woche, privatim.

Einen oder den andern Theil der *Landwirthschaft* trägt, auf Verlangen, *Derselbe* privatissime vor.

Geschichte und *Hülfswissenschaften derselben.*

Allgemeine Weltgeschichte, nach Wachler, Hr. Prof. *Kanngiesser* sechsmal die Woche, öffentl.

Deutsche Geschichte, nach Mannert, *Derselbe* viermal wöchentlich, privatim.

Geographie und *Statistik*, nach Hassel, *Derselbe* viermal wöchentl., privatim.

Geschichte der Literatur, Hr. Prof. *Florello* Mont. und Donnerst., öffentlich.

Philologie.

Arabische Grammatik, nach Tychsen, Hr. Prof. *Kosegarten* Mittw. und Sonnab., privatim.

Zum *Unterricht im Persischen*, nach Wilken's Grammatik, ist *Derselbe* zweymal die Woche öffentl. erbötig.

Hebräische Grammatik, nach Gesenius, Hr. Licentiat *Pelt* Mont. u. Donnerst., öffentl.

Griechische Alterthümer, Hr. Prof. *Schömann* viermal die Woche, privatim.

Metrik, Hr. Prof. *Ahlwardt* zweymal die Woche, öffentlich.

Dieselbe, Hr. Prof. *Erichson* Mittw. und Sonnab., privatim.

Homer's Ilias, Hr. Prof. *Kanngiesser* viermal die Woche, privatim.

Pindar's Siegeshymnen, Hr. Prof. *Ahlwardt* zweymal, öffentlich.

Des *Aeschylus Sieben vor Theben*, *Derselbe* zweymal, öffentlich.

Euripides Medea, Hr. Prof. *Schömann*, in der philolog. Gesellschaft, zwey Stunden wöchentl.

Plutarch's Agis und *Kleomenes*, *Derselbe* zwey Stunden wöchentlich, öffentl.

Erklärung griechischer Basreliefs und andrer Kunstdenkmale, Hr. Prof. *Erichson* privatissime.

Plautus Trinummus, Hr. Prof. *Schömann*, in der philolog. Gesellschaft, zwey Stunden wöchentl.

Die *Oden des Horaz*, Hr. Prof. *Ahlwardt* zweymal die Woche, öffentl.

Cicero's Tusculanische Untersuchungen, oder den *Lactantius* von der wahren und falschen Weisheit, Hr. Prof. *Florello* Mittw. u. Sonnab., öffentl.

Tacitus Leben des Agricola, Hr. Prof. *Schömann* zweymal die Woche, öffentl.

In der *Erklärung der Geschichtsbücher des Tacitus* wird Hr. Adjunct Dr. *Wortberg* fortfahren Dienst. u. Freyt. öffentl.

Lateinische Stilübungen wird Hr. Prof. *Florello* Dienst. u. Freyt. öffentl. anstellen.

Ueber den *deutschen Stil* wird Hr. Prof. *Erichson* privatissime Vorlesungen halten.

Unterricht in der *englischen* und *italienischen Sprache* ertheilt Hr. Prof. *Kanngiesser* viermal die Woche, öffentlich.

Französische Metrik wird Hr. Adj. Dr. *Wortberg* erklären und mit Beyspielen erläutern Montags u. Donnerstags, öffentlich.

Oeffentliche gelehrte Anstalten.

Die *Universitäts-Bibliothek* ist zur Benutzung der Studirenden Montags, Dienstags, Donnerstags und Freytags von 11—12, Mittwochs u. Sonnabends von 2—5 Uhr geöffnet. Bibliothekar, Hr. Prof. *Schildener*; zweyter Bibliothekar, Hr. Prof. *Schömann*.

Das *anatomische Theater*. Vorsteher, Hr. Prof. *Rosenthal*; Prosector, Hr. *Laurer*.

Das *anatomische* und *zootomische Museum*. Vorsteher, Hr. Prof. *Rosenthal*.

Medicinisches Clinicum. Vorsteher, Hr. Prof. *Berndt*.

Chirurgisches Clinicum. Vorsteher, Hr. Prof. *Sprengel*.

Geburtshülfliches Clinicum und *Hebammen-Institut*. Vorsteher, Hr. Prof. *Berndt*.

Sammlung mathematischer und *physikalischer Instrumente* und *Modelle*. Vorsteher, Hr. Prof. *Tillberg*.

Sammlung astronomischer Instrumente. Vorsteher, Hr. Prof. *Fischer*.

Chemisches Institut. Vorsteher, Hr. Prof. *v. Weigel*.

Zoologisches Museum. Vorsteher, Hr. Prof. *Hornschuch*; Conservator, Hr. *Schilling*.

Botanischer Garten. Vorsteher, Hr. Prof. *Hornschuch*; Gärtner, Hr. *Langguth*.

Mineralienkabinet. Vorsteher, Hr. Prof. *v. Weigel*.

Philologisches Seminar. Inspector, Hr. Prof. *Schömann*, welcher die philologischen Uebungen leiten wird.

Künste.

Das *Zeichnen* lehrt der akademische Zeichenlehrer Hr. *Titel*, wöchentlich in vier Stunden, Mittwochs und Sonnabends.

Die *Musik* lehrt der akademische Musiklehrer Hr. *Abel* und leitet die Uebungsconcerte.

Anleitung zum kirchlichen Gesange giebt den Theologie-Studirenden Hr. Dr. *Schmidt* in zwey Abendstunden wöchentlich.

Die *Fecht-* u. *Voltigirkunst* der Fechtmeister Hr. *Willich*.

Unterricht in der *Reitkunst* ertheilt in der akademischen Reitbahn der Stallmeister Hr. *Berndt*.

LITE-

LITERARISCHE ANZEIGEN.

I. Neue periodische Schriften.

Bey Hemmerde und Schwetschke in Halle ist erschienen und an alle Buchhandlungen versandt:

Neues Archiv des Criminalrechts. Herausgegeben von *Konopak, Mittermaier* und *Rosshirt.* 10ten Bdes 1stes und 2tes Stück. 8. Geh. à 12 gGr.

Inhalt des ersten Stücks: 1) Der neue Entwurf einer Strafprocess-Ordnung für das Königreich Hannover, im Auszuge mit Bemerkungen. 2) Ueber das *furtum manifestum* und den handhabenden Diebstahl, von *Schirach.* 3) Ueber Eintheilung der Verbrechen und die Folgerungen daraus für die Gesetzgebung, von *Cucumus.* 4) Revision der Lehre vom Selbstmord, von *Wächter.* 5) Entwurf des Strafgesetzbuchs für das Königreich der Niederlande, mit Bemerkungen von *Mittermaier.* 6) Ueber Auswahl der Untersuchungs-Gerichte zur Untersuchung begangener Verbrechen, von *Spangenberg.* 7) Revid. Entwurf des Strafgesetzbuchs für Baiern, mit Bemerkungen von *Mittermaier.* 8) Beurtheilung der neuesten criminalist. Schriften.

Inhalt des zweyten Stücks: 9) Versuch einer Erklärung, warum bisher Ehren-Duelle nicht haben unterdrückt werden können, von *Vollgraff.* 10) Ueber Eintheilung der Verbrechen und Folgerungen daraus für die Gesetzgebung, von *Cucumus.* 11) Revision der Lehre vom Selbstmorde, von *Wächter.* 12) Revid. Entwurf des Strafgesetzbuchs für Baiern, mit Bemerkk. von *Mittermaier.* 13) C. Roth, ein geisteskranker Brudermörder; Rechtsfall von *Souchay.* 14) Beurtheilung von 13 der neuesten criminalist. Schriften.

II. Ankündigungen neuer Bücher.

Unter dem Titel:

Darstellung der griechischen Mythologie 1ster Theil: Ueber den Begriff, die Behandlung und die Quellen der Mythologie. Als *Einleitung in die Darstellung der griechischen Mythologie.* Von *Chr. H. Weisse,* Dr. u. Prof. der Philosophie an der Universität zu Leipzig. gr. 8. 2 Rthlr.

ist in meinem Verlage ein Werk erschienen, welches den Freunden wahrer Wissenschaft gewiss willkommen seyn wird. Nachdem zuvörderst darin das Verhältniss von Wissenschaft, Kunst und Religion, als unmittelbarer Gestalt des Geistes, als selbstständiger Entäusserung, und als Rücklauf in sich, und somit zur höchsten Idee, der Gottheit, auf folgerichtig streng wissenschaftliche Weise bestimmt und festgestellt ist, werden in gleich strengem und folgerichtigem Gange die Erkenntnissquellen und ihr Gegenstand, die Sagendichtung, als Urpoesie, behandelt; die Urpoesie, ihrem Begriffe gemäss als göttliche, von der Kunstpoesie, als menschlicher, unterschieden, und die Art, wie alle M[illegible] der Kunst, eben sowohl als das Element der S[illegible]tion, mithin Wahrheit, Schönheit und Güte, [illegible] gebunden und untrennbar verschlungen liegen, [illegible]gethan; hierauf die Erkenntnissquellen, Home[illegible] Cyklus, die Lyrik und Plastik, endlich die Phil[illegible] und Historie näher beleuchtet. Wie nun auf dies[illegible] das Primat der höchsten Idee, und der Beziehun[illegible] Aufnahme des Aussergöttlichen in die Gottheit [illegible]kannt, wie darin mehrere Seiten der Kunstwiss[illegible] erhellt werden, und wie diess Werk durch geist[illegible] kenntnissreiche Heranbringung seines Gegenstand[illegible] den zeitgemässen Standort der Wissenschaft ein[illegible]faches Interesse gewähre, wird denen, welche [illegible] Anlage und Gliederung eines Werkes zu würdigen [illegible]sen, nicht entgehen. Und so freue ich mich, [illegible] zugleich die Anzeige von desselben Verfassers

Ueberfetzung der Aristotelischen Physik und Metaphysik

verbinden zu können, welche mit sachgemässen Abhandlungen demnächst in meinem Verlage erscheinen wird, und worauf ich im Voraus die Freunde und Kenner der Wissenschaft aufmerksam machen zu dürfen glaube.

Joh. Ambros. Barth in Leipzig.

Kürzlich ist bey mir erschienen:

Brunn, H., Probst zu Wörlitz, Grundsätze des Glaubens und der Tugend nach der Lehre [illegible] für die Jugend, welche zum öffentlichen Bekenntniss des Christenthums vorbereitet wird. 2te vermehrte Aufl. 68 Seiten. 3 gr.

Die 1ste Auflage, welche der Herr Verfasser auf seine Kosten gedruckt hat, ist nur wenig bekannt geworden, war in mehrern Schulen eingeführt. Zu dieser neuen Auflage sind mehrere Zusätze gekommen, und wird sich daher einer noch grössern Verbreitung zu erfreuen haben.

Leipzig, im September 1828.

Karl Cnobloch.

III. Auctionen.

Bücher-Auction in Braunschweig.

Den 1. December d. J. soll in Braunschweig eine Büchersammlung der vorzüglichsten Ausgaben griechischer und römischer Klassiker, ferner medicinischen, physikalischen, mathematischen Inhalts, meistbietend verkauft werden. Verzeichnisse sind in allen Buchhandlungen zu haben.

ALLGEMEINE LITERATUR-ZEITUNG

October 1828.

ORIENTALISCHE LITERATUR.

1) Rom, b. Francesco Bourlié: *Osservazioni sul bassorilievo Fenico-Egizio*, che si conserva *in Carpentrasso*, fatte da *Michelangelo Lanci*, interprete delle lingue orientali nella Vaticana Biblioteca. 1825. 152 S. 4.

2) *Ebendas.: Illustrazione di un Kilanaglifo* copiato in Egitto da Sua Eccellenza Signor Barone *d'Icskull.* 47 S. 4.

Beide Abhandlungen auch unter dem gemeinschaftlichen Titel:

Di un Egizio monumento con iscrizione Fenicia e di un Egizio Kilanaglifo con cifre numeriche.

Nr. 1. Unter den Monumenten mit semitischen Inschriften nimmt das hier von Neuem behandelte, unter dem Namen des *Steines von Carpentras* bekannte, vorzüglich in paläographischer Hinsicht eine nicht unwichtige Stelle ein. Es gehörte zuerst einem gewissen *Rigord* aus Marseille, und kam alsdann durch Erbschaft in den Besitz von *Mazaugues*, von welchem es der Bischof *d'Inguimbert* (st. 1767) für seine Privat-Bibliothek ankaufte, die die Grundlage der öffentlichen Bibliothek zu Carpentras geworden ist. Dort wird es noch heute aufbewahrt. Wie es in die Hände jenes ersten Besitzers gekommen, weiss man nicht. Man weiss nur, dass *Rigord* im J. 1704 eine Zeichnung davon anfertigen liess, nach welcher aber, sonderbar genug, der obere Theil des Monumentes als defect erscheint, was er später nicht war: wiewohl sich noch deutlich erkennen lässt, wo man das abgebrochene Stück wieder angefügt hat. Diese erste Zeichnung nahm *Montfaucon* 1757 in seine *Antiquité expliquée* (Suppl. T. II. Pl. LIV.) auf, und von ihm wieder *Caylus* (*Récueil d'Antiquités* I. Pl. 26). *Montfaucon* hielt die Schrift für ägyptische. Nach einem neuen, durch *Caylus* vermittelten Gypsabdrucke besorgte nachher *Barthélemy* eine bessere Zeichnung (in den *Mém. de l'acad.* T. XXXII), welche von *Ol. G. Tychsen* und *Kopp* wiedergegeben ist, von ersterm nicht ganz genau in den *Act. Nov. Upsal.* VII. 1815. S. 92, von letzterm völlig treu in den Bild. u. Schr. der Vorzeit II. 227. Der Vf. der vorliegenden Abhandlungen war selbst in Carpentras, studirte das Monument mit Musse und giebt nun auf Taf. I eine Zeichnung, in welcher theils Einzelheiten berichtigt, theils auch die noch übrigen Spuren der schadhaften Stellen genau angegeben sind. Die Veranlassung zu einer vollständigern Behandlung des Monumentes gab dem Vf. der jüngst verstorbene, um orientalische Wissenschaft sehr verdiente Ritter *Italinski*, welcher ihm fragweise folgende Punkte zur Erörterung vorlegte: 1) Hat *Barthélemy* den Buchstaben der Inschrift ihren wahren Werth beygelegt und die schadhaften Stellen derselben richtig ergänzt, und wie sind wohl die letzten Worte der vierten Zeile der Inschr. zu restituiren? 2) Kann man aus diesem und andern Monumenten ein vollständiges phönicisches Alphabet zusammenstellen? Haben die Phönicier die ägyptischen Namen *Osiris* und *Amon* übersetzt? Lässt sich das Vaterland des Monumentes genügend bestimmen? Endlich 3) ergiebt sich aus der Entzifferung der Inschrift irgend ein bisher unbekanntes Costum? Lässt sich das darüber befindliche Bildwerk vollständig daraus erklären? Und kann man das Alter des Monuments gründlich bestimmen? Nach diesen drey Punkten hat der Vf. seine etwas weitschweifige Abhandlung in drey Theile zerlegt. In dem ersten, welcher die Entzifferung der Inschrift betrifft, giebt er zuerst eine kurze Geschichte des Denkmals und bemüht sich dann zunächst *Barthélemy's* Erklärung (*Tychsen's*, *Kopp's* und *Hamaker's* Bemerkungen sind dem Vf. unbekannt) abzuweisen, was ihm freylich gänzlich misslungen ist. Dieser las nämlich, im Ganzen vortrefflich, wie folgt:

בריכה תבא ברת תחוי תמנחא זי אוסרי אלהא :
מן ריעם באיש לא עבדה : וכסי זי איש לא אמרת : תמה
קדם אוסרי : בריכה הוי מן קדם אוסרי : מן קרי (קוי)
הוי ולוה נמעתי ובין חסי......

Und seine Erklärung ist ungefähr diese:

Gesegnet sey Teba, die Tochter des Tehui, die Opferpriesterin des Gottes Osiris:
welche nie murrete wider jemand, noch eines verborgene Fehler aussagte. Sie war rein vor Osiris; gesegnet war sie vor Osiris u. s. w.

Den letzten und schwierigsten Theil wagte er nicht mit Zuversicht zu interpretiren. Mit seiner Erklärung stimmt auch die von *Fabricy* überein, nur dass er statt der dritten Person immer die zweyte setzte (was offenbar das Richtige) und auch das Ende der Inschrift nach *B.'s* vorsichtigen Andeutungen geradezu so erklärte: (*Benedicta esto ab ipso Osiride*) *et ab unoquoque qui legerit, etiam esto. Viresce autem, o dulcissima mulierum, et inter sanctas adnumerere.* In Bezug auf den von *B.* herausgebrachten Inhalt der Inschrift bekämpft ihn Hr. *Lanci* zuvörderst mit nichtssagenden Gründen, z. B. es könne nie gesagt werden, dass eine Frau, welche sie auch sey, durch ihr ganzes Leben in den Augen der Gottheit völlige Reinheit bewahrt habe; die Aegypter hätten nicht sagen kön-

können: der Gott Osiris, weil ja Osiris als Gott bekannt genug gewesen u. dgl. Wichtiger sind einige paläographische Bemerkungen, und man kann dem Vf. eine gewisse diplomatische Treue und Gewissenhaftigkeit nicht absprechen. Vorzüglich interessant ist, dass statt des ס im sechsten Worte der 2ten Zeile bey *B.* hier ganz deutlich ר (oder allenfalls ר) zu lesen ist, wodurch sowohl *B.*, als *Kopp's* Lesung und Erklärung wegfällt. Ferner besteht der Vf. darauf, dass die beiden ersten Worte der 2ten Zeile nur als ein einziges zu betrachten seyen: was uns nicht so dringend nothwendig scheint, da der Zwischenraum der einzelnen Worte auch an andern Stellen der Inschr. nach des Vfs eigner Zeichnung sehr unbedeutend ist. Endlich hat er am Ende der dritten und vierten Zeile die Spuren der erloschenen Buchstaben sorgfältig verfolgt. Nur ist alles wieder *dadurch* verdorben, dass der Vf. *ganz offenbar falsch*, vier Buchstaben eine andere Bedeutung giebt, als alle bisherige Interpreten, wodurch es geradezu unmöglich geworden ist, eine gesunde Deutung zu gewinnen. Er nimmt das bisherige ר für ך, das ו für ז (ausgenommen dreymal im Namen *Osiris!*), das ז für ר und das ק für צ, und liest und übersetzt also:

בריכה תבא ברת תחוי תמנחא די אוסרי : אל־תא
חנריעכם באיש : לא עברת זכרי די איש : לא אמרת חמת
צרם אוסרי : בריכה תוי מן צרם אוסרי : מין צוי
חוי ולחת נמעתי : ובין חסיה להוי שלם :

Gesegnet sey Tebba, die Tochter Techazi, die Priesterin des Osiris: weil sie niemanden verleumdete, nie eines Mannes Gewalt erfuhr (*non sofferse virilità di alcuno*), nie enthüllte die Mysterien des mächtigen Osiris. Gesegnet sey diese vom mächtigen Osiris; mit dem Weine des Glückes werde sie lieblich genetzt und im Sect der Gnade werde ihr Friede.

Es würde nicht der Mühe lohnen, dem Vf. hier durch das ganze Gewinde seiner Rechtfertigung dieser geschmacklosen Erklärung zu folgen; es muss uns genügen, einige Proben zu geben, woraus man sehen wird, dass der Vf., ohne sich einen Begriff von dem Sprachidiom des Monumentes zu bilden, die Wörter auf das Willkürlichste aus allen Winkeln des semitischen Stammes zusammengesucht, und wenn er sie nicht nach seinem Sinne fand, selbst gemacht hat. Das Ende der 1sten Z. liest er אַל־הָא. הא *ipsa* für הִיא. Das Pronomen sey mit der Negation vereinigt ungefähr so wie bey den neuern Arabern يلوم für يا قوم stehe. אַל sey absolute Negation wie in אל מוה Prov. 12, 18, לְאַל Hiob 24, 25. Sonst sey es gewöhnlich *particula deprecatoria* und habe das Futurum nach sich. Auch hier stehe das Fut. Bey den Phöniciern habe also אל auch als *negazione assoluta* das Fut. nach sich, jedoch in der Bedeutung des Präteriti. Der erste Buchstab der 2ten Zeile ist auf dem Steine zweifelhaft, man sieht blos einen schräg von der Rechten zur Linken abwärts gehenden Strich, welcher unten so weit geht, wie das darauf folgende *Nun*, aber nicht so hoch ist. Der Vf. macht ח daraus und thut sich etwas darauf zu Gute, dass er dadurch in חנריעכם eine Femininalform des Verbi gewonnen, ohne das ganz unstatthafte נ zu rechtf[...] Mit Recht, wie es scheint, erklärt sich der V[...] *B's* Uebersetzung von איש ohne Suffix durc[h] Gemahl, wiewohl dieser dieselbe durch eine in Parenthese beygesetzte, welche wir oben a[...] Uebersetzung gegeben haben, schon selbst gem[...]ligt hatte. Im Folgenden soll זכרי די איש [...] wörtlich *non passò alle virilità di alcuno* eine [...] oriental. Phrase seyn und anzeigen, dass die Te[...] Jungfrau gestorben. חמח nach dem Vf. entwed[er] نم *calumniari, mendaciis fucare orationem*, „Tebba sagte nichts Unwahres vom Osiris", oder תמה *staunen*, nämlich: Staunen erregende S[...] Wunder, Mysterium. Er meint, es sey mit V[...] doppelsinnig gemacht, mit dem Dagesch gele[sen] das Volk, ohne Dagesch für die Priester (!). [...] 3ten Z. findet der Vf. zweymal statt *B's* קרם [...] welches dem Sinne sowohl als der fast ganz a[...]schen Sprache der Inschrift durchaus angemess[en] das Wort צרם. Zwar schweigen die hebrä[ischen] Wörterbücher von einem solchen Worte, und [...] das chald. צרם *laceravit* passt hieher nicht; [...] wer würde gesagt haben *Osiris lacerans*. Aber [das] Arabische (*l'araba vastissima lingua*) giebt Auskunft, nämlich صرم *validus, fortis fuit*, also — ohne Zweifel: *Osiris der Starke*, der Mächtige. Der Vf. weiset nun die Radix צרם an zwey Stellen der Bibel nach, nämlich Deut. 32, 30. 31 und Ps. 49, 15, (w[o] צורם ih[r] *Fels* steht). Zu הוי *haec*, welches der Vf. Z. 3. und 4. findet, wo alle übrigen Erklärer [...] sen, vergleicht er هذه, entsprechender wäre wenigstens هذي gewesen (z. B. Hariri 6. S. 55. [...] S. 574 Sacy). Er behauptet, wenn man auch [...] läse, so könne das doch nicht heissen *esto*, sondern nur *esclamazione di dolore* seyn, wobey er an הוי gedacht hat. Allein הֲוִי als Imperat. fem. sing. entspricht genau dem syr. ܗܘܝ, wenn auch *im Chald.* הוא gewöhnlich ist (s. jedoch *L. de Dieu Gramm. harm.* S. 319). Und allenfalls könnte es auch 3. sing. fem. Praeter. seyn, wie es *B.* nahm; wenigstens steht im Rabbinischen statt הֲוָה nicht selten הֲוַאי. *S. Cellar. Rabbinism.* S. 22. Die beiden letzten Worte der 3ten Z. sollen מין צוי heissen und das eine für מִין stehn, das andere von صوح abzuleiten seyn. ולחת Z. 4. wird von dem chald. ולח abgeleitet, נמעתי für נעמתי als Adverb. *suaviter* genommen, בִּין wieder für בִּין und חסיה von חסן. Endlich die letzten Worte, von welchen auf dem Steine nur ganz geringe Spuren sich zeigen: לחוי שלם. *Fabricy* hatte freylich sehr willkürlich gelesen: (חסי) ויתא אתמאני. — Um auch sein Scherflein zur Erläuterung des Monumentes beyzutragen (über welches ein neues Mémoire von Hn. *Et. Quatremère* zu Paris zu erwarten steht), bemerkt Rec. nur folgendes mit Bezug auf die Barthélemy-Fabricy'sche Erklärung. 1) Der 2te Satz in der 2ten Z. lautet nach dieser neuen Zeichnung: זכרי די איש לא אמרת *und Beleidigung*

(*Betrübung*) *irgend jemandes ſprachſt du nie* vgl. צעֵר *contriſtatus eſt* Aph. *contriſtavit* حَزَنَ *iſtatio.* Ein ungemein paſſender Sinn, der nun lem erſten zuſammen der Verſtorbenen das Lob eilt, daſs ſie weder mit That noch Wort jeman- betrübt habe; 2) die letzten Worte der 3ten Z. die erſten der 4ten ſind nach den vorhandenen :en zu leſen: מת קתי חרי ולחה נמשחי wovon Rec. ie anſprechende Deutung zu geben weiſs; 3) die ten Worte des ganzen Monuments aber ſind il ſicher: ובין חסיה לחוי שלם *und unter den Frommen* igen) *ſey in Frieden* (das ל in לחוי, wie לֶהֱוֵא in Da-). Das Ganze würde etwa lauten:

Geſegnet ſey Teba, die Tochter Techwi, die Prieſterin es Gottes Oſiris! Im Zorn haſt du gegen niemand gehan- elt, niemanden mit Worten betrübt; du, die du rein biſt or Oſiris, ſey geſegnet von Oſiris...... und in der Se- igen Mitte weile in Frieden.

Zum Behuf des zweyten Fragepunktes iſt auf er zweyten Tafel das hebräiſche Alphabet mit n des Steines von Carpentras, dem phöniciſchen ineswegs vollſtändig, aber mit einigen *ineditis*) i dem ſamaritaniſchen zuſammengeſtellt, letzteres h einem alten ſamarit. Codex des Vatican. Wir llen auch hier Einzelnes, Gutes und Schlechtes heben, was zur Charakteriſirung des Werkes nen kann. *Åkerblad's* ש aus der 2. Cypr. Inſchr. rd mit Recht für ש anerkannt, worin der Vf. mit *pp*, den er nicht kennt, zuſammentrifft. ו nimmt nach *Åkerblad* aus *Athen. I.*, in welcher Figur je- ch *Tychſen* und *Geſenius* ein ק erkennen. ג eben- ls nach *Åkerblad* aus *Athen. II. bilinguis*, wo aber ie andere *Geſenius* mitgetheilte Copie abweicht. nz ſicher findet ſich das ג unter andern auf den ünzen von *Gades* (Cadiz) in dem Namen dieſer löniciſchen Pflanzſtadt (הגדר). Ein ſeltner Buchſtab f den bekannten phöniciſchen Monumenten iſt s ז. Die Figur bey *Kopp* (I, 200) iſt ſehr unſicher, d gewiſs eine Ligatur. Hr. *Lanci* will das ז ganz eichgeſtaltet wie das altgriechiſche Γ in der Auf- hrift einer Vaſe entdeckt haben, welche ſich zu alermo im Cabinet der Jeſuiten findet. Er geht auf ne Erklärung dieſer Inſchrift ein und giebt die Ab- ildung davon auf Taf. 2 unter *A.* nach einer Copie es Förſten *Torremuzza. Barthélemy* (*Oeuvres compl.* Tom. IV. S. 52) hatte die Figur für ח gehalten und o geleſen: העתרבעל בן מסלח *Atherbaal filius Mislahi.* Der Vf. lieſt zuerſt יעפר, was gleich dem arab. جعفر *erreſtris* heiſsen und alſo mit בעל die Bedeutung haben oll: *terreſtris* oder *humilis*, *abiectus Beli.* Dann בן nd endlich מס־לחק *Mas-lehok*, welcher Name *Tri- utnehmer*, *Zolleinnehmer* bedeuten ſoll. Das letzte) findet der Vf. in dem Zeichen, welches *Barthélemy* für Andeutung des Maaſses hielt. S. 52 folgt eine Digreſſion über den muthmaſslichen phöniciſchen Namen des *Oſiris* und *Amon*. Der Vf. bringt auf Taf. II unter Nr. 4. 5. 6. drey malteſiſche Münzen bey, auf welchen deutlich die Buchſtaben אלל [oder אמן] ſtehen. Nun iſt auf Nr. 5. ein Widderkopf ab- gebildet d. i. Symbol des Amon, und auf Nr. 6. fin- det ſich das Bild des Oſiris. Auf beiden ſtehen aber dieſelben phöniciſchen Buchſtaben. Alſo, ſchlieſst der Vf., müſſen die Phönicier für Oſiris und Amon einen und denſelben Namen gehabt haben. Man ſieht, wie hier präſumirt wird, die Legende der Münze *müſſe* den Namen der darauf befindlichen Figur enthalten. Es iſt aber dieſe Legende dieſelbe, welche wir ſchon aus Münzen von der Inſel Gozzo (*Gaulos*) kennen, auf denen auch der Widderkopf erſcheint, und welche *Kopp* durch *Schiff* erklärte, als Ueberſetzung von γαῦλος. Der Vf. aber lieſt *Elel*, erklärt: *Widder-Gott* oder auch *ſtarker Gott* (von אַל und אַיִל), und meint, es könne *Chnubi* oder ein anderer einheimiſcher Name des Gottes eine ſolche Bedeutung gehabt haben. Er führt, um ſeine Meinung zu begründen, zuerſt Beyſpiele aus dem Hebräiſchen an, wo auf ähnliche Weiſe wie in אלל ein א verſchlungen ſey, unter andern מָאתַיִם *ducenti*, מָחָר *cras* für מֵאָחָר; dann zeigt er uns ſeinen *Elel* ſelbſt in der Bibel, nämlich Jeſ. 14, 12, wo das vielbeſprochene הֵילֵל entweder für האילל (vgl. הָסוּרִים) oder ſchlechthin für אילל ſtehen, *Dio-Sole* bedeuten und ſo mit vollem Rechte Sohn der Morgenröthe heiſsen ſoll. Ferner ſoll auch אֱלִיל *idolum* davon ausgehen. Ja, an einer Stelle ſteht das leibhaftige אלל ſelbſt, nämlich Hiob 13, 4. Endlich werden damit noch *Eleleus parens* (Ovid. met. 4, 15) und die *Eleleides* (Ovid. ep. ex Ponto 4) combinirt. Der Name *Amon* iſt nach S. 63 ff. phöniciſch-ägyptiſch von חמם. Der Vf. iſt in Beſitz einer Zeichnung von einem Grabſteine aus Malta mit phöniciſcher Inſchrift, worauf unter andern ganz deutlich (ſ. Taf. II. B.) der Name בעל חמנא, gerade wie auf den von *Humbert* gefundenen Carthagiſchen Monumenten (ſ. *Hamaker's Diatribe de mon. aliquot punicis*, beſ. Nr. 3., wiewohl *Ham.* בעל חמלא lieſt) und einem andern phöniciſchen in *Geſenius* Beſitz (ſ. deſſen Vorr. zu ſeinem hebr. Handwb. 2. Ausg. S. XXX). Dieſen Namen hält Hr. *L.* für den des *Amon*, lieſt *Baal-Hammona* (Jupiter Ammon) und combinirt damit den Namen *Chnubi* und das koptiſche *chmom calor*, wenn ſich gleich in den phonetiſchen Hieroglyphen AMN ohne eigentliche Aſpiration findet. — S. 67 wird als das wahrſcheinliche Vaterland des Monumentes von Carpentras Aegypten genannt: welche Meinung der Vf. auf folgende Gründe ſtützt: 1) in einer phöniciſchen Colonie auſserhalb Aegypten würde man ſtatt *Oſiris* den phöniciſchen Namen deſſelben, *Elel* geſetzt haben (?!); 2) die Haartracht der weiblichen Figuren auf dem Monumente ſey noch jetzt die gewöhnliche in einigen Gegenden Oberägyptens; 3) Phönicier auſserhalb Aegypten könnten unmöglich ſo in die tiefſten Myſterien einer ägyptiſchen Gottheit eingeweiht geweſen ſeyn, wie dieſs auf dem Monumente von der Tebba und ihrem Vater Techaſi ausgeſagt werde; auch ſey es nicht gut denkbar, daſs die Einbalſamirung der Todten, von welcher das Bildwerk des Monumentes zeugt, auſser Aegypten in Gebrauch geweſen und zwar mit ſo völlig ägyptiſcher Ceremonie, wie ſie hier erſcheine. Nur der letzte Theil des dritten Argumentes hat Gewicht, aber auch ein hin-

läng-

längliches, zumal die ganze Manier des Basrelief's rein ägyptisch ist. Mit der Erklärung des Vf.'s stehen und fallen auch die Folgerungen, welche er auf diese stützt, und worunter die hauptsächlichste die ist, dass in Aegypten erbliche Prophetenfamilien existirt haben sollen, von den Phöniciern חזים d. i. *Seher* (von חזה) genannt, zu welchen der Techasi der Inschrift sowohl als seine Tochter Tebba (d. i. Prophetin, von נבא) gehört hätten. Diese war das einzige Kind des Techasi, und auf sie erbte also das Prophetenthum fort. Der Vf. giebt sogar nach Anleitung der Inschrift, wie er sie interpretirt, die drey Punkte an, welche eine solche Priesterin zu halten hatte, nämlich Abstehen von Verleumdungen, Ehelosigkeit und Bewahren der Mysterien. Die Männer nur seyen vom Verbot der Ehe frey gewesen.

Im *dritten* Theile seiner Abhandlung schreitet der Vf. zuerst S. 79 zur Erklärung der über der Inschrift befindlichen Bildwerke. Diese waren ursprünglich colorirt, die Farben sind aber fast ganz verschwunden. Das Bild hat bekanntlich zwey Abtheilungen. In der untern wird der Act des Einbalsamirens vorgestellt. Der Leichnam liegt auf einer Tafel, welche völlig die Gestalt eines Löwen hat, wie auf vielen Papyrusrollen. Unter dieser Tafel stehen vier Vasen, deren Deckel hier nicht, wie gewöhnlich, die Form vier verschiedener Thierköpfe (eines Affen, Hundes, Schakals und Sperbers), sondern allesammt die des Sperberkopfes haben. Auf jeder Seite der Tafel zeigt sich, grau übermalt, eine nackte weibliche Figur, die sich auf ein Knie niedergelassen, mit einem Gefäss auf dem Kopfe. Das Gesicht der Leiche ist schon mit der Maske bedeckt, und zwey Personen, die eine mit einem Sperber-, die andere mit einem Schakalkopfe maskirt, sind beschäftigt, dem Körper noch die letzten Binden anzulegen. Das Ober-Revier des Bildes stellt gleichsam die Apotheose der Tebba vor. *Osiris* sitzt auf einem Throne mit seinen gewöhnlichen Attributen, der Mitra, dem Scepter in der einen und dem peitschenartigen Instrumente in der andern Hand. Ihm gegenüber steht Tebba in demüthiger Stellung. Zwischen beiden die *Mensa Osiriaca* auf vier Füsse gestützt, mit allerley Gegenständen in vier Abtheilungen über einander (nach *B.* Oblationen von der Tebba dem Osiris dargebracht, nach Hn. *Lanci* minder wahrscheinlich Symbole der priesterlichen Leistungen der Tebba). Auf der obersten Abtheilung sieht der Vf. vier Candelaber, oben mit Pfannen, als Stellvertreter kleiner Altäre, auf welchen Räucherwerk zu kleinen Kuchen geformt. Dieselbe Vorstellung findet der Vf. auch in der Figur, welche man gewöhnlich für den Nilmesser hält und welche das Symbol des Phtah ist (*Champollion, Précis. Tabl. gen.* Nr. 89. vergl. Nr. 70.), nämlich so, dass die vier Candelaber auf Einem Stiele über einander stehen. Auf Taf. II. sind drey hieher gehörige unedirte Exemplare abgebildet. Nur auf einem derselben befindet sich der Kuchen von Räucherwerk, die beiden anderen zeigen die lodernde Flamme in den Pfannen. A[illegible] diesen Bestimmungen begnügt sich der Vf. ni[illegible] geht noch weiter und erklärt auch das be[illegible] symbolische Zeichen des ewigen Lebens, das mit der Habe (*croix ansée* bey *Champollion*) [illegible] Bild jener Candelaber mit den Pfannen und de[illegible] cherwerk. Nun erzählt Plutarch, man hab[illegible] Osiris dreymal des Tages Räucherwerk angez[illegible] und demgemäss erklärt der Vf. die Abbildung [illegible] Altäre mit Räucherkuchen auf einem Papyr[illegible] Vatican. Auf demselben Papyrus sind aber un[illegible] nen in einer zweyten Abtheilung *vier* Altäre d[illegible] ben Art abgebildet: woraus der Vf. den S[illegible] zieht, dass, wie jene drey für die Tagzeit, so [illegible] vier für die Unterhaltung des Feuers während [illegible] Nacht bestimmt gewesen. Auf unserem Monu[illegible] stehen die *vier* oben, und die *drey* für die T[illegible] sind gleichsam compendiös durch die drey Rä[illegible] kuchen repräsentirt, welche sich unter jenen i[illegible] zweyten Abtheilung des Tisches finden. Ne[illegible] wird behauptet, dass das phonetische Zeichen für [illegible] Buchstab *Schei*, in welchem *Champollion* (*P*[illegible] S. 64) die Darstellung eines Gartens fand, in Wa[illegible] heit drey Altäre oder Räucherpfannen abbilde [illegible] nach dem koptischen *schedi Altar* oder [illegible] *Rauchfass*. Nur passt dazu der kopt. Na[illegible] Buchstaben nicht so gut. Endlich knüpft der Vf. hieran noch eine Erläuterung der biblischen S[illegible] über den siebenarmigen Leuchter des Tempels [illegible] 25, und findet in dem schwierigen כפתר die Bezeichnung solcher Kuchen oder Disken von Räucherw[illegible] Seine Etymologie dieses Wortes ist aber [illegible] schmeckt: es soll nämlich aus dem vergleichenden [illegible] und dem arab. فاثور *Sonnenscheibe* zusammengesetzt seyn. Neben den drey Candelabern in der obersten Abtheilung der Mensa Osir. steht noch ein Altar mit dem Opfer. Nach Herodot diente ein Theil der den Göttern dargebrachten Opfer auch in Aegypten den Priestern zum Unterhalt, und täglich brachte man ihnen Wein, Gänse und Stücken zubereiteten Fleisches. Demnach findet sich auch hier in der zweyten Abtheilung ausser jenen drey Räucherkuchen ein Gefäss mit Wein, roth colorirt, und ein Napf mit etwas Röthlichem, wahrscheinlich Fleisch; in der dritten eine geschlachtete Gans, aschfarben mit rothen Beinen, ein junges Kalb mit gebundenen Füssen und eine Schale; endlich in der untersten Abtheilung ein aschfarbener lebendiger Vogel neben einigen Gefässen. Es folgen alsdann noch allerhand Vermuthungen über die dritte Figur im obern Revier des Bildes neben Osiris (nach *B.* die Isis, nach dem Vf. der schützende Genius der Tebba), über die flammigen Hände der Tebba, über deren Kleidung und Haartracht und über das peitschenartige Instrument in der rechten (sonst gewöhnlich in der linken) Hand des Osiris (nach dem Vf. ein aspergillum mit einem unsterblich machenden Fluidum, dem in der Inschrift erwähnten Weine der Glückseligkeit).

(*Der Beschluss folgt.*)

ALLGEMEINE LITERATUR-ZEITUNG

October 1828.

ORIENTALISCHE LITERATUR.

1) Rom, b. Francesco Bourlié: *Osservazioni sul bassorilievo Fenico-Egizio, che si conserva in Carpentrasso*, fatte da *Michelangelo Lanci* etc.

2) *Ebendas.*: *Illustrazione di un Kilanaglifo* etc.

Beide auch unter dem Titel:

Di un Egizio monumento con iscrizione Fenizia e di un Egizio Kilanaglifo con cifre numeriche.

(*Beschluss der im vorigen Stück abgebrochenen Recension.*)

Mit gutem Rechte bestreitet der Vf. von S. 124 an, besonders gegen *Fabricy*, das hohe Alter des Monumentes hauptsächlich aus der Beschaffenheit der Schrift, welche einen späteren Charakter hat als die der bekannten Cyprischen, Athenienfischen und Maltesischen Denkmäler, und sich in einzelnen Zügen schon bedeutend der hebr. Quadratschrift nähert. Der Vf. trägt S. 126 als etwas ganz Neues („*farà maraviglia ad alcuno per la novità*") die Meinung vor, dass die hebr. Quadratschrift keinesweges von Esra herrühre, sondern erst im 2. oder 3. Jh. nach Chr. sich aus der palmyrenischen entwickelt und noch etwas später die jetzige stehende Form gewonnen habe. Bekanntlich hat unter uns *Kopp* ungefähr dieselbe Meinung vorgetragen. Für die Neuheit des Monumentes führt der Vf. ferner die beständige *scriptio plena* an, z. B. in איש, in בריכה, und die Trennung der Worte. Er setzt die Entstehung ungefähr ein paar Jahrhunderte vor Chr. und glaubt, dass das Monument von *punischen* Flüchtlingen herrühre, welche sich in Aegypten niedergelassen: wogegen nur die stark *aramaisirende* Sprache streitet. Warum also nicht lieber von Syrern? In einer Nachschrift fasst Hr. *L.* die Resultate der Untersuchung nochmals zusammen, und giebt als einen schätzenswerthen Anhang die Zeichnung und Erklärung zweyer schon vom Pater *Giorgi* edirten palmyrenischen Inschriften aus dem *Museo Capitolino*. Wir haben uns überzeugt, dass Zeichnung und Erklärung des Pater *Giorgi* unter aller Critik sind. Denn erstere ist, nach der hier gegebenen Zeichnung zu urtheilen, welche wir ohne Bedenken für die genaueste halten, mit der grössten Unkunde und Nachlässigkeit gemacht, so dass sich in ihr sogar 13 Charaktere finden, welche auf dem Monumente selbst gar nicht vorhanden sind; und die Erklärung ist hauptsächlich deswegen von *Giorgi* verfehlt, weil er sich ganz und gar von den daneben stehenden Uebersetzungen leiten liess und diese auch in den palmyren. Legenden vollständig wiederfinden zu müssen glaubte. Beide Inschriften sind nämlich *bilingues*, die eine mit einer griechischen, die andere mit einer lateinischen Uebersetzung. Hr. *L.* liest die erstere, welche aus zwey langen Zeilen besteht, so:

לעגלבול ומלכבל וסמיחא די כספא ותצביתה עבד מן כיסה ירחי בר חליפי בר

ירחי בר לשמש - שעד רעל חייוי וחיא בנוהי בירח שבט שנת....

d. i. Dem Aglibol und Melechbol: und das Bild von Silber und dessen Verzierungen machte aus seiner Börse Jarchi bar Chalifi bar Jarchi bar Laschemesch - Sead [vielleicht besser שער], und (zwar) für sein Leben und das Leben seiner Söhne. Im Monat Schebat, J. 547 [der Seleucidischen Aera d. i. 234 n. Chr.].

Diese Jahrzahl steht mit den bekannten eigenthümlichen Ziffern dieser Inschriften an der Stelle der von uns gesetzten Punkte. Die zweyte Inschrift in drey Zeilen ist diese:

עלתא זה למלכבל ולאלהי תדמר
קרם טבריס קלודיס פלקס
ותדמריא לאלההן שלם

d. i. Diesen Altar dem Melechbol und den Göttern Tadmor's weihte Tiberius Claudius Felix und die Palmyrener. Ihren Göttern Heil.

Nr. 2. Das hier abgebildete und erklärte *Kilanaglyph* (diesen Namen gebraucht der Vf. für das, was die Franzosen *Bas-relief dans le creux* nennen) fand sich bey der von dem englischen Consul *Salt* im J. 1823 veranstalteten Ausgrabung der grossen Sphinx. Es wurde vom Baron *von Icskull* gezeichnet und Hn. *Lanci* überlassen, welcher es hier neunmal verkleinert wiedergiebt. Zur Linken steht in gigantischer Form ein Mann auf einen Stab gestützt, mit einer Kopfbedeckung, welche über die Schultern zu hängen scheint. Er trägt einen engen Rock mit einem Gürtel, und die Füsse sind bis zum Knie unbedeckt. Ein Hund mit dem Kuppelband begleitet ihn. Vor ihm steht, in viel kleinerer Statur ein Diener, welcher ihm eine Art von viereckigem Sonnenschirm vor das Gesicht hält. Die grosse Figur wirft einen ernsten Blick auf den obersten Theil des Bildwerkes, wo sechs ganz nackte Figuren knieend und eine siebente, ganz hinten stehend und bekleidet, abgebildet sind. Die erste Figur hat vor sich ein offenes Gefäss, hinter dem Ohre einen Calamus, und scheint etwas auf einer Tafel Geschriebenes abzulesen. Die zweyte Figur in ähnlicher Stellung, den Calamus hinterm Ohr, hält ebenfalls eine Tafel und zeigt darauf mit der rechten Hand, scheint aber auf die Rede der ersten zu hören. Vor derselben steht etwas wie ein Korb. Die dritte Figur ist mit dem Gesicht abgegewandt und schreibt etwas auf eine Tafel. Die vierte ist gegen diese dritte gewandt ohne Schreibmaterial und scheint dieser über etwas Rede zu stehen. Zwischen der 4ten und 5ten Figur ist ein Bruch im Steine, aber die Scene hat dadurch wahrscheinlich gar nichts verloren. Figur 5 und 6 sind in derselben Stellung zur 3ten, wie die 4te, nur dass die 6te eine Tafel hält, jedoch ohne Calamus. Die letzte aufrecht stehende Figur hält in der linken Hand eine Art Scepter und legt die rechte auf den Kopf der letzten knieenden Figur, wie derselben gebietend. Unter dieser Scene im mittlern Revier des Basrelief zeigen sich links zuerst fünfzehn Stiere sehr regelmässig in eine Reihe gestellt; hinter diesen weiter rechts einige Kühe mit jungen Kälbern; noch weiter rechts eine menschliche Figur mit einem Stecken, und endlich ein Widder, dem eine Ziegenheerde folgt. In der untersten Abtheilung sind 12 Esel eben so in eine Reihe gestellt wie in der zweyten die 15 Stiere; vor ihnen her geht ein Füllen, hinter ihnen ein Mensch, der auf der rechten Schulter an einem Stocke ein Bündel trägt. Dann wieder eine Heerde Schaafe (alle mit Hörnern). — Der Vf. hält das Ganze wohl mit Recht für eine bildliche Darstellung des reichen Haushaltes eines Verstorbenen, zu dessen Grabmale das Bildwerk gehört. Die grosse Figur stellt den reichen Hausherrn selbst dar, welchem ein Sclav einen Sonnenschirm (aus Palmblättern) vorträgt. Die Gefässe im obersten Felde enthalten: das eine frische Milch, das andere Früchte als Erstlinge dem Gebieter dargebracht. Man könnte dabey leicht an ein Dintenfass denken; aber diess würde dann gerade bey der wirklich schreibenden dritten Figur fehlen. Nun sagt zwar *Horapollo*, dass die Aegypter, wenn sie die Wissenschaften oder einen heiligen Schreiber symbolisch darstellen wollten, ein Dintenfass, ein Sandsieb und den Calamus (bey den Arabern قلم, bey den Aegyptern *kosch*) zeichneten. Aber sie kannten ausserdem auch den Pinsel (ägypt. *kasch-am-foi* d. i. *calamus pillosus*), und, wie Hr. *L.* glaubt, auch den Griffel (*stilus*), mit welchem sie, wie die Araber mit dem ملمول, in Holz, Blätter und Baumrinde schrieben. Solche Griffel giebt der Vf. den hier gezeichneten Figuren, so dass also Dinte nicht nöthig war. Die beiden ersten Schreiber legen ihrem Herrn Rechenschaft ab und erscheinen daher vor diesem mit entblösstem Haupte. Der dritte dagegen ist von ihm abgewandt, hat eine Kopfbedeckung und scheint die folgenden, als ihm untergeordnete (daher in blossen Köpfen) zu controlliren. Die letzte Figur mit dem kleinen Scepter hält der Vf. für den Administrator der herrschaftlichen Güter; die im mittleren Felde mit dem Stecken für einen Unteraufseher über das Vieh, und die im untersten, welche ein Bündel (Heu oder Stroh) trägt, für eine weiter untergeordnete. Der Vf. verbreitet sich nun über die Ziffern, welche über jeder Art der hier abgebildeten Thiere stehen. Bekanntlich war *Young* der erste, welcher uns mit dem Werthe der hieroglyphischen Zahlen bekannt machte (*Hieroglyph. vocabulary. Lond.* 1818), indes Zeichen für N. 10. 100. und (zweifelnd) 1[illegible] stimmte. Den nächsten Platz nach ihm räum[t] dem Ritter *S. Quintino* ein. Dass er diess [mit] recht thue, und dass dieser Ehrenplatz dem *Champollion* gebühre, davon kann man sich des letztern Aufsatz im *Bulletin universel*, [illegible] überzeugen. Vollständig findet man jetzt die[se Zah]len auch bey *Kosegarten*, *de prisca Aegypt.* [lit]*tura comm. I.* Vimar. 1828. tab. G. Die hie[r vor]kommenden stimmen mit den bey *Koseg.* [illegible] nur dass die Figur für 1000 die Oeffnung des [Halb]mondes am obern Theile nach der Rechten hat, nicht nach der Linken, und dass dieser obere nur *Eine* halbcirkelförmige Linie ist. Hier be[zeich]nen aber die Zahlen nach des Vfs. Meinung [die An]zahl jeder Gattung der abgebildeten Thiere, [welche] der Verstorbene besass, nämlich 834 Rinder, 2[illegible] ber, 2238 Ziegen, 760 Esel und 974 Schaafe. [Zu]letzt führen den Vf. zwey kleine Gruppen von [Hie]roglyphen, welche sich auf dem Basrelief [finden], die er aber nicht zu erklären weiss, zu Reflexi[onen] über die Hieroglyphen überhaupt. Er giebt *Cham*-*pollion's* Systeme im Ganzen vollkommne Anerken-nung, und will nur, dass man die phonetischen Zei-chen, so weit sie zur Schreibung ausländischer Na-men dienen, so viel als möglich von dem ägypti-chen altägyptischen Alphabete scheiden solle. Er meint, dass in dem letztern die Vocale eigentlich g[ar] nicht vorkommen. Sie finden sich zwar im Kopti-schen, aber hier seyen die griechischen Vocale gewi[ss] nicht ohne Ungeschicktheit den ägyptischen an-gepasst, und zwar zu einer Zeit, wo die alte Pharao-nen-Sprache sich sicher schon sehr verschlechtert hätte. Namentlich sey zu glauben, dass das älte[re] Aegyptisch mehr und stärkere Gutturalen gehabt habe, deren echter Laut im Laufe der Zeit zum Theil verloren gegangen, wie im Samaritanischen und Aethiopischen, so dass man für sie später oft geradezu nur die griechischen *Vocale* gesetzt habe. *Ueber*-haupt geht des Vfs Raisonnement dahin, dass die alt-ägyptischen Laute mit den semitischen viel Aehnlich-keit gehabt haben. Er nimmt die in der Bibel vor-kommenden ägyptischen Namen zu Hülfe, und fol-gert z. B. aus [illegible], dass der ägyptische Name *ra* oder *re* mit 2 Consonanten geschrieben sey, deren zwey-ter völlig dem hebr. ע entspreche, für welches dann später im Koptischen nur der voraufgehende Vocal geschrieben sey *PH*. Der Vf. glaubt daher, dass mehrere phonetische Zeichen, welche *Champollion* zu א zieht, eigentlich zu ע gehören, und vergleicht noch [illegible] (s. *Champ. Précis. Tabl. gen.* Nr. 112 ff.). Namentlich rechnet er dahin auch die Figur des *Au-ges*, weil diese mit dem semitischen Namen so auf-fallend stimmt. Ferner will er einige Zeichen, wel-che *Ch.* zum ת und ד zieht, dem härteren *t*-Laut ט vindiciren, wenn auch Kopten wie Griechen ihn er-weicht haben, jene in *T* und *Δ*, diese in Θ. So auch das harte *k*, ק z. B. in dem Namen [illegible] (s.

Champ.

-sap. Nr. 116), wenn es auch (wie bey den Syrern) riechischen und römischen Namen für *K* und *C* tzt ist. Das ג erkennt er aber nach den bisherigen deckungen noch gar nicht an; die beiden Figuren *Ch.* hält er für ק, wenn sie gleich in ausländi- n Namen auch für *G* stehen. ר und ה will er für älteste Alphabet geschieden wissen. Vom ה trennt das härtere koptische *Hori* für ח. Vom ו zieht er ige Figuren zum א. Für י hat *Ch.* gar nichts ver- chnet; der Vf. rechnet dahin das *S* in *Osorchon* *Ch.* Nr. 117 wegen זרח 2 Chron. 14, 8. Unter n vielen Zeichen für ט möchte er manche zu ץ und ziehen. Endlich berechnet er die von Plutarch gegebene Zahl von 25 Buchstaben der Aegypter , dass man zu 22, den semitischen entsprechenden, nsonanten die später auch als Vocale angewandten , ו und י noch einmal gezählt hätte.

Wir erwähnen nur noch, dass der Vf. in der en Abhandlung S. 16 f. die Meinung äussert, dass e enchorische Schrift, ausser der eigentlich symbo- schen, die älteste sey, und dass wir von ihm nach r. 1. S. 129 und Nr. 2. S. 45 lange vorbereitete Ar- eiten über orientalische Sachen, namentlich über *-tische* Denkmäler zu erwarten haben.

RELIGIONSSCHRIFTEN.

Königsberg, in d. Univ. Buchh.: *Beytrag zu den Versuchen neuerer Zeit den Katholicismus zu idealisiren*, in einem *Schreiben an den katholischen Herausgeber der neuen katholisch-protestantischen Kirchenzeitung*, von *Ludwig August Kähler*, Dr. u. Prof. d. Theol., Consist., Superint. und Pfarrer zu Königsberg. 1828. XVI u. 136 S. 8. (16 gr.)

Dieses dem Herrn Staatsminister Grafen *Ch. E. von Benzel-Sternau* in einer gemüthvollen Zuschrift gewidmete Werk enthält manches sehr zeitgemäss ausgesprochene Wort in Beziehung auf die Art und Weise, wie neuere Vertheidiger des Katholicismus und der römisch-katholischen Kirche diese mit jesuitischer Taktik und irrigen unhistorischen und unphilosophischen Argumentationen gegen den lauten Ruf der zum Licht und Recht aufstrebenden Menschheit in einem neuen Glanze darzustellen und dagegen Protestantismus und protestantische Kirche tief herabzusetzen bemüht sind. Es verdient daher von Seiten der Protestanten sowohl, als auch der Katholiken in hohem Grade Aufmerksamkeit und vorurtheilsfreye Würdigung. Indess wird die genauere Uebersicht des Ganzen einigermassen dadurch erschwert, dass der Vf. seine Abhandlung des Gegenstandes, ohne für den Leser besondere Abschnitte oder Ruhepunkte anzugeben, an den Inhalt des oben näher bezeichneten Aufsatzes geknüpft hat, mit welchem das wunderliche Unternehmen einer combinirten katholischen und protestantischen Kirchenzeitung begonnen wurde. Bey dieser Einrichtung der Schrift konnten manche Wiederholungen und weniger motivirte briefliche, mehr in Declamation übergehende, Wendungen nicht wohl vermieden werden. Der erwähnte Aufsatz des katholischen Mitherausgebers der Doppel-Kirchenzeitung, welche Hr. Dr. K. hier mit erläuternden und berichtigenden Anmerkungen begleitet, ist überschrieben: „Ueber den Hass gegen die katholische Kirche;" und wird gleich im Anfange des Werkes in seiner ganzen Vollständigkeit mitgetheilt, so dass jedem Leser von vorn herein einleuchten muss, wie die Anmassung und Sophistik, womit die Römische Kirche ihr ausschliessliches Ansehn zu behaupten gewohnt ist, und neuerdings mit verdoppeltem Eifer und neuen Künsten zu behaupten strebt, in jenem Aufsatze durchaus herrschend sind, und der alte Römisch-katholische Geist denselben durch und durch belebt. Nur einzelne Belege dafür gestattet der Raum hier aus den Anmerkungen des Vfs beyzubringen. So wird zuvörderst mit Recht gerügt, dass den Ausdrücken Religion, Kirche, katholische Kirche, welche die Welt erleuchtet und gesittigt haben soll, fälschlich der Begriff der Römisch-katholischen untergeschoben und diese ganz mit Unrecht eine *verfolgte* genannt ist, da vielmehr die von ihr ausgegangene blutdürstige Verfolgung aller, die ihr nicht blindlings gehorchen, in der Geschichte ihres Gleichen nicht hat, und das Aufhören dieser, wenigstens in Deutschland, nur Folge ihrer so schwer empfundenen politischen Ohnmacht ist. Gegen die eifernde Klage, dass die katholischen Dogmen entstellt und der Cultus verachtet würden, bemerkt der Vf. sehr treffend, dass, sowie schon die Heiden, unsern neuesten Symbolikern zufolge, ihr ganzes Fabel- und Bildwesen sehr geistreich erklärt haben, es ja auch wohl den Vertheidigern des Katholicismus nicht schwer fallen möchte, auch in der ärgsten Verzerrung der kirchlichen Lehren und Gebräuche, wie neulich ein gewisser *Dittrich* gethan, ideal-begeisternde Symbolik nachzuweisen. Darum vermag nicht minder „jeder Priester das idealisirte Symbol zu dem gräulichsten Aberglauben und Pressmittel seiner Hab- und Herrschsucht, ja seiner Wollust, zu stempeln; und das nicht christlich, sondern römisch-katholisch, *erleuchtete* und *gesittigte* Volk kennt niemals eine symbolische, sondern nur eine wahrhaft leibliche Anbetung (S. 18)." Uebrigens zeigt die Geschichte, dass man nur dann einen hergebrachten Cultus mit seinen Dogmen allegorisch und symbolisch zu denken versuchte, wenn der Contrast desselben mit einer fortgeschrittenen Vernunftentwickelung gar zu auffallend erschien. S. 20 heisst es: „Der Abscheu, welcher sich verschiedentlich gegen den *besondern Geist* Ihrer Kirche ausgesprochen hat, und noch ausspricht, und dessen Aeusserungen Sie als Ausbrüche der Wuth und als Verfolgung betrachten, stammt so wenig aus verwerflichen Gründen, dass er im Gegentheil sowohl denen Ehre macht, die ihn jemals wahrhaft empfunden und geübt haben, als für die sittliche Empfänglichkeit der Menschheit überhaupt ein unverwerfliches Zeugniss giebt. — Wollen Sie es leugnen, dass lediglich aus dem besondern Princip Ihrer Kirche die Gräuel hervorgegangen sind, welche damals die so lange

ein-

eingeschläferten Gewissen endlich aufweckten, und allgemeine Wuth, nicht gegen das Heilige, sondern eben um des Heiligen willen, gegen den damit getriebenen Betrug erregten? Oder gehören Sie auch zu denen, welche das Urtheil der Geschichte aus ihren ehernen Denkmalen ausgekratzt zu haben meinen, wenn Sie ohne Scheu behaupten, mönchische Frauenlust, fürstliche Gütergier, volkliche Zügellosigkeit, nicht das angefüllte Sündenmaafs des aus dem besondern Geist ihrer Kirche entsprungenen Treibens, habe die Reformation veranlasst, und sey für so viele protestantische Märtyrer in Frankreich, Spanien, Deutschland, Oestreich, Ungarn, Polen, die Triebfeder des ausharrenden Muthes und der Selbstverleugnung gewesen?" Im Folgenden wird die vernunft- und schriftwidrige Behauptung, dafs der Mensch zum bloſsen Gehorchen geboren sey, mit Hinsicht auf das unfehlbare Lehr- und Herrscheramt in der Römisch-katholischen Kirche, treffend gewürdigt; so wie die ungereimte Behauptung: „der Katholik sey niemals besser als seine Religion, weil diese das vollkommne Gesetz sey, welches gebietet vollkommen zu seyn, wie Gott selbst es ist, und so den Gläubigen durch denselben Blick in sich demüthige, welcher den Sectirer (Nichtkatholiken) erhebe, weil schon der Glaube an sich, als ein Act des (blinden) Gehorsams, eine stete Demüthigung sey." Da der Vf. des Aufsatzes nur Einen Irrthum, die *Selbstherrlichkeit* des Menschen, und nur Ein Verbrechen, die *Empörung gegen Gott* angenommen hatte, und in dieser angeblich allein durch „die katholische Religion" behaupteten Lehre den Grund des Hasses gegen sie findet, der sich jetzt, wegen der *Minderzahl*, in seinem Fanatismus weniger deutlich, wenn aber Völker oder die *Mehrzahl* ihren *Zaum* abschüttelten, in der wildesten Empörung zeigen werde: so sagt Hr. Dr. *K.* unter andern dagegen: „Je höher der Begriff des Menschen von seiner Selbstherrlichkeit steigt, um so vollkommner und inniger wird seine Erkenntnifs und Verehrung Gottes. Nicht bloſs die katholische Religion, sondern jede ohne Ausnahme erkennt als Grundwahrheit, daſs Gott der Herr, und der Mensch ihm unterthan ist. Die christliche aber fodert nicht bloſs diese Unterthänigkeit als eine innere, sondern giebt sie auch durch den Geist der Freyheit und der Liebe, und unterscheidet sich eben dadurch von jeder andern und namentlich von der katholischen Religion, welche *sich selbst zum Gesetz Gottes* macht, und nun blinden Glauben für äufserliches Gebot mit absoluter innerer Zustimmung, also etwas Absurdes fodert. Der Hafs gegen Sie, wie Sie es nennen, gründet sich also nur auf das Gefühl der Absurdität ihrer Foderungen, und kann darum kein Fanatismus seyn, weil er aus der bessern Erkenntnifs hervorgeht, und Fanatismus überall nur da herrscht, wo es an freyer Erkenntnifs mangelt, weshalb gerade der Katholicismus so oft und entsetzlich ihn zu Tage gefördert hat. Nicht also dem menschlichen Stolz ist es zuzuschreiben, sondern vielmehr der Verblendung und Anmafsung, die Religion nur als Zaum für das Volk behande[lt], diese Herabwürdigung des Heiligen bitter em[pfunden] und mit Ernst zurückgewiesen wird" (S. 44 [illegible]) sehr zu verwundern ist es übrigens, wie man [kathol]ischerseits noch immer aufs neue die thöric[hte Be]hauptung wiederholen mag, nur der römisc[he Ka]tholicismus sey die wahre Panacee gegen alle[s revo]lutionäre Wesen, da die Geschichte mit so [illegible] Farben das Gegentheil erweiset, und nicht de[r] denkende Mensch zu fürchten ist, sondern [der] Sclav, wenn er endlich die Kette bricht. Im [Fol]genden sucht der Vf. sodann ausführlicher zu [zeigen,] wie die der katholischen Kirche beygelegten V[orzüge] sich nur in einem idealen Sinne von der christ[lichen] unsichtbaren Kirche behaupten lassen; wie [diese in] der That ein unfehlbares Lehramt besitze, u[nd eine] souveraine Herrschaft ausübe, das erste [illegible] durch die unwiderstehliche Macht der W[ahrheit], das andere nur durch die unwiderstehliche [illegible] des Guten —, wie die protestantische Kirche [illegible] die Zuflucht und Werkstätte des wahren Kat[holi]cismus sey. Die weitere Ausführung des hier [nur] kurz Angedeuteten müssen wir unsere *Leser* b[ey] dem Vf. selbst nachzusehn auffordern, überzeug[t,] dafs sie nicht ohne vielfältige Belehrung *und Unter*haltung von ihm scheiden werden.

SCHÖNE KÜNSTE.

Berlin, bey Enslin: *Die Drillinge.* Lustspiel in vier Aufzügen. Aus dem Französischen de[s] Herrn *v. Bonin*, neu bearbeitet nach der Darstellung auf der Königl. Schaubühne zu Berlin. 18[28.] 127 S. 8. (12 gr.)

Die Darstellung der Rolle der Drillinge, die v[on] *einem* Schauspieler durchgeführt wird, und mit besonderm Erfolge von Hn. *Devrient* in Berlin, gab de[n] Anlafs zu der neuen Erscheinung, dafs ein Drama nach einer solchen Darstellung bearbeitet wurde, und wir finden diefs nicht übel, insofern dadurch ein altes gutes, einheimisch gewordenes Stück der [illegible] deutschen Bühne erhalten wird. Gut ist aber das Bonin'sche allbekannte Lustspiel, weil es wirkliche komische Kraft hat, die freylich zum Theil auf Kosten der Wahrscheinlichkeit erkauft wird, worauf es aber beym Lustspiel, das sich der Posse nähert, nicht besonders ankömmt. Nur solche Unwahrscheinlichkeiten hätte der Bearbeiter, oder vielmehr der Herausgeber der Devrient'schen Stegreif-Bearbeitung (welche jedoch nur die Rolle der Drillinge, die aber auch die einzige *eigentliche Rolle* des Stückes ist, betreffen konnte), sich nicht sollen zu Schulden kommen lassen, dafs hier noch von einem Schwarzen die Rede ist, den *ein reicher Kaufmann in Hannover* vor vierzehn Jahren seinem jetzigen Herrn *geschenkt* hat. — Dabey ist auch die Rolle des Ferdinand von Meissen viel zu übertrieben läppisch, um eine mehr als gemeine Wirkung zu machen. Die Uebersetzung verräth oft das Französische und ist nicht selten matt.

ALLGEMEINE LITERATUR-ZEITUNG

October 1828.

LITERARISCHE NACHRICHTEN.

I. Univerſitäten.

Gieſsen.

Verzeichniſs der Vorleſungen,

welche

auf der Groſsherzoglich-Heſſiſchen Univerſität daſelbſt im bevorſtehenden Winterhalbjahre, vom 8ten November 1828 an, gehalten werden ſollen, und nach einer höchſten Verordnung, vom 5ten März 1821, an dem feſtgeſetzten Tage beſtimmt ihren Anfang nehmen werden.

Theologie.

Die *Pſalmen* erklärt Hr. Prof. Dr. *Pfannkuche*.

Die *evangeliſchen Perikopen* fünfmal wöchentl. Hr. Geheimer Kirchenrath und Prof. Dr. *Kühnöl*.

Das *Evangelium Lucä* fünfmal wöchentl. *Derſelbe*.

Die *beiden Briefe an die Korinther* viermal wöchentl. Hr. geiſtlicher Inſpector und Stadtpfarrer Dr. *Engel*.

Die *Briefe des Paulus an Timotheus*, *Titus* und die *Theſſalonicher* wöchentliich dreymal Hr. Superintendent und Prof. Dr. *Palmer*.

Die Uebungen in der *Auslegung des Neuen Teſtaments* wird an den beſtimmten Tagen und in den beſtimmten Stunden zu leiten fortfahren Hr. Pädagoglehrer Dr. Rettig.

Aeltere Kirchengeſchichte erzählt nach ſeinem Lehrbuche Hr. geiſtl. Geh. Rath u. Prof. Dr. *Schmidt*.

Die *Dogmatik* trägt vor viermal wöchentl. Hr. Kirchenrath u. Prof. Dr. *Dieffenbach*.

Die *Symbolik* zweymal wöchentl. Hr. Superintendent und Prof. Dr. *Palmer*.

Theologiſche Moral lehrt viermal wöchentl. Hr. Kirchenrath u. Prof. Dr. *Dieffenbach*.

Paſtorallehre mit Berückſichtigung des proteſtantiſchen Kirchenrechts und kirchlichen Landesverordnungen wöchentl. zweymal Hr. Superint. u. Prof. Dr. *Palmer*.

Derſelbe wird auch ein *Examinatorium über die Kirchengeſchichte*, *Dogmatik* und *Moral* viermal wöchentl. halten.

Rechtsgelehrſamkeit.

Die *Anleitung zum Studium der Rechtswiſſenſchaft* und *juriſtiſche Encyclopädie* trägt Hr. Prof. und Kirchenrath Dr. *Linde* nach mitzutheilendem Plane viermal wöchentl. vor.

Das *Naturrecht* und die *Philoſophie des poſitiven Rechts* lehrt *Derſelbe* nach eigenem Plane viermal wöchentl.

Die *Inſtitutionen des römiſchen Rechts* erklärt, mit Rückſicht auf die neueſte Ausgabe des Mackeldey'ſchen Lehrbuchs, Hr. Geh. Regierungs-Rath und Prof. Dr. v. *Löhr* täglich von 8—9, Montags, Mittwochs und Freytags von 10—11.

Die *Geſchichte* und *Alterthümer des röm. Rechts* trägt *Derſelbe* nach Hugo vor täglich von 3—4, Dienstags, Donnerstags und Sonnabends von 10—11.

Die *Pandekten* erläutert, nach dem von Wening-Ingenheim'ſchen Lehrbuche, Hr. Ober-Appellations-Gerichts-Rath u. Prof. Dr. *Marezoll* täglich von 9—10, 11—12, und 2—3.

Die *Lehre von den Obligationen* erklärt, nach dem von Wening-Ingenheim'ſchen Lehrbuche, Hr. Privat-Docent Dr. *Müller* fünfmal wöchentlich, und verbindet mit dieſer Vorleſung ein *Examinatorium* über dieſen Rechtstheil.

Die *Hermeneutik des röm. Rechts* lehrt *Derſelbe* Mittwochs und Sonnabends.

Das *gemeine deutſche Criminalrecht* trägt Hr. Prof. Dr. v. *Lindelof* nach dem Feuerbach'ſchen Lehrbuche täglich vor.

Das *Lehnrecht* erörtert Hr. Prof. Dr. *Stickel* nach dem Pätz'ſchen Lehrbuche Montags von 1—2, Dienstags, Donnerstags u. Sonnabends von 10—11.

Das *deutſche Privatrecht* lehren Hr. Oberappellationsgerichtsrath u. Prof. Dr. *Marezoll* u. Hr. Privatdocent Dr. v. *Grolman* täglich von 5—6; Hr. Privatdocent Dr. *Weiſs* von 4—5, die beiden letzten nach Eichhorn. Der letzte wird das *Handlungs-* und *Wechſelrecht* damit verbinden.

Das *Forſt-* und *Jagdrecht* erläutert Hr. Privatdocent Dr. *Müller* nach ſeinem eigenen Plane, Montags, Dienstags, Donnerstags u. Freytags.

Das *katholiſche* und *proteſtantiſche Kirchenrecht* erklären Hr. Privatdocent Dr. v. *Grolman* nach ſeinem riſſe viermal wöchentl. von 1—2 und zweymal von 3—4; und Hr. Privatdocent Dr. *Weiſs* nach ſeinem Grundriſſe der deutſchen Kirchenrechts-Wiſſenſchaft (Mainz 1828) täglich.

Die *Geſchichte des deutſchen öffentlichen Rechtszuſtandes bis zur Stiftung des deutſchen Bundes* erzählt Hr. Privatdocent Dr. *Weiſs* nach v. Lindelof's deutſcher Reichs-Geſchichte täglich.

Das *öffentl. Recht des deutſchen Bundes und der deutſchen Bundesſtaaten, insbeſondere des Groſsherzogth. Heſſen*, lehrt nach ſeinem Grundriſſe (Gieſsen 1828) Hr. Prof. Dr. v. *Lindelof* wöchentl. fünfmal von 4—5 und einmal in einer noch zu beſtimmenden Stunde.

Den *bürgerlichen Process* erklärt nach dem v. Grolmanschen Lehrbuche Hr. Prof. Dr. *Stickel* täglich von 8—9, Mont., Mittw. u. Freyt. von 10—11.

Den *Criminal-Process* trägt Hr. Prof. und Kirchenrath Dr. *Linde* nach eigenem Plane und mit Verweisung auf Mittermaier's deutsches Strafverfahren tägl: vor.

Die *Grundsätze der summarischen Processe* entwickelt Hr. Hofgerichtsrath Dr. *Oeser* nach Danz, und verbindet mit dieser Vorlesung praktische Ausarbeitungen.

Eine *Anleitung zur juristischen Praxis*, mit *Einschluss der freywilligen Gerichtsbarkeit*, verbunden mit *Ausarbeitungen*, giebt, ohne Beziehung auf Processualisches, Hr. Prof. Dr. *v. Lindelof* Donnerstags.

Ein *processuale practicum*, in Verbindung mit Ausarbeitungen, hält *Derselbe* Dienstags u. Mittwochs.

Ein *Relatorium*, nach vorzulegenden Civil- und Criminal-Acten, wird *Derselbe* Freytags und Sonnabends halten.

Zu *Examinatorien* und *Repetitorien* über *Pandekten* und *Civil-Process* erbieten sich die Hnn. Privatdocenten Dr. *Muller* und Dr. *Weiss*. Der zuerst genannte ist zu ähnlichen Vorlesungen über den Criminal-Process bereit.

Heilkunde.

Osteologie und *Syndesmologie* des *menschlichen Körpers* wird wöchentl. dreymal vortragen Hr. Prof. Dr. *Wernekink*.

Gesammte Anatomie des Menschen an Leichen und *Präparaten* trägt täglich Hr. Prof. Dr. *Wilbrand* vor.

Die *Lehre vom Baue des menschlichen Gehirns* und der *Entwickelungsgeschichte desselben*, wie auch die *Anatomie des Gesichts-* und *Gehörsinnes*, mit erläuternder Berücksichtigung des Baues dieser Organe an den übrigen Wirbelthieren, trägt in vier Stunden wöchentl. vor Hr. Prof. Dr. *Wernekink*.

Allgemeine Physiologie in einer Darstellung der graduellen Entwickelung der organischen Natur nach der Schrift: „Darstellung der gesammten Organisation", mit steter Erläuterung durch Wilbrand's und Ritgen's Naturgemälde, so wie durch Naturalien und durch Präparate aus der vergleichenden Anatomie, lehrt fünfmal wöchentl. Hr. Prof. Dr. *Wilbrand*.

Naturgeschichte des Menschen wird Mittwochs u. Sonnabends öffentl. vortragen Hr. Prof. Dr. *Nebel*.

Die *allgemeine Pathologie* wird, nach Hartmann *theoria morbi*, erläutern viermal wöchentl. *Derselbe*.

Die *specielle Pathologie* und *Therapie* der besondern Krankheitszustände und Krankheitsformen des sensibeln und irritabeln Lebensprocesses wird täglich von 8—9 u. 3—4 vortragen Hr. Prof. Dr. *Balser*.

Pathologie und *Therapie* der *Frauenzimmerkrankheiten* wird in fünf Stunden wöchentl. vortragen Hr. Dr. *Rau*.

Diätetik wird zweymal wöchentl. vortragen *Derselbe*.

Allgemeine Therapie, nach kurzen Dictaten, wird viermal wöchentl. lehren Hr. Dr. *Vogt*.

Toxikologie, mit Rücksicht auf Buchner's Handbuch, wird viermal wöchentl. auseinandersetzen *Derselbe*.

Bandagenlehre, mit *Uebungen* der Zahörer, bindung. mit den chirurgischen Krankheit der Extremitäten wird sechsmal wöchentl. v Hr. Dr. *Vogt*.

Herniologie, zweymal wöchentl., wird lehren gierungsrath u. Prof. Dr. *Ritgen*.

Geburtshülfe nach seinen Schriften, „Handb niedern Geburtshülfe" und „die Anzeigen d chanischen Hülfen bey Entbindungen" wird f wöchentl. vortragen *Derselbe*.

Entwickelungsgeschichte des *menschlichen Fötus* wi mal wöchentl. erläutern *Derselbe*.

Gerichtliche Arzneykunde, nach Wildberg's Leh wird in vier Stunden wöchentl. vortragen H Dr. *Nebel*.

Anatomie der vorzüglichsten Haussäugthiere, mit übungen verbunden, wird lehren Hr. Dr. Vi

Physiologie der Haussäugthiere wird vortragen D

Allgemeine Pferdekenntniss wird auseinandersetze *selbe*. — Die sämmtlichen veterinärischen Vo werden nach eigenen Dictaten abgehandelt we Nr. 1 u. 2 sind als Vorbereitungen zu den Vorle gen über allgemeine Pathologie und Therapie, we che im nächsten Semester gehalten werden, zu be trachten.

Zu einem *Examinatorium* über verschiedene *Zweige* der Heilkunde ist erbötig Hr. Dr. *Rau*.

Die *klinischen Uebungen* in den verschiedenen Zweig der Heilkunde wird täglich fortsetzen Hr. Prof. Dr. *Balser*.

Die *geburtshülfliche Klinik* wird täglich, so wie de *Unterricht bey Geburten*, fortsetzen Hr. Prof. Dr. *Ritgen*.

Die *anthropotomischen Uebungen auf dem anatomisch Theater* wird täglich von 10—12 und von 1—3 lei ten Hr. Prof. Dr. *Wernekink*.

Philosophische Wissenschaften.

Philosophie im engern Sinne.

Logik, verbunden mit *allgemeiner Encyclopädie der Wissenschaften* als Einleitung in das akademische Studium, unter Beziehung auf sein Lehrbuch der theoretischen Philosophie, liest wöchentlich viermal Hr. Prof. und Pädagogiarch Dr. *Hillebrand*.

Logik, verbunden mit einem unentgeldlichen lateinischen *Examinatorium*, wöchentl. viermal Hr. Privatdocent Dr. *Wiegand*.

Moralphilosophie, verbunden mit *Religionsphilosophie* liest Hr. Privatdocent Dr. *Braubach*.

Dieselbe, nach eigenem Plane, wöchentlich fünfmal Hr. Privatdocent Dr. *Koch*.

Pädagogik, nach eigenem Plane, zweymal wöchentl. Hr. Prof. und Pädagogiarch Dr. *Hillebrand*.

Hauptpunkte der allgemeinen und *besonderen Pädagogik* Hr. Privatdocent Dr. *Braubach*.

Aesthetik mit literatur- u. kunstgeschichtlichen Andeutungen viermal wöchentl. Hr. Prof. Dr. *Hillebrand*.

Philosophie der Geschichte, nach eigenem Plane, wöchentlich viermal, *Derselbe*.

Ma-

Mathematik.

Reine Mathematik trägt vor nach Schmid wöchentlich fünfmal Hr. Prof. Dr. *Umpfenbach.*

Reine Mathematik, nach Schmidt, verbunden mit einem unentgeldlichen *Examinatorium*, wöchentl. fünfmal Hr. Privatdocent Dr. *Klauprecht.*

Algebra, mit besonderer Berücksichtigung der Anfangsgründe derselben, nach eigenem Plane, viermal wöchentl. Hr. Prof. Dr. *Umpfenbach.*

Das *Wichtigste aus der höhern Arithmetik und aus der Algebra*, nach Molter's Buchstabenrechnung u. s. w., Helmstedt 1828, in drey wöchentl. Stunden Hr. Privatdocent und Pädagoglehrer Dr. *Curtmann.*

Geometrie nach Euklid's Elementen, in vier wöchentl. Stunden *Derselbe.*

Analytische Geometrie, nach eigenem Lehrbuche fünfmal wöchentl. Hr. Prof. Dr. *Umpfenbach.*

Trigonometrie und *Polygonometrie* nach der zweyten erscheinenden Auflage seines Handbuchs, in vier wöchentl. Stunden, Hr. Privatdocent Dr. *Klauprecht.*

Angewandte Mathematik, besonders auf Gegenstände des Forstwesens, fünfmal wöchentl. *Derselbe.*

Naturwissenschaften.

Allgemeine Naturgeschichte des Thierreichs, nach seinem Handbuche (Giessen, b. Heyer), in Verbindung mit mehreren Erläuterungen an den in der akademischen zoologischen Sammlung vorhandenen Naturalien, wöchentl. fünfmal Hr. Prof. Dr. *Wilbrand.*

Anleitung zu dem Studium der kryptogamischen Gewächse, in Verbindung mit Excursionen, auf Verlangen Sonnabends Nachmittags *Derselbe.*

Krystallographie, wöchentl. in drey Stunden, Hr. Prof. Dr. *Wernekinck.*

Ein *mineralogisches Practicum* wöchentlich zweymal *Derselbe.*

Experimentalphysik wöchentl. sechsmal Hr. Prof. Dr. *Schmidt.*

Die *Lehre von dem Weltgebäude* wöchentl. zweymal *Derselbe.*

Agriculturchemie viermal wöchentlich Hr. Prof. Dr. *Liebig.*

Polizeylich gerichtliche Chemie, nach Remers Lehrbuche, Helmstedt 1827, dreymal *Derselbe.*

Analytische Chemie täglich vier Stunden *Derselbe.*

Staats- und Kameralwissenschaften.

Encyclopädie und *Methodologie* der gesammten Staatswissenschaften, in vier Stunden, Hr. Privatdocent Dr. *Klauprecht.*

Finanzwissenschaft, fünfmal wöchentl., Hr. Geh. Rath und Prof. Dr. *Crome.*

Polizeywissenschaft, fünfmal wöchentl., *Derselbe.*

Derselbe wird auch ein *Practicum Camerale* halten.

Ueber *Waldbau, Forstpolizey* und *Bodenkunde* wird Hr. Oberforstrath u. Prof. Dr. *Hundeshagen* Vorträge halten. Vergleiche unten das Verzeichniss der Vorlesungen in der Forstlehranstalt.

Geschichte und Statistik.

Philosophie der Geschichte liest Hr. Prof. und Pädagogiarch Dr. *Hillebrand.* (S. oben Philosophie im engern Sinne.)

Geschichte der alten Völker und Staaten Hr. Prof. Dr. *Schmitthenner.*

Geschichte des neueren Europa seit der Reformation, *Derselbe.*

Derselbe wird auch über *Ethnographie* Vorträge halten.

Allgemeine statistische Uebersicht von Amerika wird Hr. Geh. Rath Prof. Dr. *Crome* privatissime geben, wöchentlich einmal.

Geschichte der Literatur des südlichen Europa liest dreymal wöchentl. Hr. Prof. Dr. *Adrian.*

Die *Diplomatik* lehrt, nach von Schmidt-Phiseldeck's Anleitung zur deutschen Diplomatik, Hr. Hofgerichtsrath Dr. *Oeser*, und verbindet mit diesen Vorlesungen praktische Anleitungen.

Philologie.

a) Orientalische.

Hebräische Grammatik, dreymal wöchentl., Hr. Prof. Dr. *Pfannkuche.*

Die *Anfangsgründe des Syrischen* und *Chaldäischen*, *Derselbe.*

b) Altklassische.

Den *Amphitruo des Plautus* und die *Andria des Terentius* wird zweymal wöchentlich vortragen Hr. Prof. Dr. *Osann.*

Cicero's zweyte Philippische Rede, so wie die Rede *pro lege Manilia*, erklärt in lateinischer Sprache Hr. Privatdocent und Pädagoglehrer Dr. *Winckler.*

Den *Phädon des Platon* wird nach vorausgeschickter kritischer Darstellung der Platonischen Philosophie zweymal wöchentl. erklären Hr. Privatdocent Dr. *Wiegand.*

Derselbe wird in lateinischer Sprache des Lucretius Lehrgedicht *de rerum natura* in zwey Stunden wöchentl. erläutern.

Griechische Alterthümer, viermal wöchentl., Hr. Prof. Dr. *Osann.*

Ueber die *römischen Alterthümer* liest in vier Stunden wöchentlich Hr. Privatdocent und Pädagoglehrer Dr. *Rettig.*

Symbolik und *Mythologie*, fünfmal wöchentl., Hr. Privatdocent Dr. *Koch.*

Im philologischen Seminar erklärt Hr. Prof. und Director des Seminars Dr. *Osann* auf die gewöhnliche Weise den, dem *Tacitus* zugeschriebenen, *Dialogus de oratoribus*, nach seiner demnächst erscheinenden Ausgabe.

Ebendaselbst wird Hr. Privatdocent und Pädagoglehrer Dr. *Rettig* die *Idyllen des Theokrit* erläutern.

Zu *Privatissimis* in lateinischer und griechischer Sprache erbietet sich Hr. Privatdocent Dr. *Wiegand.*

c) Neue-

e) Neuere Sprachen.

Erklärung des Jul. Cäsar von Shakspeare, dreymal wöchentlich, Hr. Prof. Dr. *Adrian*.

Fortsetzung der Erklärung der *Divina Commedia* des Dante von *Demselben*, zweymal wöchentl.

Derselbe wird in drey Stunden die *Phädra des Racin.* erklären und damit Excursionen über schwierige Theile der französischen Grammatik, so wie Sprachübungen verbinden.

Neugriechische Grammatik in Verbindung mit der *neugriechischen Literaturgeschichte* wird Hr. Privatdocent Dr. *Wiegand* vortragen.

Aesthetik.

Aesthetik liest Hr. Prof. und Pädagogiarch Dr. *Hillebrand*. (Vergl. oben Philosophie.)

Theorie der Sprache der Prosa, nach seinem demnächst erscheinenden Lehrbuche, in drey Stunden, Hr. Privatdocent Dr. *Braubach*.

Unterricht in freyen Künsten und *körperlichen Uebungen* ertheilen:

Im *Reiten*, Hr. Universitäts-Stallmeister *Frankenfeld* und Hr. Bereiter *Bansa*.

In der *Musik*, Hr. Cantor *Hiepe*.

Im *Zeichnen*, Hr. Universitäts-Zeichnenlehrer und Graveur *Dickore*.

Im *Tanzen* und *Fechten*, Hr. Universitäts-Tanz- und Fechtmeister *Bartholomay*.

Die *Universitäts-Bibliothek* ist Montags, Dienstags, Donnerstags und Freytags von 1—2 offen. Die *Säle* der *Antiken* werden Sonntags von 11—12, und die des *naturhistorischen Museums* Samstags von 1—2 geöffnet.

Verzeichniss
der
im Wintersemester 18 28/29 an der Grossherzoglich-Hessischen Forstlehranstalt zu Giessen
zu haltenden Vorlesungen.

I. Hülfswissenschaften.

Logik, Hr. Prof. und Pädagogiarch Dr. *Hillebrand*, viermal wöchentlich.

Reine Mathematik, nach Schmidt, fünf Stunden wöchentlich, Hr. Privatdocent Dr. *Klauprecht*. Damit verbindet *Derselbe* publice ein *Examinatorium* in einer Stunde.

Trigonometrie und *Polygonometrie*, nach der zweyten Ausgabe seines Handbuchs, mit besonderer Anwendung auf Vermessung grosser Waldflächen u. s. w., wird *Derselbe* in vier wöchentl. Stunden vortragen.

Angewandte Mathematik (auf Gegenstände des [illegible] wesens) fünfmal die Woche, Hr. Privatdoc[ent Dr.] *Klauprecht*.

Allgemeine Naturgeschichte des Thierreichs, f[ünfmal], Hr. Prof. Dr. *Wilbrand*.

Experimentalphysik, sechsmal, Hr. Prof. Dr. S[illegible]

Agriculturchemie, viermal wöchentlich, Hr. Pr[of. Dr.] *Liebig*.

Bodenkunde, dreymal wöchentl., Hr. Oberfor[strath] Prof. Dr. *Hundeshagen*.

Encyclopädie und *Methodologie* der gesammten S[taats]wissenschaften, wöchentl. viermal, Hr. Privatd[ocent] Dr. *Klauprecht*.

Forst- und *Jagdrecht*, viermal wöchentlich, nach [eige]nem Plane, Hr. Privatdocent Dr. *Müller*.

II. Hauptfächer.

Forstliche Gewerbslehre (besonders Forstabschä[tzung]) nach der neuen Ausgabe seiner Encyclopäd[ie der] Forstwissenschaften, wöchentl. viermal, Hr. O[ber]forstrath, Prof. Dr. *Hundeshagen*.

Waldbau, nach seinem Lehrbuche, viermal wöch[ent]lich, *Derselbe*.

Statik der Forstwissenschaft, verbunden mit prakti[schen] Taxationsübungen im Walde, wöchentl. viermal, Hr. Privatdocent Dr. *Klauprecht*.

Forstschutz und *Forstbenutzung*, nach dem Lehrbuche von Hundeshagen, wöchentl. viermal, der zweyte Lehrer, Hr. Dr. *Heyer*.

Praktische Demonstrationen in allen Zweigen des Forstbetriebs in den nahgelegenen Forstrevieren, Mittwochs und Sonnabends, *Derselbe*.

II. Beförderungen u. Ehrenbezeigungen.

Se. Majestät der König, auch des Prinzen Wilhelm Kön. Hoheit, haben den Hn. Regierungsrath und Professor *Weinhold* zu Halle, welcher Ihnen die Schrift: „Ueber das menschliche Elend, welches durch den Missbrauch der Zeugung herbeygeführt wird“, übersendet hatte, durch ein eigenhändig unterzeichnetes Schreiben Ihren Dank bezeigt.

Der bisherige Mitdirector am Berlinischen Gymnasium, Hr. Dr. *Köpke*, ist zum Director desselben, und der bisherige Oberlehrer an eben diesem Gymnasium, Hr. Prof. *Ribbeck*, zum Director des Friedrichs-Werderschen Gymnasiums in Berlin bestätigt worden.

Die durch den Abgang *Matthisson's* erledigte Stelle eines Oberbibliothekars an der Königl. öffentlichen Bibliothek zu Stuttgart hat der bisherige Bibliothekar Hr. Prof. *von Lebret* erhalten.

Hr. *Eduard Mätzner*, Verfasser des Trauerspiels: *Hermann und Thusnelde*, ist Lehrer am Taubstummeninstitute zu Iverdun geworden.

Hr. *E. W. Preuss*, der die Expedition von *O. Kotzebue* als Astronom begleitete, ist als zweyter Astronom an der Dorpater Sternwarte angestellt.

ALLGEMEINE LITERATUR-ZEITUNG

October 1828.

NEUERE SPRACHKUNDE.

1) Wien, b. Heubner: *Theoretisch-praktisches Lehrbuch der französischen Sprache*, nach den Sprachlehren der Herren *Wailly*, *Restaut*, *Mozin*, *Silbert* u. s. w. und in der grammatikalischen Ordnung nach der italienischen Sprachlehre des Hn. Prof. *v. Fornasari*, bearbeitet von *Franz Trop*, Lehrer der franz. Sprache. 1826. 555 S. 8. (1 Rthlr.)

2) Stuttgart u. Tübingen, b. Laupp: *Praktische französische Sprachlehre für Anfänger*, von *C. G. Hölder*, Dr. Ph., Prof. an dem K. Gymnasium zu Stuttgart. 1826. VII und 366 S. 8. (20 gGr.)

3) *Ebendas.*: *Praktische französische Sprachlehre für den Unterricht und das Privatstudium*, von *C. G. Hölder*, Dr. Phil. u. s. w. 1827. *Erster* Theil. XVII u. 394 S. *Zweyter* Theil. 200 S. Uebungsstücke 82 S. 8. (1 Rthlr. 8 gGr.)

4) Frankfurt a. M., b. Sauerländer: *Elementarbuch zur leichten, schnellen und gründlichen Erlernung der französischen Sprache*, von *J. Lendroy*, Lehrer der franz. Sprache zu Offenbach b. Frankfurt a. M. 1827. XIV u. 265 S. 8. (10 gGr. oder 42 Xr.)

5) Berlin, b. Maurer: *Ausführliche Grammatik der französischen Sprache für Deutsche zum Schulgebrauch*. Von *M. J. Frings*. 1827. XVI u. 624 S. Inhaltsverzeichn. und Zusätze 55 S. 8. (1 Rthlr.)

6) Bremen u. Leipzig, b. Kaiser: *Elementarbuch der französischen Sprache für Schul- und Privatunterricht*, von *J. F. César*. *Erster* Theil oder Grammatik. 1827. XVIII u. 417 S. 8. (1 Rthlr. 8 gGr.)

7) Wien, b. Gerold: *Theoretischer und praktischer Cursus zur Erlernung der französischen Sprache, nebst der Kunst des Briefwechsels und einem historischen Gemälde der drey Jahrhunderte der französischen Literatur*. Von *Ferd. Leop. Rammstein*. Neue, umgearbeitete und beträchtlich vermehrte Auflage. *Erster* Band. 1827. 523 S. 8. (1 Rthlr. 16 gGr.)

8) *Ebendas.*: *Grammatikalische Ideologie oder Metaphysik der Sprache der Franzosen*; nach *Destutt-Tracy*, *Domergue* und *Lemare*, bearb. von *Ferd. Leop. Rammstein*. 1827. VIII u. 91 S. 8. (12 gGr.)

9) Trier, b. Gall: *Französische Grammatik für Gymnasien, Divisions- und Real-Schulen*, von Dr. *P. J. Leloup*, Oberlehrer am Gymnasium zu Trier und Lehrer der franz. Sprache an der K. 16ten Divisions-Schule daselbst. 1828. 500 S. 8. (1 Rthlr.)

10) Berlin, b. Amelang: *Fasslicher Unterricht in der französischen Sprache*, bestehend in einer praktischen Grammatik, nach den einfachsten Regeln und mit zweckmässigen Aufgaben zum Uebersetzen aus dem Deutschen ins Französische, nebst einem neuen französischen Lesebuche mit Hinweisungen auf die Regeln der Grammatik. Für den Schul- und Privatgebrauch verfasst von *August Ise*, Lehrer der franz. und ital. Sprache. 1828. X u. 453 S. 8. (18 gGr.)

11) Stuttgart u. Tübingen, b. Cotta: *Französisch-deutsches Wörterbuch*, mit besonderer Rücksicht auf den Inhalt der Wörter und die Bildung der Redensarten, über die Wörterbücher Schwan's, Mozin's, und der Akademie bearbeitet, von *J. A. Solomé*. 2 Theile. 1828. 1. Thl. 592 S. 2. Thl. 455 S. 8. (2 Rthlr. 12 gGr. oder 4 fl. 30 Xr.)

12) Hanau, b. Edler; *Vorbereitende Uebungen zur französischen Sprachlehre*, verbunden mit zweckmässigen Lesestücken, für die Anfänger in dieser Sprache, von Dr. *D. Gies*. 1827. XXVIII u. 340 S. 8. (12 gGr.)

13) Lüneburg, b. Herold u. Wahlstab: *Französische Chrestomathie für Töchterschulen und zum Privatunterricht*. Herausgegeben von M. *C. Genzken*, Pastor an der St. Johanniskirche zu Lüneburg. 1827. VIII u. 500 S. 8. (1 Rthlr. 8 gGr.)

14) Halle, b. Hemmerde u. Schwetschke: *Französisches Lesebuch für Anfänger*. Nebst einem vollständigen französischen Wortregister. Von *J. Ch. Wiedemann*. Dritte verbesserte Auflage. 1823. 270 S. 8.

15) *Ebendas.*: *Leichte Aufgaben zur Uebung der Jugend im Französisch-Schreiben*, mit den dazu gehörigen Wörtern und Redensarten, und einer kurzgefassten französischen Sprachlehre, von *J. Ch. Wiedemann*. Zweyte Auflage. 1825. VI u. 182 S. 8.

16) *Ebendas.*: *Deutsche Aufsätze zum Uebersetzen ins Französische* für höhere Schulklassen. Von *J. Ch. Wiedemann*. Dritte, vermehrte und verbesserte Ausg. 1827. 284 S. 8.

17) Jena, b. Frommann: *Französische Chrestomathie für die unteren Klassen hoher Schulen.* Herausgegeben von Dr. *O. L. B. Wolff*, Prof. am Gymn. zu Weimar. 1828. VIII u. 168 S. 8. (12 gGr.)

Der Vf. von Nr. 1 spricht auf dem Titelblatt ausführlich genug aus, was er zu geben beabsichtigt. In der Vorrede äussert er, er habe sich bestrebt, sein Buch „sowohl für Anfänger, als auch für solche, die schon einiges Wissen in dieser Sprache mögen erlangt haben, einzurichten." Rec. ist der Ansicht, dass unzählige französische Sprachlehren bereits etwas Aehnliches anstrebten und mit mehr Geschick als die des Hn. *Trop.* Wir haben uns überzeugt, dass der Vf. den rühmlichsten Fleiss auf das Sammeln seines Materials verwendete und dass er mit der grössten Sorgfalt seine erläuternden Beyspiele zusammentrug. Was die, der italienischen Sprachlehre *Fornasari's* folgende äussere Einrichtung und Anordnung betrifft, so bietet diese weder wesentliche Vortheile, noch weicht sie sehr von der grossen Heerstrasse ab, auf welcher die wissbegierige Jugend gewöhnlich in den Tempel der Sprachkunst eingeführt zu werden pflegt; auch würde man ihr eine oft lobenswerthe Kürze mit Unrecht zum Vorwurfe machen. Es ist aber ganz besonders Kürze, Klarheit und Bestimmtheit, was wir fast überall in den Auseinandersetzungen des Hn. *T.* vermissen. S. 199 z. B. erklärt er uns, was Zeitwörter der Mittelgattung sind: „diese Zeitwörter zeigen gewöhnlich nur den Zustand an, in welchem das Subject (erste Endung) sich befindet, (;) *wir haben auch einige darunter*, welche *vielmehr* eine Handlung als einen Zustand ausdrücken, *doch erkennt man die mittlern Zeitwörter sehr leicht, wenn man weiss, dass nur jene Zeitwörter, im strengen Sinne angenommen, als mittlere anzusehen sind, die gar keine Endung regieren,* z. B. *aller, rester, dormir* etc." Der Schüler wird nach dieser breiten und formlosen Erklärung kaum klüger seyn als vorher, besonders wenn er liest: „*aller à la campagne,*" „*dormir un bon somme,*" „*dormir d'un léger somme*" u. s. w. Folgender Paragraph (S. 31) ist uns ganz unverständlich „lieber die Gattungswörter, welche theilweise (*dans un sens partitif* [*partisif* ist ein Druckfehler] *ou d'extrait*) genommen, und im Deutschen ohne Geschlechtswort gebraucht werden, drücken ihre Beziehungen auf eine besondere Art aus." Unter den Beyspielen lese man *de l'eau fraiche*, st. *de l'eau fraiche* und *à des beaux-frères* st. *à de b. f.* — S. 33 heisst es: „Vom Gebrauche der Endungen (*régimes*) *oder vielmehr* der Vorwörter *de, à, dans, en, avec, par, pour, welche als Grundlage der französischen Sprache anzusehen sind.*" (!) Ebendaselbst sagt der Vf.: In der zweyten Endung steht immer das *bestimmende* Wort, oder das *Bestimmungswort*, welches überhaupt zur nähern *Bestimmung* und Erklärung des *regierenden* (!) Hauptworts dient" u. s. w. In der, das erläuternde Beyi[...] läuternden Note, ist die Bemerkung wahrhaf[...] „In „Hausthür" ist Thür das Grundwort un[...]ten das Bestimmungswort." — An Ausstellun[...] derer Art fehlt es nicht. S. 43 lesen wir: [...] bekannte *italienische* Personen, vorzüglich G[...] und Künstler, bloss mit ihren Familiennamen g[...] werden, so stehen sie mit dem Artikel, z. [...] *Poussin*. Hr. *T.* hat sicher *Gault de Saint-[...]main's* Werk nie gesehen, sonst würde er a[...] Titel Poussin als „*chef de l'école françoise*[...] zeichnet gefunden und sich unterrichtet haben, [...] Poussin in jeder Beziehung ein Franzose war. [...]ser lächerliche Missgriff ist fast in alle unsere G[...]matiken übergegangen. — S. 51 heisst es: „[...] *nouvel, nouvelle*, neu, wird mit *neuf, neuv[...]* [...]setzt, wenn von Sachen die Rede ist, die [...] Menschenhände gemacht werden." Dass ma[...] *veau* mit *neuf* übersetzt, ist so neu, wie d[...]stand, dass ein neuer Gedanke (*une pensée* [...]) ein neuer Ausdruck (*une expression neuve*), [...] Wahrheiten (*de neuves vérités*) mit den Händ[...] macht werden. Aehnliche Flecken finden sich [...] selten. Dass Hr. *T.* der deutschen Sprache ni[...] mächtig ist, ersieht man schon aus obigen Beyspiele[...] S. 29 lesen wir: „ohne *allem* Vorwort." S. [...] „ohne *allem* Artikel." *Ferners* kommt [...] vor. S. 143: „auf *ein* Monat." S. 163: „*vervollkommend* [...] ist das Bindewort *que*, weil es oft den Satz zur Vollkommenheit bringt." Der Vf. übersetzte wahrscheinlich *Girard's* Worte: *La conjonction que sert à conduire le sens à sa perfection*, welche, nebenher bemerkt, die *Grammaire des [...]mmaires* [...] *Laveaux* anführen, der letztere, ohne *G.* zu nennen. — Den Regeln des Vfs. über die Behandlung de[s] *participe passé* ist die Ueberschrift S. 522: *Aventure arrivé* (*arrivée*) *à Mr. N.* nicht angemessen. Wenn wir aber auch das hier mangelnde *e*, so wie manche andere Mängel, dem Setzer anheim geben, und den hergebrachten Kram nutzloser Phrasen, aus welchen die sogenannten „praktischen Uebungen" zusammengesetzt sind, übersehen, so können wir doch nur bedauern, dass der Vf. seine Geduld und seinen Fleiss nicht auf einen, seinen Befähigungen angemessenern Gegenstand verwendet hat. Der Druck ist sehr bequem und das Papier vorzüglich.

Ueber Nr. 2 können wir uns kurz fassen. Hr. *H.* stellt das Wesentliche der Formenlehre einfach und anschaulich zusammen und erläutert die Regeln durch wenige, zweckmässig gewählte Beyspiele, denen er Aufgaben zur Uebung und zum Memoriren angehängt hat. Dass er sein Büchlein in Lectionen abgetheilt hat, ist eine unschuldige Spielerey, über welche der Lehrer, der dieses Elementarbuch bey seinem Unterrichte zum Grunde legt, leicht wegsehen kann, da durch sie die systematische Gliederung des Ganzen nicht gestört wird. Auffallend musste bey der Lehre über die Aussprache, der wohl, nebenher bemerkt, grössere Vollständigkeit zu wünschen wäre, der Umstand seyn, dass der Hr.

Vf.

r' und da durch die schwäbische Mundart auf ohten Klang der Sylben hinführen wollte, da och nicht unbekannt seyn konnte, wie sehr nsſprache in verschiedenen Gegenden dort le; aber auch davon abgesehen, halten wir ne Zusammenstellungen für misslich, da sie zu einer fehlerhaften Ausſprache führen.

r. 8 hat einen ausgedehntern Zweck. Hr. *Höl-* eilt diese Sprachlehre in zwey Theile ab, de- stere den Elementar-Unterricht im weiteren umfaſst, der zweyte aber die weitere Ausfüh- der Redetheile und die vollständige Syntaxe lt. (S. X). Die Paragraphen des zweyten Theils en mit denen des ersten überein und ergänzen Bey der Bearbeitung hat der Vf. vorzüglich dt *Duvivier* (*Grammaire des Grammaires*) be- (S. V). Hn. *H's.* Grammatik zeichnet sich Zweckmäſsigkeit der Anordnung, Einfach- und Klarheit der Darstellung vortheilhaft aus. nders loben wir die Art, wie er den Elementar- rricht mit der weitern Ausführung des zweyten ls vereinigte. Der Lernende wird so von Stufe tufe geführt und die lästigen Wiederholungen n weg, welche die Bogenzahl vermehren, ohne ndlichkeit zu fördern. Rec. giebt dem Vf. einen eis der Achtung und Anerkennung tüchtigen bens, indem er einige Bemerkungen zu Stellen, r bey der Durchsicht dieser Sprachlehre anstrich, en läſst. Wir lesen S. 4 Anmerk.: „Die fran- chen Grammatiker behaupten, daſs die Endung bey den Namen solcher Völker Statt finde, von chen wenig gesprochen werde. Dieser Unter- ed scheint uns keinen Grund zu haben." Diese cht einiger wenigen Sprachlehrer ist so abge- nackt, daſs sie keinen Platz in der Grammatik diente, wenn der Vf. sich nicht weiter in diese ge einlassen wollte, wo denn auch nicht zu über- en war, was *Voltaire* in dieser Hinsicht äuſserte: *n dira toujours Gaulois et Français, parceque ée d'une nation grossière inspire naturellement son plus dur et que l'idée d'une nation polie mmunique à la voix un son plus doux"* — eine sicht, die sich auf den ersten Anblick widerlegt: . *Hölder* hat einige Völkernamen angeführt, wel- e hinreichend sprechen; wir fügen hinzu: *Gene- is, Liégeois, Roumois, Angoumois, Remois, eldois, Albigeois, Maldivois* u. s. w. Wie viel ben die letztern vor den Malaien voraus, die doch en sanften Laut (*Malais*) haben! Oder sind die öniginnen sanfter geworden seit den Zeiten der Ka- arina von Medici, wo die Höflinge zuerst *reine* tt *roine* sprachen? Ist das Recht roher, die Kälte härfer, seit man *droit* und *froid* ausspricht, statt *ait* und *fraid*, wie ehedem geschah? — Der Vf. richt *ibid.* von der Ausſprache des *oi*, und S. 15 on der des *gn*, ohne dort oder hier des schwieri- n *oign* zu gedenken. Die *Gramm. des Gramm.* hreibt wenigstens aus dem *Man. des amat.* von *Bo- iface* (S. 15) aus: „*Il ne se prononce point dans oignon, oignon, poignard; Montaigne* (*nom d'homme*)." Spricht man *poignard* wie *pognard* oder wie *poagnard*? Hr. *Marle* hat in seinem *Journal grammatical et didactique de la langue française*, Nr. 22. S. 105 die Frage von neuem in Anregung gebracht; er stimmt für *pognard*, als übereinstimmend mit der Ausſprache der schönen Welt und selbst des Theaters. Rec. muſs dieser Angabe widersprechen; die gute Ausſprache neigt eher zu *oa* als zu *o*; *Talma* sprach weder *élognement* noch *éloagnement*, seine Ausſprache schwebte zwischen beiden und ist durch die Schrift nicht zu bezeichnen. *Montaigne* wird bald wie *Montagne* bald wie *Montègne* ausgesprochen: die erstere Ausſprache ist die richtigere; denn die ältere Orthographie setzte das *i* vor *gn* da, wo *gn* mouillirt werden sollte, z. B. *compagnon* wird in den Handschriften häufig *compaignon* geschrieben, man wird aber *estrange* (*étrange*) niemals *estrainge* geschrieben sehen. — Die Anmerkung S. 23, „daſs die Endung *er*, die im Deutschen immer kurz ausgesprochen wird (Wint*er* u. s. w.) im Französischen stets mehr oder weniger zu dehnen sey," ist nicht überflüssig, konnte aber allgemeiner gestellt werden. Der Franzose giebt, verschieden von dem Deutschen, einer Sylbe so viel Ton wie der andern: in *aimer* ist *aim* so lang wie *er*, so *gar-çon, aut-eur, in-ter-valle* u. s. w. Je gewöhnlicher Deutsche in dieser Beziehung fehlen, desto nothwendiger ist es, dem Schüler den Grundsatz von vorn herein eindringlich zu machen, daſs man, um das Französische gut zu sprechen, gar keinen Accent haben darf, weil jeder Accent nach dem Auslande oder der Provinz schmeckt: daher das Eintönige und Einförmige in der guten Ausſprache des Französischen. — S. 28, wo von der Ausſprache des *u* die Rede ist, durfte die Bemerkung nicht fehlen, daſs das *u* in *club* wie *o*, in *rum* wie *o* oder *ou* (*rome* oder *roume*) klingt u. s. w. — S. 71 sqq. wird die Bildung der Mehrzahl zusammengesetzter Hauptwörter mit vieler Sachkenntniſs entwickelt: je eigensinniger in dieser Lehre der Gebrauch eingreift, um so verdienstlicher ist es, das Hauptsächliche, ohne Rücksicht auf das gewöhnlich öde Geschwätz der französischen Sprachlehrer, zu fixiren; dann muſsten aber auch die Abweichungen in dem zweyten Theile vollständig auseinandergesetzt werden. Wir bemerken zur Regel *a*, wo von Zusammensetzung des Haupt- und Beyworts die Rede ist, daſs man *blanc-seings, chevau-légers, terre-plaines, chauve-souris, pie-grièches* (*Buffon*) geschrieben findet. Wenn die Akademie nach festen Grundsätzen verführe, so würde sie so wenig *chauve-souris* wie *blancs-seings* schreiben; im erstern ist, wie in *Buffon's pie-grièches* kein Grund, von der Regel abzuweichen; man wird aber mit *Noel* richtig *blanc-seings* schreiben, da die Unterschrift (*seing*) weder *blanc* noch *en blanc* ist. — Zu Regel *c* (Zusammensetzung von Vor- und Hauptwort): Bedeutung und Umfang des zusammengesetzten Worts muſs entscheiden, ob das Hauptwort in die Mehrzahl gesetzt wird oder nicht: *des contre-coeur* sind Platten ge-

gegen den Rücken (*contre le coeur*) der Kamine; *les avant dernier* sind die, welche *dem letzten* vorhergehen; *des contre-marée* sind die *der gewöhnlichen Flut* entgegen gehenden Fluten: man analysire dagegen die Bedeutung der Wörter: *les entre-colonnes*, *les entre-côtes*, *les avant-pèches* und man wird finden, dafs der Vf. die Regel zu allgemein gestellt hat. Will man consequent seyn, so muss man sagen: *les vice-roi*, *les vice-président de la chambre des députés*, denn hier ist von Leuten die Rede, welche statt *des Königs*, statt *des Präsidenten* handeln; aber der Sprachgebrauch ist nicht immer consequent. Wenn man auf den Sinn des Wortes sieht, wird man auch über die Art, wie *entre-lignes*, *entre-actes*, *entre-côtes*, *entre-colonnes* in der einfachen Zahl zu schreiben sind, nicht ungewifs seyn: *une entre-ligne* ist die Zwischenzeile, die Zeile zwischen zwey andern Zeilen; *un entre-lignes* ist der Raum zwischen zwey Linien. — Bey der Lehre von der Bildung des weiblichen Geschlechts aus dem männlichen (S. 78 ff.) fehlt *duchesse* (von *duc*), und die Bemerkung, dafs *Filou* kein weibliches Geschlecht hat. — Zu S. 82 (vom Geschlechte der Beywörter) bemerken wir, dafs *hébreu* und *résous* kein weibliches Geschlecht haben; man sagt *hébraïque* und *resolue*. — S. 84 lesen wir: *Nouvel* etc. wird blofs vor Hauptwörter gesetzt, welche mit einem Selbstlauter oder stummen *h* anfangen, vor einem Mitlauter oder behauchten *h* sagt man *nouveau* etc." Das Wort *titre* (Rechtsausdruck) macht eine Ausnahme: man sagt: *passer titre nouvel, passer un titre nouvel*; *titre* in anderer Weise gebraucht, folgt der Regel unseres Vfs., z. B. „*C'est un nouveau titre à la reconnaissance publique.* — *Mol* wird nicht so selten gebraucht, wie der Vf. (S. 84) anzunehmen scheint; *Corneille* sagt:

„*Et tous mes voeux pour vous seront mols et timides*"

und *Boileau:*

„*J'aime mieux un ruisseau, qui sur la molle arène*
Dans un pré plein de fleurs lentement se promène."

Vielleicht finden noch einige der Bemerkungen, welche wir über die nachstehenden Werke mittheilen, auch auf die Grammatik des Hn. *Hölder* Anwendung.

(*Die Fortsetzung folgt.*)

HÜTTENKUNDE.

GÖTTINGEN, in d. Dietrichschen Buchh.: *Grundrifs der allgemeine Hüttenkunde*, zum Gebrauche bey Vorlesungen und zum Selbstunterrichte, von *W. A. Lampadius*, Königl. Sächs. Bergcommissionsrathe, Prof. der allgem. u. angewandten Chemie und Hüttenkunde u. s. w. 1827. XX u. 631 S. (1 Rthlr. 12 gGr.)

Bey Herausgabe seines gröfseren Handbuches der allgemeinen Hüttenkunde hatte der verdienstvolle Vf. den Hauptzweck solchen Hüttenleuten, welche seine Vorlesungen nicht besuchen können, ein theoretisch-praktisches Werk zum Selbstunterrichte für di[illegible] zu geben, welches die allgemeine Hüttenku[illegible] der Vf. zuerst zur selbstständigen Wissenschaf[illegible] in ihrem ganzen Umfange abhandeln folg[illegible] schreibungen lokaler Hüttenprocesse, zur [illegible] rung der hüttenmännischen Operationen, u[illegible] grosse Anzahl Kupfer erweiterten, verbessert zugleich dieses gröfsere Werk so, dafs es wed[illegible] Ankauf für unbemittelte Hüttenleute, noch zu[illegible] faden bey hüttenmännischen Vorlesungen mehr [illegible] net erschien. Der Wunsch mehrerer Hüttenleute, solchen Leitfaden zu besitzen, so wie das [illegible] selbst bey seinen jährlichen Vorlesungen gefühl[illegible] dürfnifs, einen solchen anzuwenden, gab [illegible] erste Veranlassung zur Herausgabe der vorlieg[illegible] Schrift. Sie ist aber zugleich zur Selbstbelehr[illegible] Hüttenleute bestimmt, und giebt diesen dur[illegible] gedrängte Zusammenstellung der hüttenmän[illegible] Theorie und Praxis Gelegenheit, sich eine[illegible] kommenen Ueberblick der hüttenmännischen [illegible] nisse zu verschaffen. Um diesen Zweck zu erre[illegible] wufste der Vf. Deutlichkeit mit gedrängter Kü[illegible] verbinden, und lieferte so bey weitem mehr, a[illegible] beschränkte Raum erwarten läfst. Vollständ[illegible] konnte natürlich nicht in seinem Plane liegen, [illegible] wie bey den umfassenden Kenntnissen des Vf. [illegible] zusetzen war, hob er überall das Wichtige, Entschei-dende hervor, gab dessen Erklärung so [illegible] es der Stand der Wissenschaft erlaubte, und [illegible] so unserer Literatur ein Werk, das aufs Vollkommenste allen Zwecken entspricht, nach denen der V[illegible] strebte. Eine dritte Bestimmung, welche er ihm [illegible] dachte, glauben wir noch besonders hervorheben [illegible] müssen, Chemikern nämlich zu dienen, denen [illegible] sowohl daran liegen kann, die Hüttenkunde in ihrem ganzen Umfange ausführlich zu studiren, sondern [illegible] gleichsam den Kern der hüttenmännischen Theorie und Praxis kennen zu lernen wünschen, um Belege der Theorie in den hüttenmännischen Arbeiten im Grofsen nachweisen zu können, durch deren Erforschung überdiefs schon so manches Neue und der Wissenschaft Erspriefsliche zu Tage gefördert worden ist, in welcher Beziehung nur an die Forschungen des Vfs. und *Karsten's* zu erinnern ist. Auch in diesem Werke wird jeder Chemiker wieder viele neue Beobachtungen und gar manche zu weiterem Forschen Veranlassung bietende Bemerkungen finden, die der Beachtung zum Theil aufs dringendste zu empfehlen sind. Reichlich sind allen Abschnitten des Werks, das man ja nicht für einen Auszug der gröfsern Hüttenkunde des Vfs. halten mag, literarische Nachweisungen beygegeben.

Jede weitere Empfehlung des Buchs, das in der Gediegenheit seines Gehalts die Bürgschaft für seine günstige Aufnahme trägt, wäre überflüssig. Nur einen Wunsch kann Rec. in Bezug auf eine künftige Auflage nicht übergeben, dafs es nämlich dem Vf. gefallen möge, dem Werke ein Register über die abgehandelten Materien beyzufügen.

ALLGEMEINE LITERATUR - ZEITUNG

October 1828.

NEUERE SPRACHKUNDE.

Neue französische Schriften.

(Fortsetzung vom vorigen Stück.)

Nr. 4. Wie reich an „Elementar-Büchern zur leichten, schnellen Erlernung der französischen Sprache" wir auch sind, so hat es doch an einem Buche der Art zur *gründlichen* Erlernung derselben bisher fast noch fehlen wollen, was nicht in Erstaunen setzen kann, da die französische Grammatik überhaupt nur in einzelnen Partieen, nie aber im Ganzen eine gründliche Behandlung erfahren hat. Was hat uns aber Hr. *L.* geleistet? — Was er in der Vorrede sagt, bezeichnet nur unbestimmt, welche Idee er mit *einem* Elementarbuch der Art verbindet. „Ein Elementarbuch ist keine Sprachlehre, sondern nur eine Annäherung zu derselben, deswegen versteht es sich von selbst, dass es *als Elementarbuch* (!) die Menge von Ausnahmen und Bemerkungen nicht enthalten darf, die eine Sprachlehre vortragen *muss*, weil sie *als Sprachlehre* (!) den Schlüssel zu allen Geheimnissen der Sprache vollständig darreichen *muss*." (Vorr. S. III.) Sonach scheint Hr. *L.* sein Elementarbuch als einen Theil der Sprachlehre, ohne „die Menge von Ausnahmen und Bemerkungen," geben zu wollen, ohne welche, nach seiner Ansicht, eine Sprachlehre nicht bestehen kann. Hier stossen wir sogleich auf eine geistige Beschränktheit, die den Tod alles Sprachunterrichts ist. Ein mühseliges Aufhäufen von Einzelnheiten und ein noch mühseligeres Bestreben, sich zu einer Allgemeinheit empor zu arbeiten, — damit begnügt sich die Mehrzahl unserer Sprachlehren; was kann aber dann ein Elementarbuch anders seyn als das trockene Skelet eines Körpers, in dem nie Leben war? Und so sehen wir auch in Hn. *L's.* Buch nichts als eine Reihe fremdartiger Regeln, ohne einen Hauch jenes Lebens, das die Glieder seiner schönen Sprache durchströmt, ohne eine Ahnung jener einfachen Elemente, aus denen sich vermöge natürlicher und historischer Verhältnisse der Sprachbau entwickelte.

Die Art, wie Hr. *Landroy* die Materien geordnet hat, wird sogleich einen Beweis abgeben, dass er des wahrhaft methodischen Sprachunterrichts nicht Meister ist. *I. Abth.* 1) Von dem Alphabet. 2) Geschlecht, Zahl, Artikel. 3) Hauptwort. 4) Declination. 5) Fürwort. 6) Zeitwort. 7) Conjugationen. 8) Erste Conjugation. 9) Adjectiva. 10) Platz (*sic!*) der Adjectiva. 11) Vergleichungsstufen. 12) Adverbien. 13) Adjective und Adverbien, welche in den Vergleichungsstufen unregelmässig sind. 14) Zahlwort. 15) Verneinung. 16) Frage. 17) Von dem deutschen Hauptwort ohne den Artikel der, die, das. 18) *Participe présent.* 19) *Part. passé.* 20 bis 23) Fürwörter (*sic!* s. oben Kap. 6.) 24) *verbe réciproque.* 25) Vorzug der Personen in einem Satze. 26 bis 28) Vor-, Bindungs- u. Ausrufungswörter. 29) Wörterordnung (Wortstellung nämlich). 30) die vier Conjugationen (Kap. 7 u. 8 haben wir einiges Vorläufige erfahren.) 31) Unregelmässige Zeitwörter. 32) Praktische Anwendung (!) des *imparfait* u. *défini.* *II. Abth.* 1—7. *Subjonctif.* 8) Wie das Wörtchen *bis* im Französischen zu geben. 9) Ueber das Wörtchen *si.* (In den zwey letztern Kapiteln gleichfalls mehrere Andeutungen in Bezug auf den Gebrauch des *Subjonctif.*) Wenn der Vf. glaubt, es sey willkürlich, in welcher Folge man die Wortarten abhandle, so ist er im Irrthum. Hat der Knabe schon eine andere Sprache gelernt, so wird ihn dieses bunte Untereinanderwerfen der Theile der Grammatik irre machen, er wird sich so zu sagen ein neues Fachwerk bilden müssen, in welches er die einzelnen Lehren einträgt: hat er noch keine andere Sprache gelernt, dann geht ihm das einfache System, nach welchem sich die Wortarten zufolge ihrer Bedeutung in dem Geiste entwickeln, verloren; der Haltpunkt, wo sich das Besondere nothwendig dem Allgemeinen unterordnet, verschwindet und die Masse von Bestimmungen entbehrt des einenden Geistes und kann nicht haften. Wir würden durchaus nicht tadeln, wenn Hr. *L.* den Fürwörtern, die er sogleich nach dem Hauptwort behandelt, vor demselben ihre Stelle gegeben hätte, da diess sich durch das Wesen des Fürworts als allgemeine Bezeichnung rechtfertigen lässt. Wenn er Adjective und Zahlwörter nach den Conjugationen stellt, so können wir diess nur billigen; der Gang ist ganz naturgemäss. Aber wie lässt sich die Folge der Kapitel von Nr. 15 an vernünftigerweise rechtfertigen? Von diesem Punkte an ist alles locker und lose an einander gehängt und der unmethodische Gang fällt um so mehr auf, je besser der Vf. begonnen hatte.

Ohne uns darauf einzulassen, was der Vf. zu viel oder zu wenig in seinem Buche giebt, wollen wir das Gegebene durchlaufen und was uns verfehlt scheint, anmerken. Wir nehmen dabey keine Rücksicht darauf, dass Hr. *L.* ein Ausländer ist, da er, wenn er schreiben und Deutsch schreiben wollte, die Sprache kennen oder sich bey Kennern der Sprache Rathes erholen musste. S. 4. „Der Accent ist ein Strich,

Strich, der über gewisse Selbstlauter gesetzt wird, um bald den Unterschied des Lauts, bald die Bedeutung des Wortes anzuzeigen." Der Vf. ist nur halb verantwortlich für diese nichtssagende Definition, da er sie aus der *Grammaire des Grammaires* übersetzt hat, wo es heisst: „*Les accents ne sont que de purs signes d'orthographe qui se mettent sur une voyelle, soit pour en faire connoitre la vraie prononciation, soit pour faire distingeur le sens d'un mot qui s'écrit de meme, mais dont le sens est différente*" (pag. 991. 5ième Edit.) — p. 6. „*Un* [illegible] wird ungefähr wie das *ün* in dem Wort *kä̈glen* ausgesprochen." — S. 78. „Alle Wörter, die die Art und Weise anzeigen, wie etwas geschieht oder statt findet, *ist* ein Umstandswort." — S. 71. „die Zahlwörter, welche eine Mehrzahl anzeigen, nennt man *Hauptzahlen*, und diejenigen, welche blofs einen Rang, eine Ordnung anzeigen, werden Ordnungszahlen genannt." *Nombres cardinaux* kann durch „Hauptzahlen" in sofern übersetzt werden, als ihr Begriff die Basis der übrigen ist; „*Grundzahlwörter*" ist aber ein gewöhnlicherer und bezeichnenderer Ausdruck. Uebrigens waren hier die *num. distributiva* u. *iterativa* wenigstens zu nennen. — S. 113. „das Bindewort ist ein unveränderliches Wort, dessen Gebrauch ist, die Sätze mit einander zu verbinden." Diese Definition ist falsch, da es Bindewörter giebt, welche gar kein Verhältniss der Sätze bezeichnen: man nehme nur die *conjunct. copulativae*. — S. 114. „das Zwischenwort ist ein Wort, in welchem man Freude, Traurigkeit und alle Gemüthsbewegungen ausdrückt als ... *weg* [illegible] *hola!* [illegible] *Feuer! au feu!*!" Nicht weniger drollig ist die Definition des *Subjonctif* p. 151. „Man nennt *Subjonctif* oder *Conjonctif* die Redensart (*Mod*), wo die Vereinigung zweyer Zeitwörter so nöthig ist, um einen Sinn zu bilden, dass der Satz, wenn das eine oder das andere Zeitwort ausbliebe, ganz unvollkommen und oft unverständlich wäre." Man sieht aus diesen wenigen Proben, dass der Vf. im Definiren es noch nicht weit gebracht hat und dass dieses Elementarbuch dessen Beruf, in der französischen Grammatik irgend etwas bedeutendes zu leisten, noch nicht beurkundet, daher man seiner grössern Grammatik, von der er in der Vorrede wie in dem Buche öfter spricht, eben nicht mit grossen Erwartungen entgegen sieht. Das Verzeichniss der Druckfehler ist nicht vollständig; auf die Correctur solcher Bücher kann [illegible] nicht Fleiss und Sorgfalt genug verwendet [illegible]. Das Papier ist eher grau als weiss zu nennen.

Der Vf. von Nr. 6 nennt seine Grammatik mit Recht eine „*ausführliche*." Sie verdient in Hinsicht der Vollständigkeit den Vorzug vor allen den Sprachlehren, die wir hier zu besprechen haben, [illegible] nicht weniger [illegible] es, dass der Vf. nicht *überall* den Grammatikern blind nachschreibt [illegible] nachglaubt, sondern selbst forscht und [illegible] von herein der Vernunft unbedingt das Recht [illegible] spricht, da mitzureden, wo die Unvernunft [illegible] dem Sprachgebrauch gemeine Sache [illegible] [illegible] Ueber die [illegible] einzelnen Theile der Grammatik wollen wir [illegible] F. nicht rechten, um Gesagtes nicht zu wiederholen; was die Ueberfülle von Uebungsstücken („[illegible] des Bruders, der Fleiss des Schülers," und [illegible] che Seltenheiten!) betrifft, so — wollen die [illegible] dergleichen in Fülle und *volenti non fit injuria* [illegible] haben einiges zu bemerken, das anderer [illegible] Sogleich S. [illegible] *des Grammaires* (pag. 996 ed. 1822) [illegible] *circonflexe* sey gewöhnlich das Zeichen eines [illegible] lassenen sonst üblichen *a* oder *s*; z. B. *Age*, [illegible] sonst *aage*, *bailler* [illegible] Wir müssen jedoch [illegible] dass *Girault*, der gleichfalls ausschreibt, [illegible] sondern überhaupt von [illegible] [illegible] Wort *âge* mag [illegible] schlagen [illegible] betreffend, so findet sich [illegible] (*bat. cf.* Du Fresne h. v.) *badar* (provenzalisch, [illegible] aus später *badajar*, *badahar*, und *badaillar* (eben-falls provenz.), *badigliare* [illegible] und *badailler*, *bâiller*. — S. 7. Die Aussprache [illegible] ist nicht ganz [illegible] — S. 46 musste zu [illegible] 4. das aus der [illegible] S. 112 hieher gehörige [illegible] nothwendig [illegible] Wenn der Vf. bey der Bildung der Zeiten [illegible] „Vom Participe (passé) wird gebildet: *Alle zusammengesetzten Zeiten*" u. s. w.; so drückt er sich [illegible] richtig und deutlich aus. S. 77 ist [illegible] unter die [illegible] *italienischer* [illegible] und Künstler versetzt worden. — Wenn Hr. F. [illegible] den Hülfszeitwörtern *avoir* u. *être* spricht (S. 335), so konnte wohl bemerkt werden, dass man *tomber* [illegible] selten mit *avoir* zusammensetzt, da hier [illegible] sehr dictatorisch abspricht: für: *Il était tombé de la pluie* hört man bey Gebildeten häufig: *La pluie avait tombé*; in andern Fällen lassen sich mehrere Nuancen des Gedankens durch den Gebrauch der beiden Hülfszeitwörter bey *tomber* ausdrücken (Beyspiele bey Laveaux, Dict. raif. des [illegible] *lang. fr. v. tomber*). Das Volk sagt: *Il a tombé de la pluie toute la nuit.* *Les pommes ont tombé* (sind abgefallen), *sont tombées*, sie sind gefallen, liegen da; *il a tombé du haut en bas.* [illegible] *peine à croire qu'il ait tombé de si haut jusqu'à Zaïme, ouvrage médiocre.* Voltaire.

Du [illegible] *Dieu* [illegible]
[illegible] *tombé.* [illegible]

Derselbe.

Le coup que je lui porte, aurait tombé sur moi.

S. 342 sagt Hr. F.: „Es ist dem Geist der französischen Sprache gemäss, dass man den *Infinitif* dem *Indicatif* oder dem *Conjonctif* vorziehe, wenn der Wohllaut es erlaubt und keine Zweydeutigkeit zu befürchten ist. Der *Infinitif* giebt der Rede mehr Kraft und Befreyt sie von einer Menge kleiner Wörter, deren Anhäufung die Construction schleppend und undeutlich macht." [illegible] *Il* [illegible]

[illegible] *d'être criminel* ist besser als: *Il vaut* [illegible] *vous soyez malheureux que vous ne soyez* [illegible] Man sagt eben so deutlich und mit mehr [illegible]: „*Il vaut mieux que vous soyez malheureux que coupable.*" Girault's Phrase: *Il vaut* [illegible] *être malheureux que vous soyez criminel*" ist [illegible] verwerfen. — In der Lehre vom Ge[brauch] der Zeiten lässt der Vf. einiges zu wünschen [übrig], es ist diess um so eher zu bedauern, da G[irault] „unstreitig der beste französische Grammati[ker]", wie er S. X sagt, in Behandlung dieses Ge[genstan]des nicht sehr glücklich war. Die [illegible] *Dictionnaire* [illegible] *gard* geäusserte Ansicht Girault's über den [Gebrauch] der Zeiten (S. 695 sq.) verfehlt das We[sentli]che und jagt Zufälligkeiten nach. Die Ent[schei]dung, ob in gewissen Fällen der vergangenen [Zeit] das Präsens oder das Imperfect folgt, hängt [nich]t von dem Vorübergehenden oder Bleibenden [des] Zustandes und der Handlung ab. Girault führt [illegible] *Fontaine* an:

[illegible] dit qu'il était gentilhomme,
Né pour chômer, et pour ne rien savoir. (*Diable de Papefig.*)

zu die Bemerkung: „*La noblesse étant un droit [du] sang, ne peut jamais se perdre; donc il faut, je [suis]*." [illegible] durch Uebernahme eines Gewerbes [illegible] kostbares Blut befleckend und zur *canaille* herab[sin]kend, von vergangenen Zeiten sprach, sagte dann [m]it Recht: *Je l'ai dit que j'étais gentilhomme,* [illegible] *ais* etc. Ferner: *Peut-être on vous a dit quelle [ét]ait mon humeur.* „*Humeur est une qualité permanente* (!), *une qualité existant actuellement dans [l'e]sprit du poète* (*sic!*) die Stelle ist aus einem Drama [vo]n *Voltaire*); *il devait donc dire, quelle est.* Wenn [m]an ausdrücken will, dass der „*humeur*" nicht ge[w]echselt habe, so muss natürlich *est* stehen; *était*, [w]enn er gewechselt haben soll. „*Il croyait que [le]s lois étaient faites pour secourir les citoyens*" etc. [W]ie der Satz steht, würde *sont* vorzuziehen seyn; [illegible] tadelt aber die Phrasen: „*Il croyait que ces [lois] étaient faites pour secourir les citoyens, mais [de]puis il a appris qu'il y a de l'homme partout.*" [illegible] *n'ai pas oublié que je vous devais la moitié [de] ma fortune, mais n'oubliez pas non plus que je [vou]s l'ai acquise*" — (vergl. *Le François, Gramm. universelle* etc. *Tom.* 2 u. 3.)? Rec. glaubt dass diese Beyspiele hinreichend andeuten, worauf es hier ankommt und wie nothwendig es ist, den Schüler über die leeren Formen zu erheben. — S. 236 sagt Hr. R. *lequel*, *laquelle* werde gesetzt, wenn es von dem Worte, worauf es sich bezieht, durch irgend ein anderes Hauptwort getrennt sey, wo *qui* also eine Zweydeutigkeit verursachen würde; z. B. *les livres de cet auteur lesquels vous connaissez.* Obgleich man *lequel* im *Accusativ* angewendet findet, so macht doch die Sprache der Gebildeten und der gute Stil keinen Gebrauch von dieser Freyheit und nicht gern eine andere Wendung: nur der Geschäfts- und Gerichts-Stil braucht dieses Fürwort häufig im *Acc.*; dieser kann aber bekanntlich nicht als Muster dienen. Dass es zuweilen für *ledit*, *ladite* gebraucht wird, konnte wohl angemerkt werden. — Was der Vf. über *autrui* sagt (S. 255 sq.) ist nicht genügend. „Es ist nur von Personen gebräuchlich, ist männlich und hat im *Französischen* (wo sonst?!) keine Mehrheit; es drückt entweder eine einzige Person, oder mehrere im Allgemeinen aus; es ist eigentlich nur mit den Präpositionen *de* und *à* gebräuchlich und nie hat es den Artikel bey sich; z. B. *Ne fais à autrui que ce que* etc. (thu Andern [einem Andern] nur das, was u. s. w.)." Warum ist nun aber *autrui* in folgender Stelle falsch gebraucht: „*Ce qui ne vous convient pas peut convenir à autrui*" (Andern [einem Andern])? Oder: „*Autrui* (Andere [ein Anderer]) *a ses vices, ses passions?*" Ferner führt *Laveaux* an: *Tromper autrui.* *Regnier* sagt: *Il ne faut pas ne voir qu'autrui* etc. *Le plus souvent on blâme autrui, sans savoir pourquoi.* Mit dem Artikel wird *autrui* gebraucht, wenn ein Hauptwort ausgelassen gedacht wird; z. B. *Sauf en tout, notre droit et l'autrui.* (*Le François, Gr. univ. Art. Pronoms.*) Unser Vf. fährt fort: „da das Wort *autrui* etwas Unbestimmtes bezeichnet, so darf man nie die *pronoms possessifs*: *son*, *sa*, *ses*, *leur*, *leurs* als Object (im *Accusatif*), d. h., wenn die Hauptwörter, zu denen sie gehören, ohne Präposition stehen, sich darauf beziehen lassen; in diesem Falle muss man sich des beziehenden Fürwortes *en* und des bestimmten Artikels bedienen: z. B. *En épousant les intérêts d'autrui, nous ne devons pas en épouser les passions.*" *Laveaux* hat sich über diesen Punkt weitläufig ausgesprochen und seine Beyspiele beweisen, dass er die Sache richtig gefasst hat. Aber an einer wesentlichen Bestimmung hat auch er es fehlen lassen. Die *Art des Satzes* bestimmt, ob *en* oder *son*, *sa*, *ses* (von *leur*, *leurs* kann keine Rede seyn) gesetzt werden muss: findet eine Wechselbeziehung statt, so darf nur *en* gesetzt werden; ist aber der Satz verbindend, so darf nur das zueignende Fürwort stehen; eben so, wenn durch *en* ein Uebelklang oder eine Zweydeutigkeit entstände, (s. *Le François, Gr. univ.* Noten zu dem Fürwort). — Wir schliessen mit der Bemerkung, dass der Vf., der bereits rühmliches geleistet hat, durch fortgesetzte Studien seinem Werke bey folgenden Auflagen, die ohne allen Zweifel nothwendig werden, den Grad der Vollendung zu geben bestrebt seyn möge, welchen der Anfang erwarten lässt. Das Druckfehlerverzeichniss nimmt *neun* volle Seiten ein, und dennoch sind nicht alle Druckfehler bemerkt worden. Diess ist ein grosser Missstand in einem Werke, das zunächst für den Unterricht der Jugend berechnet ist. Auch in dem Inhaltsverzeichniss sind noch einige Lücken auszufüllen: wenn für die Bequemlichkeit der Käufer solcher Werke gesorgt werden soll, so muss auch *recht* dafür gesorgt werden.

Nr. 6. Hr. C. beabsichtigt in seinem Elementarbuch „nur diejenigen Punkte der Grammatik herauszuheben, welche ihr eine feste Grundlage geben und dem Schüler zur leichtern Auffassung der grö-

gröfsern Schwierigkeiten der Sprache verhelfen können" (S. VII); er [illegible], [illegible] (das Formenwesen) von dem *Geistigen* (dem Syntax [der Vf. follte doch wiffen, dafs Syntaxe *generis feminini* ift!]) zu trennen und doch fo zu ordnen, dafs jeder tüchtige Lehrer, je nach den Anlagen, dem Fleifs und den Fortfchritten feiner Schüler, das eine mit dem andern auf eine zweckmäfsige Art in Verbindung bringen könne" (S. VIII). Ein Verfahren der Art ift nun nicht mehr neu; *Hölder* hat, wie wir oben fahen, etwas Aehnliches angeftrebt. Den Inhalt angehend, fo findet fich nichts, das nicht fchon in diefer und jener Grammatik, zuweilen einfacher, und oft klarer und beftimmter, ausgefprochen wäre: verdienftlich find jedoch die häufig angebrachten Vergleichungen zwifchen der franzöfifchen und deutfchen Conftruction und nur in folchen Fällen läfst fich auch die grofse Menge von Beyfpielen, mit welchen uns der Vf. befchenkt, rechtfertigen. *Was* in einem folchen Elementarbuch gegeben und was ausführlicheren Werken zu behandeln überlaffen werden darf, kann nicht in Frage genommen werden; der Lehrer mag die Grenzen hier fo eng und fo weit ziehen, als er es für gut findet; allein bey der Behandlung *der einzelnen Theile* der Sprachlehre muls ihr gegenfeitiges Verhältnifs erwogen und die Entwickelung des Stoffes harmonifch und gleichmäfsig bis zu einem gewiffen Punkte durchgeführt werden. Diefen Grundfatz hat Hr. *C.* gänzlich aus den Augen gelaffen. Die Lehre über den Gebrauch des Artikels z. B. ift fehr dürftig in Vergleich mit der (fehr fleifsig gearbeiteten) Lehre über den Gebrauch der Präpofitionen. Nicht an feiner Stelle möchte in einem Elementarbuch der Aufwand einer gewiffen Art von Gelehrfamkeit feyn, die ein Beyfpiel darthun foll. S. 211 lefen wir folgendes: „die ältern Sprachen drückten mittelft eines einzigen Wortes (ausgenommen in den paffiven Zeitwörtern) das *Perfectum*, wie überhaupt die meiften andern Zeiten aus. Dagegen muls man bey den (meiften) neuern Sprachen (felbft dem Neugriechifchen) zur Bezeichnung vieler Zeiten zwey und mehr Wörter gebrauchen. Da aber das *Perfect* (abfolute Vergangenheit), welches unter diefe Zahl gehört, von fehr häufigem Gebrauche ift, (fehr häufig gebraucht wird) fo fühlten *gleich* oder *bald* die *Italiener* (deren Sprache die *ältefte* Tochter der lateinifchen genannt wird) das Bedürfnifs, dem in das *Perfect* eingefchlichenen Schleppenden durch *Erfindung* einer *neuen*, mit dem *Perfect* gleichbedeutenden, kürzern, zweckmäfsigern Form abzuhelfen. So entftand das *Défini, welches die Franzofen von den Italienern entlehnten.*" Das *paffato femplice* der Italiener ift, fo wie das *Défini* der Franzofen aus dem *Perfect* der Lateiner entftanden und die romanifche Sprache vermittelte den Uebergang aus diefem in jenes. Aus romanifchen Gedichten, die gegen das Ende des 10ten Jahrhunderts [illegible] worden, find die *Perfecta* entlehnt [illegible] *ros* [illegible] *retenc* [illegible] *mes*, eine merkwürdige Form, weil hier [illegible] das *Perfect* bezeichnete, während man [illegible] gern an die extenfive Form hielt und die [illegible] durch ein *c* oder *g* [illegible] (*vit*) *z. weng* [illegible] *faliren* (*fallurent*) im Altfranzöfifchen noch [illegible] *fezift* (*fis*) u. f. w. Die Troubadours [illegible] *amai* (*aimai*) [illegible] und *dis* (*je dis*); [illegible] (*retint*) *vinc* (*je vins*); *receup* (*il reçut*) [illegible] Unter den aus dem Lateinifchen [illegible] arten (dem italienifchen, provenzalifchen und [illegible] lianifchen) ift die italienifche Sprache am [illegible] als Schriftfprache aufgetreten; ihr Einflufs [illegible] Franzöfifche mufste alfo fonach unbedeutend [illegible] da das Romanifche bereits das Material [illegible] man mühfam über die Alpen herüber [illegible] habt hätte. Will Hr. C. das *Défini* [illegible] lienifchen *fui* ableiten? Wir [illegible] Romanifchen; diefes *fui* nahm die altfranz[illegible] Sprache auf, z. B.

[illegible], [illegible] fui.
[illegible]

es bedurfte alfo des italienifchen nicht, [illegible] franzöfifche *fus* zu bilden. [illegible] ältere Werke, z. B. die Ueberfetzung der [illegible] anzuführen; im Roman *de la Rofe* v. 4257 fq.

Lors vi droit a moi revenant (raifon)
De fa tor jus defcendant;
Quant [illegible]

In den *Fabliaux et Contes* [illegible] *Tom. 2. p.* [illegible]

Plus courtois ne nasqui de mere.

Wir haben hier mit leichter Mühe: *je vis, il defcendit, il entendit, il naquit*; die Italiener fagen: *vidi, difcefe, intefe, nacque*, Formen, [illegible] den Umtaufch nicht bequem genug machen, um einer einfachern Anficht den Rücken zu kehren. Was nun aber die Behauptung betrifft, die Alten hätten ihr *Perfectum* und die meiften andern Zeiten mit Einem Worte ausgedrückt, fo ift auch diefs zu befchränken. *Caefar, de bello Gall. VII, 29: idem fe prope iam effectum habere* (ft. *effeciffe*). *Conductum habere* (ft. *conduxiffe*, gemiethet haben) kömmt bey *Plautus* mehrmals vor; es ift diefer Sprachgebrauch, *der fehr häufig* [illegible] eine Umfchreibung des *Perfectums*, welche aber dann nur angewendet wurde, wenn man die Handlung [illegible] fortwährend dachte; z. B. *fervum conductum habeo*, ich habe einen Sklaven gemiethet, welcher mir nun fortan dient, ein Gemietheter bleibt. Eben fo auch die Griechen ἔχειν mit dem *Participium*, worüber vergl. *Valckenar. ad Eurip. Phoeniff. 712.* — Schliefslich find die vielen Druckfehler und der hohe Preis eines folchen Buches nicht geeignet, es zu empfehlen.

(*Die Fortfetzung folgt.*)

ALLGEMEINE LITERATUR-ZEITUNG

October 1828.

NEUERE SPRACHKUNDE.

(Fortſetzung vom vorigen Stück.)

Nr. 7. Es wollte Rec. beym Anblick des Titels dieſes Buches (wohlgemerkt, wir haben uns die Freyheit genommen, *dreyzehn Zeilen* bey Aufführung beſagten Titels wegzulaſſen) faſt bedünken, als ſey es eitel, um uns nicht des Ausdrucks „windig" zu bedienen, auf dem Titelblatt ſieben Werke aufzuführen, nach welchen dieſer Curſus der fr. Spr. ge- und bearbeitet ſeyn ſoll, des auſser Odem ſetzenden Beyſatzes „nach den beſten franzöſiſchen Schriftſtellern, zum Gebrauch für Deutſche bey dem öffentlichen und Privat-Unterricht, ſowohl für Anfänger, als auch für ſolche, welche ſchon Fortſchritte in der franzöſiſchen Sprache gemacht haben" gar nicht zu gedenken. Es verſteht ſich von ſelbſt, daſs der Mann, der eine franzöſiſche Grammatik edirt, einen *Lemare*, *Laveaux*, die Arbeiten der Akademie, den fleiſsigen Compilator *Girault* u. ſ. w. benutzt: wozu dieſer literariſche Wind auf dem Titelblatt? Der *Avant-propos* tritt nicht weniger zuverſichtlich auf; er meynt: „es ſey nicht verwegen zu behaupten, daſs der gröſste Theil der franzöſiſchen Grammatiken, die bis jetzt in Deutſchland erſchienen, ſich nur mit Gegenſtänden beſchäftigten, welche dem ganz fremd ſeyen, was man den guten Gebrauch (*le bon uſage*) nennt, d. h. der Weiſe, wie man in guter Geſellſchaft ſpricht; dieſs laſſe ſich nur lernen, wenn man in dieſelbe aufgenommen ſey und Geſchmack genug habe, die geachtetſten Schriftſteller auszuwählen. Dieſer Curſus der fr. Sp. u. Lit. nun, ſoll die Anfänger zu dieſer Lectüre vorbereiten" u. ſ. w. (S. 13 u. 14). Ferner ſagt der Vf., es fehle nicht an Werken zum Unterricht im Franzöſiſchen: „aber giebt es auch Werke deren Lehren, aus guten franzöſiſchen Schriftſtellern geſchöpft, den Anfängern und denen gleich nützlich ſind, welche ſchon einige Fortſchritte gemacht, aber ermüdet durch die *Einförmigkeit* und *Trockenheit* der Grammatiken und die *Langſamkeit* im Unterricht, das Studium der fr. Spr. aufgegeben haben?" (S. 131). Unſere Verwunderung war nicht gering, als wir, durch ſolche Phraſen vorbereitet, den *erſten* Band dieſes Curſus aufſchlugen und die Elemente der franzöſiſchen Grammatik in bunter Unordnung an einander geſtoſsen; in franzöſiſcher und *halb*deutſcher Sprache gegeben fanden. Iſt dieſe Formenlehre für Anfänger beſtimmt, wozu dann der franzöſiſche Text, den ſie nicht verſtehen? iſt ſie für Geübtere beſtimmt, wozu dann kindiſche Auseinanderſetzungen und die barbariſch-deutſche Ueberſetzung zur Seite? Wir leſen wohl in dem Vorwort, Hr. *R.* wolle die Schüler durch die Stellung der Worte im Deutſchen auf die Wortfolge des Franzöſiſchen hinweiſen: allein auf der einen Seite darf Deutlichkeit dadurch nicht ausgeſchloſſen werden, und auf der andern lernt der Schüler dadurch eben noch nicht franzöſiſch denken, wenn er eine Reihe deutſcher Phraſen lieſt, welche nach der franzöſiſchen Wortfolge verſtellt ſind. Der Vf. erklärt z. B. was *Naſenlaute* (er ſchreibt Naſenlauter) und *Ziſchlaute* ſind, wie folgt:

S. 51. *Les combinaiſons des voyelles avec les conſonnes m et n forment ce qu'on appelle des voix ou voyelles naſales, parce que le ſon qu'elles expriment ſe prononce un peu du nez etc.*	Die *Verbindungen* der Selbſtlauter mit den Mitlautern m und n bilden das, was man nennt *naſale Stimmen* (!) oder *Naſenlauter*, weil der Ton, *den ſie ausdrücken*, ein wenig durch die Naſe ausgeſprochen wird u. ſ. w.

Man wird geſtehen, daſs das Deutſch des Hn. *R.* an Zierlichkeit dem Franzöſiſchen nicht nachſteht, beſonders was das „*prononcer du nez*" betrifft.

S. 77. *Celles (les lettres) dont le ſon ſ'exécute vers la pointe de la langue appuyées contre les levres, telles que z etc. ſont appellées dentales ou ſifflantes.*	Jene, deren Ton *ſich bewirkt gegen die Spitze der Zunge gedrückt gegen die Lippen*, ſo wie z u. ſ. w., werden genannt Zahn- oder Ziſchlaute.

Der Schüler kann hier aus dem Franzöſiſchen erſehen, was der Vf. will; aber ſelbſt hier iſt er genöthigt, *appuyées* zu corrigiren, wenn er Sinn in die Phraſe bringen will. Ein ſolches Deutſch und dergleichen Schnitzer (einige Zeilen über *appuyées* ſteht auch *telle* ſtatt *telles*) können dem Schüler kein Vertrauen zu einem Buche einflöſsen, das ihm als Führer dienen ſoll. Die *Langſamkeit* des franzöſ. Sprach-Unterrichts hebt Hr. *R.* freylich dadurch auf, daſs er die Schüler folgenden Satz überſetzen läſst: „Ich ſpaziere (*je me promène*) alle Tage (*tous les jours*) an dem Ufer der Elbe (*ſur le bord de l'Elbe*)." Der Anfänger muſs natürlich erſtaunt ſeyn, wie leicht mit ſolcher Hülfe das Ueberſetzen in das Franzöſiſche vor ſich geht. Die Einförmigkeit und Trockenheit der Grammatiken iſt dadurch vermieden, daſs der Vf. nach der Lehre von der Ausſprache, welche in XI Abſchnitte zerfällt, in folgender Ordnung weiter ſchreitet. XII. Von den Wörtern. Dieſer Abſchnitt iſt philoſophiſchen Inhalts. Der Schüler lernt hier, als

Vorbereitung zum Decliniren von *le père*, *la mère* etc., was *Begreifen*, *Urtheilen*, *Schliessen* sey, nebst andern schönen Sachen, z. B. S. 172:

Les deux choses les plus importantes pour le grammairien, dans les opérations de l'esprit, sont donc l'objet de la pensée, et l'impression que cet objet laisse, puisque c'est de là que naît l'affirmation etc.	Die zwey wichtigsten Dinge für den Grammatiker, in den Verrichtungen des Geistes, sind demnach der Gegenstand des Gedankens und der Eindruck, den dieser Gegenstand zurücklässt, weil daraus die Bejahung, Behauptung entsteht, u. s. w.

XIII. Vom Hauptwort im Allgemeinen. XIV. Von den Fürwörtern. XV. Conjugation der *Hülfszeitwörter*. XVI. Vom Artikel. XVII. Von den Geschlechtern. XVIII. Von den Zahlen. XIX. Conjug. der impersönlichen Zeitwörter *avoir* und *être*. Diese langweilige Litaney von *il y a*, *il y avait* etc. wird auch noch durch Uebungen erläutert und nimmt über dreyzehn Seiten ein — um die Langsamkeit im Unterricht, Trockenheit und Einförmigkeit zu vermeiden! XX. Vom Beyworte. XXI. Von den Vergleichungsstufen. XXII. Anwendung der *Hülfszeitwörter* in verschiedenem Sinne! Nämlich eine Formel, *avoir honte* und *être aimé* abzuwandeln, mit Uebungsstücken, sechs Seiten einnehmend!! XXIII. Von den Zahlwörtern. XXIV. Wie *in* (!) den Beywörtern das weibliche aus dem männlichen Geschlecht gebildet wird. (Sehr oberflächlich und ungenügend.) XXV. Conjug. des Zeitw. *parler* mit Uebungen, neun Seiten füllend. XXVI. Bildung der Mehrzahl der Haupt- und Beywörter. XXVII. Conjug. der unregelmässigen Zeitw. *dire* und *lire*. XXVIII. Conjug. des Zeitwortes *écrire*. XXIX. Von dem *Zeitwort*! U. s. w. Rec. gesteht, dass er in diesem Buche durchaus nichts findet, das seine Ansprüche auf eine ausgezeichnete Stelle, unter den französischen Sprachlehren für Deutsche, rechtfertigen könnte.

Nr. 8. Dieses Werkchen ist ein Vorläufer des *zweyten* Bandes von Hn. *Rammstein's* theor. und prakt. Cursus zur Erlernung der fr. Spr. und wird unter den *sechs* Abtheilungen, in welche dieser Band zerfällt, die erste Stelle einnehmen. Wie es sich uns bietet, ist es ein für sich bestehendes Ganze und haben wir es als solches zu betrachten. — Es ist bekannt, dass in neuerer Zeit mehrere französische Schriftsteller *den Namen Ideologie* für den der Metaphysik einzuführen gesucht haben und namentlich hat *Destutt-Tracy* in seinen *Elémens d' Idéologie* (Par. 1801 sqq.) diese neugetaufte Wissenschaft darstellen wollen. Zunächst nun ist gegen diese französische Ideologie aus dem Standpunkte der Metaphysik einzuwenden, dass sie nichts weniger ist als metaphysisch. Sie ist dieses nicht nach Umfang und Erkenntnissweise. Die Metaphysik muss das *gesammte* Seyn nach seiner wahrhaft idealen Bedeutung, nach seiner ursprünglichen Begründung und seiner nothwendigen Wesenhaftigkeit zu begreifen streben. In den französischen Ideologien aber handelt es sich hauptsächlich nur um psychologische Fragen, namentlich um die nach dem Urspru[ng der] menschlichen Vorstellungen. Die Erkenntn[iss] angehend, so fordert die Metaphysik wahrh[aft spe]culatives Denken, d. h. reine Vernunfterk[enntniss] und Vernunftbetrachtung des Gegebenen, der [Wirk]lichkeit, kurz, des Daseyns und seiner Ersch[einun]gen. Die französische Ideologie zeigt aber h[ier] wenige Spuren: eine oft sehr scharfsinnige Ve[rglei]chung des Factischen in unserer Seele und ein[e aus] dem Kreise dieser empirischen Vergleichung herausgehende Abstraction ersetzt das speculati[ve Er]kennen, dieses wesentliche Element einer jeden [Me]taphysik, die sich als philosophische Wissenschaft [dar]stellen will. Anders würde sich die Sache verh[alten,] wenn jene Ideologien Begriff und Erkenntniss [der] Ideen in platonischer Weise zum Gegenstand [und] zur Grundlage nähmen. Sie würden sich [dann] mit Recht in das Gebiet der Metaphysik [stellen.] In ihrer gegenwärtigen Aufstellung bedeuten [sie] nicht viel mehr als eine Art psychologisches [Raiso]nement aus dem Standpunkte des beliebten fra[nzö]sischen *bon sens* oder gesunden Menschenverst[andes,] der übrigens nicht ganz aus der Philosophie verb[annt] seyn, aber auch nicht das erste und alleinige W[ort] in ihr haben soll. Dem der Sache Kundigen ist dem[nach] klar, dass die neueren ideologischen Versuche der Franzosen ihr eigentliches Prototyp in *Condillac's Essai sur l'origine du connaissance[s]* [erkannt] haben, von dem sie sich weder nach Inhalt noch nach wissenschaftlicher Form *wesentlich* unterscheiden. Mit welchem Rechte es nun bey vorliegendem Buche auf dem Titel heissen könne „oder *Metaphysik*" ergiebt sich von selbst. Doch hiervon abgesehen, zeigt auch das Buch nichts weniger als metaphysische Begründung der französischen Sprache. Mangel an philosophischer Tiefe und Umsicht, an scharfsinniger Unterscheidung und Verbindung, dringt sich überall auf. Sogleich die, die ganze Ausführung tragende Grundbehauptung, dass es nur zwey Arten von Wörtern gebe, nämlich *Substantiv* und *Modificativ* oder *Adjectiv* (S. 4. sqq. u. S. 91), ist grundfalsch. *An der* letztern Stelle heisst es: *Donc soit que les mots soient variables ou invariables, il n'y a que deux classes de mots:*

Le Substantif et l' Adjectif.

Warum hat Hr. *Rammstein* nicht auf dem Wege transcendentaler Untersuchung das Wesen des *Urtheils* zu begreifen gestrebt, welches, wie in dem Denken selbst, so auch im Organismus des Denkens, der *Sprache*, den eigentlichen Mittelpunkt bildet? Er würde gefunden haben, dass das *Verbum* keineswegs eine blosse modificative oder adjective Bedeutung hat, wie es S. 11—13 dargestellt wird (wobey die Bestimmung adjectif *complexe* nichts wesentlich ändert), sondern dass seine eigentliche Bedeutung im Urtheile die des *Seyns* ist. Es enthält also die *copula*, diese wichtige und wesentlich selbstständige dritte Idee. Dem Urtheile folgend, würden also mindestens die drey Wortklassen als Grundklassen in der Grammatik unterschieden werden müssen, nämlich Sub-

...ativ, *Adjectiv* (Modificativ) und Verbum oder ...*ativ* (im logisch-grammatischen Sinne). — Wie ...g philosophischen Scharfsinn der Vf. bewiesen, ...unter Anderem auch aus der S. 6 gegebenen Be...tung hervor (die zum Theil eine philosophische ...ndung der Ansicht des Vfs enthalten soll): *Il* (heisst es hier) *dans la nature que des êtres ou ...ances.* Das einfache Wesen (*être*, *ens*) ist kei...egs identisch mit Substanz. Diess bedeutet viel...r das Wesen (*ens*, *être*) in *bestimmter Selbstexi...*s gedacht. Der Begriff der Substanz setzt daher ...Denken eines *être*, *ens* voraus, nicht aber um...ehrt: Bey einer Definition der Substanz würde ...also sagen müssen: *La substance est un être qui* ..., die Substanz ist ein Wesen, das u. s. w., woge...eine Definition des *être* nicht anfangen dürfte: *...être est une substance, qui* etc., das Wesen ist ...Substanz, die u. s. w. — Hn. *R's* grammatika...e Ideologie enthält noch eine Menge schwacher ...ien und halbreifer Gedanken, obwohl auch hier ...da etwas Wahres. — Um seinen Lieblingssatz ...chzuführen, untersucht der Vf. die Adverbia und ...dewörter (S. 57—91) und findet natürlich überall ...Haupt- und Bindewörter. Es scheint jedoch, ...sey er im Etymologisiren nicht glücklicher als im ...losophiren. S. 57. *Ainsi* kommt nicht von *in* ...; *a*, das zu *sic* trat, ist charakteristisch und blieb ...der ältesten Zeit: z. B. *Paure era nostra Dona, e ...eph asi* (Arm war die Mutter Gottes, und Joseph ...h) *La Nobla Leyzon. Quant aissi auzets* (...enn ihr dergestalt höret) *B. de Ventadorn.* ...r dieses *aissi* trat dann häufig *en*: *En aissi fos ...s mos Alvernhatz* (so wurde mein Auvergne ge...mmen). — S. 65. *guère*, *guères* vom lateini...en *Imperativ gere* abzuleiten, ist inconsequent ...m Vf.; wie hätten überdiess die Italiener ihr ...*ari*, das dem provenzalischen *gaire*, *guaire* ...d dem Französischen *guère* entspricht, von *gere* ...rgeholt? Der Vf. sehe doch seinen *Ménage* nach ...d beachte *gar* und *geara* (Angelsächs.). — ...*Trop, altération de troupe.*" Umgekehrt: ...*roupe, altération de Trop*, vom lateinischen ...*oppus*. „*Si en troppo de armentis*" etc. *Lex ...laman* Tit. 72. §. 1. — „*Donc, du latin tunc*". ...lsch: Das *d* ist wesentlich; auch findet sichs in den ...ltesten Handschriften z. B. „*Dunc apel la mort*" (*Poème sur Boece.*) „*Doncx, pos ilh m en somo*" (folglich, da sie mich dazu einladet). *Gauc. Faidit.* ...Wo es die Bedeutung dann (*alors*) hat, kann man es ...on *ad tunc* ableiten, welches das Latein des Mit...telalters oft gebraucht (vgl. *Hist. de Languedoc. Pr. ...Tom.* I. p. 99); sonst aber ist es aus *de unquam* zu...sammengesetzt: darum häufig die Form *donques* ...m Altfranz. z. B., v. 847. *Le Boucher d' Abbeville* ...etc. — „*Dès est le même que de.*" *Dès* ist bekannt...lich eine Contraction von *de ipso*, *de isto* (Die ...Handschriften haben *des*, *dese*, *desse*) wie das alte ...*ades* von *ad ipsum* (*adesso*, *ital.*). — „*Avec vient ...le trois mots latins ab usque cum. On a dit au...refois, avousque, aveuque, avecque. — Cette étymo*logie (fährt Hr. *R.* fort), *justifiée par l'acienné orthographe, l'est encore davantage par l'usage des Latins. Domi sum usque cum caris meis, je suis à la maison avec mes amis, dit Térence dans les Ménechmes. Ab usque se trouve assez fréquemment:*

....Prospexit ab usque. (Virg.)"

Dagegen ist nichts zu sagen, als 1) dass der Uebergang von *ab-usque-cum* in *avec* ein bewundernswürdiger Uebergang ist; 2) dass der Vf. Handschriften oder Drucke nachzuweisen hat, welche *aveusque* enthalten. Die alten Romane und Fabliaux schreiben *avosques*, *avosc*, *aveuc*, *avecques* (das letztere in den *Chroniq. de S. Magloire* (1214) häufig). 3) Die angeführte Stelle „*Domi sum* etc." steht nicht bey *Terenz*, sondern in den *Menächmen* des Plautus I. 1, 29 und lautet so: *domi domitus fui usque cum caris meis;* nicht zu erwähnen, dass in dieser Stelle *usque* seine eigene, von *cum* unabhängige Bedeutung hat. 4) *Ab usque* ist allerdings oft zu finden: was beweist das aber? Hat denn in der Stelle: „*Juno Aeneam et classem... Dardaniam Siculo prospexit ab usque Pachyno;*" *ab usque* in Bezug auf die Bedeutung etwas mit *avec* gemein? Das Wörtchen *avec* hat den Etymologen schon viel zu schaffen gemacht; niemand aber, selbst *Raynouard* nicht, der es von *habere* ableitet, hat so fehlgegriffen, als unser Verfasser oder — die guten Leute, denen er nachbetet. *Avec* stammt ohne Zweifel von dem lateinischen *apud;* die Provenzalen schrieben *ap*, dann *ab* (mit); der Uebergang des *b* in *v* ist häufig; dann hängte man die Adverbial-Endung *ec* (wie in ill*ec*, sinu*ec* (von *sine*, ohne) etc. an: so entstand *avec*.

Nr. 9. Der Vf. dieser Grammmatik hat selbst in seinem Buche Gelegenheit genommen, einige seiner literarischen Leistungen zur Kenntniss des Publicums zu bringen; Rec. ist daher der Mühe überhoben, zu bemerken, dass Hn. *L's* Name in der literarischen Welt nicht ganz unbekannt seyn und er daher in dem Vorworte ein gewisses Recht haben dürfte, mit dem gehörigen Selbstgefühle aufzutreten. „Es bedarf nur (heisst es da) einer flüchtigen Ansicht der meisten von *Meidinger* bis zu *Hirzel* hinab erschienenen deutsch-französischen Grammatiken, um sich zu überzeugen, dass dieselben bey unserer an etwas gediegneres gewöhnten Gymnasial-Jugend nur Ueberdruss und Abneigung gegen die Sprache selbst erregen können. Auch vermisste bisher der denkende Lehrer an höhern Anstalten eine französische Sprachlehre, welche sich durch zeitgemässe Gründlichkeit und angemessene Gedrängtheit der Darstellung vor solchen *sprachmeisterlichen* Machwerken auszeichnete. Diess hat mich bewogen, vorliegenden Versuch unter dem Titel: französische Grammatik für Gymnasien, herauszugeben. Ob es mir gelungen sey, dem hier ausgesprochenen Bedürfnisse ganz zu entsprechen, mögen sachkundige Männer entscheiden. Dass ich mich Besseres zu leisten *bestrebt* habe, wird gewiss Niemand verkennen. Ausser dass diese Gr. *Vieles ganz neue*, wie die Behandlung des Zeitworts, die

Dar-

Darftellung der Ausfprache, die Begründung der Fürwort-Folge, die Satz-Fügung u. f. f. enthält, habe ich mich durchgehends befleifsigt, die Gefetze der Sprache aus dem Innern derfelben zu fchöpfen" u. f. w. Mit dem Streben des Vfs mag es feine Richtigkeit haben; das „*Viele* ganz *Neue*" aber will fich nicht finden, dafür aber manches den *fprachmeifterlichen Machwerken* Entlehnte, und nicht wenig Unzulängliches, Unhaltbares, Halbwahres. Dafs der Vf. ein denkender Kopf fey und mancherley wiffe, das Sprach*meifter* wiffen müffen und *Sprach*meifter in der Regel nicht wiffen, läfst fich leicht aus einzelnen Partien diefes Büchleins abfehen; um fo tadelnswerther ift es aber, dafs fich Hr. *L.* nicht die Zeit nahm, feinem Gegenftande jene allfeitige Begründung und durchgängige Haltung zu fichern, welche der Wiffenfchaft angemeffen ift. Betrachtet man die Ausführung in den Theilen, fo finden fich überall Lücken und Auswüchfe. . Wie dürftig ift z. B. der §. 48! Welche Fragen bleiben hier zu löfen! Wo ift die allgemeine Norm, an welche der Lehrer das Specielle anknüpfen kann? Was foll die Bemerkung (Ziff. 4) gegen *Hirzel*, die der Schüler, wie fie fteht, nicht fafst, und welche der Lehrer als *Léuizac's* Anficht kennt, fo wie er in der Anficht des Hn. *L.* die von *Sicard* erkennen wird? S. 137. Ziff. 9. ift doch *Mozin* zu wörtlich benutzt und nur zu beklagen, dafs Copift oder Setzer die Augen nicht beffer aufthaten, denn *Mozin* fchreibt (S. 148) zweymal richtig: „*Il y va de votre vie*" — *il y va de votre repos;* Hr. L. läfst: „*Il y a de votre vie*, es gilt euer Leben" drucken. Des Vfs Anficht über *Minner's* Grammatik ift treffend (S. 140) — *fed nunc non erat hic locus.* — Die Regeln über den Gebrauch von *de* und *par* bey paffiven Zeitwörtern find alt und bey *Girault* (S. 626) zu finden; es konnte daher bey der hier ganz zwecklofen Kritik von *Wailly's* und *Lemare's* Anficht (S. 149) von keinem Erforfchen eines Gefetzes die Rede feyn, fondern nur von einem Prüfen deffelben. — S. 168 lefen wir: „Bey den Zeitwörtern, deren Subject auf fich felbft zurückwirkt (v. pronom) ftimmt das Participe mit dem Pronominal-Objecte überein, wenn es ein *nahes* ift, oder wenigftens als *folches* gedacht werden kann. Ift das Fürwort ein entferntes Object, fo bleibt das Participe unverändert. *Ils fe font confolés* etc. hingegen: „*Elle ne fe l'eft pas pardonné. Les hommes fe font fait des canons*" etc. Sagt man wohl: „*Ils fe font nui,*" weil *fe* ein *entferntes* Object ift? Die Sache ift in mehrern Grammatiken einfacher und klarer dargeftellt worden. Folgende vermifchte Bemerkungen mögen noch Platz hier finden: S. 5 ift *feu* ohne allen Grund unter Ziff. 1. — S. 11. *Pinçon* heifst ein *Fink;* für *Blutfink* haben wir andere Ausdrücke. — S. 29 war *unter andern* auch *chaffeufe* (prof.) und *chafferefſe* (poet.) anzuführen. Dafs *enchanteur* nicht zu Ziff. 4. gehört, hat Hr. [...] noch gerade vor Thorfchlufs nachträglich [...] Fr. v. *Stäl* findet fich mehrmals. Man fchr[...] und fpricht *Sta'l.* Der *St.* von Schlegel S. 300 [...] v. Schlegel u. f. w. Endlich bemerken wir, [...] lange kein, für den Unterricht der Jugend [...]tes Buch in die Hände kam, das fo fehr durch[...] fehler entftellt wäre. Das Erraten.— Ver[...] läfst nicht nur wefentliche Fehler ftehen (z. [...]*mement, opiniatrement*, S. 31. u. A.), fondern [...] felbft wieder Fehler und ift höchft unbequem [...]richtet, da der Vf. die Seitenzahlen durchei[...] geworfen hat.

Nr. 10. Diefe Grammatik, die fich, w[...] andere, das Praktifche der Sprache zum Ha[...]merk fetzt, ift eine fleifsige, wohlgeordn[...]pilation, welche alle die Vorzüge und G[...] hat, die man an ähnlichen Werken kenn[...] fonft löbliche Beftreben (befonders wenn [...] Kreis beachtet, für welchen folche Bücher [...] find), recht deutlich zu feyn, macht den Vf. [...] ausführlich und breit (man fehe z. B. die Regel[...] die Mittelwörter), um nicht zu fagen *fchlepp*[...] langweilig; oft fehlt es, der vielen Worte [...]tet, oder vielleicht eben der vielen Worte [...] an genauer Begrenzung und Beftimmtheit der Lehren. Wir wollen nur Ein Beyfpiel geben, wie es fich uns zufällig bietet. Der Vf. fetzt S. 257 den Gebrauch von *plus* und *davantage* auseinander: „[...] *davantage* (mehr) ift zu bemerken, dafs es [...] wie *plus*, die Präpofition *de* oder die Conjunc[...] *que* nach fich haben, auch nicht, wie letzteres, [...] Steigerung eines Beywortes dienen und dafs es immer nur *am Ende* eines Satzes ftehen kann." (F[...]gen Beyfpiele.) „Ueberhaupt kann *davantage* [...] gefetzt werden, wo der Regel nach *plus* ftehen [...] wohl aber kann man fich in manchen Fällen des letteren ftatt des erfteren bedienen." Man kann fi[...] kaum vager ausdrücken. Es ift wahr, man gebraucht in neuerer Zeit *que* nicht mehr nach *davantage*, wie *Racine, Montesquieu, Pafcal u. A.* es gebraucht haben; warum follte *davantage* aber nicht zur Steigerung eines Adjectivs dienen können? Wir lefen „*la force eft precieux, la prudence l'eft encore davantage*" und gebrauchen davantage immer, wenn es fich auf ein, durch *le* vertretenes Adjectiv bezieht. Wie foll es immer nur am En[de] eines Satzes ftehen können, da es vor fein Zeitw[ort] wenn diefes im Infinitiv fteht, treten darf und, [...] wenn es dem Infinitiv nachfteht, den Satz nicht zu endigen braucht. *Laveaux* führt die Beyfpiele an: „*Il n'eft rien qu'on doive davantage recommander aux jeunes gens que de*" etc. „*Il n'eft rien qu'on doive recommander davantage aux jeunes gens que de*" etc.

(*Der Befchlufs folgt.*)

ALLGEMEINE LITERATUR-ZEITUNG

October 1828.

NEUERE SPRACHKUNDE.

(Beſchluſs vom vorigen Stück.)

11. Der Vf. dieſes Wörterbuches iſt durch ne Lehre von der Lautbildung (Stuttg. 1828) als ikender Sprachforſcher bekannt und beurkundet a als ſolcher auch in dem vor uns liegenden erke. Ueber den Zweck ſeiner Arbeit ſpricht er i zunächſt in dem Vorworte ſo aus: „Die Reihen- ge der verſchiedenen Bedeutungen eines Wortes, eynte der Vf., könnte mehrentheils zu einer Entckelung erhoben werden, in welcher nachgewie- n würde, wie die Sprache, von den zunächſt in ei- m Worte zuſammengefaſsten Begriffen ausgehend, ld durch Hervorheben von Theilbegriffen oder nzelnen Beziehungen, bald durch Weglaſſen oder ufnehmen eines Nebenbegriffes, bald durch Ueber- inge in neue Begriffsſphären, veranlaſst durch Zu- mmenhang oder Aehnlichkeit, — Erſcheinungen, elche bey dem nämlichen Worte in gröſserer oder inderer Mannigfaltigkeit vorkommen können, — en Wörtern am Ende eine von der urſprünglichen anz verſchiedene Bedeutung beylegen und Redens- rten bilden konnte, welche bey einer andern Ver- ahrungsart oft ein unauflösbares Räthſel bleiben nuſsten." Dieſe in ſtiliſtiſcher Hinſicht eben nicht nuſterhaft zu nennende Phraſe tadelt ſtillſchweigend lie gröſsere Maſſe der franzöſiſchen Lexicographen vegen ihrer bunt untereinander laufenden Erklä- ungsweiſe der einzelnen Wörter und Redensarten — ein Tadel, den jeder Blick in die Wörterbücher, ſelbſt das der Akademie nicht ausgenommen, rechtfertigt: möglichſte Vollſtändigkeit bey Aufzählung der Bedeutungen eines Wortes war immer die Hauptrückſicht, der man die Entwickelung der mannigfaltigen Uebergänge um ſo williger opferte, als dieſe unter andern ausgedehnte Kenntniſſe, Beleſenheit und groſsen Fleiſs forderte. Bis auf den heutigen Tag hat noch kein Gelehrter den Punkt, worauf es hier ankömmt, ſo richtig erfaſst, als *Sainte-Palaye*; hätte er lange genug gelebt, um ſeine Materialien zu einem Gloſſar der franzöſiſchen Sprache zu ordnen, ſo würden wir in lebendigen Beyſpielen zuſammengeſtellt ſehen, wie die Bedeutungen der Wörter von dem zwölften Jahrhundert an in den nordfranzöſiſchen Mundarten auftraten, ſich ausdehnten, wechſelten oder ſixirten: wir würden der ungeſchickten und weitläuſigen Etymologieen gröſstentheils überhoben ſeyn, die *Ménage* und ſeine Gehülfen mit groſsem Aufwand von Mühe und Witz zuſammenbrachten, und dürften in den meiſten Fällen nicht ohne Erſtaunen ſehen, wie einfach und folgerecht die Sprache in Form und Gehalt ſich entwikkelte und ausbildete.

Unſerm Vf. iſt nun aber nichts daran gelegen, wie das Wort ſich im Laufe von Jahrhunderten zu dem gebildet hat, was es uns iſt und gilt, oder warum die vielleicht urſprünglich ſcharfe Beſtimmtheit der Bedeutung deſſelben ſich im Gebrauch verwiſchte und in einer ganz verſchiedenen Bedeutung, als wär' es umgeprägt worden, wieder erſchien: er nimmt das Wort als das ausgearbeitete Begriffszeichen und ſtellt ſofort ſeine allgemeine Bedeutung voran, läſst dann die Sproſſen und Verzweigungen folgen, worauf er Allgemeines und Beſonderes nach vorſtehendem Schema mit Beyſpielen belegt und die Redensarten und Sprichwörter da anfügt, wo es die Bedeutung des Wortes zunächſt erheiſcht. So ſtellen ſich uns die Bedeutungen mancher Wörter, wie organiſche Gewächſe mit Stamm, Aeſten und Zweigen dar und die Beyſpiele beleben lehrreich das einfach und ſelbſtſtändig geordnete Ganze. Um zu zeigen, wie der Vf. ſeine Bedeutungen ordnet, wählen wir das Wort „*Main*, *fém.* die Hand. I. Ohne beſondere Beziehung; II. in ſo fern man damit greift, nimmt; — das was genommen wird; III. in ſo fern man damit verrichtet; — die Verrichtung; IV. in ſo fern man damit hält, in ſeinem Beſitz, in ſeiner Gewalt erhält; V. giebt, übergiebt, in Jemandes Beſitz bringt; VI. ſchlägt." Nun folgen Beyſpiele über I., an welche ſich die Redensarten und Sprichwörter ſchlieſsen, wo „*Main*" ohne beſondere Beziehung gebraucht wird, u. ſ. w. bis VI.

Rec. glaubt nichts weiter zur Empfehlung eines Werkes ſagen zu müſſen, das ſo auffallende Vorzüge vor Büchern ähnlicher Art hat: er verhehlt aber auch nicht, daſs er manches zu tadeln fand. Vor allem iſt zu beklagen, daſs der Accent ſo oft fehlt. Es ſind gewöhnlich Anfänger der franzöſiſchen Sprache, welche zu dieſen Büchern greifen, ſich da Raths erholen wollen; für dieſe iſt die genaue Accentuirung durchaus nothwendig. Sch. 1. S. 32 fehlt der *accent aigu* zehnmal; auch iſt er zuweilen nur durch Vergröſserungsgläſer ſichtbar, wovon die genannte Seite mehrere Beweiſe liefert; endlich hat der *accent grave* und der *accent aigu* öfter dieſelbe Form, nämlich bei-

beide ſind ein unſcheinbares Pünktchen. Dieſs mag nun dem Drucker und Corrector anheim fallen; dagegen kömmt auf Rechnung des Vfs manches, für deſſen Anführung man keinen Zweck abſieht; z. B. bey *alun* iſt angeführt: *„exporter, importer de l'alun"*: mit wie vielen andern Subſtantiven laſſen ſich dieſe Zeitwörter nicht in Verbindung bringen? Solches Ueberflüſſige konnte um ſo eher ausgeſchieden werden, als der Anfänger gar manche ſprichwörtliche Redensart nicht erklärt finden wird. Wir wollen einige Beyſpiele geben. Zu *Main: Haut la main. La main au pot, le verre au poing. Ils ſont unis comme les doigts de la main.* In ältern Schriften findet ſich auch der Spruch: *A main lavée Dieu mande la repue.* Zu *Brebis: Tandis que le loup chie, la brebis ſ'enfuit. De brebis comptées mange bien le loup* iſt gewöhnlicher als: *A brebis comptées, le loup les mange. Qui ſe fait brebis le loup le mange* kommt bey *Loup* wieder vor, wie denn überhaupt manche Redensarten zweymal erſcheinen. Zu *Loup: Il eſt comme le loup, il n'a jamais vu ſon père* (von Baſtarden). *Il eſt connu comme le loup gris* (bekannt wie ein ſchlechter Pfenning). *Fuyant le loup, il a rencontré la louve* (aus dem Regen in die Traufe kommen). *D'un côté le loup nous menace, de l'autre le chien.* Zu *Maille: Maille à maille ſe fait le haubergeon* (*haubert*) (langſam kömmt man auch weit). *Ce n'eſt pas jeu de trois mailles* (keine Kleinigkeit). Zu *Maitre: Paſſer quelqu' un maitre* heiſst nicht nur „einen zum Meiſter aufnehmen" ſondern ſprichwörtlich „nicht auf jemand beym Eſſen warten, mit der linken Hand auf jemand warten." *Qui a compagnon, a maitre. Il n'y a ſi petit métier qui ne nourriſſe ſon maitre. Maitre Aliboron* (beſſer *Aliborum*) iſt kein „liſtiger Kautz," ſondern „ein thöriger Menſch, der eine hohe Idee von ſich hat." *Lafontaine* hat das ſcharf beſtimmte dieſer Bezeichnung verwiſcht. Zu *Manteau: Ils gardent les manteaux* (ſie bleiben zu Haus, gehen nicht zu dem Feſte). *Il ſe fait tirer le manteau* (er läſst ſich gern bitten) u. ſ. w.

Dieſe auf wenige Seiten bezüglichen Bemerkungen werden hinreichen, dem Vf. zu zeigen, daſs noch manches in ſeinem Werke zu wünſchen übrig bleibt. Bey dem groſsen Fleiſse, den er, wie auf jedem Blatte hinlänglich zu ſehen, auf ſeine Arbeit verwendet hat, darf man hoffen, daſs er bey einer zweyten Auflage, die nicht ausbleiben wird, ſein Wörterbuch von allem Entbehrlichen reinigt und alles das einfügt, worüber der Wiſsbegierige billig hier Erklärung ſuchen kann. Die neuern, reichen Sprichwörterſammlungen von *Bertin*, *Levaſſeur*, *Arago*, *Tuet*, *de la Méſangère*, ſo wie die ältern Luſtſpiele, Satiren, Fabeln und Romane werden es an Ausbeute nicht fehlen laſſen.

Nr. 12. Leichte Fabrikwaare. Nach der Lehre von der Ausſprache kommen 88 Seiten voll „Wörter", die der lieben Jugend zum Auswendiglernen empfohlen werden. S. 88 — 142 „leichte und gewöhnliche (ja wohl!) Redensarten": *„Bon[illegible] Monſieur! Bonſoir, Madame! Bonne nuit, [illegible]moiſelle! Votre ſerviteur, Monſieur!"* etc. [illegible] — 186 die „Declinationen der Haupt- und [illegible]ter." S. 187 — 244 „die Conjugationen" — die ſtarren Formen. Die das Werkchen ſchl[illegible] den „Leſeſtücke" ſind ohne allen Geſchmac[illegible] wählt und zeichnen ſich eben nicht durch [illegible] des Stils aus: auch fehlt es nicht an Schreib[illegible] Druckfehlern: S. 275 *charie* ſt. *charrie* u. ſ. [illegible]

Nr. 13. Hr. *G.* hat dieſe Sammlung für Mä[illegible] von 12 — 14 Jahren beſtimmt, welche die [illegible] Schwierigkeiten der Grammatik überwunden [illegible] und nach einer anziehenden Lectüre greifen [illegible] dung des Geiſtes, Veredlung des Herzens [illegible]tereſſe der Darſtellung waren die Rückſichten [illegible] ehe die Wahl der mitgetheilten Stücke be[illegible] Dieſe Chreſtomathie zerfällt in fünf Abthe[illegible] I. *Contes.* Die 21 hier mitgetheilten Erzählungen [illegible] von *Berquin*, *Bouilly*, *d'Arnaud*, *Marmontel*, [illegible] *Jauffret*, *Bernardin*, *de St. Pierre* und *Dlle L*[illegible] II. *Hiſtoires et narrations. Raynal*, *Targuet*, [illegible] *Helvetius* (Mad.), *Barthélemy*, *Rollin*, *V*[illegible], [illegible]*riani*, *Marmontel*, *Segur*, *de Pages*, Mad. *Cam*[illegible] und M. *de la Faye* ſind die Vf. dieſer Stücke. *III. Lettres.* Neben mehreren von der *Sévigné* und *Maintenon*, die natürlich nicht fehlen durften, [illegible] wir die der Mad. *Campan* aus. IV. *Deſcriptions et tableaux.* Dieſer Abſchnitt, welcher begreiflicherweiſe vorgeſchrittenere Schülerinnen fordert, iſt beſonders reich, mannigfaltig und anziehend. Wir freuen uns, daſs Hr. *G.* hier beſonders auf *Buffon*[illegible] reinen, maleriſchen, glänzenden Stil und anziehende Darſtellung Rückſicht genommen hat. V. *Drames.* Der Herausg. hat hier von der Mad. *Genlis* „*La roſière de Galency*" und „*L'aveugle de Spa*," von *Jauffret* „*L'enfant perdu*" und „*Le magazin à prix fixe*," von *Florian* endlich „*La fête de Marie*" aufgenommen. Wir können dieſe Sammlung, als ihrem Zwecke vollkommen entſprechend, mit gutem Gewiſſen empfehlen. Bey einer nächſten Auflage wünſchen wir, der Herausg. bezeichnete bey den einzelnen Stücken in Abſch. I, II und IV mit zwey oder drey Worten, woher ſie entnommen ſind; auch würde der Name der Verfaſſer mit ihrem Geburts- und Todesjahr (wenn nämlich von Verſtorbenen die Rede iſt) hier zweckmäſsiger ſtehen, als im Regiſter, obgleich er auch da einen Platz finden mag; der Verleger aber, der bey dieſer Auflage für gutes Papier, bequemen Druck und wohlfeilen Preis beſorgt war, wird bey der nächſten den Druckfehlern und der Unregelmäſsigkeit in der Schreibung zu ſteuern ernſtlich gemahnt.

Nr. 14. Hr. Prof. *Blanc* hat ſich um dieſe neue Auflage beſonders dadurch verdient gemacht, daſs er das Wortregiſter vervollſtändigte und die früher überſehenen Fehler beſſerte. Veränderungen in Bezug auf Auswahl und Anordnung der Leſeſtücke erlaubte [illegible] sich nicht, da das Buch, wie er in dem [illegible]wort bemerkt, in mehreren Schulen eingeführt [illegible] Dieses Lesebuch ist in mehr als einer Hinsicht [illegible]ngen zu empfehlen: die Uebungen gehen stufenweise vom Leichtern zum Schwerern fort; sie [enth]alten nur Lehrreiches und Nützliches für die [Jug]end; sie sind grösseren Theils in kurzen Abschnitten gegeben, wodurch das, Anfängern so sehr zu empfehlende Auswendig-Lernen und Auswendig-Sagen derselben erleichtert wird; die Sprache ist [übe]rall correct und angemessen. Dass Hr. *Wiedemann* in seinen sämmtlichen Uebungsbüchern die [Wö]rterregister nicht dem Texte unmittelbar unter[stel]lt, sondern sie im Anhange giebt, ist sehr zweckmässig, da die Knaben dadurch gezwungen werden, [sich] zum Uebersetzen gehörig vorzubereiten, auch [die] Wiederholungen vermieden werden.

Nr. 15. Der Zweck dieses Werkchens spricht [sich] auf dem Titelblatte hinreichend aus. Auch hier [sin]d die Register an das Ende der, nach den Rede[th]eilen geschiedenen Abschnitte verwiesen. In den [an]gegebenen Wörtern und Phrasen dürfte bey ei[ne]r folgenden Auflage eine bessernde Hand einschrei[ten]; die langen *ſ* in *muſcade* (*muscade*), *potaſſe* (*potasse*) u. s. w. thun dem Auge nicht wohl und werden [je]tzt fast gar nicht mehr gebraucht; *bled* ist schon [se]it beynahe zweyhundert Jahren um das ihm von [R]echtswegen gebührende *d* gekommen (es stammt [vo]n *bladus*) und wird *blé* geschrieben, und was der[g]leichen mehr ist. Der kurze Abriss einer französischen Grammatik ist für den ersten Bedarf ganz [z]weckmässig abgefasst.

Nr. 16 ist als eine Fortsetzung des eben angezeigten Werkes zu betrachten. Der Vf. hat die Aufgaben mit grosser Sorgfalt und vielem Fleisse gesammelt; der jugendliche Geist, durch die mannigfaltigsten Interessen, welche sich an diese Uebungen knüpfen, erregt und festgehalten, wird, unter der Leitung eines geschickten Lehrers, in reellen Kenntnissen und der Fertigkeit im Französisch-Schreiben durch den Gebrauch dieses Buches in kurzer Zeit bedeutend vorschreiten. Das Wortregister ist auch hier im Anhange gegeben; aber nicht, wie wohl des zu ersparenden Raumes wegen zu wünschen gewesen wäre, alphabetisch, sondern nach den Numern der Abschnitte. Die oben gerügten langen *ſ* haben sich hier schon gerundet.

Nr. 17. Diese Chrestomathie wird in den untern Klassen der Gymnasien mit Nutzen gebraucht werden können, sobald die Schüler den etymologischen Theil der Grammatik gehörig inne haben. Die Auswahl ist sehr anziehend. Wir müssen nur bedauern, dass Hr. *W.* sogleich von S. 17 an längere Stücke gewählt hat (z. B. *Voltaire's Jeannot et Colin* [S. 23—36]; *Louis XVI* [S. 36—51]), weil hier das Auswendig-Lernen und das Niederschreiben des Gelesenen für den Ungeübteren mit zu vielfachen Schwierigkeiten verbunden ist. Von S. 157—162 sind Fabeln von *Florian* u. A. abgedruckt, welche als Lese-Uebungen dienen sollen — eine nicht unzweckmässige Zugabe. Ein Wörterbuch ist nicht beygegeben. — Der Hr. Herausgeber hat S. IV der Vorr. bemerkt: „Man fing *hauptsächlich in den norddeutschen Staaten, in welchen der Welthandel sich vorzüglich regt,* und also das Bedürfniss sich leichter fühlbar machte, zuerst an, den Unterricht in neuern Sprachen in die hohen Schulen (wir wissen nicht, was Hr. *W.* mit seinen auch auf dem Titelblatte vorkommenden „hohen Schulen" will; die „untern Klassen hoher Schulen," wie es dort heisst, lassen vermuthen, dass er damit „Gymnasien" bezeichnen wollte; warum ist er denn aber nicht consequent und nennt sich „Prof. an der hohen Schule zu Weimar"?) einzuführen, und kam bald dahin, den grossen Nutzen derselben einzusehen" u. s. w. Obgleich sich in Würtemberg, Baden, im Grossherz. Hessen, in Nassau der Welthandel nicht sehr regt, so kam man hier doch längst zu dieser Einsicht; in Würtemberg z. B. ist seit langer Zeit auf den Gymnasien der Unterricht in neuern Sprachen tüchtigen Männern anvertraut, und war derselbe dort nie in den Händen „hergelaufener Ausländer, die vielleicht in ihrem Vaterlande dem Kalbfell folgten" (S. V der Vorr.). An Druckfehlern fehlt es nicht. S. 25. Zif. 2. gehört hier zu *plus* und nicht zu *et*. S. 27. *Et lui dit. On voit* st. *Et lui dit: On voit* etc. Ibid. *bigüe* st. *bègue* etc. Hr. *W.* schreibt *tuë*, *convenuës* u. dergl. Wozu hier das *Tréma*? Die Grammatik spricht sich doch bestimmt genug aus, wann das *Tréma* zu setzen ist und wann nicht.

PHILOLOGIE.

Jena, b. Frommann: *Lectiones Stobenses ad novissimam Florilegii editionem congestae a Friderico Jacobs.* Praefixa est epistola ad Augustum Meinekium virum clarissimum. 1827. XXIV u. 160 S. (mit den Indices) 8. (1 Rthlr. 4 gr.)

Die glänzende Seite dieses Werkes ist ein Reichthum scharfsinniger und geistreicher Verbesserungen und kritischer Gesichtspunkte, wie sie schwerlich vom Verfasser anderwärts in einem so beschränkten Raume angehäuft wurden. Als Einleitung ist eine gelehrte Epistel an Hn. *Meineke* voraufgeschickt, worin der Vf. mit liebenswürdiger Offenheit an eigenen Productionen, welche glücklich oder verfehlt mit den Vorschlägen anderer zusammentrafen, in der sinnreichsten Darstellung glaublich macht, wieweit diess Gebiet geistiger Collision ohne Vorwurf des Plagiats sich erstrecke. Gleichwohl leugnen wir nicht, dass die Form, in welcher jene Thatsachen befasst sind, unser Gefühl auf unzarte Weise berührt habe. Wir sprechen die sichere Ueberzeugung aus, dass keiner, der die Schriften des genannten Philologen kenne, ihn der literarischen Unrechtlichkeit fähig achten werde, am wenigsten um einer grämlichen Aufwallung des sonst achtungswerthen Do-

Dobree willen; und selbst Hr. *J.* wird sich veranlasst finden zu dieser Ueberzeugung des Publicums seine Zuflucht zu nehmen, da das Resultat seiner Zuschrift die Möglichkeit eines Zusammentreffens auch in den kunstvollsten und gereiftesten Combinationen bey Kennern zugleich und beym Anfänger darthun soll: wofern aber dieses zugegeben wird, muss einer inneren Stimme die Entscheidung über die Zulänglichkeit des Verdachtes zukommen. Hierauf folgen vermischte Emendationen, zunächst für Stobäus und seine Collectaneen, dann in leichten Absprüngen für Autoren besonders der späten Zeit, wobey vieles weniger nothwendige in Noten verwiesen ist. Um einiges zu erwähnen, bezeichnen wir S. XVII. *ἔφη καὶ* in *ἔφηκε* geändert, S. 9 *ἐρινεοὶ* für *ἑρμηναῖοι* gesetzt, S. 15 *ἑτέρων πέφυκεν ἥττονα, τῶν δὲ μείζονα* für *ἑ. π. ἡττόνων δὲ μ.*, S. 21 *παιδὸς οὐκ εἴδοι* in *π. οὐ κήδη* verwandelt. S. 49. ff. eine Ernte von Verbesserungen um nomina propria aus Appellativen herzustellen, S. 69 *διηρείδετο νάρθηκι, νοσηλείην ἐπιφέρον σώματι* für *διήρει δὲ τὸν νάρθηκα, νοσευτίην ἐ. σ.*, wo zur Bestätigung *Conon narrat.* 38 dienen konnte, S. 80 *ἔσω τᾶς συνέσιος κατέσταξαν* für *ἐς ὃ τὰς συνέσεας κ.*, S. 85 *εὐθύνης ἄξιοι* für *θοίνης ἄξιοι*, S. 110 *βίον δ' ἤθεον* für *τὸν δὴ θεόν*, S. 117 die Entdeckung des ungewöhnlichen *νανίσκων* in *νεανίσκων*, ausser manchem anderen. Durch diese treffliche Leistung hat sich der Vf. ein unverkennbares Verdienst um den Stobäus erworben, welches in einem weit helleren Lichte erscheinen und dem Talente des unerschöpflichen Kritikers einen dauernderen Ruhm verleihen würde, wenn in der strengsten Auswahl und Enthaltsamkeit einzig die vollendeten und belehrendsten Ergebnisse jener Studien zusammengefasst wären.

Wir beschliessen unsere Recension mit einigen Bemerkungen über Stellen, wo wir von Hn. *J.* abweichen. Sogleich die Emendation im Aristophanischen Fragmente S. 2 *οὐ τἂν ἀποτεθνεῶτες*, welche sich dem Vf. aus den Zügen der Lesart *οὐ γὰρ ἄν ποτε οὕτως* leicht zu ergeben schien, wird mindestens wegen des unerhörten Perfectes *ἀποτέθνηκα* (denn *ἀποτεθνηκέναι* bey *Juncus* in demselben Tit. 121, 35 hat keine Sicherheit) verfehlt heissen müssen, so wie wir zweifeln ob jemals ein Attiker die dem Menander S. 67 zugedachte Herstellung, *τὸ γὰρ προθύμως μὴ 'κοθῆς ἂν εὐτυχῆς*, ohne Uebersetzung in geläufigeren Ausdruck werde verstanden haben. Auch würden wir Hn. *J.* mehr Dank gewusst haben, wenn er statt seiner Conjectur *ἐν τοῖς δ' ἔχουσι θὴρ ἴτης πέφυχ' ὅδε* (S. 11) in der verdorbenen Stelle aus Euripides Danae, *ἐν τοῖς δ' ἔχουσιν ἡβητὴς πέφυχ' ὅδε*, wo *ἴτης* zusammt *θὴρ* dem Ton und Zusammenhange völlig widerstrebt, vielmehr auf die Interpolation des *κάλλους*, das oft genug als späteres Füllwort sich zeigt, aufmerksam gemacht, und *ἡβητής* (zu Ende des Verses gestellt — *ἡβητὴς ὅδε*) mit Rücksicht auf den seltenen, aber bedeutsamen Sinn des Wortes gerettet hätte. Noch weniger konnten wir das feine Urtheil des Vfs in dem nächstfolgenden Vorschlage S. 13 wieder erkennen, wo dem vermeinten Stesichorus, dem schon Blomfield mit Recht jenes Bruchstück absprach, zwey neu geschaffene Verse (*versus sunt lyrici!*) zugeeignet sind, *θανόντος ἀνδρὸς | πᾶσ' ἀπόλλυτ' ἀπ' ἀνθρώπων χάρις*: welcher Flick einen *Heath*, nicht *Jacobs* zieren durfte; und gleichwohl kehrt S. 16 ein ähnlicher Versuch wieder, wo *τἄργα τ'* gegen alle Griechische Sitte für *τί γάρ* conjecturirt wird, da doch in einem begründenden Satze wenn nicht *γάρ*, wenigstens *δέ* erforderlich war. Scheinbarer und gefälliger ist der Vorschlag S. 26 *παραμυθούμενον τῷ λόγῳ ἅμα ἐπισκήπτειν, οἰκειότερον δὴ ἀποιμάντου σαυτῆς καὶ ἐν σαυτῇ οἴκου κήδεσθαι*, für die Vulgata des Porphyrius, — *ἐπισκέπτειν. οἰκειότερον δ' εἴποιμ' ἂν τοῦ σαυτῆς καὶ — κήδεσθαι.* Hierin wird jeder *ἐπισκήπτειν* unbedenklich annehmen, während *δή*, dieser dürftige Ersatz für das nothwendige *ἤδη*, eben so sehr missfallen muss als die Bedeutung von *ἀποίμαντος*, das der Vf. mit ungleichartigen Beweisen auf die Trennung vom Gatten bezieht, und vollends die beyspiellose Phrase *ἐν σαυτῇ οἴκου* (wobey nicht einmal das Fehlen des Artikels entschuldigt werden kann), welche selbst dem Späteren keine Umschreibung für *domus tuae* seyn konnte. Wir glauben, dass es im wesentlichen keiner so gewaltsamen Umgestaltung bedürfe, da der allegorisirende Autor eine witzige Anspielung auf den geistigen Sitz des Verstandes beabsichtigte, in welchem Sinne den späteren Jahrhunderten *οἶκος* (s. *Casaub. ad Pers. IV. extr. Markl. ad Eurip. Suppl.* 183.) zu fassen gefiel. Noch berühren wir die Muthmassung, welche S. 45 über die angeblich verstümmelten Worte des *Teles*, *διὸ δεῖ μὴ τὰ πράγματα πειρᾶσθαι μετατιθέναι, ἀλλ' αὑτὸν παρασκευάσαι πρὸς ταῦτα πῶς ἔχοντα*, geäussert ist, nämlich *πρὸς ταῦτα εὐτρεπῶς ἔχοντα* im Schluss der Rede. Doch wer solches Verfahren einzuschlagen gesonnen ist, darf weder ähnliche Künsteleyen abweisen, wie *καλῶς*, das schon der Vf. erwähnt, und noch vieles leichtere und treffendere, noch auf die ausschliessende Wahrheit einer Ahnung Anspruch machen, welche sich mit einem Wechsel von Möglichkeiten nicht verträgt. Aber eben aus diesem Grunde halten wir das alte für das einzig richtige, und denken, dass die Vergleichung von *Arist. Eth.* VI, 12, 7 hinreichend sey, um die philosophische Formel *πῶς ἔχειν* auf die feste Stimmung eines entschlossenen Gemüthes zu deuten.

ALLGEMEINE LITERATUR-ZEITUNG

October 1828.

LITERARISCHE NACHRICHTEN.

I. Universitäten.

Basel.

Verzeichniss der Vorlesungen,
welche
im Winterhalbjahre 18$\frac{28}{29}$ auf der Universität daselbst gehalten werden.

Theologische Facultät.

Ordentliche Professoren.

Hr. *J. R. Buxtorf*, Dr. u. Prof. d. Theologie, d. Z. Decan, wird 1) das *zweyte Buch Mosis*, und 2) das *Evangelium Marci* erklären.

Hr. *Eman. Merian*, Dr. u. Prof. d. Theol.: 1) *synchronistische Verbindung der allgemeinen Geschichte mit der Geschichte des Neuen Testaments*; 2) *Exegese der Apostelgeschichte*; 3) über den *Brief Pauli an die Epheser*.

Hr. *W. M. L. de Wette*, Dr. u. Prof. d. Theol.: 1) *kirchliche Dogmatik*; 2) *Einleitung in das Neue Testament*; 3) *Erklärung der Offenbarung Johannis*; 4) *Erklärung der vorzüglichsten messianischen Weissagungen*; 5) *homiletische Uebungen*.

Ausserordentliche Professoren.

Hr. *Hagenbach*, d. Theol. Licent. u. ausserord. Prof.: 1) *Dogmengeschichte*; 2) *Erklärung der Pastoralbriefe* und *des Briefes an die Hebräer*; 3) *Repetitorium* über die *Kirchengeschichte*.

Privatdocenten.

Hr. *J. J. Stähelin*, d. Theol. Licent. u. Dr. d. Phil., wird 1) die *Genesis* und 2) *ausgewählte Stellen aus dem Alten Testamente* erklären; 3) *hebräische u. arabische Grammatik* vortragen.

Juridische Facultät.

Ordentliche Professoren.

Hr. *J. R. Schnell*, J. V. D., d. Z. Decan: 1) *römische Rechtsgeschichte*; 2) *schweizerisches Recht*.

Hr. *W. Snell*, J. V. D.: 1) *Naturrecht*; 2) *Institutionen*; 3) *Pandekten*.

Privatdocenten.

Hr. *E. R. Frey*, J. V. D.: *Juridische Encyklopädie* und *Methodologie*; 2) *äussere Geschichte und Institutionen des gemeinen deutschen Privatrechts*; 3) *deutsches* und *französisches Handels- und Wechselrecht*.

Hr. *A. Heusler*, J. V. D., wird *über einzelne Theile des schweizerischen Staatsrechtes* lesen.

Medicinische Facultät.

Ordentliche Professoren.

Hr. *J. R. Burckhardt*, Dr. d. Med., Prof. d. prakt. Med., d. Z. Decan: 1) *allgemeine Therapie*; 2) *specielle Therapie der Fieber*; 3) *Anleitung zur Behandlung der Krankheiten* (im *Hospitale*).

Hr. *K. G. Jung*, Dr. d. Med. u. Chir., Prof. d. Anatomie, d. Z. Rector: 1) *Anatomie des Menschen*; 2) *Chirurgie*.

Hr. *K. F. Meissner*, Dr. d. Med., Prof. d. Physiologie u. Pathol.: 1) *Physiologie des Menschen*; 2) *allgemeine Pathologie*; 3) die *Lehre von den Entzündungskrankheiten*.

Ausserordentliche Professoren.

Hr. *Joh. Röper*, Dr. d. Med., Prof. d. Botanik: 1) *Arzneymittellehre*; 2) über *kryptogamische Gewächse*; 3) *Repetitorium über allgemeine Botanik*.

Privatdocenten.

Hr. Dr. *L. Imhoff*: *Naturgeschichte der Wirbelthiere*.

Hr. Profector *Nusser* leitet die *Uebungen im Seciren*.

Philosophische Facultät.

Ordentliche Professoren.

Hr. *Em. Linder*, Dr. d. Phil. u. Prof. d. griech. Lit.: 1) *Pindar's olympische Oden*; 2) das *Evangelium Lucä* und den *Brief an die Hebräer*. 3) Als Lector in der hebräischen Sprache wird er den *Unterricht in derselben* fortsetzen.

Hr. *Dan. Huber*, Dr. d. Phil. u. Prof. d. Mathem., d. Z. Decan: *Astronomie*.

Hr. *Christoph Bernoulli*, Dr. d. Phil. u. Prof. d. Naturgesch. u. Technol.: 1) *Mineralogie*; 2) *Mechanik* und *Maschinenlehre*.

Hr. *K. F. Sartorius*, Prof. d. deutschen Lit.: 1) *Geschichte der deutschen Literatur* (Fortsetzung); 2) *Aesthetik*; 3) *Charakteristik der vorzüglichsten Werke Göthe's*, mit der *Theorie der epischen, lyrischen* und *dramatischen Dichtkunst*.

Hr. *F. D. Gerlach*, Dr. d. Phil. u. Prof. d. latein. Lit.: 1) *Sueton's Biographie des Julius Cäfar und Octavianus Auguftus*; 2) *Sophokles Antigone*; 3) *einige fchwierigere Abfchnitte der lateinifchen Syntax*, mit *Stilübungen*; 4) *lateinifche Interpretir- u. Disputirübungen.*

Hr. *Pet. Merian*, Dr. d. Phil. u. Prof. d. Phyfik u. *Chemie*: *Experimentalchemie.*

Hr. *Friedr. Brömmel*, Dr. d. Phil. u. Prof. d. Gefchichte: 1) *Gefchichte des Mittelalters*; 2) *Statiftik.*

Aufserordentliche Profefforen.

Hr. *Alex. Vinet*, Dr. d. Phil. u. Prof. d. franzöf. Lit.: 1) *Erklärung der Henriade*; 2) *Rhetorik*, mit *Erläuterung einiger Werke Mirabeau's.*

Hr. *R. Hanhart*, Dr. d. Phil. u. Prof. d. Pädagogik: 1) *Hauptepochen aus der Gefchichte der Pädagogik*; 2) *Erklärung feines Lehrbuchs der Volksfchulkunde*, mit *praktifchen Uebungen.*

Hr. *J. Eckert*, Dr. d. Phil. u. Prof. d. Mathem.: 1) *Arithmetik*, *Geometrie* und *Stereometrie*; 2) *mathematifche* und *phyfifche Geographie*; 3) *Elementarmechanik* und *populäre Aftronomie*; 4) *zeichnende Geometrie* und *Perfpective*; 5) *ebene* und *fphärifche Trigonometrie* nebft *analytifcher Geometrie.*

Privatdocenten.

Hr. Dr. *Picchioni*: *Erklärung einiger dramatifchen italienifchen Dichter*, mit einer *Ueberficht der dramatifchen Kunft in Italien.*

Hr. *J. J. Meyer*, Dr. d. Phil.: 1) *Ethik*; 2) *Encyklopädie der philofophifchen Wiffenfchaften.*

Hr. Dr. *Rud. Merian*: 1) Fortfetzung der *reinen Mathematik*; 2) *analytifche Geometrie.*

Hr. *L. Snell*, Dr. d. Phil., wird feine Vorlefungen am fchwarzen Brete anzeigen.

Hr. *F. Kortum*, Dr. d. Phil.: 1) *neuere Gefchichte der Schweiz*; 2) die *Hauptgefchicke des germanifchen* und *romanifchen Republikanismus*; 3) *Erklärung der Acharner des Ariftophanes.*

* * *

Hr. Gefanglehrer *Laur* wird die *Elemente des Gefanges* und *der Harmonielehre* vortragen; auch, wie bisher, den *Uebungschor* leiten.

Die *Univerfitäts-Bibliothek* und das *naturhiftorifche Mufeum* werden zur gewöhnlichen Zeit geöffnet. Der *botanifche Garten* ift jedem Liebhaber der Wiffenfchaft offen. Der Zutritt zum *anatomifchen Mufeum* ift Jedem geftattet, der fich bey dem Director deffelben meldet. Die Inftrumente des *phyfikalifchen Kabinets* und das *chemifche Laboratorium* können von Allen benutzt werden, die fich gehörigen Orts melden.

II. Gelehrte Reifen.

Der Capitain *Fofter*, welcher *Parry* auf feiner letzten Nordpol-Expedition begleitete und in Spitzbergen, wo er die Pendeluntersuchungen leitete, zurückblieb, nun aber zu einer wiffenfchaftlichen Expedition fo nahe als möglich nach dem Südpol beauftragt ift, ift mit dem Schiffe Chanticleer aus England nach Madeira abgegangen. Er foll von Weftindien aus nach Cap Horn, von da nach den neuentdeckten Südhetlandinfeln, und dann fo weit als möglich nach dem Südpol vordringen, wo er, nach *Weddell's* Erfahrungen zu urtheilen, auf keines von den Hinderniffen ftofsen dürfte, welche *Parry* die Erreichung des Nordpols unmöglich machten. Für die ganze Unternehmung find ihm drey Jahre bewilligt. Der Hauptzweck feiner Expedition ift die Fortfetzung der Pendeluntersuchungen in jener Gegend zur Feftftellung der Geftalt der Erde; nebenbey follen geographifche und magnetifche Beobachtungen gemacht werden. Einer von *Fofter's* Lieutenants begleitete *Franklin* auf feiner mühevollen Nordfahrt, und beynah die ganze Mannfchaft befteht aus erfahrnen und für wiffenfchaftliche Zwecke wohl ausgewählten Leuten.

III. Beförderungen u. Ehrenbezeigungen.

Die medicinifche Facultät zu Marburg hat der Witwe *Boivin*, erfter Hebamme und Vorfteherin des Krankenhaufes der Faubourg St. Denis zu Paris, Verfafferin einer trefflichen Abhandlung über die Geburtshülfe und andrer Schriften, den Doctorgrad der Medicin ertheilt, und ift ihr abfeiten der Univerfität das Ehrendiplom zugefendet worden.

Der Hr. Staatsminifter, Freyherr *Wilhelm von Humboldt*, hat das Grofskreuz des Königl. Hannöverfchen Guelfenordens erhalten.

IV. Vermifchte Nachrichten.

Das Königl. Preufs. Minifterium der geiftlichen, Unterrichts- und Medicinal-Angelegenheiten, für die Sicherung und Erhaltung der *rheinifchen Alterthümer* und *fonftigen Merkwürdigkeiten* ftets fehr bemüht, bezweckt jetzt eine vollftändige Auffuchung und genaue Verzeichnung aller dem Staate, den Kirchen und Communen gehörigen, in hiftorifcher, artiftifcher und literarifcher Hinficht merkwürdigen Gegenftände diefer Provinzen, um auf amtlichem Wege die vaterländifchen Denkmäler ficher zu ftellen und an ihren Oertern zu erhalten. Der mit diefem Gefchäft beauftragte Confervator, Hr. *Geerling*, wird deshalb die verfchiedenen Kreife der Rheinprovinzen nach einander bereifen und unterfuchen, und Archive, Bibliotheken, alterthümlich-merkwürdige Gebäude, Altäre, Tabernakel, Leichenfteine, Statuen u. f. w. aufzeichnen, Ausgrabungen veranftalten, und zur Erhaltung der merkwürdigen Gegenftände das Erforderliche vorfchlagen und einleiten.

LITE-

LITERARISCHE ANZEIGEN.

I. Ankündigungen neuer Bücher.

Höchst interessante neue Schrift, welche zu Michaelis in jeder guten Buchhandlung vorräthig seyn wird:

Ueber die Hegel'sche Lehre
oder
absolutes Wissen und moderner Pantheismus
8. Leipzig. Kollmann. 16—18 gr.

Der Verfasser hält den gegenwärtigen Augenblick für den geeignetsten Zeitpunkt, um die Hegel'sche Nichtphilosophie, die gerade jetzt mit Gewalt sich auszubreiten sucht, in ihrem wahren Lichte zu zeigen. Es geschieht diess auf einem neuen Wege der Kritik, und beweiset eben aus der Hegel'schen Philosophie, dass diese zuletzt in Deutschland *Kunst, Wissenschaft und Religion, und das Land selbst zunichte machen würde*, wenn sie noch mehr Herrschaft gewönne.

Bey A. Rücker in Berlin verliessen folgende Werke die Presse:

Fürstenthal, F. A. L., *corpus juris civilis canonici et germanici reconcinnatum*, oder Chrestomathie aller in dem Pandecten-System des Geh. R. und Professors Herrn *D. Thibaut* allegirten klassischen Beweisstellen. 1ster Bd. gr. 8. 2 Rthlr.
(Der 2te Band erscheint noch im Laufe des Jahres.)

Gebser, Dr. *A. R.*, der Brief des Jacobus. Mit genauer Berücksichtigung der alten griechischen und lateinischen Ausleger übersetzt und ausführlich erklärt. gr. 8. (28 Bogen.) 1 Rthlr. 12 gGr.

Gudme, A. C., Handbuch der theoretischen und praktischen Wasserbaukunst. 2ter Bd. 1ste Abtheilung. Mit 18 Kpfrt. 2 Rthlr. 12 gGr.
(Die 2te Abtheilung erscheint binnen 4 Wochen.)

Keiper, W. A., und *Klütz, W. A.*, Natur, Mensch, Vernunft in ihrem Wesen und Zusammenhange. gr. 8. 2 Rthlr. 12 gGr.

Naumann, D. C. F., Lehrbuch der Mineralogie. Mit einem Atlas von 26 Tafeln. 8. 3 Rthlr.
(Diess Werk führt auch den Titel: *Encyclopädie der speciellen Naturgeschichte*. Band I. Der folgende Band derselben umfasst die *Botanik*, von Prof. Dr. *Reichenbach*. Der letzte Band aber die *Zoologie*, von Dr. *Thienemann*. Letzterer wird binnen wenigen Wochen, ersterer zur Ostermesse die Presse verlassen.)

Philippi, Dr. *F.*, *historiae Graecorum Epitome*. Lehr- und Lesebuch für die mittlern und untern Klassen der Gymnasien. 8. 12 gGr.

Richter, Dr. *G. A.*, ausführliche Arzneymittellehre. Band 3. gr. 8. 3 Rthlr. 12 gGr.
(Band 1. kostet 3 Rthlr. Band 2. 4 Rthlr. Der Der 4te Band erscheint zu Ostern.)

Schubarth, Dr. *E. L.*, Receptirkunst und Recepttaschenbuch für praktische Aerzte. 2te Aufl. 8. 2 Rthlr.

Seldt, Amalia v., Morgenstunden. Weihgeschenk für edle Frauen. 8. Cartonnirt. 1 Rthlr. 12 gGr.

Spiker, Dr. *L. W.*, Lehrbuch der christlichen Religion. 3 Thle. 8. 1 Rthlr. 6 gGr.

Umpfenbach, Lehrbuch der Differential- und Integral-Rechnung. gr. 8. Mit 2 Kpfrt. 2 Rthlr.

Ein Prospect von *Panse* Geschichte des Preussischen Staates, welche in seinem Verlage in 6 Bänden zur Ostermesse 1830 auf Subscription erscheint, und höchstens 5 Rthlr. 16 gGr. kosten wird, ist in allen Buchhandlungen unentgeldlich zu erhalten.

In der Fleckeisen'schen Buchhandlung in Helmstädt erschienen so eben folgende Werke, welche in allen Buchhandlungen zu haben sind:

Mansfeld, Dr., ärztliche Andeutungen zu einer nähern Bestimmung des bürgerlichen Standpunktes der Taubstummen. 4. 1828. 9 gGr.

Remer, W. Herm. Georg, Lehrbuch der polizeylich-gerichtlichen Chemie. 2 Bde. *Dritte* vermehrte, und durchaus umgearbeitete Auflage. 8. 1827. 4 Rthlr.

Friedrich, Herm. Aug., Handbuch der animalischen Stöchiologie oder der thierischen Körper, seine Organe, und die in ihnen enthaltenen Substanzen in Hinsicht ihrer chemischen Bestandtheile, ihrer physischen und chem. Eigenschaften. Besonders zum Selbststudium entworfen. gr. 8. 1828. 2 Rthlr.

In allen Buchhandlungen ist zu haben:

Ueber das menschliche Elend, welches durch den Missbrauch der Zeugung herbeygeführt wird. Von Dr. *C. A. Weinhold*. Leipzig, bey Focke. Sauber brosch. ½ Rthlr. oder 1 Fl. 21 Kr. Rheinl.

Bey F. L. Herbig in Leipzig ist so eben erschienen und in allen Buchhandlungen zu haben:

Die sensitiven Krankheiten, oder *die Krankheiten der Nerven und des Geistes*, dargestellt von Dr. *Joh. Heinr. Feuerstein*. gr. 8. 22 Bogen nebst 3 gedruckten und 2 lithogr. Beylagen. Preis 1 Rthlr. 20 gr.

Diess Buch handelt alle Nervenkrankheiten ab, und in sofern die Geisteskrankheiten solchen angehören, sind auch diese ihnen einverleibt und dadurch eine genaue Uebersicht von allen diesen Krankheiten gegeben. Ausserdem versucht der Hr. Verfasser den praktischen Arzt auf die wissenschaftliche Seite aufmerksam zu machen, ohne es übermässig zu füllen,

weil

weil er verlangt, dafs solcher, um besonnen und glücklich zu heilen, nicht bloſser Routinier seyn müsse.

Englische Literatur.

The Course of time: a poem, in ten books. By Rob. Pollok, A. M. The fifth Edition. William Blackwood Edinburgh and T. Cadell. London 1828. (Herold Hamburgh and Hinrichs Leipsic) Price 4 Shill. (geb. 1⅓ Rthlr.)

Wer dieses neue Werk nicht kennt, der halte es der Ansicht werth.

„The Course of time" is the finest poem which has appeared in any language since Paradise Lost — sagt der *Eclectic Review.* (Das schönste, was seit *Milton* Paradise Lost in irgend einer Sprache geschrieben worden.) —

Ankündigung

einer neuen Bibliothek der Kirchenväter.

Schon seit längerer Zeit wurde ich aufgefordert, eine neue Ausgabe von *Röſsler's Bibliothek der Kirchenväter* (10 Bände gr. 8.) zu besorgen. Obgleich ich mich aus mehreren Gründen hierzu nicht entschlieſsen konnte, so wurde doch dadurch der schon längst entworfene Plan zu einer neuen Bibliothek der Kirchenväter aufs neue angeregt, und ich sehe mich veranlaſst, dieselbe hierdurch vorläufig anzukündigen. Der Titel wird seyn: *Bibliothek der Kirchenväter, oder vollständige Uebersetzung sämmtlicher Schriften der Kirchenväter aus der ersten Periode der christlichen Kirche, mit kurzen Anmerkungen* u. s. w. Die Absicht ist, alle Denkmäler der christlichen Vorzeit von den apostolischen Vätern bis auf Origenes in einer möglichst treuen Uebersetzung den zahlreichen Lesern, welche diese Werke nicht im Original lesen können, darzulegen, um sie mit Geist und Manier der ältesten Lehrer der Kirche, in ihrer ursprünglichen Gestalt, näher bekannt zu machen. Die Uebersetzung soll sich der Urschrift so genau als möglich anschlieſsen und nicht mehr oder weniger, als diese, enthalten. Bloſse *Auszüge* können das nicht leisten, und hängen, wie einsichtsvoll sie auch gemacht seyn mögen, zu sehr von der Willkür und Individualität des Epitomators ab. Das eigenthümliche Gepräge des Alterthums kann nur bey einer Uebersetzung im eigentlichen Sinne des Worts wiedergegeben werden.

Die zu übersetzenden Haupt-Werke werden seyn: 1) Die sogenannten apostolischen Väter. 2) *Justinus Martyr.* 3) Die Apologeten: *Athenagoras, Theophilus Antiochenus, Tatianus, Minutius Felix* u. a. 4) *Irenaeus.* 5) *Tertullianus.* 6) *Cyprianus.* 7) *Clemens Alexandrinus.*

Die Schwierigkeiten einer solchen Arbeit sind mir nicht unbekannt, und ich fühle es gar wohl, dafs es ein gewagtes Unternehmen ist, einen *Irenaeus* ... *tullianus* übersetzen zu wollen; dennoch hoffe ... Gottes Hülfe einen groſsen Theil dieser Schw... ten zu überwinden und billigen Forderungen ... maſsen zu genügen. Ich hoffe, so bald ich, ... zu erwarten, mein archäologisches Werk (des... Band nächstens erscheint) vollendet haben werd... Zeit und Kraft ausschlieſslich dieser Bibliothe... Verlag die Dyk'sche Buchhandlung in L... übernommen) widmen, und das Ganze in ... eben so viel Bänden, wie das Röſsler'sche W... endigen zu können.

Bonn, am 18. August 1828.

Dr. A...

In allen soliden Buchhandlungen ist zu h...

Vermischte historische Schriften von Dr. K... 1ster Band, mit dem Portrait des Ve... Fein weiſs Druckpapier 2 Rthlr. 4 gr. od... 30 Kr., ord. Papier 2 Rthlr. od. 3 Fl. 12...

Dieser *erste* Band enthält: König Enzio ... Pedro der Gestrenge und Ines de Castro. ... Petrarca's Selbstgeständnisse. Thrasea P... ... von Alexandrien. Hakon Jarl.

Das Wesen der Artillerie von *C. v. Sonntag.* ... 1 Rthlr. oder 1 Fl. 36 Kr.

Der Herr Verfasser hat in diesem Werkchen ... neuesten praktischen Erfahrungen und Beobacht... im Gebiete der Artillerie-Wissenschaft nieder... und besonders auf die Fortschritte derselben in ... ster Zeit Rücksicht genommen, und legt solches ... dem artilleristischen Publicum zur Beurtheilung vor.

Ludwigsburg, im Julius 1828.

C. F. Nast'sche Buchhandlung

II. Vermischte Anzeigen.

Herr *Gottlieb Karl Wilhelm Schneider* in Weimar hat in den Literarischen Anzeiger der Jahn'schen Jahrbücher (Bd. II. Heft III. 1828.) gegen die in dieser Allg. Lit. Zeit. (1828. Jul. Nr. 179 fg.) eingerückte Recension seiner Ausgabe des Sophocles eine *Erwiederung* einrücken lassen. Rec. glaubt die geehrten Leser dieser Blätter um so mehr darauf aufmerksam machen zu müssen, je mehr dieselbe dazu dient, das ... Hrn. *Schneider* ausgesprochene Urtheil aufs Glänzendste zu bestätigen. Dazu kommt, dafs sich Hr. *Schneider* daselbst die dankenswerthe Mühe gegeben hat, die ihm von Rec. an einzelnen Stellen beygelegten und gebührenden Eigenschaften so zusammenzustellen, dafs man nun fast bey einem einzigen Blick das treffendste Gemälde von ihm vor Augen hat.

Der Recensent des Schneider'schen Sophocles.

ALLGEMEINE LITERATUR-ZEITUNG

October 1828.

ALLGEMEINE SPRACHKUNDE.

Leipzig, b. Hartmann: *Zum Europäischen Sprachenbau* oder *Forschungen über die Verwandtschaft der Teutonen, Griechen, Celten, Slaven und Inder.* Nach *Alexander Murray* bearbeitet von *Adolph Wagner.* 1825. *Erster* Band XLI u. 418 S. *Zweyter* Band 248 S. 8. (3½ Rthlr.)

Alexander Murray, (geb. 1775, st. 1813 als Professor der orientalischen Sprachen zu Edinburgh) hatte sich den gröfsten Theil seines Lebens mit dem Studium der Sprachen befafst und man wufste von ihm, dafs er lange an einem Werke über die Verwandtschaft der Europäischen Sprachen gearbeitet habe. Nach seinem Tode wurde die Handschrift gefunden, sie bestand aus zwey Foliobänden, zwey Bearbeitungen desselben Gegenstandes; der erste Band war sehr ausgearbeitet, nur die Materie ungleich behandelt, einige Punkte leicht berührt, andere unverhältnifsmäfsig lang. Der zweyte Band enthielt eine Ueberarbeitung des ersten, die Kapitel und Unterabtheilungen waren vollkommner, alles klarer und deutlicher, im Ganzen meist Text, wenig Noten. Diese beiden Bände wurden dem Dr. *David Scott*, Pfarrer zu Costorphnie übergeben, welcher den zweyten Folianten genau abdrucken liefs, nur dafs er hier und da ein fehlendes Wort, einen abgebrochenen Gedanken ergänzte und manches aus dem ersten Folianten herübernahm. Aufserdem brachte er vieles aus dem Texte in die Noten, wie denn auch den beiden Handschriften nach es schien, als wenn *Murray* die Thatsachen und Erläuterungen mehr unter den Text habe setzen wollen. Der deutsche Herausg., Hr. *Adolph Wagner*, fand auch so das Werk nicht in gehöriger Ordnung, schickte Vieles voraus, was am Ende des Werks stand oder hier und da eingestreut war, nahm Manches aus den Noten in den Text und verwies die Noten selbst sämmtlich in den zweyten Band. Derselbe fügte auch, was ihm bey der Umarbeitung etwa beyfiel, in Klammern eingeschlossen bey, und webte in der Einleitung manches Eigene sogleich in den Text ein, um die Gesetze der Sprachforschung und Sprachzergliederung folgerichtiger und vollständiger zu machen. Aber auch so wird Hr. *W.* zugeben müssen, dafs Vieles noch in ziemlicher Unordnung da liegt: denn auch jetzt weifs man oft nicht, warum das Eine im Text, das Andere in den Noten; dieses verbunden, jenes getrennt und voran oder nachgeschickt sey, wie weiter unten hier und da sich zeigen wird. Hr. *W.* sagt in der Vorrede S. XXXIX, dafs, da seitdem manche einzelne Gegenstände zum Theil von deutschen Forschern genauer untersucht wären als *Murray* gewufst oder erlebt habe, es ihm nöthig geschienen habe, in kurzen Bemerkungen unter dem Texte diefs so wie überhaupt die bezügliche Literatur übersichtlich anzugeben, und somit die weitern Fortschritte nachzuweisen.

Der englische sowohl als der deutsche Herausg. haben also in mehrfachem Sinne grofsen Antheil an diesem Buche; ja da *Murray* den Druck seiner Handschrift bey seinem Tode nicht angeordnet hatte, so sind die Herausg. zugleich für den Werth dieses Buches verantwortlich. Wie sehr auch Hr. *W.* von dem Werthe desselben überzeugt ist, zeigt er deutlich in seiner Vorrede. Denn in derselben wird sofort über alle die gerichtet, welche diefs Buch nicht nach Verdienst anerkennen würden; dagegen werden die Beschäftigungen der meisten Philologen herabgewürdigt, über ihre Sucht neue Ausgaben zu verfertigen, über ihren Zweifelskitzel, Conjicirwuth, Emendationsjucken, ihren metrischen Tarantel- und Veitstanz und dergleichen unbarmherzig hergefahren und nur einige Wenige werden als Auserwählte unter vielen Berufenen genannt: *Christ, Heyne, Winkelmann, Wolf, Kanne, Kreuzer, Riemer, Sickler, Champollion* der jüngere; und als solche, *die mehr oder minder klar von einer philosophischen Bearbeitung der Sprache reden*, werden genannt: *Riemer, Matthiae, Hermann, Ramshorn*, und der ganzen *Hemsterhuis'schen* und *Lennep'schen* Methode wird mit grofsem Lobe gedacht. Die gegenwärtige Arbeit wird aber ein für die Wissenschaft bedeutendes Werk und ein minder gut gearbeiteter und erhaltener *Torso* genannt, dessen Werth, wenn es auch dem vornehmen Abweis und der scheelsüchtigen Kennerey nicht entgehen werde, die Zeit, als die beste und untrüglichste Kennerin, ausweisen werde.

Wird man wegen des anmafsenden, jedes mifsbilligende Urtheil abweisenden Tones und wegen des Hohnes, welcher über die Bestrebungen vieler achtbaren Philologen ausgegossen wird, bedenklich und über den Werth des Buches selbst zweifelhaft, so wird es jeder noch mehr wegen der wunderbaren Zusammenstellung derjenigen Männer, welche in der Sprachforschung als die vorzüglichsten genannt werden, unter denen überall als Stern erster Gröfse *Riemer* hervorleuchtet, während gerade die Männer nicht

nicht erwähnt sind, die in dem Gebiete der vergleichenden Sprachforschung unbestritten das Meiste geleistet haben: *Bopp*, *Grimm*, *W. von Humboldt*, *A. W. von Schlegel*. Ein anderer Zweifel an dem Werthe dieser Forschungen muss entstehen, wenn man bedenkt, was seit dem Jahre 1813, wo *Murray* starb, für allgemeine Sprachforschung von den eben genannten Männern und von Andern geschehen ist. Denn obwohl Hr. *W.* erwähnt, dass er nachgetragen habe, was von deutschen Forschern seit jener Zeit geschehen, so sieht man doch daraus, dass er jene Männer nicht unter den Vorzüglichsten nennt, dass er von diesen gar nichts nachtragen wollte; und wie liess sich ein Werk denken, worin in diesem Fache der Wissenschaft nachgetragen werden könnte, was seit der Zeit vielfach neu begründet ist, wovon man vordem kaum eine Ahnung gehabt hat. Man brauchte nur das Eine: in dem Buche wird bogenlang über die deutschen Dialekte gesprochen und *Grimm's* Grammatik hat der deutsche Herausg. nirgends genannt. Auch kann der deutsche Vf. durchaus nicht von sich sagen, er habe in kurzen Bemerkungen unter dem Texte angegeben, was von deutschen Forschern genauer untersucht worden: denn abgesehen davon, dass diess *in kurzen* Bemerkungen unmöglich wäre, so sind die Bemerkungen selbst höchst dürftig. Ja hätte der Vf. jene Leistungen gekannt, so würde er wohl nicht diess Buch der Uebersetzung werth gefunden haben. Wahrer ist es, was der Vf. von sich sagt, dass er die bezügliche Literatur übersichtlich gegeben, nur muss diess auf das Sanscrit, Persische, Slavische, Celtische und Kymrische beschränkt werden.

Doch der Titel des Buches ist so anziehend, dass man geneigt ist, sich mit demselben bekannt zu machen. — Dass die Teutonen, Griechen, Celten, Slaven und Inder mit einander verwandt sind, daran (nur über die Celten ist man noch ungewiss) zweifelt heutzutage Niemand, der sich mit der Vergleichung der Sprachen dieser Völker beschäftigt oder die Schriften der von mir angeführten Männer gelesen hat. Wohl aber ist noch ein reiches Feld der Forschung übrig, *wie* das Wort Verwandtschaft hier zu nehmen sey, welche Völker näher, welche entfernter mit einander verwandt, welche früher oder später aus dem gemeinschaftlichen Ursitze ausgewandert, mehr oder weniger von dem Ursprachstamme beybehalten, und die empfangene Mitgift nach politischen und klimatischen Verhältnissen mehr oder minder vermehrt und ausgebildet haben. Diese Verwandtschaft wurde anfänglich durch eine Menge von Worten wahrscheinlich, die man an Klang in den verschiedenen Sprachen übereinstimmend fand. Allein da man auf die Gattungen von Wörtern welche in den verschiedenen Sprachen gleichlauten, nicht genug achtete; da man die Wörter, welche durch blossen Verkehr der Völker sich weit verbreitet hatten, nicht sonderte, die Flexionsendungen von der Wurzel nicht schied, oder auch nicht zu scheiden wusste, und die Klänge willkürlich nach dem Ohre modelte, ohne die Umlautsges[illegible] Sprachen aufzufassen, da war man bald an ben Abgrunde, an welchem man früher g[illegible] hatte, wo man, an der Sage von der Sprac[illegible] wirrung beym babylonischen Thurmbau fest[illegible] stand, dass die hebräische Sprache mit allen Sprachen nahe verwandt sey. Werden ab[illegible] Abwege vermieden, so lassen sich allerding[illegible] Vergleichung der Wörter in den verwandte[illegible] chen sehr interessante Resultate erwarten. [illegible] andern Weg giebt es noch, diese Verwandtsc[illegible] ermitteln und dieser ist sicherer, die grammat[illegible] Flexionen, die Ableitungen und Zusammens[illegible] gen und syntaktischen Eigenheiten mit einand[illegible] vergleichen, wobey es an höchst anziehende[illegible] tersuchungen über die Art und Weise und die[illegible] de, wie Formen verloren gegangen, anderw[illegible] erhalten, geschwächt oder zuweilen auch [illegible] worden sind, nicht fehlen kann. Beide We[illegible] den sich vielfach durchkreuzen und meist neben[illegible] ander hingehen.

In vorliegendem Buche sind beide Wege [illegible] nommen, doch in welcher Art und Weise und [illegible] die Forschungen angestellt sind, diess wird [illegible] Gründen durch Mittheilungen aus dem Buche selb[illegible] darzulegen suchen.

S. 1—84 enthält eine *Einleitung* in 2 [illegible] gen: *Sprachforschung* und *Geschichtliches*. In e[illegible] sterer wird über Verwandtschaft und Identität der Sprachen, über den Europäischen Sprachstamm, [illegible] den Forschungsgang, über die Ergebnisse, N[illegible] und Zweck der Sprachforschung gehandelt. [illegible] kann nicht umhin zu bemerken, dass ein gro[illegible] Theil dieser Bemerkungen, deren Ordnung [illegible] nicht recht abzusehen, ihm überflüssig erschienen [illegible] weil die Art der Forschung und die Ergebnisse de[illegible] selben sich zur Genüge aus dem Werke selbst erge[illegible] ben mussten. Doch enthält dasselbe manche wahre, wenn auch nicht neue Ansicht über Vokale und Consonanten und über deren Wandelbarkeit, die durch Beyspiele aus verschiedenen Sprachen nachgewiesen ist. Nur vermisst man ganz die *historische* Begründung. Denn sollen Wörter aus verschiedenen Sprachen bey verschiedenen Consonanten und Vokalen als verwandt dargestellt werden, so genügt nicht, bloss nachzuweisen, dass wirklich diese Buchstaben einmal irgendwo mit einander vertauscht worden sind, sondern man muss diese Umwandelung der Consonanten gerade in den betreffenden Sprachen als mehrfach durchgreifend nachweisen. — In der zweyten Abtheilung, *Geschichtliches*, wird von den Celten, Teutonen, Slaven, Finnen, Griechen und Römern, und den teutonischen oder germanischen *Sippen*, als da sind die Engländer, Gothen, Skandinavier, Alemannen gesprochen. Auch hier macht Rec. auf die Ordnung aufmerksam. Warum wird mit den Celten angefangen? nach welchem Rechte folgen die Uebrigen? Wie können die Teutonen von den teutonischen Sippen getrennt werden? Warum gehen die Engländer, die jüngste Mundart, den übri-

übrigen Völkerschaften voran? Warum eine so kurze Nachricht über die Slaven und etwas mehr in einer Note des zweyten Bandes S. 220. Auch erwartet man eben so Nachrichten über die Inder, da diess Volk auf dem Titel erwähnt und im zweyten besonderen Theil die Sprache der Inder ausführlich mit der teutonischen und griechischen verglichen wird. Und das Kapitel über alte Geschichte Griechenlands, Scythiens, Persiens und Indiens, S. 201 u. f., fand es hier nicht auch den besten Platz? — In diesen historischen Nachrichten wird zuerst S. 84 die ursprüngliche Verwandtschaft der Völker durch die Uebersicht folgender 10 Wörter bewiesen:

Englisch,	*Celtisch,*	*Cymr.*	*Teuton.*	*Slavisch.*	*Finn.*	*Pers.*	*Sanskrit.*
father	*athair*	*tad*	*fader*	*otche*	*atkia*	*pader*	*pita*
mother	*mathair*	*mam*	*modor*	*mate*	*ama*	*mader*	
brother	*brathair,*	*brawd*	*brothar*	*brate*	*well*	*brader*	*bhratri*
daughter	*nighean*		*dothar*	*doche*			
moon	*luan*	*lloer*		*mesyache*			
heart	*cridhe*						*hridaya*
light							
wind	*gaoth*	*gwynt*	*ahstu. wind*	*vëtr*			
man	*mac*	*mab*	*maeg*	*muja*	*mori*	*murâ*	*mana*
name	*alum*	*enw*	*namo*	*imya*		*nam*	*naman*

Dazu werden in besonderer Anmerkung die ähnlichen griech. und lat. Wörter nachgewiesen. Allein wie können 10 Wörter, so unvollkommen durchgeführt die Verwandtschaft einer Sprache beweisen? Ist das Finnische dadurch auch als zu diesem Sprachstamme gehörig bewiesen? Wozu wird das Englische vom Teutonischen getrennt? Was hat man unter Teutonisch zu verstehen, da nachher auch des Altteutonischen Erwähnung geschieht? Wozu überhaupt so dürftig vorläufig beweisen, was nachher durch andere Gründe festgestellt wird? Zweyerley ersieht man zugleich: dass der Vf. vom grammatischen Bau der slavischen Sprachen nichts verstand. Wie konnte er sonst den Vokativ Otche (noch dazu falsch geschrieben statt *Otsche* oder *Ottsche* oder *Oitsche*) hier als Nominativ aufstellen? Wahrscheinlich hatte der Vf. diess Wort aus einer Vaterunserpolyglotte geholt, da das Vaterunser der meisten slavischen Dialekte mit *Oitsche nasch* oder *Otsche nasch* anfängt. Auch ist in dem ganzen Buche von den Flexionen der slavischen Sprache nicht weiter die Rede, sondern S. 165 sind nur noch 25 polnische und Sanskritworte, an Klang oft sehr verschieden, neben einander gestellt; dasselbe ist S. 400 wieder geschehen. Eben so sieht man, dass *Murray* vom Sanskrit nichts verstand, ausser was er etwa in *Wilkin's* Grammatik gelesen hatte, und dass er auch diess, wie sich bey andern Stellen ebenfalls zeigt, nicht inne hatte. Denn wie konnte er neben der Grundform *bhratri* die Form *pita Nominativ* oder *Vocativ* aufstellen? Da überdiess die Grundform *pitri* zur Vergleichung weit passender war. Vielleicht hatte auch hier der Vf. eine Vaterunserpolyglotte vor sich. Wie konnte er die bekannten *matri* und *duhitri* weglassen. — In den historischen Nachrichten selbst ist manches Bekannte angeführt, vieles Neue auch, was nicht bewiesen ist und ohne Beweis keinen Glauben finden wird; Anderes ruht auf Beweisen aus der Sprache entlehnt, die sehr willkürlich sind. Einige Proben mögen diess erläutern S. 84. „die Hauptgottheit der Gallier war Merkur, Erfinder der Künste und Schutzherr des Reisens und Handels. Sein ursprünglicher Name war *Teutat*, vermuthlich von *teut Volk*, neuceltisch *tuath* oder *tuad*, was im Altgallischen gebräuchlich war, wie *Teutomarus* und andere Namen zeigen. Bey *Livius* kommt ein Erdhaufe *Mercurius Teutates* vor, wo also *Mercur* und *Teutat*, der Volksgott, dieselben sind. *Auch der griechische Hermes führte bekanntlich die Seelen in die Unterwelt und so vermuthlich auch der celtische.*" S. 88. „Die Belgischen Gallier waren nicht germanischen Ursprungs, mochten aber, wie ihre Stamm- und Häuptlingnamen beweisen, zu *Cäsar's* Zeit ein verderbtes Belgisch sprechen. Das Belgische des eigentlichen Galliens war damals nicht Ersisch, sondern Altbritisch. Man vergleiche die reingermanischen Namen: *Ariovist, Heerstütze; Suevi; Ubii, die Niederländer von ub unten; Eburones die Ufermänner von ebur, ubar; Cherusci von here, heer Schaar; Harudes von har Heer; Vangiones von wang Ebene,* Matte *wang-wonen.* — *Atrebates von treu Weilern oder Kreisen* *). Die *Suessionen* waren ein mächtiger belgischer Stamm, einmal von *Divitiacus* beherrscht, (offenbar ein celtischer, nicht teutonischer Name) nachher von *Galba*, welches celtisch ist für hart oder tapfer. *Bibrax*, die celtische Festung war auch kein germanischer Name." S. 47. „*Codanus* nimmt *Grotius* für verderbt aus *Guden*, oder *gothisch*. Er führt zum Beweis das Beywort *gudske* an, das Schweden und Dänen oft auf Gothland anwenden, und seine Ableitung wird durch das Lat. *Guttones* für Gothen sehr bestätigt. Der Grund, warum in den Klassikern *Guttones, Gottones* und *Gotthones* oder Γόνϑοι vorkommt, ist, weil ϑ getrennt gesprochen wurde. Die Voraltern der Spanier nannten sich *Guden* und *Gothen, gute Männer* von *guds* oder *gothe, nützlich, wohlthätig,* dien-

*) Es muss gleich hier darauf aufmerksam gemacht werden, dass der Vf. oft willkürlich Wörter macht und willkürlich den Wörtern Bedeutungen unterlegt, die man daher vergeblich in allen Wörterbüchern suchen würde.

dienlich, förderlich. Die *Quadi* dagegen waren *Civaden*, *schlechte Männer*." — Ebendas. „der Name *Tuiston* oder *Tuiscon scheint von twig oder tig herzukommen, in welchem Sinne ist nicht leicht sicher anzugeben. Tuiston* könnte von *thiest* oder *thwist*, Geschlecht, herkommen. Sicherer ist der Name seines Sohnes *Mannus* von *magen*, einem abgeleiteten Worte von *maeg*, Kind, Sohn, Geborner, Mann." S. 48. „Der Name *Germanen* ist celtisch, verderbt aus Wehrmannen, von *wigr*, *Schlacht* und *man*, *Mann*." S. 49. „Die Sprache aller germanischen Stämme war eine, und die mundartlichen Abweichungen waren mehr in der Aussprache als in Worten und Bau. Da die Sueven die grösste Völkerschaft waren, so scheint auch ihre Mundart im alten Germanien die gewöhnlichste gewesen zu seyn. Von ihnen stammten Allemannen; Servische Pflanzvölker scheinen Westgothen, Vandalen, Longobarden und Burgunder gewesen zu seyn." Hiermit ist zu vergleichen S. 46 „die *Vinduli* oder *Vandali*, wovon die Burgunder, Variner, Casiner und Guttonen (Gothen) ein Theil waren, scheinen suevische Niederlassungen gewesen zu seyn, welche die südliche Küste des baltischen Meeres und viele seiner Inseln einnahmen." S. 51. „Die Slaven waren medische Sippen, die entweder auf östlichem Wege über die Kaukasischen Gebirge oder durch Küstenfahrt auf dem Kaspischen Meere aus Nordpersien kamen. Sie gewannen in einigen Jahrhunderten alle Länder der nördlichen Küste des *Euxinus*. — Die gothische Völkerschaft brach sich Bahn durch der Slaven feindliche Stämme und Moorgründe, als sie nach dem *Euxinus* auswanderten." S. 52. „Im Norden des russischen Reichs leben die Abkömmlinge eines andern Stammes, der einst, wenn gleich jetzt unberühmt und unbedeutend, die Gegenden um den Kaukasus bevölkerte und unter einer verhältnissmässig gesittigten und geregelten Regierung tief in den nordischen Wäldern sich niederliess." S. 56. „Die Engländer sind Spross der *Gothen*, Angeln und Sachsen. — Die zweyte dieser Sippen bewohnte einen *Winkel* (*angulus*) des baltischen Meeres um Schleswig." — Von dieser Art sind die ganzen historischen Nachrichten; ihr Werth fällt Jedem in die Augen, der nicht geneigt ist, Behauptungen Glauben beyzumessen, die aller Geschichte widersprechen und für welche entweder gar kein Beweis geführt ist oder deren ganze Wahrscheinlichkeit nur auf willkürlichen Etymologieen beruht. Die Hauptansichten des Vfs. über Sprache beginnen S. 85 mit der ebenfalls unbewiesenen und falschen Behauptung: „die Völker von den Grenzen

Chinas bis an das atlantische Meer,
Zemlia bis *Africa* sprechen verschiedene
einer Sprache, deren einfachste, jetzt
Form das Teutonische ist." — *Das Syste*
besteht darin, dass er die Ur- und W
vom Uebersetzer *Urlinge* genannt, *aufste*
Verschwächung oder Verstärkung derselb
ihre Verdoppelung und *wechselseitige* V
alle Wörter, die ihm aus jenem Sprachst
kannt waren, entstehen lässt. Dieser *Ur*
neun und zwar folgende:

1) *Ag*, mit schnell, *gleichmässig* eind
oder scharfer Wirkung schlagen oder
wag die gleichartige nur minder *plötzlic*
gung; *hwag* die gewaltiger angestrengte
sind wechselnde Formen eines *Urwortes* f
gung des Feuers, Wassers, Windes un
spielses. — 2) *Bag* oder *Bwag* mit lebha
tiger, antreibender Gewalt schlagen, d
Fag und *Bg* sanftere Abänderungen. — 3
in andern Formen *Thwag* oder *Twag* mi
gewaltigem, starkem Schlage treffen. — 4
oder *Cwag* mit lebhaftem, schwankende
chem Anstosse bewegen oder schlagen. — 5
oder *Hlag*, mit schwankem Klapp
6) *Mag* mit starker Kraft oder Anstoss
dass man zusammendrängt, zerstösst oder
7) *Nag* oder *Hnag* mit zermalmender,
Macht schlagen. — 8) *Rag* oder *Hrag* mit
roher, scharfer, eindringlicher *Macht* schlagen
9) *Swag* mit gewichtigem starkem Antriebe be
Nach welcher Analyse der Vf. *diese Urwörter*,
er ihre Bedeutung (das erste Urwort hat 1
tungen, siehe weiter unten) entdeckt, d
schweigt er weislich; mit ihnen, sagt der Vf.,
zeln gesprochen, (wer hat es gehört?) behalf
sich Menschenalter hindurch; *die einzelnen* G
stände der Thätigkeit wurden durch Geberden
wechselnde Töne der Stimme *mitgetheilt. Die* T
tigkeit selbst aber durch einen angemessenen Ein
ber ausgedrückt. „Wenn Feuer brannte, oder
in einem Glutstrome bewegte, bezeichnete *Ag* sein
Wirken selbst und seine glänzende durchdringende
Eigenschaft. Wenn Wasser dem Drucke des Fusses
oder der Hand nachgab, war es *Wag*; gab Einer
nem Andern einen kräftigen *Schlag* mit der F
Bag, mit einem Stabe oder Baumzweige *Lag*; w
eine dieser Handlungen rasch, aber in niederm G
mit weniger Gewalt vollzogen, so ward der
Laut der eigentlichen Sylbe in einen schwä
verwandelt, so war *Lig* ein leichter Schlag."

(*Der Beschluss folgt.*)

ALLGEMEINE LITERATUR-ZEITUNG

October 1828.

ALLGEMEINE SPRACHKUNDE.

Leipzig, b. Hartmann: *Zum Europäischen Sprachenbau* oder *Forschungen über die Verwandtschaft der Teutonen, Griechen, Celten, Slaven und Inder.* Nach *Alexander Murray* bearbeitet von *Adolph Wagner* u. s. w.

(Beschlufs der im vorigen Stück abgebrochenen Recension.)

Die fogen. Urlinge an einander gefügt bildeten Zufammenfetzungen; fo S. 91. „wird mit dem Urling *Wag bewegen fchütteln, ga* gehen oder *da* thun verbunden, fo drückt *wagida*, zufammengezogen aus *wagdag*, aus, dafs die Handlung gethan, beendet fey und *gawagida*, dafs fie vorüber gegangen, vorbey ift. Diefs ift der Urfprung des *temp.* und *partic. imperf. praeter.* und *perf. praeter.* in allen teutonifchen Mundarten. Ein anderes *Participium*, das gewöhnlich in der Bedeutung eines *praeter.* gebraucht wird, ward durch das angehängte *mag*, machen, hervorbringen, oder *nag* einwirken gebildet, *wagama* oder *wagana* bewegt, d. i. bewegen gemacht, zum Bewegen angewirkt. Wurde der Urling als *Nomen* gebraucht, fo gaben *ma* und *na* ihm eine zueignende Bedeutung d. i. fich bewegendes Waffer, mit *ma* wogen gemacht d. i. Woge geworden oder Wogen vermehrt; mit andern Worten, *mit* oder *einer* Welle, urfprüngliche Dativform." So wird *wagag*, *wagaba*, *wabba*, *wagra* u. f. w. zufammengefetzt, denen Bedeutungen untergelegt werden, die fich in keiner Sprache finden und die fo lange mit Urlingen modificirt werden bis endlich fich eine Bedeutung findet. S. 92. heifst es: „der Einflufs von *rag* wirken und *fwag* machen, kann durchaus in *den meiften Wörtern aller Sprachen* von der *Tatarei* bis an das atlantifche Meer nachgewiefen werden." So läfst der Vf. aus diefen 9 Urlingen alle europäifchen Sprachen entftehen, und er zeigt darauf einzeln, wie das Nomen und fein Zubehör, das Zeitwort, die Ableitlinge mit den Urableitlingen und Afterlingen, die Afterfamfezlinge, die Neben- Vor- und Bindewörter, die Zahlwörter, die [illegible]nnung der Gegenftände der innern und äufsern [illegible] abgeleitet werden, wobey bald die Wurzel felbft erläutert, mehr noch auf die Endung und die eigentliche Flexion Rückficht genommen ift. Diefe Art und Weife die Grammatik zu erleuchten, ift neu, und es follen auch hier einige Beyfpiele folgen: „der Stamm des Nomens wird je nach der angefügten Endung Haupt- oder Beywort, fie bedürfen zugleich einer Endung, welche das Gefchlecht: er, fie, es, ausdrückt. In fehr alter Bedeutung hiefs *nag bewegen*, vorwärts treiben und ward früh vom Schwimmen gebraucht. Gewöhnlich ward *nada* zu *rata;* dazu *ra* wirkend gefetzt, wird *ratra*, alfo was fchwimmen macht. Aber diefs konnte einen Schwimmer nicht eher bezeichnen als bis *ra* die perfönliche Bedeutung des Wirkenden hatte. So wurde denn *nator* der Schwimmer und *nat-or-ig-fa* die Schwimmerin. In *rix* find 8 Afterlinge *ra, ag, fa.*" — *Bon-us, a, um* nach Abwerfung des Gefchlechts *bon* aus *bag* fördern, vorwärts bewegen, helfen und *na* machen. Ueber die Art, wie die Cafus gebildet find, vergleiche man S. 99. Der Dativ der Mehr- und Einzahl wurde urfprünglich gebildet durch das angefügte *ma*, in der Bedeutung *vermehrt* oder *zugefetzt*. So bedeutet *cwinoma* der oder mit der Frau, *cwinömöna* zufammengezogen *cwinom* den oder mit den Frauen. Eine andere, dem Celtifchen, Latein., Griechifchen und Sanskrit eigne Form des Dativs wurde durch *ba* bringen oder *ba-fa* den zweyten und neunten Afterling. So hat *regs*, *rex* der da lenket, richtet, im *Genit. regis*, alt *regins* zu einem Lenker gehörig. *Dat regi*, ehemals *regin* oder *regim* und *regima* mit einem Lenker. *Acc. regem*, ehemals *regen*, *regina* auf, an einen Lenker. *Nom. plur. reges* aus *regins*, zufammengezogen *regeis* Lenker. *Genit. regum* und *regom* aus *regona*. *Dativ. regibus* aus *regibafa* Lenkern gehörig." — Mit ähnlichen Formen wird die Flexion des Verbums bereichert, wo ebenfalls Wörter gebildet werden, für die fich nirgends in den Sprachen ein Beleg finden läfst. — Die Zahlwörter werden alfo erklärt S. 159.:

1) *eac, ek, eacen, ain* und *an*, vor Mitlautern *a* und *ae aus von eae fortfahren, hinzufetzen, hinzufügen.* — 2) *tweg* und *twag*, *twa*, *zwey* von *twag mit Gewalt trennen, zerhauen.* — 3) *thrig*, *thrins drey* von *thrig* drängen, zufammendrücken. — 4) *fedwar*, vier; die Verbindung von *fogd*, Fügung. Diefs ift ein Nennwort durch Anfügung des Afterlings *ra* an *fed* gebildet. — 5) *fimb* oder *finf* fünf; *zur Verbindung*, d. i. *zu Vier gehörig*. — 6) *feache* oder *faihs*, fechs von *fic* fchneiden, die Kerbe oder Theilung. — 7) *fibun* fieben von *fib* verwandt; alfo dem vorigen verwandt u. f. w. — „Hundert ift aus dem *teutonifchen taihundtehund, zehn* — zehn zufammengezogen *hund*, *hunda*, daraus mit Hinzufügung der ungefchlechtigen Endung *centum* entftanden. [illegible] ift das Gerippe *tigundon*, was in diefer Mundart das [illegible] *d* oder *t* verlor. —

Ein neuer Beweis, dafs der Vf. vom Sanskrit nichts verftand. Die Vergleichung mit den fanskritifchen Zahlen liegt nahe. Die Ableitung der oben angegebenen Zahlen von Wörtern, die in keiner Sprache eine Bedeutung haben, ift lächerlich, am albernften die von ἕκατον, was genau mit *centum* zufammenhängt, wie man aus dem Sanskrit *ſutam* erfehen kann. Das fanskritifche galatale *ſ* geht nämlich im Latein. und Griechifchen meift in den entfprechenden Gutturalbuchftaben vorzüglich ein *k, c,* oder *gu*: im Deutfchen in ein *h* über: *ſanscr. daſa, δέκα, decem, goth. taihun ſanscr. ſarykha κόγχη, concha, ſanscr. dadarſa δέδορκα. ſancr. ſunt. κύων, κυνός, canis,* Hund u. a. W. So: *ſatam* u. *eſatam, centum goth.* in den Zufammenfetzungen *tuahunda* zweyhundert. Dem entfpricht ἕκατον. — Vergl. noch S. 167. Die Luft hiefs von *ag* oder *wag* bewegen *ah* und *uher*, der Beweger, Weher; *wag* und *wind* für *wagend*, das fich Bewegende; *wag* wehen, blafen; *wagd* und *wadger* die Luft, der Zuftand der Luft, *das Wetter; ahma* Lufthauch, *ahera* oder *aura* und *ga-ahala engl. gale* kühlte. Daher auch *ga-oſt, engl. guſt* Windftofs." —

Nach diefen abenteuerlichen Forfchungen geht der Vf. zu den einzelnen Sprachen über, wobey in den einzelnen Kapiteln eine Sprache die Hauptrolle fpielt, die andern aber vielfach verglichen werden. Auch hier find Worte, die keine Gefchichte nachweift, Bedeutungen, die nirgends zu finden find: *Sectio* ift aus *ſectigonga, captio* aus *captigonga, valetudo* aus *valetudena, remus* aus *rag* bewegen, *ma* machen, *ſa* er, oder fie, *ragma* Arbeit eines Boots, ἀμφί für ἀμφῃ ift der Dativ von *amb* gedoppelt von *ogba* oder *ngba* gebogen geftaltet. νόμος Regel *nog-ma-ſa* von *nag* nehmen; *nag-ma* nehmend; *nag-ma-a* oder *nemo* ich nehme. *Praeter. nom* genommen, *nomſa*, er, fie oder es nimmt oder er oder fie genommen. von νείμω, νέμω ich nehme, handle, ertheile, ordne, νένομα ich habe geordnet und νόμ-δα das Geordnetfeyn. — *Recenſent verſichert, daſs auf dieſe Weiſe Tauſende von Wörtern erklärt ſind.*

Der *zweyte* Theil enthält Erweiterungen und Bemerkungen zum erften Theil; einzelne Behauptungen werden erläutert, weiter ausgeführt, nur nicht tiefer begründet, zuweilen auch Gefchichtliches beygefügt; der Grund, warum manches im Texte, anderes in den Noten fich finde, ift oft nicht abzufehen; vorzüglich aber find die Urlinge und Ableitlinge weiter verfolgt. So werden die Bedeutungen des Urlings *Ag* S. 46. angegeben: handeln mit fehr rafcher Bewegung, lebhafter Kraft und Macht; erfchüttern, hin und her bewegen; ftark, belebt, kühn, wacker, begeiftert, heftig, gewaltfam feyn, zerzaufen, verwüften, verzehren; plagen, zupfen, aufregen, zu Wuth oder irgend einer Thätigkeit erwecken, aufreizen; wollen, gehen, vorfchreiten, in Bewegung feyn, in Bewegung bleiben, rollen; drehen, wenden, im Laufe umbeugen, wimmeln, ablenken, eigentlich und figürlich und aufser diefen 7 noch 48 andere Bedeutungen; deffen S[illegible] *Wag* und *Hwag* haben zufammen noch 62 [illegible]tungen; in ähnlichem Verhältnifs die übrigen [illegible]ge. — Der Stil des Vfs. zeichnet fich in[illegible] durch viele neue Wortbildungen aus, we[illegible] bilden man ein Recht hat, wenn der Sprach[illegible] der Deutlichkeit oder der Kürze nicht genügt, aber müffen fie fprachrichtig gebildet und ih[illegible] darf dem Ohre nicht zuwider feyn. Wie w[illegible] deutfche Herausg. diefen Gefetzen Genüge ge[illegible] mögen einige Worte zeigen: Urling, Abftam[illegible] Afterling, Ableitling, Afterfamfezling, Zeit[illegible]ling, Samfezlinge, Gedrittfamfezling, Eindri[illegible] Endnis, Gliedernis, Geiftesgliedernis, Gottes[illegible] Gottesfinn, Gottesinnigkeit, Gottfal, Gla[illegible] für Religion; fplitterrichterlich, die Anfch[illegible] Ahnen der Celten urftäudeten, Einfriedu[illegible] geifsern, angeifsen, Verfchiefs.

Der Rec. hat fich durch den anmafsend[illegible] mit welchem der deutfche Herausg. diejenigen, [illegible] che in diefe Unterfuchungen nicht mit ein[illegible] zurückweift, bewogen gefunden, den Lefe[illegible] Refultate und die Art und Weife der Unter[illegible] vorzulegen, um ihnen die Prüfung felbft zu [illegible]fen, und diejenigen, welche etwa mit [illegible] Gefallen an dergleichen finden, in diefs Buch [illegible]ren. Doch will er auch fein eignes Urtheil [illegible] zurückhalten. Er feinerfeits erklärt, dafs [illegible] Buch, einige intereffante Einzelnheiten abgerechnet, ziemlich unnütz erfchienen ift. Denn die Verwandtfchaft des indogermanifchen oder fanskritifchen Sprachftamms, d. h. der alten Inder, Perfer, [illegible] anderer afiatifchen Stämme und der Slaven, Li[illegible]thauer, Germanen, Griechen und Lateiner ift [illegible] *Bopp, Grimm, Schlegel, Humboldt* u. a. fchon dargelegt, dafs es einer allgemeinen Nachweifung nicht bedurfte. Was läfst fich aber von einem B[illegible]che erwarten, wo während das Teutonifche, [illegible] es der Urfprache am treuften geblieben feyn foll, vorzüglich als Beweismittel gebraucht wird, die einzelnen germanifchen Dialekte weder gefchichtlich, noch räumlich aufgefafst und geordnet find? Wie viel läfst fich von der Erklärung aus dem Sanskrit erwarten, wovon der Vf. nur fehr dürftige Kenntnifs hatte? Was verfprechen die Unterfuchungen über das Slavifche, wo dem Vf. nicht einmal die grammatifchen Formen fcheinen bekannt gewefen zu feyn, noch weniger ein Unterfchied zwifchen alt- und neupolnifch, zwifchen alt- und neuruffifch, zwifchen den verfchiedenen Dialekten d[illegible] flavifchen Völkerfchaften in Schlefien, Mähren, Böhmen, Krain, Kroatien, Ungern, Galicien, Polen und Rufsland erwähnt wird; wo [illegible] die litthauifche Sprache ganz unbeachtet [illegible]. [illegible] über das Celtifche und Cymrifche ift man in Abficht auf feine Verwandtfchaft noch zweifelhaft und als geborner Schottländer hätte *Murray* vielleicht hier etwas leiften können; allein diefer Artikel, fo weit er die Sprache angeht, enthält blofs eine Seite und ift durch den Tod des Vfs. unvollendet ge-

geblieben. Dafs man von den geschichtlichen Forschungen nichts zu erwarten habe, denkt sich Jeder leicht, der gelesen hat, dafs der Vf. die Engländer von den Gothen abstammen läfst und die übrigen mitgetheilten Proben genauer ansieht. Der Aufbau aller dieser Sprachen aber, die der Vf. selbst nicht ordentlich verstand, aus neun Urlingen ist eben so willkürlich als seltsam, und die meisten Etymologieen brauchen nur angeführt zu werden, um sich selbst zu widerlegen.

SPRACHKUNDE.

Köln, gedr. b. Schmitz: *Altdeutsches historisch-diplomatisches Wörterbuch*, worin die richtigen Verdeutschungen der veralteten, bisher in Druck noch nicht erschienenen deutschen Wörter aus dem 12ten bis ins 16te Jahrhundert enthalten sind, als sehr wichtige Beyträge zum deutschen Glossarium, allen Verehrern und Freunden der Alterthumskunde zum nöthigen Gebrauche mitgetheilt, von *Ant. Jos. Wallraf*, ehemal. Erzstift-Kölnischen Dom-Archivar und Registrator in Köln. (1827.) — 87 S. 8. (1 Rthlr.)

Rec. sah diesem Buche, nach der Ankündigung, nicht ohne Erwartung entgegen, da es nicht zu leugnen ist, dafs die bis jetzt vorhandenen deutschen Glossarien mancher Bereicherung und Berichtigung fähig sind, die ihnen aus der fleifsigen Benutzung der zahlreichen Urkunden und andrer Schriftdenkmale, die bisher noch wenig oder gar nicht bekannt waren, oder auch aus einer sorgfältigeren Vergleichung der bis jetzt bekannten, zu Theil werden kann. Indessen ist diese Erwartung in jeder Hinsicht getäuscht worden. Der ziemlich redselige und anpreisende Titel verheifst uns ein *altdeutsches*, also allgemein umfassendes Wörterbuch; der Inhalt aber giebt uns ein sehr beschränktes; wir finden nämlich, mit sehr wenigen Ausnahmen, blofs den niederrheinisch-westphälischen Dialekt der Gegend um Köln, in einer sehr geringen Ausdehnung; die Mundarten und Sprachformen anderer deutschen Provinzen aber gar nicht berücksichtigt. Diefs wäre nun freylich an sich kein Unglück, denn erstlich gehört dieser Dialekt gerade zu den noch am wenigsten genau bekannten, und seine nähere Aufklärung verspricht daher der deutschen Gesammtsprachkunde manche Bereicherung; und zweytens konnte der Vf. nicht mehr geben, als ihm selbst seine Quellen gaben, die sich wahrscheinlich auf jenen Umkreis beschränkten; allein es hätte dann nur den Lesern treulich gesagt werden sollen, was sie zu gewarten hätten, da viel versprechen und wenig geben zwar zu unserer Zeit nicht ungewöhnlich, darum aber doch nicht redlich ist. Noch schlimmer aber ist das Materielle der Bearbeitung selbst davon gekommen: denn wir vermissen hier sowohl eine gute Auswahl der mitgetheilten Worte und Redensarten, als eine richtige Erklärung derselben. Was die erstere betrifft, so sind eine Menge Worte aufgenommen, die für keinen, der nur einigermafsen in Urkunden belesen ist, etwas seltnes oder schwieriges haben, z. B. *bas*, besser; *behuysen*, herbergen; *dehein*, keiner; *dirre*, dieser; *etwanne*, ehemals; und so viele andere: ob das Gegentheil auch statt findet, und wirklich seltne oder schwierige Ausdrücke übergangen sind, können wir freylich nicht sagen, da wir des Vfs. Quellen nicht kennen; möchten es aber fast vermuthen. In Hinsicht der letztern, der Erklärung, ist zuerst der Mangel an aller etymologischen Begründung auffallend; der Vf. stellt, orakelmäfsig, neben das altdeutsche Wort ein neudeutsches, welches die Bedeutung desselben ausdrücken soll, und dabey hat es in der Regel sein Bewenden; selten sind beweisende Stellen aus Urkunden oder andern alten Schriften, und auch diese gemeiniglich viel zu kurz, angeführt; von der Abstammung des alten Wortes, auf die sich seine Bedeutung gründet, und von den mancherley andern Bedeutungen, die manches alte Wort aufser der angegebenen noch hat, erfährt man nichts; dabey ist die angegebene Bedeutung nicht einmal immer die gewöhnlichste (wie man vermuthen sollte), sondern die, welche den Vf. in einem einzelnen Falle eben ansprach, und nicht selten ist sie geradezu verfehlt, manchmal auch das alte Wort, welches erklärt werden soll, unrichtig gebildet. Beyspiele für diese Behauptungen könnten wir in grofser Anzahl anführen; um aber nicht die Grenzen einer Recension zu überschreiten, müssen wir uns auf einige wenige beschränken. Gleich auf der ersten Seite finden wir ein Wort, das nicht existirt, *Abeguoiden* (oder wie es eigentlich wohl heifsen soll, *abegouiden*), mit der Bedeutung *abmachen* (richtiger: *abweisen, abfinden*); denn das in der angeführten Stelle befindliche Wort *abegouidet*, abgewiesen, führt deutlich darauf hin, dafs der Infinitiv *abeuiden* heifsen mufs, was mit *abweisen* ganz analog ist. — S. 3. *Anlaesbreive*, hätte sehr gut und richtig durch *Anlafsbriefe* gegeben werden können, denn *schriftliches Kompromifs* (die dabey angegebene Bedeutung) ist nicht ganz dasselbe. — Ebend. *Anseidelgoed*, sollte heifsen *Siedelgut*, *Siedelhof*; denn *Bauerngut* (was dabey steht) ist ein zu weiter Begriff. — S. 5. *Befrede*, *Bezirk*, würde richtiger durch *Umzäunung*, und in abgeleiteter Bedeutung *Feldmark* gegeben worden seyn. — S. 6. *Behärten*, *vertheidigen*; richtiger, wenigstens in erster Bedeutung, *bekräftigen*. — Ebend. *Bekrechtigen*, *bekommen*; richtiger *erobern*. — S. 10. *Burgfreidda*; hier ist, bey einer Umschreibung des Begriffs, das bekannte, entsprechende Wort *Burgfriede* nicht angegeben. — S. 11. *Caminat*, *Caminata*, kann zwar unter gewissen Umständen (wie angegeben) ein Zimmer, Kabinet, heifsen; doch fehlt die gewöhnlichste Bedeutung, *Kemnate*, d. h. ein steinernes, einigermafsen befestigtes Haus, das aber durch seine Lage von andern Wohnplätzen nicht bedeutend abgesondert war (im Gegensatz einer Burg). — S. 16. *Einlager*, ist unrichtig erklärt, denn der allein angegebene Fall, dafs der Schuldner selbst das Einlager

lager hielt, ist gerade der seltnere; in der Regel wurden die Bürgen zum Einlager verpflichtet. — S. 17. *Einspännige*, waren eigentlich nicht Soldaten, die einzeln *gebraucht wurden*, sondern die bey dem Aufgebote einzeln, d. h. ohne Knechte und Pferde, bloss mit ihrem eignen Leibe, erschienen. Späterhin bedeutet es gewöhnlich eine besondere, etwas ausgezeichnetere Klasse der Rathsdiener in Reichs- und andern grossen Städten, die gewöhnlich nur zu Ehrendiensten gebraucht wurden. — S. 28. *Gewand*, muss nicht gerade *wollenes* Tuch seyn, sondern bedeutet überhaupt ein ganzes Stück Tuch. — S. 32. *Gülte*, bedeutet nicht *jährliches Einkommen* überhaupt, sondern *Zins*, er mag gegeben oder empfangen werden. — S. 35. *Zu Hauf komen;* hier ist die ausschliesslich angegebene Bedeutung: *heirathen*, wenigstens sehr problematisch, da in der als Beleg angeführten Stelle die gewöhnliche und natürliche Bedeutung: *zusammen kommen*, sehr wohl statt findet. — S. 49. *Leggegeld*, Legegeld, ist nicht bloss Geld, welches wegen zugefügten Schadens erlegt werden muss, sondern auch der Beytrag, welchen jeder einzelne Verbündete zu einer gemeinschaftlichen Unternehmung (in Krieg, Handel u.s.w.) entrichtet. — S. 60. *Muten*, ist durch *begehren*, eben so unrichtig als unnöthig übersetzt, da allgemein bekannt ist, was ein Lehen *muthen* heisst. — S. 61. *Nauen, drücken*, ist wahrscheinlich nur ein eingebildetes Zeitwort: denn das in den angeführten Stellen vorkommende Participium *benaut* leitet richtiger auf *benauten* (benothen, d. h. in Noth bringen). — S. 64. *Oirphede*, Urphede, darf nicht so schlechthin durch *Eid* übersetzt werden, da die Bedeutung dieses Wortes bekanntlich viel enger beschränkt ist, wie selbst die angeführten Stellen den Vf. hätten belehren können. — S. 80. *Stuilheren*, Stuhlherren, sind nicht die *Beysitzer*, sondern die *Oberen* der Freygerichte. — S. 81. *Truwhandler*, Getreuhänder, ist nicht *Executor*, sondern derjenige, der etwas vertragsmässig für einen andern im Empfang nimmt. — S. 86. *Ytal*, hat zwar in der angeführten Stelle zufällig die Bedeutung *trocken*, weil von Flüssen gesprochen wird; ist aber sonst gleichbedeutend mit *leer*; so sagt eine alte Bibel-Uebersetzung, *Genes. I. Die Erde was itel und laer*. — Hier und da finden sich nicht Wort- sondern Sach-Erklärungen, unter denen aber auch manche unrichtige und unnöthige sind; so wird z. B. was Markgrafen, Burggrafen und dgl. gewesen sind, niemand hier suchen, und solche Worte gehören offenbar nicht unter die *bisher im Druck noch nicht erschienenen*, wie sie der Titel verheisst. — Von der übereilten Bearbeitung zeugen auch häufige Fehler im Ausdruck; z. B. S. 56. *bey den Römern wurden sie Magistros equitum genannt.*

Das Gesammturtheil über dieses Werkchen wird demnach darauf hinausgehen, dass es zwar im Einzelnen manche nützliche Angaben enthält, mit noch weit mehr, theils bekannten, th[eils] fehlten, vermischt sind, und dass Jeder, d[er] anderweitige diplomatische Kenntnisse un[d] mittel, sich bey seinen Studien auf dieses B[uch] verlassen wollte, nothwendig in viele und gr[obe Irr]thümer gerathen würde, dass es also nur mit Vorsicht zu gebrauchen ist. Druckfehler, d[ie] häufiger vorkommen, als es in einem solch[en Bu]che zu verantworten ist, tragen hierzu a[uch das] ihrige bey.

Schliesslich darf nicht unbemerkt bleib[en, dass] der (Subscriptions-) Preis von *einem Thaler* [für ein] Büchlein von 5½ Bogen, noch dazu mit [so] merklichen Unvollkommenheiten, gelinde [gesagt,] — übertrieben ist!

SCHÖNE KÜNSTE.

1) Leipzig, in d. Festschen Verlagsb[uchh.]: *Wahrheit und Phantasie* in ernsten und [...] Erzählungen, *von Sebaldo*, Vf. von *[...] Vorzeit* 1828. IV u. 283 S. 8. (1 Rthlr. [...])

2) Berlin, im Verl. b. Cosmar u. Krause: *[...] ster Saint-Michel.* Historischer Roman [aus den] Zeiten der Bartholomäus-Nacht. [...] *Smith* von (vom) *Freyherrn von B[...]* 253 S. 8.

3) Heidelberg, in d. neuen akad. Buchh. [...]: *Gaetana oder der geheimnissvolle Page [...] Roms Denkmälern.* Eine Novelle. 182[8.] [...] (20 gGr.)

Nr. 1 enthält neun einzelne längere oder k[ürzere] Erzählungen, zu welchen die Geschichte d[...] hergegeben, zum Theil auch nur historische An[ekdo]ten; aber in Allen haben wir nichts besonders [an]ziehende oder Ausgezeichnete gefunden. Am b[e]sten unterhält der Vf. noch, wenn er sich in d[er] Mitte der Darstellung hält, wie *in dem schwedisch[en] Spion*. Das Tragische z. B. *Graf Montaber und sein[e] Söhne*, gelingt ihm nicht; eben so wenig das Komische, wobey er gar zu leicht ausartet. — *Die drey Freyer.* — Die *Mönchs-Intriguen* S. 1 sind zu einfältig, als Abscheu erregen zu können.

Nr. 2 hat zwar historische Breite, aber nicht Schwung der Phantasie genug, um für einen echten geschichtlichen Roman, wie wir deren in neuern Zeiten mehrere haben, gelten zu können. Politische und verliebte Kabalen an dem französischen Hofe zu[r] Zeit der Katharina von Medicis, greifen in das Leben eines schönen, aber unglücklichen Mädchens grausam ein. Die allzu dunkle Schwärze, mit [wel]cher der Charakter der alten Königin geschildert [ist,] ermangelt doch wohl etwas des historischen Grundes.

Nr. 3 ist ein sehr unvollkommenes Product. Hin und wieder stösst man auf einen interessanten Zug. Dem Ganzen aber fehlt es an Haltung; auch ist die Sprache noch nicht rein und gebildet genug. Accusativen wie: Francesko'n, Gaetana'n sind unstatthaft

ALLGEMEINE LITERATUR-ZEITUNG

October 1828.

LITERARISCHE NACHRICHTEN.

Auszug

aus einem Schreiben des Hn. Prof. F. an einen der Herausgeber der A. L. Z.

London, den 4. October 1828.

Zu dem Merkwürdigsten, was ich während meines Aufenthalts in London erlebte, gehört unstreitig die *Eröffnung der neuen Londoner Universität*. Man muss gestehen, dass es den Proprietors dieser Anstalt gelungen ist, in kurzer Zeit beynahe Wunderdinge auszuführen. Im Jahre 1826 wurde der Plan zur Stiftung einer Universität in London dem Publicum vorgelegt, und schon am 1. October 1828 wird diese Universität in dem günstigsten Stadttheile (*Gower-Street*) eröffnet. Sehr bald war eine bedeutende Summe (150,000 Pfd St.) durch Subscription zusammengebracht, ein Grundstück für 30,000 Pfd St. (!) erkauft, und in der kurzen Zeit von 14 Monaten, ein Gebäude aufgeführt, welches durch seine Zweckmässigkeit, Festigkeit *) und Stattlichkeit Bewunderung erregt. Zwar fehlen noch die beiden Flügel, aber der Haupttheil ist beynahe ganz fertig und in seinem Innern von so trefflicher Einrichtung, dass mir eine ähnliche auch für unser neues Universitätsgebäude in Halle sehr wünschenswerth scheint. Auf alles ist Bedacht genommen, ja selbst eine sehr anständige Restauration zum Besten der Studirenden im Locale des Stewarts nicht vergessen worden. Bis jetzt betragen die auf das Gebäude verwendeten Kosten 49,096 Pfd St., ausserdem hat man 3,748 Pfd St. für anatomische Sammlungen, worunter eine von *Charles Bell* erkaufte, für Bücher und physikalischen Apparat ausgegeben. Die Sammlung für *Materia medica*, welche Professor *Thomson* besorgt, verspricht eine der glänzendsten zu werden. Man hat die Absicht, zum Behufe des klinischen Unterrichts ein besonderes Hospital mit 100 Betten anzulegen; doch sind die 15,000 Pfd St., welche dazu erforderlich sind, noch nicht disponibel. Inzwischen ist eine *Dispensary* ganz in der Nähe (*Georgestreet, Euston-Square*) errichtet, und der übrige praktische Unterricht wird im Middlesex-Hospital ertheilt. Aussichten zu einem botanischen Garten (woran es überhaupt in London ganz und gar fehlt) hat die „*munificence of a proprietor*" eröffnet. So sind denn die Auspicien günstig genug, und es scheint bis jetzt nichts zu fehlen, als Studenten. Am 30. Septbr., also am Tage vor der Eröffnung der Universität, waren, wie ich selbst im Council-Office erfuhr, nicht mehr als — 76 eingeschrieben. Ohne Zweifel wird die Zahl der Studirenden sehr bald beträchtlich wachsen; gewiss aber sind die Hoffnungen einiger Herren zu sanguinisch, welche der Meinung sind, ihre für 600 Zuhörer eingerichteten Auditorien gleich von Anfang an gefüllt zu sehen. Namentlich gilt diess von den Professoren der Medicin, denen eine grosse Anzahl ausgezeichneter und bey den verschiedenen Hospitälern angestellter Lehrer der Medicin feindlich gegenüber steht. Sie, wissen, verehrter Freund, dass die Anzahl dieser *medical schools* in London sehr gross ist, und viele derselben unabhängig von den Hospitälern bestehen. Diesen alten, und zum Theil blühenden Instituten wird fürs erste, meiner Meinung nach, die neue Universität wenig Abbruch thun, zumal da sie noch, *C. Bell* ausgenommen, keinen Mann von besonderm medicinischen Rufe zu den Ihrigen zählt. Dass übrigens den Medicinern in England die Bildung auf einer Universität, die ihnen in Oxford und Cambridge nicht zu Theil wird, auch nicht zu Theil werden kann, jetzt mehr als je Bedürfniss ist, leidet keinen Zweifel. Man erstaunt, wenn man im ersten *Statement* des University-Councils liest, dass von *allen* im Königreich England practicirenden Aerzten *kaum hundert* in Oxford und Cambridge studirt haben, und alle übrigen, mehr oder minder handwerksmässig gebildet, bloss Licentiaten des *College of Physicians* sind, — und dass von 6000 Mitgliedern des *College of Surgeons* nicht *sechs* die akademische Doctorwürde besitzen!... Nicht minder traurig ist es mit der Bildung der meisten Beamten bestellt, und namentlich die der *Attorneys* und *Lawyers* über alle Vorstellung elend. Gewiss ist also die Errichtung einer Universität in London, auf welcher junge Leute unter den Augen ihrer Angehörigen, für mässige Kosten studiren sollen, und den Individuen aller Confessionen der Zutritt gestattet ist, eine der merkwürdigsten und heilsamsten Unternehmungen, welche England dem patriotischen Sinne einiger ausgezeichneter Männer verdankt.

Am 1. October Nachmittags um 3 Uhr wurde nun die Universität mit einer Vorlesung von *C. Bell* eröffnet. Sieben bis achthundert Zuhörer, grösstentheils an-

*) Die Schnelligkeit, mit der man in London baut, findet leider nur zu oft auf Kosten der Festigkeit Statt. Man denke an den Einsturz des Brunswick-Theaters! Erst vor wenigen Tagen wurden abermals mehrere Menschen durch den Einsturz zweyer Häuser in Exeter-Street getödtet und verstümmelt.

angefehene Männer, nahmen die Sitze des Amphitheaters ein, vor welchem der mit anatomifchen Präparaten, Gypsabgüffen und Zeichnungen befetzte Tifch des Profeffors ftand. Als diefer, begleitet von den Mitgliedern des Univerfity-Council und den Profefforen (diefe fämmtlich in fchwarzen *gowns*), eintrat, erhob fich ein Beyfallklatfchen, das mehrmals wiederholt ward. *Bell* fprach fich in einer kurzen Einleitung über den Nutzen der akademifchen Bildung, befonders für junge Männer in London, fehr verftändig aus und wurde häufig durch laute Cheers unterbrochen, vorzüglich einmal, als er von der hohen Bedeutung diefes neuen College handelnd, die Worte hören liefs: *of this or other colleges, that may rife by the exertions of thofe, who, although they had not the genius to conceive the plan, may have the virtue to imitate it!* Hierauf zeigte er an einigen Thatfachen aus der Lehre vom Blutumlaufe, dafs diefe ohne Kenntnifs der Hydraulik u. f. w. ganz unverftändlich find, was ihm Gelegenheit gab, das Studium der Medicin in Verbindung mit den andern Wiffenfchaften, wie es eben auf einer Univerfität betrieben werden foll, zu empfehlen. Als er feine Vorlefung unter anhaltendem Beyfallklatfchen befchloffen hatte, erhob fich Mr. *Horner*, Warden der Anftalt, mit den Worten: *Gentlemen, the whole of the Univerfity is open for your infpection!* Die ganze Verfammlung beeiferte fich, diefer Einladung zu gehorchen, und gab ihre Ueberrafchung und Zufriedenheit auf die unzweydeutigfte Weife zu erkennen.

Sie errathen leicht, v. F., dafs fich die Worte *Bell's* auf *King's* College beziehen, eine von der Kirche und Ariftokratie begünftigte Oppofitions-Anftalt, die ebenfalls mit ftarken Schritten fich der Vollendung nähert. Bey meiner Ankunft in England belief fich die Subfcription etwa auf 30,000 Pfd St., jetzt überfteigt fie bereits 112,000 Pfd St.! Der Platz zur Aufführung des Gebäudes foll nun beftimmt zwifchen Knightsbridge und Brompton, alfo nahe bey Hydepark-Corner, gewählt, und (fehr weife) die Medicin von den Lehrgegenftänden ausgefchloffen feyn. Des Hin- und Herredens über beide Londner Univerfitäten ift hier kein Ende; Partey ftreitet gegen Partey. *King's* College hat offenbar gröfsere Vortheile auf feiner Seite, und als eine Anftalt der Tory's bereits manche Satiren veranlafst. Unter diefen wird jetzt allenthalben die Zweyte Auflage von einem *Firft Book for the inftruction of ftudents in the King's College* etc. feil geboten, dem es zwar etwas an Salz fehlt, deffen Carricaturen aber fehr ergötzlich find. Gewifs berechtigt auch diefe Anftalt zu guten Hoffnungen; doch diefe dürften für beide Univerfitäten der Metropolis bey weitem gröfser feyn, wenn fich der höhere Schulunterricht in einem beffern Zuftande befände. — — —

Auch eine traurige Nachricht darf ich Ihnen nicht vorenthalten. Profeffor *Nicoll* in Oxford, diefer treffliche Gelehrte und liebenswürdige, Ihnen fo befreundete Mann, ift nicht mehr. Als ich mit Dr. *Rofen* ihn zu Anfang Augufts befuchte, bemerkte ich an ihm mit Schrecken alle Symptome der *phthifis laryngea.* Später foll er fich fcheinbar etwas gebeffert haben; doch vor wenigen Tagen erhielten wir hier die [illegible] von feinem Tode. Kurz vor demfelben hat [illegible] einmal die Bodlejana befucht, den Ort, an [illegible] er den Keim zu feiner Krankheit legte. In [illegible] folgenden Nächte überfiel ihn ein heftiger Hu[illegible] Blutgefäfs platzte, und er verfchied. Er wurde [illegible] alt und hinterläfst eine junge Frau und zwey Ki[illegible]

Soweit die interessanten Nachrichten des [illegible] Die hier mitgetheilte Notiz über Prof. *Nicoll* [illegible] wird für die zahlreichen Freunde, die fich di[illegible] aller Hinficht ausgezeichnete Mann auch unt[illegible] deutfchen Gelehrten erworben hatte, ebenfo fch[illegible] lich und niederfchlagend, als unerwartet feyn. [illegible] fügen nur einige Notizen über diefen tr[illegible] Orientaliften hinzu. Aus Schottland gebür[illegible] er zum Behuf feiner Bildung früh nach [illegible] gekommen, wo er Mitglied des Balliolcolleg[illegible] Magifter Artium wurde, und bis 1821 da[illegible] eines Cuftos oder Unterbibliothekars an der [illegible] rühmten Bodlejanifchen Bibliothek bekleidete [illegible] machte hier aus den, ihm zunächft anvertrauten [illegible] genländifchen, befonders arabifchen, Handfchriften [illegible] fo gründliches und tief eingehendes Studium [illegible] in Hinficht auf Fertigkeit im Lefen und V[illegible] bifcher MSS. des verfchiedenften Inhalts de[illegible] Meiftern gleichftellen konnte, und fein Catalog der orientalifchen Handfchriften (*Bibliothecae Bodlejanae Codicum Manufcriptorum Orientalium Catalogus* P. II. Vol. I. *Arabicos complectens. Confecit Alex.* Nicoll Oxonii 1821. Fol.), welcher den Uri'fchen fortzufetzen beftimmt war, nun leider! ebenfalls unvollendet blieb, gehört zu den mufterhafteften Arbeiten diefer [illegible] Dabey machte er fich durch die uneigennützigfte Gefälligkeit und unermüdete Dienftfertigkeit nicht bl[illegible] um die die Bodlejana befuchenden reifenden Gelehrten, fondern auch um Andere durch brieflich ertheilte Auskunft und literärifche Beforgungen aller Art in einem Grade verdient, der nichts zu wünfchen übrig liefs, und ihm die dankbarfte Anerkennung zahlreicher gelehrten Zeitgenoffen fichert. Seine Unterhaltung war um fo zugänglicher und belehrender für den Fremden, da er mit einer felbft bey den gebildetften Briten feltenen Univerfalität mit den Sprachen und der Literatur der meiften europäifchen Nationen vertraut, faft zu jedem in feiner Landesfprache zu reden verftand. Im J. 1821, wo die reich dotirte Königliche Profeffur der Hebräifchen Sprache, verbunden mit einer Curatorftelle an der Bodlejana, durch die Beförderung des durch fei[illegible] Ueberfetzung des *B. Henoch* bekannten Dr. *Laurence* zum Erzbifchof von Cashel in Irland vacant wurde, ward *Nicoll* gänzlich ohne fein Zuthun aus einem bisher ziemlich untergeordneten amtlichen Verhältnifs durch Lord *Liverpool* zu diefer Stelle berufen, ward zugleich Canonicus von Chrift-Church, Doctor legum, und trat nun auch als Docent des Hebräifchen und Arabifchen auf. Der Grund feines frühzeitigen Todes dürfte in dem mit britifcher Strenge beobachteten Gefetze zu fuchen feyn, nach welchem — zur Verhütung von

F[illegible]-

Feuersgefahr — selbst in den kältesten Wintermonaten im Bibliotheksgebäude kein Zimmer geheizt, andererseits aber auch kein Buch und keine Handschrift aus derselben mit nach Hause genommen werden darf; der für sein Studium begeisterte Mann daher, um seine Zeit nicht zu verlieren, im Winter in den kalten wölbischen Sälen halberstarrt seine Studirstunden zubringen musste, zumal ihm eigene Gewissenhaftigkeit auch nicht die geringste Elusion des Statutes erlaubte. Sanft ruhe seine Asche!

W. G.

LITERARISCHE ANZEIGEN.

I. Ankündigungen neuer Bücher.

Bey Joh. Ambr. Barth in Leipzig erschien so eben:

Consbruch, Dr. *W. G.*, *Ebermaier*, Dr. *J. Chr.*, und *Niemann*, Dr. *J. Fr.*, allgemeine Encyclopädie für praktische Aerzte und Wundärzte. Xter Theil, 2ten Bdes 1ste Abth. Mit 2 Kupfert. 8. 2 Rthlr. 18 gr.

Auch unter dem Titel:

Niemann, Dr. *J. Fr.*, Taschenbuch der Staatsarzneywissenschaft für Aerzte und Wundärzte. 2ten Bandes 1ste Abth. *Civilmedicinalpolizey.*

Der im vorigen Jahre erschienene 1ste Band der Staatsarzneywissenschaft (Encyclopädie Xter Theil 1ster Band) enthält die *gerichtliche Arzneywissenschaft* und kostet 1 Rthlr. 12 gr.

Die 2te Abth. des 2ten Bandes (*Militärmedicinalpolizey*) erscheint Ende dieses Jahres.

Ankündigung
eines zeitgemäßen, höchst interessanten Werkes
gegen das Cölibat.

So eben hat die Presse verlassen und ist an alle Buchhandlungen Deutschlands versandt:

Die Einführung der erzwungenen Ehelosigkeit bey den christlichen Geistlichen und ihre Folgen. Ein *Beytrag zur Kirchengeschichte* von Dr. *Johann Anton Theiner*, Professor der Theologie bey der katholisch-theologischen Facultät der Breslauer Universität, und *Augustin Theiner. Zwey* Bände in gr. 8. (Mit Herzogl. Sächs. Censur.) Altenburg, im Verlage der Hofbuchdruckerey. (90 Bogen auf weissem Druckpapier.) 4 Rthlr. 12 gr.

Keine Angelegenheit der christlichen Kirche ist wohl in unsern Tagen ernstlicher erwogen und weiter verbreitet worden, als die Frage über die *Priester-Ehelosigkeit der katholischen Kirche*, indem sie nicht nur in Baden, Würtemberg und Frankreich, sondern selbst in Südamerika öffentlich zur Sprache kam. Daher darf ein Werk, welches diesen Gegenstand hell zu beleuchten sucht, sicher auf eine allgemeine Theilnahme rechnen, und wir beeilen uns, die obige Schrift dem Publicum zu empfehlen. Zwey Männer, jener Kirche selbst angehörend, deren Einer sich längst einen wohlverdienten Namen erwarb, haben es unternommen, nach jahrelangem Studium eine Geschichte dieses weltberühmten Instituts zu verfassen, theils seine verschiedenen Ursachen, Begünstigungen und Hindernisse, theils seine verderblichen Folgen mit Gelehrsamkeit und Scharfsinn nachzuweisen. Lediglich aus den Quellen schöpfend, haben sie nicht leicht die scheinbar geringsten Momente übersehen, und liefern so eine Alles umfassende *Geschichte des Cölibats*, welche nicht nur jeden Leser in gespannter Aufmerksamkeit erhält, sondern hauptsächlich Theologen, Juristen und gebildeten Laien unentbehrlich ist. Mit Recht nennt sich das Werk *einen Beytrag zur Kirchengeschichte:* denn diesen Punkt derselben hat die neueste Zeit nicht erhellt. Freymüthigkeit, die man aus Schlesien zu hören gewohnt ist, spricht sich auch hier aus, und giebt ein erfreuliches Leben in der katholischen Kirche kund, welches auch der Protestant nicht unbeachtet lassen kann noch wird. — Der absichtlich niedrig gestellte Preis eines Werkes von so bedeutendem Umfange wird selbst dem minder Begüterten den Ankauf erleichtern.

Altenburg, den 24. September 1828.

Bey Eduard Weber in Bonn
ist so eben erschienen und in allen Buchhandlungen zu haben:

Kleine
historische und philologische Schriften
von
B. G. Niebuhr.

Erste Sammlung. Mit einer Landkarte und einer Inschrifttafel. gr. 8. Geh. Preis 2 Rthlr. 20 gr., auf Velinpap. 3 Rthlr. 20 gr.

Bey Friedrich Schulthess, Buchhändler in Zürich, ist erschienen und in allen Buchhandlungen zu haben:

Staub, R., Religiöse Gedichte. 8. 1828. 8 gr.

In einer Zeit, wie die unsrige, wo hie und da religiöse Ueberspannung und Frömmeley, weit ausgebreiteter aber Lauheit und Gleichgültigkeit herrscht, ist es dem Freunde der Religion eine erfreuliche Erscheinung, einen talentvollen Geistlichen als religiösen Dichter auftreten zu sehen, der, was er selbst in seinem schönen Berufe erfahren, in frommem Gemüthe empfunden, oder in stiller Musse durchdacht hat, in einfach edlem Schmucke warm und innig als Poesie klar und heiter darstellt. Gewiss wird jeder, der diese Gedichte, die man grösstentheils gelungen heissen kann,

kann, Troſt, Erbauung und Erhebung des religiöſen Sinnes darin finden. Sein Vertrauen zu Gott in jeder Noth wird ſich geſtärkt, ſeine Liebe zu Jeſu neu belebt und erwärmt, ſeine ſittliche Kraft geſtählt finden; er wird ſich hingezogen fühlen, wie der Dichter, die ewig wechſelnden Erſcheinungen der Natur, die mannigfachen Begegniſſe des Lebens und alles, was in ſeinem eignen Innern vorgeht von der religiöſen Seite zu betrachten, und ſo jenen ſtillen heitern Sinn ſich zu eigen zu machen, der in dieſen Gedichten lebt. —

II. Neue Landkarten.

Von Juſtus Perthes in Gotha iſt an alle Subſcribenten verſendet worden:

STIELER'S HAND-ATLAS
IVte Supplement-Lieferung. 1828.

Inhalt: Nr. 33 b. Das *adriatiſche Meer* mit hydrographiſch-orographiſcher Ueberſicht von Italien — Nr. 40. *Africa*, neu bearbeitet — Nr. 44 b. *Hindoſtan*, nebſt tabellariſchen Erläuterungen — Nr. 47 b. *Mexico* und *Centro-America* — Nr. 49 b. Der nördl. Theil von *Süd-America* — Nr. 50 b. Das Innere von *Neu-Süd-Wales.* Subſcript.-Preis 1⅓ Rthlr.

Der mit dieſer Lieferung vermehrte Hand-Atlas in nunmehr 70 Karten nebſt einem Hefte Vorbemerkungen koſtet cartonnirt 17 Rthlr. 18 gr.

In allen Buchhandlungen iſt ſtets vorräthig:

Stieler's Schul-Atlas *der neuen Erdbeſchreibung. Achte* Auflage, 1828. In 12 ill. Karten. Preis 1⅓ Rthlr. — Das *Supplementheft* dazu ⅓ Rthlr.

Schul-Atlas der alten Welt, nach *Mannert, Ukert, Reichard, Kruſe* u. A. *Vierte* Auflage in 12 ill. Karten. Preis 1 Rthlr.

III. Herabgeſetzte Bücher-Preiſe.

Griechiſche und Lateiniſche Klaſſiker; wohlfeilſte aller Ausgaben.

Die groſse Concurrenz bey der Herausgabe griechiſcher und lateiniſcher Klaſſiker und der unerhört wohlfeile Preis, für welchen ſie ausgeboten werden, veranlaſst mich, die in meinem Verlage erſchienenen von jetzt an ebenfalls zu ganz niedrigen Preiſen zu verkaufen. Ich beginne mit folgenden:

Homeri Ilias, Odyſſea et Carmina minora. Nova editio ſtereotypa, iteratis curis caſtigata et expolita. 4 Vol. 16. bisheriger Preis 1 Rthlr. 16 gr.
jetzt Achtzehn Groſchen.

Herodoti Halicarnaſſei Hiſtoriarum libri IX. Adjectus eſt libellus de vita Homeri. Editio ſtereotypa, denuo recognita et emendata. 3 Vol. 16. bish. Pr. 1 Rthlr. 12 gr.
jetzt Achtzehn Groſchen.

Xenophontis Opera. Editio ſtereotypa, ex n[illegible] bularum impreſſione emendatiſſima. 6 V[illegible] bish. Pr. 2 Rthlr. 6 gr.
jetzt Einen Thaler.

Einzeln: Cyropaedia, *Sechs Groſchen.* — [illegible] rabilia Socratis, *Drey Groſchen.* — An[illegible] *Fünf Groſchen.* — Hiſtoria Graeca, *Fünf* [illegible] *ſchen.* — Oeconomicus, Apologia Socratis, [illegible] vivium, Hiero, Ageſilaus, *Drey Groſche*[illegible] Opuscula politica, equeſtria et venatica, [illegible] *Groſchen.*

Sophoclis Tragoediae, ad optimorum librorum [illegible] accurate editae. Adjectae ſunt *G. H. Sch*[illegible] notae. Editio ſtereotypa. 16. bish. Pr. 20 [illegible]
jetzt Zehn Groſchen.

Einzeln: Ajax, *Drey Groſchen.* — [illegible] Oedipus Tyrannus, *Drey Groſchen.* — [illegible] und Oedipus Coloneus, *Drey Groſchen.* — [illegible] chiniae und Philoctetes, *Drey Groſchen.*

Euripidis Tragoediae. Ad optimorum librorum [illegible] accurate editae. Editio ſtereotypa. 4 Vol. [illegible] bish. Pr. 1 Rthlr. 16 gr.
jetzt Achtzehn Groſchen.

Quinti Horatii Flacci Opera. Nova editio ſtereotypa, iteratis curis caſtigata et expolita. 16. bish. Pr. 10 gr.
jetzt Fünf Groſchen.

P. Ovidii Naſonis quae ſuperſunt. Ad optimorum librorum fidem accurate edita. Editio ſtereotyp[illegible] 3 Vol. 16. bish. Pr. 1 Rthlr. 12 gr.
jetzt Achtzehn Groſchen.

Cornelii Nepotis vitae excellentium Imperatorum cum fragmentis. Ad optimorum librorum fidem accurate editae. Editio ſtereotypa. 16. bish. Pr. 4 [illegible]
jetzt Zwey Groſchen.

Phaedri Auguſti liberti fabularum Aeſopiarum libri V. cum appendice duplici. Ad optimorum librorum fidem accurate edidit ictibusque metricis inſtruxit *C. H. Weiſe.* 16. bish. Pr. 3 gr.
jetzt Zwey Groſchen.

Eutropii breviarium hiſtoriae Romanae. Ad optimorum librorum fidem accurate editum. 16. bish. Pr. 3 gr.
jetzt Zwey Groſchen.

Ungeachtet der groſsen Preis-Erniedrigung ſollen dieſe Ausgaben an äuſserer Schönheit nicht verlieren, auch durch fortgeſetzte Reviſionen bey jedem neuen Platten-Abdruck immer correcter erſcheinen.

Alle Buchhandlungen des In- und Auslandes ſind in den Stand geſetzt, obige Bücher zu dieſen niedrigen Preiſen zu verkaufen.

Leipzig, am 11. September 1828.

Karl Tauchnitz.

ALLGEMEINE LITERATUR - ZEITUNG

October 1828.

GESCHICHTE.

Berlin, b. Duncker u. Humblot: *Vorlesungen über die Geschichte des Jüdischen Staats*, gehalten an der Universität zu Berlin vom Professor Dr. *Heinrich Leo* (früher in Berlin, jetzt in Halle). 1828. 8 u. 294 S. 8. (1 Rthlr. 8 gGr.)

Wenn bey der öffentlichen Anzeige eines Buchs ein fast ganz subjectives Urtheil genügen könnte, so hätte Rec. das seinige über dieses Buch sehr kurz auszusprechen, da er eben jetzt, indem es ihm zu Gesicht gekommen (August 1828), an einem Werke arbeitet, welches freylich nicht ganz die nämlichen Zwecke verfolgt, aber doch den nämlichen Gegenstand nach *völlig gleichen* Grundsätzen behandelt, Rec. daher sehr häufig hier seinen eignen, fast nur mit andern Worten ausgesprochnen Ansichten begegnet. Das reicht nun schon hin, ihm das Buch lieb zu machen, und ihm den Vf. als einen Sinnesverwandten nahe zu bringen. Dem Autoritätsglauben jedoch abhold, und ihn am wenigsten für sich verlangend, will Rec. seinem Urtheil möglichste Objectivität zu geben suchen und die Belege nicht fehlen lassen. Zuerst denn im Allgemeinen: Der dem Rec. hier zum ersten Mal bekannt werdende Vf. ist nicht Theolog, sondern Historiker, aber er ist, wenn nicht der erste Historiker, der die Resultate der neuern kritischen Untersuchungen über den geschichtlichen Werth der Bücher des A. T. gehörig auf Geschichtsdarstellung anwendet, doch wohl der erste, der diess bey der Geschichte des jüdischen Staats im Ganzen so consequent, so detaillirt, mit so viel Scharfsinn und Unbefangenheit thut, — ein Urtheil, womit übrigens dem Verdienste *Schlossers*, den der Vf. dankbar benutzt, und Anderer nicht zu nahe getreten werden soll. In manchen Vortrag über Einleitung ins A. T. auf Universitäten sind unstreitig die Aufschlüsse, welche *Vater's*, *de Wette's*, *Gesenius's* u. A. Beyträge zur höhern Kritik gegeben haben, bereits seit 10 bis 15 Jahren übergegangen; aber das kam bis jetzt nur den Theologen zu Gute, und seitdem die bekannten Werke jener Gelehrten erschienen, mussten an 20 Jahre vergehen, ehe auch die nicht Theologie Studirenden in einem rein historisch-politischen Collegium jene Resultate vernahmen. Aber Hr. *L.* hat sich auch um eine grössere Befestigung dieser Resultate ein nicht unbedeutendes Verdienst erworben: er macht sie nicht bloss in einer zweckmässig geordneten, lichtvollen Darstellung denen bekannt, welche in linguistische und antiquarische Untersuchungen über die Urkunden des A. T. nicht eingehen können oder mögen, und befördert dadurch ihre Verbreitung; sondern er entwickelt auch eben so geistreich als gründlich jenen Hauptpunkt, um den sich jene Untersuchungen drehen: „dass die sogenannten Mosaischen Bücher in sehr verschiedenen Zeiträumen, lange nach Mose (von David bis zu Esra hinab) verfasst worden sind, und dass sich mithin die ganze, in ihnen vollendete Hierarchie (und Theokratie) erst ganz allmälig gebildet, vor *Josia* aber nicht öffentliche Anerkennung, nach dem Exil erst ihre Vollendung gefunden hat;" — und zwar thut er das aus zum Theil ganz neuen, *historisch-politischen* Gründen. Wenn den Theologen, in sofern er Schriftforscher ist, insbesondere die ihm gewiss zum Theil neue Durchführung dieses Hauptpunkts interessiren wird, so muss jeden Gebildeten auch Vieles von dem anziehen, was darüber hinaus liegt, da kaum ein Geschichtswerk mit mehr unparteyischer Freymüthigkeit geschrieben worden, als dieses. Das Buch wird also gewiss seinen Nutzen stiften und Beyfall finden, aber eben so gewiss auch Anstoss geben; namentlich allen Freunden der hier oft stark gezüchtigten Hierarchie und Bibliolatrie, auf deren herben Tadel der Vf. auch nach der *Vorrede*, wie billig, gefasst ist. Wir glauben nun, da sich die Demonstrationen des Vfs. im Auszuge nicht wiedergeben lassen, wobey sie viel verlieren würden, unserer Pflicht zu genügen, und zugleich dem Vf. einen Beweis unserer Hochachtung, so wie davon zu geben, dass wir sein geistreiches Buch mit grossem Interesse studirt haben, wenn wir die speciellere Angabe des Inhalts seiner 25 Vorträge besonders da mit einigen Bemerkungen begleiten, wo wir uns zu bedeutenderen Abweichungen von seiner Ansicht, oder zu Ergänzungen seiner Beweise genöthigt glauben.

Erste Vorlesung. „Die Geschichte des jüdischen Volks ist wichtig wegen der Eigenthümlichkeit desselben, welche vorzüglich darin besteht, dass es seinen Staat auf einer rein-abstracten Hierarchie begründen wollte, aber auch darum, weil sich darin das Schicksal aller Hierarchieen spiegelt. Bis auf die Zeiten der Richter hinab kann hier von Geschichte gar nicht die Rede seyn: denn die der Patriarchen ist ein moralisch achtungswerther, aber reinpoetischer Mythus, und die in den vier letzten Mosaischen Büchern enthaltene ist von Priestern, welche allmälig die Faden, die den Staat regieren, an sich gerissen hatten, und diese usurpirte Stellung als eine uralte, ihnen von Rechtswegen zukommende darstellen wollten, eben so absichtlich verstellt, wie die pseu-

pseudo-isidorischen Decretalen im 9ten Jahrh. als Werkzeug der römischen Hierarchie dienten." Hier war es aber nothwendig, den Unterschied zwischen *Hierarchie* und *Theokratie* klar darzulegen, woran denn im Verfolg des Werks streng gehalten werden musste, und wodurch sich manches jetzt unbefriedigende Urtheil berichtigt haben würde. Wir verstehen unter *Hierarchie* das Bestreben der *Priester*, wider ihr besseres Wissen, sich zu allein gültigen Vermittlern zwischen dem Volke und seinem Gott aufzuwerfen, und die Gnade des Letztern allen denen zuzusichern, welche sich ihrer als Leiter bey den angeblich Gott wohlgefälligen, äussern Handlungen in allen Verhältnissen des Lebens bedienen, zu dem heimlich und selbst mit den widerrechtlichsten Mitteln hartnäckig verfolgten Zwecke, der Priesterschaft unumschränkte Obergewalt zu erringen; — unter *Theokratie* dagegen das aus eigner, wahrer Begeisterung für die Idee, dass Jehova Herrscher seines auserwählten Volkes sey, hervorgehende Bestreben der *Propheten*, das Volk durch Hinleitung zu thätiger Moralität und reinem Gottesdienst dieser Oberherrschaft Gottes würdig zu machen und zu erhalten. Daher stehn beide oft theoretisch und factisch in Opposition, und vereinen sich nur zufällig in einzelnen Punkten, z. B. im Kampf gegen den Götzendienst, den Priester und Propheten aus ganz verschiednen Beweggründen mit Eifer bekämpfen. Dieser unserer Theorie ist Hr. *L.* zwar nicht ganz zuwider, indess hat er sich weder diese noch irgend eine andre recht klar gemacht, wie sich an einigen der wichtigern Stellen leicht zeigen lässt. S. 3. 4. wird ganz richtig bemerkt, dass die Hierarchie bloss auf der Abstraction ruht, und daher ihre Theorie mit der grössten Consequenz, Härte und Unmenschlichkeit durchsetzt; S. 11 wird gleichfalls treffend ein rücksichtsloser Egoismus als Haupt-Charakterzug der Hierarchie nachgewiesen; aber schon S. 14 zeigt sich Verwechslung derselben mit der Theokratie, da ihr ein Geltendmachen der kräftigern Persönlichkeit beygelegt wird, welche ihre Einsicht und ihren Muth vom göttlichen Geiste ableitet, wogegen zu bemerken, dass bey den Juden nicht weniger als unter den Christen die Priester (Hierarchen - Päpste, Bischöfe u. s. w.) Ansehn fodern wegen ihres Amts, welches ihnen angeblich Würde verleihen soll, die Propheten (Theokraten) dagegen aus Begeisterung für das, was sie als Recht erkennen, dem Unrecht muthig entgegen treten, und Gehorsam fodern, weil sie überzeugt sind, dem Willen Gottes gemäss (im Geiste Gottes) zu reden. S. 56 wird bewiesen, dass die Hierarchie ihrem Wesen nach verfolgungssüchtig seyn muss; aber S. 41 ist es wenigstens dem Ausdruck nach falsch, wenn die Unterordnung des Königs unter den Hohenpriester der *Theokratie* beygelegt wird, so wie, wenn S. 157 die Propheten die *hierarchische* Partey in Ephraim genannt werden. Einzelne Beyspiele von Mängeln, welche durch diese Verwechselung der Begriffe veranlasst werden, möchten uns weiterhin noch aufstossen.

Die *zweyte*, *dritte* und *vierte* Vorlesung nach der sehr richtigen und weiterhin bew[illegible] Voraussetzung, dass von Mose wenig mehr [illegible] 10 Gebote herrühren möge, das System des [illegible] wie es der Pentateuch, als wenn es von Mose [illegible] ordnet wäre, darstellt, wobey die Verhältni[illegible] Eigenthums, der Sclaven, der Frauen, der K[illegible] der Verwandten hervorgehoben, die Gesetze [illegible] die Richter, Priester, Leviten, Könige und [illegible] kratischen oder Majestätsverbrechen (gegen Je[illegible] kurz zusammengefasst und beleuchtet werden. [illegible] hätte bey dem Gesetz, dass ein Israelit *nur* sech[illegible] lang Sclave seyn solle, Jerem. 34, 8 ff. ve[illegible] werden mögen, woraus erhellt, dass dies [illegible] vielleicht erst unter Zedekia bekannt wurde, [illegible] wenigstens gewiss bis dahin nicht beobachtet [illegible] war. Da der Vf. die geschichtliche Auto[illegible] Pentateuchs verwirft, so hätte er freylich *nic*[illegible] S. 24. 35 geschieht, angeblich geschichtlich[illegible] durch Stellen des Pentateuch's belegen *sollen*; [illegible] es jedoch übrigens zuweilen scheint, als w[illegible] sagen, die Gesetze des Pentateuchs seyen [illegible] lich in Ausübung gebracht, so liegt *das* (S. [illegible] 19. 39. 40.) nur im Ausdruck, und aus andern Stel[illegible]len erhellt aufs Deutlichste Hn. *L's* Ue[illegible] dass die Praxis von der levitisch - mosaischen [illegible] sehr verschieden war (z. B. S. 48. 73. 74. [illegible], [illegible] hätte demnach es wohl irgendwo bestimmt [illegible]chen mögen, dass man erst nach dem Exil [illegible] auszuführen, was im Pentateuch geboten war, [illegible] Vieles aber nie zur Wirklichkeit wurde, entwe[illegible] weil die Umstände sich indess geändert hatten, o[illegible] weil es überhaupt nicht ausführbar war. — Zu de[illegible] interessantesten Stellen gehört S. 42 ff. die Erkläru[illegible] des Königsgesetzes Deut. 17, 15 ff., worin nachgewiesen wird, wie durch dasselbe der König ganz de[illegible] Priestern unterworfen werden sollte. Rec. würde noch die nahe liegende Bemerkung hinzugefügt haben, dass darin, ganz ähnlich wie Nehem. 13, 26 wenn auch nicht so ausdrücklich, eine nicht undeutliche tadelnde Hinweisung auf Salomo (1. Reg. *10 u. 11*) liegt. Wenn der Vf. S. 42 Anm. andeutet, *Samuel* werde wohl das heilige Loos bey *Saul's* Erwählung nach seinem Willen geleitet haben, *da* Saul schon vorher von ihm gewählt gewesen sey, so thut er dem Samuel darin wohl Unrecht; denn 1 Sam. 9, 15. 16, wo Samuel (angeblich) von Jehova Befehl erhält, den Saul zu salben, und diess (Kap. 10, 1) sogleich z[illegible] Rama thut, ist ursprünglich ganz verschieden v[illegible] 1 Sam. 10, 17 ff., wo Samuel das Volk nach Mizpa ruft und das heilige Loos den noch ganz unbekannten Saul trifft; wir haben hier die *nicht* [illegible] einander zu vereinende Ansicht zweyer Erzähler. — S. 51 sagt der Vf. „nach dem Pentateuch habe man einen falschen Propheten daran erkennen sollen, dass seine Weissagungen nicht einträfen." Diess ist indess bloss aus Deut. 18, 20 geschlossen; dagegen heisst es Deut. 13, 1—6: wenn ein Prophet aufträte und Götzendienst predigte, dabey aber Wunder verrichte, so solle man ihn doch tödten, denn ungeachtet

tet feiner Wunder und eintreffenden Prophezeiungen fey er ein *falfcher* Prophet, weil er zur Abgötterey verführen wolle. Diefes *moralifche* Kriterium hat der Vf. des Deuteronomium wahrfcheinlich aus Jerem. 18, 21. Ezech. 14, 9 entlehnt.

Die *fünfte* Vorlefung zeigt durch Analogie mit der Gefchichte der Römifchen Hierarchie, dafs die Jüdifche fich gleichfalls nicht plötzlich in dem Kopfe *eines* Menfchen entwickelt haben könne, fondern nur im Laufe von Jahrhunderten, dafs aber zu ihrer Einführung und Durchführung mannigfache Noth und Parteyungen des Volkes mitgewirkt haben müffen, und bezeichnet treffend als die drey hauptfächlichften Befeftigungsmittel der Hierarchie *a*) dafs fie ihr Joch felbft als eine Zierde darftellt, und den Nationalhochmuth (— in der Römifchen Kirche den Hochmuth des blinden, allein feligmachenden Autoritätsglaubens) befördert; *b*) dafs fie ihren Einflufs auf die geringfügigften Verhältniffe ausdehnt (— in der Röm. K. Faften und Eheverbote nebft Difpenfation und Ablafs für Geld), und *c*) allen bürgerlichen Handlungen (in der Röm. K. eben fo) geiftliche Ceremonien beymifcht, und fich dadurch eine eigne Jurisdiction zu bilden fucht. Gerade in unferer Zeit möchte die Bemerkung S. 61 wieder fehr zu beherzigen feyn, „dafs die Hierarchie Gelehrfamkeit begünftigt, fo lange fie derfelben zu ihren Zwecken bedarf, aber als Feindin derfelben auftritt, fo bald diefer Zweck erreicht ift, weil jeder Gelehrte, der nicht ihr Diener feyn will, ein gefährlicher Nebenbuhler ift." Dafs der Vf. aber nicht verkennt, wie auch die Hierarchie unter der weifen Leitung Gottes ein Mittel zum Heile wird, fo unheilig fie auch felbft ift, zeigen feine Andeutungen, S. 62, von dem vortheilhaften Einflufs derfelben auf *rohe* Völker, wie die Juden und die Deutfchen des Mittelalters waren; und wendet man dabey ein, mit der Rohheit folle denn auch die Hierarchie wieder verfchwinden, fo zeigt die Erfahrung ja auch, dafs diefs wirklich gefchieht, und dafs nur folche Völker *freywillig* Sclaven der Hierarchie geblieben find, denen es an Bildung fehlte.

Die *fechfte* Vorlefung entwickelt die von geringen Anfängen ausgehende, der Mofaifchen Theorie nicht entfprechende Entftehung des Priefterthums bey den Juden, von den Zeiten der Richter bis auf Salomo, und beweifet aus politifch-hiftorifchen Gründen, wenn Mofe wirklich die Hierarchie fchon *völlig* ausgebildet und eingeführt, fo hätte fie keinesweges auf diefe Weife in Verfall gerathen können. S. 63 war zu bemerken, dafs der Pentateuch nicht allenthalben mit ftrenger Confequenz *Einheit* des Heiligthums verlangt, indem z. B. Exod. 20, 21 noch geboten wird, an *allen* den Orten, wo Jehova fich verehren laffen werde, einen Altar von behauenen Steinen zu erbauen, was Mofes felbft Exod. 24, 4 ff. an einem ungenannten Orte thut, und felbft noch Elia, welcher 1 Reg. 18, 31 auf Carmel opfert, ohne Rückficht auf das Hauptheiligthum beobachtet. S. 65 mufste die Redensart: „zu Gott (אלהים) gehen" (Gott fragen) nicht erklärt werden: „ins Gericht (der Priefter) gehen," fondern ein Orakel, allerdings auch oft ein Gottesurtheil in Sachen, wo die Entfcheidung des Schiedsrichters nicht ausreichte, einholen. S. 67 oder fchon 65 wäre zweckmäfsig die Bemerkung eingefchaltet worden, dafs, nach Judic. 17, zu den Zeiten der Richter man es zwar für wünfchenswerth gehalten, einen Leviten zum Priefter zu haben, diefes Amt aber doch auch ohne Bedenken andern übertrug. Hr. *L.* irrt fich, wenn er S. 127 in Beziehung auf diefe Stelle fagt, Leviten feyen auch Diener der *Götzen* gewefen; denn das אפוד, welches als Hausgott (תרפים) des Micha erfcheint, war ein *Bild des Jehova*, wie daraus erhellt, dafs Micha V. 13 fich zur Verehrung Jehova's bekennt, und Kap. 18, 6 das von diefem Bilde gegebne Orakel ein Ausfpruch Jehova's genannt wird. Ein folches, wahrfcheinlich der Menfchengeftalt ähnliches Jehovabild hatte auch David, 1 Sam. 19, 13, als Hausgott in feinem Haufe.

In der *fiebenten* Vorlefung folgt der meiftens nach *de Wette* geführte Beweis des fpätern Urfprungs der 5 Bücher Mofe's, und nicht blofs des gefchichtlichen, fondern auch des gefetzlichen Theiles derfelben. Dafs fich leicht zu diefem allen mehr Beyfpiele hätten beybringen laffen, giebt der Vf. (S. 70) felbft zu; wir wollen daher nur andeuten, wie fich einige der angeführten vervollftändigen liefsen. S. 71: Der Behauptung Deut. 2, 29, dafs die Edomiter den Durchzug verftattet hätten, widerfpricht nicht blofs Num. 14, 14 ff., fondern auch Judic. 11, 17, welche Stelle der Verfaffer oder Ordner des Buchs Numeri wahrfcheinlich vor fich hatte. S. 77: Für das Mofaifche Gefetz, welches Beftrafung der Kinder an Statt der Aeltern oder mit ihnen verbot, läfst fich nicht 2 Reg. 14, 6, wo blofs die Anficht des Referenten als Reflexion ausgefprochen ift, anführen; erft Jerem. 31, 29. Ezech. 18, 2 ff. erklären fich beftimmt gegen jene Stellvertretung bey der Strafe. S. 79 wird die Befchreibung der prächtigen Stiftshütte im Buche Exodus nicht ohne Grund in Anfpruch genommen; der wirklichen Errichtung derfelben widerfpricht aber auch Exod. 33, 7 die Nachricht von dem einfachen Verfammlungszelt, welches Mofe aufserhalb des Lagers aufgefchlagen haben foll, und welches wirklich als noch vorhanden 1 Sam. 3 erwähnt wird, wenn man Jud. 20, 27. 28 auch nicht hieher ziehen will. S. 72: Die fpäte Abfaffung von Levit. 26 erhellt nicht blofs aus der Sprache, fondern auch daraus, dafs mehrere Stellen der Propheten hier nachgeahmt find, vgl. z. B. V. 4 mit Joel 2, 19. 4, 18. Hof. 2, 8. 9, 2; — V. 5 mit Amos 9, 13. V. 8 mit Jef. 30, 7. V. 9 mit Hof. 14, 6 ff. Mich. 5, 6. 7. V. 11 mit Zeph. 3, 15. 17. V. 22 mit 2 Reg. 2, 24. V. 26 mit Jef. 3, 1. Hof. 4, 10. V. 29 mit 2 Reg. 6, 25 — 30 u. f. w. Dagegen zeigt der Vf. fehr treffend aus innern Gründen, S. 74, dafs das Jubeljahr, welches vor dem Exil nur in der Mofaifchen Theorie erwähnt wird, auch vor demfelben nicht zur Ausführung kommen konnte.

Die

Die *achte* Vorlesung macht deutlich, wie die Bücher Leviticus, Numeri und Deuteronomium sich in ihren Angaben über die Rechte und den Zustand der Leviten widersprechen, wobey noch bemerkt werden konnte, dass Deuteronomium den *wahren* Zustand der Leviten berücksichtigt haben mag, indem es die Foderungen für dieselben, weil die in den vorigen Büchern aufgestellte Theorie doch nicht verwirklicht wurde, sehr herabstimmt, sie fast allenthalben mit den *Armen* zusammenstellt und der Mildthätigkeit empfiehlt. Dahin gehört auch, was Hr. *L.* S. 82 richtig bemerkt, dass im Deuteronomium nichts von Levitenstädten steht, sondern die Leviten allenthalben in diesem Buche als dürftige Beysassen in andern Städten erscheinen. Die Behauptung aber, dass die den Leviten nach Mose's und Josua's Befehl zugetheilten Städte sich nachher wirklich in ihren Händen befinden, ist völlig unhaltbar: denn das Buch Josua kann nicht als Zeugniss dafür angeführt werden. — Der Vf. zeigt ferner kurz, dass auch das Passah- und das Laubhüttenfest sich allmählig ausgebildet und den Gesetzen des Pentateuchs gemäss gestaltet habe. Wir setzen hinzu, dass sich in Hinsicht beider in den Anordnungen des Pentateuchs selbst eine successive Ausbildung nachweisen lässt, dass die erste Spur von dem Laubhüttenfeste sich 1 Reg. 8, 2 zu Salomo's Zeit zeigt, doch nur in sofern es Haupterntefest war, und es dagegen als Fest der Laubhütten, wie Levit. 23, 33 f. Num. 29, 12 ff. es verlangen, zum ersten Mal mit ausdrücklicher Berufung darauf, dass man die Vorschrift im Gesetz gefunden habe, zur Zeit des Esra (Nehem. 8, 13 ff.) erscheint, wogegen die Angabe Esr. 3, 4 aller Wahrscheinlichkeit nach ein unhistorischer Zusatz des unbekannten Sammlers ist. Endlich beurtheilt Hr. *L.* hier die Quellen der jüdischen Geschichte, von welchen er mit Recht das Buch Josua nicht weniger ausschliesst, als den Pentateuch, weil es eben so hierarchisch gestaltet ist, wie dieser. Die Abfassung des Buchs der *Richter* setzt Hr. *L.*, obgleich er dessen historischen Werth anerkennt, später an, als wir zu thun uns berechtigt glauben; doch hätten wir es gern bestimmt angegeben gesehn, dass der Vf. des Buchs Josua das Buch der Richter in seiner jetzigen Gestalt, mit der später als das Uebrige verfassten Einleitung (Kap. 1. u. 2.) vor sich hatte und nicht immer genau daraus abschreibt, vgl. z. B. Jos. 15, 13 ff. mit Jud. 1, 8—15. 20. Jos. 15, 63 mit Jud. 1, 21. Jos. 16, 1 ff. mit Jud. 1, 22 ff. 29. Jos. 17, 12 mit Jud. 1, 27. Jos. 19, 47 ff. mit Jud. 18, 1 ff. Jos. 19, 49. 50. mit Jud. 2, 9. Jos. 23, 12 ff. mit Jud. 2, 20. 21. Jos. 24, 28 ff. mit Jud. 2, 6. 7., wodurch unauflösliche Widersprüche entstehen, welche überdiess zeigen, dass der Vf. des Buchs Josua keine besondere authentischen Quellen hatte. — In der Anerkennung der Bücher *Samuel's* und der *Könige* als guter, und der Darstellung des Buchs der *Chronik*, als höchst unzuverlässiger historischer Quelle, stimmen wir mit dem Vf. vollkommen überein; doch möchte er über die Authentie und Glaubwürdigkeit mancher Theile der Bücher *Esra* und *Nehemia* wohl zu günstig urtheilen, was aber nicht der Fall ist, wenn er dem trefflichen *ersten* Buch der *Makkabäer* und den Nachrichten des Josephus, in so fern sie seine und die kurz vorhergehende Zeit betreffen, bedeutenden Werth beylegt. Das richtige Urtheil des Vfs. über die Schriften der Propheten als Quellen der Geschichte, welche sehr wichtig sind, wenn man sie verständig benutzt, S. 94, ist ein erfreulicher Beweis von Anerkennung der Verdienste, welches die neuesten Erklärer des A. T., und vorzüglich *Gesenius*, den Hr. *L.* namentlich erwähnt, auch von dieser Seite erworben haben. Wir hätten zum nähern Verständniss hier noch gesagt: Die Propheten haben uns in ihren Schriften höchst zuverlässige Quellen der Geschichte hinterlassen: *a*) *direct*, indem sie gelegentlich historische Notizen beybringen, denen man um so sicherer trauen kann, weil sie ohne alle unhistorische Nebenabsicht nur zur Erläuterung gegeben werden; und *b*) *indirect*, weil, wenn auch aus dem Inhalt der echten Orakel nie der Erfolg als historische Thatsache gefolgert werden kann, derselbe doch oft mit grosser Bestimmtheit auf die geschichtliche Situation hinweiset, durch welche die Orakel *veranlasst* worden sind. Aus beiden Gründen sind die prophetischen Schriften historisch zuverlässiger, als irgend ein eigentlich historisches Buch des ganzen Kanons des A. T., und da Hr. *L.* das anzuerkennen scheint, so nimmt es uns um so mehr Wunder, dass er jene Schriften fast nie benutzt, zumal da sie ihm unstreitig eine vortheilhaftere Vorstellung von den Propheten gegeben haben würden, als er hie und da verräth.

(*Die Fortsetzung folgt.*)

SCHÖNE KÜNSTE.

WÜRZBURG, im Verl. von Karl Strecker: *Parabeln* von *Georg Joseph Keller.* 1828. VIII u. 220 S. 8. (20 gr.)

Unter den hier gegebenen Lehrdichtungen sind mehrere, die durch Tiefe des Sinnes und Zartheit der Behandlung ansprechen: da aber der Vf. oft historische Personen und zum Theil auch wirkliche geschichtliche Ereignisse benutzt, so haben viele derselben mehr den Charakter der moralischen Erzählung, die einfacher und schmuckloser gehalten seyn will. Es fehlt aber nicht an Stellen wo eitler Prunk in Worten und Bildern zur Schau getragen wird, namentlich ist dieses in der Dedikationsparabel an die Königin von Bayern der Fall, die also beginnt: „Als Gott der Herr durch sein allmächtiges Werde den Azurbogen des Himmels gewölbt, Myriaden Welten ausgestreut, und die unzähligen Sonnen entzündet, als er den Lüftchen ihren Odem gegeben u. s. w." und in welcher sich nachher der Dichter mit dem Sperling vergleicht.

L GEMEINE LITERATUR-ZEITUNG

October 1828.

GESCHICHTE.

LIN, b. Duncker u. Humblot: *Vorlefungen über die Gefchichte des Jüdifchen Staats* — — vom Prof. Dr. *Heinr. Leo* u. f. w.

(Fortsetzung der im vorigen Stück abgebrochenen Recenfion.)

neunte Vorlefung wirft einige Blicke auf den ag der Israeliten aus Aegypten, giebt die von lben wahrfcheinlich betretnen Wege durch die te an, wobey jedoch auch, z. B. S. 104, Nachrichles Pentateuchs als hiftorifche benutzt werden, fchildert, nach *Ritter*, *Klöden* und *Gefenius*, Oft - und Weftjordanland, welches allmälig dem Volke eingenommen wurde, nach dem toaphifchen Charakter feiner Hauptthelle. Ein ner Widerfpruch des Vfs mit fich felbft liegt n, dafs er S. 111 anzunehmen fcheint, Jericho von Jofua, wenn auch ohne Wunder, erobert den, was felbft aus Jud. 3, 13 um fo weniger t, da hier gar nicht vorausgefetzt wird, die Stadt vor Ankunft der Israeliten fchon da gewefen, von ihnen zerftört, nachher aber zum eignen hnort, aus welchem Eglon fie vertreibt, wieder aut worden.

Indem der Vf. in der *zehnten* Vorlefung die ographifche Schilderung nach der natürlichen theilung in die fpäter fo benannten Provinzen: liläa, Samaria, Judäa und das Küftenland tfetzt, knüpft er Betrachtungen daran über n Einflufs, den die verfchiedne Lage auf die wohner äufsern mufste, wohin z. B. gehört, dafs e *Samaritaner* (S. 117), mitten inne wohnend zwihen den von den Heiden faft immer abhängigen aliläern, und daher den Verkehr mit den Heiden war nicht fcheuend, aber auch nicht fo unumgängch bedürfend, und zwifchen den auf ihren unruchtbaren, felfigen Boden eingefchränkten Judäern, die *Proteftanten* der Jüdifchen Welt wurlen an Freyfinnigkeit und Heiterkeit, fich aber uch weniger berühmt machten, als die Judäer. . 120 heifst es etwas zu unbeftimmt von den Philiftern: „fie feyen, als das Jüdifche Königreich (unter David) fich mächtig erhob, gebeugt und *überwunden* worden," — was leicht die irrige Vorftellung erregen könnte, als feyen fie Unterthanen der Juden gewefen, da die Siege David's fie doch nur eine Zeitlang vom Offenfivkriege abfchreckten und z. B. die fünf Königsftädte der Philifter ftets unabhängig blieben, wie aus Joel 4, 4 ff. Amos 1, 6 ff. Zeph. 2, 4 ff. und andern Aeufserungen der Propheten abzunehmen ift.

Die *elfte* Vorlefung beginnt mit Betrachtungen über die, wie Hr. *L.* wohl mit Recht fagt, wahrfcheinlich um Jahrhunderte zu kurz angenommene Periode der Richter, welche durchaus als eine folche erfcheint, in der die einfachften bürgerlichen Verhältniffe noch nicht feftgefetzt waren, und z. B. das Räuberleben (wie freylich auch, S. 141, noch zu David's Zeit, da diefer es treibt und doch dabey Anfehn hat und behält) als ein völlig ehrenhaftes betrachtet wurde, mithin an die forgfältig geordnete Mofaifche Verfaffung noch gar nicht zu denken war; deren allgemeiner Charakter aber aus den im Buche der Richter enthaltnen Sagen fich etwa in eben dem Grade erkennen läfst, wie ein gewiffer Stand Germanifcher Volksbildung aus den Eddaliedern. Wenn der Vf. die Rohheit diefer Zeit in einigen fcharfen Umriffen klar hervortreten läfst, fo beurtheilt er doch auch nicht weniger richtig die Richter felbft, S. 122, als Helden, die darum aus *göttlicher* Berufung aufzutreten und zu handeln glaubten, weil ihnen nicht ein menfchliches Recht, fondern das Bewufstfeyn ihrer Kraft, worin ihre geiftige Berechtigung lag, ein folches patriotifches Handeln zur Pflicht machte. Darin liegen aber gerade die erften *faktifchen* Keime zur Idee der Theokratie, welche als folche noch wohl einer nähern Beachtung werth gewefen wären. Den Uebergang auf eigentlich gefchichtlichen Boden macht dann *Samuel's* Regierung und die Errichtung des Königthums, deren Veranlaffung der Vf. S. 134 allerdings richtig in dem Wunfche des Volkes findet, unter einer ficheren Leitung zu ftehn, als unter der wechfelnden der Richter, wobey er jedoch die zwiefache Relation nicht beachtet, wenn er meint, Samuel fey felbft überzeugt worden durch die Gründe des Volks und habe eine Stimme Gottes zu vernehmen geglaubt: „Gehorche ihrem Verlangen und mache ihnen einen König!" — und S. 135 hinzufetzt: „Samuel habe oft, und fo auch bey der Erwählung Sauls, leidenfchaftliche perfönliche Erregungen für Eingebungen Gottes gehalten," — denn das erftere bezieht fich auf 1. Sam. 8, das letztere auf Kap. 9, welche doch ihrer ganzen Darftellung nach nicht von *einem* Erzähler herrühren und fich nicht gut vereinigen laffen.

In der *zwölften* Vorlefung folgen dann mehr Betrachtungen über Saul und fein Verhältnifs zu Samuel (welchen beiden der Vf. Gerechtigkeit wiederfahren läfst, nicht ohne hervorzuheben, was ein ganz anderes Urtheil über den bedauernswerthen Saul

Saul begründet, als das vom Vf. des Buchs Samuel's gefällte), als eigentliche Erzählung der Ereigniſſe dieſes Zeitraums. Beſonders macht Hr. L. deutlich, wie heilſam die Erwählung eines Königs für den Staat hätte ſeyn müſſen, wenn nicht Samuel darin, daſs er den Saul dazu beſtimmte, einen Miſsgriff gethan hätte; doch wenn man ſeiner *dreyzehnten* Vorleſung darin Recht geben muſs, daſs der Charakter *David's* im Buche Samuels treu geſchildert und ein menſchlich achtungswerther ſey, auch nicht verlangen kann, daſs Hr. *L.* auf ſeinem Standpunkte eine genaue Sonderung der in dieſem Buche enthaltnen Doppelrelation über die Geſchichte Sauls und Davids unternehme, ſo liegt die Wirklichkeit einer ſolchen, wie wir an einem andern Orte genauer zu erweiſen hoffen, doch zu klar am Tage, als daſs man dem Vf. beytreten könnte, wenn er S. 144 meint, „die Kritiker vermöchten nicht, im Buche Samuels ſelbſt eine Zuſammenhangsloſigkeit oder Unebenheit nachzuweiſen." Die Anerkennung der Thatſache aber, daſs der Vf. des Buchs Samuels nicht bloſs aus der Tradition, ſondern ſchon aus ſchriftlichen Quellen geſchöpft habe, deren beſonders zwey parallel laufen, iſt für den geſchichtlichen Werth der von David berichteten Begebenheiten zu wichtig, als daſs wir ſie nicht allgemein verbreitet wünſchen ſollten. Eine völlige Begründung unſerer Anſicht können wir uns hier zu geben nicht erlauben, da ſie zu ſehr ein *hors d'oeuvre* ſeyn würde; doch wollen wir wenigſtens kurz die Punkte hervorheben, in welchen ſich am deutlichſten Zwiefachheit der Darſtellung ankündigt, da dem Kundigen die Gründe dafür leicht einfallen:

Erſte Relation.

1 Sam. 8, 1—22: Weil Samuels Söhne ſchlecht regieren, fodern die Volksälteſten einen König; Samuel ſchildert die Vorrechte eines ſolchen, widerräth die Wahl und verſchiebt ſie noch.

1 Sam. 10, 17—27: Samuel beruft eine Volksverſammlung nach Mispa, in welcher das Loos für Saul, den Sohn Kis entſcheidet: Samuel legt dem jauchzenden Volke die Privilegien des Königthums ſchriftlich vor; Saul wird von den Meiſten anerkannt und geht wieder nach Gibea.

1 Sam. 12, 1—24: Samuel legt ſein Richteramt nieder und ermahnt das Volk, mit ſeinem Könige, den er und Jehova ihm gegeben, dem Jehova zu gehorchen.

Kap. 17, 55—18, 5 (Bruchſtück): Saul erkundigt ſich, wer David ſey, als dieſer gegen den Goliath zum Kampf geht; Jonathan ſchlieſst mit David einen

Erſte Relation.

Freundſchaftsbund und Saul macht ihn zum Anführer eines Heerhaufens. [Nun iſt wieder eine groſse Lücke in dieſer Relation, welche ſich dann durch Wiederholung und andere chronologiſche Ordnung der Begebenheiten von der zweyten Relation unterſcheidet, wie folgt:] Kap. 26: Die *Siphiter* verrathen dem Saul Davids Aufenthalt; Saul jagt ihm mit einer Schaar nach; doch in der Nacht holt David, um zu zeigen, daſs es in ſeiner Macht geſtanden hätte, ihn zu tödten, Sauls Waſſerbecher und Spieſs mitten aus deſſen Lager, und bewegt ihn durch dieſen Edelmuth zur Reue. Kap. 27: David geht *jetzt* zum König Achis von Gath, der ihm die Stadt Ziklag zum Geſchenk giebt, von wo aus er Raubzüge unternimmt. Kap. 28: Saul bey der Seherin von Endor. David wird von Achis zur Theilnahme am Kriege gegen Saul aufgefodert, und entſchlieſst ſich auch dazu, wird aber, Kap. 29, auf Anrathen der Philiſterfürſten vom Heere wieder entlaſſen, findet ſeine Stadt Ziklag, Kap. 30, von den Amalekitern geplündert, eilt dieſen nach, und erlangt groſse Beute, die er bey der Rückkehr unter ſeine Verbündeten austheilt. Zwey Tage nachher erhält David zu Ziklag, 2 Sam. 1, die Nachricht von Sauls Tode durch einen Boten, der ſich rühmt, den Saul auf deſſen Befehl erſchlagen zu haben, dafür aber von David mit dem Tode beſtraft wird.

Zweyte Relation.

1 Sam. 9, 1—10, 16: Saul, der Sohn Kis, kommt nach Rama zu Samuel, ſein Orakel zu befragen; Samuel findet Gefallen an ihm, ſalbt ihn auf Jehovas Befehl zum Könige und gebietet ihm, als ſolcher zu handeln, ſobald er ſich vom Geiſt ergriffen fühle. — Dieſs geſchieht Kap. 11, 1 ff. bey einem feindlichen Einfall der Ammoniter, wo Saul mit Kraft und Glück ſich zum Anführer aufwirft, worauf denn das erfreute Volk die Ernennung Sauls von Seiten Samuels durch einſtimmigen Ausruf, deſſelben zum König in Gilgal beſtätigt.

1 Sam. 13, 1—23: Saul rüſtet ſich gegen die Philiſter, und erzürnt den Samuel durch ein willkürlich gebrachtes Opfer. Kap. 14. Jonathan verſchafft dem Heere den Sieg über die Philiſter. Kap. 15. Saul erzürnt den Samuel ganz durch Ungehorſam bey dem Siege über die Amalekiter. Kap.

Zweyte Relati[illegible]

16: David wird von [illegible] heimlich zum König [illegible] ſalbt, und von Saul, [illegible] „ein böſer Geiſt" [illegible] ſeinem Dienſt berufen, [illegible] mit er ihm vorſpiele. [illegible] kehrt er zuweilen (17, [illegible] ſeinem Vater zurück, [illegible] von dieſem ins Lager [illegible] ſandt, erſchlägt er ([illegible] —54) den Goliath. K[illegible] 6—30: Das Lob d[illegible] macht den Saul eiferſ[illegible] auf David; er will [illegible] erſtechen, als er [illegible] ihm ſpielt, und [illegible] ihm die Michal, [illegible] dadurch ins Ver[illegible] bringen. Kap. 19 [illegible] wird David's Pr[illegible] nach einem ne[illegible] von dem wahnſi[illegible] rettet ihn Michal, [illegible] ihn liebt. Kap. 20: [illegible] verwendet ſich [illegible] für David, und [illegible] Kap. 21: David [illegible] Flucht von *Ahimelech*, [illegible] ſter zu *Nob*, [illegible] ſich eine kurze Zeit bey dem König *Achis* von Gath auf, ſammelt aber [illegible] Gebiete Juda's eine [illegible] ſchaar (Kap. 22, 1—5), [illegible] nimmt grauſame Rache [illegible] den Prieſtern zu Nob, [illegible] 22, 6—23; — David [illegible] dem entflohenen Abja[illegible] Sohn Ahimelechs, als [illegible] prieſter mit dem Jehov[illegible] zu ſich, hält ſich zu [illegible] 23, 1—18, eine Zeit lang [illegible] entflieht dem Verrath, [illegible] von Jonathan gewarnt, [illegible] ſammelt ſeine Schaar [illegible] dem Hügel Hachila. V. [illegible] 28: Die *Siphiter* verrathen dem Saul Davids *Aufenthalt* in ihrer Nähe; *Saul eilt ihm* nach, wird aber *ehe er ihn* erreicht, durch einen Einfall der Philiſter abgerufen. 24: Saul verfolgt den David von neuem, ſchläft aber in einer Höhle ein, in welcher David ſchon verborgen iſt, der dann ein Stück von Sauls Gewand abſchneidet, um ihn zu überzeugen, daſs er ihn hätte tödten können, und ihn dadurch zur Reue bewegt. Kap. 25: Davids Abenteuer mit Nabal und Abigail. (Dieſe Relation berichtet die Veranlaſſung des Krieges zwiſchen den Philiſtern und Saul nicht; aber ſie erzählt wieder:)

Kap. 31: Die Philiſter liefern dem Saul eine Schlacht; ſeine Söhne fallen, er tödtet ſich ſelbſt, da ſein Waffenträger ſich weigert es zu thun; die Philiſter rauben und verſtümmeln die Körper Sauls und ſeiner Söhne, die aber von den Einwohnern von Jabes wiedergeholt und beſtattet werden.

Die beiden Relationen laſſen ſich noch weiter, bis tief in das zweyte Buch Samuels, verfolgen, doch wird dieſs dort ſchwieriger, deſshalb brechen wir hier ab, weil dieſe Probe zur Widerlegung der obi-

gen

gen Ausfage des Hn. *L.* hinreicht. Seine Charakteriftik Davids ift übrigens würdig und wahr, fo wie er auch die levitifchen Zufätze des Buchs der Chronik nach Gebühr abweifet; doch find einzelne Punkte der Relation nicht ganz richtig aufgefafst z. B. wenn es S. 147 als Beweis der zwifchen Priestern und Propheten beftehenden Freundfchaft angefehn wird, dafs Nathan den David zur Erbauung eines Tempels ermuntert habe. Davids perfönlicher Werth verbindet vielmehr mit ihm nicht nur den Nathan, der übrigens (2 Sam. 12) als Prophet und Freund mit ernfter Weisheit des Königs Vergehungen rügt und fich fehr würdig dabey benimmt, fondern auch einige Priefter, welche (2 Sam. 15, 24 ff.) als treue Freunde in der Noth bey ihm aushalten. 2 Sam. 7 aber, welche Stelle Hr. *L.* meynt, ift es David, der zuerft den Einfall hat, einen Tempel zu bauen, und der Anfangs beyftimmende Nathan widerräth es nachher; aber in der Rede des Propheten zeigt fich zu deutlich der Einflufs des fpätern Erfolgs, z. B. durch die Hindeutung auf Salomo, als den von Jehova beftimmten Erbauer eines Tempels, — als dafs wir fie für authentifch und unverfälfcht halten könnten.

Die *vierzehnte* Vorlefung, welche von *Salomo* und *Rehabeam* handelt, fchreibt die Prachtliebe und andere Mängel Salomos, welche fie auch aus andern Umftänden zu erklären verfucht, hauptfächlich dem überwiegenden Einflufs der hierarchifchen Partey zu, deffen Abnahme, als Salomo auch heidnifche Götzentempel baute und fchmückte, Hr. *L.* von Ueberdrufs ableitet, durch welchen der wollüftige König von dem auch im Tempel doch noch immer abftracten und ernften (an finnlichem Reiz mit dem Cultus mancher Götter, z. B. der Aftarte nicht zu vergleichenden) Jehovacultus abgefchreckt haben möchte. Wenn man die Erklärung des Abfalls der 10 Stämme von Rehabeam natürlich und richtig finden mufs, fo find doch auch hier einige kleine hiftorifche Verfehen zu rügen. Adonia war (vgl. 2 Sam. 3, 4) *nicht*, wie es S. 153 heifst, der ältefte, zur Nachfolge berechtigte Sohn Davids, fondern nur bedeutend älter, als Salomo, welcher übrigens unrichtig S. 154 ein Benjaminit heifst.

Die *funfzehnte* Vorlefung erzählt die Gefchichte des Reichs *Ifrael*, oder *Ephraim*, wie der Vf. es der Deutlichkeit wegen nach dem Hauptftamme nennt, mit befonderer Berückfichtigung des von den Propheten geübten Einfluffes, welcher ftreng, aber, wenn man die Darftellung des Buchs der Könige für ganz treu hält, nicht ungerecht beurtheilt wird, indem es z. B. S. 166 heifst: „Die Propheten hatten das Volk moralifch von der Regierung getrennt, und ftellten nun, was *ihr* Werk war, als Strafe Gottes für die Unfolgfamkeit des Volks dar, indem fie auch das einzige noch übrige Rettungsmittel, Verbindung mit mächtigen Nachbarn, als verderblich fchmäheten." Rec. kann jedoch die Propheten nicht für fo eigenfüchtig halten, wie Priefter natürlicher Weife feyn müffen, und bey den Juden auch waren; er glaubt vielmehr, wie in der obigen Definition der Theokratie ausgefprochen, dafs ihnen das Wohl des Staats und des Volks am Herzen lag, und dafs fie die Verhältniffe richtig beurtheilten und Gutes riethen. Hr. *L.* wird aber hier wieder von feiner Verwechfelung der Theokratie mit der Hierarchie zu einem nicht ganz richtigen Urtheil verleitet, vorzüglich indem er S. 169 die Propheten mit den fpätern Pharifäern in eine Kategorie ftellt, und die ganze Schilderung mit den Worten fchliefst: „Das Reich Ephraim bietet das Schaufpiel eines Reiches, in welchem alle Verfuche der Regierung, eine fefte Ordnung zu gründen, vereitelt werden durch eine Partey zäher Fanatiker, welche die Einheit des Jehovadienftes und die Ausrottung aller fremden Gottesdienfte verlangen, welche diefer religiöfen Foderung alles weltliche Wohl unterordnen, das Volk immer von Neuem gegen die Regierung aufreizen, und einen unternehmenden Mann nach dem andern zu bewegen wiffen, die beftehende Dynaftie zu ftürzen, um eine neue von eben fo kurzer Dauer zu gründen. (Diefs bezieht fich auf Jehu's Berufung, 2 Reg. 9, welche, wenn man Kap. 10, 30 vergleicht, mythifch gefafst, und durch das ganz abweichende Urtheil Hof. 1, 4 widerlegt wird.) Schwäche nach Innen und Aufsen, Auflöfung aller fittlichen und rechtlichen Bande, endlich die Knechtfchaft, find die Folgen des Strebens diefer *Vorgänger der Pharifäer*. Wir werden fehen, wie, nachdem der jüdifche Staat von Neuem gegründet worden war, die Pharifäer ganz daffelbe Spiel noch ein Mal vor unfern Augen aufführen." Dem Rec. fcheint es vielmehr, als hätten die Pharifäer, welche Hr. *L.* hier meynt, ihr Verfahren mit Unrecht durch eine Mifsdeutung des von den Propheten Beobachteten nur befchönigen wollen, aber mit viel böferen Abfichten auch bey weitem fchlechtere Mittel verbunden. Aus der Theorie des Hn. *L.* erklären fich auch zum Theil einige kleine Ungenauigkeiten in der Erzählung, z. B. S. 158: „Die Propheten ehren *oft* die Könige von Juda höher als die von Ifrael," — da doch nur ein Beyfpiel diefer Art 2 Reg. 3, 13 von Elifa erzählt wird, was auch wohl blofs Anficht des Erzählers feyn kann. S. 158. 159: Jerobeam I foll Thierdienft aus Aegypten mitgebracht haben, und diefer dann von feinen Nachfolgern beybehalten feyn. Aus 1 Reg. 12, 25 ff. 13, 1 ff. erhellt aber, dafs Jerobeam den Jehova verehrt, und zwar an zweyen, fchon aus früherer Zeit den Jehovacultus geweihten Orten, Dan und Beth-El, woraus abzunehmen, dafs der Dienft des Jehova-Apis, den das Volk auch fo willig annimmt, nicht neu und, ungeachtet des ftiergeftaltigen Jehovabildes, keine eigentliche Abgötterey war, in fo fern diefe Verehrung eines *ausländifchen* Gottes ift. Darum ift es natürlich, dafs wir, gefchichtlich erweislich, erft den *Amos* unter *Jerobeam II* gegen diefen Cultus eifern fehn, welcher aber (Amos 5, 26) dem Volke auch andre *Götter*culte vorwirft, die fie fchon unter Mofe in der Wüfte geübt haben. —

Den

Den klagenden Ausruf des Königs *Joas* an Elisa's Sterbebett (2 Reg. 13, 14) wagen wir nicht, mit Hn. *L.*, S. 164 darauf zu beziehen, dafs Elisa unter diesem Könige das Reich gerettet habe: denn mit den nämlichen Worten klagt 2 Reg. 2, 12 Elisa um den verschwindenden Elia, und sie werden dadurch verdächtig. Doch wird 2 Reg. 6, 8 ff. erzählt, Elisa habe den König *Joram* oft vor den kriegerischen Unternehmungen der Syrer gewarnt.

(*Der Beschlufs folgt.*)

LITERATURGESCHICHTE.

1) Marburg, b. Bayrhofer: *Memoriam Viri Sum. Ven.* atque Excell. *Joannis Melchioris Hartmanni*, Theol. et Philos. Dr. harumque disciplinarum atque linguarum orientalium Professoris publ. ord. et Academiae Bibliothecarii primarii, Academiae Marburgensis auctoritate et nomine civibus commendat *Car. Franc. Christ. Wagner*, Phil. Dr. lit. graec. latinarumque nec non eloq. et Poes. Prof. p. ord. Paedagogiarcha etc. 24 S. in 4.

2) *Ebendas.*, b. Krieger: Worte am Grabe des sel. *Johann Melchior Hartmann*, Dr. u. ordentl. Prof. d. Theol. u. s. w. am 20. Febr. 1827 gesprochen von Dr. *Chr. Andr. Leonh. Creuzer.* 4 S. gr. 8.

In dem, am 16ten Febr. 1827 verstorbenen, Prof. *Hartmann* verlor die Universität Marburg einen ihrer würdigsten Lehrer, der die Liebe und Achtung aller genofs, die ihn kannten, und dessen früher Tod allgemein beklagt wurde. Mit gründlichen gelehrten Kenntnissen seines Fachs verband er einen lehrreichen, leicht fafslichen Vortrag, eine grofse Gewandheit in Geschäften, einen geprüften sittlichen Charakter, hohen religiösen Sinn, Humanität in der höhern Bedeutung des Worts und eine, besonders in unsern Tagen ungewöhnliche, Bescheidenheit. Einfach und anspruchlos, wie sein Gemüth, war auch sein Aeufseres. Treue Pflichterfüllung, Biederkeit und Wohlwollen waren das Gepräge seines Charakters, und selbst drückende Körperleiden in den letzten Jahren seines Lebens konnten seine edle Wirksamkeit nicht beschränken. Er war geboren zu *Nördlingen*, am 20. Febr. 1765, wo sein Vater die Tuchmacher-Profession trieb. Den ersten Unterricht erhielt er von seiner Mutter; vom J. 1778 bis 1786 besuchte er das Lyceum seiner Vaterstadt. Im Frühjahre 1786 bezog er die Universität *Jena*, wo *Döderlein*, *Griesbach*, *Eichhorn*, *Hennings*, *Ulrich*, *Wideburg*, *Müller*, *Loder*, *Reinhold* und *Lenz* seine Lehrer waren. Einen wohlwollenden Freund und Beförderer fand er besonders in *Eichhorn*, dessen Kinder er vom Jahr 1788 an unterrichtete, und dessen Hausgenosse er mehrere Jahre hindurch blieb. Auch begleitete er ihn nach *Göttingen*, wo er noch die Vorlesungen von *Plank*, *Heyne*, *Feder*, *Schlözer*, *Seyffer* und *Eichhorn* benutzte. Im [illegible] wurde seiner gelehrten Abhandlung: *Com[illegible] de Geographia Africae Edrisiana* (Götting[illegible] Preis zuerkannt. Im J. 1796 erschien eine verbesserte und vermehrte Auflage dieser [illegible]lung unter dem Titel: *Edrisii Africa.* Im [illegible] starb zu *Marburg* der gelehrte Orientalist *Jo[illegible] Schröder*, ein Bruder des Gröninger Profess[illegible] *Hartmann* erhielt an seiner Stelle die Profe[illegible] orientalischen Sprachen. Im J. 1794 wurde er [illegible] der Philosophie; im J. 1817 erhielt er, bey G[illegible]heit der dritten Reformations-Jubelfeyer, [illegible] theologischen Facultät in Marburg das the[illegible] Doctor-Diplom, und im J. 1821 wurde er [illegible] fünften ordentlichen Professor der Theologie[illegible] Mehrere gelehrte Gesellschaften nahmen [illegible] ihre Mitglieder auf. Dreymal war er ve[illegible] seine dritte Gattin und ein einziger Soh[illegible] zweyten Ehe überlebten ihn. Der Erhol[illegible] Bewegung in freyer Luft widmete er [illegible] Zeit, und Reisen machte er fast nie. Aus[illegible] Amtsarbeiten, raubte ihm seine Gefälligkeit [illegible] andere, die ihn auch lästige mechanische Ge[illegible] nicht ablehnen liefs, viele Zeit, und unte[illegible] Theil seine Gesundheit. Eben so wurden [illegible] der Universität viele, mit seinem Lehrfach [illegible] entfernter Beziehung stehende, Geschäfte [illegible]gen. Mit der gröfsten Gewissenhaftigkeit und U[illegible]eigennützigkeit besorgte er manche beschwerliche [illegible] Familien-Angelegenheiten; denn seine Gefälligkeit konnte theuern Freunden nichts abschlagen. Die vorliegende Gedächtnifsschrift des Hn. [illegible] *Wagner*, theils aus dem von *Justi* herausgegebenen 18ten Bande der *Strieder'schen* Hessischen Gelehrten Geschichte, S. 202—207, theils aus genauer persönlicher Bekanntschaft mit dem Entschlafenen geschöpft, giebt die Hauptmomente seines Lebens und schildert der Wahrheit gemäfs seinen Charakter mit Liebe. Angehängt ist das Verzeichnifs der Hartmannischen Schriften, unter welchen sich sein *Edrisii Africa*, seine hebräische Grammatik (1. Ausg. 1798, 2. Ausg. 1819), seine *Erdbeschreibung und Geschichte von Africa* (1. Bd. das Paschalik Aegypten. Hamburg 1799), ein Werk, das leider! nicht fortgesetzt worden ist, und drey Programme über *Edrisii Hispania* (P. I. 1802. P. II. 1803. P. III. 180[illegible]) vorzüglich auszeichnen. Noch bemerken wir, da[illegible] sich in der *Jenaischen* Allg. lit. Zeitung, in den *Göttingischen* gel. Anzeigen, in *Eichhorn's* allg. Bibliothek und bibl. Literatur und in den von *Wachler* he[illegible]ten neuen theolog. Annalen mehrere gehaltvolle Recensionen von dem sel. *Hartmann* finden. Die vo[illegible] Hn. KR. *Creuzer* ausgesprochenen Worte am Grabe geben ein treues und mit Gefühl entworfenes Bild von dem Charakter des Frühvollendeten, den [illegible] Rec. seit einer langen Reihe von Jahren zu seinen vertrautesten und bewährtesten Freunden rechnen konnte. *Have pia anima!* —

ALLGEMEINE LITERATUR-ZEITUNG

October 1828.

GESCHICHTE.

Berlin, b. Duncker u. Humblot: *Vorlesungen über die Geschichte des Jüdischen Staats* — — vom Prof. Dr. *Heinr. Leo* u. s. w.

(Beschlufs der im vorigen Stück abgebrochenen Recension.)

In der *sechszehnten* Vorlesung, welche die Geschichte des Reichs *Juda* bis zum Exil erzählt, bleibt der Vf. feinen kritischen Grundsätzen nicht ganz treu, indem er aus dem Buche der Chronik einige blofs dort mitgetheilte, vorgeblich geschichtliche Data aufnimmt, welche in den Zusammenhang des Buchs der Könige nicht passen; z. B. S. 170 dafs die (levitischen) Priester aus Ephraim nach Juda auswanderten, nach 2 Chron. 11, 13 ff; S. 171 dafs *Assa* einen Propheten habe ins Gefängnifs werfen und Unzufriedne im Volke gewaltthätig behandeln lassen, nach 2 Chron. 16, 7—10; S. 174 dafs *Joas* den Zacharia, Sohn Jojada's, habe tödten lassen und auf Anstiften der Priester getödtet worden sey, nach 2 Chron. 24, 20—25; S. 174 dafs auch *Amazia* sich von den Priestern abgewandt habe, und auch seine Ermordung diesen zuzuschreiben sey, was Hr. *L.* nur aus 2 Chron. 25, 27 folgern kann (vgl. 2 Reg. 14, 19). Rec. will dem Vf. gar nicht widersprechen, wenn er S. 175 sagt: „Fast alle *Königsmorde*, in der neuern, wie in der ältern Geschichte, sind von *hierarchischen* Parteyen veranlafst worden;" — aber die erwähnten Züge kann er als historische Facta nicht zugeben, und meynt, man müsse auch Priestern nicht Unrecht thun. Ueberhaupt war selbst in Juda Jehovacultus und Hierarchie wohl bey weitem nicht so blühend, wie es nach Hn. *L's* Darstellung scheinen möchte, wenn er z. B. S. 169 sagt: „Der *eine* Jehovadienst ist mit dem prächtigen Tempel in Jerusalem zugleich fest gegründet," — denn es spricht laut dagegen, dafs Hiskia (2 Reg. 18, 3. 4.) unter andern Götterbildern auch ein angeblich von Mose's Zeit herrührendes, also uraltes, vertilgt, und ungeachtet seiner Bemühungen doch *Josia* (2 Reg. 23) noch sehr viele Götterstatuen, Weihbilder u. dgl. selbst im Tempel vorfindet, welche zum Theil von Salomo herrührten und bis dahin Niemandem Anstofs erregt hatten. Wie sehr aber die ersten Hofpriester selbst nur gehorsame Sclaven der Könige sind, zeigt das bekannte Beyspiel des Priesters *Uria* (2 Reg. 16), welches Hr. L. S. 176 in der Geschichte des Königs Ahas nicht erwähnt.

Die *siebenzehnte* Vorlesung lenkt zuerst durch einige beachtenswerthe Bemerkungen den Blick auf den Zustand des Volks im Exil, von welchem der Vf. mit Recht behauptet, dafs er nicht so bedauernswerth gewesen sey, wie man gewöhnlich denke, wobey er sich auch mit Grund auf *Ezechiel* hätte berufen können, welcher im Exil selbst lebte, und doch, weit entfernt, diefs mit *Jeremia* (24, 4 ff.) für eine hinlängliche Abbüfsung der Sünden des Volks zu halten, noch viel härtere Strafen droht (z. B. Ezech. 20, 33 ff). S. 184 wird sehr richtig bemerkt, dafs nur die Anhänger der Priester geneigt seyn konnten, mit diesen zur Eroberung Jerusalems zurückzukehren. Hr. *L.* erzählt dann hier die Schicksale der neuen Colonie unter *Serubbabel*, *Esra* und *Nehemia*, wie schon erwähnt, mit etwas zu viel Vertrauen auf die nach den beiden Letztern benannten Bücher, welches so weit geht, dafs der Vf. durch die Versprechungen des im kanonischen Buche Esra dem Perserkönige zugeschriebnen Gnadenbriefs, — es ist nicht deutlich, ob Esra 6, 1 ff. oder 7, 12 ff. gemeynt ist, doch die Annahme des erstern, gewifs wenigstens verfälschten, wahrscheinlicher, — die im apokryphischen (griechischen oder dritten) Buche *Esra* (Kap. 3, 4,) mitgetheilten Sage von Serubbabel historisch ziemlich gesichert glaubt. Ganz richtig bemerkt Hr. *L.* S. 192, dafs von dieser Zeit an erst die Wirklichkeit der Mosaischen Verfassung beginnt, und datirt eben so treffend erst von (den Verfolgungen Nehemia's, und) der Erbauung des Tempels auf Garisim die eigentliche offenbare Feindschaft zwischen Juden und Samaritanern. Instructiv für die Beantwortung der Frage: warum der Hohepriester in dieser Zeit gerade so viele Macht erlangte? ist S. 194. 195. die Vergleichung, welche Hr. L. zwischen dem Zustande der damaligen Juden und dem der Griechen, so lange sie den Türken unterworfen waren, anstellt, und deren Hauptpunkte darin liegen, dafs beide Völker politisch ganz abhängig, in kirchlicher Hinsicht (unter dem Hohenpriester und Patriarchen) aber von ihren Beherrschern ziemlich unabhängig waren.

Die *achtzehnte* Vorlesung schildert die Schicksale der Juden unter Alexander und den Königen von Syrien und Aegypten, wobey der heilsame und unwiderstehliche Einflufs griechischer Bildung auf die Juden hervorgehoben, und aus der Beysteuer, welche auch von entfernt wohnenden Glaubensgenossen dem Tempel, d. h. der Priesterschaft zu Jerusalem zuströmte, erklärt wird, wie die Juden schon damals durch Geld so viel ausrichten konnten. Die hier schon begonnene Schilderung des Freyheitskampfes gegen Syrien setzt die *neunzehnte* Vorlesung nach dem *ersten* Buche der *Makkabäer*, fo weit diefes reicht, mit eben fo viel Begeifterung für diefe wahre Heldenzeit des neu erftehenden Volkes, als mit Klarheit und Unparteylichkeit fort. Wenn wir uns auch nicht berechtigt glauben, mit dem Vf. (nach *J. D. Michaëlis*) Obad. 20 סְפָרַד, was er סְפָרְד lefen möchte, darauf zu beziehen, fo hat er uns doch übrigens ziemlich überzeugt, dafs man unter den *Spartern*, mit welchen die Makkabäer Verträge gefchloffen haben follen, Juden, die am Bosporus ein Königreich geftiftet hatten, verftehen könne; andre Züge dagegen, z. B. S. 222, dafs der Hohepriefter Johannes aus Davids Grabmal 3000 Talente genommen habe, fcheinen uns weniger glaublich. In der *zwanzigften* und *ein und zwanzigften* Vorlefung wird die unbeftrittene Herrfchaft des Makkabäifchen Haufes, bis auf *Herodes* den Gr., mit fteter Hinweifung auf die an Einflufs mehr und mehr gewinnenden Parteyen der Pharifäer und Sadducäer gefchildert, fo wie in der *zwey und zwanzigften* bis *vier und zwanzigften* Vorlefung die Gefchichte des jüdifchen Staats unter *Herodes* I und feiner Familie, worin die Charakteriftik des Herodes freylich einen verhältnifsmäfsig bedeutenden Raum einnimmt, denfelben aber mit der Billigkeit behandelt, die feine unglücklichen Verhältniffe dem Beurtheiler zur Pflicht machen, indem fie feine Handlungsweife aus diefen nicht fowohl zu entfchuldigen, als zu erklären fucht, was dem Vf. vorzüglich gut gelungen ift. Die *fünf und zwanzigfte* Vorlefung fchliefst das Ganze mit der Befchreibung des letzten jüdifchen Krieges und einem Rückblick, in welchem noch ein Mal die jüdifche Hierarchie der römifchen gegenüber geftellt wird.

VERMISCHTE SCHRIFTEN.

WEIMAR, im Land. Induft. Compt.: *Allgemeines Handwörterbuch der Gefchichte und Mythologie* in einer alphabetifchen Reihenfolge der denkwürdigften mythifchen, hiftorifchen und literarifchen Perfonen vom Anbeginn der Gefchichte bis zum Jahre 1825. Ausgearbeitet von Dr. *G. Haffel*. *Erfter* Band. Mit Adelung's Bildniffe. 1826. VI und 746 S. — *Zweyter* Band. Mit Bayle's Bildniffe. 1827. 406 S. gr. 8. (Preis jeden Bds. in 2 Abtheil. 4 Rthlr.)

Diefes Handbuch foll ein Repertorium über alle vorhandene biographifche Werke bilden, aber zugleich felbftftändig daftehen, ohne jene entbehrlich zu machen. Es beginnt mit dem Anfang der Gefchichte und fafst felbft die Zeitgenoffen bis 1825 ins Auge. Durch diefe dem Vorwort enthobene Stelle wird der Zweck und der Umfang diefes neuen Unternehmens bezeichnet; was unerläfslich war, da kein Zeitalter eine gröfsere Anzahl ähnlicher Werke hat entftehen fehen als gerade das unferige. Dafs ein folches Buch das Ergebnifs langjähriger Vorarbeiten fey, verfteht fich von felbft; auch wird Niemand darin eine Ausführlichkeit fuchen, die ja fchon der Titel ausfchliefst. Zweckgemäfs ift es, dafs folchen Namen, die wirklich hervorrag[illegible] gröfsere Ausdehnung beliebt ward, währe[illegible] bey den übrigen fich mit einigen bezeichnend[illegible] deutungen begnügte. Was foll man aber zu [illegible] fagen, wie der über *Chr. Gotth. Ahnert*, da[illegible] lich fo lautet: „*Profeffor auf einer ruffifche[illegible] verfität?*" Glücklicher Weife ftöfst man [illegible] felten auf folche völlig ungenügende Artikel[illegible] erkennen es als einen eigenthümlichen Vorz[illegible] dafs von Herrfcherfamilien Gefchlechtstafeln [illegible] läuterung beygebracht werden, die mit dan[illegible] die Namen derjenigen, von deren Regier[illegible] nichts weiter fagen liefs, wenigftens ge[illegible] zu nennen. Höchft fchätzbar ift es ferner [illegible] Artikel, mit Gewiffenhaftigkeit, die Que[illegible] zeigt zu finden. Warum hat aber der Vf. [illegible] vorgezogen, mittelbare Quellen, wie z. [illegible] *zucchelli, Jöcher, Adelung*, ftatt der urfpr[illegible] oder unmittelbaren anzuführen? Jene, fch[illegible] ihrer Allgemeinheit gefchätzte, Werke fch[illegible] felbft erft aus dem ungeheuren Vorrathe [illegible] Denkfchriften! Die Benutzung der urfpr[illegible] oder unmittelbaren Quellen hätte um fo [illegible] Vorhaben entfprochen, als diefe Anführ[illegible] blofs als Gewährsmänner, fondern [illegible] Nachweifungen, wo man ausführlichen [illegible] ten über die im Artikel genannte Perfon [illegible] nen follen. Von geographifchen Oertern [illegible] die genannt, wo fich auffallende Ereigniffe, [illegible] Schlachten, merkwürdige Belagerungen, Frieden[illegible] fchlüffe u. d. m. zugetragen haben. Welche G[illegible] aber hat man bey der Aufnahme von Perfonen [illegible] gehalten, da allerdings, um nur ein Beyfpiel [illegible] führen, unmöglich alle Sparter genannt w[illegible] konnten, die einft bey Thermopylä den Tod für [illegible] Vaterland ftarben? Welche Perfon ift fo merkw[illegible] dig, dafs fie einen Platz in dem Werke f[illegible] müfste? Für den Lexicographen giebt es k[illegible] fchwierigere Frage. Der Vf. umgehet fie, ohne [illegible] eigentlich zu beantworten: denn er wiederholt, [illegible] jedermann weifs, dafs nämlich noch immer [illegible] völlig ficherer Maafsftab aufgefunden fey, [illegible] Grenzen der hiftorifchen Bedeutenheit [illegible] Nichts defto weniger wünfchen wir die baldige Vollendung diefes nützlichen Werkes. Wir halten da[illegible] felbe bey unferm gegenwärtigen Culturzuftande f[illegible] unentbehrlich, weil es, Vergangenheit und Gegenwart umfaffend, die nöthigen Notizen über faft [illegible] merkwürdige Begebenheiten oder Perfonen, [illegible] der Gefchichte, in der Literatur oder in der M[illegible]logie vorkommen, aus nachgewiefenen Quellen [illegible] fert. Zu diefen allgemeinen Umriffen fügen [illegible] noch einige Bemerkungen hinzu und wollen [illegible] die Reihefolge der fie betreffenden Artikel beybeh[illegible] ten: — *Aarau*, die Hauptftadt des Schweizercan[illegible] tons Aargau, ift, aufser dem angeführten Fried[illegible] von 1712, auch noch dadurch in der Gefchich[illegible] merkwürdig, dafs die Urcantone am 25. Jänner 17[illegible] ihre alte Bündniffe dort befchworen und bald da[illegible] die Central-Regierung der helvetiſchen Republik daſelbſt ihre Sitzungen eröffnete. — *Abbiſs, Joh.*, ſchrieb nicht eine Lobrede des Bades zu Favernach, ſondern *Trattato oſia breve informazione della meravigliosa aqua minerale di Favera*. Richenau nella Rhetia 1676, und Deutſch Feldkirch 1676. *Favera* iſt aber nichts anderes als Pfeffers, wo *Abbiſs* dreyſsig Jahre lang Badearzt war. — *Accum* heiſst mit Vornamen *Friedrich*. Er lebt nicht in Nordamerika, ſondern in Berlin als Profeſſor und Correſpondent der Königl. Academie der Wiſſenſchaften. — *Acerbi, Giuſeppe*, lebt nicht mehr in Mayland, ſondern ſeit 1826 als K. K. Gubernialrath und General-Conſul in Aegypten. Sein Geburtsort heiſst *Caſtelgoffredo*. Warum iſt der als mediciniſcher Schriftſteller bekannte Arzt *Giovanni Acerbi* nicht genannt? — *Afzelius*, der noch im Jahre 1828 ſeine ſchriftſtelleriſche Verdienſte durch die Herausgabe der auch in dieſen Blättern angezeigten *Egenhändiga anteckningar af Carl Linnaeus* vermehrt hat, heiſst mit Vornamen *Adam*. — *Agard*. Hier fehlt der bekannte botaniſche Schriftſteller. *Carl Adolph Agardh*, jetzt Profeſſor zu Lund — *Agneſi, Maria Gaetana*. Unter den Quellen fehlt des Paters *Friſi's Elogio*. Milano 1799, das von *Boulard* ins Franzöſiſche überſetzt worden iſt. Vergleiche auch *Pietro Franchini Saggio ſulla ſtoria delle matematiche, corredato di ſcelte notizie biografiche*. Lucca 1822. — *Agrell*. Hier fehlt der noch lebende *Olaus Agrell*, geboren den 4. October 1755, geweſener K. Schwediſcher Conſul in Tunis. Gedruckt ſind von ihm: *De origine legum in civitate earumque vi obligandi*. Upſaliae 1777. *Bref om Marocco*. Stockholm 1796. *Ytterligare Bref om Marocco*. Stockholm 1807 u. m. A. — *Allione, Carlo*. Etwas befremdend iſt das ohnehin nicht ſachgemäſse Urtheil über dieſen um die Piemonteſiſche Flora hochverdienten Botaniker. — *Ambroſianiſche Bibliothek*. Daſs ſie eine der vorzüglichſten in Italien ſey, erfährt man zwar aus dem Artikel, nicht aber, daſs ſie in Mayland aufgeſtellt iſt. Auch kein Wort über das mit dieſer Bibliothek verbundene *Collegium ambroſianum* und keine einzige der zahlreichen Quellen, die *Millin* in ſeinem *Voyage dans le Milanais*. Paris 1817 I. S. 195—219 aufzählt. — *Ambuehl*. Hoffentlich wird der Vf. bey dem Artikel *Collinus* das hier Fehlende nachholen. — *Amerbach*. Für alle ältere Profeſſoren an der Univerſität zu Baſel kann der Vf. *Herzog's Athenae rauricae ſive Catalogus profeſſorum Academiae Baſilienſis ab anno 1460 ad a. 1778 cum brevi ſingulorum biographia*. Baſiliae 1778, als echte Quelle benutzen; Er ſcheint ſie nicht zu kennen, denn ſonſt hätte er bey *Andlau, Georg*, anführen können, daſs er der erſte Rector der Baſeler Hochſchule geweſen und ebenfalls zu der bekannten adeligen Familie *von Andlau* gehörte. — *Appiani, Andrea*, dieſer berühmte, den 8. November 1813 (nicht 1818) geſtorbene Frescomaler iſt nicht zu Borrizio (ſoll *Boſiſio* heiſsen) geboren, ſondern zu Mayland am 23. May 1754. Siehe *Biblioteca italiana*. VIII. S. 628 und XXXV. S. 125. — *Arberg*. Die Grafen von Arberg, eigentlich Aarberg und Vallangin, ſind kein niederländiſches, ſondern ein ſchweizeriſches Geſchlecht. Mit Bezugnahme auf die alte Grafſchaft Aarberg verdiente der Artikel eine Umarbeitung. — *Arc, Jeanne d'*. Dieſer Artikel nimmt keine Rückſicht auf die neuern franzöſiſchen Quellen; vielleicht iſt er noch vor dem Erſcheinen derſelben ausgearbeitet worden. — *Attenhofer, Heinrich Ludwig*, iſt aus Surſee gebürtig und lebt in ſeinem Vaterland als Mitglied des kleinen Raths zu Luzern. Nach dem luzerner Staatskalender führt er den Titel eines Kaiſerl. Ruſſiſchen Hofraths, und wahrſcheinlich als ſolcher das „*von*" vor ſeinem Namen. — *Aubier*, eigentlich *Aubié*. Die beiden angeführten *A.* ſind eine und dieſelbe Perſon. Der jetzt hoch bejahrte Baron d'A. hat lange in Preuſsen gelebt als Kammerherr des Königs. Seit ſeiner Rückkehr nach Paris iſt er *Doyen des gentilhommes de la Chambre de S. M. T. C.* Sein Sohn, früher in preuſsiſchen Militairdienſten, hat mit Königl. Genehmigung den Namen *von Hauſen-Aubié* angenommen. — *Aucher*. Auſser dem Pater *Paſcal* hätte auch der Pater *Johann-Paptiſt Aucher* aufgeführt werden ſollen, einer der gelehrteſten jetzt lebenden Mechitariſten-Mönche im armeniſchen Kloſter auf der Inſel S. Lazaro bey Venedig. Man verdankt ihm unter andern eine lateiniſche Ueberſetzung des Philo (*Venetiis, typis coenobii P. P. Armenorum in inſula S. Lazari* MDCCCXXII. gr. 4.) und des *Joannis oratio contra phantaſticos. Venetiis, in monaſterio S. Lazari* 1816. 8. — *Auerswald, von*. Zur Ergänzung dieſes Artikels verweiſen wir den Vf. auf eine nicht in den Buchhandel gekommene Schrift, die den Titel führt: *Beyträge zur Geſchichte der Familie von Auerswald aus urkundlichen Quellen. Manuſcript für die Familie*, herausgegeben von *Johannes Voigt*, Profeſſor der Geſchichte und Geh. Archiv-Director. Königsberg, gedr. bey Hartung 1824. — *Balthaſar*. Warum ſind unter dem ſchweizeriſchen Balthaſar *Johann Karl* und *Joſeph Anton* übergangen? Als Hauptquelle in Beziehung auf die hohen literariſchen Verdienſte der luzerniſchen Familie dieſes Namens verweiſen wir auf: *Verzeichniſs der Handſchriften und Collectaneen vaterländiſchen Inhalts, die zu den Druckſchriften der Schweizer-Bibliothek gehören*. Luzern 1809. — *Barbadigo*. Rückſichtlich der Schriftſteller, die zu den edeln venezianiſchen Geſchlechtern gehören, machen wir den Vf. als auf eine ihm unbekannt gebliebene reichhaltige Quelle aufmerkſam, die unter dem Titel: *Antonio di Revedin. Della letteratura della Nobilità Veneziana ragionamento di Marco Foſcarini, doge di Venezia*. Venezia 1826 in 4. herausgekommen iſt. — *Barbarin*. Der Sinnſpruch der von dieſem Schwärmer zu Oſtende geſtifteten harmoniſchen Geſellſchaft: „*Veuillez le bien, allez et guériſez*" erinnert an die von dem heiligen Juan de Dieu geſtifteten Orden der chriſtlichen Liebe, der noch jetzt

in

in Mayland das bekannte barmherzige Kloster der Fattebenefratelli (*fatte bene fratelli*) unterhält. — *Barricaden*. Nicht nur zu den Zeiten der Fronde (1648), sondern auch zu den Zeiten der Ligue gab es einen historisch merkwürdigen Tag *la journée des Barricades*, nämlich am 12. May 1588 unter Heinrich III, einem der unfähigsten Könige, die jemals auf dem französischen Throne gesessen haben. Siehe die lebhafte Schilderung dieses Tages in: *Les Barricades, scènes historique*. May 1588. Seconde édition. Paris 1826, mit einer meisterhaften Geschichte der Ligue als Einleitung. — *Basseville*. Kennt denn der Vf. nicht eins der berühmtesten Gedichte von *Vinc. Monti*? Es ist betitelt *Bassvilliana ossia in morte di Ugo Basville cantica*. Ediz. riveduta. Milano 1821. — *Bauhin, Kaspar*. Das beste Bild von ihm stehet vor *Hagenbach's Tentamen florae Basileensis*. Angenehm ist es, die Bildnisse der genannten Personen nachgewiesen zu finden; doch führt diess sehr weit. Wäre es nicht besser, sich mit solchen Nachweisen nur bey den Personen zu befassen, auf welche Denkmünzen geschlagen worden sind? Man gewönne dadurch den doppelten Vortheil, einmal auf dauerhafte, gleichsam geschichtliche Bildnisse aufmerksam zu machen, und alsdann auf die bekanntesten Verzeichnisse solcher Denkmünzen ganz kurz verweisen zu können. Wir brauchen wohl nicht zu erinnern, dass rücksichtlich der Aerzte und Naturforscher eine solche Verweisung auf *C. A. Rudolphi's Index numismatum in virorum de rebus medicis vel physicis meritorum memoriam percussorum*. Berolini 1825, hinreichen würde.

HEILKUNDE.

ILMENAU, b. Voigt: *Recepte und Heilmethoden bey den wichtigsten innerlichen Krankheiten des Menschen*. Nach den Erfahrungen und Theorieen der berühmtesten Aerzte unserer Zeit. Besonders zum Gebrauch angehender Praktiker. Vom Dr. *C. F. Lutheritz*. 1827. XII u. 697 S. 8. (2 Rthlr. 16 gr.)

Seinen eigenen Worten nach hatte der Vf. die Absicht die Bereicherungen, welche die Praxis in den letzten zehn bis funfzehn Jahren durch die in den Journalen mitgetheilten Erfahrungen erhielt, zusammenzustellen, und auf die verschiedenen Theorieen und Hypothesen aufmerksam zu machen, durch welche man in neuerer Zeit die Lücken in der Heilkunst auszufüllen bemüht gewesen ist. Er wollte treu und kurz zusammenstellen; und weil er das Buch besonders für jüngere Aerzte bestimmte, so hat er viele Recepte beygefügt, die nach den Erfahrungen und aus den Schriften berühmter Praktiker entnommen sind. Er wollte also eine Compilation ohne Kritik liefern. Die Forderungen, welche man an eine solche zu machen berechtigt ist, bestehen vor allem in Ordnung und Vollständigkeit. Was die Vollständigkeit betrifft, so hat theils der Verfasser sich selbst gar keinen bestimmten Zeitraum gesetzt, von dem er beginnen wollte, theils ist die neuere Zeit an einzeln stehenden Materialien für die praktische Heilkunde, welche unbestätigt, unbeachtet, hin und wieder auch wohl keiner Beachtung werth sind, so reich, dass es nicht sehr nützlich und doch sehr schwierig ist, hier alles ohne Kritik zusammen zu raffen. Wollte der Vf. nun nur das hauptsächlichste, wenigstens am meisten besprochene in der Praxis zusammen fassen, so hatte er für die Arzneymittellehre, die Pathologie und die Therapie zu sorgen. Die beiden letztern liessen sich sehr wohl zusammenfassen, während die Verbindung der Therapie mit der Arzneymittellehre desshalb nicht gut thunlich scheint, weil viele der neu entdeckten Arzneymittel wohl zur Anwendung vorgeschlagen, aber noch gar nicht angewandt sind. Diese könnten dann gar keine passende Stelle finden. Es musste ferner sorgfältig gesagt werden, woher der Vf. seine Angaben entnahm. Der Vf. liefert nur Auszüge, sehr kurze Auszüge, und er kann unmöglich verlangen, dass man sich blind auf seine Treue verlasse, er kann es auch kaum vermeiden, dass nicht dann und wann von seiner eignen Ansicht etwas einfliesse. Ein auf die genannte Weise sorgfältig abgefasstes historisch-praktisches Werk würde nicht allein dem jüngern, sondern auch dem ältern Praktiker sehr nützlich gewesen seyn. Allein der Vf. ist einem andern, oder vielmehr gar keinem Plan gefolgt. Er hat bey den einzelnen Krankheiten Wichtiges und Unwichtiges, Bewährtes und nicht Bewährtes, aus der Pathologie, Therapie und Arzneymittellehre zusammengeworfen, selten einmal den Namen des Urhebers der Meinung oder des Entdeckers der Thatsache die er erzählt, vielweniger denn ein vollständiges Citat, angeführt, und scheint nichts im Auge gehabt zu haben, als das herauszuheben, was in der Arzneykunst eben an der Mode ist, und — Recepte abzuschreiben. Nehmen wir z. B. den Abschnitt von der Lungenschwindsucht. Da findet sich zuerst etwas aus *Walther's* Schrift von der phthisischen Constitution, etwas von *Bird* über die Diagnose der constitutionellen Phthisis, einige sehr mangelhafte Andeutungen über die verschiedenen Arten der Lungenschwindsucht (nach der gewöhnlichen Eintheilung), und etwas über die Bildung der Tuberkeln. Dass aber durch *Bayle* und *Laennec* die ganze ältere Lehre von der Phthisis umgestossen ist, davon findet man kein Wort. Und so sieht man fast durchgängig nur zusammen geraffte Notizen und Heilmittel.

Der Vf. hätte ein recht nützliches Buch schreiben können, aber so wie er es geschrieben hat, ist es höchstens ein praktischer Nothbehelf, um eine oberflächliche Ansicht zu bekommen, und Recepte zu finden.

ALLGEMEINE LITERATUR-ZEITUNG

October 1828.

LITERARISCHE NACHRICHTEN.

I. Gelehrte Geſellſchaften.

Der *freye Verein deutſcher Naturforſcher und Aerzte*, welcher ſich im Jahr 1822 zu Leipzig, 1823 in Halle, 1824 in Würzburg, 1825 in Frankfurt, 1826 in Dresden, 1827 in München verſammelte, hatte in dieſem Jahre *Berlin* zu ſeinem Zuſammenkunftsorte und die Herren *Al. v. Humboldt* und Prof. *Lichtenſtein* zu den Geſchäftsführern der Geſellſchaft gewählt, und es waren daſelbſt von Seiten der, für alle wiſſenſchaftlichen Beſtrebungen rühmlichſt ſorgenden, preuſsiſchen Regierung die nöthigen Anſtalten getroffen, um eine ſolche Zuſammenkunft für die Mitglieder der Geſellſchaft erfreulich und für die Wiſſenſchaft erſprieſslich zu machen. Die öffentlichen Sitzungen wurden in dem geräumigen, heitern Saale der Singakademie gehalten, und für die ausführlichen einzelnen Mittheilungen waren an dem gewöhnlichen Verſammlungsorte (unter den Linden) eigene Zimmer bereit, in welchen die Mitglieder von beſondern Fächern ihre Zuſammenkünfte hielten. Die Regierung hat den freyen Zutritt zu allen wiſſenſchaftlichen Anſtalten und Sammlungen der Hauptſtadt gewährt.

Die erſte Sitzung der Geſellſchaft fand am 18. Sept. Statt. Die Verſammlung bot das erfreuliche Schauſpiel des Zuſammentreffens von Perſonen aus allen Ständen und allen Nationen dar, welche das Intereſſe an der Wiſſenſchaft hieher gezogen hatte. Die Gegenwart II. KK. HH. des Kronprinzen und des Herzogs von Cumberland verherrlichte die Verſammlung. Viele zum Hofſtaat gehörige Perſonen, Generale, höhere Staatsbeamte, Diplomaten u. ſ. w. waren gegenwärtig, und der untere Raum des Saales war mit den Mitgliedern der Geſellſchaft angefüllt, deren Zahl, ausländiſche und inländiſche Mitglieder zuſammengerechnet, nach dem ausgegebenen Verzeichniſſe 377 betrug. Die Sitzung eröffnete Hr. *Al. v. Humboldt* durch einen ungemein klaren, anſprechenden Vortrag, worin er der Verdienſte der Deutſchen um die Naturwiſſenſchaft überhaupt gedachte, ſodann auf den Zweck der Verſammlung ſelbſt einging, und mit gebührender Anerkennung der Art und Weiſe, wie die Regierung dieſen zu befördern geſucht habe, ſchloſs. Hierauf ſprach Hr. Prof. *Lichtenſtein* über die Einrichtung der Geſellſchaft, wobey er die Statuten derſelben vorlas, der beſonderen Veranſtaltungen erwähnte, welche man getroffen, um die Mitglieder aufzunehmen, derjenigen gedachte, welche, obgleich im Verzeichniſs aufgeführt, der Verſammlung beyzuwohnen, verhindert waren, und zuletzt die Vorträge namhaft machte, welche in dieſer Sitzung gehalten werden ſollten. Sodann begannen die eigentlichen Vorleſungen, welche Hr. Prof. *Oerſted* mit einem Vortrage *über electro-magnetiſche Verſuche* eröffnete. Nach ihm las Hr. Prof. Dr. *Puſch* aus Warſchau *Bemerkungen über die Karpathen*, ſodann Hr. Dr. *Behr* aus Bernburg *über den Mangel der Regenbogenhaut*, hierauf Hr. Prof. *von Münchow über farbige Schatten*. Hr. Prof. *Henſchel über die Erzeugung von Zwitterarten im Pflanzenreich*. Die Vorleſung beſchloſs Hr. Prof. *Lichtenſtein* mit einer Ankündigung deſſen, was am folgenden Tage verleſen werden ſollte.

Am Abend dieſes Tages war durch Hn. *v. Humboldt* eine Feyer im Concertſaale des K. Schauſpielhauſes veranſtaltet, zu welcher, auſser den ſämmtlichen Mitgliedern der Geſellſchaft, auch alle bedeutende Staatsbeamte, Gelehrte, Künſtler u. ſ. w. geladen waren, ſo daſs die anweſenden Fremden auf die leichteſte und angenehmſte Weiſe Gelegenheit erhielten, ſich mit denen, an welchen ſie ein näheres Intereſſe zu nehmen veranlaſst waren, bekannt zu machen. Se. Maj. der König, II. KK. HH. der Kronprinz, der Prinz Albrecht, der Herzog von Cumberland und der Erbgroſsherzog von Mecklenburg-Schwerin, Se. Hoh. der Herzog Karl von Mecklenburg, ſo wie die anweſenden Durchl. Prinzeſſinnen des Königl. Hauſes, verherrlichten das Feſt durch ihre Gegenwart. Se. Maj. geruhten ſich mit den ihnen vorgeſtellten fremden Gelehrten, namentlich mit den Proff. *Berzelius* und *Oerſted*, dem Hofrath *Gauſs*, dem Prof. *Reinwardt* aus Leyden u. A. zu unterhalten und überhaupt den lebendigſten Antheil an dem Feſte zu nehmen. Der Concertſaal war zu dieſer Feyer auf das Geſchmackvollſte verziert worden. Dem Eingange des Saales gegenüber bildete der Raum der obern Säulenhalle eine groſse, geſchmackvoll verzierte Fläche, auf welcher in einem, von einem hellſchimmernden ſilbernen Bogen umgebenen, mehrere Abtheilungen enthaltenden Raume, die *Namen der verſtorbenen groſsen Deutſchen*, die ſich um die Naturwiſſenſchaft verdient gemacht, zu leſen waren. Die Namen Gesner, Copernicus, Kepler, Leibnitz, Euler, Haller, Kant, Herſchel, Pallas, Werner nahmen die Mitte ein, die Seiten waren mit den Namen der übrigen, und zwey aus Göthe und Schiller ſinnig gewählten Motto's ausgefüllt. Die muſikaliſche Unterhaltung, welche mit einer von Hn. F. Mendelsſohn Bartholdy in Muſik geſetzten Cantate begann, belebte auf eine sehr passende Art die Feyer, welche durch die gesellige Mittheilung so vieler, allen Fächern der Wissenschaften angehörenden, oder ihr huldigenden Anwesenden (deren Zahl sich wohl auf 7 — 800 belief) das regste Leben erhielt. Um auch der für die gelehrte Ausbildung bestimmten Jugend einen Antheil an diesem schönen, der deutschen Wissenschaft geweihten, Feste nehmen zu lassen, hatte Hr. *v. Humboldt* die Veranstaltung getroffen, dafs von jedem der Gymnasien der Hauptstadt drey von den Directoren derselben ausgewählte Schüler der ersten Klasse, Zöglinge aus dem Kadettencorps, der Artillerie- und Divisionsschule dem Feste beywohnten; auch waren die in Berlin anwesenden K. Baierschen Pagen mit ihrem Gouverneur und Lehrern eingeladen.

In der zweyten Sitzung, den 19. September, wurden folgende Vorträge gehalten: Hr. Hofr. *Schulz* aus Freyburg las *über die Functionen der Milz und Exstirpation derselben im Menschen*; Hr. Geh. Reg. M. R. *Wendt* aus Breslau *über Erzeugung der steinigen Concremente im menschlichen Körper*; Hr. Prof. *v. Berzelius über die uralischen Platina-Erze und die darin enthaltenen Metalle*; Hr. Dr. *Weber* aus Halle *über Compensation der Tonhöhe in zusammenschwingenden Körpern*; Hr. Dr. *Göppert* aus Breslau *über die Einwirkung der Blausäure, des Kampfers und der narkot. Gifte auf Pflanzen.* Hierauf sprach Hr. Prof. *Lampadius* aus Freyberg *über die medicinische Anwendung des Schwefelalkohols*, und Hr. Prof. *Schulz* aus Berlin theilte *Notizen über die bey Mittenwalde gefundenen Fischversteinerungen* mit.

In der dritten Sitzung vom 20. September las Hr. Prof. *Vogel* aus München *über die Zersetzung schwefelsaurer Salze durch organische Stoffe*; Hr. Geh. Med. Rath Dr. *v. Froriep* aus Weimar *über dreyfache Monstrosität*; Hr. Prof. Dr. *Reinwardt* aus Leyden *über die Vegetations-Verhältnisse der Inseln des indischen Archipels*; Hr. Prof. Dr. *Oken* aus München *über die Gesetze in den Zahlen der Wirbel der Thiere*; Hr. Prof. Dr. *Hoffmann* aus Halle *über die geognostischen Verhältnisse des nordwestlichen Deutschlands*; Hr. Dr. *Keilhau* aus Christiania *über die Bildung der Insel Spitzbergen*; Hr. Superintendent *Wagner* aus Potsdam *über das Leben des Erdballs und aller Weltkörper.* In der Versammlung am 22sten wurde, nachdem die Städte Stuttgart, Tübingen, Baden-Baden, Freyburg, Heidelberg und Bonn in Vorschlag gebracht waren, *Heidelberg* zum Versammlungsort für das nächste Jahr bestimmt, und die Hnn. *Tiedemann* und *Gmelin* zu Geschäftsführern bestellt. Hierauf hielt Hr. Hofr. *Böttiger* aus Dresden einen Vortrag *über das Sylphium der Alten*, an welchen er den Antrag der, schon früher besprochenen, *Ausgabe des Plinius* knüpfte. Hierauf sprach Hr. Dr. *Sulzer* aus Ronneburg *über einen merkwürdigen Fall von Knochengeschwulst in der Augenhöhle*; Hr. Prof. und Oberbergrath *Nöggerath über das relat. Alter der Gebirgsbildung im Siebengebirge*; Hr. Prof. *Burdach* aus Königsberg *über Psychologie als Naturwissenschaft*; Hr. Prof. *Dove* aus Königsberg las *Bemerkungen über die gesetzmäfsigen Veränderungen in der Richtung* [illegible] *tensität des Windes*; Hr. Geh. Medicinalrath [illegible] *Harles* aus Bonn *über den Gang, den die W*[illegible] *der Physiologen in ihrer Entwickelung genomm*[illegible] Prof. *Jörg* aus Leipzig *über Pubertät.* Am Schl[illegible] Sitzung berichtete der Secretär über die Arbei[illegible] einzelnen Abtheilungen, die sich in den beiden Tagen, in zahlreichen Versammlungen, auf d[illegible] tigste beschäftigt hatten. Den 23. Septbr. las H[illegible] *August* aus Berlin *über die neuesten Fortschrit*[illegible] *Hygrometrie*; Hr. Prof. *von Martius* aus Münch[illegible] *die Architektonik der Blumen*; Hr. Prof. *Egen* [illegible] *über den Haarrauch*; Hr. Prof. *Fischer* aus Bresl[illegible] *die chemische Wirkung der galvanischen Elec*[illegible] Hr. Prof. *von Baer* aus Königsberg *über die For*[illegible] *derungen in der Entwickelung der Thiere*; Hr. D[illegible] aus Steinfurth *physiologische Bemerkungen* [illegible] *Sehen.* Bey Eröffnung der Sitzung vom 2[illegible] theilte Hr. *von Humboldt* der Versammlung d[illegible] liche Nachricht von der Wiederherstellung des [illegible] fen *Kaspar von Sternberg* in Prag mit. Dan[illegible] Hr. Prof. *Lichtenstein* die Namen der seit dem [illegible] angekommenen Mitglieder der Gesellschaft. [illegible] las Hr. Prof. *Pohl* aus Berlin die Hauptergeb[illegible] *Untersuchungen über den Galvanismus* vor. [illegible] Herausgabe des Plinius zu unterstützen, [illegible] Gesellschaft, eine Subscription zu eröffnen, [illegible] trag dazu dienen soll, eine Vergleichung mit [illegible] britischen Museum zu London befindlichen [illegible] anstellen lassen zu können. Hr. Prof. *Glocker* [illegible] lau hielt einen Vortrag *über das Grofs-U*[illegible] *Gebirge in Mähren*; Hr. Hofr. *Nürnberger* [illegible] *über die physische Einrichtung der Planeten und* [illegible] *Bewohner*; Hr. Dr. *Hohl* erklärte eine *Abbildung* [illegible] *Blitzfiguren auf der Haut der vom Blitz getroffenen* [illegible] *sonen*; Hr. Prof. *Hünefeld* las Bemerkungen über [illegible] *Bromgehalt der Greifswalder Saline*; Hr. Dr. *R*[illegible] *über einen neuen Stoff, den er in den Pflanzen gefun*[illegible] und Hr. Dr. *Meyen über Parasiten.* Die Schlufsrede des Hn. *v. Humboldt*, worin er in seinem und seine[illegible] Collegen, Hn. Prof. *Lichtenstein*, Namen für die ihnen bey ihren Bemühungen geschenkte Nachsicht dankte, wurde vom Hn. Prof. *v. Martius* aus München im Namen der Gesellschaft beantwortet.

II. Todesfall.

Am 2. September starb zu Halle der Bau-Conducteur *Adolph August Bergner* aus Langendorf b[illegible] Weissenfels an den Folgen einer Erkältung, welche er sich in seinem Berufe zugezogen hatte. Er war ei[illegible] Mann von seltenem Eifer für die Erforschung und Erhaltung der vaterländischen Alterthümer, und der Thüringisch-Sächsische Verein, den er, als *Stifter* des früheren Unstrut-Vereines, gewissermafsen gründete, verliert an ihm sein thätigstes Mitglied, dessen Ausgrabungen den gröfseften Theil seiner Sammlung germanischer Alterthümer zu Tage förderten, und dessen Aufnahmen merkwürdiger Ruinen, insonderheit der St. Peterskirche auf dem Petersberge bey Halle, des

Franz-

Freundbei altdeutscher Bauwerte stets ein würdiges Denkmal seiner Thätigkeit seyn werden. Als Schriftsteller, gewöhnlich unter dem Namen *Eginhard*, leistete er im Fache der Belletristik zwar nichts Ausgezeichnetes, da manchem seiner Werke die letzte Feile fehlte; allein auch als solcher verdient er doch das Lob, dass er nicht ohne Geist und Kenntniss arbeitete, und nicht durch leeren Flimmer oder durch verführerische Darstellungen zu bestechen suchte. — Alle, die ihn kannten, ehren ihn als einen biedern Mann, voll Eifer für Wahrheit, Recht und Pflicht. Darum Friede und Ruhe seiner Asche, und Segen seinen rastlosen Bemühungen!

LITERARISCHE ANZEIGEN.

I. Neue periodische Schriften.

Nachricht,

betreffend die

Theologischen Studien und Kritiken. Eine Zeitschrift *für das gesammte Gebiet der Theologie* in Verbindung mit Dr. *Gieseler*, Dr. *Lücke* und Dr. *Nitzsch* herausg. von Dr. *Ullmann* und Dr. *Umbreit*. Jahrgang 1828 vier Hefte.

Da diese Zeitschrift günstig aufgenommen wurde, so kann der Verleger den Jahrgang 1829 anzeigen, und zusagen, dass sie auch weiterhin wird fortgesetzt werden.

Laut Anzeige sollte der Jahrgang 30 bis 60 Bogen stark werden, der nun geschlossene enthält deren sechzig.

Am ersten Tage jedes Vierteljahres wird ein Heft erscheinen, also am ersten Januar 1829 der neue Jahrgang beginnen, weshalb gebeten wird, noch in diesem Jahre die Bestellung in den Buchhandlungen zu machen.

Hamburg, den 1. October 1828.

Friedrich Perthes.

II. Ankündigungen neuer Bücher.

Bey F. C. Löflund u. Sohn in Stuttgart sind im Jahr 1828 folgende Werke erschienen:

Abbildungen der Rindvieh- und andrer Hausthier-Raffen auf den Privatgütern Sr. Maj. des Königs von Würtemberg, nach dem Leben gezeichnet und lithographirt von *L. Ekeman Allesson*. Mit beygefügtem Text von *A. Weckherlin*. 1ste Lieferung. gr. Fol. 6 Fl. oder 3 Rthlr. 8 gr.

Barth, *M. L. G.*, Süddeutsche Originalien. Bengel, Oetinger, Flattich. In Fragmenten gezeichnet von ihnen selbst. 8. Geheftet 24 Kr. oder 6 gr.

Bührlen, *Fr. L.*, Bilder aus dem Schwarzwald. 8. Geheftet 3 Fl. od. 1 Rthlr. 16 gr.

Camerer, Dr. *J. W.*, Versuche über die Natur der krankhaften Magenerweichung. Mit einem Vorwort von Dr. *J. F. Autenrieth*, Professor in Tübingen. gr. 8. 45 Kr. oder 10 gr.

Denkwürdigkeiten des Don Juan van Halen, Chefs des Generalstabs bey einer von den Divisionen der Armee Mina's in den Jahren 1822 und 1823. Aus dem Französ. übersetzt von *F. F. Oechsle*. 1ster Theil, enthaltend die Erzählung seiner Gefangenschaft in den Kerkern der spanischen Inquisition in den Jahren 1817 u. 1818, seiner Entweichung u. s. w. 2ter Theil, enthaltend die Erzählung seines Feldzuges im Kaukasus unter Yermalow, in den Jahren 1819 u. 20 und seiner Rückkehr nach Spanien. 8. Geheftet. Preis beider Theile 3 Fl. 18 Kr. oder 1 Rthlr. 20 gr.

Franz, *F. L.*, Biographieen aus der allgemeinen Geschichte zu Begründung des historischen Unterrichts in Schulen. 8. Schreibpap. 2 Fl. oder 1 Rthlr. 4 gr. Druckpap. 1 Fl. 48 Kr. oder 1 Rthlr.

Haerlin, *H.*, über Geschäfts-Vereinfachung und Ersparnisse in der Staatsverwaltung Würtembergs. Mit einem Anhang über Besoldungen. 8. Geheftet 24 Kr. oder 6 gr.

Heyd, *L. H.*, der Wirtembergische Canzler Ambrosius Volland. Ein Beytrag zur Geschichte der Herzoge Ulrich und Christoph zu Wirtemberg, grossentheils nach ungedruckten Quellen. 8. Geh. 1 Fl. 30 Kr. oder 20 gr.

Hoerdt, Unterricht über die Pferde-Hufbeschlag-Kunst und die Behandlung der kranken und fehlerhaften Hufe, nebst einer Abhandlung über die Kastration der Pferde. Mit 21 Kupfertafeln. gr. 8. Geheftet (in Commission) 2 Fl. 40 Kr. od. 1 Rthlr. 12 gr.

Hogg, *Th. J.*, zweyhundert und neun Tage, oder Tagebuch eines Reisenden auf dem Festlande. Aus dem Englischen. 1ster Theil. 8. 3 Fl. od. 1 Rthlr. 16 gr.

Jäger, *L.*, Mittheilungen zur schwäbischen und fränkischen Reformationsgeschichte, nach handschriftlichen Quellen. 1ster Band. gr. 8. 3 Fl. od. 1 Rthlr. 16 gr.

Keim, *J. L.*, Formenlehre der lateinischen Sprache für Anfänger und Geübtere, erläutert durch lateinische und deutsche Uebungen. 2te verb. und mit einem Anhange vermehrte Auflage. gr. 8. 1 Fl. 24 Kr. oder 20 gr.

Kiefser, *Fr.*, Geometrie. Ein Leitfaden beym Unterricht in den Realschulen. 1ster Theil. Ebene Geometrie. gr. 8. 48 Kr. od. 12 gr.

Pahl, *J. G.*, Geschichte von Wirtemberg für das Wirtembergische Volk. 4 Bändchen. 12. Geheftet 3 Fl. od. 1 Rthlr. 16 gr.

Palm, Dr. *L. H.*, über das Winden der Pflanzen. Eine botanisch-physiologische Abhandlung, welche von der medicinischen Facultät der Universität Tübingen im im Jahr 1826 als Preisschrift gekrönt wurde. Mit 3 Steindrucktafeln. gr. 8. Geh. 1 Fl. oder 14 gr.

Pfister, Dr. *J. L.*, Geschichte von Schwaben, neu untersucht und dargestellt. IIten Buchs 2te Abtheilung oder 5ter Band. Mit einer Titelvignette, die Stadt Esslingen darstellend. gr. 8. 3 Fl. 36 Kr. oder 2 Rthlr.

Uebungsstücke zum Uebersetzen aus dem Deutschen in das Lateinische für die mittlern Klassen der Gelehrten-Schulen, in drey Cursen nebst einem abgesonderten Commentar, herausgegeben von *J. D. Höchel, G. L. Holzer, J. A. Walker*. gr. 8. 1 Fl. 30 Kr. oder 20 gr.

Weckherlin, Rector *L. L. F.*, Grammatik der griechischen Sprache. 4te verm. u. verb. Aufl. 1 Fl. 45 Kr. oder 1 Rthlr.

So eben ist bey mir erschienen und in allen Buchhandlungen zu erhalten:

Die Stimme Friedrichs des Grofsen
im neunzehnten Jahrhundert;

eine vollständig und systematisch geordnete Zusammenstellung seiner Ideen über

Politik, Staats- und Kriegskunst, Religion, Moral, Geschichte, Literatur, über sich selbst und seine Zeit.

Aus seinen sämmtlichen Werken,
wie sonstigen schriftlichen und auch denkwürdigsten mündlichen Aeusserungen, herausgegeben
und mit einer
Charakteristik seines philosophischen Geistes begleitet
vom Professor Dr. *Schütz*.

Fünf Theile in gr. 12. auf feinem geglätteten Velinpapier, mit einem höchst ähnlichen Portrait Friedrichs des Grofsen.

In elegantem Umschlag geheftet. Pränumerat. Preis 2 Rthlr. 16 gGr.

Vorstehendes Werk wird nicht nur allen Staatsbürgern der Preufs. Monarchie, sondern jedem Deutschen von wahrhaft vaterländischer Gesinnung, ja jedem über die wichtigsten Angelegenheiten der Menschheit *denkenden* Zeitgenossen unserer Gegenwart, ein eben so hohes als vielseitiges Interesse gewähren.

Die Geistesstrahlen des grofsen deutschen Monarchen, der, in echt Königlicher Seelengröfse sich *selbst* nur für den ersten Diener des Staats öffentlich erklärte, sind hier aus seinen sämmtlichen Werken in *Einen* Brennpunkt gesammelt, und werden es dem Leser auch nicht anders als brennend empfinden lassen, wie beherzigenswerth seine Aussprüche, besonders über Politik, Kriegskunst, Religion und Moral, für *unsere* Zeiten sind.

Die bisher erschienenen Ausgaben der Werke Friedrichs des Grofsen befinden sich nur in wenig Händen, und enthalten vieles für unsere Zeiten nicht Wichtige. Es kann daher den zahlreichen Ve[rehrern] des grofsen Fürsten und den Besitzern der We[rke un]serer klassischen deutschen Schriftsteller, zu de[nen er] so sehr gehört, nur angenehm seyn, ihre Samm[lung] durch diese geistreich gesichtete Auswahl des W[ichtig]sten seiner Schriften zu bereichern.

Der billige Pränumerationspreis für diese m[it ty]pographischer Sorgfalt ausgestattete Ausgabe, b[leibt] bis zur Erscheinung des, die Charakteristik des [philo]sophischen Geistes Friedrichs des Grofsen enthalt[enden] 5ten Theils, und tritt sodann der Ladenp[reis von] 4 Rthlr. ein.

Braunschweig, den 1. September 1828.

Friedrich V[ieweg].

III. Herabgesetzte Bücher-Pr[eise.]

Die in unserm Verlage erscheinende *Ge[schichte der Deutschen]* von *K. A. Menzel*, [Königl.] Preufs. Consistorial- und Schul-Rath hierselbst, [von] welcher bereits 2 Bände erschienen sind, erfreut [sich] sowohl im In- als im Auslande einer so [allgemeinen] und beyfälligen Anerkennung, dafs dies [uns veran]lafst hat, dessen *älteres Geschichtswerk* [...] (über 324 Bogen Text) in 4. bestehend, [...] mit einem historischen Kupfer geziert, wieder [zu er]gänzen, da solches bekanntlich bereits fehlte; [und um] dasselbe der gebildeten Welt zugänglicher zu [machen,] statt des bisherigen Ladenpreises von 20 Rth[lr. für] 12 Rthlr. derselben darzubieten, wofür es jetzt [durch] alle solide Buchhandlungen Deutschlands zu [bezie]hen ist.

Breslau, im September 1828.

Grafs, Barth u. Comp.

IV. Vermischte Anzeigen.

Anzeige für Bibliotheken.

Ich besitze ein äusserst gut gehaltenes vollständiges Exemplar der Allgemeinen Literatur-Zeitung von 1785—1809, fast durchgängig in Pappe mit Titel gebunden. Aufserdem auch noch die Jahrgänge 17[..] —1803.

Ich biete diese Exemplare für sehr billigen [Preis] an; bitte mir desfalsige Mittheilung *franco*, und [über]nehme auch, im Fall eines Verkaufs, die Lieferung frey bis Leipzig, Frankfurt a. M. oder Nürnberg zu.

Giefsen, im September 1828.

B. C. Ferber, Buchhändler.

ALLGEMEINE LITERATUR-ZEITUNG

October 1828.

VERMISCHTE SCHRIFTEN.

PARIS, b. Ladvocat: *Nouveaux Melanges historiques et littéraires*, par M. *Villemain*, membre de l'Académie française. 1827. 1 Band. 512 S. 8. (9 Fr.)

Die erste Abhandlung in dieser neuen Sammlung von Hn. *V's.* vermischten Schriften ist dem unter der Regierung Carls IX. K. v. Frankreich berühmten Kanzler *l'Hôpital* gewidmet, dessen Leben und Character der beredte Academiker mit so glänzenden Farben schildert, dass man ihm fast die Absicht unterstellen möchte, er wolle durch Idealisirung nicht bloss diesen Staatsmann überhaupt als ein nachahmungswürdiges Vorbild empfehlen, sondern einschliesslich Tadel über die jetzigen Minister Frankreichs verhängen, deren Gunstbezeigungen bekanntlich Hr. *V.* sich eben nicht zu erfreuen gehabt hat. Drey Haupttugenden, sagt der Vf., bildeten den Grund der Seele dieses berühmten Kanzlers: Vaterlandsliebe, Treue gegen seinen Fürsten und unverbrüchliche Achtung für die Gesetze. Mit diesen Tugenden verband derselbe Reinheit der Sitten, Uneigennützigkeit, eine unerschütterliche Charakterstärke und einen über alle Gefahren erhabenen politischen Muth. Religiös, allein unfähig die königliche Gewalt unter die der Päpste herabzuwürdigen, duldsam, allein fest an dem Glauben seiner Väter haltend, hätte er dem Bürgerkriege Einhalt gethan, oder wäre demselben zuvorgekommen und würde so den Frieden im Staate hergestellt, den Thron befestigt und die Bartholomäusnacht verhindert haben. Indessen hörte man nicht auf den Rath des tugendhaften Staatsmannes; man entfernte ihn als einen des Verraths gegen seinen Fürsten Verdächtigen; und eins der grösten Verbrechen des den grausamen Doctrinen des Papstthums unterworfenen Königthums ward begangen. Carl IX., das Leben der Protestanten der Wuth des Katholicismus (?) Preis gebend und Ströme französischen Bluts vergiessend, spitzte, ihm selber unbewusst, die Dolche, die das Herz zweyer Könige, seiner Nachfolger, durchboren sollten. In Mitte so vieler Drangsale des Vaterlandes sieht man den Kanzler von Frankreich in die Höhen seiner grossen Seele zurückgezogen, wie in eine menschlichen Leidenschaften unzugängliche Zufluchtsstätte, um sein Genie der Abfassung weiser Verfügungen zu widmen, und sich als einen friedlichen Gesetzgeber, ungeachtet der religiösen und politischen Stürme, die um ihn her toben, zu zeigen. Hr. *V.* hat l'Hôpital's Character treu nach der Geschichte gezeichnet; es ist kein Phantasie-Gemälde, das er von diesem grossen Staatsmann aufstellt, sondern er schildert ihn, wie er ist, und ohne eine jener Fictionen, womit nur zu häufig die individuellen Interessen oder Ansichten des Biographen die Wahrheit verunstalten. Der Vf. lobt die Tugend, wie sie gelobt werden muss, durch die ungeschminkte Erzählung von Handlungen, und fügt er einige Betrachtungen zur Ehre seines Helden hinzu, so tragen sie ganz das Gepräge der Eingebungen eines rechtschaffenen Herzens an sich. Allein immerhin möchte man wünschen, dass derselbe Schriftsteller, der mit so viel Beredtsamkeit der Tugend ihr wohlverdientes Lob zu ertheilen weiss, sich mit dem gerechten Zorne seiner berühmten Vorbilder aus dem klassischen Alterthume gegen das Laster und Verbrechen erhöbe. Die grässlichen Lehren des römischen Hofes jener Epoche, die sie noch übertreffenden Gewaltthätigkeiten eines Kardinals von Lothringen, und der übrigen Anstifter eines der grösten Verbrechen, dessen die Geschichte nur erwähnt, die Hinterlist und Gefühllosigkeit einer Catharina von Medicis sind würdige Seitenstücke zu den Schandthaten Tiber's und Nero's; und doch, wie lau ist die Schilderung, die Hr. *V.* von jenen Gräueln entwirft, gegen den edlen Zorn, der den römischen Annalisten ergreift. Selbst einige wesentliche Thatsachen übergeht unser Historiograph mit Stillschweigen, wie z. B. die verrätherischen Liebkosungen, womit Carl IX., kurz vor der Ermordung der Hugenotten, den Admiral Coligny überhäufte, den er seinen Vater nannte, wie der grausame Octavian den Cicero, wiewohl er ihn bald darauf dem Schwerte seiner Mörder preisgab. — Von der Lebensbeschreibung eines tugendhaften Staatsmannes gehet Hn. *V's.* gewandte Feder zu der eines genialen Dichters über. Ohne literarisches noch nationales Vorurtheil weiss der Biograph Shakespeare's dramatische Leistungen zu würdigen. Seine Kritik erhebt sich bis zur Würde der Geschichte; indem er den zu Elisabeth's Zeiten in England herrschenden Geist schildert, den Einfluss der religiösen und politischen Revolutionen auf die Literatur dieses Landes, und die Rückwirkung der Literatur auf den Genius dieser Epoche. Wir sehen aus dieser Schilderung, wie vornehmlich seit der Regierung Heinrichs VIII, und der durch ihn herbeygeführten kirchlichen Umkehr, eine grosse Bewegung in den Köpfen hervorgerufen ward, wie die Einbildungskraft sich erhitzt und die religiöse Controverse das Bedürfniss neuer Ideen bey der Nation erweckt hatte. Die durch die Uebersetzungen der

der noch unthätigen, aber bereits leidenschaftlichen Puritanen volksthümlich gewordene Bibel war an und für sich schon eine Schule der Dichtkunst voll von Rührungen und Bildern, die beim Volke die Legenden und Balladen des Mittelalters ersetzte. Die in rauhe, aber Feuer erfüllte Verse übersetzten Psalmen David's wurden der Kriegs- und Reformationsgesang, und gaben der Poesie, die bis dahin nur im untergeordneten Zeitvertreib auf den Schlössern der Grossen und am Hofe des Königs gewesen war, etwas Enthusiastisches und Ernstes. Zugleich eröffnete das Studium der alten Sprachen eine reiche Quelle von Erinnerungen und Bildern, welche durch die ein wenig verwirrten Vorstellungen, so die Menge davon erhielt, eine gewisse Originalität annahmen. Unter Elisabeth war griechische und römische Literatur guter Ton bey Hofe. Alle klassischen Autoren waren übersetzt. Die Königin selbst hatte Seneca's rasenden Hercules in Verse übertragen, ein Umstand, der den literarischen Eifer ihrer Höflinge sehr leicht erklärt. — Das Volk theilte zwar nicht die Erudition dieser höfischen Schöngeister; allein es ging Etwas davon in die öffentlichen Feste und Spiele über. Stattete die Königin einen Besuch bey irgend einem Grossen ab, so ward sie von den Hausgöttern empfangen und Mercur führte sie in das Prunkzimmer. Alle Verwandlungen Ovid's waren in dem Backwerke des Nachtisches abgebildet. Beym Abend-Spaziergange war der Schlossteich mit Tritonen und Nereiden bedeckt und die Pagen in Nymphen verkleidet. Jagte die Königin bey Tagesanbruch im Park, so begegnete ihr Diane, die sie, als das Vorbild jungfräulicher Reinheit begrüsste. Bey ihrem Einzuge in die Stadt Norwich überreichte ihr Amor, in Mitte des ernsten Alderman erscheinend, einen goldenen Pfeil, der, unter dem Einflusse ihrer mächtigen Reize, das verhärtetste Herz nicht zu fehlen vermöchte; — ein Geschenk, sagt der Chronikenschreiber Hollinshed, das I. Maj, die damals nahe an die Vierzig war, mit gnädigem Dank entgegennahm. „Diese Höflings-Erfindungen, bemerkt Hr. *V.*, diese oficielle Mythologie der Kammerherren und Minister, wodurch man der Königin schmeichelte, zugleich aber dem Volke ein Schauspiel gab, gewöhnten an die sinnreichen Fictionen des Alterthums und machten die Unwissendsten damit vertraut, wie man solches sogar in denjenigen Stücken gewahrt, wo Shakespeare am meisten für das Volk und seine Zeitgenossen zu schreiben scheint." — Ungeachtet indessen Hr. *V.* den britischen Sophocles mit unverhehlter Begeisterung bewundert, ja selbst zu bedauern scheint, dass die Franzosen keinen Geschmack an solchen tragischen Süjets finden, die ihre alte Geschichte ihnen liefern könnte, so bedünkt es doch, als habe er den grossen Combinationen, die in den Shakespeare'schen Tragödien glänzend hervortreten, nicht hinlängliche Gerechtigkeit widerfahren lassen. Ein gründlicheres Studium hätte ihn vielleicht dahin geleitet, bey diesem Dichter viel überlegte Schöpfungen anzuerkennen, so wie z. B. der kunstvolle Gegensatz, der sich in dem treulosen Charakter des Jago, mit dem des grossen [illegible] Othello offenbart, den die Heftigkeit [illegible] schaften und der Adel seiner Seele in das [illegible] bare und verderbliche Netz verstrickt, worin [illegible] entsittlichte, rachsüchtige Italiener gefangen [illegible] aus dem er vergebens zu entkommen sucht [illegible] er endlich seinen Tod findet. Schönheiten [illegible] Art sind nicht bloss die Frucht einer glücklichen [illegible] erhabenen Eingebung; sie sind noch das We[illegible] Vernunft, die mit dem Genie zu Rathe ge[illegible] das, was dieses erfasste, zu reifen, zu [illegible] zu halten und zu erweitern. — Eine dritte [illegible] lung dieser Sammlung ist der Wiederab[illegible] Vortrags, womit Hr. *V.* im November 1[illegible] Kursus der Beredtsamkeit eröffnete. Es ist [illegible] Skizze der französischen Literatur unter L[illegible] Im Ganzen genommen möchte die Schild[illegible] derselbe von jener so vielfältig gepriesen[illegible] entwirft, dem deutschen Leser wohl etw[illegible] panegyristisch erscheinen. Vertheidigt [illegible] mit Gerechtigkeit die Sache der grossen Sch[illegible] ler, welche die Regierung dieses Monarch[illegible] herrlichten, so hat derselbe doch keineswe[illegible] reich die gegen manche von ihnen erhobene [illegible] digung widerlegt, dass sie durch Nach[illegible] griechischen Theaters, Helden auf die Bühne [illegible] gen, deren zweydeutiger Character [illegible] ten noch den Neuern angehört. Die von V. [illegible] genannte originale Nachahmung ist oftmals [illegible] als eine Lüge, ein Grundfehler, den die glä[illegible] Farbengebung, in den Augen der Vernunft, [illegible] verhehlen, noch wieder gut machen kann. — [illegible] trachtungen über die christliche Beredtsamkeit [illegible] vierten Jahrhundert füllen die letzten zwey[illegible] Seiten des Buchs. Diese Abhandlung hat in [illegible] scher, wie in literarischer Hinsicht einen unverk[illegible] baren Werth. Es zeigt sich hier wieder jener g[illegible] chische Genius, den zwar lange das römische [illegible] zu Boden zu drücken vermochte, der aber d[illegible] den Eifer des Proselytismus aufs Neue belebt w[illegible] und Glaubensbekehrungen sich zum Zwecke mach[illegible] anstatt dass er bisher seine Gebieter durch eine eit[illegible] Beredtsamkeit vergnügte. Es zeigt sich derselbe [illegible] zugleich auf allen Punkten des morgenländischen Reichs, und glänzt auf dem heimathlichen Boden, in Aegypten, in der Cyrenaïca und vornehmlich im griechischen Asien, wovon Nichts übrig ist und das durch seinen Luxus und seinen Reichthum so berühmt war. „Athen ist noch, so berichtet uns d[illegible] Vf., im vierten Jahrhunderte die Stadt der Kün[illegible] und der Wissenschaften. Mit Schulen und Denkmälern angefüllt, zieht sie die ganze lernbegierige Jugend Europa's und Asiens an sich: sie ist von jenen Enthusiasten bevölkert, die, in ihrem ersten Lebensalter, mit gleichem Eifer nach Wissenschaften und nach dem Wunderbaren streben, die alles erforschen, alles begreifen wollen, welche die Wahrheit mit einer unruhigen Aufrichtigkeit suchen, und sie mit Fanatismus vertheidigen. Diese Jugend folgt den Bewegungen ihrer Lehrer, und gesellt sich in ihren Kämpfen, ihren Triumphen mit dem nämlichen Feu-

Feuer) der ſinnlichen Gemüthsbewegung bey, die ſonſt die tief den Wettlauf der Wagen aufmerkſame Menge zu den lebhafteſten Ausbrüchen hinriſs, oder in Beklemmung verſetzte." — Nicht minder ſchmuckreich ſind die Schilderungen, die Hr. *V.* von Antiochien, dieſer Stadt des Vergnügens und der Wiſſenſchaften, von Alexandrien, der Niederlage alles Handels, der Vaterſtadt aller Secten und endlich von Conſtantinopel entwirft, damals die Hauptſtadt der Welt und der Religion. Hier glänzten abwechſelnd auf dem biſchöflichen Stuhle Gregor von Nazianz und Chryſoſtomus; allein zugleich war dieſs auch der Mittelpunkt, wo alle von dem ſpitzfindigen Geiſt Alexandria's und der Philoſophie Griechenlands erfundenen Secten zuſammentrafen; dort zeigten ſie ſich mit wechſelndem Vortheile bey Hofe und ſuchten irgend einen Kämmerling oder Verſchnittenen für ſich zu gewinnen. Dort zeigten ſich daher auch in ſeiner ganzen Nacktheit das Elend des morgenländiſchen Reichs, der launenhafte Despotismus der Fürſten, die Intrigen des Pallaſtes, die Corruption einer groſsen Stadt, die, zu ſchnell erbaut, weder griechiſch noch römiſch war, und vielmehr eine Kolonie, als eine Hauptſtadt zu ſeyn ſchien. Allein eben weil Conſtantinopel neu war, hatte es keine Denkmäler, keine Feſte, keine Gebräuche, die an die alte Religion erinnerten. Deſſen Daſeyn begann mit dem Triumph des Chriſtenthums. — An die Spitze der griechiſchen Kirchenväter ſtellt der Vf. Athanaſius. Allein erhob ihn auch ſeine Standhaftigkeit, ſeine Character- und Willensſtärke zum gröſseſten unter ihnen, ſo war er der Welt nicht am Nützlichſten, weil er ſeinen Muth und ſein Leben Kämpfen gegen eine Lehre widmete, die lediglich Gewiſſensſache bleiben ſoll, oder dem unermeſslichen, allein unvernünftigen Unternehmen, in der Welt religiöſe Einheit herzuſtellen, ein Unternehmen, welchem, möchte deſſen Gelingen auch noch ſo wünſchenswerth ſeyn, menſchliche Kräfte wenigſtens nicht gewachſen ſind. Von den Schriften des Arius, Athanaſius furchtbaren Antagoniſten, iſt uns nichts aufbewahrt worden. Die Sieger haben die Denkmäler ihres Widerſachers vernichtet, wie einſt Rom die Jahrbücher Carthago's vernichtete. „Allein, fügt Hr. *V.* hinzu, der Stifter einer ſo berühmten Secte, der Mann, der ſo oft mit Bannflüchen belaſtet für ſeine Sache eine zahlreiche Partey unter dem Volke, den Biſchöfen, am Hofe der Fürſten zu gewinnen wuſste, und der das triumphirende Chriſtenthum ſpaltete, der war zweifelsohne mit allen Talenten begabt, die einen groſsen Sectirer machen. Indeſſen kam ihnen vornehmlich das geheime Gefühl zu Hülfe, welche die Macht und den Ehrgeiz des chriſtlichen Prieſterthums den Kaiſern furchtbar zu machen begann. Conſtantin ſelbſt hatte, bevor er ſtarb, empfunden, welche Herren er ſich gegeben hatte. Conſtantin, ſein Sohn, minder mächtig und minder auf dem Thron befeſtigt, fürchtete noch mehr jene Vormundſchaft." — Wir ſchlieſsen hier unſre Analyſe, die, um nicht zu weitläuftig zu werden, ſchon aus Rückſicht auf den Inhalt des Buchs nur aphoriſtiſch ſeyn konnte. Inzwiſchen mögen, bevor wir Hn. *V.* verlaſſen, noch zwey allgemeine Bemerkungen hier eine Stelle finden. Die Eine betrifft den Geiſt, der über ſeinen literariſchen Productionen waltet. Es iſt dieſs durchaus ein religiöſer Geiſt, der ſich in allen Abhandlungen dieſer Sammlung, wie auch in ſeinen frühern Schriften, als der vorherrſchende wahrnehmbar macht und der ſie zu einer gewiſſen Einheit der Tendenz, der Verſchiedenheit der Gegenſtände ungeachtet, verbindet. Die Religion aber, die den Vf. beherrſcht und ſeine Feder inſpirirt, iſt jene erleuchtete Religion, die aus den Quellen der Literatur, bis zu den entfernteſten Jahrhunderten hinauf, ſchöpft, und mit welcher er die politiſche Geſchichte und die gleichzeitige moraliſche Entwickelung der Geſellſchaften in ihren wechſelſeitigen Beziehungen verknüpft. — Schildert der Vf. eine Scene aus den Kriegen, welche die Ligue erzeugte, oder verbreitet er ſich über den Ruhm des Jahrhunderts Ludwigs XIV., ſo begegnet der Leſer überall, wiewohl in ſeinen entgegengeſetzten Wirkungsäuſserungen, dem Chriſtenthume, das uns der Vf. in ſeinem Entſtehen, im Mitte der Fabeln und im Kampfe mit den Doctrinen des dahin ſterbenden Polytheismus zeigt. — Unſre zweyte Bemerkung betrifft den Vortrag. Nur wenig Schriftſteller unter den neuern Franzoſen verſtehen es, ihre Sprache mit ſo viel Gewandtheit und Leichtigkeit zu handhaben, wie Hr. *V.* Er iſt ein wahrer Profeſſor der Beredtſamkeit, der ſeine Leſer ſchon durch Ueberredung hinreiſsen würde, vermöchte er es auch nicht Ueberzeugung in ihnen zu erwecken. Indeſſen wollen wir mit der Anerkennung dieſes Talents keinesweges einen Tadel ſeines Miſsbrauchs verknüpfen: denn überall, in dieſer Sammlung wenigſtens, tritt die Subjectivität und der eigene gute Glaube des Vfs. zu lebendig hervor, als daſs man ihn verdächtigen könne, es ſey nur der objective Effect geweſen, den zu erzeugen, er im Voraus berechnete.

Prag, b. Buchler: *Ludwig van Beethoven.* Eine Biographie deſſelben, verbunden mit Urtheilen über ſeine Werke. Herausgegeben zur Erwirkung (?) eines Monuments für deſſen Lehrer, Joſeph Haydn, von *Joh. Aloys Schloſſer.* Mit einem lythographirten *(ſic)* Briefe Beethovens. 1828. XIV u. 93 S. 8. (16 Ggr.)

Der Vf. dieſer ſogenannten Biographie fühlt ſich berufen, groſsen Männern ein Denkmal zu ſetzen; nämlich nicht ſowohl *mit* als *durch* ſeine Biographieen. Bey der würdigen Feyer, welche Beethovens Tod in Wien erhalten hat, ſagt er, iſt zugleich geſorgt worden, daſs ſein Andenken auch durch ein Grabmal geehrt werde. Ein Denkmal für *Haydn* und *Mozart* wurde noch nicht *erwirkt* (bey dieſem Ausdrucke bleibt der Vf.), ſo lange auch ſchon zu Beyträgen für eines aufgefordert worden iſt. Man hielt die Errichtung für unnöthig, weil Beide ſich ſelbſt die ehrendſten durch ihre Werke geſetzt hätten?

Dieſs

Dieſs iſt, mit Erlaubniſs zu ſagen, nicht wahr. Es iſt durch die ehemalige Wiener muſikaliſche Zeitung bekannt, daſs zu einem Denkmale für *Mozart* längſt geſammelt worden iſt; wenn der Ertrag dieſer Sammlung für ein *würdiges* Denkmal noch nicht hinreichend geweſen iſt, ſo folgt daraus noch nicht, daſs man es für *unnöthig* erachtet hätte. Uebrigens weiſs das Publicum allerdings nicht, was aus jener Sammlung geworden iſt. Wenn man aber einem groſsen Mann ein Denkmal in einem Werke der bildenden Kunſt ſetzen will, ſo ſoll dieſes nicht nur ſelbſt würdig, ſondern der *Weg*, auf welchem daſſelbe, um in des Vfs. Deutſch zu reden, erwirkt wird, ebenfalls den Mann ehren. Nun ſtreiten wir dem Vf. den guten *Willen* nicht ab, aber die Kraft, welche dazu gehören würde, dieſs durch eine gedruckte Biographie zu erreichen, müſſen wir ihm nach Durchleſung dieſer Broſchüre (eine ähnliche hat er über Mozart geſchrieben) durchaus abſprechen; es dünkt den Rec., als wolle der Vf. einen maſſiven Denkſtein auf eine Baſis von *Löſchpapier* ſtellen. Er ſingt in der Dedication:

Bedarf es gleich des Denkmals nicht,
das ich den Meiſter hoher Klänge,
der nie verhallenden Geſänge,
durch dieſes Werk geweiht; ſo ſpricht
doch laut ſich aus die Dankbarkeit,
die ihn mein Herz ſo willig beut;
denn was dem Zauber ſeiner Kunſt gelang,
hat jeder ſo, wie ich empfunden.

Hiernach zu ſchlieſsen, müſste *jeder* Freund Beethovenſcher Muſik geeignet ſeyn, deſſen Biographie zu ſchreiben. Was unſer Vf. für eine Vorſtellung von Biographie hat, ergiebt ſich aus den Worten: Wenn in Beethovens Biographie nicht ſo viel Intereſſantes gefunden wird, als in Haydns und Mozarts, ſo iſt dieſs nicht „meine Schuld, ſondern Folge ſeines an Berührung mit anderen an Reiſen ärmeren Lebens." Als ob das Intereſſe der Biographie nur an der äuſsern Mannichfaltigkeit des Stoffes haftete. Ganz ſchief iſt es aber, wenn geſagt wird: „auch im *Wirken* ſtand er beiden nach, aber nicht im Willen und Leiden."

Den Stoff von Notizen über Beethovens Lebensverhältniſſe hat der Vf. natürlich nach chronologiſcher Ordnung aufgeſtellt, und die Ausdehnung ſeines Schriftchens dadurch etwas vermehrt, daſs er, wo in dem Texte andere Componiſten vorkommen, in den Anmerkungen biographiſche Artikel über ſie liefert, z. B. Bach, (S. 14—26.) Händel, Neefe u. ſ. w., angeblich, um Leſer zu unterſtützen, die von ihnen nichts wüſsten; ferner, daſs er eine Anekdote, welche in der Leipziger muſikaliſchen Zeitung von Beethoven erzählt worden iſt, wieder erzählt, um berichtigen zu können, daſs ſie *nicht* von ihm gilt, daſs er muſikaliſche Anekdoten, welche B. aus dieſer Zeitung geſchöpft und häufig angebracht hat — eine Schwäche, welche groſse Männer auch wohl haben können, wenn ſie Zeitungen leſen, — den Brettern wiederholt. Wenig iſt, was er von ſeiner Perſönlichkeit ſagt, und da heiſst es S. 46. „ſein Gang hätte lyriſche Kraft," obwohl es dem Vf. ſchwer werden würde, zu erklären, was das heiſse. Von Beethovens Brüdern, was ſie geweſen, von ſeinen Freunden und Schülern ſagt er nichts; nicht einmal hat er auf die Angabe in der Leipziger muſ. Zeitung Rückſicht genommen (Jahrg. 1827. S. 345.), daſs B. den 17. Dec. 1770 nicht 1772 geboren ſey. Daſs derſelbe nicht zu ſchreiben verſteht, beweiſt jede Seite. Um ein recht klares Beyſpiel anzuführen, ſo heben wir das aus, was über die Unterſtützung Beethovens von England aus geſagt wird. Man hat, heiſst es S. 63., in deutſchen Zeitungen dieſe *Sorge* für Wien zu einem Vorwurfe gemacht — hiernach ſollte man glauben, England hätte für Wien geſorgt, wenn man es nicht anders wüſste und der Vf. nachher nicht hinzuſetzte, „indem man vorausgeſetzt hat, daſs die Stadt ſich ihrer Pflicht entgegen und *fremde* Hülfe nöthig gemacht habe." Die *Wahrheit* der Sache ſelbſt betreffend, ſo ſcheint es doch, als hätten die Unterſtützungen, welche er in Wien empfangen, nicht ausreichen wollen, was man darum nicht eben der *Stadt* zum Vorwurfe machen darf. Denn B. gab kurz vor ſeinem Ende dem Hn. A. Schindler den Auftrag (wie dieſer ſelbſt Cäcilie VI. B. 24. Heft) erzählt, der philharmoniſchen Geſellſchaft nochmals in ſeinem Namen für das groſse Geſchenk zu danken, mit dem Beyſatze, daſs die Geſellſchaft ihm ſeine letzten Lebenstage erheitert habe, und daſs er noch am Rande des Grabes der Geſellſchaft und der ganzen engliſchen Nation danken werde! vgl. auch die Leipz. muſ. Zeitung 1827. Seite 349 f.

Die angekündigten *Urtheile* über B. beſchränken ſich auf ein unzuſammenhängendes und oberflächliches Gerede über dieſelben im Allgemeinen. Der Vf. giebt ein Verzeichniſs der Beethovenſchen Werke *darum* nicht, weil dieſelben in jedem Kataloge muſikaliſcher Handlungen (ſoll heiſsen: von Muſikhandlungen) angegeben gefunden werden. Da irrt er aber ſehr und iſt ſchlecht von den Sachen unterrichtet. Nicht ein *einziger* Katalog einer Muſikhandlung führt dieſelben vollſtändig an, da ſie zerſtreut bey *vielen* Verlegern erſchienen ſind; ja ſelbſt das Handbuch der muſikaliſchen Literatur würde vielleicht nicht hinreichen, um daraus ein chronologiſches Verzeichniſs zu ziehen. Wenn aber *jenes* der Grund der Weglaſſung iſt, warum verſpricht denn der Vf. ein ſolches namentliches Verzeichniſs *ſpäter* unentgeldlich nachzuliefern? — Der lythographirte Brief Beethovens, wie der Vf. mehrmals ſchreibt, iſt derſelbe, über welchen Gottfr. Weber, welchen dahin berührt iſt, in der Cäcilie Heft 29. ſo viel Lärm gemacht hat. Er ſchlieſst: „allezeit habe ich mich zu den gröſsten Verehrern Mozarts gerechnet, und werde es bis zum letzten Lebenshauch." Von dem Portrait, welches laut der Vorrede S. XII. mit dieſer Schrift verbunden ſeyn ſoll, hat Rec. keine Spur gefunden; wahrſcheinlich hat es der Hr. Verleger für die Züge und Anekdoten aus Beethovens Leben verſpart, welche zugleich als Nachtrag zu dieſer ſogenannten Biographie nächſtens erſcheinen ſollen.

L GEMEINE LITERATUR-ZEITUNG

October 1828.

RELIGIONSSCHRIFTEN.

TONA, b. Buſch: *Fortſetzung der Reformation* **oder Beyträge** zur Verbeſſerung der *Theologie, Religion* und *Kirche.* Von *Georg Wilhelm Block,* K. Hannöv. Superintendenten zu Hitzacker. *Erſter* Theil, Verbeſſerung der *Religionslehre.* 1828. XX u. 235 S. 8. (1 Rthlr.)

ar richtig bemerkt der Vf. in der Vorrede dieſer rift, daſs der bisherige und gegenwärtige Zu- d der öffentlichen Religion in Anſehung der Lehre deren Ausübung, die mannigfaltigen, oft ein- er widerſtreitenden und miſsglückten Bemühun- , dieſelbe mit der fortgeſchrittenen Vernunft- wickelung in Uebereinſtimmung zu ſetzen (oder h die neuern Verſuche, ſie gerade im Miſsver- tniſs zu jener darzuſtellen), fortgeſetzte Unter- hungen über eine die Veredlung der Menſchheit d das Wohl der Geſellſchaft ſo unmittelbar be- ffende Angelegenheit und über den richtigen Weg r Verbeſſerung und Vervollkommnung derſelben thwendig machen und neue Verſuche, in dieſer ickſicht etwas Gewiſſes, Brauchbares und Blei- ndes zu beſtimmen, hinlänglich rechtfertigen. viel Wahres und Treffendes nun auch der Vf. im inzelnen über jenen Gegenſtand hier beybringt, ſo emerkt man doch ungern bey dem Reichthum an edanken zuweilen Mangel an logiſcher Darſtellung nd an ſorgfältiger Begründung der nur im Allge- neinen aufgeſtellten Behauptungen, welches bey er Beſtimmung des Werks, beſonders für wiſſen- haftlich gebildete Leſer um ſo mehr zu vermeiden var, theils auch hin und wieder eine gewiſſe Breite nd manche Wiederholungen.

Der hier gelieferte *erſte* Theil des Werks, welcher ſich über die Verbeſſerung der Religionslehre verbreitet, da zwey folgende die Verbeſſerung der Gottesverehrung und des Lehramtes umfaſſen ſollen, enthält *neun* Hauptſtücke. I. „Begriff und Gegenſtand, Grund und Zweck der Religion." Hier folgt der Vf. nicht der von ihm ſelbſt angegebenen Ordnung, da er zuerſt von dem Grunde der Religion redet, dann von dem Gegenſtande, und ſo von dem Begriffe der Religion wieder auf den Grund derſelben zurückkommt. S. 8. fragt der Vf.: welche Idee der Grund der Religion ſey, nachdem er vorher richtig dieſen in die Anlagen des menſchlichen Geiſtes geſetzt hatte. Es hätte daher geſagt ſeyn ſollen: welche Idee macht das eigentliche Weſen der Religion aus, welches dann bey Beſtimmung des Begriffs derſelben zu erörtern war. Mit nicht gehörig begründeter Verwerfung der von Cicero beygebrachten Etymologie des Wortes *Religio* (von *relegere*) beſtimmt der Vf. S. 9. den Begriff derſelben mit Beziehung auf des Lactantius Ableitung (von *religare*) als „eine Selbſtverpflichtung des vernünftigen Menſchen durch Vorſtellung ſeines Verhältniſſes zum Ganzen und zur Gottheit." Zwar ſagt der Vf. im Folgenden, daſs der Hauptcharakter einer wahren oder vernünftigen Religion ihre moraliſche Beſchaffenheit und Sittlichkeit entweder die Grundlage, oder der vornehmſte Beſtandtheil derſelben ſey; doch hätte dieſes in der Definition ſelbſt mit angedeutet ſeyn ſollen, da das Verhältniſs des Menſchen zu Gott von ſehr verſchiedenen Seiten aufgefaſst werden kann; auch der Vf. ſelbſt am Schluſſe dieſes Hauptſtücks hinzufügt: „Eine nicht erfreuliche Tendenz unſerer Zeit iſt es, die Religion auf die Abhängigkeit, Schwäche und Verdorbenheit des Menſchen, anſtatt auf ſeine Freyheit, Würde und Vorzüge, gründen zu wollen." II. „Erkenntniſsgrund der Religion, Vernunft und Offenbarung, Rationaliſm und Supernaturaliſm." Wenn man hier gleich demjenigen, was für die Annahme einer mittelbaren natürlichen göttlichen Offenbarung geſagt wird, durch welche Annahme der Vf. Rationalismus und Supernaturalismus zu vereinigen meint, Beyfall geben muſs, ſo kann man doch dem Vf. keinesweges beyſtimmen, wenn er behauptet (S. 23 f.), daſs die gewöhnlichen Begriffe von übernatürlicher Offenbarung, von Wundern und Inſpiration auf unrichtiger Schrifterklärung beruhen, da jene Vorſtellungen allerdings ihrem Grunde nach in der Schrift vorliegen, ſo wie ſie in jeder poſitiven Religion auf einer gewiſſen religiöſen Entwickelungsſtufe gefunden werden. Man darf ſie daher nicht durch gezwungene Schrifterklärung daraus entfernen wollen; man muſs ſie vielmehr als nothwendige Durchgangspunkte der religiöſen Ueberzeugung anerkennen, ſie darum zum Gegenſtande einer hiſtoriſch philoſophiſchen Kritik erheben und ſie auf das ihnen zum Grunde liegende religiöſe Element zurückzuführen ſuchen. Nur in ſo fern nennt der Vf. das Chriſtenthum eine beſondre oder *auſserordentliche* Offenbarung, eine *göttlich* begründete und *beglaubigte* Belehrung, als theils deſſen Inhalt (dem Weſentlichen nach) mit dem unmittelbar als göttlich Erkannten in uns, den Geſetzen der Vernunft und des Gewiſſens übereinſtimmt, theils in der auſserordentlichen, oder nach natürlichen Geſetzen vermittelten Beschaffenheit seiner Stiftung und Ausbreitung eine Absicht und Mitwirkung der Vorsehung nicht verkennen läfst. III. „Verhältniss der Bibel zur allgemeinen Religion." Als Vorurtheile, welche einer reinen, vernünftigen und heilsamen Religionserkenntniss hinderlich sind, bezeichnet der Vf. *erstlich*, dass man die Bibel ganz, in allen ihren Theilen und nach ihrem gesammten Inhalte als Quelle göttlicher Belehrung und alle darin vorkommenden Sätze als geoffenbarte Wahrheiten betrachtet; *zweytens*, dass man die Bibel *allein*, mit Ausschluss oder im Gegensatze der Vernunftoffenbarung, als sichere und allgemeine Quelle göttlicher Belehrung ansieht. Diess kann man allerdings zugestehn, doch mit Recht Bedenken tragen, der S. 42 f. geäusserten Behauptung beyzustimmen, es sey „ein grosser Irrthum, dass das Christenthum sich auf das Judenthum *gründe* —, der Geist und die Grundsätze beider seyen einander ganz entgegen; — das alte Testament vom christlichen Religionsunterricht auszuschliessen." Zwar modificirt der Vf. hinterher selbst jene Behauptung, doch konnte sie so ausgedrückt leicht zu irrthümlichen Ansichten verleiten, da das Christenthum ja allerdings aus dem Judenthume hervorgebildet ist und das neue Testament nur vermittelst des alten richtig erklärt werden kann. Einen *dritten*, eben so weit verbreiteten, als nachtheiligen Irrthum in Ansehung der Bibel als Quelle der Religionserkenntniss findet der Vf. in der Annahme: man müsse die Bibel in ihrer ursprünglichen Gestalt gebrauchen, so dass man alles in ihr enthaltene buchstäblich und wörtlich auffasst, ohne dabey auf die eigenthümliche Sprache und Denkart des morgenländischen Alterthums Rücksicht zu nehmen, die von *izziger* (jetziger) Denk- und Ausdrucksweise so sehr abweicht. Der Vf. empfiehlt dagegen Lehrern der Religion, um die h. Schrift als Quelle und Hülfsmittel religiöser Belehrung zweckmässig zu gebrauchen, nicht bloss richtiges Verstehen durch philologischhistorische Auslegung ihres Sinnes, sondern auch richtige Beurtheilung ihres Inhalts nach den Principien allgemeingültiger Wahrheit und geschickte Anwendung dieses Inhalts zur Belehrung der Menschen nach ihren gegenwärtigen Bedürfnissen. Hierbey darf indess nicht übersehen werden, dass man im populären Religionsunterricht, da die religiöse Idee einer versinnlichenden Hülle bedarf, alles trockne Sublimiren des gegebenen Stoffes zu vermeiden suchen, sich vielmehr dem Ideenkreise des zu Belehrenden mit Lehrweisheit anschliessen müsse. IV. „Ueber die Vervollkommnung des Christenthums." Weniger in Beziehung auf objective als subjective Vervollkommnung der christlichen Religion sowohl bey den leitenden Klassen des Volks, bey Vornehmen und Geistlichen, als auch bey den niedern Volksklassen durchgeführt. S. 54. ist die Behauptung, dass die Lehren vom Satan, von der Auferstehung, vom Weltgericht, die Anwendung der prophetischen Aussprüche, welche Jesus auf sich macht, bloss als Ac-

commodation eines weisen Lehrers zu
seyn, ohne alle Beweisführung aufgestellt.
klärung in der Religion, deren
wendigkeit und Beschaffenheit." Dieser
führlich, doch sehr im Allgemeinen geh
schnitt, der eigentlich nur eine Fortset
vorhergehenden ist, führt zu dem Result
ohne Verbesserung der Vorstellungen in de
der Lehrer, also der Bildung dieser und d
logie selbst, und dann der Lehrbücher und
terrichts, die zu wünschende fortschreiten
gionsverbesserung nicht erreicht werden kö
so sucht der Vf. „Fehler der Theologie
dung der Religionslehrer," in einem folgend
stücke (VI.) nachzuweisen, in welchem
ches sehr bemerkenswerthe, aber auch
seitige und unhaltbare beygebracht ist.
gegebenen Fehlern der Theologie zäh
1. „die unrichtigen Vorstellungen von
und dem Erkenntnissgrunde der Religion,"
sondere, dass die ganze Bibel in allen ihren
als Quelle allgemeiner religiöser Belehrung
lein als untrügliche Quelle göttlicher Beleh
zusehn sey und zwar nach ihrem buchstäbliche
die Glaubenswahrheiten bestimme. Hier
manches aus dem Vorhergehenden wiederholt,
deres einseitig behauptet, oder schwankend
drückt, z. B. S. 92 f.: „Jene Vorstellungen
nem Gegensatze der Vernunft und Offenbarung
grundlos — verdienen mit Recht und im
Sinne *gottlose* (die richtige Erkenntniss Gottes
hebende und den göttlichen Absichten wide
tende) Irrthümer genannt zu werden." Dessen
geachtet ist jener Unterschied in mehrern bibl
Aussprüchen angedeutet, von Jesu selbst z. B.
10, 30., besonders aber von dem Apostel Paulus.
Verkennung jener Unterscheidung hängt sehr
sammen mit dem Bestreben des Vfs., solche
stellen, die mit Aussprüchen der Vernunft nicht
einbar erscheinen, auf eine unphilologische W
zu rationalisiren, welches häufig, vornehmlich
im Folgenden, bemerkt wird. Mit *einiger*
äussert sich der Vf. S. 95 f. über das *von*
(Geständnisse S. 95 f.) vertheidigte *Subordinations*-
verhältniss zwischen Vernunft und Offenbarung,
wobey R's. Argumentation allerdings als sehr mangelhaft erscheint, und vertheidigt dagegen etwa
unklar nicht sowohl ein coordinirtes Verhältniss beider, als vielmehr ein solches, nach welchem das
Christenthum auf die Vernunftreligion gegründet
und innig damit verbunden werden muss, so
dem Vf. „eine Religions- und Tugendlehre *christ*-
heisst, nicht sowohl wegen der schriftlichen
der vorgetragenen Lehren, noch wegen ihres
rischen Fundaments und Ursprunges, sondern vielmehr (?) wegen ihres Inhalts, der Beschaffenheit
des Endzwecks und der Wirkungen ihrer Wahrheiten,
ten, dass sie auf eine vernunftgemässe Art die sittliche Veredlung und Glückseligkeit befördert

(S. 10

2.) 2. „Die bloſs hiſtoriſchphilologiſche Begrün- der Theologie; da doch die Gründe und Quel- ər Religion in den Anlagen, Geſetzen und Stre- ən des menſchlichen Geiſtes liegen, und die ipien ihrer Wiſſenſchaft nur aus der Erkennt- lerſelben herzuleiten ſind." Hier vermiſst man genauere Unterſcheidung der poſitiven und Ver- theologie und nähere Beſtimmung der Art und ſe, wie der Religionslehrer die einzelnen Dog- jener nach Principien dieſer zu läutern und zu lten habe. Mit Recht fordert übrigens der Vf. Behuf der Schrifterklärung auſser Kenntniſs Sprachen und Geſchichte, phyſiſche und pſy- ogiſche Kenntniſſe. 3. „Die fehlerhafte Erklä- g der h. Schriften," die einestheils entſpringt der eigenthümlichen Darſtellungsart und unvoll- mmen Beſchaffenheit der alten Sprachen, theils aus der fehlerhaften Denkart, den grundloſen ausſetzungen und irrigen Folgerungen der Aus- r, und welche bey Ungelehrten durch die feh- afte Ueberſetzung und Kirchenſprache noch ſehr mehrt wird. Der Vf. unterſcheidet hier drey ſſen von Fehlern der Schrifterklärung, in wie n ſie entweder den Umfang, oder die Beſchaffen- t, oder das Verhältniſs der Vorſtellungen betref- . Dieſer Abſchnitt der Schrift hat Rec. am we- ſten befriedigt, weil hier gerade das Beſtreben zelner bibliſcher Erzählungen und Ausſprüche zu ionaliſiren auf eine ſehr unphilologiſche Weiſe rherrſcht, z. B. wenn Erzählungen von Wirkun- n der Engel oder Dämonen bloſs für bildliche Dar- llung und Einkleidung von Seiten des Referenten halten, und andere Wunder durch gezwungene utungen hinweg exegeſirt werden. 4. „Die Ver- chläſſigung wahrer Geiſtesbildung bey Anleitung r Religionslehrer" zu welcher der Vf. vornehm- h Erkenntniſs der Natur und des Menſchen zählt, e von den akademiſchen Bildungsanſtalten nicht weckmäſsig gefördert werden ſoll. Wenn S. 136 ſagt wird: „Wie viele (wenige) künftige Lehrer aben die Theologie mit dem Erfolge ſtudirt, daſs e in der Religion zu eigener Ueberzeugung und Be- higung und zu der Einſicht und Fähigkeit gelang- en, Andere mit Nutzen zu belehren? — Wie viele Prediger beſitzen die Geſchicklichkeit, die Lehren der Religion und Sittlichkeit aus richtiger Erklärung der h. Schriften zu entwickeln, und in ihrer Wich- tigkeit, Anwendbarkeit und Heilſamkeit darzuſtel- len? den kirchlichen Lehrbegriff für den prakti- ſchen Unterricht zu vereinfachen, und durch con- centrirte Ueberſicht faſslicher, behaltbarer und wirk- ſamer zu machen, die Wahrheit des Chriſtenthums in eigener Empfindung und Erfahrung darzulegen u. ſ. w.? Warum werden ſie dazu nicht angeleitet?" ſo erſcheint der Vf. allerdings ungerecht gegen die Leiſtungen derjenigen akademiſchen Lehrer, welche mit ihren Vorleſungen über Theile der theoreti- ſchen Theologie Winke über zweckmäſsige Benu- tzung des Vorgetragenen im populären Religions- unterricht verbinden, oder längſt durch beſondere Vorleſungen über eine ſogenannte praktiſche und populäre Theologie der von dem Vf. gemachten Forderung zu entſprechen ſuchten. Indeſs könnte für die ſo wichtige praktiſche Ausbildung des künftigen Geiſtlichen auf den Univerſitäten, ja ſelbſt auf den Schulen ſchon, weit mehr geſchehn, als häufig geleiſtet zu werden pflegt, insbeſondere um jenen Anleitung zu zweckmäſsigen freyern Vorträgen zu geben, und ſie dabey durch eine reinchriſtliche Ausbildung gegen die Einflüſſe der verderblichen myſtiſchen und pietiſtiſchen Richtung unſerer Tage zu verwahren. Nur zu oft wird es verkannt, wie ſehr die Wahrheiten des reinen Chriſtenthums einer beredten, lebendigen und ergreifenden Darſtellung empfänglich ſind. Sehr ausführlich, aber zu einſeitig, empfiehlt der Vf. im Folgenden den angehenden Theologen das Studium der Mathematik, welches doch nur in harmoniſcher Verbindung mit philologiſchen und hiſtoriſchen Studien recht erſprieſslich ſeyn kann. 6. „Miſsverſtand und Miſsbrauch der ſymboliſchen Bücher." Auch hier findet ſich viel Wahres ſehr zeitgemäſs in Erinnerung gebracht, angeknüpft an die Bemerkungen, daſs die Vff. der ſymboliſchen Bücher ſelbſt dieſen keine unbedingte immerwährende Gültigkeit beygelegt haben; daſs ſie ausdrücklich jede Richtſchnur des Glaubens und jede Entſcheidung über denſelben auſser der Bibel verwerfen, deren Auslegung ſie von keiner äuſsern Auctorität abhängig machen; daſs ſie ihre Arbeit ſelbſt nur für Zeugniſs und Darſtellung erklären, wie die Bibel damals von ihnen verſtanden ſey, und was ſie beſonders im Gegenſatz des Katholicismus und Papſtthums für chriſtliche Wahrheit annahmen; daſs die Proteſtanten niemals dem Recht entſagt haben, bey fortſchreitender chriſtlicher Erkenntniſs den Sinn und Inhalt der ſymboliſchen Bücher richtiger zu würdigen und zu verbeſſern. — In dem VIIten Hauptſtück ſucht der Vf. die „Nothwendigkeit einer neuen Ueberſetzung der h. Schriften" darzuthun, und zwar, wie ſogleich hätte hinzugefügt ſeyn ſollen, zu allgemeinem und kirchlichen Gebrauch. Wenn man nun gleich dem Vf. darin beyſtimmen wird, daſs zum Gebrauch in den Schulen zweckmäſsige Bibelauszüge und im Allgemeinen die allmählige Einführung einer berichtigten Bibelüberſetzung wünſchenswerth ſey, ſo wird man doch die bey letzterer empfohlene Methode der Verbeſſerung, welche ſich keinesweges philologiſch rechtfertigen laſſen würde, billigen können. Doch verbietet uns der Raum, hier in das Einzelne einzugehen. Am zweckmäſsigſten möchte es ſeyn, die lutheriſche Bibelüberſetzung zunächſt nur mit wenigen unter dem Texte beygebrachten wahren Berichtigungen offenbarer Fehler oder unverſtändlicher Ausdrücke zu verſehn, ohne neue Fehler, wie bey der miſsglückten *v. Meyer*'ſchen Bibelverbeſſerung, ſich zu Schulden kommen zu laſſen, und dadurch die dereinſtige Einführung einer völlig umzuarbeitenden

neue-

neuen Bibelübersetzung vorzubereiten. VIII. „Fehler der Lehrbücher der Religion," wo unter manchen treffenden Bemerkungen einzelne vermeinte Fehler mit Unrecht als zu grell hervorgehoben sind, so z. B. S. 210 f., wo der Vf. die Beybehaltung der zehn Gebote im christl. Religionsunterricht tadelt, da jene doch durch das N. T. bestätigt sind. IX. „Fehler des Jugend- und Volksunterrichts." Hier verdient besonders ausgezeichnet zu werden, was der Vf. über die Geistesbildung der Jugend, die sich nicht bloss auf den Verstand, sondern auch auf das Gemüth und den Willen erstrecken soll, beybringt; ferner über Unterricht in der Muttersprache, vornehmlich in Norddeutschland, über nothwendige Absonderung der Kinder in den Volksschulen, spätere Aufnahme der Kinder unter die Erwachsenen u. a. Ungeachtet der gemachten Ausstellungen sieht Rec. sehr gern der Fortsetzung dieses Werks entgegen.

SCHÖNE KÜNSTE.

STUTTGART, b. Gebr. Franckh: *Der heimliche Maluff.* Drama von *Ludwig Bauer.* 1828. 167 S. 8. (1 Rthlr.)

Rec. erinnert sich von Hrn. *L. Bauer* bereits eine dramatische Dichtung gelesen zu haben, deren Stoff angeblich aus den Gebilden in den Ruinen von Persepolis gezogen ist, und die bey vielem Unreifen ein unverkennbares Talent beurkundete, das sich auf eine eigenthümliche Weise zu entwickeln strebt, wenn auch Shakespear als Muster ihm vorleuchtet. Hier bietet sich ihm nun nach kurzer Zeit eine zweyte Dichtung desselben dar, in welcher das Talent bey weitem entwickelter erscheint, und die sich durch eine gewisse Grossartigkeit in der Anlage auszeichnet, ohne dass die Ausführung es darauf anlegt, am wenigsten im Ausdrucke, der zwar, wenn auch ungleich und zuweilen selbst trivial, im Ganzen poetisches Colorit hat, aber nach keinem höhern Schwunge strebt. Die Fabel ist wie in jenem frühern Drama, ganz Erfindung des Vfs., der sich gern seine eigene Welt zu schaffen scheint, zu der er jedoch die Züge aus dem wirklichen Leben nimmt und hier eine gewisse Unschuld verräth, die von Unbekanntheit mit der Welt zeugt. — Er lässt auf einer fabelhaften Insel, die vorzeiten im stillen Meere, unbekannt mit der übrigen Welt, blühte, einen ehrsüchtigen, herrschsüchtigen, aber höchst verschmitzten König auftreten, der in der Besorgniss, sein Sohn, dem er keine Kraft zutraut, möchte der grössern Macht des Nachbarn einst unterliegen, diese durch List und Gewalt zu brechen beschliesst. Als Spielmann durchzieht er die Insel und hetzt die Völker gegen den mächtigen Nachbar auf, und diesen gegen sie. Es gelingt ihm, aber zu seinem eigenen Untergange. Seinen Sohn bringen seine Ränke in die Hände des Feindes und hier offenbart sich ihm dessen Heldengeist, indem dieser die Rache des Feindes von Vaterland und Vater ab auf sein Haupt allein zu ziehen sucht. Die Liebe eines Fischermädchens zum Prinzen rettet Vater und Sohn aus der Gefahr, der Kampf beginnt: sein vertrautester Freund, den er durch Vorspiegelung von wohlthätigen Planen für sein Volk beredet hat, während seiner Abwesenheit (höchst unwahrscheinlich) seine Person vorzustellen, fällt in der siegreichen Schlacht, und aufgewiegelt durch den Sohn des Gefallenen, der in seinem Vater ein Opfer unwürdiger Ränke erkennt, empört sich gegen den Sieger, sein Volk und er muss seinem Grimm entfliehen. Der Feind ermannt sich und will diese Zwietracht benutzen; da vereinigt die Gefahr des Vaterlandes die Gemüther dieses Sohnes und des Königssohnes, und von einem unbekannten Helden unterstützt, erklärt sich der Sieg für sie und der feindliche König fällt von des Unbekannten Hand. Es ist Maluff, so heisst der Ränkesüchtige, der jetzt seine Fehlgriffe einsieht, der Krone zum Besten des Heldensohnes entsagt und diesem das Fischermädchen zur Gattin bestimmt. — Die Fabel hat ihre grossen Schwächen, und in dem Obsiegen der Ränke und in dem Unterliegen der noch dazu durch die Götter beschützten Rechtlichkeit keine Haltung; allein sie geht an uns in wahrhaft dramatischem stetem Fortschreiten vorüber und bietet uns viele recht gelungene Einzelnheiten dar, die mit dichterischer Kühnheit behandelt sind. Für den Einzelnen interessirt man sich nicht, aber wohl für das Ganze, so dass in diesem sich eine Seele offenbart, die ihm inneres Leben giebt. — Auch ist das in einem Drama zugängliche komische Element in einem zaghaften, ironisch-witzigen Schwätzer ergetzlich benutzt. Zur Bühnendarstellung ist diese Dichtung nicht bestimmt, denn einzelne Scenen, wie z. B. die, welche mitten auf einem See spielt, lassen sich nicht ausführen, sonst möchte Rec. wegen ihrer Lebendigkeit, ihr Erfolg auf der Bühne zutrauen. — Die Sprache ist weder grammatisch correct, noch frey von schwäbischen Idiotismen, wie *Ehni* für: Grossvater; *dass* ich nicht verstand aus ihm zu kommen, für: dass ich mich in ihm nicht zu finden wusste u. ähnl. — Auch ist der Titel schon nichtssagend, weil das Wort *heimlich* zweydeutig ist und hier keinen Sinn giebt. — Die Jamben sind nicht durchweg gut gebaut. Aber dramatisches Talent ist dem Vf. nicht abzusprechen, und insofern verdient er Anerkennung.

ALLGEMEINE LITERATUR-ZEITUNG

October 1828.

LITERARISCHE ANZEIGEN.

I. Ankündigungen neuer Bücher.

Bey K. F. Köhler in Leipzig ist so eben fertig und an alle Buchhandlungen Deutschlands, Hollands, Frankreichs und Dänemarks versandt worden:

Diogenis Laertii de vitis dogmatis et apophthegmatis clarorum philosophorum libri decem: graeca emendatiora edidit, notatione emendationum, latina Ambrosii interpretatione castigata, appendice critica atque indicibus instruxit *H. G. Huebnerus.* Vol. I. contin. liber I — V. gr. 8. Preis 2 Rthlr. 8 gr. Vol. II. contin. liber VI — X. erscheint baldigst.

Ich will keine Lobpreisung von diesem trefflich bearbeiteten Werke machen, es wird sich wohl von selbst empfehlen.

Fr. Nösselt's Lehrbücher der Weltgeschichte für Töchterschulen.

Die *dritte*, von neuem durchgesehene und berichtigte Auflage von der:

Kleinen Weltgeschichte für Töchterschulen und zum Privatunterrichte heranwachsender Mädchen, von *Fr. Nösselt.* 8. 1828. Preis 6 gr.

welche so eben erschienen ist, haben wir, um die Anschaffung derselben in Töchterschulen auf alle Weise zu erleichtern, um den vierten Theil des vorherigen Preises ermäsigt, und kostet jetzt das Exemplar nur 6 gr. Der schnelle Absatz der beiden ersten Auflagen, wovon jede 2000 Exemplare stark war, beweist, wie dieses Geschichtslehrbuch für Töchter einem lange gefühlten Bedürfnisse entgegen gekommen ist. Die *Allgemeine Schulzeitung*, vom Hofprediger *Zimmermann*, welche den Lehrbüchern des Herrn Prediger *Nösselt* ausführliche Beurtheilungen gewidmet hat, sagt unter andern in Nr. 6. Jahrg. 1828, wo zugleich das grössere Werk:

Lehrbuch der Weltgeschichte für Töchterschulen und zum Privatunterrichte heranwachsender Mädchen. Von *Friedrich Nösselt.* 2te verbesserte und vermehrte Aufl. 3 Bde. gr. 8. (Preis 3 Rthlr. 20 gr.)

recensirt ist: „Es hat der würdige und verdienstvolle „Verfasser die Literatur der Geschichte mit zwey Wer„ken bereichert, welche eine ehrenvolle und ausge„zeichnete Stelle in derselben einnehmen, und welche „einem wahren Bedürfnisse abhelfen, welches um so „fühlbarer war, seitdem man grössere Sorgfalt auf den „Unterricht des weiblichen Geschlechts verwendete. „Man hat zwar Lehrbücher mancherley Art, auf wel„chen der Zusatz: für Töchterschulen, für Damen, für „das weibliche Geschlecht, für junge Frauenzimmer u. „s. w. steht; allein man findet hinter diesem Schilde, „mit wenigen Ausnahmen, selten etwas Anderes, als „was jedes andere Buch für Knaben, Jünglinge und „Männer auch enthält. Hier jedoch finden wir ein „Werk, was aus dem weiten Gebiete der Geschichte „in vortrefflicher Auswahl und Darstellung das ent„hält, was sich für den Unterricht sowohl der weib„lichen Jugend, als auch der Erwachsenen dieses Ge„schlechtes ganz vorzüglich eignet, und wer seinen „Töchtern oder Schülerinnen ein eben so nützliches, „als lehrreiches und unterhaltendes Buch in die Hände „geben will, der wähle ohne Bedenken vorliegendes „Werk."

Buchhandlung Josef Max und Comp. in Breslau.

Neue Bücher, welche bey Ludwig Hold in Berlin erschienen sind:

Albini, A. (Verf. des Lustspiels *Kunst und Natur*), Spenden für Freunde des Scherzes. 8. Geh. 1 Rthlr. 16 gr.

Ansichten über eine mögliche Verbesserung des öffentlichen Credits durch Modificationen des jetzigen *Gewerbewesens.* Mit Bezug auf Provinzialstädte. 8. Geh. 6 gr.

Berliner Wachskerzchen für wahre Freunde der Literatur. *Erstes* Halbdutzend. Von Dr. *Leo Polonus.* 8. Geh. (In Commission.) 4 gr.

Fränkel, S., Gefühle und Betrachtungen am Tage der Eröffnung des neuen Gottesackers der israel. Gemeinde zu Berlin. gr. 8. Geh. 4 gr.

Heinemann, M., religiöse Blüthen zur Beförderung frommer Gesinnungen. 8. Geh. (In Commiss.) 6 gr.

Hoffmann, F. G., Sechs und funfzig Vorlegeblätter zum Zeichnen, für Volksschulen und den Selbstunterricht stufenweis geordnet, nebst einer kurzen Anweisung zum zweckmäsigen Gebrauch derselben. 8. In Futteral 22 gr.

Kurowsky-Eichen, Fr. v., die Sonnentempel des alten Europäischen Nordens und deren Kolonieen. Eine

Eine Erforschung des mythischen Bodens der Geschichte und des Ursprunges der Völkerwanderungen. Heft 1. 8. Geh. 1 Rthlr.

Lindenstein, D. H. v., über die Verirrungen des Menschen oder über den Begriff des Verbrechens, so wie über des Verbrechens Entstehn und über desselben Verhüten. Eine Untersuchung in dem gesammt philosophischen sowohl, als politischen Theil des Criminalrechtes. 8. Geh. (In Commission.) *Netto* 2 Rthlr. 8 gr.

Luther's Glaube und die Strasburg. Gedicht in acht Gesängen. 12. Geh. (In Commiss.) 8 gr.

Rathgeber, der, für den Bürger und Landmann. Im Verein mit Mehreren herausgeg. von *C. W. Peschel.* Band I. in 6 Heften. Mit 6 K. gr. 8. Geh. (In Comm.) 1 Rthlr.

Versuche, schriftliche, in einigen ernsten Betrachtungen aus der sittlich - religiösen Welt - Anschauung von *Johannes Ikarus.* gr. 8. Geh. 12 gr.

* o *

Portrait Sr. Majestät des *Königs von Preussen.* Nach Krüger und Begasse, lithographirt von *J. Liepmann.* Fol. 16 gr.

Portrait Sr. Königl. Hoheit des *Kronprinzen von Preussen.* Lithographirt von *J. Liepmann.* Fol. 16 gr.

Bey Wilhelm Engelmann in Leipzig ist erschienen:

Die
Heilige Schrift
des alten Testaments
in ihrem geschichtlichen Zusammenhange mit belehrenden Anwendungen von *J. A. K. Hanl*, Seelsorger, und bildlichen Darstellungen durch Kupfer von *J. Führig* und *L. Friese.*

Neue Ausgabe, mit schönen Kupfern.

2tes bis 10tes Heft, mit schwarzen Kupfern, à 6 gr.
2tes bis 10tes Heft, „ illuminirten „ à 8 gr.

(Das Ganze erscheint in 25 — 30 Heften.)

In der Basse'schen Buchhandlung in Quedlinburg ist so eben erschienen:

Virgil's
Lehrgedicht vom Landbau.
In einer neuen, getreuen, metrischen Uebersetzung von *F. W. G.*
12. Geh. Preis 15 Sgr.

Es fehlte bis jetzt immer noch an einer möglichst wortgetreuen Uebersetzung des *Virgil*, die unserer deutschen Sprache nicht so viel Gewalt anthut, als *Voss* in seiner Uebersetzung dieses römischen Dichters gethan hat. Diesen Zweck zu erreichen, war die Absicht des Verfassers der gegenwärtigen Uebersetzung, und wir glauben ihm das Zeugniss geben zu dürfen, dass er seine Aufgabe trefflich gelöset hat. Ein Uebersetzung der „Aeneide" wird im ku[illegible] nachfolgen.

Oliver Goldsmith's
Landprediger von Wakefield
Aus dem Englischen übertragen von *C. v. S.* 2 [illegible]
Preis 2 Rthlr.

Gegenwärtige neueste und beste Uebersetz[illegible] *Goldsmith's* unübertrefflichem „Landpfarrer v[illegible] dürfen wir mit Recht empfehlen.

In meinem Verlage erscheint:

CORPUS
PHARMACOPOEARUM EUROPAE[illegible]
ATQUE
EXOTICARUM CONSPECTUS

Die
Pharmakopöen
der
Europäischen Staaten, mit Nord - Amerika;
nebst
einer pharmaceutischen Beschreibung der in den Europen-Ländern gebräuchlichen Arzneymittel.
Nach den neuesten Quellen bearbeitet
von
A. Braune,
Med. et Phil. Dr.,
und in folgenden Sectionen zusammengestellt:

1) *Nord - Deutschland.*
2) *Süd - Deutschland* und die *Schweiz.*
3) *Frankreich* und *Holland.*
4) *Italien.*
5) *Spanien* und *Portugal.*
6) *Gross - Britannien und Ireland*, nebst den *vereinigten Staaten von Nord - Amerika.*
7) *Dänemark, Norwegen* und *Schweden.*
8) *Russland* und *Polen.*
9) Anhang: *Ost-* und *Westindien.*

Imper. 8vo. Leipzig: Ernst Fleischer. 1829.

Längst vor dem Auftreten der neuerdings in Frankreich erschienenen „*Pharmacopée universelle par Jourdan*" wurde von mir der Plan zu gegenwärtigem vielumfassenden Werke entworfen, und nicht allein durch Anschaffung eines reichhaltigen Apparates der in- und ausländischen Literatur die [illegible] weit gediehenen Vorbereitungen zu diesem Unternehmen getroffen, sondern dasselbe auch bereits durch die im vorigen Jahre bey mir herausgekommene „*Brittische Pharmakopöe* nach *Thomson* von Dr. *A. Braune*" gleichsam programmatisch eingeleitet. Durch das Erscheinen der gedachten *Jourdan*'schen Arbeit fand ich mich bewogen, vor Kurzem eine Uebersetzung derselben anzukündigen, hierbey nicht sowohl beabsichtigend, eine deutsche Ausgabe zu veranstalten, als viel-

hat um anderweitig diesem, zwar nur scheinbar, …enden Gegenstande vorzubeugen. Ich bekenne …tzt aus *dem* Grunde als den Urheber jener ano- Bekanntmachung, da eine andere norddeutsche …handlung durch dieselbe nicht abgehalten wurde, …lbe eine Uebersetzung anzukündigen; — hier …fig nur noch die Bemerkung hinzufügend, dass Dr. *A. Braune* die Ausarbeitung des ungleich …enderen *„Corpus Pharmacopoearum europaearum exoticarum Conspectus"* zu übernehmen die Güte …, ununterbrochen daran fortarbeitet, und der er-…lieferung dieses *Original - Werkes* ein ausführ-… Prospect, worin die encyklopädische Gesammt-…desselben, nach der inneren wie äusseren Gestal-… sich darlegen soll, nächstens vorausgehen wird.

…ipzig, den 2. August 1828.

Ernst Fleischer.

Encyklopädisches Handbuch
des
…esammten in Deutschland geltenden
katholischen und protestantischen
K i r c h e n r e c h t s.
Mit
…ichtlichen Erläuterungen und steter Rücksicht auf die neuesten kirchlichen Verhältnisse in den deutschen Bundes-Staaten.
Von
Alexander Müller,
Grossherzogl. Sächs. Regierungsrathe.

Der erste Band dieses Werkes erscheint zu Anfang …ftigen Jahres. Ausführliche Ankündigungen sind …llen Buchhandlungen zu haben, woselbst man auch …tellungen machen kann.

Keyser'sche Buchhandlung in Erfurt.

Im Verlage der Buchhandlung von C. Fr. Ame-…g in Berlin erschien und wurde an alle Buch-…ndlungen des In- und Auslandes versandt:

Das Leben
d e s E r d b a l l s
und
a l l e r W e l t e n.
Neue Ansichten und Folgerungen aus Thatsachen.
…en Erforschern und sinnigen Freunden der Natur
gewidmet
von
Samuel Christoph Wagener,
…pr. Superintendenten a. D. und Ritter des rothen Adler-Ordens 3ter Klasse.

49 Bogen in gr. 8. Mit 7 Kupfertafeln.
Preis 2 Rthlr. 22½ Sgr.

Wenn die Kette der lebenden Wesen *unten* …och grosse Lücken hatte, deren fehlende Glieder die mikroskopischen Wunder ergänzten: so reihet der Hr. Verf. aus dem Schöpfungs-All hier die lebende Erde und deren Myriaden Geschwisterwelten in die *obern* Lücken der Wesenkette ein; und eröffnet dadurch dem religiösen Gefühle eine unversiegbare Freudenquelle. — Höchst interessant ist diess, mit unverkennbarem Fleisse bearbeitete Werk, beides, für den *Freund* und den *Kenner* der h. Natur. Die Lehrmeinungen sind auf *Thatsachen* basirt, oder haben doch die *Analogie* für sich. Aus dem Inhalt-Reichthume hier nur Einiges:

„Die Erde *lebt* kein *Pflanzen-*, kein *Thier-*, sondern ein *Weltkörperleben.* In ihrem *Athmen* — nicht in dem unangefochtenen Gravitationsgesetze allein — ist die Meeresfluth und Ebbe begründet. Vulkanische Erschütterungen, Inselgeburten und andre Ausströmungen der Erde sind Folge innerer Umwandlungen und galvanisch-magnetisch-elektrischer Vorgänge. Lebensprocesse des Erde-Innern sind es, welche sich in Erdbeben verderblich erneuen, wenn man (wie zu *Lissabon, Smyrna, Messina, Lima* u. s. w.) über verschütteten Kratern der Urzeit sich häuslich niederlässt. Springquellen, diesen Poren der Erdehaut, entquillen Schweiss-Ergüsse. Wie jedes organische Wesen seinen Dunstkreis um sich her bildet, so auch die Erde. Die im Erde-Innern sich erzeugenden unwägbaren Stoffe schwellen, bald hier bald dort, die elastische Erdehaut an, und bewirken *Spring-* und *Sturmfluthen,* wie sie im J. 1824 auf dem Festlande, an Küsten und in Binnenmeeren Europas Erstaunen erregten. In vulkanischen Gegenden pressen sich die Gase der Unterwelt zuweilen durch die felsige Trümmer urweltlicher Erdschlünde hindurch, und bewirken *„Teufelsstimmen* und Schreckenstöne der *wilden Jagd;"* wodurch die schwierige Aufgabe des Hn. Kanzlers Dr. *v. Autenrieth* zu Tübingen im *Morgenblatte: „Woher die fremdartigen Stimmen, welche schon in den ältesten Zeiten, und noch jetzt, in allen Weltgegenden vernommen wurden?"* auf das Genügendste gelöset wird. Das Wogen der Erdehaut verbreitet volles Licht über das nie erklärte Fallen und Steigen des Quecksilbers im Barometer; über das kaum geahnete Fluthen und Ebben der Atmosphäre; über die noch ganz verkannte Hauptquelle aller Winde, Stürme und Orkane. Gilt in der organischen Schöpfung nur *Ein* Gesetz der Fortpflanzung: so rechtfertigt sich analogisch die Anwendung dieses Gesetzes auch auf die Fortpflanzung der *Weltkörper;* so sind Kometen die jüngern — Planeten die ältern *Kinder* — Monde oder Trabanten die *Enkel* unserer mütterlichen Sonne u. s. w."

Wenn Ref. beym ersten flüchtigen Lesen dieses inhaltreichen Werkes einigen eigenthümlichen Ansichten des Hn. Verf. nicht sogleich beystimmen zu können glaubte: so wurden doch seine Zweifel am Ende fast durchgehends beseitiget. Er gesteht gern, lange nicht ein anziehenderes, lehr- und inhaltreicheres Buch gelesen zu haben. Indessen scheint der Hr. Verf. jene Renitenz beym ersten Auffassen seiner, zum Theil in ein ganz neues Licht gestellten Ideen selbst ge-

geahnet zu haben: denn er wählte zu feiner *Aegide* den fehr richtigen Ausfpruch des anerkannten Naturforfchers *Biot*:

„In den Wiffenfchaften mufs es als Regel gelten: „*erft prüfen, dann urtheilen!* — *Kein Verftändiger* wird Ergebniffe und Folgerungen aus Thatfa„chen blofs darum als ungereimt verwerfen, weil „fie *ihn* in Erftaunen fetzen."

Bey Fleifchmann in München ift erfchienen und an alle Buchhandlungen verfandt worden:

Dr. *J. H. M. Ernefti erftes Uebungsbuch in der Mutterfprache und praktifche Vorbereitung zu den fchönen Redekünften für die zu bildende kleine Jugend. Sechfte* Originalausgabe. 8. 1828. 16 gr. oder 1 Fl. 12 Kr. (19½ Bogen ftark.)

Diefes nützliche, wohlfeile Buch erfcheint hier in fechfter Auflage. Diefs ift wohl der ficherfte Beweis feiner grofsen Vorzüglichkeit, fo dafs wir auf daffelbe blofs aufmerkfam machen dürfen.

II. Neue Kupferftiche.

Kunft-Anzeige.

Die 30fte und 31fte Suite der in unferm Verlage herauskommenden und von den erften Künftlern Deutfchlands geftochenen:

BILDNISSE
der
berühmteften Menfchen
aller Völker und Zeiten

wurde fo eben an die refp. Subfcribenten verfandt, und enthält die Porträts von:

Bertrand. Bolivar. Büfch. Canning. Condamine. Davouft. Demofthenes. Ernefti. Florian. Lady Hamilton. Hardenberg. Knigge. Ludwig XVI. Louife v. Preufsen. Mofcheles. Murat. Schadow. Schleiermacher. Schulze. Sickingen. J. F. v. Struenfee. Wellington. de Wette. Zollikofer.

Der *äufserft niedrige* Preis für jede Suite beträgt bekanntlich nur 1 Rthlr. 8 gr.

Zwickau, den 1. Sept. 1828.

Gebrüder Schumann.

III. Vermifchte Anzeigen.

Weibliche Erziehungs-Anftalt in Dresden.

Herr *Claffen* und deffen Gattin, welche fich bereits 11 Jahre mit der weiblichen Erziehung befchäftigte, gründeten im Jahre 1824 gemeinfchaftlich eine Penfions- und Unterrichts-Anftalt für Töchter aus gebildeten Familien. Der über alle Erwartung glückliche Fortgang derfelben ift der offenbarfte Beweis ihrer Vorzüglichkeit. Und eben darum verdient fie auch für das Ausland zur nähern Kenntnifs gebracht zu werden.

Die Aufnahme der Zöglinge findet vom 5ten Jahre an Statt und befchränkt fich auf eine Anzahl von 10 Penfionärinnen und 40 Schülerinnen, welche in 3 Klaffen abgetheilt find. Aufser dem Vorfteher und feiner Gattin ertheilen 5 Lehrer und 2 Lehrerinnen den Unterricht, wovon eine Franzöfin, im Haufe des Vorftehers wohnend, aufser den Lehrftunden mit der Vorfteherin auch noch die Auffischt über die Penfionärinnen theilt. Die Unterrichtsgegenftände nach den 3 Hauptpunkten des menfchlichen Wiffens: I. *Gott*, II. *Natur* und III. *Menfch*, find:

I. Religion und Religionsgefchichte;

II. Geographie, Naturbefchreibung, Naturlehre und Himmelskunde;

III. Gefchichte, deutfche und franzöfifche Sprache, Rechnen, Seelen- und Gefundheitslehre.

Kunftfertigkeiten: Zeichnen, Schönfchreiben, Mufik, Tanz und weibliche Arbeiten mannichfaltiger Art, namentlich folche, welche dem weiblichen Gefchlechte vorzüglich nöthig find.

Alle diefe Unterrichtsgegenftände werden mit fteter Berückfichtigung auf die Bedürfniffe und die Beftimmung des weiblichen Gefchlechts mit der gröfsten Gewiffenhaftigkeit ertheilt. Die Difciplin ift exemplarifch; daher auch der gute Geift, der durchgängig in diefer Anftalt herrfcht.

Diefe äufserft zweckmäfsig eingerichtete Anftalt zog fehr bald nach ihrer Entftehung die Aufmerkfamkeit der um das Heil ihrer Kinder beforgten Aeltern auf fich und 40 der achtungswürdigften und angefehenften Familien haben bereits der Anftalt ihre Kinder anvertraut; wie unter andern der in der literarifchen Welt berühmte Herr Conferenz-Minifter *von Noftiz und Jänkendorf* (Arthur von Nordftern) und die ebenfalls rühmlichft bekannten Herren Rector *Gröbel* und Conrector *Baumgarten-Crufius* an der Kreuzfchule in Dresden. Es würde überflüffig feyn, noch Vieles zum Lobe diefer Anftalt, deren grofse und fchwierige Aufgabe *Menfchenbildung* und *Menfchenveredlung* ift, zu fagen, da fie felbft bereits die beften Beweife ihrer Vortrefflichkeit in ihren kenntnifsreichen, fittlich-guten und fein gebildeten Zöglingen gegeben hat.

Der Preis für Penfion und Unterricht mit Ausfchlufs der Mufikftunden beträgt jährlich 230 Rthlr.; für den Unterricht allein 60 Rthlr. in den beiden höhern Klaffen, und 48 in der untern Klaffe.

Ein im Jahr 1824 im Druck erfchienener Profpectus fpricht fich weitläufiger über das Ganze aus; auch hat der Herr Vorfteher im Jahre 1828 ein Namensverzeichnifs der in der Anftalt befindlichen Zöglinge herausgegeben.

ALLGEMEINE LITERATUR-ZEITUNG

October 1828.

GESCHICHTE.

1) STUTTGART, b. Gebr. Frankh: *Leben Napoleon Bonaparte's*, Kaiser der Franzosen. Mit einer historischen Uebersicht über die französische Revolution. Von *Walter Scott*. Aus dem Englischen übersetzt vom General *J. von Theobald*. 1827 — 1828. 9 Bde. in 8. *Erster* Band. 1827. VIII u. 307 S. *Zweyter* Bd. 1827. 363 S. *Dritter* Bd. 1827. 297 S. *Vierter* Bd. 1827. 316 S. *Fünfter* Bd. 1827. 318 S. *Sechster* Bd. 1827. 288 S. *Siebenter* Bd. 1828. 476 S. *Achter* Bd. 1828. 452 S. *Neunter* Bd. 1828. CCXLIII u. 312 S. (Pr. 16 Rthlr.)

2) STUTTGART u. TÜBINGEN, in d. Cotta. Buchh.: *Napoleon Bonaparte*, dargestellt in einer umfassenden Geschichte seines öffentlichen und Privatlebens, seiner politischen und militärischen Laufbahn, seiner Regierung und seiner Administration vom Staatsrath *Thibaudeau*. *Erster* Bd. 1827. XVIII u. 470 S. *Vierter* Bd. 1827. 468 S. (1 Rthlr. 12 gGr.)

3) BERLIN, b. Enslin: *Geschichte Napoleon Bonaparte's* von *Friedrich Buchholz*. In *drey* Bänden. *Erster* Bd. 1827. VI u. 520 S. (2 Rthlr. 16 gGr.)

Von den drey vor uns liegenden, einen identischen Hauptgegenstand betreffenden, Geschichtswerken ist allererst Nr. 1. vollständig erschienen. Von Nr. 2. besitzen wir für jetzt nur noch den 1. und 4. Band; von Nr. 3. den 1sten. Um anzudeuten, in wieweit dessen ungeachtet diese drey Werke Vergleichungspunkte darzubieten vermögen, dünkt es Rec. erforderlich, eine kurze Inhaltsanzeige der beiden Letztern der Analyse des Ersten voranzuschicken, vorbehältlich späterhin wieder auf jene zurückzukommen. — Der *erste* Band von *Thibaudeau's* Geschichte beginnt mit der Geburt *N. Bonaparte's* und führt den Leser fast bis zu Ende des italienischen Feldzugs von 1796. — Der *vierte* Band, denn der *zweyte* und *dritte* sind bis jetzt noch nicht erschienen, enthält den Anfang der ägyptischen Expedition bis zum syrischen Feldzuge. Die gleichzeitigen Begebenheiten der französischen Revolution berührt der Vf. nur in sofern, als dieselben in unmittelbarer Beziehung zu der Geschichte seines Helden stehen. — Hr. *Buchholz* dagegen bringt in dem *ersten* Bande seines auf *drey* Bände berechneten Werkes *N. Bonaparte* noch gar nicht auf die Bühne, sondern führt uns darin nur bis auf die Epoche des Todes Ludwig XVI. Seine Darstellung umfasst den allmäligen Verfall der französischen Lehnsmonarchie bis zu deren Untergange in der Person dieses Monarchen. — Von *Walter Scott's* Werke sind die beiden ersten Bände der durch den Titel angekündigten Uebersicht gewidmet; im dritten allererst tritt *Napoleon* auf. — Zur Einleitung entwirft der Vf. in den drey ersten Kapiteln eine Sittenschilderung der Zeit und des vorhergehenden Jahrhunderts, denn er geht bis zur Regierung Ludwig XIV. zurück. — In der kurzen Vorrede versichert der Geschichtschreiber, er wolle *unparteyisch* seyn, denn die Feindseligkeiten hörten auf, sobald die Schlacht gewonnen. Allein ohne den mindesten Zweifel in die Aufrichtigkeit dieser Betheurung zu setzen, müssen wir schon hier im Voraus bemerken, dass *W. S.* nichts desto weniger nur allzuhäufig in die Klippe des historischen *Irrthums* geräth; und vermochte er auch diese bey der so eben erwähnten Sittenschilderung zu vermeiden, in sofern darin schon oft erzählte Thatsachen bloss wiederholt werden; so gewähren dennoch die Meinungsäusserungen, womit er deren Darstellung begleitet, die Begriffe, die er daran knüpft, und die Folgerungen, die er daraus ableitet, der Kritik schon gleich jetzt nur allzuviel Spielraum. So z. B. beweist derselbe wenig Umsicht, indem er die grosse Geschicklichkeit rühmt, womit es Ludwig XIV. gelang, die Krone zum einzigen Stützpunkt des Staats zu machen und in seiner Person, als Repräsentant von Frankreich, die ganze Nation zu concentriren. Und doch gereichte diese Geschicklichkeit, die der Vf. dem Monarchen zur Ehre anrühmt, der Monarchie nur allzu sehr zum Verderben. In der Folge, aber freylich ein wenig zu spät, erkennt der Vf. selber die Nachtheile an, welche jene Politik des grossen Königs mit sich führte. Ludwig XV. empfand sie bereits, und *W. S.* bemerkt in dieser Beziehung, der König habe so viele Gewalt in seiner eignen Person vereinigt, dass er für jedes Fehlschlagen und Unglück, das dem Lande zugestossen, gleichsam persönlich verantwortlich gemacht worden sey. „In diese Gefahr, fügt der Vf. hinzu, gerathen unumschränkte Monarchen; sie sehen sich allen Vorwürfen des Volks wegen schlechter Verwaltung ausgesetzt, gegen welche die Könige in gemässigten Regierungen durch die Dazwischenkunft der andern Staatsgewalten und die Verantwortlichkeit der Minister für die Maassregeln, welche sie vorschlagen, grösstentheils geschützt sind." — Von einem ganz andern Gesichtspunkte geht der Vf. von Nr. 3. aus, in eben derselben Politik Ludwig XIV. eine der Haupt-

Haupturſachen der nachmaligen Staatsumwälzung gewährend. Indem dieſer Monarch, ſagt Hr. *B.*, ein zahlreiches ſtehendes Heer, als Werkzeug ſeiner Unumſchränktheit, errichtete, habe er den einzigen Fehler begangen, daſs er damit die Erwerbfähigkeit der arbeitenden Klaſſe auf eine zu harte Probe ſtellte. Jenes Heer war eine Laſt, die Frankreich nicht ertragen konnte, ſo lange Ackerbau und Viehzucht, in Verbindung mit einigen rohen Handwerken, die einzigen Quellen des öffentlichen Einkommens waren und die vornehmſten Klaſſen der Geſellſchaft, — Geiſtlichkeit und Adel — ſteuerfrey blieben. Der Adel hätte, nach der Meinung deſſelben Vfs., gleich allen übrigen Bürgern der Beſteuerung unterworfen, die Güter der Geiſtlichkeit dem Umlaufe zurückgegeben, zugleich aber die Ordensgeiſtlichkeit, als überflüſſig für die Erhaltung der geſellſchaftlichen Ordnung, aufgehoben werden müſſen. Allein Ludwig XIV. dachte noch viel zu ſehr im Stile der alten Territorialherren, als daſs er es nicht hätte darauf anlegen ſollen, unvereinbare Dinge zu vereinigen. Als König zählte er ſich ſelber zu dem Adel und glaubte daher dieſe Klaſſe verſchonen zu müſſen; und als Menſch war er nicht aufgeklärt genug, um in den kirchlichen Inſtitutionen etwas anderes zu ſehen, als was ihm in ſeiner frühſten Jugend gelehrt worden; er war ſogar der Meinung, daſs ſie die ſicherſten Grundlagen für die Erhaltung des königlichen Anſehens ſeyen. — Verſteht man unter der Ueberſicht (*view*) einer hiſtoriſchen Epoche eine pittoreske und gedrängte Zuſammenſtellung jener groſsen Ereigniſſe, die derſelben ihren eigenthümlichen Charakter ertheilen, und erwartet man demnach groſse Züge, ein ſtrenges Kolorit und vornehmlich die Aufſtellung groſser Geſichtspunkte von denen aus der Leſer in die weite Ferne zu ſchauen vermag, ſo läſst *W. S's.* Ueberſicht der franzöſiſchen Revolution faſt alle dieſe Anſprüche gänzlich unbefriedigt. Es werden darin gegentheils Ereigniſſe von der erſten Wichtigkeit nachläſſig in Schatten geſtellt, andere nur in ihren kleinen Verhältniſſen gezeigt; man ſtöſst darin auf wenig richtige Wahrnehmungen und noch ſeltener auf groſsartige und fruchtbare Anſichten; die Erzählung, überladen und ſchleppend, oder allzukurz und bisweilen ſogar verdreht, wird häufig durch kalte Abſchweifungen unterbrochen, worin der Vf., um irgend eine Regierungsmaxime oder ein ſittliches Princip nachzuweiſen, bisweilen bis zu den Erzvätern zurückgeht, dabey aber dennoch nicht ſelten jedwede wahre Wiſſenſchaft und Originalität vermiſſen läſst. Wir wollen es *W. S.* nicht gar zu hoch anrechnen, daſs er in der Einleitung zu *Bonaparte's* ſteten Kriegen die erſten Feldzüge der Revolution faſt mit Stillſchweigen übergeht; allein wir hätten ihm gerne die allzuausführlichen Schilderungen der Septembertage und anderer ekelhaften Gräuelſcenen erlaſſen. — Iſt aber die Anlage des Planes unvollſtändig und fehlerhaft, beſonders wegen des Miſsverhältniſſes der einzelnen Theile, ſo ſteht die Ausführung ſehr oft bey weitem tief unter der G[illegible] Gegenſtandes. *W. S.* hat ſich in ſeinen Ro[illegible] ein feiner Denker, als ein geiſtreicher [illegible] wieſen, allein hier muſste er ein tiefer De[illegible] ſublimer Maler ſeyn. Alles wird unter [illegible] der verkleinert, ſogar das Gräſsliche: ſo [illegible] er uns die Triumvirn *Danton, Robespierre* und den National-Convent u. ſ. w. ſchildert. „S[illegible] ſicht, ſagt er von *Danton*, war das eines O[illegible] den Schultern eines Herkules. Er fröhn[illegible] weniger den Vergnügungen des Laſters, a[illegible] Hange zur Grauſamkeit, und er ſoll bisw[illegible] ten unter ſeinen Ausſchweifungen ver[illegible] worden ſeyn; dann lachte er über den S[illegible] welchen ſeine wüthenden Deklamationen [illegible] und man konnte ihm mit Sicherheit ſich [illegible] wie dem Mälſtrom zur Zeit der Fluth[illegible] *Marat* heiſst es: „Seine politiſchen E[illegible] begonnen und endeten, wie das Geheul [illegible] hundes nach Mord, oder, wenn ein Wolf [illegible] mal hätte ſchreiben können, ſo würde der [illegible] gelte und ausgehungerte Elende nicht hef[illegible] Mord gelechzt haben..." — Gleich ſeiner [illegible] ſicht der Revolution hat *W. S.* auch ſeine Geſ[illegible] *Bonaparte's* willkürlich in Kapitel eingethe[illegible] Erſte umfaſst zwey ſehr verſchiedene Ge[illegible] nämlich: die Schulſtudien eines wacken[illegible] der Artillerie, und jene Studien, denen [illegible] nen Garniſonen, auf ſeinen Reiſen, in den [illegible] gern, aus eigner Wahl ein junger Mann [illegible] der ſich bereits in ſeinem 26ſten Jahre als [illegible] len Tactikern Europa's, als Diplomat allen St[illegible] nern ſeiner Zeit überlegen beweiſet. Daſs *W. S.* lange bey den Klaſſen des Zöglings, [illegible] Kind, verweilt, kann nur gebilligt werden. [illegible] gewiſs würde es von groſsem Intereſſe geweſen [illegible] dieſem beharrlichen Genie auf der Bahn ſeiner [illegible] lichen Studien zu folgen und nachzuweiſen, [illegible] ſich, im Vorgefühl einer groſsen aber unbek[illegible] Beſtimmung, im Schatten heranwachſen fühlt. [illegible] glücklicher Weiſe waren dieſe Studien, die man [illegible] Recht *geheime* genannt hat, es ganz beſonders [illegible] *W. S.* — Weder in ſeinem Werke noch in Nr. 2 findet [illegible] man eine auch nur einigermaſsen befriedigende Ge[illegible] ſchichtserzählung von *Bonaparte's* Jugendjahren; [illegible] beiden Werken wird der ganze Zeitabſchnitt bis zur Belagerung von Toulon auf wenigen Seiten abgehan[illegible] delt. Dabey begehen beide Geſchichtſchreiber [illegible] chronologiſchen Fehler, indem, nach ihrer Angabe, *Bonaparte* bereits im J. 1783 von Brienne nach [illegible] verſetzt wurde, und hier mehrere Jahre [illegible] da derſelbe doch erſt im folgenden Jahre nach [illegible] Hauptſtadt kam; hier nur etwa acht Monate [illegible] und bereits 1785 nach Valence geſchickt wurde. Mit der Belagerung von Toulon eröffnet ſich [illegible] *Bonaparte's* Biographen eine reiche Quelle von [illegible] terialien, da mit dieſer Epoche jene Denkwürdig[illegible] keiten beginnen, die der Held ſelber auf St. Hele[illegible] ſeinem Unglücksgefährten in die Feder ſagte. *W. S.* und *Thibaudeau* haben beide aus dieſer Quelle ge[illegible] ſchöpft.

jedoch letzterer mit mehr Aufrichtigkeit als ... ier ſolche von dem Tage des 13. Vende... , zum öftern verläſst, nicht etwa um Ein... ſen und die hieraus entſpringenden Irrthü... verbeſſern, ſondern um mit ſeiner eignen ... ivität, als Brite, als Tory, hervorzutreten. ... würde uns jedoch zu weit führen, durch ſpe... nführungen alle jene Illuſionen nachzuweiſen, ... chen. *Bonaparte's* britiſchen Geſchichtſchrei... ine nationalen und politiſchen Vorurtheile ... en. Anſtatt deſſen wollen wir uns darauf be... ken zu unterſuchen, ob und in wie weit *W. S.* ... rt von Intelligenz beſitzt, worin das wahre hi... he Genie beſteht, ſodann aber nachzuweiſen, ... ich derſelbe keiner jener Arbeiten unterzog, welche ſelbſt dieſes Genie zu keinerley Reſul... gelangen vermag. — Als *W. S's.* erſte Romane ... enen, glaubten viele in ihm nicht bloſs den ... ntiker ſondern auch den Beruf zum Geſchicht... ber zu erkennen. Hierzu verleiteten ohne ... el einige mit Wahrheit im Hintergrunde ſeiner ... derungen gezeichnete hiſtoriſche Figuren und ... Kunſt die Volksmaſſen darzuſtellen, ſo wie ... Geiſt und Sitten. Im verfloſſenen Jahrhun... war die Geſchichte zu ausſchlieſslich kritiſch ... len und hatte den Geiſt und die Farbe der Zei... u wenig beachtet; *W. S.*, ſagte man, eröffne ... neue Bahn, welche die wahre ſey. Von jetzt an ... gte man ſich ausſchlieſslich auf dramatiſche Ef... e, auf Sittengemälde und die Geſchichte verlor an Einfachheit und Strenge. Die zahlreichen, ... dem gemachten Erfahrungen haben jedoch be... ſen müſſen, daſs wenn es ein Erforderniſs iſt, der Sittenſchilderung wahr zu ſeyn, hierin doch ... t allein die Geſchichte beſteht, ſondern daſs ... e Schilderung nur eine Beygabe iſt. — Obſchon ... *W.* S. Schottländer, Ritter des Mittelalters, Ju... , Mönche, Wildſchützen u. ſ. w. ganz bewunde... gswürdig ſchildert, ſo durfte man daraus doch ... eswegs ſchlieſsen, er ſey ein Geſchichtſchrei... , wohl aber ein groſser Maler; und hierin hätte ... Recht gehabt. Zu einem Geſchichtſchreiber darf es, wenn nicht eines gröſsern, doch eines ... z andern Genies. Die Geſchichte hat nicht die ... aſse zu allen jenen Einzelnheiten herabzuſteigen, ... mit ſich ein Romantiker oder ein Dramen-Dich... r beſchäftigen kann; ſo ausführlich ſie immerhin ... yn mag, ſo kann ſie doch ſelten einen Dialog oder ... e Beſchreibung eines Coſtüms wiedergeben. Kaum ... rf ſie, ſelbſt wenn ein Mann wie *Bonaparte* auf ... er Bühne erſcheint, ſeine Perſon uns ſchildern, ... ag dieſe nicht minder ſeltſam, wie ſein Charakter ... ſeyn. Das Pittoreske entgeht ihr mithin. Von ei... em höhern Standpunkte aus gewahrt und erzählt ... die menſchlichen Dinge; ſie erfaſst ihr Ganzes ... d mittelſt der Schilderung dieſes Ganzen muſs ſie ... ne Art von Intereſſe erwecken, das mit ihrer Na... ur verträglich iſt. Die Aufgabe der Geſchichte iſt demnach, den Charakter der Begebenheiten richtig zu begreifen, einer jeden derſelben die ihr gebüh-rende Wichtigkeit zu ertheilen, ihre Verkettung anſchaulich zu machen und ſomit, unter Darlegung der Kauſalitäts-Verhältniſſe, die menſchlichen Dinge ſo einfach, ſo natürlich darzuſtellen, wie ſie ſich wirklich auf dem Erdballe zugetragen haben. Sie iſt, ſo zu ſagen, eine Landkarte, welche, ohne ſich an Einzelnheiten zu halten, nur den Lauf der Flüſſe, der Bergrücken und die Umriſſe der Küſten zeigt. Die Geſchichte iſt zwar auch das Leben; allein es iſt das allgemeinere Leben, das auf eine ganz andere Art, wie das individuelle Leben intereſſirt; durch das Ganze, durch die Verkettung, durch die Gröſse des Schauſpiels macht ſie Eindruck und zieht an. Demnach, um Geſchichte zu ſchreiben, bedarf es jener hohen Intelligenz, welche die Beziehungen unter den Dingen erfaſst und ſie zu entwickeln verſteht. Auf dieſer Höhe iſt das pittoreske Talent nur eine Beygabe, die höhere Verſtandeseinſicht iſt Alles. — Die hier geforderte Intelligenz beſteht aber nicht bloſs in jener Kenntniſs der Menſchen und ihrer geheimen Leidenſchaften, die den Romantiker oder Dramendichter auszeichnet, ſondern es gehören dazu noch das Vermögen die menſchlichen Begebenheiten richtig aufzufaſſen, Bekanntſchaft mit dem Mechanismus der Geſellſchaft und der Art und Weiſe wie die Völker leben, ſich nähren, verwaltet werden, Krieg führen, folglich Einſicht in das Finanzfach, die Verwaltungskunſt, das Militärweſen. Es muſs, mit einem Worte, der Geſchichtſchreiber ein genaues und beſtimmtes Wiſſen in einzelnen Fächern mit einem viel umfaſſenden Wiſſen in ſich vereinigen, und dabey noch jenen Geiſt der Analyſe beſitzen, um Alles entwickeln ſo wie den der Zuſammenſetzung, um Alles wieder verſchmelzen zu können. Mit dieſen Kenntniſſen und Eigenſchaften ausgerüſtet, vermag er das Intereſſe des Drama's oder des Romans durch das minder lebhafte, aber tiefere Intereſſe der Geſchichte zu erſetzen. — Sicherlich verdient das Genie, welches *Ivanhoë*, den Aſtrolog, die Puritaner u. ſ. w. producirte, unſere Bewunderung; allein es iſt dieſs Genie nicht identiſch mit dem, welches die Geſchichte fordert. *W. S's.* hier in Rede ſtehendes Werk beweiſt es nur allzuſehr. Wiewohl er, ſtatt der einfachen und reinen Sprache, welche der hiſtoriſche Vortrag fordert, ſich jener bildlichen und burlesken Sprache bedient, die er ſeinen Hexenmeiſtern, Wildſchützen, Zigeunern in ſeinen Romanen zutheilt, ſo kann man ihm doch nicht vorwerfen, er habe ſich ſeiner gewöhnlichen Weiſe überlaſſen und die Geſchichte in eine Chronik verwandelt. Er ſcheint ſich hier vielmehr *Robertſon's* und *Hume's* Weiſe zum Vorbilde gewählt zu haben, nur daſs ihm deren Ueberlegung, Geſchmack und Urtheil abgehen. Allein da *W. S.* nichts begreift, nichts ſich zu erklären weiſs, ſo vermochte er nicht, das romaneske oder dramatiſche Intereſſe durch das hiſtoriſche zu erſetzen. Er macht niemals den Gang der Begebenheiten begreiflich, weil er ihn ſelber nicht begriffen hat; an die Stelle der natürlichen Urſachen ſetzt er jene abgeſchmackten,

durch

durch den Parteygeist erfundenen, Triebfedern. So kommt es denn, dafs er, anstatt auf die Macht der Dinge Rückficht zu nehmen, derselben stets Verschwörungen, Geld, Launen unterschiebt; Handlungen, deren Beweggründe fich aus den Situationen so leicht erklären lassen, erklärt er durch den so schwachen Willen der Individuen; anstatt der Menschen, die nur dahin gerissen werden, gewahrt er fantastische, unerklärliche Ungeheuer; sogar seine Kenntnifs des menschlichen Herzens scheint ihn zu verlassen; und eben den Fanatiker, den er in seinen Puritanern so schön schildert, scheint er in der französischen Revolution nicht mehr zu begreifen. — Was aber jene andere Intelligenz anbetrifft, nämlich die Einficht in Staatswirthschaft, Verwaltung, Kriegskunst, die besonders bey einer Geschichte *Napoleon's* so unumgänglich ist, so findet man davon auch nicht die mindeste Spur in *W. S's.* Werke. Jene bewunderungswürdigen Plane zu den Schlachten von Arcole, von Rivoli, die, gleich allen Gedanken des Genies, klar für alle Verständigen find, werden unter unsers Geschichtschreibers Feder durchaus unverständlich. *W. S.* endlich, man mufs es wiederholt sagen, ist ein Romantiker aber kein Historiker. Das hierzu erforderliche Genie geht ihm ab, und wir werden jetzt sogleich zeigen, dafs er nichts gethan, um das, was ihm in dieser Beziehung fehlt, etwa durch Fleifs und Arbeit zu ergänzen. — Die Kunst eine Zeit wieder zu finden, die nicht mehr ist, die Kunst der historischen Forschungen, ist eine der schwierigsten, die es giebt. Sie erfordert Eifer und, was diesem am Meisten entgegengesetzt ist, Geduld. Eine lebhafte Neugierde kann allein diese beiden entgegengesetzten Eigenschaften ertheilen, und diese Neugierde entspringt gewissermafsen aus jener Art von Intelligenz, die wir als das historische Genie angedeutet haben. An Dingen wovon man die Einficht hat, gewinnt man aufserordentlich viel Geschmack. Forschungen über das, was man begreift, anzustellen gewährt ein ungemeines Vergnügen, und ficherlich ist es ein grofser Genufs, ein nicht mehr vorhandenes Ganze wieder zusammenstellen, dessen zerstreute Trümmer wieder aufzufinden und fie überall aufzusuchen; und gelingt es nun, ihre wechselseitigen Verhältnisse wahrzunehmen, so entschädigt diese Befriedigung für alle darauf verwandte Mühe. Jene Intelligenz aber, welche ein solches Vergnügen gewährt, woraus der Muth zur Arbeit entspringt, trägt an und für fich selber dazu bey, diese Arbeit abzukürzen, indem fie angiebt, wo fich die Trümmern, nach denen man forscht, vorfinden; indem fie, von dem, was übrig ist, zu Voraussetzungen von dem, was gewesen seyn sollte, führt. So schliefsen Baumeister von einigen Theilen eines zertrümmerten Gebäudes auf alle übrigen und ergänzen fie im Geiste. Hiernach wäre denn eine wahre, fruchtbringende historische Arbeit nur dem wahren Talente möglich, weil fie demselben allein Reize gewährt, ihm allein leicht und schnell von statten geht. — Jene, gemeinhin schon so schwierige Aufgabe, das Vergangene wieder herzustellen, wird solches besonders, wenn ein Theil der Zeugen dieses Vergangenen noch lebt und mithin, jeden Augenblicks dem Geschichtschreiber des Irrthums zu beschuldigen und zu überweisen vermag; allein noch schwieriger wird dieselbe, ist er fremd der Nation, deren Geschichte er schreibt, und mufs er nicht blofs die Entfernung der Zeit, sondern auch die des Raumes überschreiten, um zu den Thatsachen zu gelangen. Und so hatte denn *W. S.* allerdings grofse Schwierigkeiten zu besiegen, jedoch sie waren nicht unüberwindlich für das wahre Genie, mit Beyhülfe der Arbeit; allein es mufste zu dem Ende aus den Quellen schöpfen, und unser Vf. scheint fie nicht zu kennen, so wenig hat er fie zu Rathe gezogen. Seine einzige Quelle find offenbar die Memoiren. Allerdings ist diese die zugänglichste, die angenehmste von allen; allein fie ist auch die gefährlichste. Die Memoirenschreiber lügen mit einer Zuverfichtlichkeit, die empörend seyn würde, entschuldigten fie nicht die Umstände, unter denen fie schreiben, vollkommen. Gemeinhin verfertigen fie ihre Memoiren am Ende ihres Lebens; denn in Mitte seiner Laufbahn hält man nicht inne, um zu erzählen. Die Einen, bereit ein Opfer der Staatsumwälzungen zu werden, befinden fich, so zu sagen, am Fufse der Richtstätte und schreiben in Eile ihre letzten Klagen nieder, schleudern ihre letzten Verwünschungen gegen ihre Befieger; die Andern, dem Tode mehr oder minder ehrenvoll entgangen und von dem Strome der Zeiten bis in die Mitte der neuen Generationen fortgerissen, ohne hinlängliche Kraft um fich für die Gegenwart zu interessiren und ausschliefslich in der Vergangenheit lebend, verwenden ihre letzten Tage dazu, die Erinnerungen daran zusammen zu lesen. Sind fie auf diese Weise an das Ende ihres Lebens gelangt, so bleibt ihnen allein die Befriedigung übrig, es fich ihren Wünschen gemäfs vorzustellen, und fich an denjenigen zu rächen, die es anders gestalteten. Sich selber zu loben, Andere anzuklagen, ist alsdann der einzige Trost, den man fich um so leichter verschafft, da kein Widersprecher ihn streitig macht. Man kann nach eigenem Gefallen die Wahrheit schaffen und man benutzt es.

(Der Beschlufs folgt.)

ALLGEMEINE LITERATUR-ZEITUNG

October 1828.

GESCHICHTE.

1) Stuttgart, b. Gebr. Franckh: *Leben Napoleon Bonaparte's* — — von *Walter Scott.* Aus dem Engliſchen überſetzt vom General *J. von Theobald* u. ſ. w.

2) Stuttgart u. Tübingen, in d. Cotta. Buchh.: *Napoleon Bonaparte*, dargeſtellt vom Staatsrath *Thibaudeau* u. ſ. w.

3) Berlin, b. Enslin: *Geſchichte Napoleon Bonaparte's* von *Friedrich Buchholz* u. ſ. w.

(Beſchluſs der im vorigen Stück abgebrochenen Recenſion.)

Ganz falſche Thatſachen, die man aber gern glaubt, niſten ſich zuletzt im Gedächtniſs ein und täuſchen ihre Erfinder ſelber. Sie ſtellen ſolche als wirkliche Vorgänge dar, weil ſie ihnen *ſo* dreyſsig Jahre lang durch den Kopf gegangen ſind. Und ſtöſst man nicht häufig im alltäglichen Leben auf Menſchen, die man lebendige Memoiren nennen könnte und die, ſonſt die ehrlichſten Leute von der Welt, mit einer unerſchütterlichen Zuverſicht und ſogar mit einer Art Unſchuld lügen, weil ſie drey oder vier Jahrzehende hindurch jene Lügen wiederholen, welche ihre Leidenſchaften im zwanzigſten Jahre erſannen. Nach ihnen kann man ſich einen Begriff von der Wahrhaftigkeit der Memoirenſchreiber machen. — Auf eine gewiſſe Weiſe kann man freylich auch Memoiren mit vielem Nutzen zu Rathe ziehen, zumal wenn ſie von einem groſsen Manne herrühren: ſie entſchleyern alsdann das Innerſte der Gedanken, woraus ſeine Handlungen entſprangen; und Rec. geſteht, daſs fünf oder ſechs Bände derjenigen Memoiren, die wir von *Napoleon* beſitzen, ihm, unter dieſer Beziehung, als wahre Meiſterſtücke von Klarheit, von Gründlichkeit erſchienen ſind. Allein auch ſelbſt dieſe Memoiren vermögen nur, ſeines Bedünkens, ein helleres Licht über die Geſchichte zu verbreiten; als hiſtoriſchen Text erachtet er auch ſie für gänzlich unzuläſſig. — Iſt es nun aber nicht das Zeugniſs der Menſchen, worauf die Geſchichte ſich ſtützen darf, wo wäre denn ihre Quelle zu ſuchen? Es liegt dieſe in den Dingen ſelber; in den öffentlichen und authentiſchen Aktenſtücken, in den parlamentariſchen Verhandlungen, in den Geſetzen, die daraus hervorgingen, in den diplomatiſchen Correſpondenzen, im Texte der Verträge, in den Tagesbefehlen der Generale, in den ihren Officieren ertheilten Inſtructionen, in den Berichten ihrer Legaten; mit einem Worte, es befindet ſich dieſelbe in Allem, was um des Begebniſſes willen und in dem Augenblicke, wo es ſich zutrug, geſchrieben ward, niemals aber in dem, was ſpäter von den handelnden Perſonen und um der Geſchichte willen aufgezeichnet wurde. Hat man dieſe koſtbaren Archive durchſucht, ſo macht man ſich wenig mehr aus den Memoiren, etwa nur ſo viel, wie aus dem alltäglichen Geſchwätzen der Theegeſellſchaften, die denn doch mindeſtens ganz neu ſind, indeſſen die Memoiren, im Grunde genommen, nichts weiter als dergleichen Geſchwätze ſind, von Menſchen niedergeſchrieben deren Verſtandesvermögen bereits geſchwächt waren. — *W. S.* hat, man gewahrt es, eine Menge unterſchiedlicher und ſehr unterhaltender Memoiren über die Revolution und die kaiſerliche Regierung geleſen und davon gar Vieles im Kopfe behalten; ſodann ergriff er die Feder und verfertigte mit der Geläufigkeit eines Mannes, der wenig überlegt und viel ſpricht, aus neunzig Bänden neun. Auf dieſe Weiſe ſchrieb er *Napoleon's* Leben und ſo kann man es ſich erklären, daſs er dieſe ſchwierige und groſse Aufgabe innerhalb Jahresfriſt etwa zu erledigen vermochte. Allein nicht nur erzählt er ganz zuverſichtlich alle die abgeſchmackten Mährchen wieder, die man in jenen Memoiren lieſet, ſondern er verfällt auch noch in eine Menge materieller und ſeltſamer Irrthümer, die beweiſen, daſs er ſie nur flüchtig und mit unglaublicher Unachtſamkeit las. Selbſt *Napoleon's* Memoiren, als ſubſidiariſche Geſchichtsquelle bey weitem die wichtigſten von allen, ſcheint er gar nicht, oder doch nicht mit der erforderlichen Aufmerkſamkeit zu Rathe gezogen zu haben. So wäre es, z. B. nach *W. S.*, *Bonaparte* geweſen, der den Feldzugsplan von 1796 nicht nur für Italien, ſondern auch für Deutſchland entworfen, und er lobt ihn ſogar deshalb. Allein es iſt längſt erwieſen, daſs derjenige Theil dieſes Planes, welcher Deutſchland betraf, von Carnot herrührte und in den befragten Memoiren ſelber findet man eine ſehr lichtvolle Kritik darüber. — Andererſeits wieder verleitet die unkritiſche Benutzung eben dieſer Quelle den britiſchen Hiſtoriographen nicht ſelten zu den auffallendſten Anachroniſmen, weil er nicht beachtete, daſs die Herausgeber jener Memoiren deren Redaction übereilten und ſomit ſich begnügten, die zu St. Helena dictirten Fragmente lediglich zu numeriren, anſtatt dieſelben nach der Reihefolge der Begebenheiten chronologiſch zu ordnen. Daher kommt es z. B.

dafs *W. S.* die Unterwerfung des *Abbé Bernier* und die Pacification der *Vendee* als ein der Verfaffungsurkunde vom Jahr VIII vorhergehendes Ereignifs meldet, da doch diefe Acte bereits den 13. Decbr. 1799 dem Volke zur Genehmigung vorgelegt wurde, während jener Pacifications-Vertrag allererft den 17. Januar 1800 abgefchloffen ward. — Am vollftändigften und genaueften von allen grofsen Begebenheiten, die der Vf. erzählt, find die Feldzüge von 1812, 1813 und 1814 behandelt. Freylich find auch hier Memoirenfchreiber die einzigen Gewährsmänner unferes Gefchichtfchreibers; allein er fcheint diefelben mit mehr Auswahl und Kritik zu Rathe gezogen zu haben. Die grofsen Lücken, die fich feither überall bemerklich machten, verfchwinden; die Irrthümer werden unbedeutender und feltener. Die Erzählung, fonft zu fchleppend und oft farblos, wird fliefsender und mehr zufammenhängend, fo dafs man ohne Mühe und Anftrengung die militärifchen Bewegungen und politifchen Combinationen erfafst; wiewohl diefelben verwickelter werden. Nichts defto weniger ift es ein blofses Intereffe der Neugier, das der Vf. zu erregen vermag; grofse Gemüthsbewegungen werden durch feine Darftellung nicht erweckt. Und doch hätte der Vf., indem er mit einiger Energie jenen rafchen Verfall Frankreichs fchilderte, jene unermüdliche Armee, die ihren Ruhm bis ans Ende behauptete und das Volk, des Despotismus überdrüfsig und fo fehr verändert, dafs es feine Armee nicht mehr unterftützte, wahrnehmen und fühlen können, weshalb die Nation, die fich in einem National-Kriege gegen das ganze verbündete Europa unüberwindlich gezeigt hatte, endlich unterliegen mufste, nachdem der Krieg der für fie aufgehört hatte national zu feyn, es für ihre Feinde geworden war. — Der Feldzug von Waterloo wird mit befonderer Vorliebe erzählt, die wir dem Vf., als Briten, eben nicht verargen wollen. Defto oberflächlicher ift die Darftellung der grofsen Refultate, welche die Schlacht hervorbrachte. — Mit dem Augenblicke, wo *Bonaparte* ein englifches Schiff beftieg, wechfelt der Schauplatz der Begebenheiten und befindet fich, nebft der Perfon des Helden, zu den Engländern hinverfetzt. *W. S.* kannte perfönlich mehrere unter den neuen Acteurs; von allen Seiten erhielt er bereitwillig Auskünfte, felbft amtliche Mittheilungen, fowohl über *Napoleon's* Aufenthalt am Bord des Bellerophon, als in Betreff feiner Ueberfahrt von den englifchen Küften nach der Infel St. Helena. Diefe allerdings merkwürdigen Actenftücke dürften indeffen viel weniger, als der Vf. glaubt, den langen Streit zu entfcheiden vermögen, der fich zwifchen *Bonaparte*, der bis zu feinem Tode behauptete, er habe England nur einen Befuch abgeftattet, und den englifchen Miniftern erhob, die ihrerfeits fo unhöflich waren, in dem Befuche eine wirkliche Untergebung feiner Perfon zu erblicken. *W. S.* hat feine Erzählung gröfstentheils aus Capitän *Maitland's* Bericht entlehnt; fie kann daher freylich nur einfeitig feyn; wer indeffen die feltfame Streitfrage gewiffenhaft zu unterfuchen vornimmt, für den ift feine Erzählung, oder [illegible] mehr feine Vertheidigungsfchrift zu Gunften [illegible] Einen der ftreitenden Parteyen ein unumgän[glich] [illegible] Actenftück. Billigkeit und Vorficht erforder[n, dafs] man diefe Erzählung fowohl über jenen Strei[t, als] auch über die fpäteren Zwiftigkeiten zwifch[en Bo]naparte und *Sir Georg Cockburn* und *Sir H[udson] Lowe*, mit Mifstrauen, aber auch mit Aufm[erkfam]keit zu Rathe zieht. Ueber einen Punkt [illegible] wird der verftändige Lefer mit dem G[efchicht]fchreiber einverftanden feyn; es ift diefs [illegible] lich etwas fpätre Bemerkung, dafs die S[illegible] jener Zänkereyen unter der Würde der [illegible] ift. — Was dagegen im höchften G[rade der] Würde angemeffen und daher in ftärke[ren] und gröfsern Zügen hätte gefchildert wer[den kön]nen, diefs find das frühzeitige Ende und [die let]ten Tage des Mannes, der, als ein blofser [illegible] auf einer kleinen Infel des Mittelmeeres [illegible] in der Nähe feines Thrones die Gefandten [der] Potentaten Europas, mit Ausnahme eines E[illegible] fich beugen fahe, zu deffen Gefängniffe [illegible] Gefandten von vier grofsen Mächten gefchickt [wur]den und der, vom Glücke verlaffen, auf [einem] Felfen im Weltmeere nicht als der Beher[rfcher,] fondern noch als der Gefangene der Welt [illegible] Diefe Entwicklung eines fo grofsen Dramas [illegible] man bey unferen Gefchichtfchreiber, wiewo[hl] wenig verkleinert, jedoch immer in fehr [illegible]fanten Zügen gefchildert. Das folgende [illegible] Schlufs überfchrieben, fteht bey weitem [illegible] Schilderung. Es enthält daffelbe eine [illegible] Ueberficht von *Napoleon's* Schickfalswechfel, [illegible]nie und Charakter. — Zwar wird man nicht [illegible] Principien des Vfs., nach den Schlüffen, die [er] daraus zieht, beyftimmen können; allein man [wird] nicht verkennen, dafs er fich darin oftmals bis [zur] Höhe feines Gegenftandes zu erheben weifs, ihn bisweilen richtig beurtheilt und ein nicht gewöhnliches Talent beweifet. Es möchte bedünken, *W. S.* habe alle feine Kräfte gefammelt, um mit einem glänzenden Zuge fein Werk zu fchliefsen. — Rec., der bey diefem Werke, mit Rückficht auf die Anfprüche, zu denen der Name des Vfs. berechtigte, etwas länger verweilte, als deffen wirklichen Werth es, nach dem darüber Gefagten, zu verdienen fcheint, wird fich defto kürzer bey den beiden übrigen Gefchichtswerken faffen, deren Anzeige er hier übernommen hat. Er wird dies um fo eher können, da er über deren Inhalt und die etwanigen Vergleichspunkte mit *W. S's.* Werke bereits im Eingange Mehreres anführte und überdiefs Nr. 2 fowohl, wie Nr. 3 bis jetzt nur noch grofse Fragmente find. — Hr. *Thibaudeau* beabfichtigte, wie aus feiner Vorrede fich ergiebt, keinesweges, eine vollftändige und erfchöpfende Gefchichte *Napoleon's* zu liefern. Sein urfprünglicher Plan

ß blofs dahin, Materialien für den dereinGeschichtschreiber zusammenzustellen, und
Reiz seines Gegenstandes riss ihn dahin, die
he Form anzunehmen. Die Bestrebungen
fs., der sich auf so bescheidene Ansprüche
nkt, verdienen dankbar Anerkennung. Seine
mühevolle Compilation wird von Napoleon's
tigen Historiographen gewiss mit Nutzen zu
gezogen werden, zumal da er derselben nicht
lesslich und gleich dem britischen Geschicht-
er Memoiren zu Grunde legte, sondern da-
auch noch aus jenen andern Quellen schöpfte,
gänzliche Vernachlässigung wir diesem zum
rfe machen. — Was besonders in Hn. T's.
e gefällt, das sind die leidenschaftlichen
, die der junge Eroberer Italiens in Mitte sei-
ege an Josephine schrieb. Diese Briefe, worin
ie zärtlichen Gefühle, die Besorgnisse des lie-
n Gatten sich äussern, bilden einen köstlichen
h mit den Gefahren, den Triumphen und dem
unbefleckten Kriegsruhme ihres Vfs. Es ge-
t ein besonderes Vergnügen, in das Innere die-
grossen Seele gerade in dem Augenblicke zu
en, wo sie der Menschheit dem Genie so über-
a zu seyn scheint. Jene heftigen Leidenschaften,
ch bald alle in einen strafbaren Ehrgeiz verwan-
und concentriren werden, entschleyern sich
in einem Zustande des Kampfes und zeigen sich
mbestimmte, ungeordnete, allein oft als gröss-
hige, wohlwollende Affecte. Man könnte sie
lose, vage Wünsche nennen, die sich bisweilen
iner schwärmerischen Liebe, nicht selten auch
iner tiefen Schwermuth auflösen, die sich mit
Rausche der Jugend und des Krieges vermischt. — Für den vierten Band konnte Hr. T.
ht mehr Napoleon's eigene Dictaten zu Rathe zie-
, da derjenige Theil seiner Memoiren, die auf
n ägyptischen Feldzug Bezug haben, seither noch
ht dem Drucke übergeben wurden. Der Vf. war
mnach genöthigt, diese Hülfsquelle, welche ihm
y der Abfassung des ersten Bandes so trefflich zu
itten kam, auf andere Weise zu ersetzen. Bis
f die von Hn. T. sich selbst gesetzte Grenze hat er
ich diese Aufgabe zu lösen gewusst. — Schwieri-
er möchte es Hn. Buchholz werden, in den drey
änden, worauf sich sein Werk beschränken soll
nd bey seinen Ansprüchen, als Geschichtschreiber,
iberall Befriedigung zu gewähren. Den Inhalt des
rsten Bandes haben wir bereits angegeben; der
weyte soll, wie es die Vorrede verkündigt „das Ti-
gerleben der demokratischen Republik, in allen seinen Abstufungen, bis zum sogenannten 18. Brumaire"
schildern; der dritte endlich die Verwaltung des
französischen Reichs durch N. Bonaparte bis zum
zweyten Pariser Frieden im J. 1815. Er versichert
eben daselbst, dass er bey Bearbeitung seines grossen
Gegenstandes mit der Unbefangenheit eines Naturforschers zu Werke gegangen sey und nur darauf
Bedacht genommen habe, den Begebenheiten weder
etwas zu leihen noch zu nehmen. Nach dieser Ver-

sicherung dürfte man vielleicht erwarten, Hr. B. werde sich lediglich auf eine objective Darstellung dieser Begebenheiten beschränken, seinen Lesern selbst die Auffassung des subjectiven Standpunkts der Beurtheilung ihrer ursächlichen Verkettung anheim gebend. Allein diess ist nicht unseres Vfs. Manier, Geschichte zu schreiben; er gehört vielmehr der sogenannten philosophischen Schule der Historiker an, und als deren Zögling unterbricht er nur allzuoft die Erzählung der Begebenheiten, durch die eingeschaltete Darstellung seiner Art die Dinge zu sehen. Diese Art ist aus Hn. B's. zahlreichen politischen und historischen Schriften hinlänglich bekannt, als dass es einer kritischen Erörterung derselben hier noch bedürfen sollte. Allein um darzuthun dass sich der Vf. auch in diesem Werke consequent blieb, wird sich Rec. einige Anführungen erlauben. Es ist bereits mit Bezugnahme auf *Walter-Scott's* Ansichten über die Ursachen der französischen Staatsumwälzung in Kürze angedeutet worden, worin Hr. *B.* diese Ursachen zu finden glaubt. In einem ähnlichen Geiste beurtheilt derselbe die Bestrebungen der constituirenden Nationalversammlung und deren Resultate. Ihre Aufgabe war, sagt er, die Bewohner Frankreichs in einen Zustand zu versetzen, welcher der Entwickelung individueller Kräfte günstiger wäre, als der worin sie bisher gelebt hatten. Hierbey war allerdings das Königthum einer von den Hauptpunkten, welche ins Auge gefasst werden mussten. Vernichtung desselben und die Errichtung einer Republik, an der Stelle der Monarchie, lag nun freylich keineswegs in der Absicht der Mitglieder dieser Versammlung. Allein, da es ihnen durchaus an einer hinreichenden Kenntniss der Bedingungen fehlte, unter denen die Monarchie fortzudauern vermag, so schwebten sie als Gesetzgeber in der grössten Gefahr, das Gegentheil von dem zu bewirken, was sie beabsichtigten. „Die Nothwendigkeit einer *alles umfassenden Autorität*, wenn von der Erhaltung der gesellschaftlichen Ordnung die Rede ist, leuchtete ihnen eben so wenig ein, wie das einzige wirksame Mittel diese Autorität sicher zu stellen. Voll von den Wahnbegriffen ihrer Zeit (?) fanden sie die letzte Ursache des Despotismus in der *Vereinigung der gesetzgebenden und vollziehenden Gewalt*, ohne zu erwägen, dass das, was ein König davon ausübt, nicht nur ganz unschädlich, sondern auch im höchsten Grade nützlich seyn kann, wenn der ganze Staats-Organismus von einer solchen Beschaffenheit ist, dass der königliche Wille erst dann auf die Gesellschaft übergeht, wenn er hinlänglich geläutert worden ist.... Mit einem Worte: die constituirende Versammlung wusste nicht, dass die Gewalt theilen, so viel heisst, als die Gewalt, wo nicht vernichten, doch in Widerspruch mit sich selbst setzen." — Und seiner Erzählung der Begebenheiten des 10. August fügt Hr. *B.* folgende Bemerkung bey: „Vergleicht man den ersten Schritt der constituirenden Versammlung zur

Usur-

Usurpation der gesetzgebenden Gewalt mit dem Dekrete, wodurch die Suspension des Königthums verordnet wurde: so ist alles, was zwischen beiden in der Mitte liegt, nichts mehr und nichts weniger, als das Werk einer verkannten Natur der menschlichen Dinge, die es mit sich bringen, dass Gesetzgebung und Vollziehung der Gesetze eben so wenig gesondert werden dürfen, als Gedanke und That gesondert werden können." — Im Widerspruch mit dem Tadel, den hier Hr. *B.* über die const. Versammlung verhängt, scheint der Beyfall zu stehen, den er ihren Bestrebungen am andern Orte ertheilt. „Betrachtet man, sagt er unter Andern, die von der const. Versammlung ausgegangene Gesetzgebung in dem Lichte eines Mittels, wodurch man nicht bloss dem Staats-Bankerot entging, sondern auch die Nationalkraft, diese einzige Quelle aller Regierungsmacht verstärkte, so geräth man nicht länger in die Versuchung, die const. Versammlung zu tadeln. „Sie lösete die ihr vorgelegte höchst schwierige Aufgabe, im Grossen genommen, auf eine Weise, die sie noch jetzt zum Gegenstande der Achtung und Ehrerbietung macht".... Die Lösung dieses Widerspruchs möchte vielleicht in des Vfs. bekannten Antipathien zu finden seyn. Hiernach, — denn ein zureichender Beweis wird nicht geführt, — wäre es dem Adel und der Geistlichkeit zuzuschreiben, dass das Verfassungswerk eine so unglückliche Wendung nahm; denn beide fassten, wie Hr. *B.* behauptet, bald nach der Versetzung der National-Versammlung in die Ringmauer der Hauptstadt, den Entschluss „auf Uebertreibungen hinzuwirken, um auf diesem Wege den alten Zustand der Dinge, — denjenigen, worin es für sie ausschliessliches Gedeihen gab, — desto sicherer zurückzuführen." —

Da wir Nr. 1 und Nr. 2 in deutschen Uebersetzungen vor uns liegen haben, so schliessen wir mit der Bemerkung, dass uns besonders die Uebersetzung von *Walter Scott's* Werke äusserst mittelmässig geschienen hat.

SPRACHKUNDE.

BRESLAU, b. Gosohorsky: *Handbuch der neueren französischen Sprache und Literatur,* zum Gebrauch für höhere Schulanstalten; enthaltend längere Proben aus den Werken von Ancillon, Mme de Staël, Chateaubriand, Lacretelle, Jomini, Napoléon Buonaparte, Las Cases, de Pradt, Ségur dem jüngeren, Ségur dem älteren und Joseph de Maistre. Mit kurzen biographischen Notizen. Gesammelt und herausgegeben von *Karl Adolph Menzel,* Kön. Preuss. Consistorial- und Schulrath. 1827. VI u. 306 S. 8. (1 Rthlr.)

Es war ein sehr glücklicher Gedanke des Herausgebers, für die höheren Klassen der Gymnasien eine neue Auswahl von prosaischen Aufsätzen der besten neueren französischen Schriftsteller zu veranstalten. Das sonst treffliche Werk von *Ideler* reichte offenbar nicht mehr aus. Der Lernende blieb beym Gebrauch desselben unbekannt mit der höchst merkwürdigen Entwicklung welche Ideen und Sprache in Frankreich seit der Revolution erfahren haben, und, wenn man etwa *Montesquieu, Buffon* und *Rousseau* ausnimmt, so bot auch die ältere, wenngleich noch immer als klassisch verehrte, Literatur der Franzosen nur wenig dar, was der heutigen Bildungsstufe und der Geistesrichtung deutscher Jünglinge entsprechen könnte. Ueberdruss, Langeweile und unbillige Verachtung waren daher oft die Früchte des Lesens solcher Werke welche selbst in Frankreich zu den veralteten gehören. Die von dem Herausg. getroffene Wahl sowohl der Schriftsteller, welche der Titel wohlständig angiebt, als der daraus entnommnen Stücke ist durchaus nur zu loben, und man kann es nur bedauern, dass äussere Umstände, wie er selbst sagt, ihn genöthigt haben, mehrere schon ausgewählte Proben aus *Salvandy's D. Alonso,* aus *Lacretelle's* Geschichte der Religionskriege u. a. zurückzulegen; dass aber bey dieser Gelegenheit auch die Fr. *v. Genlis* bey Seite gelegt worden, ist sehr zu billigen, da sie dem Geiste und zum Theil auch der Sprache nach noch ganz einer früheren Zeit angehört. Die biographischen Notizen könnten etwas reichhaltiger seyn. Auf die bey einem solchen Werke so höchst wichtige Correctheit des Drucks ist augenscheinlich grosser Fleiss gewendet worden, und die wenigen eigentlichen Druckfehler sind meist noch am Ende angegeben. Dagegen sind dem Rec. mehrere nicht sowohl Druckfehler als eigentliche Sprachfehler aufgefallen, welche leider unberichtigt geblieben, so z. B. *bien de difficultés* für *des; les affaires* f. *ces; toute autre* f. *tout; plus dégout,* f. *plus de dégout;* u. s. w. Die meisten Fehler finden sich in den Accenten. — So sehr nun auch diese Sammlung für höhere Schulen empfohlen zu werden verdient, so fürchtet Rec. doch, dass sich wenig Lehrer finden werden, welche nicht hie und da, besonders in dem epigrammatischen Stil der Fr. *v. Staël* und in der oft räthselhaften Gedrängtheit und Willkür der Sprache *Napoleon's,* unauflösliche Schwierigkeiten finden sollten; die besten Wörterbücher möchten schwerlich ausreichen diese Sammlung ganz verstehen zu helfen.

[AL]LGEMEINE LITERATUR-ZEITUNG

October 1828.

SCHÖNE KÜNSTE.

[BER]LIN u. STETTIN, b. Nicolai: *Beyträge für das Studium der göttlichen Comödie Dante Alighie[ri]'s*, von *Bernhard Rudolph Abeken*. 1826. VIII [u. 3]70 S. 8. (1 Rthlr. 20 gGr.)

[Dan]te, Jahrhunderte lang in Deutschland kaum [mehr] als dem Namen nach bekannt, und selbst in [seine]m Vaterlande seit dem Anfange des 17ten Jahr[hund]erts fast ganz in Vergessenheit gerathen, hat in [den] letzten 30 Jahren in Deutschland und Italien, [ja] selbst in Frankreich und England, zahlreiche [Ver]ehrer gefunden. Wiederholte neue Ausgaben [de]s grofsen Gedichts, Uebersetzungen, Commen[tare], Abhandlungen, geben die erfreulichsten Be[wei]se, dafs ein besserer Sinn erwacht sey, und sich [die] Verehrung und Liebe zu einem der gröfsten [Dic]hter der neueren Zeit zurückgewendet habe. [Au]ch unter uns ist viel für Dante geschehen. Zwey [Ue]bersetzungen, eine jede in ihrer Art ausgezeich[net] zu nennen, sind in den letzten Jahren erschie[nen], und haben, wie es scheint, verdienten Beyfall [gef]unden; aufserdem mehrere Abdrücke der Div. [Co]mm., besonders aber die Ausgabe des Dante im *[Pa]rnasso italiano*, von *E. Fleischer*, welche als [Ha]ndausgabe wenige ihres Gleichen hat, und die [lei]der hier und dort zerstreuten musterhaften Aufsätze [de]s Prof. *Witte*. Bey dem Allen aber vermifste man [no]ch ein Werk, welches den nicht schon durch [ei]gnes Studium mit dem Dante Vertrauten mit dem [Z]eitalter, den Lebensumständen des Dichters und [d]en Eigenthümlichkeiten seines grofsen Gedichts be[k]annt machte; ein Werk, welches geeignet wäre, [d]as Studium des Dichters zu fördern und ihm Freunde zu erwecken unter solchen, die ihn bisher nur dem Rufe nach kannten. Ein solches zu liefern ist die Absicht unsers Vfs. gewesen, und im Allge[m]einen mufs man ihm grofsen Dank wissen, dafs er diese Lücke in unsrer Literatur auszufüllen gestrebt [h]at. Sein Werk verräth nicht allein eine grofse Be[k]anntschaft mit der *Div. Comm.* und mit dem Dichter [ü]berhaupt, sondern, was vorzüglich zu rühmen ist, [e]s ist reich an eigenthümlichen und scharfsinnigen [B]eobachtungen und beruht gröfstentheils auf eignen [u]nabhängigen Forschungen. Der Vf. sagt in der [V]orrede, dafs er eine prosaische Uebersetzung der Göttlichen Comödie gefertigt und sie mit Excursen [u]nd einem Commentare begleitet habe. Aus diesem [u]ngedruckt gebliebenen gröfseren Werke scheint [d]as gegenwärtige entstanden zu seyn, indem nämlich der Vf. aus den Excursen wahrscheinlich dasjenige gewählt hat, was ihm theils das Vorzüglichste, theils das am meisten für seinen gegenwärtigen Zweck Geeignete schien. Eben hierin liegt nun aber auch der Grund aller Mängel dieses Werks. Dafs es ein fragmentarisches Ansehen habe, wie der Vf. selbst zugesteht, möchte wohl nicht der Hauptvorwurf seyn, der seine Arbeit trifft, sondern vielmehr, dafs er sich keines festen und bestimmten Planes dabey bewufst gewesen zu seyn scheint. Wollte er, wie der Titel besagt, Beyträge für das Studium der Göttlichen Comödie überhaupt liefern, so hat er offenbar bey weitem zu wenig gegeben, da sich der unendlich gröfste Theil des Werks nur mit dem *Inferno* beschäftigt, und von den übrigen Theilen des Gedichts nur sehr beyläufig die Rede ist. Wollte er sich darauf beschränken, dem Leser zur Kenntnifs und Beurtheilung des *Inferno* Anleitung zu geben, so hat er auch diefs nur sehr mangelhaft gethan; da, wie wir sehen werden, seine hier abgedruckten Excurse nur die neun ersten Bücher des *Inferno* umfassen, und manches finden wir dann hier, was füglich für einen 2ten und 3ten Band dieser Beyträge hätte verspart werden sollen. Wenn, wie wir hoffen und recht sehr wünschen, der Vf. uns bald mit mehreren ähnlichen Beyträgen beschenkt, wird er diese Planlosigkeit seiner ersten Sammlung gewifs schmerzlich empfinden. Eben so ist es sehr zu tadeln, dafs in Folge dieses Mangels an einem bestimmten Plane, manches hier auseinander gerissen erscheint, was besser zu Einem Aufsatz wäre verarbeitet und dadurch lästige Wiederholungen wären vermieden worden. Der Vf. gesteht selbst, dafs ihm mehrere wichtige Hülfsmittel zu seiner Arbeit gefehlt haben, und leider bemerkt man diesen Mangel besonders in den zwey ersten Aufsätzen, die unstreitig reicher und gründlicher gerathen seyn würde, wenn ihm namentlich die trefflichen Arbeiten *Dionisi's* und die *Cronichette d'Italia*, von *Gasp. degli Orelli*, bekannt gewesen wären. — Um aber die Leser in den Stand zu setzen, den gleichwohl reichen Inhalt und den Werth dieses Werks zu beurtheilen, wollen wir nun die einzelnen Aufsätze desselben durchgehen und mit einigen Bemerkungen begleiten.

Dante's Zeitalter, S. 3—71. Mit Recht hat der Vf. gefühlt, dafs eine möglichst genaue Kenntnifs des Zeitalters und des Volks, in welchen der grofse Dichter gelebt, zum Verständnifs seines Gedichts unentbehrlich sey. Was er hier geleistet, um seine Leser mit den politischen, religiösen, wissenschaftlichen und künstlerischen Verhältnissen und Bestre-

 bungen

bungen der Italiener des 13ten und 14ten Jahrhunderts vertraut zu machen, ist im Ganzen höchst lobenswerth. Am wenigsten aber hat den Rec. befriedigt, was über die Ausbildung der Sprache und der Poesie gesagt ist. Hier finden wir die so oft wiederholte Meinung von einem Einfluss der Sarazenen auf die Poesie der neueren Völker wieder, wogegen sich doch so vieles einwenden lässt und wobey namentlich höchst auffallend erscheinen muss, dass in dem Lande, in welchem Araber und Christen am längsten und am innigsten in Berührung gewesen, in Spanien nämlich, sich mit Ausnahme etwa der Romanze, durchaus nichts nachweisen lässt, was von den Arabern entlehnt und mit den Formen der neueren Poesie in der Provenze und in Italien die mindeste Aehnlichkeit hätte. Auf keinen Fall also scheint es, dass man den Arabern einen formellen Einfluss auf die neuere Poesie zuschreiben dürfe, und es wäre zu wünschen, dass einmal ein tüchtiger Orientalist diese Frage, über den Einfluss der Sarazenen auf neueuropäische poetische Bildung, gründlich in Betracht nähme. Der Einfluss der Provenzalen auf die Italiener und namentlich auch auf die Sizilianer ist dagegen allerdings nicht zu leugnen. Auf keinen Fall aber möchte Rec. mit dem Vf. die Provenzalen zu Erfindern des Sonetts machen, da sich, wenn man nicht ganz irrig von der Identität des Namens auf die Identität der Form schliessen will, bey den Provenzalen durchaus nichts dem Sonett ähnliches findet. Noch viel weniger aber darf man, wie der Vf., dem noch ganz rohen, von Dante gering geachteten *Guittone d'Arezzo* die Ehre beylegen, dem Sonette die geregelte, feste Form gegeben zu haben, welche man schon bey *Pietro delle Vigne* findet, oder gar ihn einen Vorläufer *Petrarca's* nennen. Hätte der Vf. *Orelli's* treffliche Beyträge zur Geschichte der italienischen Poesie und *Monti's Proposta* gekannt, so würde dieser Abschnitt bey weitem richtiger und besser ausgefallen seyn. — Auch der 2te Auffatz: *Das Leben Dante's*, S. 72—126, wäre mehrerer Berichtigungen bedürftig, und man vermisst darin mehr als in irgend einem andern Theile dieses Werks eigne Untersuchung und strenge Kritik. Mehrere wichtige Punkte aus dem Leben Dante's, seine Reise nach Paris, sein Aufenthalt bey *Cangrande* und bey *Guido novello* sind hier durchaus nicht so gründlich untersucht, als man billig erwarten sollte. Manches ist offenbar unrichtig: nicht an den Hof von Ungern soll Dante gesendet worden seyn, sondern höchstens an den Prinzen Carl Martell von Neapel, welcher den Titel eines Königs von Ungern führte, und es kann wohl als ausgemacht gelten, dass nicht Dante während seines Priorats die Verbannung der Häupter der Weissen und Schwarzen vorgeschlagen und durchgeführt habe, was vielmehr später geschah und was auch selbst *Dino Compagni* keinesweges ausdrücklich behauptet. Ein schlimmes Versehen ist dem Vf. S. 85 begegnet, wo er das Verbannungsdecret Dante's anführt und die

von *Borghini* und *Pelli*, welche dieses D[illegible] citiren, demselben zur Erläuterung [illegible] italienischen Phrasen als zum Text gehörig [illegible] abdrucken lassen, und sogar daraus dem Sch[illegible] dass man damals das Lateinische mit der *Ling[illegible] gare* in solchen öffentlichen Acten vermis[illegible] welches hier wenigstens durchaus nicht der F[illegible] Hierauf folgen: *Abhandlungen über einz[illegible] Göttliche Comödie betreffende Punkte*, und [illegible] erst: *Die Allegorie der Göttlichen Comödie*, [illegible] *sten Gesange des Inferno*, S. 127 — 145, [illegible] Ganzen sehr befriedigender Abschnitt, [illegible] einer Schrift von V. Schmidt entlehnten B[illegible] gen über die Sagen von Virgil im Mitte[illegible] Rec. dem Vf. gern erlassen. Nicht den in[illegible] des Volks zum Schwarzkünstler und Z[illegible] wordenen Virgil, sondern den von ihm [illegible] dern hochverehrten Dichter, welcher se[illegible] lenfahrt besungen, und zugleich für ein[illegible] Propheten und Verkündiger des Christenth[illegible] wählte Dante höchst schicklich zu seinem F[illegible] Im 2ten Auffatz: *Beatrice, zum zweyten* [illegible] S. 146—173, giebt der Vf. einen Auszug [illegible] *Vita nuova*, um die Liebe Dante's zur Bea[illegible] schaulich zu machen. Gewiss sehr zweck[illegible] aber wenn dem Vf. diese Liebe doch im Gr[illegible] eine phantastische scheint, bey welcher wenig[illegible] ankomme, ob die Geliebte, wie er nach der [illegible] lichen Nachricht bey *Boccaccio* annimmt, [illegible] dern geheirathet habe, oder gar gestorben sey, [illegible] er sich, auf *Dionisi* berufend, (der es aber [illegible] entschiedenste verwirft,) von andern Lie[illegible] des Dichters redet und dabey gar an *Petrar[illegible]* bert, dessen ganzer Sinn und Leben gar kei[illegible] gleich mit Dante gestatten; wenn er en[illegible] höchst moderne und flache Ansicht *Biagi[illegible] Beatrice* eine glückliche nennt, und die [illegible] lichen Beweise desselben für die Richtigkeit [illegible] Ansicht wenigstens gelten lässt, so kann ihm [illegible] hierin unmöglich beystimmen. — Im folgenden Auf[illegible] satz: *Dante's Originalität*, zum 3ten Gesange, S. 17[illegible] —198, wird auf eine erfreuliche Weise die innere Verwandtschaft zwischen Homer und Dante nachgewiesen, und wie hoch dieser über den Virgil stehe. Bey dieser Gelegenheit werden auch die wunderlichen Meinungen, über die Quellen, aus welchen Dante geschöpft haben solle, geprüft und verworfen. Schwerlich aber möchte die Ansicht des Vfs., da[illegible] unter den drey Theilen der Göttlichen Comödie das *Inferno*, in Hinsicht auf die Kunst, unbedenklich [illegible] vollendetste zu nennen sey, auf Billigung der [illegible] Anspruch machen können; eben so wenig a[illegible] ihm zugeben kann, dass der Göttlichen Comödie [illegible] Heiterkeit späterer Kunstwerke fehle. Wo der [illegible] lige Ernst des Christenthums über das Ganze wal[illegible] wo der Leser stufenweise durch die Gefühle der Ver- zweiflung, der Hoffnung und der Seligkeit, oder [illegible] dem Abgrund der Sünde zur Erlösung geführt wird, wo Ton und Farben des grossen Gemäldes so genau wie hier, jenen Gefühlen entsprechen, da ist nicht wohl urfehen, welch eine Heiterkeit von einem Werke noch gefordert werden dürfe. — ende Auffatz ist überschrieben: *Dante und iftsteller des Alterthums*, zum 4ten Gefange, -212. In einer Zugabe fucht der Vf., aber nicht mit ausreichenden Gründen, die Mei- vertheidigen, dafs Dante Griechifch ge- abe; erkennt aber dagegen mit vollkommnem die von *Viviani* zuerst bekannt gemachten r das urfprüngliche Werk Dante's gehaltenen chen Gefänge des *Inferno* für eine alte Ueber- g. Darin aber irrt er, dafs *Fontanini* einige feinem MS. befindlichen lateinifchen Verse bdrucken laffen. — *Franceska*, zum 5ten Ge- S. 215—223. Sehr fchön und wahr. Aber ann der Vf. den *Guido novello*, welcher Dan- renvoll beherbergte, für den Vater der Fran- halten, da ihn fchon der Name des Mannes eines andern belehren follen? jener Vater wird Boccaccio *Guido vecchio* genannt, und war der svater des *Guido novello*, diefer alfo der Neffe Franceska. Auch die Vermuthung hat nicht viel ich, dafs Dante Franceska'n früher felbst ge- t habe; die tragifche Begebenheit war fchon zu *Pefaro* vorgefallen. Die Gründe, welche te'n beftimmten, fo viele bedeutende, von ihm t hochverehrte Perfonen in das *Inferno* zu ver- en, lagen wohl nicht vorzüglich darin, dafs er Ganze nur als eine Allegorie betrachtet wiffen llte, wodurch doch fein Urtheil über die Perfo- felbst nicht fonderlich gemildert würde; fondern hl mehr in feinem grofsartigen und ftrengen Sinn, n alle kleinliche Rückfichten fremd waren, dann er auch wohl darin, wie er felbst fagt (*Parad.* VII, 106 feq.), dafs er, um feinen erhabenen Zweck erfüllen, grade grofser, ergreifender Beyfpiele durfte: wie kalt, ja, wie langweilig, wäre feine ölle geworden, wenn darin nur gemeine, obfcure, der längstverftorbene Menfchen erfchienen wären. chwer bleibt es allerdings zu begreifen, wie er es agen durfte, mit einem fo ftrengen Gerichte unter einen Zeitgenoffen aufzutreten, und eben diefs hat n der neueften Zeit *Ugo Foscolo* zu feiner zwar charffinnigen, aber gewifs unbegründeten Hypothefe verleitet: Dante habe fein Gedicht bey feinem Leben nie bekannt werden laffen. — In dem folgenden Auf- fatze: *Urtheil eines franzöfifchen Kritikers*, zum 5ten Gefange, S. 224—228, wird ein freylich fehr albernes Urtheil des fonst wackern *Ginguené* gründ- lich zurechtgewiefen. Wenn diefer Auffatz auch vielleicht nicht ganz in diefes Buch gehört, oder al- lenfalls als Anhang zum vorigen Abfchnitt beffer feinen Platz gefunden hätte, fo hat der Vf. doch in fofern fehr recht gehabt, ihn abdrucken zu laffen, als es leider auch unter uns nur allzuviele giebt, wel- che über wahre Kunftwerke ganz ähnliche, um kein Haar beffere, Urtheile fällen. — Den Auffatz: *Dan- te's Eintreten in die Stadt des Dis*, zum 9ten Gefange, S. 229—241, möchte Rec. den gelungenften von al- len nennen; befonders find die Bemerkungen über die verfchiedenen Arten der Allegorie überhaupt und in der Göttlichen Comödie insbefondere ei- genthümlich und wahr. Uebrigens glaubt Rec., das meifte aus diefem Abfchnitt fchon in Geftalt einer Recenfion in den Wiener Jahrbüchern gelefen zu haben. — Der folgende Auffatz, S. 242—265, giebt uns wenig mehr als einen Auszug aus dem Werke Dante's *De Monarchia*; feine Aufnahme in diefe Sammlung läfst fich indefs wohl rechtfertigen, da es allerdings zum Verftändnifs der *Div. Comm.* noth- wendig ift, Dante's eigenthümliche Anfichten von der Natur, der Verfchiedenheit und dem Urfprung der weltlichen und geiftlichen, der kaiferlichen und der päpftlichen Gewalt, genau zu kennen. — Die beiden folgenden Auffätze: *Mannigfaltigkeit des in Dante's Hölle Dargeftellten*, S. 266—296, und *Schauplatz der Göttlichen Comödie und Bedeutung deffelben*, S. 297—350, wären vielleicht beffer zu Einem Ganzen verarbeitet worden; in ihrer Tren- nung geben fie zu manchen Wiederholungen Veran- laffung. Der erfte ift nichts weiter als eine Inhalts- anzeige des *Inferno*; der zweyte giebt uns eine topo- graphifche Befchreibung des Ganzen, wobey natür- lich manches aus dem vorhergehenden Auffatze wie- der berührt werden mufste. Dafür aber ift diefer zweyte Abfchnitt fehr reich mit fcharffinnigen Beob- achtungen über die ganze Conftruction des Gedichts und über einzelne Theile deffelben, fo wie mit finn- reichen Erklärungen vieler intereffanten Einzelnhei- ten ausgeftattet, welche beweifen, wie fleifsig der Vf. die *Divina Commedia* ftudirt, und welche allein fchon hinreichen würden, fein Buch höchft empfehlens- werth zu machen. Manche einzelne Punkte giebt es hier allerdings, über welche der Rec. gern mit dem Vf. ftreiten möchte, wenn er nicht fürchten müfste, zu breit und zu umftändlich zu werden. Eine Zugabe zu diefen Auffätzen liefert noch eine *Ausmeffung der Hölle und des Fegefeuers*, und eine fpecificirte Angabe der *Dauer der Reife* Dante's. Was das Erftere betrifft, fo gefteht Rec. unverholen, dafs ihm jede auf die Berechnung der Dimenfionen der Hölle verwandte Mühe eine nutzlos verfchwendete fcheint. Wie man auch rechne und wie man auch theile, immer bleibt es eine phyfifche Unmöglich- keit, dafs folche Räume in 24 Stunden hätten durch- wandert werden können; und der Dichter felbft, der uns zwar vielfältig die genaueften Zeitbeftimmungen feiner Wanderung angiebt, aber, fo viel dem Rec. erinnerlich ift, die räumlichen Verhältniffe nur an zwey Stellen (*Inf.* 29, 9 und 30, 86) berührt, aus welchen fich unmöglich das Uebrige conftruiren läfst, fcheint mit diefem Schweigen uns andeuten zu wollen, dafs wir ihm nicht ängftlich nachrechnen follen, wo er felbft keine Aufforderung dazu giebt. Ueberdiefs ift das von *Vellutello* und feinen Vorgän- gern angenommene Grundmaafs, wonach alles übrige berechnet werden foll, die Gröfse der Riefen näm- lich und Lucifers, doch offenbar ein allzu fchwan- kendes und zu diefem Zwecke durchaus unanwend- bares. Der Vf. bedient fich im Ganzen der Be- rech-

rechnung *Vellutello's*, der sich zwar viel Mühe giebt, die Hölle zu verkleinern, um die Wanderung begreiflicher zu machen; aber was hilft es ihm, die ganze Tiefe der Hölle nur zu 250 *miglia* anzunehmen, wenn es doch immer unmöglich bleibt, auch nur diese 70 Meilen in 24 Stunden, unter so vielen zeitraubenden Gesprächen zurückzulegen; besonders da doch die nach *Vellutello*, von der Oberfläche der Erde bis zum Anfang der Höllenkreise übrig bleibenden 2950 *miglia* eben so gut von Dante innerhalb jener Zeit durchwandert werden müssen, sie mögen nun zur Hölle gehören oder nicht, und da auf der andern Seite der Erde Dante den Raum vom Centrum zur Peripherie abermals in 24 Stunden zurücklegen muss. Die ganze Sache will offenbar nicht berechnet seyn, und wir müssen uns begnügen, die Kunst des Dichters zu bewundern, der uns beym Lesen seines Gedichts so beschäftigt, und uns alle Raumverhältnisse im Einzelnen so anschaulich darstellt, dass uns die Wanderung, die Möglichkeit einer solchen einmal zugegeben, höchst einfach und natürlich erscheint. Wollte der Vf. aber durchaus von diesen Dimensionen reden, so wäre zu wünschen gewesen, dass er wenigstens alles zusammengestellt hätte, was von Verschiedenen darüber geschrieben worden ist, und namentlich ist es sehr zu bedauern, dass er das kleine, aber überaus klare und anschauliche Werk des Giambullari nicht hat benutzen können, der in mancher Hinsicht den Vorzug vor Vellutello verdient und sich grösstentheils auf die Vorarbeiten Manetti's und Benivieni's stützt. Was Landino dahingegen darüber vorgebracht hat, ist allerdings von keiner Bedeutung. Die chronologische Berechnung der Dauer der Wanderung ist in ihren einzelnen Theilen zwar richtig, aber den Anfangspunkt der Reise hätte der Vf., wenn er Dionisi gekannt, oder wenn ihm Kannegiessers Bemerkungen, die er hier nachträglich giebt, früher zu Augen gekommen wären, wohl auch wie dieser auf den 25sten März verlegt. Eine *allgemeine Uebersicht über den Schauplatz der Göttlichen Comödie*, welche alle Abtheilungen der drey Theile und die Beschaffenheit der darin hausenden Seelen angiebt, beschliesst das Werk.

Einige kleine Irrthümer und Versehen, welche dem würdigen Vf. hie und da entschlüpft sind, lässt Rec. um so mehr ohne weitere Erwähnung, als sie schon an einem andern Orte nicht ohne Bitterkeit sind gerügt worden.

Wenn der Vf. in seiner Vorrede sagt, dass ihm in Deutschland kein Werk bekannt sey, welches mehr und Ausführlicheres über diesen Gegenstand böte, als das seinige, so stimmt ihm Rec. darin, und zwar nicht bloss in Beziehung auf Deutschland, sondern überhaupt, vollkommen bey. Der Vf. hat unstreitig eine höchst verdienstliche Arbeit geliefert, und es ist nur zu wünschen, dass sie in recht viele Hände kommen möge, und dass der Vf., wie er es hoffen lässt, uns bald mit ähnlichen Früchten seines Studiums der Göttlichen Comödie erfreuen möge.

KIRCHENGESCHICHTE.

PARIS: *Lettres de Saint Pie V. sur les affaires religieuses de son temps en France.* 1826.

Vorliegende Sammlung enthält die wichtigsten Briefe des Papstes *Pius* V. über den genannten Gegenstand, an der Zahl neun und dreyssig und aus den Jahren 1567 u. folg. bis zu dem J. 1572, dem Jahre der Pariser Bluthochzeit, welche jener Papst durch den in seinen Briefen ausgesprochenen Grundsatz: „*de ne cesser de poursuivre les hérétiques, qu'après les avoir tous détruits, de ne pas même épargner les prisonniers de guerre*," mehr als mittelbar herbeygeführt hat. Diese Briefe wurden, nebst vielen andern, in Rom von *Franz Goubau* aus Antwerpen, dem Secretair des Marquis de Castel Rodrigo, spanischen Gesandten des Königs Philipp IV, beym römischen Hofe, vor ungefähr 200 Jahren gefunden, und derselbe gab sie nachher im J. 1640 heraus. Hier erscheinen sie in einer Auswahl und aus dem Lateinischen, wörtlich so, dass selbst die Eleganz des franz. Stils der Treue aufgeopfert worden ist (S. 1) — übersetzt von *Potter*, dem Verfasser des „*Esprit de l'église*." Sie sind gerichtet an Karl IX., Katharina von Medicis, Herzog von Anjou, Kardinal von Lothringen, Philipp II., Herzog von Alba u. s. w., und alle sprechen nur die *eine* Idee, den Wunsch der gänzlichen Vernichtung der Ketzer aus. Daher haben sie auch die Worte des Papstes Pius V., welche derselbe an Katharina von Medicis, den 17ten Oct. 1569, (S. 68) schrieb: „*Gardez-vous de croire, que l'on puisse faire quelque chose de plus agréable à Dieu, que de persécuter ouvertement ses ennemis par un zèle pieux pour la religion catholique*;" als zweckmässiges Motto an der Stirn. Sie sind, als ein historisches Denkmal, zur Charakteristik des Papstes *Pius* V., ausserdem auch zur Würdigung des Geistes der *römisch*-katholischen Kirche wichtig und in sofern besonders denen zur Lectüre zu empfehlen, welche leugnen, dass die römisch-katholische Kirche vieles Unmoralische und Unchristliche in sich fasse. Oder wäre etwa jener von dem Oberhaupte der römisch-katholischen Kirche ausgesprochene Grundsatz, der als Motto diesen Briefen vorsteht, nicht unmoralisch und unchristlich? — In der Vorrede sind die vorzüglichsten Bestimmungen der katholischen Kirche, d. h. des kanonischen Rechts, über Ketzerey und Ketzer, über die Suprematie der Kirche über den Staat, Bestimmungen, welche zur Zeit ausdrücklich noch nicht widerrufen worden, zusammengestellt, und sie sind eine interessante, wenn gleich nicht allgemein erfreuliche Zugabe der Briefsammlung selbst.

ALLGEMEINE LITERATUR-ZEITUNG

October 1828.

LITERARISCHE NACHRICHTEN.

Universitäten.

Halle.

Am 14. October hatte die theologische Facultät zum vierten Male seit 34 Jahren — früher in dem ganzen Zeitraume von der Stiftung bis 1825 nur *Ein* Mal (s. A. L. Z. 1825. Nr. 130.) — die Freude, einem ihrer Mitglieder zu seinem akademischen Lehrjubiläum Glück zu wünschen. An die drey ehrwürdigen Jubelgreise *Knapp*, *Niemeyer*, *Wagnitz*, von denen die beiden ersten leider! schon ihrer segensreichen Wirksamkeit entrissen sind, schloss sich als der vierte der nunmehrige Senior der theologischen Facultät und der vereinten *Friedrichs*-Universität überhaupt, Hr. Prof. u. Dr. theol. *Michaël Weber*, welcher seit 1816 der hiesigen vereinten Universität, früher der Wittenbergischen, angehört.

Der geehrte Jubilar ist am 8. Dec. 1754 in dem Dorfe Gröben zwischen Weissenfels und Zeiz geboren, besuchte die Stiftsschule zu Zeiz, seit 1774 die Universität Leipzig unter *Ernesti* und *Crusius*, erhielt 1777 unter *Schröckh* in Wittenberg die Magisterwürde, und habilitirte sich darauf am 14. Oct. 1778 in Leipzig als Magister legens durch Vertheidigung seiner Dissertation: *Specimina exegetico-critica ad nonnullos N. T. locos.* Gegen 6 Jahr lehrte er in Leipzig, wurde Baccalaureus der Theologie, Nachmittags-, dann Frühprediger an der Universitätskirche, und zuletzt ausserordentlicher Professor der Theologie. Hierauf wurde er 1783 als ordentlicher Professor der Theologie nach Wittenberg versetzt, nachdem ihn die theologische Facultät zu Leipzig zuvor nach den gewöhnlichen zweytägigen feyerlichen Disputationen zum Doctor der Theologie creirt hatte. Er lehrte dort 32 Jahre, war zugleich Prediger an der Schlosskirche, bekleidete siebenmal das Rectorat, und leitete als Ephorus der Stipendisten mit der ihm eigenen grossen Gewandtheit im lateinischen Vortrag und im Disputiren die Disputirübungen der Stipendiaten. Zuletzt Professor Theologiae primarius geworden, brachte er während der Belagerung von Wittenberg durch die Preussen beynahe ein Jahr in Schmiedeberg zu, und ward dann Pfingsten 1816 nach Halle versetzt. Er machte sich hier besonders durch die beredte und geschmackvolle Latinität seiner (ausschliesslich lateinisch gehaltenen) Vorlesungen und seit 1822 seiner im Namen des Stipendien-Ephorats und der theologischen Facultät geschriebenen Programme fortdauernd rühmlich bekannt, ward auch im Anfang d. J. von E. hohen Königl. Ministerio zum Mitgliede der hiesigen theologischen Prüfungscommission bestellt. Von seinen Schriften bemerken wir hier unter andern seine *Ausgabe der symbol. Bücher* (Wittenberg 1809) und die *Confutatio Pontificia e codice Dessaviensi exscripta et cum Prolegomenis atque Epilegomenis edita.* Auch sind die Briefe Johannis und der Brief an die Galater von ihm deutsch übersetzt und erläutert worden, und unter mehreren ascetischen Schriften wurde eine dreymal aufgelegt. Mehrere seiner früheren in Wittenberg verfassten Programme erscheinen jetzt neu unter dem Titel: *Opuscula academica eaque apologetica Vitebergae publice scripta*, Lips. sumtibus Hartmanni 1828. Nach der Vorrede ist zu hoffen, dass auch die übrigen theologischen Programme, die der Jubilar früher in Leipzig, dann in Wittenberg und zuletzt in Halle geschrieben hat, nachfolgen werden. Seine in Halle verfassten philologischen akademischen Gelegenheitsschriften werden jetzt in Leipzig bey *Voss* zusammengedruckt.

Am Vormittage des oberwähnten feyerlichen Tages nahm der Jubelgreis die zahlreichen Glückwünschungen der Behörden, seiner Collegen und Freunde entgegen. Die in corpore erscheinende theologische Facultät überreichte ihm durch ihren Decan, Hn. Cons. Rath Dr. *Gesenius*, ein vom Hn. Prof. Dr. *Fritzsche* verfasstes Glückwünschungsprogramm des Titels: *Viro S. V.* etc. *Michaëli Webero* cet. *quinquaginta annos in munere academico felicissime transactos gratulatur Theologorum Ordo acad. Fridericianae Halensis cum Vitebergensi consociatae interpr. Chr. Frid. Fritzsche, Theol. D. et Prof. honorario. Subjectae sunt Observatt. ad Matth.* 5, 29. 30. 39. (Es werden darin die verschiedenen Versuche der Ausleger, die erwähnten etwas hart und paradox klingenden Gebote des Erlösers zu mildern, aufgezählt und beurtheilt, und dahin entschieden, dass dieselben allerdings wörtlich zu nehmen seyen, Christus aber das Extrem, den äussersten Fall vor Augen gehabt habe. „Auge und Hand zu verlieren ist ein unendlich kleineres Uebel, als durch Unzucht auf ewig elend zu werden." „Dulde lieber das Aeusserste, ehe du dich durch Rache erniedrigst: gieb lieber alles Preis, ehe du dich durch Processe versündigst.") Eine Deputation der philosophischen Facultät überbrachte ihm das erneuerte Diplom mit silberner Siegelkapsel, und die stellvertretenden Herren Regierungsbevollmächtigten, der Hr. Prorector Geh. Justizrath *Mühlenbruch* und der

der Hr. Universitätsrichter *Schulze* ein gnädiges Handschreiben Sr. Majestät des Königs nebst den Insignien des *rothen Adlerordens* dritter Klasse und einen sehr theilnehmenden Glückwunsch Sr. Excellenz des Hrn. Geheimen Staatsministers Freyherrn *von Altenstein*. Im Namen des Königl. Consistorii zu Magdeburg und der K. Regierung zu Merseburg stattete Hr. Cons. Rath Dr. *Haasenritter* mündliche Glückwünsche ab, eben so die grade hier anwesenden Hr. Prof. Dr. *Fritzsche* aus Rostock im Namen der dortigen theol. Facultät, und Hr. Prof. Dr. *Niemeyer* aus Jena im Namen seiner Collegen. — Allen diesen und vielen andern antwortete der Jubilar mit der ihm eigenen Heiterkeit und Beredsamkeit, und die bescheidene Würdigung des eigenen Verdienstes konnte nur dazu dienen, die Achtung gegen dasselbe noch zu erhöhen.

Um 2 Uhr versammelte sich die Universität nebst vielen Behörden und Honoratioren der Stadt zu einem im Saale des Kronprinzen veranstalteten Gastmahle von 70 Gedecken, wo dem Jubilar unter andern von seinem aus Leipzig anwesenden 2ten Sohne, dem Prof. der Anatomie Hrn. Dr. *Ernst Heinr. Weber* in seinem und anderer Leipziger Freunde Namen eine in Form eines Diploms gedruckte treffliche lateinische Gratulation überreicht wurde, und Ernst und Scherz [illegible] wechselten. An die von dem Hrn. Prorector [illegible] *Mühlenbruch* ausgesprochenen Wünsche für [illegible] Sr. Maj. des Königs schloss sich ein von dem [illegible] selbst auf die Melodie: *Heil dir im Siegerkranz* [illegible] dichtetes lateinisches, von der ganzen Gesellschaft [illegible] ter musikalischer Begleitung gesungenes Lied, [illegible] Wünsche für König und Vaterland enthaltend [illegible] von dem Decan der theol. Facultät ausgesprochenen Toast auf das Wohl des Jubilars beantwortete [illegible] durch ein ebenfalls von ihm gedichtetes und [illegible] tem Beyfall schön gesprochenes lateinisches [illegible] worin er seine Freude aussprach, in seinen [illegible] nossen auch seine Freunde zu finden.

Der ausgezeichnete Beyfall, welcher [illegible] Sohne des Jubilars, dem Dr. Philos. Hrn. [illegible] wegen seiner trefflichen Leistungen in der [illegible] sonders der Klanglehre, von allen Seiten, [illegible] mentlich zuletzt wegen seiner in Berlin [illegible] Vorlesung entgegengekommen, musste eben[illegible] viel dazu beytragen, ihm diese Tage noch [illegible] erheitern.

LITERARISCHE ANZEIGEN.

I. Ankündigungen neuer Bücher.

Collisionen zu vermeiden, zeige ich hiermit an, dass von

M. 'Crie history of the progress and suppression of the reformation in Italy in the sixteenth century: including a sketch of the history of the reformation in the Grisons

eine deutsche Bearbeitung unter der Presse ist, und in wenigen Wochen an sämmtliche Buchhandlungen versendet werden wird.

Leipzig, im October 1828.

Joh. Ambr. Barth.

In der Fleckeisen'schen Buchhandlung in Helmstädt erschienen im Laufe dieses Jahrs folgende Werke, und sind solche in allen Buchhandlungen zu haben:

Campii, Joh. Henr., Robinson. minor. Quem denuo latine vertit perpet. vocab. et phras. observ. grammatic. et lexicograph. serie Brödero, Grotefendio Zumptioque ductorib. in usum tironum illustr. *Nagel.* Pars II. 8. 1828. 20 Ggr. (Alle beide Theile zusammen 1 Rthlr. 16 gr.)

Darstellung des Rechtsstreits zwischen dem Herzogl. Braunschweig. Kammer-Collegium und dem Oberamtmann Wahnschaffe zu Warberg über den Besitz und das Eigenthum der Commende Lucklum, mit den darin ergangenen Entscheidungen der [illegible] Braunschweig. Gerichte u. s. w. von *Julius* [illegible] dem dritten. gr. 8. 1828. Geh. 10 Ggr.

von Kalm, Fr. Ludw., Materialien zu erbaulichen populären Religionsvorträgen, vorzüglich [illegible] kirchen, über die evangelischen und apostol. Texte aller Sonn- und Feyertage des Jahrs, [illegible] auch über freye Texte, am Neujahrstage, [illegible] Erntedankfeste, in der Leidenszeit, an Communionstagen, bey Beerdigungen u. s. w. gr. 8. 18[illegible] 1 Rthlr. 21 Ggr.

Molter, G., fassliche Darstellung der *Lehre von der* Buchstabenrechnung, den Logarithmen, *Progressionen* und den Gleichungen des ersten und zweyten Grades. gr. 8. 1828. 16 Ggr.

In allen Buchhandlungen ist zu haben:

Ueber den Verfall und Wiederaufbau der protestantischen Kirche.

Ein Wort an Theologen und Laien

Von Dr. *De Valenti.*

Zweyte, völlig umgearbeitete und mit Zusätzen vermehrte Auflage.

Düsseldorf, bey J. E. Schaub.

In allegorischem Umschlag geheftet. 14 gGr.

Der Verfasser bewährt in dieser Schrift einen so gesunden praktischen Blick, solche Reinheit in der Lehre, bey

bey entschiedenem Festhalten des Evangelii, so viele Liebe gegen die Person der Gegner, so viele Lebenserfahrung, dass wir diess Buch mit voller Ueberzeugung allen denen empfehlen können, welche sich über die grosse Frage der Zeit zu belehren wünschen.

E. K.

Bey Karl Hoffmann in Stuttgart haben wohlfeile und correcte Ausgaben nachfolgender französischer Werke so eben die Presse verlassen und sind in allen Buchhandlungenzu zu haben:

Histoire de la république de Venise, par *P. Daru*, de l'académie française. 7 Vol. 12. Preis 8 Fl. 24 Kr. oder 5 Rthlr. 20 gr.

Méditations poétiques par *Alphonse de Lamartine*. 18. Preis 54 Kr. oder 15 gr.

An alle Buchhandlungen des In- und Auslandes wurde so eben folgendes empfehlungswerthe Werk versandt:

Handbuch der speciellen Pathologie und Therapie für Thierärzte und Landwirthe.

Oder:

die Kunst, die innern Krankheiten der Pferde, Rinder und Schafe zu erkennen, zu verhüten und zu heilen.

Bearbeitet von *J. F. C. Dieterichs*, Ober-Thierarzte zu Berlin, correspondirendem Mitgliede der königl. französischen Central-Landwirthschafts-Gesellschaft zu Paris.

43 Bogen in gr. 8. auf weissem Druckpapier. Preis 2 Rthlr. 20 Sgr.

(Berlin. Verl. der Buchhandl. von C. Fr. Amelang.)

Die Tendenz dieses gehaltvollen Werkes mag sich durch einige Worte der Vorrede aussprechen, in welcher sich der berühmte Herr Verfasser folgendermassen äussert:

„Ich übergebe dem thierärztlichen Publicum hier ein Handbuch, die Krankheiten der Pferde, Rinder und Schafe zu erkennen und zu heilen, und wünsche, dass es den gehegten Erwartungen entsprechen möge; denn obgleich schon in mehreren Büchern dieser Gegenstand abgehandelt worden ist, so schmeichle ich mir dennoch, dass dieses Werk Vieles enthält, was selbst bey dem belesenern praktischen Thierarzte Aufmerksamkeit erregen dürfte."

„Ich schrieb dieses Buch theils für Personen, die sich mehr oder weniger der Thierheilkunde schon gewidmet haben, theils wirklich schon Thierärzte sind, und habe es daher nicht im strengen Sinne eines Handbuches gehalten; denn die Mehrzahl der Thierarzney-Beflissenen und auch der Thierärzte will mehr als blosse Monogrammen, will mehr als unerklärte hingeworfene Sätze, will mehr als ein Compendium; daher verfasste ich dasselbe auch besonders für die Mehrzahl, — nicht für die Lehrer der Thierheilkunde; — deshalb habe ich mich auch bemühet, das Ganze in einem populären Stil zu bearbeiten, und alle scheinbar gelehrten Wendungen vermieden, um es desto klarer, aber auch wahr zu geben."

Von demselben Hrn. Verfasser erschienen früher im nämlichen Verlage noch folgende Werke:

Handbuch der allgemeinen und besondern, sowohl theoretischen als praktischen Arzneymittellehre für Thierärzte und Landwirthe. Oder: allgemein verständlicher Unterricht über die in der Thierheilkunde zu benutzenden Arzneymittel, ihre Kennzeichen, Bestandtheile, Wirkungen und Bereitungsart; mit Bestimmung der Gabe und Form, in welcher die Heilmittel gegen die verschiedenen Krankheiten anzuwenden sind. gr. 8. Geh. 1 Rthlr. 10 Sgr.

Katechismus der Pferdezucht. Oder: vollständiger, leicht fasslicher Unterricht über die Zucht, Behandlung und Veredlung der Pferde. Eine Schrift, welcher von dem General-Comité des landwirthschaftlichen Vereins in Baiern der *erste* Preis zuerkannt worden ist. gr. 8. Geh. 15 Sgr.

Ueber Gestüts- und Züchtungskunde. Nebst einer Anleitung, den Gestüts-Krankheiten vorzubeugen, sie zu erkennen und zu heilen, desgleichen die Geburtshülfe bey den Pferden auszuüben. *Neue wohlfeilere Ausgabe.* gr. 8. Sauber geheftet 1 Rthlr. 20 Sgr.

In der Dieterich'schen Buchhandlung in Göttingen sind erschienen und an alle Buchhandlungen versandt:

Blumenbachii, J. F., nova Pentas collectionis suae craniorum diversarum gentium. Cum fig. 4 maj. 12 gr.

Commentationes Societatis regiae scientiarum Gottingensis recentiores. Vol. VI. ad A. 1823 — 1827. Cum fig. 4 maj. 8 Rthlr.

Credner, C. A., de prophetarum minorum versionis syriacae quam peschito dicunt indole. Dissert. phil. crit. I. 8 maj. 20 gr.

Evers, G. C. H., Nachhall aus einer Dorfkirche und aus dem Berufe eines Landpredigers. Predigten zum Besten dreyer verarmten Familien. gr. 8. 12 gr.

Gauss, C. F., Disquisitiones generales circa superficies curvas. 4 maj. 12 gr.

— — Supplementum theoriae combinationis observationum erroribus minimis noxiae. 4 maj. 10 gr.

— — Theoria residuorum biquadraticorum. Comment. I. 4 maj. 6 gr.

Grimm,

Grimm, F., Deutsche Rechtsalterthümer. gr. 8. 4 Rthlr. 12 gr.

— *W.*, Grave Ruodolf. gr. 4. 12 gr.

Henrici, G., die Schöpfung von Haydn, aufgeführt von *Bischoff*. gr. 8. 4 gr.

Jäger, H. F., Disputationes Herodoteae duae. 8 maj. 6 gr.

Linné, C., Systema vegetabilium. Ed. XVI. cur. *C. Sprengel.* Vol. V. sistens Indicem auct. *W. Sprengel.* 8 maj. 3 Rthlr. 8 gr.

(Das ganze Werk V Vol. 19 Rthlr. 16 gr.)

Martens, G. F. de, Supplément ou Recueil des principaux Traités, d'Alliance, de Paix, de Trêve, de Neutralité, de Commerce etc. continué par *F. Saalfeld*. Tom. X. P. 1. 2. 1822 — 1823. gr. 8. 5 Rthlr. 12 gr.

Matthäi, F. A., die Offenbarung Johannes. 2 Theile. gr. 8. 16 gr.

Mende, L., Beobachtungen und Bemerkungen aus der Geburtshülfe und gerichtlichen Medicin. Eine Zeitschrift. 5tes Bändchen.

Auch unter dem Titel:

Zeitschrift für die Geburtshülfe in ihrer Beziehung auf die gerichtl. Medicin. 2ter Band. gr. 8. 1 Rthlr. 8 gr.

Schrader, H. A., Blumenbachia, novum e Loasearum familia genus. Cum Tab. 4. aeneis. 4 maj. 16 gr.

Zu herabgesetzten Preisen:

Fischer, J. K., physikalisches Wörterbuch oder Erklärung der vornehmsten zur Physik gehörigen Begriffe und Kunstwörter, sowohl nach atomistischer als auch nach dynamischer Lehrart betrachtet, mit kurzen beygefügten Nachrichten von der Geschichte der Erfindungen und Beschreibungen der Werkzeuge in alphabetischer Ordnung. 1ster bis 10ter Th., nebst Register mit 36 Kupfertafeln. gr. 8. 1798 — 1827.

Sonst 30 Rthlr. 12 gr., jetzt 20 Rthlr. 8 gr.

Scriptores, classici Romanorum, cum Commentariis perpetuis curav. *G. A. Ruperti, G. L. König, J. F. Wagner, F. Schmieder, C. H. Tzschukke.* 8 Vol. 8 maj. 1803 — 1808.

Druckp. sonst	17 Rthlr.	10 gr., jetzt	11 Rthlr.	15 gr.
Schreibp.	26	13	17	18
Velinpap.	39	2	26	2

(Von beiden Werken werden auch einzelne Theile im verhältnissmässig billigem Preise erlassen.)

Silii, C., Italici punicorum libri XVII. var. lect. et perpetua adnotatione illustr. a *G. A. Ruperti.* 2 Vol. 8 maj. 1795. 1798.

Sonst 3 Rthlr., jetzt 2 Rthlr.

Auch empfiehlt oben genannte Buchhandlung nochmals den im August 1827 von ihr ausgegebenen *Catalog im Preise herabgesetzter Bücher*, und ist solcher durch alle Buchhandlungen *gratis* zu bekommen.

II. Neue Landkarten.

Bey F. Rubach in Magdeburg ist so eben erschienen und durch alle Buchhandlungen zu haben:

Atlas der Militair-Geographie von Europa. Von *Th. Frh. von Liechtenstern.* 1stes Blatt: *Russland.* Subsc. Pr. 1 Rthlr.

Der Subscriptions-Preis auf diese in jeder Hinsicht ausgezeichnete Karte, worüber der ausführlichere Prospectus in jeder Buchhandlung zu ersehen ist, bleibt bis zur Erscheinung des zweyten Blattes offen.

III. Vermischte Anzeigen.

Unterzeichnete geben das 17te Verzeichniss ihrer antiquarischen Bibliothek, welches 2340 Bände aus allen Fächern der Wissenschaften, vorzüglich der neuern Literatur; ingleichen eine grosse Sammlung neuerer Almanache und mehrere mathematische und physikalische Instrumente enthält, gratis aus. Die Bücher sind sämmtlich gut erhalten, grösstentheils noch gar nicht gebraucht, und der Catalog durch alle Buchhandlungen zu erhalten.

Coburg, im September 1828.

J. D. Meusel u. Sohn.

Berichtigung

der in Nr. 208 der A. L. Z. befindlichen, Hn. C. Niedmann betreffenden literarischen Anzeige, als Antwort auf dessen Replik in Nr. 239 der A. L. Z.

In der Nr. 208 der A. L. Z. mitgetheilten Notiz für die Fortsetzer des Meusel'schen gelehrten Deutschlands hätte es heissen sollen: Hr. *C. Niedmann* ist nicht Verfasser *mehrerer* von ihm pseudonym oder unter seinem wahren Namen bekannt gemachten Broschüren, sondern u. s. w.

Sollte nun Hr. *N.* noch fortfahren mit beyspielloser Frechheit zu leugnen: dass die unter dem Namen *L. Niedmann* erschienenen Romane und Novellen nicht *ihn*, sondern den zum Festungsarrest verurtheilten *Häberlin* zum Verfasser haben; so soll *sein* eigener, den unwiderleglichen Beweis enthaltender Brief an H., der sich bey den Processacten befindet und besonders durch die darin mitgetheilte Abschrift eines Briefes von *Müllner* mit Bemerkungen über die Novelle „*Laura*" den Stempel der Echtheit erhält, sofort gedruckt werden. Eine mit diplomatischer Genauigkeit verfasste Copie dieses Briefes, durch welchen der vorbenannte geachtete Schriftsteller auf eine ärgerliche Weise betrogen und compromittirt erscheint, liegt zur Absendung an die Expedition der A. L. Z. bereit. Nur gerechter Unwille über schamlose Frechheit und Unredlichkeit, nicht Rache (denn Einsender dieses kennt jenen Bücherabschreiber nur dem Namen nach) hat zu dieser Anzeige Veranlassung gegeben. Uebrigens wird Hn. *Niedmann* die ihn entehrende, wenigstens theilweise, Autorschaft des Pasquills *Krähwinkel* — Niemand streitig machen wollen.

MONATSREGISTER

vom

OCTOBER 1828.

I.

Verzeichniſs der in der Allgem. Lit. Zeit. und den Ergänzungsblättern recenſirten Schriften.

Anm. Die erſte Ziffer zeigt die Numer, die zweyte die Seite an. Der Beyſatz EB. bezeichnet die Ergänzungsblätter.

K.

Trop,

(Die Summe aller angezeigten Schriften ist 82.)

II.

Verzeichniss der literarischen und artistischen Nachrichten.

Beförderungen und Ehrenbezeigungen.

Todesfälle.

Universitäten, Akad. u. and. gel. Anstalten.

Vermischte Nachrichten.

III.

III.

Verzeichniſs der literariſchen und artiſtiſchen Anzeigen.

Ankündigungen von Autoren.

Ankündigungen von Buch- und Kunſthändlern.

Vermiſchte Anzeigen.

ALLGEMEINE LITERATUR - ZEITUNG

November 1828.

BIBLISCHE LITERATUR.

Leipzig, b. Hahn: *Commentarius in Apocalypsin Johannis exegeticus et criticus*, auctore *Georgio Henrico Augusto Ewald*, Professore Gottingensi. 1828. VI u. 326 S. 8. (1 Rthlr. 8 gr.)

Dafs nach mehreren mystischen Auslegungen der Apokalypse, wie sie die neueste Zeit wieder z. B. von *Bühle von Lilienstern* und *Ign. Lindl* hervorgebracht hat, auch eine besonnene, wissenschaftliche Erklärung dieses von den meisten Interpreten des N. T. vernachläfsigten Buches erscheint, ist wohl an sich schon so erfreulich, dafs es uns verstattet seyn wird, länger bey der Anzeige zu verweilen, als es, den Grad der Wichtigkeit, welchen man dem erklärten Buche einräumen kann, und den Umfang des Commentars angesehn, nöthig scheinen möchte; doch wird auch die Ausführlichkeit unserer Relation und unserer Bemerkungen bey einigen Punkten theils durch den Werth, theils durch die Eigenthümlichkeit dessen, was Hr. *E.* darbringt, gerechtfertigt werden. In der *Vorrede* weist der Vf. auf die bey der Erklärung der Apokalypse weit mehr, als bey der irgend eines andern Buchs des N. T. eintretenden Schwierigkeiten hin, sucht aus ihnen zu erklären, dafs weder *Herder* noch *Eichhorn*, welche doch in neuern Zeiten die besten und fast einzigen Ausleger dieses Buches seyen, den Sinn desselben richtig aufgefafst haben, und spricht die Hoffnung aus, dafs ihm diefs besser gelungen seyn möge, da er stets gesucht habe, nicht seine Meinung hinein zu tragen, sondern die Ansichten des Dichters zu entwickeln und richtig mit einander zu verbinden. Ein ziemlich bedeutender Grad des Selbstgefühls, welchen Hr. *E.* auch in andern Schriften an den Tag gelegt hat, spricht sich schon hier, so wie das ganze Buch hindurch darin aus, dafs er die genannten und einige andre neuere Exegeten, — um von den älteren und allerdings grofsentheils unbrauchbaren, deren Nachweisungen aus den Rabbinen er nur fleifsig benutzt, gar nicht zu reden, — selten erwähnt und meistens ganz kurz abweist. Wir müssen ihm das um so mehr verargen, da er doch, ohne es recht zu gestehen, jenen Interpreten manchen nützlichen Wink verdankt, und da er selbst durch Ueberschätzung seines Schriftstellers sich zu nicht unbedeutenden Misgriffen und Nachlässigkeiten verleiten läfst, welche man nur dem Bescheidnen, der noch nicht Vollkommnes zu leisten glaubt, verzeiht. Für die Textkritik ist von Hrn. *E.* wenig Neues und Wichtiges geschehen: bey den bemerkenswerthern Varianten entscheidet er gewöhnlich kurz, meistens ohne Angabe der Gründe, zuweilen auch nach den von der höhern Kritik dargebotnen Gründen des Sinnes und Zusammenhangs, wefshalb wir denn diese Seite des Commentars ganz übergehen. Ueber die Sprache des Buchs macht Hr. *E.*, meistens nach den älteren Erklärern, ohne jedoch *Winer's* Programm *de soloecismis Apocal.* (abgedruckt in *Winer's* exegetischen Studien, Bd. 1., S. 144 ff.) gekannt zu haben, sowohl in der Einleitung, als in dem Commentar selbst manche gute Bemerkung, und ist sorgfältig darin, die nachgeahmten Originalstellen des A. T. und der Apokryphen, namentlich aus Ezechiel, Daniel, dem 4ten (lateinischen) Buch Esra, dem Buch Enoch und der *Ascensio Jesaiae*, von denen er jedoch die drey letztern mit Recht als fast gleichzeitige Parallelen betrachtet, nachzuweisen, und die incorrecten, meistens aramaisirenden Wortfügungen zu erläutern. Das führt uns auf den eignen Vortrag des Hrn. *E*, welcher besonders in dem erstern, nach einer Anmerkung zu der Vorrede etwas früher gedruckten Theile des Buches, sich ziemlich schwerfällig bewegt, weiterhin jedoch fliefsender und leichter verständlich wird, allenthalben aber Spuren von Flüchtigkeit zeigt, und auch bey solchen Ausdrücken, wo der Gegenstand es nicht erfordert, bey weitem mehr eine deutsche, als eine lateinische Farbe trägt, wovon wir zum Belege nur folgende, ohne vieles Suchen und bey gröfserer Aufmerksamkeit auf den Inhalt, gelegentlich aufgezeichnete Beyspiele geben: S. III: *notiones in N. T. haud obviae* (häufig wiederholt); S. IV: *penitius* (ein Lieblingswort des Vfs) *intelligere*; S. 3: *timore a fide christiana alieni facti* (soll heifsen: abgewandt, entfremdet, *abwendig gemacht*); S. 26. und häufig wieder: *regnum milliarium* und *millenarium*, das tausend*jährige* Reich; S. 27. Note 1. steht in demselben Satze *putat* zweymal, einmal zu Anfang und dann wieder am Ende, wo es entweder hier oder dort zu streichen ist. S. 54: *ceteras libri dotes* für: *reliqua libri indoles*; S. 165. *sedulo* für: *consulto*; S. 319; *verbotenus* für: *ad literam, ad verbum*, und dergleichen mehr. Schwerlich wird sich etwas davon dem Druckversehen zuschreiben lassen; denn obgleich zwey Seiten *Addenda et corrigenda* nöthig gewesen, von denen jedoch die ersteren den meisten Raum einnehmen, ist der Druck sonst fast eben so correct, wie er gut aussieht, und es sind uns aufser leichten Buchstabenverwechselungen,

gen, welche man beym Lefen kaum bemerkt, und unwillkürlich berichtigt, nur folgende den Sinn entftellende Setzerfehler vorgekommen: S. 17 Z. 23 lies: *ab impiis;* S. 92 Z. 5 lies: *a quibus;* S. 128 Z. 28 lies: *imperet;* S. 282 Z. 7 lies: *litora* für: *litera;* S. 288 Z. 2 v. u. lies: *effata;* S. 291 Z. 5 v. u. lies: *haud omittenda viderentur;* einige Male fteht *idolatriu* ftatt *idololatria.* — So viel denn über Hn. *E's.* Werk im Allgemeinen und in Hinficht feiner Form; von bey weitem gröfsern Intereffe und im Ganzen auch viel beyfallswerther fcheint uns fein Inhalt, von welchem wir fogleich die Hauptpunkte der befonders forgfältig gearbeiteten

Einleitung (S. 1—84) glauben vorlegen zu müffen, da die eigenthümliche Anficht des Vfs fich darin deutlich ausfpricht, wodurch denn manches Spätere Licht erhält, und wobey wir, die wichtigern für die betreffenden Stellen des Commentars uns auffparend, uns einige Bemerkungen erlauben werden. „§. 1. Seit dem Jahre 64 n. Ch. begannen auch von Seiten der Heiden Verfolgungen gegen die Chriften, felbft in den Provinzen, und der Vf. der Apok. hielt es daher für nöthig, die Chriften vom Abfall zurückzuhalten, indem er ihnen verkündigte, dafs diefe Leiden nicht lange dauern und herrlich enden würden, wobey ihm die fchon herrfchende Hoffnung der Alles umgeftaltenden Wiederkehr (*παρουσία*) Chrifti trefflich zu Statten kam. Sein *Zweck* ift alfo, in lebhaften Bildern darzuftellen, wie die von den Heiden unterdrückten Chriften bey der Ankunft des Meffias, der die Feinde ftraft, glücklich werden follen, wenn fie treu gewefen, unglücklich aber, wenn fie fich zum Abfall haben verleiten laffen. Von den andern Schriftftellern des N. T. unterfcheidet er fich dabey dadurch, 1) dafs er, indefs jene die vom Meffias zu Beftrafenden nicht beftimmt angeben, als folche vorzüglich die Heiden, und insbefondre den Antichrift Nero mit feinen Anhängern hervorhebt; 2) dafs er, was jene nur kurz und allgemein (zum Theil auch mehr geiftig) angedeutet haben, in glänzenden, ins Einzelne gehenden, (grobfinnlichen) Bildern darftellt. §. 2: Die *Form* des Buchs hat in ihrem prophetifch-fymbolifchen Theile am meiften Aehnlichkeit mit der Symbolik der fpätern Propheten, namentlich auch mit den Vifionen des Daniels, Pfeudo Esra und Henoch, denen es jedoch an *poetifchem Werth* vorzuziehn feyn möchte. Die voranftehenden 7 Briefe haben das Eigenthümliche, dafs fie durch eine Vifion eingeführt werden, damit es fcheine, als feyen fie von Chrifto an die fieben Gemeinden gefchrieben." Schon die allenthalben, felbft in den geringfügigften Umftänden durchblickende Nachahmung, deren Unangenehmes noch dadurch vermehrt wird, dafs der Dichter mit dem erborgten Stoff nicht umzugehn weifs, fich felbft feine Bilder nicht klar gemacht hat, und fich daher ftets in Verwirrung und Widerfprüche verwickelt, verbietet uns, mit Hrn. E., der das fehr oft wiederholt, die *artem jucundam* des Vfs der Apokal. zu bewundern. Man fage nicht, bey Schilderung der durch Volksvorftellungen einmal ausgeprägten Er[illegible] gen im Himmel und auf der Erde [illegible] mehr originell feyn können; wahre Dich[illegible] Ariofto, Dante, Göthe, Klinger, — von T[illegible] hierin auch nur ein fehr mittelmäfsiger Na[illegible] ift, nicht zu reden, — find es nach mehr [illegible] Jahren noch gewefen, nachdem fo viel [illegible] diefe Gegenftände phantafirt und dogmati[illegible] den war. Aber Hr. E. fieht mit Unrecht in d[illegible] kal. ein äfthetifch-vollendetes Kunftwerk, [illegible] *Schönheit* er allenthalben hervorzuheben [illegible] theidigen fucht, ohne zu erwägen, oder [illegible] ohne es fich und den Lefern deutlich [illegible] dafs es dem *fymbolifchen* Dichter auf [illegible] Uebereinftimmung und alle andre gere[illegible] rungen an eine Darftellung *fchöner* Er[illegible] gar nicht, fondern *allein* auf die Bedeu[illegible] zelnen Theile ankommt, mögen daraus [illegible] bey den erhabenften Wefen die widrig[illegible] ftalten hervorgehn. Alle fymbolifchen [illegible] gen des A. T. beftätigen das eben fo fehr, [illegible] Götterbilder der Inder und Aegypter; wir [illegible] aber im Commentar häufige Gelegenheit [illegible] fehen, wie nachtheilig es Hrn. *E's.* richt[illegible] theil geworden ift, dafs er diefe freylich [illegible] neue, aber darum nicht weniger wichtige Be[illegible] vernachläffigte, und darum befonders von die[illegible] das Buch überfchätzte. Wir laffen ihn fort[illegible] §. 3: die *vier* Theile des Buchs, Cap. I, 1—8 [illegible] tung, I, 9—III, 22 die Vifion mit den fieben [illegible] fen, IV, 1—XXII, 5 die lange Reihe verbund[illegible] fionen, XXII, 6—21 der Schlufs, ftehen mit [illegible] der in der genaueften Verbindung. Insbe[illegible] bilden die Vifionen eine ununterbroch[illegible] Cap. IV—VII bezeichnen, dafs der Tag [illegible] nahe fey, Cap. VIII, 1—XI, 14 beginnt d[illegible] und nimmt immer zu, Cap. XI, 15—XXII, [illegible] die Rache vollendet; das Einzelne hat der [illegible] nach der Sieben- und Drey-Zahl künftlich ge[illegible] net. — §. 4: Unter den verfchiednen Meinun[illegible] über *Inhalt* und *Einheit* des Buchs verdienen 1) [illegible] jenigen keine Widerlegung, welche *behaupten,* [illegible] habe nur eine ferne, vielleicht noch *zu erwartende* Zukunft fchildern follen. 2) Andre *beziehen* das Buch auf die dem Vf. gegenwärtige *Zeit,* und zwar *a*) auf die Beftrafung der Juden; diefs aber und felbft Jerufalem läfst der Dichter gerettet werden; *b*) auf die Zerftörung Jerufalems und Roms; aber Jerufalem erfcheint Cap. XX, 9 ff. als Sitz der Heiligen [illegible] der Erde, und es mufs daher die Drohung 3) [illegible] auf Rom und die Heiden gehen. Die Einheit des Buchs haben aufser *Grotius* und *Vogel* auch [illegible] und *de Wette* angegriffen, indefs bezieht fich [illegible] Cap. VII, 1—4 deutlich auf XIV, 1—5 und den ganzen letzten Theil." In das Einzelne einzugehn, [illegible] hier nicht der Ort; wir bemerken daher nur, [illegible] *Bleek* und *de Wette* hier nicht gerecht beurtheilt werden, da fie nur, und allerdings mit Recht, behaupten, dafs das *dritte* Wehe, welches Cap. XI, 14 als fchnell kommend aufs neue verkündigt wird, nicht

cheintritt, und mit ihm alfo auch die lang erwartete, letzte Entfcheidung ausbleibt, dagegen aber Cap. XII eine Reihe ganz neuer, mit den vorigen nicht zufammenhängender Vifionen beginnt, an deren Stelle aber wohl eine andre ähnlichen Inhalts geftanden haben könne. Ferner befteht der Zufammenhang von Cap. VII, 1—4 und Cap. XIV, 1—5 in nichts weiterem, als dafs in beiden Stellen die mit dem Namen Gottes bezeichneten 144000 Auserwählten genannt werden, worin ganz wohl die letztre Stelle der erfteren angepafst feyn kann, da der Dichter im zweyten Theile fehr oft auf den erften (Cap. I—XI) Rückficht nimmt und ihn nachahmt. Endlich behauptet Hr. *E.* gegen die genannten Exegeten, das ganze Buch müffe vor der Zerftörung Jerufalems gefchrieben feyn; aber auf Cap. XX, 9 beruft er fich in diefer Hinficht mit Unrecht: denn da der Dichter von dem Schickfale des nach feiner Erwartung von den Heiden einzunehmenden und zum Theil durch ein Erdbeben zu zerftörenden *irdifchen* Jerufalem (Cap. XI, 2. 13) nach diefer Stelle auch nicht ein Wort wieder fagt, und eben fo wenig verräth, wo es geblieben fey, als (Cap. XXI, 2) das *neue* Jerufalem vom Himmel herabkommt, fo kann er, nach feiner gewohnten Vernachläffigung folcher Nebenumftände, zumal da er fich durch diefen hätte Lügen ftrafen müffen, wohl verfäumt haben, Cap. XX, 4 ff. zu berichten, das indefs (wie *Bleek* und *de Wette* annehmen, zwifchen der Abfaffung des erften und zweyten Theils) wirklich von den Römern wider Erwarten des Dichters *ganz* zerftörte Jerufalem werde von dem, die Refidenz feines taufendjährigen *irdifchen* Reichs dort auffchlagenden Meffias wieder hergeftellt und nun Sitz der mit ihm von Gog und Magog darin belagerten Gerechten. Da übrigens für die Trennung jener beiden Theile des Buchs, Cap. I—XI und XII—XXII fo Vieles fpricht, fo wären die erwähnten Punkte dabey wohl in Erwägung zu ziehen. Wir laffen indefs, da wir unfre Anficht hier vorläufig kurz ausgefprochen, Hn. *E.* wie folgt fortfahren: §. 5: *Quellen* der *Materie* find die Zeitideen vom Meffiasreiche, welche fich auch fchon in andern Büchern des N. T. zeigen, und welchen der Dichter nichts Bedeutendes hinzugefügt hat, als die Idee von der taufendjährigen Herrfchaft Chrifti auf Erden; — die der *Darftellung* find theils noch vorhandene, theils verloren gegangene Schriften der Juden, die Religionsphilofophie der Rabbinen und eine völlig jüdifch-gelehrte Bildung des Dichters. §. 6: das *Griechifch*, worin das Buch gefchrieben worden, ift allerdings fehr fehlerhaft; aber man kann doch nicht fagen, dafs alle Fehler der Unwiffenheit oder Nachläffigkeit des Vfs zuzufchreiben feyen; denn viele find Hebraismen und Aramaismen, fowohl in der Conftruction der Verba, Nomina und Präpofitionen, als in ganzen Redensarten und in dem Mangel an Uebereinftimmung im Numerus und Genus." Hr. *E.* belegt feine Bemerkungen mit lehrreichen Beyfpielen, verweift aber zu oft bey der Erklärung blofs auf die §§ feiner hebräifchen Grammatik, und drückt Einiges auch nicht richtig aus; z. B. zu der Bemerkung, dafs felbft fehr kurze Redensarten durch *καὶ* verbunden werden, pafst wohl Cap. XX, 4: *καὶ ἔζησαν καὶ ἐβασίλευσαν*, aber nicht fo gut Cap. XI, 3: *δώσω αὐτοῖς καὶ προφητεύσουσιν*, denn man mufs überfetzen: ich will ihnen verleihen, *dafs* (ἵνα) fie prophezeihen," was allerdings auch Hebraismus ift, wie denn Hr. *E.* richtig bemerkt, dafs in der Apokal. auch umgekehrt ἵνα anftatt *καὶ* gebraucht werde. — §. 7: die Anzeichen der *Abfaffungszeit* laffen fich am beften aus dem Buche felbft entwickeln, und wenn nun 1) Cap. XIII als die zu beftrafenden Tyrannen Nero und andre Römer noch ziemlich dunkel angedeutet find, fo werden die Bezeichnungen Cap. XVII, befonders V. 8—11 immer deutlicher, und das Buch mufs demnach um die Zeit von Galba's Regierung oder kurz nach derfelben gefchrieben feyn, als man im proconfularifchen Afien fürchtete, der angeblich nicht getödtete Nero werde mit grofser Macht aus dem Orient zurückkehren und fchrecklich wüthen, wobey der Dichter vorzüglich um die Chriften beforgt ift. 2) Damit ftimmt es überein, dafs der Dichter es immer fo darftellt (— nämlich im erften Theile; im zweyten fteht davon nichts Deutliches,) als folle Jerufalem nur erobert, nicht zerftört werden. §. 8. *Zeugniffe* der Alten über den Vf. des Buchs laffen fich mit Sicherheit nicht eher nachweifen, als bis um die Mitte des *zweyten* Jahrh. Juftin der Märtyrer es dem Evangeliften und Apoftel Johannes zufchreibt, darin aber auch wohl nur einer von feinen Nachfolgern angenommenen Tradition beypflichtet. Dagegen 2) hat *a*) die alte, im Anfang des zweyten Jahrh. verfafste Pefchito das Buch ganz ausgelaffen; *b*) von den Marcioniten und Alogern ift es, freylich nur aus dogmatifchen Gründen, nicht angenommen worden; *c*) Cajus, Presbyter zu Rom (um 200) fchrieb es dem Cerinth zu; *d*) Dionyfius von Alexandrien (nach 247 n. Chr.) behauptete, fchon viele Aeltere hätten es verworfen; *e*) Eufebius bezweifelt, dafs es den Apoftel zum Vf. habe. Nach feiner Zeit wurde es im Orient oft verworfen, im Occident meiftens fehr gefchätzt. Etwas recht Sicheres wird alfo hier nicht gewonnen, da, die Abfaffung des Buchs im Jahre 69 angenommen, bis zu dem älteften Zeugen für den Apoftel Johannes als Verfaffer zu Juftinus, 60 Jahre verfloffen find, und man doch zu feiner Zeit von der, in welcher das Buch abgefafst fey, nichts Richtiges mehr wufste. §. 9: die *innern Zeugniffe* werden alfo defto gröfsern Werth haben, und betrachtet man nun unter diefen 1) den *Vortrag* und *Ausdruck*, fo wird man beide in der Apokal. von denen der dem Apoftel Johannes (wie Hr. *E.* überzeugt ift mit vollem Recht) zugefchriebenen Briefe und des Evangeliums durchaus verfchieden finden *a*) in der hebräifchen Färbung der Sprache, *b*) im Gebrauch der Lieblingswörter, der Partikeln und Temporum; *c*) in den Ausdrücken für religiöfe Ideen, *d*) in dem Ton und der Manier, welches Alles fich nur aus Verfchiedenheit des Vfs, nicht der Zeit und des Gegenftandes erklären läfst. 2) Der *Geift* und *In-*

Inhalt der Apokalypse unterscheidet sich noch weit mehr von denen der Briefe und des Evangeliums. *a*) durch die Lehre vom Messias, welche in der Apok. den sinnlichen Vorstellungen der Juden angemessen, im Evang. weit geistiger gefasst ist; *b*) in Hinsicht der Gesinnung, welche bey dem Evangelisten Liebe und Milde, bey dem Vf. der Apok. Strenge athmet; *c*) in Hinsicht der vom Vf. der Apok. oft, vom Evangelisten nie gezeigten jüdischen Gelehrsamkeit. §. 10. der *Verfasser* des Buchs nennt sich zwar *Johannes*, aber nicht den Apostel, sondern nur einen Knecht Christi, wozu noch kommt, dass er Cap. XXI, 14 die zwölf Apostel lobend erwähnt, woraus zu schliessen, dass er gar nicht für einen solchen gehalten seyn will. Alle Sagen der Kirchenväter sind ganz unsicher, und wir wissen weiter nichts von ihm, als dass er ein gelehrter Judenchrist war. §. 11: So gut auch das Buch von den gelehrten Zeitgenossen des Vfs verstanden werden mochte, so bald musste das doch anders werden, als nun Nero nicht als Antichrist erschien, und der Erfolg überhaupt den in dem Buche erregten Erwartungen nicht entsprach, die Christen aber die ihm zum Grunde liegenden jüdischen Ideen bald vergassen; daher giebt es denn unter den Kirchenvätern nur wenige und nicht eben glückliche Ausleger des Buches. Zu den Zeiten der Reformation wurde diess nicht viel besser, da man damals und noch lange nachher Cap. XIII ff. auf den Papst bezog, und allerley phantastische Berechnungen über die noch zu erwartende Erfüllung mancher Prophezeihungen anstellt, was bis auf die neueste Zeit fortgedauert hat, bis man zu den oben schon erwähnten, wenigstens gerechteren Ansichten gelangte.

Cap. I, 6: *βασιλείαν, ἱερεῖς* schreibt Johannes absichtlich, nicht für *βασίλειον ἱερέων*, sondern nach einer falschen jüdischen Auslegung von Exod. XIX, 6, welche die Worte מַמְלֶכֶת כֹּהֲנִים nicht, wie nöthig, als *stat. constr.* und *genit.* verband, sondern sogar durch eine *cop.* ו trennte, um den Sinn: *Könige* und *Priester* herauszubringen. V. 9: Die Sage der Kirchenväter, dass der Ap. Johannes auf Patmos in Verbannung gelebt habe, ist zwar sehr unsicher; da aber der Vf. der Apok. sich für jenen gar nicht ausgiebt, so ist die Annahme, dass *sein* Aufenthalt auf Patmos eine poetische Fiction sey, gar nicht nöthig. V. 16 wird das aus dem Munde des Messias hervorgehende zweyschneidige Schwert zwar von Hn. *E.* richtig erklärt als die dem rächenden Messias inwohnende Kraft, durch das blosse Wort oder den Hauch seines Mundes die Frevler zu vertilgen; aber schon hier hätte er merken können, wie es um die „Natürlichkeit und Schönheit" solcher Symbolisirung stehe. — V. 19 übersetze man: Schreibe, was du siehst und *was es bedeutet* (*ἃ εἰσι*) und was nachher seyn wird," — nicht: *was da war, jetzt ist,* [illegible] siehst oder sogleich sehen soll, ist ja [illegible] tig, mithin würde daraus eine, bey dem [illegible] ten zur Zukunft im letzten Satze [illegible] tologie entstehen.

Zu den sieben Briefen, Cap. II. III. giebt [illegible] S. 104 ff. eine Einleitung, welche die Sch[illegible] Kunst, wodurch ihre grosse Aehnlichkeit [illegible] und Inhalt „höchst anmuthig" vermannigfaltig[illegible] soll, wohl zu hoch angeschlagen wird; [illegible] eine ziemlich langweilige Tautologie, welch[illegible] vergebens hinter geschraubte Redensarten [illegible] stecken sucht. Cap. II, 6: die Nikolaiten [illegible] Hr. *E.* mit grosser Wahrscheinlichkeit für [illegible] mit den V. 14. 15 genannten Irrlehrern, w[illegible] der Dichter es darstellt, nach Bileams R[illegible] nuss des Opferfleisches und Theilnahme [illegible] schweifenden Opfermahlzeiten empfahl[illegible] Name נִקֹלָה nach den von den Juden späte[illegible] bildeten Etymologieen z. B. נקה עם *absorpsit populum*, sich griechisch wohl durch [illegible] übersetzen liess, es aber zur Zeit unseres [illegible] einen Ketzer dieses Namens gar nicht gab, [illegible] der Name *Νικολαΐται* ein willkürlich von [illegible] deter wäre. — V. 17 vergleicht Hr. *E.* den [illegible] den (Edel-) Stein, auf welchen der unbekan[illegible] geschrieben werden soll, passend mit dem Go[illegible] am Turban des Hohenpriesters, auf welchem [illegible] XXVIII, 36) stand: „dem Jehova heilig," — [illegible] Dichter den unaussprechbaren Namen יהוה oft [illegible] Prädicate umschreibt.

Cap. III, 10: *οἱ κατοικοῦντες ἐπὶ τῆς γῆς* sind [illegible] im Allgemeinen alle Menschen, hier aber [illegible] dere, nach einem Sprachgebrauch, der d[illegible] ganze Apokal. häufig wieder vorkommt, [illegible] ist, dass den Frommen die vom Messias [illegible] Plagen *nicht* schaden sollen, die grosse Me[illegible] Heiden und der gottlosen Juden und *Christen*; [illegible] Cap. XI, 15 an werden die (Cap. XI, 13) zu *Jesu* be[illegible] kehrten frommen Juden von Jerusalem von der Zahl auszunehmen seyn." Es scheint vielmehr, [illegible] wenn Hr. *E.* vergeblich versuchte, die Ungenauigkeit und Inconsequenz, womit der Dichter *den erwähnten* Ausdruck bald im weitern, *bald im engern* Sinne gebraucht, unter eine bestimmte *Regel* zu bringen. — V. 14 bleibt Hr. *E.* mit Recht bey der einfachsten und zunächst liegenden Erklärung der Worte: *ἡ ἀρχὴ τῆς κτίσεως τοῦ θεοῦ* durch: „das zuerst vor aller Schöpfung von Gott Erschaffne," da der die Engel an Würde übertreffende Messias doch noch eher als diese, welche am ersten Schöpfungstage [illegible] eher als die Welt hervorgebracht seyn sollen, [illegible] schaffen seyn muss, eine Idee, wodurch unser [illegible] ter seine rabbinische Gelehrsamkeit beurkundet.

(*Die Fortsetzung folgt.*)

ALLGEMEINE LITERATUR-ZEITUNG

November 1828.

BIBLISCHE LITERATUR.

Leipzig, b. Hahn: *Commentarius in Apocalypsin Johannis exegeticus et criticus*, auctore *Georgio Henrico Augusto Ewald* etc.

(Fortsetzung der im vorigen Stück abgebrochenen Recension.)

Kap. IV, 7. 8 stimmen wir Hn. *E.* in der Behauptung völlig bey, dass der Dichter die vier Gestalten, welche den Thron Gottes tragen, nicht zu Engeln macht, sondern sie ausdrücklich ζῶα, *Thiere* nennt, wie denn die Originale *Ezech.* I, 5 ff. X, 14 ff. auch חיות heissen; so wie darin, dass die einem jeden zertheilten 6 Flügel und das: heilig! heilig! heilig! von den שׂרפים *Jes.* VI entlehnt sind; aber wir können diese Zusammensetzung eben so wenig schön und dichterisch finden, wie wir einsehn, auf welche Weise der Dichter das auch nur in einer klaren Vorstellung mit einander vereinigt wissen wolle, dass die 24 Aeltesten zwar immer auf Stühlen sitzen, aber auch jedes Mal, wenn die stets ohne Aufhören heilig! heilig! heilig! rufenden Thiere diese Worte aussprechen, ihre Kronen vor dem Throne niederlegen.

Kap. V, 1. Der Dichter kann sich das mit sieben Siegeln versehene Buch so gedacht haben, dass von sieben über einander gewickelten Pergamentrollen jede mit einem besondern Siegel war, wo denn freylich die innern Siegel nicht gut anders, als nach einander, nachdem die vorige Rolle abgenommen worden, gesehen werden konnten; die siebente Rolle, welche am meisten enthält, muss die längste, die äussere aber die kürzeste gewesen seyn. V. 6 verzweifelt Hr. *E.* daran, von dem Lamme mit sieben Hörnern und sieben Augen eine Zeichnung zu geben, womit er dann indirect die Unklarheit des Dichters eingesteht.

Kap. VI, 1—8 möchte Hr. *E.* die [illegible] dieser doch nur dem Zacharias (*Zach.* VI, 1—8) mit einiger Veränderung nachgeahmten Schilderung zu hoch anschlagen und in den Einzelnheiten, z. B. in der angeblich hier mehr, als bey Zacharia bedeutsamen Farbe der Rosse einen zu tiefen Sinn suchen. — V. 6. Dass hier Hungersnoth geschildert sey, wird gut entwickelt durch die Nachweisung, dass ein [illegible] Weizen zum täglichen Nahrungsbedarf eines mässigen Menschen gerade hinreichte, hier aber den Preis eines Denars, d. h. des vollen Tagelohns eines Handarbeiters habe; aber Hr. *E.* eilt zu schnell darüber hinweg, dass der Preis der Gerste, welche doch in Palästina auch sehr häufig (2 *Reg.* IV, 42. *Joh.* VI, 9 ff.) zum Brote benutzt wurde, hier dreyfach geringer ist, worin doch einige Inconsequenz des Dichters liegt, wenn auch vielleicht nur arme Leute gewöhnlich, wohlhabendere dagegen nur bey Hungersnoth Gerstenbrot assen. — V. 12—17 weist Hr. *E.* mit Sorgfalt nach, dass keiner der einzelnen Züge vom Vf. erfunden, sondern dass alle entlehnt oder nachgeahmt sind. Doch findet er hier z. B. selbst in dem Herabfallen der Sterne, dem Zusammenschrumpfen des Himmels und dem Entfliehen der Inseln, nur ein *Erdbeben*, obgleich er eingesteht, diese und ähnliche Bilder bezeichnen in der Originalstelle *Matth.* XXIV, 29 ff. den Untergang der Welt. Billig wäre es also gewesen, zu sagen: Der Dichter muss wohl nichts weiter meinen, als ein Erdbeben, da Kap. VII, 1 ff. die Erde mit Menschen darauf noch vorhanden ist; aber da er seine Phantasie nicht zu zügeln weiss und ein ungeschickter Nachahmer ist, so mischt er aus Reminiscenzen sehr heterogene Dinge zusammen. Wenn wir übrigens Hn. *E's.* Worte V. 14: *ex insulis, quarum nullus inter Hebraeos veteres vates meminit, hic tactis* (*sic!*) *scriptorem agnoscas* (— so ist wohl an Statt *agnoscos* zu lesen) *extra Palaestinam versantem*, nicht missverstehen, so ist darin nicht nur ein Fehlschluss, da im ersten christlichen Jahrhundert selbst ein nicht ganz ungebildeter Einwohner Jerusalems von den griechischen Inseln wohl etwas wissen konnte, sondern auch ein Irrthum, denn die alten hebräischen Propheten erwähnen sehr oft die *Inseln*, als allgemeine Bezeichnung des fernen, nur wenig bekannten Westlandes, z. B. *Jes.* XI, 11. XX, 6. XXIII, 2 ff. XXIV, 15. XL, 15 ff. u. s. w. *Jerem.* II, 10. XXV, 20. XXXI, 10. XLVII, 4. *Ezech.* XXVI, 15 ff. XXVII, 8 ff. XXXIX, 6. *Dan.* XI, 18 u. s. w.

Kap. VII, 4—8. In der Laune, an seinen Dichter alles zu entschuldigen, und keine Inconsequenz desselben zuzugeben, behauptet Hr. *E.* nicht nur, unter den 12 Stämmen Israels seyen ausser den aus diesen wirklich hervorgegangnen Judenchristen auch die in den verschiednen Ländern allmälig mit ihnen verbundnen Heidenchristen zu verstehen, ein Sprachgebrauch, der auch sonst vorkomme, wobey er sich, ohne weitre Gründe anzugeben, auf die Ueberschriften der „nach seiner Ueberzeugung" besonders für Heidenchristen geschriebene Briefe *Jacobi* und 1 *Petr.* beruft, die doch nur die in der Zerstreuung lebenden Gläubigen (aus den Juden) als Empfänger nennen, an Statt dass er hätte sagen sollen: Der Dichter der Apokal. kann sich von seinem jüdischen Par-

Particularismus so wenig losmachen, dass er durchaus alle Gläubigen, welche der Rettung werth sind, den 12 Stämmen der Juden, obgleich diese längst nicht mehr bestanden, zugerechnet wissen will; sondern er weiss auch eine Menge Gründe anzuführen, warum in dieser Aufzählung der Stämme, deren Reihenfolge er sehr planmässig findet, Dan ausgelassen und neben Joseph auch noch Manasse habe genannt werden müssen. Wir können hier nur Inconsequenz und Nachlässigkeit des Dichters sehen, und bedauern des Auslegers vergebliche Mühe; würden es aber passender gefunden haben, wenn er den Dichter darüber getadelt hätte, dass derselbe, an Statt durch die an ihm sonst gerühmte „Kunst" aus ungleichen, dem Verhältniss ihrer Grösse nach einiger Wahrscheinlichkeit entsprechenden einzelnen Zahlen bey den einzelnen Stämmen eine runde, poetische Gesammtzahl, die dann immer seiner Willkür überlassen bleiben mochte, herauszubringen, der Geretteten in jedem der 12 Stämme gleich viel seyn lässt, und dadurch 2. *Chron.* XXVII und andre Stellen bloss steif nachahmt.

Kap. VIII, 2 übersetzt Hr. *E.:* Ich sahe *die* sieben Engel; ihnen wurden 7 Posaunen gegeben, und versteht unter diesen die sieben Geister Gottes, d. h. die sieben vornehmsten Engel, welche Kap. IV, 5. als sieben Fackeln vor dem Throne Gottes stehen. Hr. *E.* findet es, was man seiner Vorliebe zu gute halten muss, sehr verzeihlich, dass der Dichter die nämlichen Wesen ein Mal als Fackeln, und dann auf dem nämlichen Schauplatze, ohne von ihrer Verwandlung etwas zu sagen, als wirkliche Engel erscheinen lässt, und übersieht dabey ganz, dass, da der Dichter sonst eine Rangordnung der himmlischen Wesen kennt und beobachtet, die posaunenden sieben Engel nach dem ihnen hier übertragnen Geschäft, zu den niedern, dienenden gehören, von ihnen also noch nicht, und am wenigsten wohl als von den erhabensten die Rede gewesen seyn kann, wie der bestimmte Artikel, wenn man ihn als correct gelten lässt, doch erfodern würde. Es steht freylich da: τοὺς ἑπτὰ ἀγγέλους, aber die Behauptung des Vfs. hier und in seiner hebräischen Grammatik, dass der bestimmte Artikel nie unbestimmt gesetzt wird, ist, wie sich mit zahlreichen Beyspielen beweisen lässt, keinesweges haltbar. Anderer, als hebräischer Beyspiele bedürfte man für die Apokalypse wohl kaum, zumal wo der Zusammenhang sich so deutlich ausspricht. — V. 11 wäre wohl zu erwähnen gewesen, dass den Hebräern der Wermuth (לַעֲנָה), wie bekanntlich auch andre bittre Kräuter, für Gift galt, weshalb auch *Deuter.* XXIX, 17 das Wort mit ראש (Galle, Gift) in Parallele steht.

Kap. IX, 18 ff. Die hier feindlich hereinbrechenden Reiterschaaren erklärt Hr. *E.* im Sinne des Dichters für Parther, und findet es daher natürlich, dass die sie anführenden, vorher schon zu diesem Zuge bestimmten bösen Engel am Euphrat gefesselt sind. Die Schilderung der Rosse mit Löwenhäuptern und Schwänzen, welche giftspeyende Schlangen sind, gefällt Hn. *E.* wieder ungemein.

Kap. X, 8 ff. Das von dem Propheten verschlungene Buch, welches nach Hn. *E's.* Meinung darum süss schmeckte und im Bauch wie etwas Bitteres wirkte, weil es die theils erfreulichen theils traurigen Schicksale der Stadt Jerusalem enthielt, durch welche zu spitzfindige Deutung jedoch von der Originalstelle (*Ezech.* III, 3.) abgewichen wird, ist Hn. *E.* ein *figmentum satis aptum*, wogegen unserer Meinung nach, wenn auch das ganze übrige Buch dergleichen nicht aufwiese, die Geschmacklosigkeit des Vfs. der Apok. sich dadurch allein hinlänglich kund geben würde, dass er diese sinnlich-grobe Vorstellung von der *Eingebung*, — ein Ausdruck, der hier viel bezeichnender ist, als der Lateinische *inspiratio*, — auch noch von einem Andern entlehnt, und sie also für besonders treffend gehalten haben muss.

Kap. XI, 1. 2. Aus der Idee des Dichters, dass der eigentliche Tempel mit dem innern Vorhof gemessen, und nur der äussre, den Heiden preis zu gebende Vorhof nicht gemessen werden soll, folgert Hr. *E.* mit Recht, dass Jerusalem noch nicht erobert war, als der Dichter diess schrieb, und dieser sich dachte, der Tempel werde von den Heiden nicht entweiht werden, wenn sie auch die übrige Stadt 3½ J. lang inne hätten. V. 3 ff. Der *eine* von den beiden Propheten des Messias ist im Sinne des Dichters Elia, welchen schon Maleachi (*Mal.* III, 23. 24 oder IV, 4) als Vorläufer des Messias schildert; ob aber unter dem Andern Mose oder Henoch zu verstehen sey, lässt sich nicht entscheiden. — V. 8. Hr. *E.* erkennt an, dass unter der hier mit Sodom und Aegypten verglichenen d. h. sehr verderbten Stadt Jerusalem zu verstehen sey. Da das aber mit seiner Hypothese, der Dichter sey den Juden und insbesondre den Einwohnern von Jerusalem sehr günstig, und wolle diese eigentlich gar nicht bestraft wissen, sich nicht vertragen würde, so nimmt er an, diese Verderbtheit sey eben durch den vierten *halbjährigen* Aufenthalt der Heiden in der Stadt und durch ihr böses Beyspiel bey den Israeliten veranlasst, eine Auskunft, welche der Dichter, der davon freylich nichts sagt, dadurch aber wieder ein Mal von dem Vorwurf der Inconsequenz befreyt wird, ihm Dank wissen mag, obwohl sich dagegen einwenden lässt, dass gerade mit dem Anfang jenes Zeitraums auch die erwähnten Propheten ihr strafendes Lehramt beginnen sollen, wozu sie ja doch Anfangs unter lauter frommen Israeliten wenigstens keinen Stoff gefunden hätten. — V. 14. „Das andre Weh ist vorüber; siehe das dritte Weh kommt *schnell!*" (s. oben Einleit. §. 4.) Man vergleiche vorher V. 5—7 den Schwur des Engels, dass *keine* Frist mehr seyn, sondern, wenn der siebente Engel posaune, das grosse Geheimniss Gottes werde offenbart werden, und man wird es gewiss auffallend finden, dass Hr. *E.* behauptet, die Erfüllung folge allerdings sogleich V. 15—19, nachdem der siebente Engel posaunt habe.

habe. Denn hier (V. 17.) wird nur geſagt, die Zeit *komme*, wo der Meſſias ſiegen, die Welt richten, Guten und Böſen nach Verdienſt lohnen und ſeine Herrſchaft befeſtigen werde; aber es folgen Kap. XII. XIII. noch Viſionen, nach welchen der Meſſias und ſeine Anhänger Verfolgungen zu erdulden haben, welche wohl eigentlich allen vorangehn ſollten, was bereits von der Verherrlichung des Meſſias im Himmel und von den über ſeine Feinde verhängten Strafen geſchildert iſt, und jene Erfüllung bleibt allerdings lange aus. Nicht mit Recht kann wohl Hr. E. behaupten, nicht *dieſe* verzögere ſich, ſondern der Dichter ſpanne nur angenehm die Aufmerkſamkeit des Leſers durch eine ausführlichere Erzählung; denn daſs Kap. XII, XIII noch nichts von dem Siege des Meſſias enthalten, iſt doch gewiſs, und wenn der Dichter hier nun andre Dinge erzählt, ſo will er auch, daſs ſie in dieſer Reihenfolge wirklich geſchehn ſeyn ſollen, auch läſst ſich das, was wir Kap. IV — XI geleſen haben, hier nirgends nach der Geburt des Meſſias einſchalten, was doch der Zeitfolge wegen nöthig wäre, ſondern nach einem eignen Plane hängt von Kap. XII an bis zum Ende Alles mit einander, wenn auch zuweilen loſe, zuſammen. Mit dem Anfang des 12ten Kap. hat alſo der Dichter, wie auch Rec. überzeugt iſt, ſeinen Kap. XI, 5 — 7. 14 deutlich ausgeſprochnen erſten Plan geändert, und das mag noch erſt nach geraumer Zeit geſchehen ſeyn, da er häufig wieder Theile des erſten Abſchnitts im zweyten benutzt und nachahmt. Hr. E. erklärt (S. 212.) Kap. XII. XIII für eine gerade hier ſehr geſchickt und paſſend angebrachte Epiſode, in welcher die Feinde geſchildert werden, mit denen der nun zur Erde herabſteigende Meſſias (— dieſer wird aber Kap. XII erſt geboren und kommt in den Himmel, aus welchem er Kap. XIX, 11 ff. zur Erde hinabſteigt —) zu kämpfen haben wird, wobey er aber nicht berückſichtigt, daſs der Dichter ſich dem Vorigen nirgends wieder anſchlieſst, da er das noch zu erfüllende dritte Weh nie wieder erwähnt.

Kap. XII, 10. 11 wäre die Inconſequenz des Dichters zu rügen geweſen, welcher, obwohl er kaum geſagt, daſs das neugeborne Meſſiaskind zur Sicherung vor dem Satan in den Himmel entrückt worden, doch nun, nach dem vergeblichen Kampfe des Satans, nach welchem dieſer aus dem Himmel geworfen wird, ſogleich die ſich dort ſchon aufhaltenden verklärten Chriſten (Hr. E. meint ſogar, die 24 Aelteſten) über den Fall des Satans und darüber frohlocken läſst, daſs die *durch das Blut des Lammes* Erlöſeten im treulichen Märtyrerthum ausgeharret haben, da doch von einer Aufopferung des Meſſias im Kreuzestode hier noch gar nicht die Rede geweſen war, noch ſeyn konnte, ſo daſs der Dichter ſelbſt ſeine Zeitfolge verwirrt. Bey V. 14 vindicirt Hr. E. dem Dichter das Recht, mit der Zeitbeſtimmung etwas willkürlich umzugehn, was man auch zugeſtehn kann, ſo lange nur keine innern Widerſprüche dadurch hervorgebracht werden. Wenn man indeſs, wie billig iſt, zugiebt, daſs die Zeitangabe V. 6 u. V. 14 gleich ſey, ſo wird die Verwirrung nur noch gröſser; denn dann flieht die Mutter des Meſſias V. 6. *vor* dem Kampfe des Drachen im Himmel auf 3½ Jahr in die Wüſte an den ihr beſtimmten Ort, und eben dahin flieht ſie auch V. 14 auf eben ſo lange Zeit *nach* dem Kampfe des Drachen, wodurch dieſer letztre als ganz zeitlos erſcheint. Und zieht man nun vollends, mit Hn. E., zur Vergleichung noch die 3½ Jahre herbey, während welcher (Kap. XI, 2 ff.) die Heiden Jeruſalem inne haben und die Propheten des Meſſias dort auftreten ſollen, ſo daſs Alles ein und der nämliche Zeitraum wäre, ſo iſt aus der Verwirrung gar nicht mehr herauszukommen, da dann auch das von unſerm Dichter gar nicht beachtete wirkliche Leben Jeſu auf Erden, mit der Zeit ſeiner Erhöhung im Himmel, welche Kap. IV — XI geſchildert worden, in einen einzigen *zeitloſen* Punkt zuſammenſchmelzen würde. Rec. glaubt aber, daſs man durch alle dieſe Annahmen dem Dichter Unrecht thun würde, und daſs er nur, weil er Kap. XII ff. bedeutend ſpäter ſchrieb, Kap. XII, 6 u. 14 unwillkürlich eine Schilderung nachahmt, die er Kap. XI, 2 ff. ſchon in anderer Beziehung gebraucht hatte, wie wir denn auch wohl andre Nachahmungen ähnlicher Art als unwillkürliche werden anſehn dürfen, da Abſichtlichkeit darin eine noch gröſsere Unklarheit in den Phantaſieen des Dichters verrathen würde, als ſich ohnehin ſchon kund thut.

Kap. XIII, 1. Daſs das Thier, welches die Macht und Grauſamkeit Roms darſtellt, dem Teufel (Kap. XII, 3) darin ähnlich iſt, daſs es 7 Köpfe und 10 Hörner hat, findet Hr. E. ſehr paſſend, weil es als vom Teufel beſeelt, mit ihm im Bunde und von ihm abhängig vorgeſtellt wird; wenn das aber iſt, wie nicht zu leugnen, und die 10 Hörner noch überdieſs aus *Dan.* VII, 7. 20. 24 entlehnt ſind; ſo ſollte Hr. E. auch nicht noch eine weitre Deutung, welche z. B. die 10 Hörner auf 10 römiſche Provinzen und 7 Köpfe auf 7 Kaiſer bezöge, hier ſuchen, obgleich das erlaubt ſeyn kann, wenn der Dichter weiterhin das Bild wiederholt und nachahmt. Die Möglichkeit einer doppelten Auslegung iſt unſtreitig an einer ſymboliſchen Darſtellung immer ein ſo weſentlicher Fehler, wie z. B. auch an einem Räthſel, einer Charade, einer Fabel, daſs man denſelben ſelbſt dem Vf. der Apok. nicht aufdringen muſs, wo nicht er ſelbſt (vergl. Kap. XVII, 9.) oder der Zuſammenhang es ausdrücklich fodert. Für die Doppeldeutung ſpräche hier nur noch V. 3, die Beſchreibung des auf den Tod verwundeten und wieder geheilten Hauptes, welche ſelbſt der Dichter ſchon zugleich auf Nero bezogen zu haben ſcheint; aber Hr. E. geht weiter, und will ſchon hier das ganze Thier zugleich als ein Bild des Nero betrachtet wiſſen, wodurch denn die Unklarheit noch gröſser wird. — V. 11 ff. Hr. E. vermuthet, der Dichter habe wirklich zu ſeiner Zeit einen Propheten gekannt, welcher in Kleinaſien wenn auch nicht gerade den wiederkehrenden Nero als

als Messias verkündigt, doch den Götzendienst befördert habe, sucht aber wohl in den einzelnen Zügen zu viel, wenn er behauptet, der Dichter lasse diesen Propheten, das zweygehörnte Thier, aus der Erde aufsteigen, weil er ihm nahe gewesen, nicht fern über das Meer hergekommen sey. Will man in dem Gegensatz der Erde und des Meers eine Bedeutung suchen, so wäre es keine andre ungezwungne, als dass die Feinde des Messias sich von allen Seiten erheben werden. Passender ist dagegen die Nachweisung, wie dieser falsche Prophet in seinen Handlungen dem Elia gegenüber gestellt werde; doch hätte es V. 14 gerügt werden sollen, dass der Dichter hier den Nero, welcher V. 3 nur ein verwundetes Haupt war, ein von der Schwertwunde genesenes Thier nennt. Da V. 18 die Lesart der Zahl, durch welche Nero bezeichnet werden soll, zwischen χξς = 666 und χις = 616 schwankt, so entscheidet Hr. E. dafür, dass die erstere durch *Λατεῖνος*, der Lateiner, die letztere aber durch קיסר רום *Caesar Romae* erklärt werden könne; das erstere dünkt uns sehr unwahrscheinlich, da diese Bezeichnung eines römischen Kaisers wohl so früh nicht aufkommen konnte.

Kap. XIV, 10 wird *οἶνος κεκερασμένος ἄκρατος* richtig erklärt: mit Wasser nicht gemischter Würzwein (Glutwein); doch hätte bemerkt werden mögen, dass in den Worten, ihrer Etymologie nach ein Widerspruch liegt, der jedoch nur scheinbar ist, da man bey *οἶνος κεκερασμένος* den mit hitzigem Gewürz gemischten, bey *ἄκρατος* den mit Wasser *nicht* verfälschten Wein zu denken hat. — V. 14 — 20. Dass der Gekrönte, welcher einem Menschensohne ähnlich ist, im Sinn des Dichters der Messias seyn soll, wollen wir Hn. *E.* gar nicht abstreiten; aber wenn auch diese Krone ihm einigen Vorzug vor dem Engel mit dem Winzermesser giebt (V. 17), so kann Hr. *E.* doch nur sehr gezwungen einen solchen darin finden, dass der Messias V. 16 die ganze Ernte auf ein Mal vollendet, wogegen die Thätigkeit des Engels V. 19. 20 im Einzelnen beschrieben wird. Die einzige Ursache dieser Verschiedenheit ist wohl, dass das Abschneiden und Keltern der Trauben dem Dichter Gelegenheit gab, mehrere Einzelnheiten auszumalen. Aber als höchst inconsequent hätte es gerügt werden sollen, dass der Messias, welcher sonst nach der Schilderung des Dichters entweder ein Lamm oder der Throngenosse Gottes ist, hier als ein *dienender* Engel erscheint, dem ein anderer Engel etwas befiehlt, und der nur einen Theil der vorbereitenden Strafen ausführt, indess ihm, und zwar ihm allein, das Hauptwerk überlassen werden sollte.

Kap. XV, 3 vermuthet Hr. *E.*, „das Lied Moses und des Lammes," was die Frommen singen, sey ein Lied, welches Mose und der Messias ihnen *vorsingen*, damit sie es wiederholen, was denn wohl so wenig mit der Würde des Messias, als mit seiner *Lammes*-gestalt recht zu vereinigen seyn möchte.

Kap. XVI, 1 ff. Die Ausgiessung der *sieben* Zornschalen bringt eigentlich die Vollendung des *dritten*, Kap. XI, 14. 15 zwar angekündigten, aber nicht erschienenen *Weh's*. Indem wir Hn. *E's.* Bemerkung, dass die dadurch veranlassten Plagen, von denen die vier ersten Erde, Meer, Flüsse und Himmel oder Sonne, die drey andern insbesondre das römische Reich betreffen, den Kap. VIII. IX von dem Blasen der Posaunen abgeleiteten Plagen entsprechen, völlig beystimmen, setzen wir nur hinzu, dass der Dichter, dessen ohnehin nicht schöpferische Phantasie jetzt gänzlich erschöpft ist, weil er Aehnliches zu oft wiederkehren lässt, *sich* gezwungen sieht, von neuem den ersten *Abschnitt* nachzuahmen, wodurch er allerdings in *Widersprüche* geräth, weil er aufs neue vertilgt, was längst vertilgt war. Hr. *E.* findet die Uebereinstimmung der beiden Schilderungen *anmuthig* (*grata*), und sucht sorgsam die kleinen Unterschiede auf, in welchen allen, nach seiner Meinung, hier eine absichtliche Steigerung zu bemerken ist. — V. 12 ff. Unter den „*Königen des Aufgangs*" versteht Hr. *E.* die mit dem Antichrist Nero verbündeten Parthischen Könige, mit welchen er heranzieht, Rache an der Stadt Rom, die ihn einst getödtet hat, zu nehmen; unter den *Königen des ganzen Erdkreises* (V. 14: τῆς οἰκουμένης ὅλης) die Statthalter der römischen Provinzen, welche Nero für sich zu gewinnen sucht. Wir wollen ihm darin nicht widersprechen, aber doch auf eine doppelte Inconsequenz des Dichters aufmerksam machen. Zunächst nämlich heisst Nero hier wieder, nicht wie Kap. XIII, 3 das Haupt, sondern das Thier selbst, und dieses zieht feindlich gegen Rom heran, obgleich diese Stadt V. 10 der Thron des Thiers genannt worden war, wo also das Thier wieder die ganze römische Monarchie bedeuten musste; sodann hat der Dichter schon ein Mal, freylich im ersten Abschnitt (Kap. IX, 13 ff.), den er hier wieder ungeschickt nachahmt, die Partherkönige mit einem furchtbaren Heer gegen das römische Reich heranziehen lassen.

Kap. XVII, 7 ff. giebt Hr. *E.* sich viele Mühe, die Verwirrung aufzulösen, welche dadurch entsteht, dass bey dem Dichter das Thier bald den Nero, bald alle römischen Kaiser bedeutet, und dass die 7 ersten derselben bald durch die sieben Häupter des Thiers, bald durch die 7, vom Dichter freylich vorher nicht erwähnten Berge, auf welchen das Weib sitzt, angedeutet werden. Aber deutlich entwickelt er, nachdem früher schon die mit Augustus anfangende Zählung gerechtfertigt worden, wie Nero der 5te, und zugleich bey seiner Wiederkehr, wo er den kurz regierenden 7ten überwältigt, der 8te Kaiser ist, und die 10 Hörner die mit ihm verbündeten Fürsten und Statthalter bedeuten. —

(*Der Beschluss folgt.*)

ALLGEMEINE LITERATUR-ZEITUNG

November 1828.

BIBLISCHE LITERATUR.

Leipzig, b. Hahn: *Commentarius in Apocalypſin Johannis exegeticus et criticus*, auctore *Georgio Henrico Auguſto Ewald* etc.

(Beſchluſs der im vorigen Stück abgebrochenen Recenſion.)

Kap. XVIII, 1 iſt es wohl nur ein Verſehn der Flüchtigkeit, daſs Hr. *E.* die Worte: *καὶ ἡ γῆ ἐφωτίσθη ἐκ τῆς δόξης αὐτοῦ*, „und die Erde wurde erleuchtet von ſeinem (des Engels) Glanze," umſchreibend erklärt: *terra cum hoc ſplendore (angeli) comparata, quaſi obſcura reddita eſt.* — V. 7. entſchuldigt Hr. *E.* den Umſtand, daſs hier wieder eine Zerſtörung der Stadt Rom verkündigt wird, von der ſchon mehrere Mal (am deutlichſten Kap. XVI, 19 ff.) erzählt worden, daſs ſie zerſtört ſey, nicht ſehr paſſend dadurch, daſs der Dichter damit ja jedes Mal ein zukünftiges Ereigniſs bezeichne, und daher die einzelnen Züge wieder ändern könne. Die eigentliche Urſache iſt wohl die, daſs der Dichter, welcher nichts weniger verſteht, als die Kunſt aufzuhören, durch immer neue Abſchweifungen ſich von der Hauptſache entfernt, und ſo auch hier noch Gelegenheit ſucht, die Reden der alten Propheten gegen Babel und Tyrus mit einer Beziehung auf Rom nachzubilden. — V. 14 hält Hr. *E.* etwas kühn, aber nicht gerade unpaſſend, da der Vers allerdings ungehörig in die Aufzählung der Waaren eingeſchoben und überdieſs Rom in der zweyten Perſon angeredet iſt, was weder V. 18 nach V. 15. 16. geſchieht, für eine Gloſſe des Dichters ſelbſt die er an den Rand geſchrieben, um daran eine neue epiſodiſche, hier noch (vielleicht nach den erſten Worten von V. 17.) einzuſchaltende Schilderung anzuknüpfen, die er nachher aufgegeben habe, worauf dann die Worte von dem Abſchreiber willkürlich in den Text geſetzt worden ſeyen. Eine falſche Stellung des Verſes wird wohl unumgänglich anzunehmen ſeyn; aber es wäre auch möglich, daſs der Dichter das Obſt, von welchem er hier redet, wo nicht zu den Waaren des Luxus, doch zu den Annehmlichkeiten des Lebens, welche der Stadt Rom ſämmtlich geraubt werden ſollen, rechnete, und meinte, er müſſe auch in der Vertauſchung der 2ten und 3ten wieder ein Mal die alten Propheten nachahmen.

Kap. XIX, 1 ff. unterſcheidet Hr. *E.* dieſe Nachahmung des Lobgeſangs der Engel und Frommen über die Beſiegung der Meſſiasfeinde von der dem erſten Abſchnitt angehörenden Originalſtelle (Kap. XI, 15 ff.) dadurch, daſs die frommen Sänger erſt jetzt (??) dieſes Sieges der guten Sache ganz gewiſs ſeyn können. — V. 10 erklärt Hr. *E.* im Sinne des Dichters: Wer wahren Glauben an den Meſſias hat, und ihn treulich bewahrt, der erhält den Geiſt der Weiſſagung und kann den Engeln gleich werden, welche gleich ihm nur Diener Gottes und des Meſſias ſind. V. 15 ſtimmen wir dem Erklärer völlig bey, wenn er nachweiſt, daſs das aus dem Munde des Meſſias hervorgehende Schwert, ſein eiſerner Scepter und ſein Keltertreten lauter Bilder ſind, in denen der Dichter ſich ſelbſt nachahmt, der frühere Schilderungen wiederholt; aber in den Worten des Dichters finden wir auch nicht die leiſeſte Andeutung davon, daſs der Meſſias, wie Hr. *E.* will, *immaniori modo* das Keltertreten, welches Kap. XIV, 19. 20 ein Engel verrichtete, wiederhole; vielmehr wird hier bloſs einfach geſagt: „er tritt die Kelter des Glut- und Zornweines Gottes," indeſs dort die fürchterliche Wirkung des Kelterns anſchaulich gemacht war. Daſs die Wiederholung dieſes Geſchäfts, wenn auch mit einiger Aenderung, eben ſo matt als inconſequent iſt, liegt am Tage.

Kap. XX, 4 ff. Hr. *E.* entwickelt treffend, daſs die Idee von einem *tauſend*jährigen Reiche des Meſſias auf Erden, an welchem die jetzt ſchon auferweckten Frommen, indeſs die Böſen den Todesſchlaf ſchlafen, Theil nehmen ſollen, eine neu vom Dichter ausgebildete ſey, und daſs derſelbe ſich das Glück dieſes Reichs geringer vorſtelle, als das für die Frommen nach dem Weltgericht erfolgende. V. 11 ff. erwähnt Hr. *Ewald* nur leiſe den letztern von den beiden Widerſprüchen, welche darin liegen, daſs der Meſſias nun noch feyerlich Gericht hält über alle Todten, was doch überflüſſig iſt, da durch das erſte, freylich nur von den Engeln gehaltne Gericht (Kap. XX, 4 ff.), alle Frommen bereits ausgeſondert, und alſo keine andern, als die Frevler, aufzuerwecken und nicht ſowohl zu richten, als bloſs zu verdammen übrig ſind; — und ferner darin, daſs die Frevler V. 13 nach ihren Werken, alſo wohl, weil dieſe aufgezeichnet ſind, nach dem verſchiednen Grade ihrer Schuld gerichtet werden ſollen, und doch alleſammt ohne Unterſchied in den Feuerpfuhl geſtürzt werden, ohne daſs auch nur der geringſte Zug zu der Vermuthung berechtigt, der Vf. der Apokal. habe ſich in dieſem Feuerpfuhl eine verſchiedne Abſtufung der Strafen gedacht.

Die

Die kurzen Bemerkungen des Erklärers über die beiden letzten Kapitel, scheinen uns von geringerem Interesse; auch glauben wir seine exegetische Art und Kunst hinlänglich dargelegt, und dadurch seiner verdienstlichen Arbeit eine wo möglich empfehlende, achtungsvolle Aufmerksamkeit bewiesen zu haben.

— *g.*

PREDIGERWISSENSCHAFTEN.

HALLE, b. Kümmel: *Die Homilie, eine besondere geistliche Redegattung, in ihrem ganzen Umfange dargestellt,* von *Andreas Gottfried Schmidt,* Pfarrer an der reformirten Stadt- und St. Johanniskirche zu Nienburg an der Saale. 1827. XXVIII u. 140 S. 8. (16 gGr.)

Der Vf. zeigt in der wohldurchdachten und gutgearbeiteten Vorrede, welche verschiedene Mittel man bis jetzt angewendet habe, die h. Schrift für den allgemeinen Gebrauch verständlicher, annehmbarer, erbaulicher und ehrwürdiger zu machen, und erklärt mit allem Rechte die Homilie für eines der fruchtbarsten Mittel dieser Art. Er hat schon theils in einer kürzern, beyfällig aufgenommenen Abhandlung: „Widerlegung einiger Einwürfe gegen den Gebrauch der Homilie (Zerbst bey Füchsel 1823)," theils in zwey vollständigern, im Halleschen Predigerjournale befindlichen Ausführungen diese Lehrform in Schutz genommen. In vorliegender Schrift hat er diesen wichtigen, ihm liebgewordenen Gegenstand von neuem abgehandelt, und mit einer so prüfenden Umsicht, mit einer so eindringenden und umfassenden Gründlichkeit, in einer so bündigen und kräftigen Sprache bearbeitet und vorgetragen, dass wir dieses Werk als einen sehr schätzbaren Beytrag zur Homilienkunde und auch zur Literatur derselben, besonders angehenden Predigern, empfehlen müssen.

Der Gang des Vfs. ist folgender. Nach vorangeschickten Literarnotizen, die auch am Schlusse mit noch grösserer Vollständigkeit vorkommen, folgen Bemerkungen über den etymologischen und historischen Sinn der Homilie; Begriff der Homilie nebst einer Aufzählung und Beurtheilung der bekanntesten Definitionen derselben; Zweck der Homilie; Wahl, Erklärung, Anwendung des Textes nebst einer Angabe von geeigneten Schriftstellen; Form der Homilie; Sprache; Erfordernisse, Gefahren und Werth der Homilie; Anklagen und Einwendungen, welche gegen die Homilie erhoben und gemacht sind; der Gebrauch der Homilie bey Kasualfeyern; Längenmaass oder Zeitdauer der Homilie; darf die Homilie extemporirt werden?

Was die treffliche Erklärung des etymologischen, besonders des historischen Sinnes der Homilie betrifft, so würde Rec. wegen der Vollständigkeit noch die dritte Bedeutung von ὁμιλεῖν mit dem *dativ*, oder mit Ἐν, als *Sirach* 11, 20 [illegible] *[illegible] in aliqua re,* etwas üben, betreiben, [illegible] bey den Profanskribenten φιλοσοφίᾳ, παιδείᾳ, [illegible] u. s. w. angeführt haben, wenn gleich die zwey[illegible] Bedeutung — mit einander sprechen, eine Re[illegible] halten — eigentlich zur Sache passt. Gründlich hat der Vf. (S. 7 — 18.) den Begriff der Homilie auseinandergesetzt, und mit Recht die Eintheilung in höhere und niedere Homilie verworfen, da wir nicht die Homilie in ihrer Kindheit zurückrufen wollen, sondern nach den gegenwärtigen, auch psychologisch richtigen Forderungen der Redekunst ein wohlgeordnetes Ganzes und eine der wahren Erbauung förderliche leitende Hauptidee verlangen. Uebrigens wird die analytische Predigtmanier immer von der echten Homilie verschieden bleiben, indem die erstere in der naturgemässen Gedankenentwickelung und Begriffsaufstellung mit Hinsicht auf das Thema, die letztere in der nach einer Hauptwahrheit sich richtenden Textesbenutzung besteht. Sehr richtig bemerkt der Vf., dass auch die Homilie die Erbauung zum Zweck habe, aber deswegen nicht bloss auf Rührung ausgehe, sondern ebenfalls den Weg von der Belehrung und Ueberzeugung zum Herzen nehme; wie auch in dem wohlausgeführten Kapitel von der Wahl und *Benutzung* des Textes, dass die Texteswahl, besonders auch für die Busstage und Erntedankfeste, jedem Prediger überlassen seyn müsse, weil vorgeschriebene Texte sich nur im Allgemeinen bewegen, und nicht der Lokalität gemäss gewählt, sondern erst durch homiletische Künste und Wendungen lokal gemacht werden. „Das Vorschreiben der Texte, sagt er, widerstreitet dem Geiste des Protestantismus, weicht dem Anstriche und Verdachte einer Geltendmachung der geistlichen Oberherrschaft nicht aus, und lähmt die Kraft des Predigers, in welche ein gewisses Misstrauen gesetzt wird." Rec. möchte noch hinzufügen, dass bisweilen der Grund in einer unrichtigen Ansicht liege, indem man meint, dass es z. B. am Busstage so schön und erbaulich sey, wenn im ganzen Lande über Einen Text gepredigt werde, indess manche Landparochie nicht erfährt oder sich nicht kümmert, ob in der nachbarlichen über einen allgemeinen oder speciellen Text verhandelt worden sey. — Nur fällt der fünfte Paragraph mit dem zweyten in Hinsicht auf die leitende Hauptidee etwas zusammen; der Vf. hätte daher sich so äussern mögen, dass er die Homilie nach ihrer innern logischen und anderweiten Form jetzt noch ausführlicher charakterisiren werde. Das hierüber treffend Beygebrachte ist durch passende Beyspiele aus den neuesten gedruckten Homilien anschaulich gemacht; besonders hat Rec. gefallen, dass er sich gegen manche neuere emblematisirende, phantastisch deutelnde und spielende Predigtweise kräftig erklärt, und überall auf lichtvolle, dem vernünftigen Schriftgebrauche und gebildeten Geschmacke angemessene Erbauung dringt. Auch stimmt Rec. völlig mit dem überein, was der Vf. von dem Charakter der paraboliboliſchen Homilie wider *Bartels* erinnert, indem nicht die Parabel ſelbſt, ſondern die dadurch abgebildete Wahrheit der Hauptſatz ſeyn darf, wie auch *Rydert* die Parabel vom Senfkorn nach der richtigen Methode behandelt hat. Was der Vf. von der Zuläſſigkeit des Anfangsgebetes in pſychologiſcher Hinſicht nach dem vorhergegangenen Geſange ſagt, unterſchreibt Rec. gern; nur möchte er mit *Bartels* immer der Meinung bleiben, daſs auch dieſes Gebet einen Theil des Ganzen ausmache, weil in jedem Kunſtwerke nichts müſsig, ſondern alles zweckmäſsig ſeyn, alles ſeine Stelle haben muſs. Es kommt bloſs darauf an, wie gebetet wird. Das Anfangsgebet ſoll das Gemüth erheben, und ſchon auf das hinwinken, wovon die Rede ſeyn wird; dagegen dünken allgemeine Gebete, die vor jeder Predigt ſtehen können, Rec. eben ſo unpaſſend, als immer gebrauchte geweihete Formeln, z. B. die Gnade Gottes, die Liebe Jeſu Chriſti u. ſ. w. Dafür laſſe man lieber das Gebet weg, und begnüge ſich mit dem vorhergegangenen Geſange. Zu miſsbilligen iſt es, wenn man, weil der Eingang nicht Statt findet, das Anfangsgebet zu einer übermäſsigen Länge ausdehnt, und darin ſchon viel demonſtrirt. Vor andern verdient beherzigt zu werden, was der Vf. ſo bündig von der Sprache der Homilie, von deren Correktheit und Schönheit vorträgt, da hierin leider nur zu oft Vernachläſſigungen Statt finden. Sehr zweckmäſsig verbreitet ſich der Vf. als ein ſo umſichtiger und gründlicher Apologet der Homilie auch über die Erforderniſſe, Gefahren und den Werth derſelben, ſo wie über die Anklagen und Einwendungen gegen dieſelbe, und ſucht dadurch die hohe Erbaulichkeit oder Würde und Nutzbarkeit derſelben zu bekräftigen. Doch müſſen wir dem Leſer das Einzelne der wohlgelungenen Erörterungen überlaſſen. Zuletzt bringt der Vf. noch beyfallswerthe Bemerkungen über den Gebrauch der Homilie bey Kaſualvorträgen, über die Zeitdauer und das Extemporiren derſelben bey, aus welchem allen bisher Geſagten erhellet, daſs die Homilie, eine ſehr wichtige und für wahre Erbauung höchſt wirkſame Redegattung, zwar im Gebrauch nicht vorherrſchend, aber doch bisweilen oder auch öfter, vorzüglich bey Landgemeinen, zur Abwechſelung dienen muſs. In der reichhaltigen Literatur hat Rec. kein Hauptwerk vermiſst, und erinnert nur, daſs in einzelnen trefflichen Predigtſammlungen manche wohlgelungene Homilieen vorkommen mögen, wie in der *Ribbeckſchen* erſten Sammlung (Magdeburg 1789) ſich eine ſchöne Homilie über das Gleichniſs vom verlorenen Sohne findet. Uebrigens wünſcht Rec., daſs dieſe gehaltvolle Schrift beſonders von recht vielen jüngern Predigern benutzt werden möge, wie auch der geübtere ſie mit Nutzen und Wohlgefallen leſen wird.

SCHÖNE KÜNSTE.

FRANKFURT a. M., in d. Hermann. Buchh.: *Dramatiſche Dichtungen* von *Grabbe*. Nebſt einer Abhandlung über die *Shakſpearo-Manie*. 1827. *Erſter* Band XVI u. 400 S. *Zweyter* Bd. 384 S. in 8. (3 Rthlr. 12 gGr.)

Wohl nie iſt in irgend einer Literatur ein Werk erſchienen, welches zugleich ſo viel Tadel und Lob verdiente, als dieſe Dichtungen. Nur ein hochgewaltiges, aber auch tief zerriſſenes Gemüth kann ſie erzeugt haben. Wie wäre es ſonſt möglich, nach Stellen, Scenen und Akten, in denen das Feuer der beflügeltesten Phantaſie, der erſchütterndſten Begeiſterung zu einer Flamme empor lodert, wie bey keinem andern Dichter, die niedrigſten Gemeinheiten, ja ein abſichtliches Herunterziehen zu denſelben folgen zu ſehen! Während man an vielen Stellen der Trauerſpiele Herzog *Theodor von Gothland*, — *Marius* und *Sulla*, — ſelbſt *Nannette* und *Maria* vor dem gröſsten Dramatiker zu ſtehen wähnt, wird man durch die ſchmählichſte Zertrümmerung jeder Form und Empfindung auf das Schreyendſte aus dieſem Irrthume geweckt. Der Vf. ſcheint ſeine Paläſte nur aufzubauen, um ſich die Luſt zu machen, ſie nieder zu reiſsen. Jedwedes Seelenvermögen, welches Achtung, oder Schrecken, oder Abſcheu vor der ganz auſserordentlichen Perſönlichkeit — ſogar Lord *Byron* bleibt an Kraft und verzweifelnder Verwegenheit hinter *Grabbe* zurück, — Staunen vor den poetiſchen Anlagen des Vfs. aufzuregen im Stande ſind, wird, bey dem Leſen ſeiner Dramen, mächtig erfaſst und erſchüttert; allein als Künſtler hat er nicht geſchrieben. Dazu fehlt ihm Ruhe, Hingebung und Freude am Schaffen. — Rieſenhaft, wie ſchwerlich ein anderes Drama deutſcher oder fremder Nation, tritt uns die Tragödie Herzog Theodor von Gothland entgegen; ſelbſt hinſichts des äuſsern Umfanges, da ſie gerade 400 Seiten füllt. Zwey eben ſo excentriſche als, — wir wiſſen keinen bezeichnenderen Ausdruck, — ungeheure Charaktere, ein Neger vom Gambia, und ein ſchwediſcher Edler vom höchſten Range wüthen im tödtlichſten Kampfe gegen einander; und in dieſem Kampfe geht, nach der ſchauderhaften Tendenz des Ganzen, alles Edle, Rührende, was in dem Stücke auftaucht, ja alles Groſse, was die Erde kennt, Glaube, Liebe, Hoffnung, mittelbar oder unmittelbar auf die empörendſte Weiſe zu Grunde. Und dieſe furchtbare Tendenz iſt in eine ſolche Dialektik gehüllt, mit einer ſo funkenſprühenden Poeſie umgeben, daſs der ſchwächere Leſer gewiſs geblendet, der ſtärkere aber zum Mitleid mit dem Vf. aufgeregt wird, der ſo auſserordentliche Talente, als er deren ſich rühmen kann, ſo übel anwendet. — Betrachtet man die Aeuſserlichkeiten, Motive, Formen u. ſ. w., ſo iſt der *Gothland* zwar ein Mammuth an Gröſse und Geſtalt, aber nur von Knochen; das Fleiſch, die Muskeln, — welche *Shakeſpeare* ſo trefflich ſeinen Dramen zu geben verſteht, — fehlen; und wir wiſſen nicht, ob wir mit mehr Ekel oder Bewunderung von ihm ſcheiden. — *Nannette* und *Maria*, ein tragiſches Spiel, enthält einen Reichthum an herrlichen Bildern, woraus faſt ſämmtliche neuere junge Poeten ſchö-

schöpfen könnten, ohne dass man eine Leere im Stücke gewahren würde. — Was sind aber Bilder, wenn das *Ganze* kein Bild ist. — Dagegen entwickelt das Lustspiel, *Scherz, Satire, Ironie und tiefere Bedeutung*, eine solche Masse das Zwerchfell erschütternden Scherzes, einen solchen blitzenden und versengenden Witz, einen solchen Umsturz alles Trivialen und Gewöhnlichen, — leider mitunter auch des Guten! — dass man während des Lesens wenig zu Ruhe und Athem kommen kann. Die Ansicht, dass in der Welt selbst das Böse und Teuflische, so wie das Närrische nur eine Art Instinct sey, herrscht offenbar darin vor. Doch betrachtet man die Sache genauer, so findet man in diesem Lustspiele eigentlich nur die lustig seyn sollende Kehrseite des *Gothland:* Alles, was der Mensch vom Höchsten bis zum Niedrigsten glaubt oder kennt, wird darin verhöhnt und unmöglich kann man, bey dieser Universal-Tendenz, das Stück, trotz der vielen einzelnen Schlaglichter, ein *Lustspiel* nennen. — *Marius* und *Sulla* ist noch eine Skizze, jedoch vielleicht der imposanteste *Torso*, den die dramatische Kunst bis jetzt kennt. Hier ist der Vf. ein ganz Anderer, als in seinen frühern Stücken. Stil, Vers, Sprache zeugen schon im Aeussern davon. — Wir möchten hoffen, dass Hr. *G.* dieses Stück später, als die übrigen, entworfen und geschrieben. — Nicht, wie so viele der heutigen gepriesenen Romantiker, hat der Vf. hier einige Lappen der Geschichte abgerissen, um seine Darstellung damit auszuflicken: seine Darstellung und die Geschichte verschmelzen sich vielmehr so wunderbar, dass man sagen möchte, die Darstellung ist Geschichte, und umgekehrt. Gross, herzbewegend ist die Schilderung des Marius, seines Sturzes, seines Wiederaufsteigens und seines Unterganges; noch weit grösser und anziehender aber steht ihm der Charakter des Sulla gegenüber. Und das will viel sagen: denn schon das unglückliche Geschick des *Marius* erregt von vorne herein für ihn Interesse, während Sulla stets der Glückliche bleibt. — Mit fast unglaublicher Kunst hat der Dichter den Sulla, ohne ihm irgend einen tragischen Flitterstaat anzulegen, zu einem kalt berechnenden, kriegerischen und politischen Genie gemacht; er hat ihm keine einzige der ungeheuern Frevelthaten, deren die Geschichte ihn anklagt, erlassen, er lässt ihn, mitten im schwelgenden Genusse des Glückes, von der Bühne treten; — und doch fühlt man sich immer wieder mit Bewunderung zu ihm hingezogen, seine furchtbaren Thaten erregen weder Empörung, noch Ekel. Forscht man bey sich nach der Ursache dieses Eindrucks, so möchte man sie wohl darin finden, dass in dieser Tragödie der Gesammtzustand der heutiges Tages so selten begriffenen römischen Welt, in vollesten Umfange, deutlich dargelegt ist, dass alle Erscheinungen sich deshalb als zeitgemäss verkündigen und dass bey dem Charakter des Sulla, seiner ausserordentlichen Kälte ungeachtet, doch die im Innern lodernde Lavagluth, deren Ausbruch er mit starker Hand zurückdämpft, angedeutet worden. — Wir glauben, dass mit dem *Marius und Sulla* des Hn. *G.* der Geschichte und ihrer Erklärung ein Dienst geleistet ward; und selbst *Luden* möchte, wie er es in einem seiner Werke thut, nach Durchlesung dieses Stückes, den *Sulla* nicht mehr ein Räthsel nennen. Auch bemerkt man bey *dieser* Composition, dass gelehrte Kenntniss, — wie denn solche dem Vf. wohl nicht abzusprechen ist, — *mit* echtem Genie und frey waltendem Geiste verbunden, weit mehr auszurichten vermag, als eine bloss oberflächliche Betrachtung der Ereignisse, sey sie immerhin vom grössten Genius ausgegangen, — wie z. B. bey *Shakespeare's* römischen Stücken. — Die Abhandlung über die *Shakespearo-Manie*, — einer Manie, welcher sich Hr. *G.* früher in dem, der Anlage und Gesinnung nach leider nur zu *originellen*, Gothland theilweise selber schuldig gemacht hat, — ist, ungeachtet der höflichen Klauseln des *Vfs.*, wohl nur ein Angriff auf die erbleichte Kritik des Dichters *L. Tieck* und seiner Schule. L. Tieck scheint einen zweyten *Lessing* spielen zu wollen. Statt aber dabey, gleich jenem grossen *Lessing* — und wie jetzt auch *Müllner* — *analytisch* zu verfahren, ist es ihm bequemer, hinsichtlich der *darstellenden Kunst*, sich auf eine Vergangenheit zu berufen, die man auf seine Autorität annehmen soll, während kaum Jemand jene Vergangenheit kennt; hinsichts der dramatischen Schriftsteller aber soll *Shakespeare*, — der sich, wenn er lebte, wohl recht sehr die kritische Freundschaft *Tieck's* verbitten würde, — die Waffe seyn, mit welcher er Alles zu Boden schlägt. An poetischen Phrasen mangelt es in *Tieck's* Urtheilen freylich nicht, allein an verständigen Begründungen desto mehr. Er fühlt auch, dass poetische Invention ihm das Höchste seyn muss, sollte er sogar die arme Shakespearische *Ophelia* zur H— machen. — Hn. *G's. Shakespearo-Manie*, in einem schneidenden Stile geschrieben, ist im Ganzen sehr wahr und treffend. Sie wird ihm sowohl Freunde als Feinde zuziehen, und nur im Einzelnen können wir seinen oft zu abgerissenen Urtheilen über den britischen Dichterfürsten nicht beystimmen.

ALLGEMEINE LITERATUR-ZEITUNG

November 1828.

LITERARISCHE NACHRICHTEN.

I. Akademieen und Preise.

Am 3. Julius hielt die *Königl. Akademie der Wissenschaften zu Berlin* ihre jährliche öffentliche Sitzung zum Andenken ihres Stifters Leibnitz, welche der vorsitzende Secretair, Hr. *Erman* eröffnete. Nach der Antrittsrede des im verflossenen Jahre zum ordentlichen Mitgliede der mathematischen Klasse erwählten geh. Oberbauraths Hn. *Crelle*, und der Erwiederung von Seiten des Secretairs der mathematischen Klasse, Hn. *Enke*, machte der letztere für das Jahr 1830 folgende Preisaufgabe dieser Klasse bekannt.

Die allgemeine Theorie der gegenseitigen Störungen ist besonders in Bezug auf das Quadrat, und die höhern Potenzen der störenden Kraft noch ziemlich unvollständig. Entweder man bleibt nach den bisherigen Methoden ohne eine Kenntniss der numerischen Coefficienten-Werthe bey den vernachlässigten Glieders, oder man wird auf eine höchst weitläuftige Rechnung geführt. Die beiden grossen Gleichungen des Jupiters und Saturns haben, nach beiden Methoden behandelt, verschiedene Werthe gegeben, ohne dass bis jetzt eine genügende Erklärung dieses Unterschiedes aufgestellt wäre. In der Hoffnung, dass die steten Fortschritte der Mathematischen Wissenschaften Mittel finden lassen werden, die vorhandenen Schwierigkeiten zu besiegen, hat sich die mathematische Klasse für die folgende Aufgabe entschieden:

Die Akademie wünscht eine neue Untersuchung der gegenseitigen Störungen des Jupiters und Saturns zu erhalten, mit besondrer Berücksichtigung der von dem Quadrate und den höhern Potenzen der störenden Kräfte abhängigen Glieder, wodurch zugleich die Verschiedenheit der von den Herrn Laplace *und* Plana *gefundenen Werthe erklärt, und das richtige Resultat bewiesen wird.*

Die Abhandlungen müssen vor dem 31. März 1830 eingesandt seyn. Der Preis von 50 Dukaten wird in der öffentlichen Sitzung am 3. Julius desselben Jahres zuerkannt.

Hierauf las Hr. *Bopp* eine Abhandlung über eine Episode des *Mahâ-Bhârata*, genannt *Sâwitrî*.

Auf die beste *Lebensbeschreibung des verstorbenen Dänischen Staatsministers Grafen Christian Detlev Friedrich von Reventlow*, vornehmlich mit Rücksicht auf seine Wirksamkeit als Beamter und Staatsbürger, haben seine Nachkommen einen Preis von 600 Rthlr. ausgesetzt. Die Königl. Dänische Wissenschaftsgesellschaft zu Kopenhagen hat einen Comité zur Beurtheilung der einkommenden Preisschriften niedergesetzt, die vor dem 1. May 1830 an den Secretair der Gesellschaft, Professor *Oerstedt*, einzusenden sind.

Die von Sr. Maj. dem König von Würtemberg für jedes Jahr ausgesetzten Industriepreise sind am 27. Sept., als dem Geburtsfeste des Königs, vertheilt worden. Den mechanischen Preis von 40 Dukaten und eine silberne Medaille erhielt der Hofmechanikus Hr. *Eberbach*, wegen seiner Erfindung, *Thurmglocken durch Stahlstäbe zu ersetzen*, welche nicht nur ihren glockenähnlichen Schall weit verbreiten, sondern auch viel wohlfeiler, als die Glocken zu stehen kommen, und von längerer Dauer sind. Der chemische Preis von 30 Dukaten und einer silbernen Medaille wurde dem Professor Hn. *Gmelin* von Tübingen, wegen seiner *genauen Analyse des, aus dem Lasursteine gezogenen Ultramarins, und der darauf gegründeten Darstellung einer dem Ultramarin ähnlichen Farbe*, auch wegen der *öffentlichen uneigennützigen Bekanntmachung dieses Verfahrens*, ertheilt. Der landwirthschaftliche Preis von 20 Dukaten und einer silbernen Medaille wurde dem Wundarzt Hn. *Mehrer* zu Linnzingen, Oberamts Maulbronn, zu Theil. Er hat zum erstenmal eine *Blutegel-Zucht im Grossen* von solchem Umfange zu Stande gebracht, dass er diese für die Heilkunde so wichtigen Thiere in grossen Quantitäten ablassen kann, wodurch das, bisher dafür auser Landes gesendete Geld im Lande bleibt.

II. Ehrenbezeigungen.

Den Hn. Dr. *Alb. von Schönberg* zu Kopenhagen hat die medicinisch-physikal. Gesellschaft zu Florenz, und die Wissenschaftsgesellschaft zu Treviso als correspondirendes Mitglied; die Wissenschaftsgesellschaft zu Siena aber, und die Gesellschaft zur Beförderung der Naturkunde in Marburg als ordentliches Mitglied aufgenommen.

Die Königl. Akademie der bildenden Künste in München hat zur Feyer des Namens- und Geburtsfestes Sr. Majest. des Königs von Baiern am 25. August mit allerhöchster Genehmigung drey Ehrenmitglieder in Deutschland, Frankreich und England ernannt: Hn. Dr. *Sulpiz Boisserée* in München, wegen grosser Verdienste, die er sich um die Geschichte der deutschen Kunst durch Erforschung, Sammlung und Bekanntmachung vorzüglicher Denkmäler derselben erworben; Hn. Baron *Gérard*, Präsidenten der Akademie der bilden.

denden Künste in Paris, wegen seiner ausgezeichneten Verdienste um die Historien- und Bildnissmalerey in Frankreich, und Hn. *Robert Cokkerell*, Architekten in London, der sich so wohl durch Auffindung antiker Denkmäler, z. B. der Bildsäulen von Aegina und der Reliefs von Phigalie, als durch vorzügliche von ihm ausgeführte Bauwerke einen ruhmvollen Namen gemacht hat.

Hr. Landphysikus Dr. *A. W. Roth* in Vegesack, als Schriftsteller im Fache der Botanik rühmlichst bekannt, feyerte am 17. Septbr. sein 50jähriges Doctor-Jubiläum. Die Universität Erlangen übersandte ihm zu dieser Feyer ein erneuetes Doctordiplom, und die westphäl. Gesellschaft für vaterländische Cultur, so wie das Museum zu Bremen, Ehrendiplome. Der Senat von Bremen übersendete dem Jubilar ein Geschenk an Ehrenwein. Der Herzog von Oldenburg, in dessen Landen der Dr. *Roth* geboren ist, hatte demselben das Prachtwerk der Herrn *von Spix* und *von Martius*, über die Naturgeschichte Brasiliens übersandt, und die Regierung in Hannover ein schmeichelhaftes Belobungsschreiben ausfertigen lassen. Aus Bremen und Vegesack erhielt der Jubilar ausserdem einen schönen Pokal, eine goldene Dose und ein kostbares Silbergeschirr.

Das Königl. Institut für Wissenschaften, Literatur und Künste in Brüssel ernannte zu Mitgliedern der ersten Klasse den Hn. Prof. *A. Quetelet* in Brüssel (Verfasser eines Werkes in franz. Sprache über *die Bevölkerung, Geburten, Sterbefälle, Gefängnisse u. s. w.*), Hn. Prof. *van Breda* in Gent; Hn. *van Reynsbergen* Prof. an der Artillerieschule zu Delft; Hn. *Numan* Prof. an der Veterinairschule zu Utrecht; Hn. *Soetermeer*, Constructeur beym Seedepartement zu Vliessingen; Hn. Oberingenieur *Mentz* zu Harlem; Hn. *Hugenin*, Director der Königl. Stückgiesserey zu Lüttich; — zu auswärtigen Ehrenmitgliedern die Herren: *von Humboldt* in Berlin, Baron *Cuvier* in Paris, Sir *Humphr. Davy* in London, Dr. *Blumenbach* in Göttingen, Prof. *A. P. Decandolle* in Genf, Dr. *Olbers* in Bremen.

Der Herzogl. Anhalt-Köthensche geheime *Finanzrath* Hr. *Albert*, der berühmte Gründer des *nach ihm* benannten Wirthschaftssystems, erhielt von Sr. Majestät dem Kaiser von Oestreich den Leopolds-Orden, von des Königs von Preussen Maj. den rothen Adlerorden dritter Klasse, und wurde von dem Herzoge von Anh. Köthen in den Adelstand erhoben.

Die Akademie der Wissenschaften zu Turin hat den Professor der Anatomie zu Leipzig, Hn. Dr. *Ernst H. Weber*, und seinen Bruder den Privatdocenten der Physik zu Halle, Hn. Dr. *Wilhelm E. Weber* unter die correspondirenden Mitglieder aufgenommen.

LITERARISCHE ANZEIGEN.

I. Neue periodische Schriften.

In meinem Verlage erschien so eben:

Zeitschrift für Civilrecht und Process. Herausgegeben von *Linde*, *Marezoll*, und von *Wening-Ingenheim*. Isten Bandes 3tes Heft. gr. 8. Der Band von 3 Heften 2 Rthlr. oder 3 Fl. 36 Kr.

Inhalt dieses Heftes:

Beyträge zur Lehre von der Gültigkeit der Pfandveräusserungen, von *von Wening-Ingenheim*. — Gehört zur Gültigkeit der Pollicitation die persönliche Gegenwart des Pollicitanten? von *Marezoll*. — Mit welcher Klage kann der Fiscus oder sonstige Dritte auftreten, um sein aus der Indignität des Berufenen hervorgehendes Ereptionsrecht geltend zu machen? von *Marezoll*. — Beyträge zur Lehre der Selbsthülfe, von *Linde*. — Ueber die Wirkung der Verjährung der Klagen, von *Heimbach* Professor in Jena. — Beytrag zur Lehre vom Kauf- und Tauschcontrakte, von *Marezoll*. — Ueber die Bedeutung und den Umfang der c. 25. *C. de locato et conducto*. Von *Thon*, Advocat in Eisenach.

Der reichhaltige Inhalt auch der frühern Hefte von berühmten Gelehrten, hat diesem Unternehmen bereits ein ausgebreitetes Publicum erworben, wodurch die rasche Erscheinung der Fortsetzung gesichert ist, und wird in diesem Jahr noch des 2ten Bandes 1stes Heft unfehlbar die Presse verlassen.

Giessen, im October 1828.

B. C. Ferber.

II. Ankündigungen neuer Bücher.

An Volks-Schullehrer.

So eben ist bey Metzler in Stuttgart erschienen:

Einleitung in die *Erziehungs- und Unterrichtslehre für Volks-Schullehrer*, von B. G. Denzel, Rector des Schullehrer-Seminars zu Esslingen. *Dritte* verb. Auflage. 3ten Theils 1ste Abtheilung. gr. 8.

Der 1ste Theil dieses vorzüglichen Werks, dessen praktischen Werth seine Einführung in vielen Schullehrer-Seminarien und seine wiederholten Auflagen beweisen, stellt die *allgemeinen Grundsätze* der Erziehungs- und Unterrichtslehre, der 2te die *Anwendung* derselben auf die *Volksschule* dar, und der 3te giebt die *specielle* Einleitung in die *Unterrichtslehre in Volksschulen*, wobey die *Curse* nach allen in denselben zu behandelnden Gegenständen ins Auge gefasst sind, und dadurch der Schullehrer in den Stand gesetzt ist, sein Geschäft auf jeder Stufe ganz zu übersehen. Die obige

1ste

1ste Abtheil. des 3ten Theils umfasst die 1ste Elementarklasse, Schüler von 6—8 Jahren, Cursus der Anschauung. Die längst mit Verlangen erwartete 2te Abtheil. des 3ten Theils, welche die 2te Elementarklasse, Schüler von 8—10 Jahren, den 1sten Cursus der Uebung enthält, erscheint in einigen Wochen und auch die 3te und 4te Abtheil. des 3ten Theils, womit diess Werk geschlossen ist, hofft der Hr. Verf. bald vollenden zu können. Der 1ste Theil kostet 1 Fl. 48 Kr. od. 1 Rthlr., 2ter Th. 2 Fl. od. 1 Rthlr. 6 gr., 3ten Thls 1ste Abth. 1 Fl. 24 Kr. od. 20 gr. Zu erhalten durch alle solide Buchhandlungen.

Neuer Almanach.

Im Verlage der Unterzeichneten hat so eben die Presse verlassen, und ist in allen guten Buchhandlungen zu erhalten:

Neunhundert neun und neunzig
und noch etliche
Almanachs - Lustspiele
durch den Würfel.
Das ist:
Almanach Dramatischer Spiele
für die Jahre 1829 bis 1961.
Ein Noth- und Hülfs-Büchlein
für alle
stehenden, gehenden und verwehenden Bühnen,
so wie für alle
Liebhabertheater und Theaterliebhaber Deutschlands,
von
Simplicius,
der freyen Künste Magister.
Mit colorirten Kupfern.
(Preis für das sauber gebundene Exempl. 1 Rthlr. 14 gr. oder 2 Fl. 42 Kr.)

Zwickau, den 20. Sept. 1828.

Gebrüder Schumann.

Anzeige
für praktische Juristen und Kassenbeamte.

So eben ist erschienen und durch alle Buchhandlungen zu haben:

Kosmann, F. W. A., das gerichtliche *Kosten- und Rechnungswesen* in den Preussischen Staaten, oder Zusammenstellung des Salarienkassen-Reglements und sämmtlicher gerichtlicher Gebühren-Taxen mit den dieselben ergänzenden Verordnungen. 2 Bde. in gr. 8. Magdeburg bey F. Rubach. 2 Rthlr. 12 gr.

Die Wichtigkeit der Fragen, Was in jedem einzelnen Falle in allen gerichtlichen Angelegenheiten von den Parteyen an Kosten einzuziehen sey, und wie mit der Einziehung derselben und der Verwaltung des ganzen gerichtlichen Kosten- und Rechnungswesens zu verfahren sey, ist an und für sich so einleuchtend, als dass sie eines Beweises bedürfte. Höchst wünschenswerth also ist auch die Beantwortung dieser Fragen durch eine vollständige Zusammenstellung aller in diesen Gegenstand einschlagenden gesetzlichen Verordnungen und Bestimmungen. Da es nun gleichwohl an einer solchen Zusammenstellung bis jetzt durchaus fehlt, so glaubt der Verfasser durch die vorliegende Arbeit einem, von dem praktischen Juristen und den Gerichts-Kassen-Beamten der Preussischen Staaten, ziemlich allgemein gefühlten Bedürfniss entgegen gekommen zu seyn. Durch das eben Gesagte ist der Inhalt und die Eintheilung des ganzen Buchs genau bestimmt und vorgezeichnet, und muss bestehen:

in dem allgemeinen Salarien-Kassen-Reglement vom 20. April 1782, den allgemeinen Gebühren-taxen vom 23. August 1815, und sämmtlichen, diese beiden Gesetze ergänzenden und erläuternden gesetzlichen Bestimmungen; namentlich sind daher der Gebührentaxe sämmtliche noch geltende einzelne Taxen, z. B. die Taxe für fiskalische Bediente, für Auditeurs; die Taxe für Feldmesser, Forstgeometer, das Regulativ für Diäten und Commissionsgebühren u. s. w., durch welche alle jene obige Taxe ergänzt wird, beygefügt worden;

so dass der Verfasser sich schmeichelt, dadurch jedem Preussischen Justizbeamten ein recht vollständiges und um so mehr erwünschtes Hülfsbuch dargeboten zu haben.

An alle Buchhandlungen des In- und Auslandes wurde so eben folgendes empfehlungswerthe Werk versandt:

Cypressen.
Eine Sammlung
von
Todeserinnerungen und Grabschriften,
nach den
Altersstufen und Lebensverhältnissen
der Verstorbenen geordnet.
Zusammengetragen
von
W. Neumann,
Prediger in Köthen.
Octav. Velin-Papier. Mit allegorischem Titelkupfer.
Elegant geheftet 25 Sgr.
(Berlin, Verlag der Buchhandlung von Karl Friedrich Amelang.)

Dem frommen Wunsche Hinterbliebener: *das Andenken werther Entschlafenen durch eine passende Inschrift auf dem Denkmahle zu ehren, welches Liebe und Dankbarkeit ihnen errichtete,* ist in vorstehendem Buche auf eine ganz neue und eben so gehaltvolle als sinnreiche Art genüget worden. Geistlichen, Schullehrern und Küstern, vornämlich in kleinen Städten und auf dem Lande, ist dasselbe zu einer würdigen Erledigung der Anträge nicht genug zu empfehlen, we-

welche wegen Auswahl paſſender Denkſprüche auf Grabmählern ſo häufig an ſie ergehen. Die ganze wohlgeordnete Sammlung derſelben wird aber zugleich als Erbauungsſchrift jedem Chriſten willkommen ſeyn, dem der Gedanke an den Tod wichtig, und die Ueberzeugung ſeiner Unſterblichkeit von heiligem Werthe iſt.

In demſelben Verlage erſchien früher:

Preuſs, J. D. E., Alemannia oder Sammlung der ſchönſten und erhabenſten Stellen aus den Werken der vorzüglichſten Schriftſteller Deutſchlands, zur Bildung und Erhaltung edler Gefühle. Ein Handbuch auf alle Tage des Jahres für Gebildete. *Drey* Theile, jeder Theil mit einem allegoriſchen Titelkupfer. 8. Velinpapier. Vom 1ſten Theil erſchien bereits die *vierte*, vom 2ten die *zweyte* Auflage, der 3te iſt *neu*. Sauber geh. à 1 Rthlr. Complet 3 Rthlr.

Bey **Fleiſchmann** in **München** iſt erſchienen und an alle Buchhandlungen verſandt worden:

Juſtinus Philippiſche Geſchichte, überſetzt und erläutert von *K. F. L. Kolbe*. 2ter Bd. gr. 12. 1828. 1 Rthlr. 8 gr. oder 2 Fl. 12 Kr.

Wir verweiſen auf die überaus günſtigen Beurtheilungen der kritiſchen Blätter, welche dem 1ſten Bande zu Theil wurden, und ſind überzeugt, daſs dieſer 2te und letzte Band mit gleichem Beyfalle aufgenommen werden wird.

Bey **J. Hölſcher** in **Coblenz** iſt erſchienen und an alle Buchhandlungen verſandt:

Auserleſene Reden der Kirchenväter auf die Sonn- und Feſt-Tage des chriſtlichen Jahres, zur Beförderung des öffentlichen Predigtamtes und zur Belebung der häuslichen Andacht. 1ſtes bis 3tes Heft. gr. 8. Der Jahrgang aus 15 Heften 3 Rthlr. 12 gr.

Recum, Freyherr *von*, Kann mit gutem Erfolg ein ausgerottetes Weinbergs-Feld *unmittelbar* nach der Ausrottung mit Weinreben angepflanzt werden? gr. 8. Geh. 4 gr.

So eben iſt bey mir erſchienen und in allen Buchhandlungen zu haben:

Francisco de Moncada's

Zug der 6500 Catalonier und Arragonier gegen die Türken und Griechen.

Deutſch von Dr. *R. O. Spazier*.

26 Bogen gr. 8. geglättet Velinpapier. Geh. Preis 1 Rthlr. 12 Ggr.

Im Augenblick, wo alle Blicke nach dem Orient, wie nach der Pyrenäiſchen Halbinſel gerichtet ſind, wird die Erſcheinung dieſes aus langer Vergeſſenheit glücklich hervorgezogenen Buchs, für Geſchichtsfreund und das ganze, den romantiſchen Geſchichtserzählungen ſo viel Beyfall ſchenkende Publicum doppelt wichtig und intereſſant. Es iſt das Werk eines der erſten Geſchichtsſchreiber Spaniens, welches groſses Licht über die dunkle Geſchichte Griechenlands verbreitet, und das Spaniſche Volk zur Zeit ſeiner Blüthe in einem der merkwürdigſten Abenteuer der alten und neuen Geſchichte, ſo wie die Griechen und Türken im ſchönen Contraſte einander gegenüber zeigt. In ſeinem dichteriſchen, faſt romanhaften Inhalte, und ſeiner lebendigen Darſtellung, wird es ein Seitenſtück zu Segürs Geſchichte des Feldzugs von 1812 genannt werden können. Der Name des deutſchen Bearbeiters bürgt dafür, daſs es ſich aus den gewöhnlichen Ueberſetzungserſcheinungen vortheilhaft hervorhebt.

Braunſchweig, im September 1828.

Friedrich Vieweg.

So eben iſt erſchienen und an alle Buchhandlungen verſandt:

Stökhardt, Dr. *H. R.*, Tafeln der Geſchichte des Römiſchen Rechts als Leitfaden bey Vorleſungen und für das tiefere Studium, mit *Berückſichtigung* der neueſten Forſchungen ſo wie mit ſteter Beyfügung von Literatur, nebſt Zugabe über die neueſte Zeit und einem Regiſter. Fol. 32 Bogen Text und 8 Regiſterbogen. Preis 3 Rthlr.

Leipzig, im Septbr. 1828.

Sühring.

Bey **Joh. Ambr. Barth** in **Leipzig** iſt erſchienen und verſandt:

Lange, Dr. *L.*, Beyträge zur älteſten Kirchengeſchichte ſowie zur Einleitungswiſſenſchaft *in die* Schriften des Neuen Bundes. 1ſtes Bändchen. gr. 8. 18 gr.

Auch unter dem Titel:

Die Judenchriſten, Ebioniten und Nikolaiten der apoſtoliſchen Zeit und das Verhältniſs der Neuteſtamentlichen Schriften zu ihnen. Hiſtoriſch und exegetiſch beleuchtet.

III. Vermiſchte Anzeigen.

Der von 6 Rthlr. — auf 3 Rthlr. — herabgeſetzte Preis der *göttlichen Komödie des Dante Alighieri*, überſetzt von *Karl Streckfuſs*, beſteht, der früheren Ankündigung gemäſs, nur bis zum 1ſten April 1829, und es tritt nach Ablauf dieſes Termins unwiderruflich der vorige Ladenpreis ein.

Wir machen hierauf ausdrücklich aufmerkſam.

Halle, im November 1828.

Hemmerde und Schwetſchke.

ALLGEMEINE LITERATUR - ZEITUNG

November 1828.

THEOLOGIE.

Sulzbach, in d. v. Seidel'schen Kunst- u. Buchh: *Theorie des Supranaturalismus*, mit besonderer Rücksicht auf das Christenthum, von Dr. *Maurus Hagel*, Prof. der Theologie am Lyceum zu Dillingen. 1826. XVI u. 200 S. gr. 8. (16 gr.)

Man darf nur die Vorrede dieses Buchs lesen, um überzeugt zu werden, dass hinter dem viel versprechenden Titel desselben nichts zu erwarten sey, was für die Wissenschaft auch nur den allergeringsten Werth haben könnte. Nach der bekannten Manier schmähsüchtiger Zeloten, beginnt der Vf., der in dem Rationalismus *ein neues Christenthum* erblickt, seinen Vortrag mit einer bittern Klage, dass Nichts der Kühnheit und der Zuversicht gleiche, womit *die neuen Gegner des alten Christenthums ihre Sache führen.* Dabey giebt er zu bedenken, dass, wenn das neue Christenthum über das alte siegen sollte, „die Welt in Hinsicht auf Christum und Christenthum anderthalb tausend Jahre *im Irrthume gesteckt wäre* (!), Tausende ihr Blut für einen eitlen Wahn verspritzt hätten, und alle Jene, welche um Jesu willen (?) selbst auf die erlaubten Freuden des Lebens verzichtet und in der fernen Wüste ein strenges Leben geführt haben (wie ein heiliger Antonius, Pachomius, Simeon Stylites und so viele andre grosse Heilige), nichts weiter als bedauernswürdige Schwärmer gewesen wären." — Weiter unten kündigt er an, dass, „da man den Christen, besonders den katholischen, so gern Unvernunft vorwerfe, *er es unternommen habe*, in diesen Blättern, *der Welt* (!) *öffentlich* — Rechenschaft *von seinem Glauben* abzulegen, und zwar so, dass er im ersten Abschnitt dieser Schrift *die Grundsätze des Rationalismus* prüfen, im zweyten *die Theorie des Supranaturalismus* aufstellen und im dritten *den unmittelbar göttlichen Ursprung oder Supranaturalismus des Christenthums* zu beweisen suchen wolle." Auf diese Ankündigung lässt er die Erklärung folgen, „dass er weit entfernt sey, durch diess sein Unternehmen die Rationalisten bekehren zu wollen: denn sagt er, sie wissen es einem schlechten Dank." — Dafür, dass er die Rationalisten nicht bekehren will (welches er doch wollen müsste, wenn hier wirklich eine Bekehrung nöthig wäre), hofft er nun auch nicht (!), dass man ihm Proselytenmacherey Schuld geben, oder ihn für einen Verschwornen gegen die Vernunft halten werde. Noch fügt er hinzu, dass diese Schrift nicht Anspruch auf Originalität mache, sondern nur für eine *Zusammenstellung* dessen angesehen seyn wolle, was denkende Christen, Katholiken und Nichtkatholiken, *Wahres und Schönes* über Offenbarung und Christenthum schon oft gesagt und geschrieben haben; wobey er hofft, „die grossen Männer, deren Gedanken und Ansichten er hier gebe, werden ihm nicht zürnen, dass er ihre Namen nicht überall genannt habe; denn er denke so: die Wahrheit ist ein *Gemeingut*, auf das jeder Anspruch hat; dann aber kommt es nicht darauf an, wer etwas sagt, sondern, ob das Gesagte wahr sey." — Dieser Aeusserung zu Folge wäre denn die vorliegende Schrift nicht so wohl ein Geistesproduct des Hn. Dr. *H.*, als vielmehr eine Compilation aus andern Schriften. Dass sie diess wirklich sey, liesse sich, auch ohne das eigne Geständniss des Herausgebers, schon aus der grossen Verschiedenheit muthmassen, die man so wohl in Ansehung der Gedanken, als auch des Ausdrucks, darin findet. Doch auch als Compilation könnte sie für manche Leser recht interessant und lehrreich seyn, wenn nur nicht des Wahren und Schönen, das hier zusammengestellt werden sollte, so wenig in ihr vorkäme, des Unwahren und Unschönen aber sich so vieles überall und ungesucht darböte. — Aus dem *ersten* Abschnitt sieht man, dass der Vf., wie fast Alle, die den christlichen *Rationalismus*, oder das System des vernunftmässigen Christenthums, bestreiten, sich von dem Wesen desselben eine durchaus falsche Vorstellung macht, indem er den Rationalismus mit dem *Naturalismus* verwechselt. Der Rationalismus, sagt er (S. 6), ist nichts weiter, als ein gesteigerter Naturalismus; und (S. 26): Man hält ihn mit Recht nur für einen verfeinerten Naturalismus. Dieser grobe Irrthum begleitet den Vf. das ganze Buch hindurch, so dass er gegen das Ende desselben (S. 189) folgende ungereimte Behauptungen aufstellt: „Die Rationalisten lassen nur eine ausserordentliche (!) mittelbare Offenbarung gelten, und wollen diese daran erkannt wissen, dass der Gesandte einen religiösen Charakter habe, dass er nothwendige und höchst interessante Wahrheiten von Gott, Tugend und Unsterblichkeit verbreite, dass er auf ganze Völker wirke, und dass sich zu seiner Absicht ausserordentliche Begebenheiten vereinigen. — Allein bey diesem subjectiven (?) Urtheil wird man einem jeden anheim stellen müssen, ob er Jesu eine grössere Auctorität einräumen wolle, als dem Sokrates oder einem andern Weisen der Vorzeit. Was wird nun aus der Offenbarung, die doch selbst die Rationalisten nicht aufgeben wollen? Der Rationalislismus läuft *alſo* auf den Naturalismus hinaus, ſo ſehr die Rationaliſten dagegen proteſtiren mögen." (!) — Der *zweyte* Abſchnitt, der auf 25 Seiten die verſprochene *Theorie des Supranaturalismus* vortragen ſoll, enthält Aeuſserungen, woraus man ſieht, daſs der Vf. *Verſtand* und *Vernunft* unterſcheidet. Aber wie unklar und ſchwankend ſind ſeine Vorſtellungen von dem Verhältniſſe der Vernunft zu einer göttlichen Offenbarung! S. 28 heiſst es: „Wir haben in uns das bloſse Vermögen, durch die göttlichen Dinge afficirt zu werden; daſs wir durch dieſe Dinge wirklich afficirt werden, und ſie als etwas Objectives, Reales zu denken vermögen, iſt nothwendig, daſs dieſelben wo immer hergegeben werden (welche Schreibart!) und ſo in das Bewuſstſeyn kommen. Dieſs aber geſchieht durch eine Offenbarung, als durch welche alle unſern ſubjectiven Denkgeſetzen angemeſſene und in den moraliſchen Zwecken leicht erkennbare Natureigenheiten, alle theoretiſche Attribute und praktiſche Vollkommenheiten Gottes uns bekannt gemacht werden u. ſ. w." Weiter unten (S. 31) ſagt der Vf.: „das unmittelbare Wirken Gottes, worauf es bey einer übernatürlichen Offenbarung Gottes hauptſächlich ankommt, kann und muſs als etwas Ideales, unmittelbar wahrgenommen werden. Dieſes unmittelbare Wahrnehmen, nicht der Erſcheinung, ſondern des Ueberſinnlichen, Idealen, iſt der eigenthümliche Charakter und die ausſchlieſsende Verrichtung der *Vernunft;* ſie iſt eben darum Vernunft, weil ſie das Ueberſinnliche vernimmt. Findet alſo ein ſolches unmittelbares Wirken Gottes Statt, ſo erkennt der Menſch, bey dem es Statt findet, daſſelbe durch die Vernunft, die mit dem Verſtande nicht zu verwechſeln iſt. Mag man dieſe Art der Erkenntniſs *Glauben* nennen; ſie ſteht aber an Gewiſsheit keiner andern nach. Auf dieſem Wege gelangen wir zu den Ideen *Gott, Tugend, Unſterblichkeit* u. ſ. w., welche gerade den köſtlichſten Theil unſrer Erkenntniſſe ausmachen. Wir zweifeln nicht an der Realität dieſer Ideen, obſchon wir keinen andern Beweis dafür haben, als unſre Vernunftanſchauung oder die unmittelbare Wahrnehmung; dieſe iſt ſchon ſelbſt der Beweis; noch einen andern fordern, hieſse ſo viel, als fragen, warum wir ſo und nicht anders denken, oder warum die Vernunft Vernunft ſey." — Der Vf. ſcheint gefühlt zu haben, daſs er ſich hier beynahe ganz für den Rationalismus erkläre. Man wird mir einwenden, ſagt er (S. 32), daſs man auf dieſe Weiſe auch die Ideen *Gott, Tugend* u. ſ. w. für unmittelbare Offenbarungen Gottes halten müſſe, und ſo der Unterſchied zwiſchen Offenbarung und Vernunft-Religion ganz wegfalle. Das erſte giebt er zu, das zweyte nicht. Indem er aber behauptet, daſs jene Ideen nur den erſten Menſchen unmittelbar geoffenbaret worden ſind, uns aber nicht, und daſs es im Grunde gar keine Vernunftreligion gebe, verwickelt er ſich in grobe Widerſprüche mit ſich ſelbſt, die dadurch nicht gehoben werden, daſs er am Ende ſagt: „Will jemand behaupten, daſs die ſogenannte Vernunftreligion mit der Offenbarung in Eins zuſammen falle, ſo werden wir nicht widerſprechen." — Ein andrer Beweis, in welche Widerſprüche der Vf. dadurch gerathen iſt, daſs er die richtigen Anſichten Anderer mit ſeinen eigenen verkehrten Vorſtellungen zu vereinigen geſucht hat, ergiebt ſich aus Folgendem. S. 25 erklärt er die Geſetze des menſchlichen Denkens, welche dem Rationalismus zum Grunde liegen, für bloſs vorgefaſste Meinungen, oder doch einſeitige Anſichten, die aller objectiven Gültigkeit ermangeln, weſshalb es denn auch dem Rationalismus an einer feſten Stütze und an einem Princip gänzlich fehle. Dagegen lieſet man S. 30: „Die Geſetze der Vernunft ſind eben ſo nothwendig und allgemein gültig, als die Geſetze des Verſtandes, *aber* eben ſo wenig demonſtrabel, als dieſe; — *ſie können* nur aufgewieſen, nicht erwieſen werden. Wer alſo das Göttliche nicht erkennt da, wo es ſich ihm ankündigt, für den giebt es weiter keinen Beweis; ſo wenig als für den, der nicht einräumt, daſs 2 × 2 = 4 ſey. Die Geſetze unſers Denkvermögens ſind die Principien aller unſerer Erkenntniſſe, die als ſolche an und für ſich gewiſs ſind; wer über jene Geſetze hinaus noch einen andern Beweis für die Wahrheit fordern wollte, der würde wenig *Logik* verrathen." — *Atqui — Ergo.* — In dem gröſsten Theil des *zweyten*, ſo wie des *dritten* Abſchnitts dieſer Schrift (S. 54 — 200) wird von Wundern und Weiſſagungen gehandelt. Die Wunder Jeſu werden als das wichtigſte Beglaubigungsmittel deſſelben für ſeine Zeitgenoſſen, die ihm beygelegten Weiſſagungen aber als ſein Creditiv für die Nachwelt dargeſtellt. So unerlaſslich dem Vf. der Glaube an die Wunder Jeſu zu ſeyn ſcheint, ſo erklärt er gleichwohl (S. 125): „Mögen die Rationaliſten Unterſuchungen über die Wunder anſtellen und Zweifel gegen ihre Wahrheit erregen, ſo viel ſie wollen, wir können deſshalb ruhig ſeyn; die Wunder haben ihren Zweck erreicht." Sehr ausführlich handelt er (S. 128 ff.) von den ſo genannten Meſſianiſchen Weiſſagungen, dergleichen er nicht nur 1. B. Moſe 3, 15, *ſondern* auch in allen den Stellen findet, wovon im *N. T.* irgend eine Anwendung auf Chriſtum gemacht wird. Was nach dem jetzigen Standpunkte der bibliſchen Exegeſe dagegen zu erinnern iſt, hat er unbeachtet gelaſſen und nur entweder ſeine Meinung als die richtige vorgetragen, oder auch Einwürfe widerlegt, die eben nicht von groſser Erheblichkeit ſind. — Durch dieſe Art, den Rationalismus zu beſtreiten, kann für die Wahrheit nichts gewonnen werden. Möge doch der Vf. in dieſer Hinſicht, zu der ihm ſo nöthigen Belehrung, recht ſorgfältig leſen und erwägen, wie zwey ehrwürdige Theologen unſrer Zeit, Hr. Dr. *Planck* (über die Behandlung u. ſ. w. des hiſtoriſchen Bew. für d. Göttlichkeit d. Chriſtenthums, Gött. 1821) und Hr. Dr. *Schott* (Briefe über Rel. u. chriſtl. Offenbarungsglauben, Jena 1826), indem ſie den Supernaturalismus vertheidigen, zugleich die Anklage gegen den Rationalismus, als wenn derſelbe dem Chriſtenthum Gefahr drohe, mit eben ſo vieler

Ein-

Einsicht, als Wahrheitsliebe, zurückweisen. Wie ganz anders unser Hr. Dr. *Hagel!* Er nimmt an, dafs die Rationaliften das Chriftenthum für eine *aufserordentliche* Offenbarung halten, und doch erklärt er fie für *Ungläubige;* worüber er indeffen fich nicht wundert, weil er weifs (S. 193), *„dafs Gott fich Einigen offenbart, Andern aber fich verbirgt."* — Hr. *H.* will, dafs die Rationaliften nicht für Chriften angefehen werden; er wünfcht (wie *Kleuker, Harms, Hahn* und Conforten), dafs es den Rationaliften gefallen möchte, fich recht bald von den Chriften zu trennen, damit dem Chriftenthum aufs neue ein goldenes Zeitalter erblühe, und Ein Hirt und Eine Heerde (doch wohl in der allein felig machenden Kirche?) werde. Indem der Vf. bey diefen und ähnlichen, ihm wohl recht chriftlich fcheinenden Gedanken und Wünfchen, die Hoffnung äufsert, dafs ihm folche nicht als *Intoleranz* gedeutet werden, befchränkt er feine Forderung darauf, dafs es dem Supernaturaliften frey ftehen müffe, feine Meinung zu haben und diefe auszufprechen, ohne dafs er Gefahr laufe, als Finfterling verfchrien zu werden. Aber kaum hat er diefe Worte des Friedens ausgefprochen, fo bemächtigt fich feiner aufs neue der unfreundliche Geift, von dem er fich fo oft in diefer Schrift hat leiten laffen, und er fchliefst feine Theorie des Supranaturalismus mit folgender, gar nicht fchönen Apoftrophe: „Alfo noch einmal: Ihr, die ihr Rationalismus anftatt Chriftenthum prediget, laffet unfern Chriftus ungehudelt (*fic!*); leget die Maske ab, und nennet euch, was ihr in der That feyd, — Naturaliften!"

GESCHICHTE.

Halle, b. Ruff, und Nordhausen, b. dem Vf.: *Urkundliche Gefchichte der Stadt Nordhaufen* von Dr. *Ernft Günther Förftemann*, Conrector am Gymnafium zu Nordhaufen. *Erfter* Band, Nordhaufen vor der Reformation; *erfte* Lieferung, bis zum Jahre 1250. Mit Steindrucktafeln. 1827. VI, 62 u. 47 S. in gr. 4.

Wenn es wahr ift, dafs die gefchichtliche Darftellung des Urfprungs und der Entwickelung der Städte, fo wie überall der *einzelnen* Beftandtheile eines Staats — allein die fichere Grundlage zu der Gefchichte des Staats *im Ganzen* abgiebt; fo ift wohl nichts dankenswerther, als wenn kundige Männer fich mit hierauf gerichteten Forfchungen befchäftigen, wiewohl ihnen gewöhnlich derjenige Dank nicht wird, den fie fo redlich verdienen, und man ihnen meiftens den Vorwurf der Mikrologie macht, ohne zu bedenken, dafs eine folche fo häufig dazu beyträgt, die kleinen Urfachen der gröfsern gefchichtlichen Erfcheinungen richtig zu erklären, und ein blofses Raifonnement zu entfernen, welches fich um fo flacher zeigt, als es möglichft im Allgemeinen gehalten wird. Sollte das Werk des Vfs eine beffere Aufnahme finden, — wenigftens dankt er feinen Mitbürgern für die Unterftützung und Theilnahme, wodurch fie fein Unternehmen befördert und die Erfcheinung diefer *erften* Lieferung möglich gemacht haben — fo kann fich Niemand mehr darüber freuen, als Rec., der bey ähnlicher Unternehmung eine gleiche Willfährigkeit nicht angetroffen hat; aber eben fo herzlich wünfcht er, dafs jene Theilnahme nicht erkalten, und daher auch die Fortfetzung und Beendigung diefer Stadtgefchichte möglich gemacht werde; er wünfcht diefes um fo herzlicher, als er die vorliegende Arbeit als eine gediegne und treffliche betrachten mufs. Was der Titel verfpricht, hat der Vf. redlich erfüllt. Sie enthält eine nur *auf Urkunden* und *glaubwürdige Gefchichtsquellen* geftützte Gefchichte von Nordhaufen, mit Ausfchlufs aller Legenden und Sagen, welche fonft fo häufig bey Stadtgefchichten dargeboten werden. Nach dem Vf. zerfällt die Gefchichte von Nordhaufen, feit dem daffelbe bekannt zu werden anfängt, bis es aufhört, eine freye Reichsftadt zu feyn, in drey Perioden. Die erfte geht vom zehnten bis zum dreyzehnten Jahrhunderte (vom Jahre 920 bis zum Jahre 1220), die zweyte, von da bis zum fechszehnten (von 1220 — 1524), die dritte, von da bis zum Jahre 1802. Ein jeder von diefen Zeiträumen umfafst ungefähr dreyhundert Jahre; der zweyte und dritte zeigt uns Nordhaufen als Reichsftadt, der dritte als evangelifche Reichsftadt. Eine vierte Periode würde mit dem Jahre 1802, als Nordhaufen dem Königreiche Preufsen einverleibt wurde, beginnen; wie es fcheint liegt aber diefe Periode aufser dem Plane des Vfs., was in der That zu bedauern feyn würde!

Die vorliegende *erfte* Lieferung, umfafst aufser einer Einleitung, worin das Nöthige über die Zeit vor dem zehnten Jahrhunderte abgehandelt wird, nur die erfte Periode vom Jahre 920 bis zum Jahre 1220, und von der zweyten Periode den erften Abfchnitt vom Jahre 1220 bis 1250. Die Sage fetzt die Erbauung der Stadt in die Zeit, als der Kaifer Theodofius, und ein König der Thüringer, Merwig regierten; fie ftützt fich aber nur auf Chroniken aus dem vierzehnten Jahrhundert, und einen Denkftein deffelben Alters.

Aus der Zeit des Heidenthums, überhaupt aus der Zeit vor der Frankenherrfchaft, ja vor der weitern Ausbreitung und Befeftigung derfelben durch Karl den Grofsen hat Nordhaufen und die Umgegend nur wenige und fehr unfichere Belege aufzuweifen, und die Zeit der folgenden Karolinger bietet ebenfalls nicht viel.

Im neunten Jahrhundert (einer Urkunde Ludwigs des Deutfchen von 874, deren Echtheit jedoch beftritten ift) kömmt der Name Nordhaufen zum erften Male vor; es bleibt aber zweifelhaft, ob diefer Name auf unfer Nordhaufen zu beziehen fey. Erft nachdem Deutfchland als ein befonderes Königreich fich von Frankreich getrennt hatte, und als die deut-

deutſche Krone (im December 919) an ein Geſchlecht gekommen war, welches jene Gegend zu ſeiner Heimath rechnete, und in derſelben reich begütert war, alſo erſt vom zehnten Jahrhunderte bekommen wir etwas zuſammenhängendere Nachrichten für die Geſchichte von Nordhauſen. Die Gemahlin des erſten Königs aus Sächſiſchem Stamme, Heinrichs I oder des Finklers, die fromme Königin Mathilde hielt hier zweymal ihr Wochenbett, und durch die Urkunde ihres Gemahls vom 18. May 927, ward auſser ſeinen Beſitzungen zu Quedlinburg, Pölde und Duderſtadt, auch alles, was er in Nordhauſen erblich beſaſs, zu ihrem Witthum angewieſen. Im Jahre 962 ſtiftete Mathilde ein Nonnenkloſter zu Nordhauſen; im Jahre 972, als Kaiſer Otto II ſeiner Gemahlin Theophania unter vielen Gütern auch den kaiſerlichen Hof (*curtis*) zu Nordhauſen zum Leibgedinge ſchenkte, wird jener Hof von der Stadt (*civitas*), in welchem das Kloſter (auch die Kirche *eccleſia*) genannt, die einträglichſten Rechte ſchon ausübte, unterſchieden. In den Geſchichten des Kampfs gegen Kaiſer Heinrich IV, alſo in der zweyten Hälfte des eilften Jahrhunderts wird Nordhauſen mehrmals erwähnt; im Jahre 1105 wurde hier die wichtige Synode von den Gegnern jenes Kaiſers gehalten, worin der König Heinrich V ſich dem heil. Petrus und deſſen Nachfolgern als Chriſt unterwerfen zu wollen erklärte, nachdem er kurz vorher auf dem Reichstage zu Goslar anerkannt war. Kaiſer Friedrich I ſchenkte im Jahre 1158 dem Nonnenkloſter zu Nordhauſen nun auch die königliche Burg und das geſammte königliche Grundeigenthum daſelbſt. Als *Advocatus* über Nordhauſen erſcheint um dieſe Zeit Herzog Heinrich der Löwe, welcher ſeine Gewalt daſelbſt, wahrſcheinlich theils von ſeinem Vater, dem Herzog Heinrich dem Stolzen, theils von ſeiner Mutter Gertrud, und deren Aeltern, der ſächſiſchen Erbin Richerza und dem deutſchen Könige, Kaiſer Lothar, geerbt und erworben hatte. Er verlor dieſelbe durch die Reichsacht, und wiewohl er ſeine Rechte wieder zu erkämpfen ſuchte, auch im Jahre 1181 Stadt und Nonnenkloſter eroberte und verbrannte, ſo konnte er ſich dennoch dort nicht weiter behaupten. Nordhauſen ſcheint bald wieder hergeſtellt worden zu ſeyn, wenn auch nicht das Kloſter, doch die kaiſerliche Burg und Stadt. Im Jahre 1193 war Kaiſer Heinrich VI dort anweſend; während des Kampfs der Gegenkönige Philipp und Otto wurde die Stadt ſehr verderblich berührt; 1207 ward ein Reichstag dort gehalten. Kaiſer Friedrich II ſtiftete an die Stelle des verbrannten Nonnenkloſters ein Mannskloſter zum heiligen Kreuz im Jahre 1220; die Stadt nahm an Umfang und Bevölkerung zu, und von dieſer Zeit [illegible] ſich ſchon über eigentlich ſtädtiſche Sachen berichten. Durch eine Urkunde dieſes Kaiſers vom 27. Jul. 1220 wurde nämlich eine für die ſtädtiſche Verfaſſung von Nordhauſen höchſt bedeutende Veränderung der nordhäuſiſchen Kirche beſtätigt, indem derſelbe die Dienſtleute dieſer Kirche, die Stadt, die Münze und den Zoll in derſelben *dem Reich* vorbehielt. So wurde Nordhauſen eine Reichsſtadt. Ein Schultheiſs, ein Voigt und ein Münzmeiſter übten in derſelben die königlichen Rechte. Auch die Gemeine der Bürger bildete ſich allmählig mehr aus, und erhielt beſondere Vorſteher, einen Rath und Rathsmeiſter (*Conſules* in einer Urkunde von 1279, *Magiſtri Conſulum* et *Conſules* 1299). *Um* das Jahr 1230 hatte die Gemeine bereits ein *eigenes* Siegel angenommen, welches den damals in der Stadt geprägten Münzen ähnlich war. Einige Jahre ſpäter (1234) traf dagegen die Stadt ein groſses Unglück — ſie brannte faſt gänzlich ab. — Ein guter Grund zu den ſtatutariſchen Rechten der Nordhäuſiſchen Bürger war gewiſs gleichfalls bereits in der erſten Hälfte des dreyzehnten Jahrhunderts gelegt worden; in der zweyten Hälfte deſſelben kamen fortwährend neue Satzungen hinzu, und am Anfange des folgenden Jahrhunderts, *im Jahre 1308* wurde eine neue Sammlung nordhäuſiſcher Statuten von der Gemeine der Bürger und von den Vorſtehern der Stadt angenommen und beſtätigt. Von dieſer Sammlung hat ſich das Original erhalten; der Vf. verſpricht dieſelbe, mit den Bruchſtücken einer frühern Statutenſammlung in die folgende Lieferung aufzunehmen. So weit reicht die in dieſer Lieferung abgehandelte Geſchichte.

Sehr wichtig iſt das derſelben angehängte Urkundenbuch. Der Vf. theilt in demſelben die die Stadt betreffenden königlichen und kaiſerlichen Urkunden des dreyzehnten und vierzehnten Jahrhunderts mit, denen er noch andere Stücke aus der erſten Hälfte des dreyzehnten Jahrhunderts hinzugefügt hat. Sie ſind diplomatiſch genau, meiſtens nach den *Originalen* mitgetheilt, und werden zum Theil *hier* zum erſten Male bekannt gemacht; die übrigen erſcheinen in einer ſehr verbeſſerten Form, da man früher von ihnen nur ſehr unzuverläſſige Abdrücke nach ſchlechten Abſchriften beſaſs. Die Zahl der mitgetheilten Urkunden iſt 60; die bis dahin ungedruckten ſind durch ein Sternchen bezeichnet. — Die dieſer Lieferung beygegebene, ſehr hübſch ausgefallene Steindrucktafel enthält eine Abbildung der älteſten Stadtſiegel und Nordhäuſiſchen Bracteaten.

ALLGEMEINE LITERATUR - ZEITUNG

November 1828.

LITERARISCHE ANZEIGEN.

I. Ankündigungen neuer Bücher.

Bey J. E. Schaub in Düsseldorf ist erschienen und in allen Buchhandlungen zu haben:

Uebersicht der Naturgeschichte
für den mündlichen Vortrag. 8. Broschirt 8 gGr. oder 36 Kr.

Damit der Schüler beym Vortrage in der Naturgeschichte die ihm fremden und unbekannten Namen nicht unrichtig niederschreibe, ist diese Uebersicht auf mehrern Gymnasien eingeführt und wird den Schülern als Leitfaden in die Hand gegeben.

Beschreibung eines neu eingerichteten, repetirenden
Compensations-Theodolits,
verbunden mit Boussolen-, Nivellir- und Messtisch-Apparat;
nebst kurzer Anweisung über den Gebrauch und die Justirung desselben, mit hinzugefügten allgemeinen Bemerkungen über verschieden ausgeführte Winkelmessungen; von *Fr. W. Breithaupt.* Mit 1 Kupfertafel. gr. 4. Geh. 18 gGr. od. 1 Fl. 20 Kr.

So eben erschien und ist bereits in allen Buchhandlungen zu haben:

Vesta
oder häuslicher Sinn und häusliches Leben. Zur Bildung des jugendlichen Geistes und Herzens für das Höhere.
Herausgegeben von
Dr. *August Gebauer.*

gr. 12. 501 S. auf Engl. Velin-Druckpap. Mit 12 fein colorirt. Kupfern nach Zeichnungen von L. Wolf, gestochen von Meno Haas und L. Meyer jun. Sauber gebunden 2 Rthlr. 20 Sgr.

Berlin, 1828. Verlag der Buchhandlung von C. Fr. Amelang.

Kein gewöhnliches Bilderbuch bietet hier der rühmlichst bekannte Verfasser dem jugendlichen Publikum dar, sondern ein durch Geist und Gemüth ausgezeichnetes. Das Leben einer frommen Familie, in welcher Alle die Sprache des lebendigsten und zartesten Gefühls zu reden verstehen, geht vor uns vorüber, und zwar in 24 Gemälden, welche alles, was die Natur Liebliches und Grosses, die Geschichte, und zwar die heilige, Rührendes und Erweckendes, die Dichtkunst Schönes und Erhabenes hat, in einer höchst anziehenden Darstellung, über welche ein poetischer Duft ausgegossen ist, zur Anschauung und zum Genusse bringen, angeknüpft an kirchliche und häusliche Feste, und trefflich verwebt in das Leben einer Familie, welche durch christliche Gesinnung ein herzerhebendes Vorbild aufstellt. Was der Titel verspricht: „Bildung für das Höhere," gewährt das, nicht blofs mit schönen Bildern, reich ausgestattete Buch, und eignet sich dadurch zu einem werthvollen Geschenk, welches nicht blofs Vergnügen, sondern auch Segen in jedes Haus bringt, in welchem es die rechte Aufnahme findet.

In demselben Verlage erschienen gleichzeitig noch folgende empfehlungswürdige Werke für die Jugend:

Schoppe (Amalia, geb. Weise), Die Auswanderer nach Brasilien oder *die Hütte am Gigitonhonha.* Nebst noch andern moralischen und unterhaltenden Erzählungen für die geliebte Jugend von 10—14 Jahren. gr. 12. Engl. Druckpapier. Mit 8 fein colorirten Kupfern nach Zeichnungen von L. Wolf, gestochen von L. Meyer jun. Sauber gebunden 1 Rthlr. 20 Sgr.

— — *Neue Erzählungs-Abende der Familie Sonnenfels,* in unterhaltenden und belehrenden Geschichten, Mährchen, Sagen und Gesprächen. Ein Lesebuch für gute Knaben und Mädchen. 8. Engl. Velin-Druckpapier. Mit 8 fein colorirten Kupfern nach Zeichnungen von L. Wolf, gestochen von G. W. Lehmann und Meno Haas. Sauber gebunden 1 Rthlr. 20 Sgr.

Jugendschrift zu Christgeschenken.

So eben ist bey Metzler in Stuttgart erschienen:
Die biblische Geschichte,
für die Jugend erzählt, vom Stadtpfarrer Dr. *V. A. Jäger.* Zwey Theile, mit 104 Abbildungen. 8. Pr. 2 Fl. 48 Kr. od. 1 Rthlr. 16 gr. Sächs., elegant gebunden 3 Fl. 24 Kr. od. 2 Rthlr.

Diese Schrift entstand in einem Kreise von 8—12jährigen Kindern, und ist hauptsächlich zum Lesebuche für Kinder dieses Alters bestimmt. Aber auch Aeltern, die das selige Geschäft, ihre Kinder in der Religion zu unterrichten, nicht blofs Andern überlassen wol-

wollen, so wie Lehrern wird sie ein willkommenes Hülfsmittel seyn. Der Hr. Verf. ist sich bewusst, gewissenhaft nur dem Sinne der Bibel Entsprechendes gegeben, und sich aller willkürlichen Deutungen des göttlichen Worts enthalten zu haben. Sowohl vom Alten, als auch vom Neuen Testamente sind 52 Abschnitte gegeben, welche aber so mit einander verbunden sind, dass in denselben die ganze biblische Geschichte im Zusammenhange erzählt wird. Jedem Abschnitte sind Fragen zum Wiederholen und Nachdenken beygefügt, so wie eine Abbildung, deren jedoch nicht, wie bey Hübner's biblischer Geschichte, je sechs auf einem Blatte beysammen stehen, sondern jede ein ganzes Octavblatt einnimmt. Nutz-Anwendungen und zum Auswendiglernen geeignete Bibelsprüche sind den Erzählungen eingewebt. Der Preis ist für 570 Seiten und 104 Abbildungen in Octav-Format gewiss äusserst billig. Zu erhalten in allen Buchhandlungen.

Für Deutschlands Volksschullehrer.

In der Basse'schen Buchhandlung in Quedlinburg ist so eben folgendes, sehr zeitgemässe Werk erschienen:

Handwörterbuch
für Volksschullehrer.

Oder Belehrungen über Erziehung und Unterricht im Allgemeinen; über Volksschulen überhaupt, ihre äussere und innere Einrichtung und Ordnung; über Lehr- und Lectionsplan, Lehr- und Klassenziel, Lehrcurse; die Lehrer in denselben; über Lehrkunst, allgemeine und besondere Methodik, Lehrgang, Lehrform, besonders die katechetische, Lehrton, Lehrmittel, Lehrgegenstände; über die Anschauungslehre, Denk- und Gedächtnissübungen, den Unterricht im Lesen, Schreiben, Rechtschreiben, Sprachlehre, in schriftlichen Aufsätzen, in der Zahlenlehre, dem Kopf- und Tafelrechnen, in der Gesang-, Formen- und Zeichenlehre, in der Religion; über die Behandlung der Bibel, der biblischen Erzählungen und Geschichte, der Real- oder gemeinnützigen Kenntnisse; über Schuldisciplin im engern Sinne; über Schulgesetze, Belohnungen und Bestrafungen der Schüler u. d. m. 2 Theile. 8.

Preis 1 Rthlr. 15 Sgr.

Das deutsche Volksschulwesen erfreut sich jetzt nicht nur der regsten Theilnahme, Beachtung und Förderung fast aller deutschen Landesfürsten und Regierungen; es ist auch für dasselbe, im Allgemeinen und für jeden einzelnen Gegenstand desselben, von höchst achtungswürdigen, einsichtsvollen und sachkundigen Männern so viel geschrieben worden, dass es für keinen Theil des Volksschulwesens und für keinen Lehrgegenstand der Volksschule an sehr bewährten, brauchbaren und trefflichen Anweisungen fehlt, ja, dass es kaum möglich scheint, das, was über einzelne Lehrfächer gesagt worden ist, durch etwas noch Gründlicheres und Zweckmässigeres überbieten zu können. Aber die Zahl der Schriften, in denen diese Belehrungen, An- und Zurechtweisungen ertheilt werden, so gross, dass es; besonders dem gering besoldeten Volksschullehrer, schwer, ja unmöglich fällt, s auch nur die vorzüglichsten und nöthigsten der Schri ten anzuschaffen, welche für ihn, sein Amt und Ge schäft geschrieben worden sind. Allen Volksschulleh rern muss daher wohl ein Buch willkommen seyn, da sie zu einem billigen Preise erhalten, und in dem s in alphabetischer Ordnung das Wichtigste, Gründlichste und Zweckmässigste beysammen finden, was in zahlreichen und zum Theil theuren Werken enthalten ist.

Neueste und zweckmässigste
Anleitung zum Unterrichte
in der Religion, zur Behandlung der biblischen Erzählungen und der biblischen Geschichte, und zum Unterrichte in den gemeinnützlichen Kenntnissen und der Weltkunde. Für Volksschullehrer.
Von *J. C. F. Baumgarten.*
8. Preis 20 Sgr.

Bey Ernst Fleischer in Leipzig ist so eben erschienen, und in allen Buchhandlungen zu haben:

ORPHEA,
Taschenbuch
für
1829.
Sechster Jahrgang
mit acht Kupfern zu
Weber's Oberon,
und erzählenden Aufsätzen
von
W. Blumenhagen, Friedr. Kind, L. Kruse, K. G. Prätzel
und *Karoline de la Motte Fouqué.*
Taschenformat. Gebunden mit Goldschnitt, in Futteral,
Preis: 2 Rthlr. Conv. M. od. 3 Fl. 36 Kr. Rhein.

Ganz Europa hat seine Aufmerksamkeit auf den zwischen Russland und der Türkey begonnenen Krieg gerichtet, und lässt sich in Muthmassungen über den Erfolg desselben aus. Zur Belehrung und richtigen Anschauung dürfte daher einem Jeden, besonders dem Politiker, die kleine Schrift:

> *Das Interesse und die Macht von Russland in Beziehung auf die Türkey,* betrachtet von einem *Diplomaten, zweyte* mit vielen Anmerkungen versehene Auflage, und einem, politische Erörterungen in Bezug auf den gegenwärtigen Krieg enthaltenden Anhange,

als zweckmässig zu empfehlen seyn. Man wird darin die Fragen: „ist dieser Krieg gerecht? ist er klug? was kann er für Folgen haben? und wird durch ihn das politische Gleichgewicht vernichtet werden? —" beantwortet finden. Frankreich scheint das Schicksal des türkischen Reichs in Vereinigung mit Russland bestimftimmen zu wollen und Englands Eifersucht und Handlungsgeift möchte es auf den Schauplatz des Kampfes führen.

Leipzig, im October 1828.

Rein'sche Buchhandlung.

Exemplare der vorftehenden interessanten Schrift find brofchirt à 12 gr. in allen Buchhandlungen zu finden.

Bey Unterzeichnetem ift fo eben erfchienen und in allen Buchhandlungen zu haben:

Lips, Dr. *Alex.*, *Statiftik von Amerika*, oder: *Verfuch einer hiftorifch-pragmatifchen und raifonnirenden Darftellung des politifchen und bürgerlichen Zuftandes der neuen Staaten-Körper von Amerika*, mit 1 Karte. gr. 8. (30 Bogen.) Gebunden. 2 Rthlr. 18 gr. od. 4 Fl. 57 Kr.

Frankfurt a. M., im October 1828.

Heinr. Wilmans.

In der G. Finke'fchen Buchhandlung in Berlin ift erfchienen, und durch alle Buchhandlungen zu beziehen:

Marx, *Ad. Bernh.*, Ueber Malerey in der Tonkunft. Ein Maygrufs an die Kunftphilofophen. 4½ Bog. gr. 8. Mit 2 Holzfchn. Brofch. 12 gr.

Gutsherrliche und bäuerliche Verhältniffe, alle hierauf bezüglichen Gefetze und Verordnungen in tabellarifcher Form. 2 Tab. Imp. Fol. 6 gr.

Herodoti hift. liber IX. graec. ex opt. exemp. emend. *G. H. Schaefer*, Vol. III. P. II. Enthält das 9te Buch diefer fchönen Ausgabe, welche in den Jahren 1800—3 in Leipzig bey Sommer erfchien und bisher unvollendet blieb, 21 gr. Der ganze Herodot 9 Rthlr. od. 16 Fl. 12 Kr.

Ein Verzeichnifs griechifcher und lateinifcher Klaffiker, welche gegen andere gute und gangbare Werke in Change gegeben werden, *gratis*.

In der Buchhandlung von F. H. Riemann in Berlin ift fo eben erfchienen und in allen Buchhandlungen zu haben:

Vocabulaire fyftématique, fuivi de Gallicismes etc., et augmenté de quelques entretiens familiers, 2de Edition. 8. 12½ Bogen. 8 gr.

Grammaire méthodique en 30 Leçons, oder vollftändiger Schulbedarf aus der franzöfifchen Grammatik. 8. 23 Bogen. 16 gr.

Die günftige Aufnahme, deren fich das erftere Buch erfreut hat, zeigt hinlänglich, dafs durch daffelbe einem zeitgemäfsen Bedürfnifs genügt worden, und der Verleger bemerkt daher nur, indem er dem Publicum *die 2te Ausgabe* deffelben darbietet, dafs diefe fich durch die genaufte neuere Orthographie auszeichnet, wie fie denn durch mehrere wefentliche Zufätze und einige leichte *Unterhaltungen*, die nicht wie gewöhnlich aus einzelnen Redensarten zufammengefetzt, fondern dem wirklichen Leben abgelaufcht find, vermehrt worden. Somit bildet diefes Buch eben fo fehr die materielle Grundlage zur Grammatik, als es mit ihr, als den nothwendigen atomiftifchen Wortfchatz, Hand in Hand gehet.

In der *Grammaire méthodique* felbft einem in der That eigenthümlich abgefafsten Buche hat der Verfaffer das grammatifche Gebäude der franzöfifchen Sprache, als einer lebendigen, in origineller Kürze, heiterer Anfchaulichkeit, und klarer Beftimmtheit vollftändig hingeftellt. Sie theilt fich in einen zu erlernenden (Grammatik), einzulernenden (*Phrafeologie*) und einzuübenden (*Lectures amufantes*, deutfche Ueberfetzungs-Stücke) Theil ab.

Bey beiden Büchern hat der Verleger durch Sauberkeit, fchönes Papier, und zweckmäfsige typographifche Anordnung für ein fo freundliches äufserliches Anfehen geforgt, dafs fie dem Schüler fchon darum bald lieb feyn werden. Wir zweifeln nicht, dafs bey einer genauen Kenntnifs, wozu wir erfahrene Lehrer angelegentlich auffordern, die Brauchbarkeit diefer Bücher bald allgemein anerkannt werden wird, da man bald darin das Ergebnifs eines vieljährigen Lehrers erkennen wird. Der billige Preis wird übrigens ihre Einführung in Schulen erleichtern, da der Schüler durchaus weiter keiner andern, oft theuern Lefe- und Ueberfetzungsbücher bedarf.

II. Neue Kupferwerke.

URBS ROMA.

Das alte Rom.

Anfichten

der Tempel, *Palläfte*, *Theater*, *Amphitheater*, *Circus*, *Naumachieen*, *Triumphbogen*, *Porticus*, *Bafiliken*, *Grabmähler*, *Wafferleitungen*, *Bäder*, *Ehrenfäulen*, *Obelisken* u. f. w.

Noch exiftirt bis jetzt keine geordnete Sammlung von Abbildungen der merkwürdigften Bauwerke des alten Rom, welche diefe fo wichtigen Gegenftände zweckmäfsig ausgewählt enthielte, fo dafs fich diefelbe vorzugsweife zum bequemen Gebrauch beym Unterricht auf Gymnafien eignete. Unterzeichneter hofft daher, dafs diefs Unternehmen als eine willkommene Erfcheinung hinlängliche Unterftützung, fo wie die Ausführung deffelben nach folgendem Plane allgemeinen Beyfall finden werde.

Vorzüglich und faft ausfchliefslich foll diefelbe mit Hinweglaffung der für den beabfichtigten Zweck unwichtigen Gegenftände, als einzelner Basreliefs, Friefe, Capitäler, Grund- und Aufriffe u. f. w., fo wie fpecieller architektonifcher Zergliederung überhaupt, fich auf *Total-Anfichten* oben bezeichneter Hauptwerke der römifchen Baukunft befchränken. — Zur möglichften ſten Raumerſparniſs und dadurch zu erzielender Wohlfeilheit, iſt das Format im gröſsten Quart gewählt, ſo daſs auf einer Tafel öfters mehrere Abbildungen zugleich geliefert werden können; das in allen Buchhandlungen Deutſchlands vorräthige Probeblatt, das Grabmahl des Auguſt auf dem Marsfelde, und die Kaiſerpalläſte auf dem palatiniſchen Hügel darſtellend, mag am beſten für die Ausführung des Werkes ſprechen. — Das Erſcheinen dieſer Sammlung erfolgt lieferungsweiſe in farbige Umſchläge geheftet, und (in der Manier wie bey den Bildniſſen der griech. und röm. Schriftſteller und Kaiſer) mit kurzem Text verſehen, welcher Entſtehung, Lage, Gröſse, Beſtimmung und jetzige Beſchaffenheit des Gebäudes andeutet. —

Als intereſſantes Seitenſtück zu dieſer Gallerie, welche genannte Gebäude *in dem vollkommenen Zuſtande darſtellt, wie ſie einſt waren*, werde ich eine Folge kleiner Proſpecte, *die Ruinen derſelben, wie ſie jetzt noch vorhanden ſind*, ebenfalls lieferungsweiſe unter dem Titel: *„Zeichnungen klaſſiſcher Ruinen Roms"* herausgeben, deren erſtes Heft gleichzeitig mit vorhergehendem, und zwar noch vor Weihnachten d. J. in allen Buch- und Kunſthandlungen Deutſchlands zu finden ſeyn wird. — Als Ergänzung zu Beiden liefere ich ſodann noch ferner eine auserleſene kleine Sammlung von Proſpecten der ſchönſten Kirchen und Palläſte des neuen oder heutigen Roms, ſo daſs dieſe 3 Sammlungen, welche in wechſelſeitiger Beziehung zu einander ſtehen, als verſinnlichendes Hülfsmittel ſo wohl bey Lectüre der alten Klaſſiker, als jeder neuern Reiſebeſchreibung anzuſehen ſind, nebenbey aber noch von Zeichnern, Kunſt- und Alterthumsfreunden überhaupt, mannichfaltig benutzt werden können. —

In der zuerſt bezeichneten Manier des Probeblattes, folgen alsbald die Abbildungen der Alterthümer von Griechenland, Aegypten, Syrien, Perſien, Phönizien, Gallien u. ſ. w., ſo wie von Päſtum, Herculanum, Pompeji und Stabiä, und ſollen bey ſtrenger Auswahl nach dem angedeuteten Plane nur die intereſſanteſten Gegenſtände aufgenommen, und nur die beſten Quellen hierbey benutzt werden, namentlich die Werke von *Gräfe, Gronov, Polen, Piraneſi, Pronti, Chandler, Stuart, Revett, Dawkins, Wood, Hamilton, Gau, Denon, Pouqueville, Volney, Niebuhr, Panckoucke, Mazois*, und andere, auf welche Weiſe man ſich zugleich in den Beſitz zweckmäſsiger ſchöner und billiger Auszüge aus dieſen eben ſo ſeltenen als koſtſpieligen ältern und neuern Prachtwerken ſetzen kann.

Es findet bey dieſen Sammlungen weder eine Subſcription noch Pränumeration ſtatt, auch ſoll ohne Verbindlichkeit auf die Fortſetzung, jede einzelne Lieferung apart verkauft werden.

Stärke und Preis eines Heftes laſſen ſich noch nicht genau beſtimmen, doch ſoll ein jedes circa 16 Blatt in gröſstem Quart enthalten und ſo wohlfeil als möglich geliefert werden.

Dem erſten Heft der Alterthümer Roms, folgt unmittelbar das erſte Griechenlands, die Fortſetzungen beider, ſo wie das Beginnen der folgenden Sammlungen, ſollen ſo viel als möglich beſchleunigt werden.

Leipzig, am 1. October 1828.

Franz Heinrich Köhler jun.

III. Vermiſchte Anzeigen.

Oeffentliche Bitte an alle Freunde der Literatur.

Dem Publicum iſt bereits durch öffentliche Ankündigung bekannt, daſs ich mich mit einer vollſtändigen und kritiſch berichtigten *Ausgabe der ſämmtlichen Werke der Reformatoren* beſchäftige. Zunächſt *ſollen Melanthon's Werke*, und zuerſt die *Briefe* dieſes hoch verdienten Reformators erſcheinen, die noch nie, vollſtändig geſammelt und kritiſch berichtigt, erſchienen ſind. Ob ich nun gleich glauben darf, daſs meine Sammlung der gedruckten Briefe Melanthon's vollſtändig ſey, und die Zahl der ungedruckten Sachen von Melanthon, die ich geſammelt habe, bereits das vierte Hundert erreicht; ſo vermuthe ich doch, daſs ſich noch einzelne, mir noch nicht bekannte Briefe Melanthon's in *Privatbibliotheken, Rathsarchiven* und ſonſt finden dürften. An alle Freunde der Literatur ergeht daher meine dringende und freundliche Bitte, mir, wenn ihnen dergleichen Briefe bekannt ſind, davon baldige Nachricht gefälligſt zu ertheilen, und dabey zu bemerken, 1) an wen die Briefe gerichtet, 2) wenn ſie datirt und 3) welches ihre Anfangsworte (mit Weglaſſung der Anrede der Höflichkeit) ſind. Durch dieſe Mittheilung werde ich dann ſogleich beſtimmen können, ob der Brief ſchon gedruckt iſt, oder ob ich ihn in meiner Sammlung ſchon beſitze.

Schellhorn in ſeinen *amoenitat. liter.* Tom. XII, p. 629 führt eine abſchriftliche Sammlung von Briefen Melanthon's an, welche vormahls Dr. *Zeltner* (ich glaube in Ulm) beſeſſen hat. Es finden ſich darunter drey noch ungedruckt und nicht in meinem *Beſitze*, nämlich 1) Brief an *Pirkheimer: Non fit oblivione tuorum* etc., vom Jahre 1528, 2) an *Reoſcheit: Solo quosdam faſtidire* etc., vom Jahre 1541, 3) an *Sebaſt. Heller: Spero meos mores* etc., vom Jahre 1544. — Ich würde ſehr dankbar ſeyn, wenn der mir gänzlich unbekannte jetzige Beſitzer jenes zeltneriſchen Codex mir von dieſen drey Briefen Abſchriften gütigſt mittheilen wollte.

Die freundliche Bereitwilligkeit, mit der ich zeither bey dieſem groſsen Unternehmen von den Freunden der Literatur in der Nähe und Ferne unterſtützt worden bin, läſst mich hoffen, daſs auch dieſe öffentliche Bitte Berückſichtigung finden werde.

Gotha, den 28. September 1828.

Dr. *Bretſchneider*, Generalſuperintend.

ALLGEMEINE LITERATUR-ZEITUNG

November 1828.

THEOLOGIE.

1) ERLANGEN; *De nonnullis, quae in theologia nostrae aetatis dogmatica desiderantur.* Commentatio theologica, auctore *Isaaco Rust,* Theol. Lic., Phil. D., eccles. reform. francog. Erl. pastore. 1828. 78 S. 8. (8 gr.)

2) ERLANGEN, b. Hilpert: *Rede bey Eröffnung der Vorlesung: Einleitung in die Dogmatik, mit besonderer Rücksicht auf die Gegensätze,* welche *die theologische Ansicht unserer Tage darbietet,* zu den versammelten Zuhörern gesprochen von *I. Rust,* Doct. d. Theol. u. Phil., Pfarrer der französisch reformirten Gemeinde in Erlangen. 1828. 36 S. 8.

Wir verbinden die Anzeige dieser beiden, ihrem Inhalte nach verwandten Schriften in chronologischer Folge mit einander, da die letztre nur einen in der ersteren berührten Hauptpunkt weiter ausführt.

Nr. 1. ist fast ganz historisch-kritischen Inhalts, und wird, wie Rec. mit Zuversicht erwartet, allen unbefangenen Lesern zusagen, wenn sie auch durch den Titel insofern getäuscht werden sollten, als sie wohl, mit dem Rec., einige Worte über einige der wichtigsten Leistungen auf dem Gebiet der Dogmatik in neuerer Zeit erwarteten, aber vergebens suchten. In dem *Vorwort* weist der Vf. hin auf die Schwierigkeit des Gegenstandes und entschuldigt im Voraus bescheiden die Mängel seiner Leistungen, bezeichnet dann in der *Einleitung* als das hauptsächliche Bestreben der neuern Dogmatiker das zu zeigen, in welcher Verbindung die Dogmatik mit der Philosophie stehe und wie beide von einander verschieden sind, und unternimmt nun, zu zeigen, sowohl wie man dahin gelangt, als was dabey zu thun sey, in Hinsicht des ersteren Punktes nicht von den Kirchenvätern, sondern von den Reformatoren beginnend.

Der *erste* Abschnitt soll demnach handeln von der *Methode (ratio),* nach welcher von der Reformation bis auf unsre Zeiten die Dogmatik behandelt worden ist, und thut dieses, indem er zeigt, wie die drey Principe angewandt worden sind: das *biblische,* welches die Lehren der h. Schrift, das *symbolische,* welches die Satzungen der Kirche, und das *rationale,* welches die Grundsätze der Vernunft darstellt, und über welche der Vf. (S. 12.) urtheilt: „sie seyen nur insofern als wahre Principe zu betrachten, als sie mit einander übereinstimmen, und ihre Differenzen müssten nach der *Idee des absoluten Geistes,* welche das gemeinschaftliche Band aller sey, beurtheilt und ausgeglichen werden." Ueber diese Idee erklärt sich der Vf. hier nicht näher; wenn wir ihm indess auch zugeben, dass sie, wenn auch an einzelnen Stellen der h. Schrift bestimmt ausgesprochen, aus dem Geiste (der Totalität) derselben hervorgeht, so lässt sich das doch von dem Geiste der Kirchensatzungen nicht behaupten, und der Vf. statuirt in dieser Idee, welche doch eine rationale ist, nicht so wohl ein viertes, übergeordnetes Princip, sondern die Unterordnung der Schrift- und Kirchenlehre unter die der Vernunft, woraus unsers Erachtens gerade, wenn diess auch von dem Vf. nicht so ausgesprochen ist, eine Methode hervorgehn muss, welche sowohl für das System der Dogmatik als für eine gründliche, wissenschaftliche Ueberzeugung die erspriesslichste seyn möchte. Indess wird man am Ende Hn. *Rust* nur auf einem etwas anderm Wege fast zu dem nämlichen Resultate gelangen sehen. — Zum Theil unmittelbar aus den Schriften der Reformatoren, zum Theil aus *v. Ammons* Aufsatze über ihre Ansichten von der Vernunft (in *Winers* Zeitschr. f. wissensch. Theol. Heft 1. 2.) legt nun der Vf. dar, wie jene die erwähnten drey Principe betrachtet haben, indem er zugleich eine unparteyische Kritik hinzufügt, und z. B. zeigt, dass *Luther* über die Vernunft nicht consequent, bald günstig, bald ungünstig geurtheilt habe, *Melanchthon* seiner Autorität darin oft zu sehr gefolgt, auch *Zwingli* sich der Inconsequenz schuldig mache, und *Calvin* der Vernunft alle Fähigkeit, göttliche Dinge aufzufassen, völlig absprече, wobey die darin obwaltenden Irrthümer richtig daraus erklärt werden, dass alle vier Reformatoren das Wesen der Vernunft nicht klar erkannt haben und sie oft mit dem Verstande verwechseln. — *Luther,* fährt der Vf. fort, kam vor vielen andern ihm näher liegenden Arbeiten nicht dazu, eine Dogmatik zu verfassen: indess hat man nicht ohne guten Erfolg versucht, eine solche aus seinen Schriften zusammen zu stellen, da es wohl keinen dogmatischen Gegenstand giebt, über den er sich nicht geäussert hätte. Man kann seine Ansicht auch daraus abnehmen, dass er *Melanchthon's* dogmatisches Werk, *Loci theologici,* sehr lobt. Dieses Werk behandelte, wie schon die Uebersicht der Capitel zeigt, neben der Dogmatik auch die Moral, hatte aber einen Hauptmangel darin, dass die systematische Anordnung fehlt, manches Wichtige kurz behandelt oder ausgelassen, manches Unbedeutende weitläufig beredet wird, wie denn auch die Methode, erst die Lehre aufzustellen, sie dann durch Zeugnisse der h. Schrift und

und der Kirchenväter zu bekräftigen und endlich sie gegen die Widersacher zu vertheidigen, nicht beyfallswerth ist. Doch sind allerdings hier, wie in *Zwingli's* Buch: *de vera et falsa religione*, manche einzelne Gegenstände mit vielem Scharfsinn abgehandelt, obgleich als System auch das letztere mangelhaft ist. Ein wohlgeordnetes, logisch gut zusammenhängendes und ziemlich vollständiges System giebt Calvin in seiner *Institutio christ. religionis*, an welcher besonders zu tadeln ist, dass er die genannten drey Principe nicht in Uebereinstimmung zu bringen weiss, sondern Glaube und Philosophie, Bibel und Vernunft einander feindlich gegenüber stehn lässt, und nicht selten auch seine Exegese nach vorgefasster dogmatischer Meinung modelt. Die nach den Reformatoren bis auf unsre Zeit folgenden Dogmatiker kann man füglich in drey Klassen unterscheiden: 1) *kirchlich-symbolische*, welche ihr System aus den ihnen für untrüglich geltenden Bekenntnissschriften der Kirche zusammensetzten, dabey aber oft die alten scholastischen Spitzfindigkeiten wieder einführten und die selbstständige Erforschung der Wahrheit vernachlässigten; 2) *biblisch-exegetische*, welche die Bibel als Quelle der Dogmen ansahen, diese aber meistens nur durch Sammlung der Schriftsteller und Erklärung derselben darzustellen suchten, wobey die systematische Ordnung und Consequenz oft nicht genug beachtet wurde (— zumal da sie nicht selten die, in der Bibel doch häufig vorkommenden, irrigen Zeitvorstellungen als göttliche und allgemeingültige Wahrheiten betrachteten); — endlich 3) *philosophische*, welche der Theologie durch Philosophie aufzuhelfen versuchten, und sich allerdings dadurch ein bedeutendes Verdienst erworben haben, dass sie systematischen Zusammenhang und Consequenz beförderten; aber auch nicht selten darin irrten, dass sie Dogmatik mit Philosophie völlig verwechselten, die erstre der letztern ganz unterordneten, und, sich irgend eines besondern philosophischen Lehrgebäudes ohne weitre Prüfung des Einzelnen als eines symbolischen Buches bedienend, nach diesem die Dogmatik modelten, so dass man einem solchen Buche sogleich ansieht, ob es nach Kant oder Fichte u. s. w. gearbeitet ist, wodurch dann oft wichtige dogmatische Ideen mancherley Zwang erfahren mussten.

Zweyter Abschnitt: von einer neuen Methode, durch welche Theologen unserer Zeit die Dogmatik *wieder herzustellen* (*restaurare*, besser wohl: *in meliorem formam redigere*, vollendeter auszubilden) sich bemühen. *Jakobi* stellte sich der Kantischen Schule dadurch entgegen, dass er behauptete, die Ueberzeugung von übersinnlichen Dingen beruhe auf dem unmittelbaren Bewusstseyn eines angebornen *Gefühls*. Die Philosophen nun nahmen diese seine Theorie nicht unverändert an, indem sie die Philosophie sicherer auf ein über den, von Kant fälschlich Vernunft genannten Verstand erhabenes Vermögen, die Vernunft, als auf ein in Vergleich mit jenem niederes, das Gefühl begründet glaubten; aber das so aus der Philosophie verwiesene Gefühl n[ah]men viele Theologen als Princip auf, insbesond[ere] *Schleiermacher*, welcher darin wohl einen Missg[riff] beging, dass er, weil er nach eigner Erfahrung [das] Gefühl als das *erste* religiöse Moment in der S[eele] des Kindes erkannte, diess auch überhaupt als [das] *Höchste* und alle übrigen Begründende betrach[tet] wissen wollte. Durch das auf dieser Grundlage [mit] grossem Scharfsinn und viel dialectischer Kunst au[s]geführte System hat aber *Schleiermacher* nicht all[ein] der Dogmatik nicht wieder aufgeholfen, sondern [die] Annahme desselben würde vielmehr der Religion [und] der Dogmatik höchst nachtheilig werden; denn 1) [es] raubt der Religionswissenschaft ihre *Würde*, welch[e] auf der Wahrheit und der festen Ueberzeugung beruht. Die Wahrheit besteht nämlich in der *Unveränderlichkeit*, welche sich mit dem *Wechsel*; *in der Deutlichkeit*, welche sich mit der eigenthümlichen Beschaffenheit und in der Angemessenheit zu den Gegenständen, welche sich mit der reinen Subjectivität der Gefühle nicht vereinigen lässt, aus welchen daher auch keine feste Ueberzeugung von objectiver Richtigkeit unserer Gedanken hervorgehn kann, indem, wenn sie Princip seyn sollen, sich z. B. der Gedanke gar nicht abweisen lässt, dass Wahrheit und Unwahrheit, Recht und Unrecht u. s. w. völlig indifferent sind, weil gebildete und ungebildete, gute und böse Menschen darüber höchst verschieden fühlen. (Man kann wohl nicht leugnen, dass diese Einwendungen des Hn. *Rust* treffend sind; aber er hätte sich hier sogleich gegen den Vorwurf verwahren sollen, dass er zuviel behaupte, wenn er dem Menschen eine rein-objective Erkenntniss vindicirt, da wir doch ja in Hinsicht derselben, selbst wenn die Gegenstände übersinnlich sind, stets an die Gesetze unseres Geistes gewiesen, von den Schranken derselben umfangen sind, und eingestehn müssen: was diesen Gesetzen entspricht, ist *uns* (subjectiv) wahr, was innerhalb unseres Gesichtskreises ihnen widerspricht, ist uns unwahr; es ist aber noch Anderes denkbar, was uns nie wahr werden kann, weil es sich in unsern Gesichtskreis nicht bringen *lässt*, obwohl es andern Wesen wahr seyn könnte, — *so dass* mithin alle endlichen Wesen nur *berechtigt* sind, die Consequenz ihrer subjectiven Erkenntniss als objective Wahrheit zu behandeln, nicht aber über das Wesen der letzteren selbst abzusprechen.) 2) *Schleiermachers* System vernichtet Natur und Wesen der *christlichen* Religion insbesondere, da es in diese, welche doch stets auf den moralisch-vollkommnen, mit Weisheit und Heiligkeit seine Welt regierenden Gott, und auf die wahre Verehrung desselben durch Gesinnungen und Handlungen, welche seinen Eigenschaften entsprechen, hinweist, eine dem Heidenthum ähnliche Schwärmerey des alles beherrschenden Gefühls, durch welches selbst „das Unheilige und Gemeine" geheiligt werden soll, einführt. 3) Jenes System beeinträchtigt auch die *Würde* des Menschen, weil eben jene Herrschaft des Gefühls ihm die Freyheit raubt, nach klar erkannten (Vernunft-)

schaft-) Gesetzen sich selbst zu bestimmen, und weil die dadurch statuirte Frömmigkeit, als Gefühl des Wirkens Gottes im Menschen, diesen zu einem willenlosen Werkzeuge Gottes macht und gewissermaßen zum Pantheismus führt." — Nach dieser, mit eben so viel Achtung gegen die Verdienste des ausgezeichneten Theologen, welchen er bekämpft, als mit Klarheit geführten Widerlegung giebt nun der Vf., mit Uebergehung aller andern ihm nicht genügenden dogmatischen Systeme neuerer Zeit, einen kurzen Abriss seiner eigenen, in einer besondern Schrift weiter auszuführenden Theorie, welche nicht ohne Originalität, aber weder zu völliger Klarheit entwickelt, noch, unsers Erachtens, haltbar und allgemeinen Beyfalls sicher ist. Es heisst nämlich hier: „die dogmatische Theologie ist die Lehre vom christlichen Glauben, dessen *Grundlage (cardo)* Jesus Christus ist, *durch welchen*, nach dem *Ausspruch* der h. Schrift (*auctoritate* s. c.), *allein* alle Menschen selig werden können. In Christo sind aber ein menschlicher und ein göttlicher *Geist* (*mens*) so mit einander zu einer Einheit verbunden, dass ihrem *Wesen* nach alle Verschiedenheit beider aufgehoben wird, und dass Christus mithin nicht nur die Gottheit, sondern auch die durch Religion vollendete Menschheit in sich offenbart. In ihm vereinen sich daher alle Gegenstände der Dogmatik: *Gott*, den man in ihm erblickt (Theologie), das *Menschengeschlecht*, dessen Ideal er darstellt (Anthropologie), und der *Geist*, der von ihm und dem Vater ausgeht und sein Werk vollendet (Pneumatologie), und alles, was der Dogmatik angehört, kann desswegen, wenn man die Idee des Christus zur Grundlage macht, von derselben theils auf positivem, theils auf negativem Wege abgeleitet werden." Der Vf. hofft mithin durch ein System der Dogmatik, dessen Princip die Idee des Christus ist, nicht nur die Grenzen der Dogmatik und der Philosophie gehörig abstecken, sondern auch zeigen zu können, dass beide dem Inhalte nach in ihren Resultaten zusammentreffen. Soll das der Fall seyn, so muss allerdings vieles wegfallen oder ganz negativ behandelt werden, was bisher in Dogmatiken vorkam, z. B. Erbsünde, Genugthuung u. dgl. Aber wo bleibt dann hier die Berücksichtigung des oben neben Bibel und Vernunft gestellten, nach S. 12 mit ihnen nothwendig zu versöhnenden Dritten: der Kirchenlehre? Soll ferner alles verneinet werden, was jener Christus-Idee nicht entspricht, so ist doch wohl zuvor nach der Wahrheit, und zwar im Sinne des Vfs nach der Objectivität, nach der historischen Wahrheit eines Christus zu fragen, der von dem als historisch bekannten Jesus, so sehr verschieden ist; und kann Hr. R. diese demjenigen, welchem eine *auctoritas* der h. Schrift ohne Prüfung nicht gilt, nicht nachweisen, so ist es doch wohl mit der *Wahrheit* und Festigkeit seines Systems selbst schlecht bestellt. Hr. R., welcher es vorher (S. 67. 68.) Hn. *Schleiermacher* vorwarf, dass er unvermerkt zu dem *Mythen* und Symbole liebenden Heidenthum hinleite, sollte sich doch begnügen, eine *rein rationale* Idee zum Princip seiner Dogmatik zu machen, z. B. die Idee von Gott; die vorgeschlagene Methode giebt uns aber als Princip nicht eine solche, sondern ein *mythisches Phantasiegebilde*, welches, seine ästhetische und moralische Schönheit zugegeben, doch als Grundlage einer Wissenschaft schwerlich genügen kann. Sollte er das Alles aber, wie wir es oben treulich übersetzten, nicht so *eigentlich* gemeint haben, so war es sehr unpassend, in eine Definition Tropen aufzunehmen, welches ihr den Schein metaphysischen und logischen Widerspruchs giebt, wie Jedem auffallen muss; und in diesem Falle gestehn wir, dass wir Hn. R. noch nicht verstehen und erwarten die versprochne Erläuterung.

In Nr. 2 redet Hr. R. zuerst im Allgemeinen über die Würde und Wichtigkeit des theol. Studiums, und macht an jeden, der sich ihm widmet, die allerdings bedeutenden, aber doch nur gerechten, mit Ernst und Würde entwickelten Foderungen, dass er zu Resignation und Aufopferung entschlossen sey, unermüdete Thätigkeit beweise und sich über das Gemeine, insbesondre auch insofern diess in knechtischer Unterwerfung unter vernunftwidrige Vorurtheile besteht, erhebe; und versucht dann (S. 15 ff.) das *religiös wissenschaftliche Leben unserer Zeit* in seinen Grundzügen darzulegen, so weit diess geschehn kann, ohne der Vorlesung selbst vorzugreifen, in welcher allerdings manches hier nur kurz angedeutete mehr entwickelt und begründet worden seyn wird. „Mehrerley Ursachen haben zusammengewirkt, in der neuesten Zeit ein lebendiges Interesse an allem, was die Religion betrifft, wieder rege zu machen, und bey dieser erneuerten Thätigkeit konnte es an Streitigkeiten und Parteyungen nicht fehlen, die am Ende unstreitig zum Heil der Wissenschaft führen werden; denn in dem Kampfe ist Leben, und nur aus ihm, wenn er weise geführt wird, kann ein wahrhaft wünschenswerther Friede hervorgehn. Besonders zwey Parteyen sind es, welche einander gegenüberstehn, und in ihrer Eigenthümlichkeit die beiden unteren Bildungsstufen der Menschheit, die *des Gefühls* und *des Verstandes* (vgl. oben in der Comment. S. 66 ff.) repräsentiren und in der Theologie herrschend machen wollen. Die Freunde des Gefühls sagen: Alles Wahre ist unmittelbar gewiss, und beruht auf unbegreiflichen Erregungen des Gemüths, welche hervorzurufen nichts mehr geeignet ist, als die Bibel, deren wahrhafter Inhalt indess nicht bloss von dem Gelehrten erkannt wird, der ihre Worte bis ins Einzelne erforschen kann, sondern auch von dem Ungebildeten, dessen Gemüth durch dieselbe angeregt wird, worin das wahre Auffassen besteht. Dazu bedarf es also keiner Wissenschaft, deren Klarheit vielmehr dem frommen Gefühle eher nachtheilig als vortheilhaft ist: der *gläubig Fühlende* ist der grösste Gottesgelehrte! Die Freunde des Verstandes dagegen sagen: Nichts ist unmittelbar wahr und gewiss, sondern alle Wahrheit beruht auf deutlicher Erkenntniss der Gründe;

der

der dahin führenden Forschung muss sich mithin auch das religiöse Denken unterwerfen, und alle religiöse Wahrheit dem Gesetz des Geistes entsprechen. *Danach* ist also auch der Inhalt der christl. Religionsbücher ohne allen Rückhalt, ohne Beachtung der Autorität oder irgend eines Vorurtheils, zu beurtheilen, und was dem Gesetze des wissenschaftlich gebildeten Geistes nicht entspricht, muss als Locales und Temporäres (nur unter gewissen Bedingungen wahr Scheinendes) aufgegeben werden." — Wenn nun Hr. *R.* S. 23 ff. beide Theorieen als falsch darzustellen sucht, so gelingt es ihm freylich nicht weniger, als in der Commentation, das Schwankende, Unklare, Rein-subjective und darum alle Wissenschaft Verachtende und Vernichtende der Gefühlstheorie nachzuweisen, aber nicht so, klar zu machen, wie das, was er Verstandestheorie genannt hat, was „sich dem Evangelium entgegenstellt, — das Ewige unvermerkt *mehr oder weniger* (*sic*, S. 25.) in ein Zeitliches verwandelt, — bey seiner Klarheit der wahren Tiefe ermangelt, — als Zeit- und Local-Idee betrachtet, was seinem Wesen nach ewig ist (— etwa z. B. die Messias-Idee des Vfs?) u. s. w. Fodert denn aber das Evangelium, d. h. die von Jesu selbst gehegte und gelehrte Religion, Glauben *ohne* Gründe? und, wenn nicht, wo soll das Fragen nach Gründen aufhören? Doch wohl nur, wo richtige Selbstkenntniss dem Menschen die Grenzen des Wissens zeigt; — und auch da fehlen ihm *subjective* Gründe zum Glauben nicht. Soll aber statt aller Prüfung von vorn herein die Autorität irgend eines Buches geltend gemacht und dem Geiste verboten werden, danach zu forschen, was in demselben *allgemeingültig* (denn das allein kann dem Menschen die Ewigkeit der für ihn erkennbaren Wahrheit verbürgen) und was local und temporär sey, so ist mit aller solcher Beschränkung *vor* dem Forschen schon die gerühmte Freyheit des Geistes vernichtet. — Hr. *R.* findet nun Rettung aus jenen zum Theil selbst geschaffenen Schwierigkeiten, indem er §. 26 f. das *vernünftige* Denken über Gegenstände der Religion als ein solches schildert, dem weder Klarheit noch Tiefe mangelt, das darum in Christus den ewigen λόγος erkennt, welcher das göttliche, absolut vernünftige Daseyn an sich darstellt, und desshalb auch alle, durch Gefühl und Verstand gemissdeuteten Stellen der h. Schrift in ihrer Tiefe und Wahrheit erkennt. Durch die Zusammenstellung dieser und ähnlicher Prädicate wurde unsre Freude über Hn. *R's* Aeusserung: dass er (S. 28.) seine Zuhörer *zu der Ueberzeugung zu führen suchen wolle, „was wahrhaft vernünftig sey, das sey auch evangelisch, und umgekehrt,"* bedeutend verringert; und wenn wir von seiner guten Absicht auch um so mehr überzeugt seyn müssen, da er seine Zuhörer am Schlusse ermahnt, dem erhabnen Gegenstande ihrer Studien mit Hochachtung zu nahen, mit Ausdauer und kühler Besonnenheit bey ihm zu verharren und sich muthig aller Vorurtheile zu entäussern; so können wir uns doch der Furcht nicht erwehren, dass ihm selbst, der darin Führer und Vorbild seyn muss, diess noch nicht sogleich gelingen werde, besonders in wie fern er selbst den Gegenstand nicht mit historisch philosophischer Kritik und gehöriger Klarheit aufgefasst hat und von dem Vorurtheil ausgegangen ist: das, was er Vernunft nennt, müsse sich so gestalten lassen, dass es sich dem, was ihm als Inhalt des Evangeliums erscheint, nothwendig anschliesse. Uebrigens zweifeln wir nicht, dass der Vf. bey seinem lebendigen Eifer für Wahrheit diese immer vorurtheilsfreyer darzustellen sich aneignen werde.

RELIGIONSSCHRIFTEN.

Hamburg, b. Fr. Perthes: *Bibelworte*, oder Erkenntniss der Wahrheit zur Gottseligkeit und Hoffnung des ewigen Lebens. Als Grundlage zu einem christl. Unterricht für die reifere Jugend. 1827. VI u. 226 S. 12. (6 gr.)

Es ist ein glücklicher, auch von Rec. oft gehegter Gedanke, einen zusammenhangenden *Unterricht* in der christlichen Lehre bloss in den *einfachen Bibelworten* zusammenzustellen, den der unbekannte Vf. in diesem Büchlein ausgeführt hat. Gewiss ist das Ganze sehr zweckmässig ausgearbeitet; denn es ist nicht ein blosser Bibelkatechismus, die Beweisstellen neben einander anführend, sondern die Sprüche sind dem Geiste nach unter einander verbunden. Zwar möchte sich wohl an der Anordnung sowohl, als an der Wahl und Beziehung einzelner Schriftabschnitte noch Manches ausstellen lassen; allein im Allgemeinen wird dieser Leitfaden mit Nutzen im Jugendunterricht gebraucht werden können. Der wohlfeile Preis empfiehlt ihn für höhere Bürgerschulen. Aber auch in solchen Volksschulen, wo den Kindern die Anschaffung desselben nicht zugemuthet werden kann, wird ein geschickter *Lehrer sich* desselben zweckmässig bedienen, wenn er *die darin* aufgeführten und ganz abgedruckten *Stellen in der* Bibel aufschlagen und nachlesen *lässet*. — Rec. theilt noch kürzlich den Inhalt mit. Nach einer Einleitung, über *das Wort des Lebens* folgen die Lehren 1) Es ist *Ein Gott*, der die Welt gemacht hat, und Alles was darinnen ist, 2) ich bin ein Mensch (hier ist vorzüglich von der Sündhaftigkeit die Rede.) 3) Es ist ein Mittler zwischen Gott und Menschen 4) Erneuet euch im Geiste eures Gemüthes, 5) Halte die Gebote, 6) Unser Wandel ist im Himmel. Also Lehre von Gott, dem Menschen, der Erlösung, der Bekehrung, den Pflichten und den letzten Dingen. Der Titel ist etwas ungelenk; statt *auf Hoffnung*, würde es besser heissen *in der*.

ALLGEMEINE LITERATUR-ZEITUNG

November 1828.

LITERARISCHE NACHRICHTEN.

I. Nekrolog.

Friedrich Bouterweck

war auf dem Königl. Hannöverschen und Herzoglich-Braunschweigischen Communion-Hüttenwerke zur Oker, unweit Goslar, am 15. April 1766 geboren. Schon im J. 1784 besuchte er die Universität zu Göttingen, wo er bis 1787 die Rechte studirte, und im Jahre 1786 den von der dasigen Juristen-Facultät für Studirende ausgesetzten Preis gewann. Dennoch wendete er sich jetzt vorzugsweise dem Studium der philosophischen, besonders der ästhetischen Wissenschaften zu. Seine ersten philosophischen Vorlesungen über Kantische Philosophie hielt er zu Göttingen im J. 1791; sie wurden mit Beyfall gehört. In eben diesem Jahre erhielt er von Weimar den Rathstitel, und 1793 wurde er Doctor der Philosophie zu Helmstedt. Bis zum J. 1797 blieb er Privatdocent zu Göttingen, brachte aber einen bedeutenden Theil dieser Zeit auf Reisen durch Deutschland, Holland u. s. w. zu. Im Jahre 1797 ernannte ihn die Regierung in Hannover zum ausserordentlichen Professor der Philosophie zu Göttingen; 1802 ward er ordentlicher Professor, und 1806 erhielt er den Titel als Hofrath. In demselben Jahre ward er von der Königl. Akademie der Wissenschaften zu Lissabon zum auswärtigen, und 1808 von der Königl. Akademie der Wissenschaften zu München zum ordentlichen auswärtigen Mitgliede ernannt. Dieselben Auszeichnungen erhielt er 1809 von der Wetterauischen Gesellschaft für Naturkunde, 1811 von der Königl. Societät der Wissenschaften zu Göttingen und von der Akademie zu Livorno. Im J. 1812 ward er correspondirendes Mitglied der Kön. Preuss. Akademie der Wissenschaften zu Berlin, 1813 Ehrenmitglied der mineralogischen Gesellschaft zu Jena und 1819 correspondirendes Mitglied der Kön. Spanischen Akademie der Geschichte zu Madrid, wie auch des Kön. Niederländischen Instituts zu Amsterdam. Frühzeitig betrat er die schriftstellerische Laufbahn, hörte aber nicht gern von den, wiewohl mit Beyfall aufgenommenen, Erstlingen seiner Muse, wohin auch sein Graf Donomar gezählt werden muss. Er übte in dieser Hinsicht ein strenges Richteramt gegen sich selbst aus. Seine, mit der strengsten Kritik seiner eigenen früheren Geistesproducte verbundene, und im *ersten* Bande seiner *kleinen Schriften philosophischen, ästhetischen und literarischen Inhalts* befindliche Autobiographie ist ein trefflicher Beweis seines starken Geistes und der nur einem solchen eigenen Selbsterkenntniss.

Das Verzeichniss seiner wissenschaftlichen Schriften findet man in *Saalfeld's* Geschichte der Universität Göttingen von 1788—1820. S. 356 fgg. Im In- und Auslande wurde unter denselben vorzüglich ausgezeichnet seine *Geschichte der Poesie und Beredsamkeit seit dem Ende des 13ten Jahrhunderts*, in 12 Bänden; sie macht einen Zweig der von *Eichhorn* unternommenen *Geschichte der Künste und Wissenschaften* aus. — Seit 1820, mit welchem Jahre das Saalfeldische Verzeichniss schliesst, sind von mehreren seiner Werke neue verbesserte Auflagen erschienen: 1) *Lehrbuch der philosophischen Vorkenntnisse*, 2te Ausgabe. Göttingen 1820. — 2) *Lehrbuch der philosophischen Wissenschaften, nach einem neuen System entworfen*, 2te Aufl. 2 Theile. Ebendas. 1820. — 3) *Aesthetik*, 3te von Neuem verbesserte Ausgabe. Ebendas. 1824. — 4) *Die Religion der Vernunft. Ideen zur Beschleunigung der Fortschritte einer haltbaren Religionsphilosophie.* Ebendas. 1824. Ausserdem hat er in dieser Zeit sehr schätzbare Beyträge zu der Encyklopädie von *Ersch* und *Gruber* geliefert.

Als akademischer Lehrer trug er regelmässig vor, neben der Logik, Metaphysik und Religionsphilosophie, der allgemeinen praktischen Philosophie und Ethik, dem Naturrecht und einer allgemeinen Geschichte der Philosophie, oder Darstellung und Erörterung der merkwürdigsten Lehren, auf welche die berühmtesten Philosophen ihre Systeme gegründet haben, wie er diess Collegium in dem Lectionscataloge selbst benannte, mindestens einmal im Jahre Aesthetik mit einer Geschichte der schönen Künste, besonders der Dichtkunst, verbunden, und wiederholte auch von Zeit zu Zeit seine historisch-kritischen Vorlesungen über die deutsche, sowohl ältere als neuere, Literatur. Schon im Wintersemester 1827—28 ward er durch Krankheit in seinen akademischen Vorlesungen gestört, so dass er mehrere derselben nicht auszulesen im Stande war. Ueberhaupt litt er schon lange an körperlichen Schwächen mancher Art. So hatte er seit mehreren Jahren nicht nur das Gesicht, sondern auch das Gehör so verloren, dass er Bekannte nur ganz in der Nähe zu erkennen vermochte, und eine mündliche Unterhaltung mit ihm nicht leicht war. Die Nachricht seines Todes am 9. August kam jedoch den Meisten unerwartet, da er nur noch wenige Tage zuvor seine Berufspflichten pünktlich erfüllt hatte.

Die Versammlung der *Königl. Societät der Wissenschaften zu Göttingen* am 6. September war der Gedächtdächtnissfeyer *Bouterweck's* und seines im Tode ihm nachgefolgten Collegen von *Sartorius* ausschliessend gewidmet. Die Gedächtnissrede auf *Bouterweck* ward von dem Ober-Medicinalrath Hrn. *Blumenbach*, die auf *Sartorius* von dem Hrn. Hofr. *Heeren* gehalten. Beide gaben einen kurzen Abriss des Lebens der Verewigten, nebst einer Schilderung ihrer literarischen Verdienste. Auf diese Gedächtnissreden, welche nächstens gedruckt erscheinen werden, verweisen wir.

II. Beförderungen u. Ehrenbezeigungen.

Hr. Dr. *Gustav von Schreiner*, bisher Professor zu Olmütz, hat die Professor der politischen Wissenschaften, der Gesetzkunde und Statistik an der Universität zu Grätz erhalten. Die dadurch erledigte Professur derselben Wissenschaften an der Universität zu Olmütz erhielt Hr. Dr. *Hieronymus von Scari*, und Hr. Dr. jur. *Andr. Horak* die Professur des Lehn-, Handels- u. Wechselrechts und des gerichtlichen Verfahrens.

Hr. Hofmedicus Dr. *Gustav Adam Brückner* zu Ludwigslust hat vom Grossherzog von Mecklenburg-Schwerin den Charakter eines Medicinalraths und Referent in Medicinalsachen bey der Regierung in Schwerin erhalten.

Die Grossherzogl. Sachs-Weimar- und Eisenach'sche Societät für die gesammte Mineralogie zu Jena hat den Hrn. Hofrath, Professor der Staatswissenschaften und Ritter Dr. *Harl* in Erlangen zu ihrem auswärtigen Assessor ernannt.

Die Akademie der bildenden Künste in Nürnberg hat zur Feyer des Namens- und Geburtsfestes Sr. Maj. des Königs von Baiern am 25. August die Hnn. *Sulpiz Boisseré*, Baron *Gerard*, und *Rob. Cockerell*, Architekten in London, zu ihren Ehrenmitgliedern ernannt.

LITERARISCHE ANZEIGEN.

I. Neue periodische Schriften.

Jahn's Jahrbücher für Philologie und Pädagogik.

Bey Unterzeichnetem ist erschienen:

Jahrbücher für Philologie und Pädagogik. Eine kritische Zeitschrift, in Verbindung mit einem Verein von Gelehrten herausgegeben von *J. C. Jahn*. *Dritter* Jahrg. in 3 Bänden oder in 12 getrennten Heften. Alle 12 Hefte complett 9 Rthlr.

[Bis jetzt sind 10 Hefte versandt.]

Was von dieser kritischen Zeitschrift, dessen Fortsetzung auch im nächsten Jahre folgen wird, und wovon die beiden ersten Hefte noch vor Ablauf dieses Jahres ausgegeben werden sollen, zu erwarten sey, das wird wohl aus den bis jetzt erschienenen 8 Bänden hinlänglich bekannt seyn und einer Erwähnung über die Vorzüge derselben überflüssig machen, da die öffentliche Meinung sich schon hinlänglich darüber ausgesprochen, und ausser vielem Andern schon diess *Eine* ihren Werth verbürgt hat, dass das *hohe Königl. Preuss. Ministerium der Geistlichen, Unterrichts- und Medicinal-Angelegenheiten* dieselben für würdig fand, sie den gesammten Gymnasien und Gelehrten-Anstalten der ganzen Monarchie zum Ankauf öffentlich zu empfehlen. Eine solche Stimme verbietet mir alles weitere Lob, und ich erlaube mir nur, auf die Fortsetzung derselben aufmerksam zu machen, und die neueintretenden Interessenten zu ersuchen, ihre Bestellungen darauf bald zu machen, weil ohne dieselben kein Exemplar versendet wird, obgleich die Auflage überhaupt etwas stärker werden soll, als der mir bis Ende dieses Jahres bekannt gewordene Bedarf erheischt. Aufträge nehmen alle Buchhandlungen Deutschlands an. Der Preis des einzelnen, aus 4 Heften bestehenden Bandes ist 3 Rthlr. 18 gr., bey Verbindlichmachung auf den ganzen Jahrgang aber nur 3 Rthlr. Von den beiden ersten Jahrgängen dieser kritischen Zeitschrift, welche aus 5 Bänden oder 16 Heften bestehen, sind noch Exemplare vorräthig.

Leipzig, im October 1828.

B. G. Teubner,
Unternehmer der Jahrbücher.

II. Ankündigungen neuer Bücher.

So eben verliess die Presse und ist wieder in allen Buchhandlungen des In- und Auslandes zu haben:

Gemeinnützliches Wörterbuch
zur richtigen Verdeutschung und verständlichen Erklärung der in unserer Sprache vorkommenden
fremden Ausdrücke.
Für
deutsche Geschäftsmänner, gebildete *Frauenzimmer* und Jünglinge;
bearbeitet
von
Joh. Christ. Vollbeding.
gr. 8. 586 S. in gespaltenen Columnen auf weissem Druckpapier.
Dritte durchaus verbesserte und vermehrte Auflage.
Sauber geheftet. Preis 1 Rthlr. 20 Sgr.
(Berlin, 1828. Verlag der Buchhandlung von C. Fr. Amelang.)

Die *Literaturzeitung für Volksschullehrer*, 1828. 3tes Heft, enthält folgende Beurtheilung dieses überall mit Beyfall aufgenommenen Buchs:

Dieses Werk hat sich schon zu sehr die Achtung und den Beyfall des Publicums erworben, als dass es noch

noch unferes Lobes bedürfte. Mit Vollständigkeit verbindet es Klarheit und Deutlichkeit der Definitionen, die an Werken der Art eine befonders fchätzenswerthe Eigenfchaft ift. Die vorliegende neue Auflage hat bedeutende Vorzüge vor der zweyten, da nicht nur Vieles neu aufgenommen, fondern auch das Vorige zweckmäfsig verbeffert und erweitert worden ift. Wörter, welche allgemein bekannt find, und gar keiner Umdeutfchung der Fremdartigkeit und weiteren Erklärung bedürfen, find mit Recht weggelaffen. Wir können daher diefes Werk, welches fich auch durch ein fchöneres Aeufsere vortheilhaft auszeichnet, Allen als ein fehr brauchbares Handbuch empfehlen, und befonders werden auch Schullehrer einen fehr zweckmäfsigen Gebrauch davon machen können.

In demfelben Verlage erfchien:

Neuer gemeinnützlicher Briefffteller für das bürgerliche *Gefchäftsleben*, enthaltend: *eine vollftändige Anweifung zum Brieffchreiben* durch auserlefene Beyfpiele erläutert; eine alphabetifch geordnete Erklärung kaufmännifcher, gerichtlicher und fremdartiger Ausdrücke; — Münzen-, Maafs- und Gewichts-Vergleichung; Meilenanzeiger, Nachrichten vom Poftwefen; — Vorfchriften zu Wechfeln, Affignationen, Obligationen, Verträgen u. f. w. Nebft einem Anhange von den Titulaturen an die Behörden in den Königl. Preufs. Staaten. Von *J. C. Vollbeding*. *Fünfte* ftark vermehrte und verbefferte Auflage 35 compreffe Bogen in Octav, mit Titelkupfer. 25 Sgr.

Bey Unterzeichnetem ift erfchienen und in allen Buchhandlungen zu haben:

Uebungsblätter oder *200 Aufgaben*, aus der Sprachlehre, Erdbefchreibung, Naturgefchichte, Gefchichte und Technologie, ein bewährtes Hülfsmittel des Unterrichts in zahlreichen Schulklaffen. Nebft einer vollftändigen Erläuterung der Aufgaben als Hülfsbuch für Aeltern und Lehrer, von *F. P. Wilmfen*, Prediger an der evang. Parochialkirche in Berlin. Fünfte verbefferte und vermehrte Auflage, 1 Rthlr.

Seit 20 Jahren hat fich diefes Hülfsmittel des Unterrichts bewährt, und da die Aufgaben jetzt überarbeitet, aufs genauefte berichtigt, und nach den Gegenftänden in eine beffere Reihenfolge gebracht worden, mehrere weniger zweckmäfsige geftrichen und durch beffere erfetzt worden find, und die *Erläuterung* bedeutend vervollftändigt ift, fo darf diefe neue Auflage im ausgedehnteften Sinne eine verbefferte und vermehrte genannt werden. Die Zahl der hiftorifchen, technologifchen und geographifchen Notizen ift fo bedeutend, dafs auf $7\frac{1}{2}$ Bogen der Hauptinhalt ganzer Bücher zufammengefafst ift. Die Erleichterung, welche hier den Lehrern dargeboten wird, verdient die dankbarfte Anerkennung und Benutzung, da der Unterricht dadurch zugleich an Zweckmäfsigkeit und bildender Kraft fo fehr gewinnt, und alles Gelernte durch die Anwendung, welche die Kinder davon machen, indem fie die Aufgaben bearbeiten, ihr volles Eigenthum wird.

E. S. Mittler
in Berlin, Pofen und Bromberg.

Bey Metzler in Stuttgart erfchien fo eben:

Kritifche Blätter, nebft *geographifchen Abhandlungen*; von *Johann Heinrich Vofs*. 1fter Band. gr. 8. 5 Fl. 12 Kr. oder 3 Rthlr. Sächf.

Inhalt: Anzeige der *Heyne*fchen Ilias. Beyträge zum Commentar der Ilias. Ueber *Schneider* und *Hermann's* Ausgabe der orfifchen Argonautika. Ueber *Klopftock's* grammatifche Gefpräche und *Adelung's* Wörterbuch. Ueber *Bürger's* Sonette. Für die Romantiker.

Der 2te, diefes Werk fchliefsende, Band erfcheint Jan. 1829.

Früher find ebendafelbft erfchienen:

Antifymbolik, von *Joh. Heinr. Vofs*. *Zwey* Bände. gr. 8. 1824, 26. 8 Fl. od. 4 Rthlr. 18 gr.

Mythologifche Briefe, von *Joh. Heinr. Vofs*. *Zweyte* erweiterte Auflage. *Drey* Bände. gr. 8. 1827. 9 Fl. 48 Kr. od. 5 Rthlr. 16 gr.

Symbolik und *Mythologie*, oder die Naturreligion des Alterthums, von *F. C. Baur*, ordentl. Prof. der Theologie zu Tübingen. 2 Bände. gr. 8. 1824, 25. 11 Fl. 24 Kr. od. 6 Rthlr. 12 gr.

Zu erhalten durch alle folide Buchhandlungen.

So eben ift erfchienen und an alle Buchhandlungen verfandt:

M. B. L. Bouvier's
vollftändige Anweifung
zur
Oehlmahlerey
für
Künftler und Kunftfreunde.
Aus
dem Franzöfifchen überfetzt
von
Dr. *C. F. Prange*.
Nebft einem Anhange
über die geheimnifsvolle Kunft, alte Gemälde zu reftauriren.
Mit fieben Kupfertafeln.
gr. 8. Preis 2 Rthlr. 8 gGr.

An einem folchen Buche hat es uns bis jetzt gefehlt, und wir fagen nicht zu viel, wenn wir behaupten, dafs mit gegenwärtiger Ueberfetzung einem wahren Bedürfnifs abgeholfen ift. Man kann fich davon fchon durch einen Blick auf den Inhalt überzeugen.

Ueber

Ueber *Alles*, vom Reibestein und Pinsel an bis zum Schwersten in der Kunst, findet hier der angehende Maler Belehrung, und Alles ist auf eine so leicht fassliche, klare und folgerichtige Weise so gründlich und vollständig vorgetragen, dass wir das Buch mit vollem Rechte empfehlen können. Auch der Anhang über Restauration der Gemälde ist wichtig und wird jedem Künstler und Kunstfreund willkommen seyn.

Genug: Herr Professor *Prange*, der schon seit vielen Jahren einer nicht unbedeutenden Kunstschule mit dem erfreulichsten Erfolge vorsteht, hat sich durch die Herausgabe dieses Werkes ein wahres Verdienst erworben.

Hemmerde u. Schwetschke in Hälle.

Uebersetzungs-Anzeige.

In meinem Verlage erscheint eine Bearbeitung der

„*Leçons de médecine légale* par M. *Orfila*". *Deuxième* édition. 3 Vols. Orné de 27 planches, dont 7 coloriées. (Paris und Brüssel, 1828.)

von Professor Dr. *Jakob Hergenröther* in Würzburg, was ich zur Vermeidung von Collisionen hierdurch bekannt mache.

Leipzig, den 1. Sept. 1828.

F. A. Brockhaus.

III. Vermischte Anzeigen.

Abfertigung.

Der Assessor der Juristenfakultät zu Leipzig, Dr. *Gerstäcker*, hat in der Leipziger Literaturzeitung Nr. 247* dieses Jahres der Redaction der Allg. Lit. Zeitung folgende Vorwürfe gemacht:

1) Es sey ihr von einem erbitterten Gegner eine Recension aufgedrungen worden.

2) Die Redaction werde nur Einen seiner Feinde mit Beurtheilung seiner Schriften beauftragen.

3) Sie sey durch Verweigerung des Abdruckes seiner Antikritik der angeblichen Vergehen seines Recensenten „theilhaftig" geworden.

Hierauf diene ihm nun Folgendes:

1) Allerdings hat man der Redaction der A. L. Z. etwas aufgedrungen; aber nicht jene Recension, sondern die Schriften des Dr. *Gerstäcker*. Wenn der Vf. dafür sorgen will, dass die Redaction in der Folge nicht wieder mit solchen Geschenken behelliget werde, so wird ihm dieselbe dafür sehr dankbar seyn.

2) Die Redaction weiss gar nicht, ob Hr. *Gerstäcker* Freunde oder Feinde hat; es ist aber, ihren Statuten zufolge, Keinem ihrer Mitarbeiter erlaubt, Schriften seiner persönlichen Feinde zur Beurtheilung anzunehmen. Wirklich hat sich mit der Schrift: „*juris politiae brevis delineatio*," Niemand befassen wollen; wenn aber Hr. Dr. *Gerstäcker* sich schmeichelte, dass Diess in *einer persönlichen* Feindschaft gegen ihn seinen Grund habe, so würde er bedeutend irren. Auch wohnt der von Hn. *Gerstäcker* angefeindete Recensent keinesweges in Erlangen, wie Jener sich einzubilden scheint.

3) Die Redaction ist statutenmässig verpflichtet, ihren Mitarbeitern bey jeder Antikritik das Recht der Antwort zu gestatten; Hr. Dr. *Gerstäcker* aber wollte ihr zumuthen, diess Recht um *seinetwillen* zu verletzen *). Dass seine Antikritik keiner Rechtfertigung des Recensenten würdig war, konnte doch an den Contractspflichten der Redaction nichts ändern; sie hat ihm daher sogleich (am 29. Aug.) erwidern lassen, dass sie bedaure, sein Verlangen *als statutenwidrig* ablehnen zu müssen. Dadurch ist nun die A. L. Z. für Hn. Dr. *Gerstäcker* „eine Anstalt, das Publicum zu belügen," geworden.

Wenn übrigens die Ehre der A. L. Z. von den Schmähungen des Dr. *Gerstäcker* nur das Geringste zu besorgen hätte, so würde die Red. jetzt den Recensenten aufgefodert haben, sich zu nennen, oder wenigstens zu antworten. Sie bedarf aber seines Beystandes so wenig, dass sie ihn vielmehr hiemit gebeten haben will, nicht zu antworten, wenigstens nicht *in der A. L. Z.* Auch vor einem Injurienprocesse braucht Hr. Dr. *G.* sich nicht zu fürchten; es soll ihm *für diessmal* jede Züchtigung erlassen seyn.

Die Redaction der Allgemeinen Literaturzeitung.

---

*) Sein Schreiben lautet wörtlich so: P. P. Mit Recht setze ich wohl voraus, dass die Redaction der Hallischen Lit. Zeit. an ihren Recensenten keine Falsa — keine offenbare Belügung des Publicums über den Inhalt der angezeigten Schriften dulden werde. Offenbarer Lügen hat sich aber der angebliche Beurtheiler meines „Cursus der practischen Rechtswissenschaften" in Nr. 195 der Hall. L. Z. schuldig gemacht. Daher hoffe ich, dass man die beyfolgenden Erinnerungen in das *nächste* Stück des Intellig. Blattes gewiss aufnehmen wird. Geschieht es nicht, so bin ich gezwungen, in einer eignen Schrift gegen die Hall. Lit. Zeitung selbst aufzutreten und die Verfahrungsweise gegen mich der gerechten Beurtheilung des Publicums anheim zu stellen. *Wollte man nun die Beylage zwar aufnehmen, aber mit einem Anhang des mir wohlbekannten Gegners in E . . . oder sonst Jemandes, so erbitte ich mir sie sofort zurück. Dagegen soll es mir auf 8 bis 10 Rthlr. Insertionsgebühren nicht ankommen, wenn ich nämlich versichert werde, dass man die beyfolgenden Bemerkungen im nächsten Intelligenzblatt ohne allen Anhang abdrucken lässt.*

Leipzig, den 26. Aug. 1828.

Dr. *Karl Friedrich Wilhelm Gerstäcker.*

ALLGEMEINE LITERATUR - ZEITUNG

November 1828.

RECHTSGELAHRTHEIT.

Halle, b. Hemmerde u. Schwetſchke: *Handbuch für angehende Juriſten* zum Gebrauch während der Univerſitätszeit und bey dem Eintritte in das Geſchäftsleben, von Dr. *Karl Auguſt Tittmann,* Königl. Sächſ. Hof- und Juſtiz-Rathe und geheimen Referendar, Ritter des Königl. Sächſ. Civilverdienſt-Ordens. 1828. XIV u. 755 S. gr. 8. (3 Rthlr.)

Wir erhalten in dem vorliegenden, als literariſches Teſtament für ſeine Söhne, bezeichneten Buche, von der Hand eines unſerer würdigſten, beſonders um Criminalrechtswiſſenſchaft und Strafgeſetzgebung hochverdienten, Rechtslehrers, ein das ganze Rechtsgebiet umfaſſendes, zum Gebrauche für angehende Juriſten während ihrer Univerſitätsſtudien und für angehende Geſchäftsmänner bey dem Eintritte in das Geſchäftsleben beſtimmtes und in jeder Hinſicht geeignetes Werk, was in ſofern auch als literariſches Teſtament betrachtet werden muſs, als es zu gleicher Zeit die Reſultate der Erfahrungen aus einem langen Geſchäftsleben und einem eben ſo unermüdet thätigen wiſſenſchaftlichen Streben enthält, wie dieſes ſo manche darin befindliche Andeutung und ſo manche dem Texte untergeſetzte Anmerkung darthut. So ungemein brauchbar und nützlich daher dieſes Handbuch für ſeinen nächſten Zweck iſt, und ſo ſehr es insbeſondere angehenden Geſchäftsmännern empfohlen zu werden verdient, ſo belehrend iſt es auch für den bereits gereiften Rechtsgelehrten, und Rec., der ſich nach einem beynahe zwanzigjährigen Geſchäftsleben ſchon den ältern Geſchäftsmännern anſchlieſsen darf, geſteht dankbar, aus demſelben manche Belehrung geſchöpft zu haben. — Das Handbuch ſelbſt hat eine dreyfache Beſtimmung. Zuerſt ſoll es dem angehenden Juriſten das geben, was in eine juriſtiſche Encyclopädie und Methodologie gehört. Dann ſoll es kurze Syſteme von den hauptſächlichſten Theilen der Rechtswiſſenſchaft aufſtellen, und endlich eine Anleitung zur Vorbereitung auf das juriſtiſche Geſchäftsleben liefern. — Dieſem gemäſs iſt die Anordnung folgende: Voraus geht eine Einleitung, welche die Begriffe von Recht überhaupt, und die allgemeinen Begriffe von Rechtswiſſenſchaft und Rechtsgelahrtheit, Geſetzkunde und Geſetzgelahrtheit entwickelt. Der *erſte* Theil enthält ſodann die Anweiſung zur Erlernung der Rechtswiſſenſchaft und Geſetzkunde auf der Univerſität. Er zerfällt in zwey Abtheilungen, von denen die erſte von dem Rechte, den Geſetzen, dem Staate und den einzelnen Theilen der Rechtswiſſenſchaft und der Geſetzkunde überhaupt handelt; nämlich Kap. I. von dem Rechte, nach ſeinem Begriff, Arten, Erwerbung, Wirkungen, Aufhören, und von den Mitteln, dem Rechtsverluſte vorzubeugen; Kap. II. von den Geſetzen, d. h. von dem Begriffe und Arten derſelben, von Einführung der Geſetze, von der wirkenden Kraft, Dauer und Aufhebung derſelben; Kap. III. vom Staate, nämlich von deſſen Begriffe, dem Staatsgebiet und deſſen Bewohnern, vom Staatsvertrage, den verſchiedenen Arten der Staaten, von den Befugniſſen der höchſten Gewalt, von Staatsbürgern und Unterthanen, von der Wirkung der Verbindung mit dem Staate, von der Staatsverfaſſung, von der Staatsverwaltung und von der Aufhebung des Staats. Die übrigen Kapitel, nämlich IV bis VII beſchäftigen ſich mit dem Inhalte und Zuſammenhange ſämmtlicher Rechtstheile, mit der Staatswiſſenſchaft zur Bezeichnung ihres Verhältniſſes zur Rechtswiſſenſchaft, mit den Quellen der Rechtswiſſenſchaft und Geſetzkunde, und mit deren Hülfsmitteln; das Kap. VIII. endlich handelt von der Methode, die Rechtswiſſenſchaft und deutſche Geſetzkunde zu lehren und zu lernen, und entwirft einen Studienplan hiezu, welcher auf drey Jahre berechnet iſt. Die *zweyte* Abtheilung giebt den Inhalt der einzelnen Rechtstheile im Grundriſſe an; nämlich Kap. I. des bürgerlichen oder Privatrechts; Kap. II. des Staatsrechts; Kap. III. des Strafrechts; Kap. IV. des Kirchenrechts, und Kap. V. des Lehnrechts, welche drey letztern Rechtstheile, nebſt dem Proceſſe, zu den aus Staats- und Privatrechtlichen Beſtimmungen zuſammengeſetzten gerechnet, und als *gemiſchte Rechtstheile* bezeichnet werden. Kap. VI. endlich handelt von der Geltendmachung des Rechts, insbeſondere vom gerichtlichen Verfahren, nämlich *A.* von der Mitwirkung des Staats bey der Geltendmachung der Rechte überhaupt; alſo von den Gegenſtänden der Rechtspflege, von den Gerichten, der Gerichtsbarkeit, und dem Gerichtsſtande, *B.* von den allgemeinen Grundſätzen über gerichtliche Verhandlungen, alſo von der Veranlaſſung zur richterlichen Thätigkeit, von der Art und Weiſe der Aeuſserung derſelben, und von den Einrichtungen, die richterliche Thätigkeit wirkſam zu machen (Ladung, Urtheil), ſodann von der Sicherſtellung der Rechte der vor Gericht handelnden Perſonen (durch Rechtsbeyſtände, Rechtsmittel und Inftanzen), *C.* von der Gewifsheit bey der Rechtspflege durch eigene Erkenntnifs des Richters, Geftändnifs und Beweis, *D.* endlich von dem gerichtlichen Verfahren oder dem Proceffe, und zwar erftlich von dem bürgerlichen (ordentlichen und aufserordentlichen oder fummarifchen) Proceffe, und zweytens, von dem Strafproceffe. — Der *zweyte* Theil begreift die Anweifung zur Vorbereitung auf das Gefchäftsleben, nach der Univerfitätszeit in fich. Kap. I. handelt von dem Studio nach der Univerfitätszeit überhaupt, und theilt folches *A.* in das willkürliche (1. theoretifch-praktifches, 2. der juriftifchen Gefchäfte *a.* überhaupt, *b.* der Perfonen, die fie betreiben, *c.* der Behörden zu den juriftifchen Gefchäften, 3. Studium zur Erwerbung von Fertigkeiten in der Gefchäftsbetreibung), *B.* in das durch die Gefetze vorgefchriebene. Kap. II. befchäftigt fich mit den Einrichtungen für die Betreibung der öffentlichen Gefchäfte bey den Behörden, und redet daher *A.* von dem Perfonale, aus dem die Behörden beftehen, *B.* von dem Gefchäftsgange bey den Behörden, *C.* von dem Gefchäftsftile, den Curialien und den fonftigen formellen Einrichtungen der Schriften, *D.* von der Haltung und Aufbewahrung der Akten. Kap. III fodann enthält allgemeine Grundfätze über die Abfaffung juriftifcher Schriften und Haltung mündlicher Vorträge, und handelt *A.* von den juriftifchen Schriften, welche 1. auf Erklärungen abzwecken, 2. Erzählungen enthalten (Protocolle, Berichte), 3. Gründe für das Gefuch entwickeln (Deductionen, Vertheidigungsfchriften), 4. Anordnungen betreffen (Urtheile); *B.* von den mündlichen Vorträgen 1. überhaupt, 2. von Relationen insbefondre, und zwar fowohl über die im bürgerlichen Proceffe verhandelten Sachen, als auch über Sachen, die im Strafproceffe verhandelt find; endlich *C.* von den Hülfsmitteln zur Abfaffung juriftifcher Schriften und mündlicher Vorträge, wohin die Anweifung zur Lefung der Akten, zur Excerpirung derfelben, und zur Anfertigung von Extracten und Notizenblätter gezählt wird. Ein Anhang befchäftigt fich fchliefslich mit Regeln über die Entwerfung der Probearbeiten der juriftifchen Gefchäftsmänner.

Was nun aber die Bearbeitung felbft anbetrifft, fo ift diefelbe ganz und gar nach dem Bedürfniffe des Juriften *im Gefchäftsleben* berechnet; fo wie auch das Ganze blofs zum *eigenen* Gebrauch der jungen Juriften beftimmt ift; daher ift alles fo einfach eingerichtet und dargeftellt worden, dafs es der Anfänger *ohne Hülfe eines Andern* felbft verftehen kann; und man erfieht leicht, dafs der Vf. ftets bemüht gewefen ift, fich in das Verhältnifs eines jungen Mannes zu fetzen, der noch ganz fremd in der Sache ift. Diefe Rückficht auf die vorauszufetzenden Kenntniffe der Lefer, hat dem Vf. aber auch wieder die Veranlaffung gegeben, die Art der Darftellung nach dem präfumtiven Wachfen der Erkenntnifs bey dem Lefer zu verändern, und mithin den vermehrten Kräften [illegible] gemeffen einzurichten, was man namentlich [illegible] der Darftellung der Lehre von dem Kirchenrech[illegible] Lehnrechte und der Rechtsverfolgung wahrnim[illegible] „Die Darftellung überhaupt, bemerkt der V[illegible] mufste hier vorzüglich auch darauf mit berech[illegible] feyn, den angehenden Juriften befonders auf da[illegible] Nothwendige feines Wiffens aufmerkfam zu m[illegible]chen. Die Grundriffe von den Syftemen der ei[illegible]zelnen Rechtstheile mufsten daher auch eine a[illegible]dere Einrichtung erhalten, als die für fich beft[illegible]henden Rechtsfyfteme haben können. Manche Gegenftände, die dort Stoff zu ganzen *Kapiteln* gaben, konnten hier, der nöthigen Kürze wegen, zuweilen nur beyläufig erwähnt werden; *manche* andere Gegenftände wieder erforderten *eine weitläuftigere* Darftellung, als ihnen nach *Verhältnifs* des Ganzen eigentlich zu geben gewefen wäre, weil diefe dem Anfänger gerade befonders auszuzeichnen waren." Uebrigens feyen die Grundriffe von dem Inhalte der einzelnen Rechtstheile (jedesmal findet fich auch überdiefs eine tabellarifche Ueberficht diefes Inhalts eingefchaltet) auch um deswillen mit aufgeftellt worden, um den Studirenden einen Leitfaden bey der *Vorbereitung auf die* zu hörenden Lehrvorträge und eine *Ueberficht* der nothwendigften Lehren bey der Wiederholung zu verfchaffen. „Jenes fchien um fo nöthiger, als der Studirende bey der heut zu Tage fehr gewöhnlichen Methode, nicht über ein Lehrbuch, fondern über eigene Sätze, oder nur nach Leitfaden, die blofs die Titel der Materien mit Gefetzftellen und literarifchen Notizen enthalten, zu *lefen*, des Vortheils beraubt ift, fich auf den jedesmaligen Vortrag des Lehrers vorbereiten zu können." — Möge der Vf., der diefes gemeinnützige Buch unter fchweren körperlichen Leiden vollendete, recht bald im Stande feyn, bey einer gewifs bald *erfolgenden* zweyten Auflage dem von ihm felbft *beklagten* Umftande abzuhelfen, dafs manches noch unerwähnt geblieben fey, was in den *vergangenen drey* letzten Jahren durch neuere *Erörterungen und Prüfungen* ermittelt worden fey. Dann werden gewifs auch einige kleine Unrichtigkeiten, welche fich befonders im Gefchichtlichen finden, wie z. B. die Angabe einer Leidener (*Lyoner*) Ausgabe des *Gothofredifchen Corpus juris*, die Erklärung der Namen der drey Digeften, die Annahme, dafs die Decemviralgefetzgebung aus griechifchen, durch eine Miffion ausdrücklich eingeholten Gefetzen entnommen fey, dafs fich Fragmente der 12 ehernen Tafeln, worauf fie niedergefchrieben waren, bis in das Mittelalter erhalten hätten, dafs das *Edictum perpetuum* auf Hadrians Befehl durch *Salvius Julianus* redigirt worden, die Angabe der Karifchen älterer Creation u. f. w. verwifcht, und bey der Angabe der Literatur, einige übergangene, werthvolle Lehrbücher, wie z. B. *Eichhorn's* Einleitung in das deutfche Privatrecht, nachgetragen.

PREISE-

PETREFACTENKUNDE.

Cassel, b. Krieger u. Comp.: *Naturhiftorifche Abhandlungen und Erläuterungen*, befonders die *Petrefactenkunde* betreffend, von Dr. *A. von Tilefius* u. f. w. 1826. XIV u. 154 S. kl. Fol. mit 8 fchwarzen Steindrucktafeln. (8 Rthlr.)

Noch nie ward uns eine Recenfion fo fchwer, als die gegenwärtige! Warum? wird fich *leicht* aus folgenden Mittheilungen, aus dem Werke, fo viel es immer der Raum geftattete, wörtlich entlehnt, ergeben. Wir haben den ganzen, auf fchönes Papier eben fo fchön gedruckten Band genau und wiederholt durchgelefen, obgleich der weite Druck die Augen fo fehr, als der Inhalt — den Geift ermüdete, denn — von keiner Anficht befangen, wollten wir ein *freyes* Urtheil vorlegen. Sollte diefs dennoch parteyifch fcheinen, fo müffen wir uns, nach folcher Vorerinnerung, wohl mit unferm Bewufstfeyn begnügen.

„Anftatt einer Vorrede" fchrieb der Vf. eine „Einleitung oder Beantwortung der Frage: *Wie kann eine fo nützliche und belehrende Wiffenfchaft, wie die Oryctologie, welche uns über die Producte der Vorzeit, über die Veränderungen, die fich feit Jahrhunderten mit der Erde zugetragen, über ihr Alter, und ihre Bildung belehrt, in den Verdacht einer nutzlofen Liebhaberey und Spielerey gerathen?*" — Wir können nicht umhin geradezu zu meinen, dafs in der jetzigen Zeit diefe ganze XIV Folio-Seiten ftarke Einleitung, denn von der Beantwortung ift faft Nichts zu finden, ganz *nutzlos* ift. Wir wollen mit einem *Auszug* kein Papier verfchwenden, fondern fofort zu den bezifferten Abhandlungen übergehen.

I. „Schraubenftein von Rübeland u. f. w. mit Zoophytenfpuren" „ob die dünnen, an eine gemeinfchaftliche Achfe gereihten Scheiben-Wirbelglieder eines geftielten Meerfterns gewefen, ift noch fehr zweifelhaft 1) weil nie der Kopf mit feinem Centralmunde dabey gefunden wird; 2) weil diefe Scheiben weit dünner find als die *Trochiten*, nie anders als eifenfchüffig gefunden werden und überall Spuren einer verzehrten, weichen Maffe, welche dazwifchen gefeffen, zeigen, 3) weil fie nicht die mühlfteinförmige (!) Geftalt der Trochiten haben, fondern nach dem Rande zu dünner find," 4) weil fie niemals im Centro durchbohrt find. — Nachdem der Vf. *Lehmann* im *Nov. comm. Petrop. de anno* 1766 (!!) über deffen Anfichten zurecht gewiefen, gefteht er felbft: „Eben fo wenig aber kann ich erklären von welcher Art diefe fonderbaren, weichen Thiere mit ihrem Scheibenfkelette gewefen feyn mögen." An dem zur Erläuterung abgebildeten Exemplare weift der Vf. auch körnige Stellen nach, wobey — „nicht der geringfte Zweifel ift, dafs jeder der die Wurzelröhren der kriechenden Sertularien mit ihren Eyerbläschen (!), welche *Lamouroux Clytia* nennt, in *natura* gefehen, nicht fogleich wieder erkennen follte." — Statt einer weitläufigen Widerlegung verweifen wir den Vf., der in der neuern oryctologifchen Literatur und Wiffenfchaft fich nicht fehr bewandert zeigt, auf *Millers Crinoidea* (im Entbehrungsfall auf *Bronns urweltliche Pflanzenthiere*) auf *Schlotheims Petrefactenkunde* und Nachträge, befonders aber auf *Thompfons Memoir on the Pentacrinus europaeus*. Nur allein die Anficht des zu letzterer Abhandlung gehörigen Kupfers wird ihn bald aus feiner Verlegenheit reifsen. — II. *Chiton giganteus Camfchaticus*, als Erläuterung zu einem Prager Trilobiten. Der Vf. giebt zuerft eine höchft weitläufige, aber nichts defto weniger ungenügende, eines folchen Naturforfchers, der fogar das Thier lebendig beobachten konnte, ganz unwürdige Befchreibung, die nur durch Auszüge aus *Cuviers Mémoires* etwas Gehalt gewonnen hat. Die Aehnlichkeiten zwifchen diefen beiden Thierarten (den *Chitonen* und *Trilobiten*) find dem Vf. fo auffallend vorgekommen, dafs er „die Mineralogen, welche den *Trilobiten* noch für ein Infekt oder *Cruftaceum* mit *Linné* halten, darauf aufmerkfam zu machen befchlofs." Diefs wäre vielleicht nicht gefchehen, hätte der Vf. vorher *Brogniarts* Werk *fur les Trilobites*, ftudirt. Die zu diefem Abfchnitte gehörigen Tafeln II und III ftellen den *Chiton gig.* dar, ftehen aber in genauer Ausführung den Abbildungen in den *Mém. de l'Academ. d. St. Petersb. T. IX.* fo weit nach, dafs man fie in diefer Hinficht fchlecht nennen kann, fo gut der Steindruck an fich ift. — III. Sendfchreiben an Ritter von *Severguine* über die Natur der *Trilobiten*. Der Vf. hat abermals fich nur an ältere Schriftfteller gehalten, von denen er eine Menge anführt. Er meint: „Die körnige Subftanz der fchleimigen Membranen an Mollusken, fo wie das Malpighifche Schleimnetzchen, welches ich fehr oft an nakten Meerfchnecken (*Limacinis*) beobachtet habe, hat, ob es gleich felten mit in die Versteinerung übergeht (!!), da wo es gefchieht, unter der *Loupe* noch immer diefelbe Form und Anficht wie im wirklichen Thiere." Der Vf. zeigt uns nun an einem Trilobiten den verfteinerten „Gallertrand" in Abbildung vor. Was foll man dazu fagen? Die Befchreibungen des Vfs. welche er von lebenden Thieren giebt, find fo unbeftimmt, die Abbildungen des *Chiton gig.* von denen a. a. O. fo abweichend, dafs wir auch in die gegenwärtige Meinung und die betreffenden, höchft verworrenen Abbildungen kein Vertrauen fetzen können. Dafs unfere lebenden Cruftaceen-Gattungen keinen Rand, wie die Trilobiten befitzen, giebt übrigens noch keinen genügenden Grund letztere für Mollusken zu erklären. „Die Trilobiten regieren ihre Schilder nicht blofs von unten, wie die *Onisci*, deren Muskeln fich blofs von unten an diefelben attachiren (! anheften), fondern auch von beiden Seiten, wie die Chitonen, u. f. w." „Die Subftanz der Schilder bey den *Oniscis* ift hornfchalig, dicht, nicht lamellös, wie die Kalkfchalen der Mollusken, von deren Befchaffenheit die Schalen der Trilobiten find." „Viele Mollusken haben das Eigene, dafs fie ihre Scha-

Schalen mit ihrem gallertartigen Körper bedecken. Dieſs bemerkt man an keinem *Oniscus*, wohl aber bey dem *Trilobiten*." Die „auffallende Verlängerung und Verkürzung des Körpers iſt nur möglich bey dem Körper der Schnecken, nicht aber bey den Cruſtaceen und Inſekten" (!?) „Obgleich der Trilobit drey Reihen von Rückenſchildern hat, der Chiton nur eine, ſo haben doch beide das mit einander gemein, daſs ihre Schilder mit einer zähen ſchleimigen Haut bekleidet ſind (?!!)" „Die *Onisci* haben Füſse, dagegen zeigt der gallertartige Rand, welcher die Trilobitenſchilder umgiebt, daſs er ein Schneckenfuſs geweſen und zum Fortkriechen habe dienen müſſen." „Dieſe Gründe ſollen hinreichen die Anſicht des Vfs. zu rechtfertigen." In einem Nachtrag zu dieſem Sendſchreiben beſchäftigt ſich des Vf. mit dem Kopfende des Trilobiten und giebt noch die Beſchreibung des *Chiton amiculatus*. Es fehlt darin nicht an ermüdenden und weitſchweifigen Wiederholungen, wohl aber an Beſtimmtheit und an Kenntniſs der neuern Literatur. Bey den wenig genauen Abbildungen laſſen ſich dieſe nicht ſicher beſtimmen, indeſſen glauben wir folgende Arten zu erkennen: Taf. IV. F. 1. 2. *Ogyia Desmareſtii?* F. 3. 4. *Calymene Blumenbachii* (nicht genau copirt) F. 5. 6. vielleicht eigene Art; F. 7. 8. ſchwer zu beſtimmen, vielleicht *Trilobites Brogniartii*; Taf. V. F. 3. *Aſaphus Hausmannii* und F. 4. *A. caudiger*. — IV. *Eſcharit* und *Cellularit*. Man ſolle ja zwiſchen Polypenſtämmen von eigenem Wuchſe und Schmarotzern, welche andere Körper überziehen, unterſcheiden, was ſelbſt von *Lamouroux* nicht geſchehen ſey. Auch ſagt der Vf. in einer Anmerkung: „Ich halte es für nöthig hier einen Fehler zu rügen, welcher auch von Schriftſtellern, wie *Ellis*, *Lamouroux* und *Schweigger*, begangen wird. Sie nennen die vielen Mäuler oder mit Fangarmen bewaffneten Saugwarzen, Polypen, da doch nicht dieſe einzelnen Organe des Thieres, ſondern das ganze Thier der Polyp iſt; dieſe Täuſchung rührt daher, weil die Mäuler theils die zahlreichſten und ſichtbarſten, theils die lebendigſten und beweglichſten Organe dieſer vielmäuligen Thiere ſind, und viele Naturforſcher vormals die Zellen für Wohnungen der einzelnen Thiere hielten." Der ganze Abſchnitt mit ſammt den Abbildungen wieder weitſchweifig und kein genügendes Reſultat bietend. — V. *Ocellaria Maeandrites*, *Tubulites Terebellae* des Vfs. Wahrhaft widerlich ſind hier die unbedeutendſten Nebendinge erzählt und wie uns wenigſtens ſcheint, weder bewieſen, daſs das Thier *mit* verſteinert iſt, noch weniger, daſs es zu den Mollusken gehört. In einem Nachtrage wird es für *Shaw's Terebella madreporarum* erklärt. Wir begreifen gar nicht *wie* der Vf. ſein Mſpt. componirte; konnte er denn dieſs nicht ſchon auf der vorhergehenden Seite wiſſen? In einer Vergleichung, welche der Vf. hier anwendet, heiſst es wörtlich: „Die ſpiralförmigen Windungen, welche den Babyloniſchen Thurm umkreiſen, beſtehen [aus] einem breiten Saume, welcher in parallele Fä[den] zerſchnitten iſt" (!!). Unſere Leſer werden [uns] hoffentlich erlaſſen, noch mehr Pröbchen von [den] naturhiſtoriſchen Beſchreibungen des Vfs. beyzubringen. Auch wollen wir uns über die folgenden Aufſätze kürzer faſſen, denn wir glauben ſchon mehr als zu viel von den vorigen mitgetheilt zu haben. — VI. Anomiten, Teſtaceolith, *Phytolithus Caca*, *Helmintholithus Alcyonii*. Schon dieſe Ueberſchriften charakteriſiren das Zeitalter, in welchem man das Werk geſchrieben vermuthen würde, fände man darin keine Jahrzahl. Die Abbildungen in *Fig. 8. ſind* ſo ungeſchickt geſtellt, daſs man den *wichtigſten* Theil, das Schloſs, nicht ſieht! — VII. *Encrinus*. Nachdem der Vf. *Roſini tentamen de Lithozois* 1719 (!) „zu Rathe gezogen" meint er, „daſs der Lilienſtein vielmehr eine Art von Seeſtern iſt, mit einem gegliederten Stil." Die Abb. ſcheint *Encrinites moniliformis*, *Miller*, darzuſtellen. Jede Bemerkung oder jeder Auszug wäre Ueberfluſs, wir ſagten ſchon oben bey den Schraubenſteinen genug. — VIII. *Actinit*. Der Vf. hat in der Sammlung des Hn. *v. Canitz* zu Caſſel eine verſteinerte Seeneſſel *Actinia*, gefunden. Sie beſteht aus Achatmaſſe, ſtammt von *Kunnersdorf* und iſt Taf. VII. f. 12. abgebildet. „*Was helfen Zweifel und Einwürfe? die Sache iſt da, ſie iſt wirklich.*" — Seite 110 — 114 findet ſich die Erklärung wie eine Actinia verſteinern könne! Wir wollen dem Vf. nicht widerſtreiten, erinnern aber doch an die vielfachen *nachgemachten* Verſteinerungen, mit denen noch jetzt oft Liebhaber betrogen werden. Uns wenigſtens iſt es bedenklich geweſen, zu vernehmen, daſs der Vf. den Beſitzer — der doch eine reiche Sammlung zu haben ſcheint und alſo dergl. Dinge wohl kennen dürfte, erſt auf dieſen *Schatz* aufmerkſam machte! — IX. Vergleichung des *Hyſterolithen* mit dem *Gaſteropteron Meckelii* u. ſ. w. Der Vf. erklärt die Hyſterolithen kurz weg für *Analoga* mit der Pteropoden-Gattung *Gaſteropteron Meckel's*. Wir ſind indeſſen ſo frey dieſs zu bezweifeln und die Hyſterolithen für Steinkerne (namentlich den Taf. 8. F. 3., wenn wir nicht irren, von *Terebratulites priſcus*, *Schlotheims*,) zu erklären. Wenn wir nun zum Schluſſe das ganze Werk für ein ſolches erklären, das füglich hätte ungedruckt bleiben können, ſo wird, nach den obigen Mittheilungen aus demſelben, wohl ſo leicht Niemand, als etwa der Vf. unſer Urtheil zu hart finden. Die typographiſche Ausſtattung macht der Verlagshandlung durchaus Ehre, auch die Steindrucke aus *Müllers* Officin in Karlsruhe ſind gut, bis auf die Genauigkeit, die wohl der Zeichner zu verantworten haben möchte.

ALLGEMEINE LITERATUR-ZEITUNG

November 1828.

LITERARISCHE ANZEIGEN.

I. Neue periodische Schriften.

Bey Unterzeichnetem ist so eben erschienen und in allen Buchhandlungen zu haben:

Dr. Ad. Elias von Siebold Journal für Geburtshülfe, Frauenzimmer- und Kinderkrankheiten, herausgegeben von *Eduard Casp. J. von Siebold*, der Phil. Med. und Chir. Doctor, Privatdoc. an der Universität zu Berlin und erst. Assist. bey der Entbindungsanstalt daselbst. VIIIten Bandes 3tes Stück (mit 2 Abbildungen).

Dieses Heft enthält:

1) Beschreibung des in der Gebäranstalt des Berliner Charité-Krankenhauses gebräuchlichen Geburtsbettes, vom K. Pr. Regimentsarzte Dr. *Weisse*.
2) Geschichte einer künstlichen Frühgeburt, vom Kreiswundarzte *Seulen* in Jülich.
3) Memorabilien für Geburtshelfer und Kinderärzte, vom Kurhess. Medicinalrathe Dr. *Schneider* in Fulda.
4) Beobachtung eines während der Geburt zum Theil vorgefallenen Fruchthälters, welcher beym Ausgange des Kindes einriss, von Dr. *Henschel* zu Breslau.
5) Fall von anomaler Thätigkeit der Scheide während der Geburt und über die eigenthümliche Wirkung der Belladonna zur Verminderung der Contraktilität der Sphincteren, von Dr. *Loewenhard* zu Prenzlau.
6) Historisch-kritische der einzelnen zu verschiedenen Zeiten vorgeschlagenen und in Anwendung gesetzten Methoden zur Unterstützung des Dammes während der Geburt, von Dr. *Lippert* zu Leipzig.
7) Bericht über die Leistungen des K. Pr. Hebammeninstituts im Halbenjahre 18¼. zu Magdeburg, von Dr. *Voigtel*.
8) Bericht über die Leistungen des K. Pr. Hebammeninstituts zu Trier, von Dr. *Theiss*.
9) Amtliche Mittheilungen aus den Sanitäts-Berichten der Königl. Pr. Regierungen.
10) Praktische Miscellen, von Dr. *Steinthal* in Berlin.
11) Literatur.

Da dieses Journal, welches bereits seit dem Jahre 1813 an die Stelle der gleichen Zeitschrift *Lucina* getreten und ununterbrochen unter der Leitung des für Kunst und Wissenschaft leider! zu früh verstorbenen Herausgebers erschienen ist, jetzt von dessen Sohne in demselben Sinne und mit derselben Tendenz fortgesetzt wird, so werden alle Hnn. Aerzte, Wundärzte und Geburtshelfer, und besonders diejenigen, welche bisher das Journal mit ihren Arbeiten beehrt haben, ersucht, auch ferner Antheil daran zu nehmen, und ihre Beyträge, mögen dieselben interessante Fälle aus der Praxis betreffen, oder Original-Aufsätze seyn, entweder unmittelbar an den Hn. Herausgeber in Berlin zu senden, oder wenn sie Leipzig näher seyn sollten, an Hn. Georg Mittler, Buchhändler daselbst, oder wenn sie im südlichen Deutschland leben, an den Unterzeichneten gelangen zu lassen.

Des IXten Bandes 1stes Heft ist unter der Presse.

Frankfurt a. M., im October 1828.

Franz Varrentrapp.

II. Ankündigungen neuer Bücher.

Anzeige für Schulmänner.

In meinem Verlage erschien so eben:

Snell, Dr. *C. W.* (Oberschulrath und Gymnasialdirector), Versuch einer Aesthetik für Liebhaber. (des Handbuchs der Philosophie II. Band.) 2te, umgearbeitete und vermehrte Auflage. 8. 1828. 20 gGr. oder 1 Fl. 30 Kr.

Snell, Dr. *F. W. D.* (Professor), erste Grundlinien der Logik oder Verstandeslehre. (Des Handbuchs der Philosophie III. 1.) 3te verbesserte und sehr vermehrte Auflage. gr. 8. 1828. 18 gGr. oder 1 Fl. 21 Kr.

Die ausgezeichnete Brauchbarkeit, dieser trefflichen durch *planen* und *fasslichen* Vortrag in ihrer Art einzigen Bücher, hat sich bereits in den mehrfach erschienenen Auflagen, und durch die vielseitig in öffentlichen Lehranstalten erfolgte Einführung so sehr bekundet, dass ich nur auf die eigene Einsicht verweise und wünsche, es mögen alle diejenigen, welchen die Erziehung der heranreifenden Jugend anvertraut ist, diese Bücher mit gleichem Wohlwollen, wie bisher aufnehmen, und durch deren erneute Einführung in Schulen des Guten noch recht viel gestiftet werden, welche ich bey *directen* und *grössern* Bestellungen durch die möglichsten Vortheile, ungeachtet der billigen Preise und des schönen Aeussern, gerne erleichtern werde.

Das vollständige *Snell'sche Handbuch der Philosophie* besteht aus 8 Bänden, welche enthalten:

I. Empirische Psychologie oder Erfahrungs-Seelenlehre. 2te Aufl. 1819. 16 gGr. oder 1 Fl. 12 Kr. — III. 2. Metaphysik. 2te Aufl. 1819. 18 gGr. oder 1 Fl. 21 Kr. — IV. Moralphilosophie. 2te Aufl. 1819. 1 Rthlr. oder 1 Fl. 48 Kr. — V. Philos. Religionslehre. 2te Aufl. 1819. 1 Rthlr. oder 1 Fl. 48 Kr. — VI. Philos. Rechtslehre. 2te Abtheil. 2te Aufl. 1819. 1 Rthlr. 16 gGr. oder 3 Fl. — VII. Einleitung ins Studium der Philosophie. 8. 2te Aufl. 1819. 1 Rthlr. oder 1 Fl. 48 Kr. — VIII. 1. Geschichte der alten Philosophie. 8. 1813. 16 gGr. oder 1 Fl. 12 Kr. — VIII. 2. Geschichte der Philosophie des Mittelalters und der neueren Zeiten. 8. 1819. 16 gGr. oder 1 Fl. 12 Kr. —

Preis aller 8 Bände complet 9 Rthlr. oder 16 Fl. 12 Kr. **Auf einmal genommen jedoch nur** 7 Rthlr. oder 12 Fl. 36 Kr., wofür auch alle andere Buchhandlungen die Lieferung übernehmen.

Giessen, im October 1828.

B. C. Ferber.

So eben ist erschienen und an alle Buchhandlungen versandt:

Beyträge
zur
historisch-kritischen Einleitung
ins Neue Testament,
sowohl die Geschichte des Canons
als vornehmlich
die Einleitung in die einzelnen Bücher
und hauptsächlich deren Echtheit betreffend,
besonders mit polemischer Rücksicht
auf das Lehrbuch des Hn. Dr. de Wette,
von
H. F. Ferd. Guerike.
gr. 8. 21 gGr.

Von demselben Verfasser erschien im Jahr 1824 und 25 in unserm Verlage: *De schola quae Alexandriae floruit catechetica. Commentatio histor. et theolog.* 2 Partes. 8. maj. 2 Rthlr. 12 gGr.

Halle, im November 1828.

Gebauer'sche Buchhandlung.

Bey **Fleischmann in München** ist erschienen und an alle Buchhandlungen versandt worden:

Pausanias Beschreibung von Hellas, übersetzt und erläutert von *E. Wiedasch.* 3ter Band. Mit einer Karte des Peloponneses. gr. 12. 1828. 1 Rthlr. 22 gr. oder 3 Fl. 24 Kr.

Diese treffliche, mit einem wahren Schatz von erläuternden Anmerkungen versehene Uebersetzung des für die Kenntniss des alten Griechenlands so wichtigen Pausanias hätte zu keiner gelegenern Zeit erscheinen können, als am Vorabende der Wiedergeburt alten Hellas. Mit diesem verlässigen Schriftsteller in der Hand wird der künftige Reisende bald einheimisch werden im alten berühmten Lande und die Denkmäler einer schönern Zeit wieder auffinden, die Pausanias so genau als richtig beschreibt. Der vierte und letzte Band dieses Werkes erscheint zu Ostern 1829.

Neueste Verlags-Werke
der Buchhandlung
Josef Max und Comp. in Breslau,
im Jahre 1828, bis zum 1. August.

Novellen und *Romane.*

1) *Die Insel Felsenburg*, oder *wunderliche Fata einiger Seefahrer.* Eine Geschichte aus dem Anfange des 18ten Jahrhunderts. Eingeleitet von Ludwig *Tieck.* 5tes, 6tes (letztes) Bändchen. gr. 16. 1828. Velinpapier. Der Preis für das vollständige Werk von 6 Bändchen ist 3 Rthlr. 20 gr.

2) *Hagen, Fr. H. von der, Nordische Heldenromane.* 5tes Bändchen. *Ragnar-Lodbroks-Sage* und *Norna-Gest-Sage.* 8. 1828. 16 gr.

Die *ersten* vier Bändchen dieses trefflichen altnordischen Sagen-Cyklus enthalten: Die *Wilkina-, Niflunga-* u. *Volsunga-Sage*, und kosten 2 Rthlr. 16 gr.

3) *Schloss Sternberg.* Ein Roman von *Wilhelm Martell.* 2 Thle. 8. 1828. Geh. 2 Rthlr. 8 gr.

Auf diesen neuen geistvollen Roman machen wir die gebildete Lesewelt ganz besonders aufmerksam; es ist eine sehr zu beachtende Erscheinung, womit die schönwissenschaftliche Literatur Deutschlands bereichert wird.

4) *Steffens, H., Die vier Norweger.* Ein Cyklus von Novellen. 6 Bdchen. 8. 1828. 5 Rthlr. 20 gr.

5) *Tieck, Ludwig, Der Alte vom Berge* und *die Gesellschaft auf dem Lande.* Zwey Novellen. 8. 1828. 2 Rthlr. 8 gr.

Von diesen Novellen der Herren *Steffens* und *Tieck* dürfen wir dem gebildeten Leser einen hohen *Genuss* versprechen, und wir freuen uns, Gaben von so entschiedenem Werthe dem deutschen Publicum darbieten zu können.

6) *Tausend und Eine Nacht.* In arabischer Sprache, nach einer Tunesischen Handschrift, herausgegeben von Dr. und Prof. *Max Habicht.* 4ter Bd. 8. 1828. 3 Rthlr.

Bis zum 4ten starken Bande ist nun diese *erste arabische* Ausgabe der vortrefflichen 1001 Nacht gediehen, und wir hoffen, dass Gelehrte und öffentliche Bibliotheken ein so seltenes und kostspieliges Unternehmen theilnehmend und immer mehr unterstützen werden.

Biographie.

7) *Jean Paul, Wahrheit aus seinem Leben.* 3tes Heftlein. 8. 1828. 2 Rthlr. 8 gr.

Von dieser Selbstbiographie, die alle Freunde und Verehrer Jean Paul's mit inniger Theilnahme lesen werden,

den, kostet das *erste* Bändchen 1 Rthlr., das *zweyte*, mit seinem wohl getroffenen Bildnisse, 1 Rthlr. 6 gr. Das *vierte* Bändchen und den Schluss hoffen wir bald nachfolgen lassen zu können.

Alterthümer und Mythologie.

8) *Archäologie und Kunst. Im Verein mit mehreren Freunden des Alterthums*, herausgegeben von *C. A. Böttiger.* Mit 4 Bildtafeln. 1sten Bandes 1stes Heft. gr. 8. 1828. Geh. 1 Rthlr. 12 gr.

Zu diesem *ersten* Hefte eines neuen, gediegenen Unternehmen, welches hoffentlich Deutschlands gelehrte Männer und öffentliche Bibliotheken auf eine Weise unterstützen werden, dass es schnellen und sichern Fortgang findet, haben Beyträge geliefert: der Staatsrath *von Köhler* in Petersburg, Prof. *Lange* in Schulpforte, Prof. *Müller* in Göttingen, Prof. *Gerhard* in Rom, Prof. *Passow* in Breslau, Hofrath *Hase* in Dresden, Hofrath *Heeren* in Göttingen, Director *Gaetano Kattaneo* in Mailand, Hofrath *Rochlitz* in Leipzig, Prof. *Seyffart* in Paris, Hofrath *Dorow* in Rom, *James Millingen* in Neapel, und der Herausgeber: Hofrath *Böttiger* in Dresden.

Philologie und Geschichte.

9) *Müller, K. O.*, Dr. und Prof., *Die Etrusker. Vier Bücher.* Eine von der Königl. Akademie in Berlin gekrönte Preisschrift. 2 Bände. gr. 8. 1828. 4 Rthlr. 12 gr.

10) *Nösselt, Fr.*, *Kleine Weltgeschichte für Töchterschulen*, und zum Privatunterricht heranwachsender Mädchen. 3te verbesserte Auflage. 8. 1828. 6 gr.

11) *Tibulli, Albii, Elegiae selectae.* Des *Albius Tibullus* ausgewählte Elegieen, mit Einleitungen und erklärenden Anmerkungen für Studirende und Freunde der römischen Dichtkunst. 8. 1828. 8 gr.

12) *Wentzel*, Dr. *E.*, de Genitivis et Dativis Linguae graecae, quos absolutos vocant. 8. 1828. 8 gr.

13) *Wissowa*, Dr. *A.*, Theocritus Theocriteus sive Idylliorum Theocriti suspectorum vindiciae. 8 maj. 1828. 10 gr.

Eine mit kritischem Scharfsinn und mit gründlicher Gelehrsamkeit gearbeitete Untersuchung über die angeblich verdächtigen Idyllen Theokrit's, die jedem Freunde griechischer Poesie und literarischer Forschung höchst willkommen seyn muss.

Naturwissenschaft und Oekonomie.

14) *Brettner, H. A.*, *Leitfaden der Physik*, beym Unterrichte derselben auf Gymnasien. 8. 1828. 16 gr.

15) *Fischer, N. W.*, *Ueber die Metallreduction auf nassem Wege.* Veranlasst durch die Schrift des Dr. *Wetzlar* über diesen Gegenstand. 8. 1828. 6 gr.

16) *Weber* (Dr. und Prof.) und Kammerrath *Plathner*, *neues Jahrbuch der Landwirthschaft.* 5ter Jahrgang, 1stes, 2tes, 3tes Heft. 8. 1828. 1 Rthlr. 16 gr.

Pädagogik.

17) *Morgenbesser, M.*, *Schlesischer Kinderfreund.* Ein Lese- und Lehrbuch für die Stadt- u. Landschulen Schlesiens. 2te verbesserte Auflage. 1ster Theil. 8. 1828. 5 gr.

Staatswissenschaft.

18) *Eiselen* (Professor an der Universität zu Breslau) *Handbuch des Systems der Staatswissenschaft.* gr. 8. 1828. 1 Rthlr. 12 gr.

Theologie.

19) *Gass*, Dr. *J. Chr.* (Consistorialrath und Prof.), *Ueber den Religionsunterricht in den obern Klassen der Gymnasien.* 8. 1828. 12 gr.

Auf dieses halb amtliche Votum in einer der wichtigsten Angelegenheit machen wir die Herren Directoren der Gymnasien, so wie die Herren Geistlichen ganz besonders aufmerksam.

20) *Neue katholisch-theologische Zeitschrift: Von der katholischen Kirche.* In zwanglosen Heften herausgegeben von Herrn *von Dittersdorf*, zweytem Oberen im Alumnat zu Breslau. 3tes, 4tes Heft. 8. 1828. Geheftet 1 Rthlr.

Alle erschienene Recensionen haben Plan und Inhalt dieser neuen Zeitschrift einstimmig gelobt, und zuletzt die *Tübinger theologische Quartalschrift*, im 2ten Hefte d. J., wo ausführlich über dieses neue Unternehmen berichtet und die darin vorherrschende echt liberale Gesinnung, welche hier Zweck ist, beyfällig anerkannt wird. Gelehrte Theologen des Auslandes haben als Mitarbeiter dieser neuen Zeitschrift sich angeschlossen, und so hoffen wir solche bald, als eine entschiedene werthvolle, nicht bloss in Schlesien, sondern im ganzen katholischen Deutschland verbreitet zu sehen. Die Fortsetzung erscheint ununterbrochen, und die nächsten Hefte enthalten Beyträge von Dr. *Franz Oberthür*, Professor *Silbert*, Dr. *Becherer*, Hofprediger *Hauber* u. a. m.

Bey Joh. Ambr. Barth in Leipzig ist erschienen und in allen Buchhandlungen zu haben:

Valentini, Dr. *Fr.*, der Italienische Lehrer, oder theoretisch-praktischer Lehrgang des Italienischen Sprachunterrichts, worin, nach einer einfachen und leicht fasslichen Methode, die ersten Anfangsgründe dargestellt und dann stufenweise die schwierigsten Punkte der Sprache erleichtert werden. Zum Gebrauch beym Schul- und Privatunterricht. 1ster Band, enthaltend: *die Lehre der Grammatik*, nebst *praktischen Uebungen zum Uebersetzen ins Italienische.* gr. 8. 1827. 1 Rthlr. 6 gr.

— — 2ter Band, enthaltend: *eine Uebersicht der Grammatik in Italienischer Sprache, Bemerkungen hinsichts der Uebertragung der beiden Sprachen, und eine Auswahl Deutscher und Italienischer*

scher Musterstücke zum Uebersetzen (worunter *Schiller's Neffe als Onkel, Göthe's Geschwister* u. s. w.) *mit untergelegten Italienischen Wörtern und Redensarten.* Nebst einer Kupfertafel. gr. 8. 1828. 1 Rthlr. 6 gr.

In allen Buchhandlungen ist zu haben:

Freymüthige Bemerkungen
zur
Preussischen Pharmacopöe
vom Jahr 1827.
Für
Aerzte, Wundärzte und Apotheker
von
Friedrich Catel,
Apotheker in Bernburg.

gr. 8. Bernburg, Gröning. Geh. 16 gGr.

In Commission bey Hemmerde und Schwetschke in Halle.

Der Herr Verfasser gründet seine Bemerkungen auf 30jährige Erfahrung und nicht gewöhnliche Sachkenntniss. Die Schrift dürfte daher allgemeine Aufmerksamkeit verdienen.

Bey Metzler in Stuttgart erschien so eben:

Ueber die in Würtemberg aufgefundenen *Ueberreste von Reptilien*, von Prof. *G. F. Jäger.* Mit Abbildungen. gr. 4. 3 Fl. 54 Kr. oder 2 Rthlr. 8 gr.

Ebendaselbst erschien 1827:

Abhandlungen über die *fossilen Pflanzenabdrücke* in dem Bausandsteine von Stuttgart. Von Prof. *G. F. Jäger.* Mit Abbildungen. gr. 4. 2 Fl. 54 Kr. oder 1 Rthlr. 16 gr.

Zu erhalten durch alle solide Buchhandlungen.

So eben ist bey mir erschienen und in allen Buchhandlungen zu erhalten:

Materialien zu einer vergleichenden Heilmittellehre zum Gebrauch für homöopatisch heilende Aerzte, nebst einem alphabetischen Register über die positiven Wirkungen der Heilmittel auf die verschiedenen einzelnen Organe des Körpers und auf die verschiedenen Functionen derselben. Von *Georg August Benjamin Schweikert. Viertes* Heft. gr. 8. 35 Bogen auf gutem Druckpap. 2 Rthlr. 12 gr.

Das *erste* Heft (1826, 26 Bogen) kostet 1 Rthlr. 20 gr., das *zweyte* (1827, 21 Bogen) 1 Rthlr. 16 gr., das *dritte* (1828, 34 Bogen) 2 Rthlr. 12 gr.

Leipzig, den 1. Septbr. 1828.

F. A. Brockhaus.

III. Neue Kupferstiche.

Schulpforta mit seinen malerischen Umgebungen, von der Abendseite treu nach der Natur gezeichnet von Weidenbach, lithographirt von Kretzschmar. 30 Zoll breit, 20 Zoll hoch. Fein Dresdner Colorit. Preis 4 Rthlr. 15 Sgr. (12 gGr.)

Schulpforta nach derselben Zeichnung. 16 Zoll breit und 10 Zoll hoch. Fein Dresdner Colorit. Preis 1 Rthlr. 15 Sgr. (12 gGr.)

Naumburg mit seinen malerischen Umgebungen von der Mittagsseite treu nach der Natur gezeichnet von denselben Künstlern. 30 Zoll breit, 20 Zoll *hoch.* Dasselbe Colorit. Preis 4 Rthlr.

Kösen mit seinen malerischen Umgebungen, *von der* Abendseite treu nach der Natur gezeichnet *von denselben* Künstlern. Dieselbe Grösse, dasselbe Colorit. Preis 4 Rthlr.

Die Kirchen im Preuss. Herzogthume Sachsen malerisch dargestellt. 1stes 2tes Heft in 6 und 5 Platten. Nebst historisch-topischen Beschreibungen. Herausgeg. von mehrern geachteten Gelehrten und Künstlern. gr. 4. auf fein Velinpapier Preis 25 Sgr. (20 gGr.) auf fein franz. color. Zeichen- und Atlaspapier *pro* Heft 1 Rthlr. — NB. Das *zweyte* Heft *enthält* die Domkirche zu Naumburg von zwey Seiten, die Schlosskirche zu Zeitz und die Grundrisse beider Kirchen, für 20 Sgr. (16 gGr.) Wer beide Hefte zusammen kauft, erhält solche für 1 Rthlr.

Grundriss von Naumburg. Eine genaue Situationszeichnung nach und mit den Hausnumern. Gez. von Weniger, lithogr. von Kretzschmar und Nietz. Col. 25 Sgr. (20 gr.) schw. 15 Sgr. (12 gr.)

Obige Kunstwerke sind auf feste Bestellung durch alle Buchhandlungen für beystehende Preise zu beziehen.

Naumburg, im October 1828.

Die Wild'sche Buch- und Kunsthandlung.

IV. Vermischte Anzeigen.

Fernere Nachricht
über die bey mir erscheinende *Stereotypen-Ausgabe*
des
Corpus juris civilis.
Ein Band von 180—190 Bogen in kl. Folio.

Mit Vergnügen kann ich anzeigen, dass bereits 40 Bogen gedruckt sind, und dass die erste Abtheilung von 90—96 Bogen, die Institutionen und Pandekten enthaltend, im Anfang des Jahres 1829 bestimmt erscheint.

Leipzig, den 20. October 1828.

Karl Cnobloch.

ALLGEMEINE LITERATUR-ZEITUNG

November 1828.

HANDELSRECHT.

Paris, ohne Angabe des Verlegers: *Collection de lois maritimes antérieures au XVIIIe siècle, dediée au Roi. Par J. M. Pardessus.* Tome prémier. Imprimé par autorisation du Roi, à l'Imprimerie Royale. 1828. LXXXVIII u. 524 S. gr. 4.

Es ist das gelehrte Publicum auf das wichtige und schätzbare Unternehmen des Hn. *Pardessus*, von welchem Rec. gleich nach Empfang eines der ersten nach Deutschland noch vor der Verbreitung durch den Buchhandel gelangten Exemplare Rechenschaft zu geben eilt, bereits durch eine Ankündigung in der *Thémis ou Bibliothèque du Jurisconsulte* Tom. VI. aufmerksam gemacht worden. Wenn sich gleich nicht leugnen läfst, dafs es uns vielmehr an einer Sammlung der neuern Seerechte seit dem achtzehnten Jahrhundert fehlt, als an einer Sammlung, wie die hier beabsichtigte: so wollen wir nichtsdesto weniger auch diese dankbar entgegennehmen, da es sich schon im Voraus erwarten läfst, dafs ein theoretisch und praktisch tüchtiger Gelehrter, wie Hr. *P.*, (er ist Rath am Cassationshofe und zugleich Professor des Handelsrechts in Paris) etwas Vorzügliches liefern werde, zumal sobald, wie hier, königliche Freygebigkeit ihm Quellen und Hülfsmittel aller Art zu Gebote stellt, und ihn in den Stand setzt, etwas bisher in der Maafse Unmögliches zu leisten. Auch ist es anzuerkennen, dafs Hr. *P.* sich die mühsamsten Nachforschungen selbst über weniger erhebliche Nebenumstände nicht hat verdriessen lassen, und dafs er besonders es verstanden hat, nicht blofs die Hülfe französischer Gesandten und Consuln in allen Gegenden, sondern auch die Gefälligkeit ausländischer Gelehrten für sein Unternehmen gehörig zu benutzen. Rec. will sich nun bemühen, dem Publicum eine gedrängte Uebersicht dessen zu geben, was der vorliegende erste sehr voluminöse Theil Neues enthält; er beschränkt sich dabey auf wenige eigene Bemerkungen.

Der Vf. beabsichtigt in dieser dem Könige gewidmeten Sammlung einen correcten Abdruck aller Seegesetze seit den ältesten Zeiten des Handels bis zum achtzehnten Jahrhundert, nebst zweckmäfsigen Einleitungen zur Kritik und zum Verständnifs dieser Seerechte, welche dem Anschein nach (vgl. S. 29. Anm. S. 187. Anm.) aus seinen Vorlesungen über den Gegenstand entstanden sind. Der erste Theil zerfällt aufser einer allgemeinen Einleitung und einem f. g. Präliminarkapitel in elf Kapitel. In der Einleitung giebt der Vf. auf 82 S. eine natürlich nur kurze Geschichte des Seehandels oder eigentlich des Handels überhaupt von den ältesten Zeiten bis zur Entdeckung von Amerika, mit Nachweisung der Quellen. Rec. will bey derselben nicht verweilen, um für das Wichtigere, was folgt, Raum zu gewinnen. Nur so viel: man stöfst besonders hier und in dem Präliminarkapitel zwar auf manche geistreiche Bemerkung, aber oft unter für Deutsche überflüssigen und leeren Declamationen. Es ist bekannt, dafs wissenschaftliche Arbeiten in Deutschland einen ganz andern Character zu haben pflegen, als in Frankreich und England. Worin die Gelehrten dort uns Muster seyn können, das ist die geschmackvollere und lebhaftere Einkleidung, wodurch sie auch den sprödesten Stoffen selbst für Nichtgelehrte Interesse verschaffen.

In dem *Präliminarkapitel* wird die Wichtigkeit einer sorgfältigen Kenntnifs der Seegesetze gezeigt. Es ist dieser Legislation vor allen übrigen ein hoher Grad von Universalität eigenthümlich. Der Vf. macht (S. 8.) die wichtige Bemerkung: „Das schlechteste Civilgesetzbuch würde dasjenige seyn, welches für alle Völker ohne Unterschied bestimmt wäre; das schlechteste Seerecht das, welches nur dem besondern Interesse und dem eigenen Gebrauche eines bestimmten Volks sein Daseyn verdankt." „Es ist auffallend, dafs die Römer ihr *See*recht von einem unterjochten Lande entlehnten; die die Welt beherrschenden Cäsaren erhoben das Rhodische Recht zum allgemeinen Seerecht." Die Gebräuche einer kleinen Insel, die Rollen von Oleron, verbreiteten ihr Ansehen von Frankreich nach Spanien, England, den Niederlanden u. f. w. Das *consolato del mare*, von dem man den Urheber so wenig weifs, als Ort und Zeit des Ursprungs, dient noch als Regel bey allen seefahrenden Nationen." Man kann die alten Seegesetze als die Quelle aller neuern betrachten. Unter allen Seerechten aber findet sich eine merkwürdige Uebereinstimmung. — Der Vf. beschränkt seine Sammlung und diese Bemerkungen auf das *Privat*seerecht. Ausgeschlossen davon sind die Gesetze über die Marine, über das Seezollwesen, über Gegenstände der politischen Handelsökonomie. Um eine äufsere und innere Rechtsgeschichte für das Seerecht zu liefern, will der Vf. die Documente, die er abdrucken läfst, mit einer Untersuchung der Zeit und des Orts ihres Ursprungs, ihrer Veranlassung, sofern sie Ausflüsse der Gesetzgebung oder blofs Gebräuche sind, begleiten, und dabey eine Uebersicht ficht über die Seegesetzgebung derjenigen Völker überhaupt, von welchen diese Gebräuche oder Gesetze herstammen, und über die Ursachen und Umstände ihrer Bekanntschaft oder Herrschaft bey andern Nationen geben.

Der Vf. meint hierin etwas Eigenthümliches zu liefern vor den übrigen allgemeinen literarhistorischen Werken über Seerecht, von denen er sechs kennt: nächst der Einleitung von *Andreas Lange*, des *Michael de Jorio* 1781 auf Befehl Königs Ferdinand IV. verfasstes Project eines Seegesetzbuchs in vier Quartbänden, wovon nur 25 Exemplare gedruckt und keins in den Buchhandel gekommen ist. Der zweyte Band dieses interessanten Werkes enthält eine Sammlung von mehreren Seegesetzen. In *Azuni's systema universale*, welches französisch zu Paris 1806 in 2 Voll. 8. erschien, ist das vierte Kapitel, daselbst besonders abgedruckt (1810, Paris 8.), dem *Jorio* buchstäblich nachgeschrieben, ohne ihn zu nennen. Schon der Advocat *Pagano* hat in einer Dissertation (Neapel 1798, 4.) dieses Plagiat aufgedeckt. *Boucher Consulat de la mer* 1808, 2 Voll. 8. hat im ersten Theile eine hierher gehörige Einleitung. Ebenso *van Hall*, Professor des Rechts zu Amsterdam, Abh. *de magistro navis* 1822, 8. *Elardus Meyer Diss. de historia ll. maritimarum medii aevi celeberrimarum.* Gotting. 1824. 4. In der Note citirt der Vf. noch eine französische Abh. von *Groult* über das Seerecht (1786) und die von ihm mehrmals getadelte *Diss.* von *Gildemeister sitne aliquod fueritve ius maritimum universale?* (Gott. 1808).

Von Sammlungen der Seegesetze oder Seegebräuche kennt er nur acht. Er hat sich ein Werk von *Miege the ancient sea-laws* nicht verschaffen können. *Welwood* (der Vf. schreibt es *Velwold*) *abridgment of all sea-laws* ist nur ein kurzer Auszug einiger älterer Seerechte. Die ihm bekannten sind folgende:

1. Die älteste Sammlung ist überschrieben: *Libre appellat Consolat de mar*, zuerst gedruckt zu Barcelona 1494, fol. *Boucher* hat dieselbe Ausgabe benutzt. Auf der königl. Bibliothek zu Paris befindet sich das einzige Mf., das der Vf. kennt. Er glaubt nicht, dass zu Barcelona und überhaupt in Spanien eins existirt.

2. *Het boeck der Zeerechten.* 4. Der Vf. führt, aber wie es scheint nach andern Angaben, als die älteste Ausgabe die von 1594 an. *Martens* kennt nur die von 1664, f. Grundriss des Handelsrechts §. 145 Not. *a*) und §. 146. Not. *p*).

3. *Adrian Verwer's* Sammlung mit Commentar 1711. 4. Hierin ist eine neue Zusammenstellung der Wisbyer Compilation und die Ordonnanzen von Carl V und Philipp II.

4. *Clairac's Us et Coutumes de la Mer.* 1647, 4. (*Martens* citirt §. 144 eine Ausgabe von 1661).

5. *A general Treatise of the dominium of the sea.* 4. zuerst ohne Jahrszahl (*Martens* giebt §. 146. Not. *d*) 1705 an), aber 1757 von *Leclercq* unter dem Titel: *Allgemeene Verhandeling van de Heerschappy der Zee* — ins Holländische übersetzt.

6. *Biblioteca di gius nautico* 2 Voll. 4. 1785 Florenz angefangen, aber unvollendet.

7. *Engelbrecht corpus juris nautici*, von dem der Vf. S. 480. Not. behauptet, dass er im Ganzen nur *Verwer* copirt habe.

8. *Capmani codigo.*

Dass *Pardessus* sich in seiner Collection auf die Gesetze bis zum achtzehnten Jahrhundert beschränkt hat hauptsächlich den zufälligen Grund, dass der verstorbene König *Ludwig* XVIII durch ein Decret vom 9. Juni 1822 ihn mit einer *Sammlung der gegenwärtig gültigen Handelsgesetze Europa's* (ein wahrhaft königliches Unternehmen!) beauftragt hat, und dass hier, man sieht recht genau nicht, aus welchem zureichenden Grunde, mit dem achtzehnten Jahrhundert der Anfang gemacht werden soll, so dass sich dieses Werk für das Seerecht an sein jetziges anschliessen wird.

Im *ersten* Kapitel wird nun von den alten Völkern gehandelt, von denen keine Seegesetze existiren S. 17 ff. Hier führt der Vf. *Meyer's* Meinung an, dass das Rhodische Gesetz nicht *geschrieben*, sondern nur Gebräuche gewesen, sucht sie aber freylich (S. 23. 24.) mit etwas befremdlichen Gründen zu widerlegen. Sodann giebt er eine ziemlich reiche Literatur über die bekanntlich schon von *Bynkershoeck* in Zweifel gezogene Echtheit der zuerst von *Schardius* zu Basel 1591, nachher wieder von *Löwenklau* und *Vinnius* abgedruckten Sammlung Rhodischer Gesetze (S. 24—28.). Er widerlegt die von *Vulin* u. A. neuerdings wieder in Schutz genommene Echtheit noch aus innern Gründen (vgl. noch S. 165 ff.). Hiernach stellt er Vermuthungen auf über die Zeit, da das echte Rhodische Seerecht entstanden seyn kann, welches er nach der Zeit des Emporblühens von Athen setzt, und daher im attischen Rechte die Quelle des Rhodischen findet.

Im *zweyten* Kapitel wendet der Vf. sich nun zu den Seegesetzen der Griechen, besonders der Athenienser (S. 36 ff.). Hier theilt er auch den ältesten Bodmereycontract, den wir haben, in einer Uebersetzung mit. Bekanntlich hat ihn *Demosthenes* in der Rede wider Lacritus T. 2. p. 925 sqq. Ed. *Reiske* aufbewahrt. — Rec. kann hier sein Bedauern nicht unterdrücken, dass die Privatreden des Demosthenes noch immer keinen *Friedrich August Wolf* gefunden haben. Es ist, auch nach *Bekker's* kritischer Ausgabe, doch schlimm, sich noch mit dem Kommentar von *Reiske* behelfen zu müssen.

Das *dritte* Kapitel giebt die Seegesetze der Römer (S. 53 ff.). Der Vf. glaubt in der bekannten Stelle von Cicero's Briefen nicht mit *Heineccius*, *Ayrer* und *Hugo* den Wechsel-, sondern den Assecuranzcontract zu erkennen, ebenso in Fr. 67. de V. O. (45, 1), und nimmt somit an, dass die Römer diesen Vertrag nicht bloss als einen accessorischen gekannt haben.

Im

Im *vierten* Kapitel, überschrieben Europäisches Seerecht, während der Völkerwanderung, geht der Vf. dasjenige durch, was sich zum Seerecht im Theodosianischen Codex, Alárichs Breviar, dem Edict von Theodorich, in den Formelsammlungen, Isidor, Brachylogus, des Petrus Excerpten u. s. w. findet. Er bekennt in der Anmerkung S. 137, dass er diess Kapitel schon in den Druck geschickt habe, ehe er *Savigny*'s Geschichte des Römischen Rechts im Mittelalter kennen gelernt, „*écrite malheureusement pour lui et pour tous les amis de la science, dans une langue peu familière aux Français*"! — Zuletzt verweilt er am längsten bey *Amalfi* (S. 142 ff.), und folgert aus der Urkunde vom 9. May 1190, in der Neapel den *negotiatoribus, campsoribus et apothecariis* (Eigner grosser Waarendepots s. *Hüllmann* Städtewesen des Mittelalters Th. 1. S. 120. 121.) *de ducatu Amalphiae* zur Schlichtung ihrer Streitigkeiten Consuln *) zu ernennen erlaubt, dass Amalfi schon ein Gesetzbuch gehabt haben müsse, und dass diess dann die *tabula amalfitana* sey, deren zuerst *Freccia* (der 1570 lebte, und dem diess alle spätern Schriftsteller unter Berufung auf ihn nachgeschrieben haben) in s. Werke *de subfeudis lib.* 1 *cap.* 7 gedenkt. Allein *Pardessus* geht hier wohl zu weit. Die Urkunde besagt nur *veteres bonos usus*, wonach sie ihre Processe schlichten möchten, und es erheben sich sonst so viele Zweifel gegen die Existenz dieses Seerechts, wozu namentlich der kommt, dass es auch den wichtigen und unermüdlichen Nachsuchungen unseres Vfs nicht gelungen ist, sich eine Auskunft oder gar eine Abschrift von demselben in Italien zu verschaffen, weshalb fast nichts übrig bleibt, als mit ihm zu vermuthen, dass Freccia kein anderes Gesetz nennt, als das von dem unter die Bothmässigkeit von Amalfi gehörigen *Trani*, überschrieben *ordo et consuetudo maris* v. J. 1063.

Das *fünfte* Kapitel hat das Seerecht des orientalischen Kaiserthums zum Gegenstande (S. 155. ff.). Hier handelt der Vf. von den Basiliken, deren 53. Buch vom Seerecht ausschliesslich gehandelt haben muss, wie diess durch zwey Handschriften der Basiliken auf der königl. Bibliothek von Paris (die Coislinsche und No. 1357 vom alten Stamm der königl. Bibliothek), die ein Inhaltsverzeichniss aller Bücher und Titel des ganzen Werks enthalten, bestätigt wird (S. 156.). Bey dieser Gelegenheit berichtigt er die Nachricht in *Hugo's* Rechtsgeschichte (Ausg. 8. S. 312.) aus *Pilat's* eigener Ausgabe dahin, dass dieser nur die Varianten in den Pariser Handschriften der Basiliken gesammelt und einem nordischen Gelehrten geschickt habe, dessen Name ihm entfallen. Ungeachtet ferner *Hugo* in allen Ausgaben seiner Rechtsgeschichte auf das Bestimmteste behauptet, *Cujacius* müsse die vorletzten sieben Bücher der Basiliken gehabt haben, so meint gleichwohl *Pardessus*, es sey nicht unmöglich, dass er die Stelle *Obss.* l. IX c. 28 aus der *synopsis minor* entlehnte. Der Vf. theilt demnächst das Inhaltsverzeichniss des 53. Buchs mit, wie es sich in dem Coislinschen Ms. findet. Hier hat es sieben Titel, das Ms. 1357 hat ausserdem noch einen achten. Denselben Inhalt giebt *Tipucitus* an, den *Assemani* in der *bibliotheca iuris orientalis* T. I. pag. 503 sqq. grösstentheils edirt hat. Sodann stellt der Vf. aus der *synopsis maior* alles Dasjenige zusammen, was zu dem 53. Buche gehört haben mag, und was denn freylich fast buchstäblich im Römischen Recht enthalten ist (S. 159—163.). Er sucht das vom 53. Buche Verlorne aus einem griechischen Gesetzbuche von Cypern aus dem dreyzehnten Jahrhundert zu ergänzen, das sich noch im Manuscript auf der königl. Bibliothek zu Paris unter No. 1391 unedirt befindet (vgl. S. 163. Anm 2.), und woraus wenigstens die 12 §§. vom Seerecht mit den Basiliken völlig übereinkommen; ferner aus einer ebenfalls noch ungedruckten *synopsis minor*, wovon zufolge Lambecius ein Ms. sich auf der Wiener, nach Assemani auf der Bibliothek des Vaticans, und nach Baudini (*bibliotheca Medicea* T. III. p. 206.) auf der Laurenziana sich befindet. Diese *minor* ist ein Abriss der Basiliken, der nur den Sinn derselben ohne allen wörtlichen Auszug mittheilt. Der Vf. mag *Docimus* geheissen haben, wann und wo er lebte, ist nicht zu bestimmen. Cujacius hat diese *minor* auch gekannt *Obss.* XVII, 10. Der Abdruck, den *Pardessus* S. 195—204 giebt, ist nach einer ihm von Angelo Mai besorgten (S. 164. 195.), wohl nicht sehr genauen Copie der Vaticanischen Handschrift No. 819. Weiter ergänzt *P.* das 53. Buch mittelst des *poiema nomicon* von *Michael Attaliota*, abgedruckt in der Löwenklauschen Sammlung, wovon die Pariser Bibliothek mehrere Mss. besitzt. Zu demselben Ende hat er von Constantin Harmenopulus *Procheiron juris* die Stellen vom Seerecht und zwar nach der Reizischen Ausgabe in *Meermanns Thesaurus* T. VII wieder abdrucken lassen, wiewohl Harmenopulus fast nichts enthält, was nicht schon die *synopsis minor* hätte, und ohne Rücksicht auf die 12 Mss., welche die königl. Bibliothek von Paris hat. Ebenso lässt der Vf. die übrigen obigen Ergänzungen des 53. Buchs abdrucken, nachdem er S. 179 ff. alle auf das Seerecht bezüglichen Basilikenstellen vorangeschickt hat, wozu ein junger Neugrieche *Rhally* die Pariser Mss. benutzte.

Das *sechste* Kapitel widmet der Vf. der Sammlung Rhodischer Gesetze, welche, wie erwähnt, ihm zufolge weder in die Zeit, da Rhodus mächtig war, noch in die Zeit gehört, wo die Römer das Rho-

*) Rec. ergreift diese Gelegenheit, darauf aufmerksam zu machen, wie auch diese Urkunde ein wichtiger Beytrag zu der Geschichte des Ursprungs der *consules mercatorum* ist, die sich schon 1107 zu Pistoja finden, bekanntlich nichts mit dem Gesandtenrechte gemein haben, und sich auf das alte Princip gründen, dass ein Jeder von seinen Landsleuten zu richten sey. Schätzbare Notizen zu dieser Geschichte hat kürzlich Dr. *Lappenberg* in einer gehaltvollen und lehrreichen Recension von *Hüllmanns* Städtewesen des M. A. gegeben, s. Berliner Jahrbücher für wissenschaftliche Kritik 1828. Febr. Sp. 283—285. Möchte die Fortsetzung dieser Recension bald erscheinen!

Rhodische Recht adoptirten, und wovon mit Unrecht Fabrot das dritte Stück für den achten Titel des 53. Buchs der Basiliken annahm. Zuerst beschäftigt sich *Pardessus* mit den vier Mss. dieser Collection auf der Pariser Bibliothek. In diesen Mss. fehlt das in den gedruckten Ausgaben von *Löwenklau* und *Vinnius* befindliche vierte Stück, der Auszug aus einem dem *Docimius* zugeschriebenen Buche *de jure*, und ergiebt sich aus der Ansicht dieser Mss., dass die übrigen drey Stücke nicht ein zusammenhängendes Ganze bilden, auch nie als ein einziges Werk betrachtet worden sind. Der Vf. zeigt ferner aus innern Gründen (S. 211—215.), dass das erste Stück, eine Art Vorrede, falsch ist, und von einem unwissenden oder ungeschickten *Greo affamé* den andern beiden später beygefügt seyn muss. Ebenso wenig ist das zweyte Stück echt, was jedoch als eine Privatsammlung von Seegebräuchen zum Nutzen von Privatpersonen compilirt seyn mag. Von dem dritten Stücke giebt es die meisten Handschriften, in denen es aber offenbar unrichtig als Auszug des elften Buchs der Pandekten bezeichnet wird. Diess Buch handelt bekanntlich gar nicht von dieser Materie; die von Mss. begünstigte Emendation in das 14. Buch hilft wenig, da die Anordnung durchaus verschieden ist, und ein Auszug anderer Digesten als von Justinian, lässt sich hier nicht annehmen, da nur diese Gesetzeskraft haben und von den Nachfolgern nur theilweise modificirt sind. Es ist auffallend, dass dieses dritte Stück das in den Pandekten und Basiliken standhaft beobachtete Princip der Theilung aller Havarien in gemeinschaftliche (Havariegrosse) und besondere (Havarieparticuliere) verlässt, und alle Havarien als gemeinschaftlich, Casco und Ladung als ein Ganzes, *unum germen* (wovon der italienische Name des bekannten Contracts *germinamento*), das alle Verluste solidarisch trägt, betrachtet. *Pardessus* folgert daraus, dass diess dritte Stück einer Zeit sein Daseyn verdankt, wo man noch keine Assecuranzen kannte, und sich daher gegenseitig die durch die Einfälle der Normänner und Sarazenen im mittelländischen Meere vergrösserten Seegefahren gewissermassen garantirte. Da die *synopsis major* daraus 15 Kapitel extrahirt hat, und dieselbe vor 1167 ausweise des Vaticanischen Mss., das in diesem Jahre geschrieben ist, abgefasst seyn muss: so ist das dritte Stück ebenfalls gewiss spätestens aus jener Zeit. Auch das griechische Gesetzbuch der Insel Cypern bestätigt, dass es im zwölften Jahrhundert existirte, da dasselbe in diesem Jahrhundert redigirt wurde und jenes Stück auch enthält. Unserem Vf. scheint diess dritte Stück älter als die Basiliken, da es sich nicht auf diese, sondern auf Justinians Digesten und Codex bezieht *). Auf jeden Fall ist das dritte Stück von der ganzen Compilation das älteste. Vielleicht hat der Vf. dieser Privatsammlung Rhodion geheissen, auf welche Conjectur die Lesart der Ueberschrift in mehren Codd. führt: Νόμος Ῥοδίωνος **).

Was den innern Werth der Sammlung anlangt, so ist er schon nach dem Bisherigen leicht auszumitteln. Das erste Stück ist, der Meinung des hier ersichtlich getäuschten Gothofredus ungeachtet, das nutzlose Machwerk eines hungrigen Griechen; im zweyten stösst man auf mehrere nicht zu verachtende Seeregeln. Am meisten Anerkennung gebührt dem dritten, das mehrere, durch das Bedürfniss gebotene See-Usanzen nachweist.

Es ergiebt sich übrigens, dass *Martens* §. 143 der Berichtigung bedarf. Was die Geschichte von Rhodus im Mittelalter (vgl. hierüber u. A. *Joseph von Hammer's* topographische Ansichten, Wien 1811. 4. S. 61—90.) zur Kritik der Sammlung etwa [illegible] ten könnte, ist noch von *Pardessus* nicht benutzt.

Es folgt S. 223—227 eine systematische Uebersicht des Inhalts der Sammlung, S. 228 ein Verzeichniss der ausser den französischen vorhandenen Manuscripte. Von den zahlreichen gedruckten Ausgaben scheint die von Schard 1591 die älteste. S. 231 ff. liefert *P.* einen nach den Pariser Mss. berichtigten Abdruck und eine lateinische Uebersetzung der ganzen Collection, so wie S. 259. aus *Tipucitii Paratitlis* den hier zuerst edirten Abschnitt *de lege Rhodia*.

(*Der Beschluss folgt.*)

PÄDAGOGIK.

TRIER, b. Gall: *Ueber Erzeugung der Liebe für König, Volk und Vaterland. Ein Beytrag zum vaterländischen Erziehungswesen.* Von *Secretair Muhl*, Lehrer am königl. preuss. Schullehrerseminar zu Trier. 1828. XXXII u. 176 S. 8. (16 gr.)

Ein wichtiges Kapitel der Erziehungskunst wird hier abgehandelt, nachdem der Vf. in der Einleitung die Stellung desselben in der Wissenschaft überhaupt richtig nachgewiesen hat. Die Belehrung, *die derselbe giebt*, sind sowohl paränetisch als *historisch* und sollen durch eingestreute Lieder *und* Verse Leben erhalten. Nicht immer scheint uns der Zweck völlig erreicht: denn eines Theils ist nicht bestimmt genug ersichtlich, ob der Lehrer das Ganze mehr als Leitfaden zu Vorträgen benutzen, oder ob der Schüler es selbst in die Hand nehmen soll; anderntheils ist der Ton zuweilen etwas zu trocken, und die Auswahl der poetischen Stücke hätte auch hie und da zweckmässiger seyn können. Indessen wird das Buch, dessen Zweck wacker und gut ist, im Ganzen brauchbar gefunden werden.

*) An dieses Argument des Vfs wird freylich in Deutschland seit *Biener's* Geschichte der Novellen Niemand mehr glauben.
**) Wenn nicht die Endigung *ωνος* bloss aus einer missverstandenen Endung *ος* oder *ων* entstanden ist.
Anm. d. Red.

ALLGEMEINE LITERATUR-ZEITUNG

November 1828.

HANDELSRECHT.

PARIS, ohne Angabe des Verlegers: *Collection de lois maritimes antérieures au XVIIIe siècle, dédiée au Roi. Par J. M. Pardessus etc.*

(Beschlufs der im vorigen Stück abgebrochenen Recension.)

Sehr interessant ist das im *siebenten* Kapitel behandelte Seerecht der durch die Kreuzfahrer eroberten Länder im Orient S. 261 ff. Die Gesetze des Königreichs Jerusalem hiessen bekanntlich Assisen (*s. du Cange*). Für das Seerecht ist wichtig die *assise de la court des borgés ou bourgois.* Diese Assisen sind französisch geschrieben. Die meisten Kreuzfahrer, die das Königreich Jerusalem stifteten, waren Franzosen, die dahin ihre Gesetze und Gebräuche brachten. *Pardessus* beschreibt die Einrichtung der daselbst von Gottfried von Bouillon gestifteten Assisen. In der Form, wie wir die Assise oder Gesetzsammlung des bürgerlichen Gerichtshofs haben, scheint sie ursprünglich und unverändert (S. 267. 268). Sie ist wichtig für das Studium des ältern französischen Privatrechts überhaupt. Ludwig XVI. beabsichtigte daher einen Abdruck beider Assisen, sowohl der der Barone als der der Bürger; in Folge seiner desfallsigen Verfügungen kam, wie diefs aus einem diplomatischen Briefwechsel des Ministeriums der auswärtigen Angelegenheiten nachgewiesen wird, in zwey Bänden eine kostbare Abschrift abseiten der Republik Venedig nach Paris, wo sie aber wahrscheinlich in den Stürmen von 1793 umgekommen ist. Dagegen ist die Originalhandschrift von Venedig nach Wien verschlagen, und nach einer davon genommenen neuen Copie S. 275 ff., hier abgedruckt, so weit das Seerecht dabey interessirt ist, nämlich von Cap. 40—46. *inclusive.* Es scheint, als wenn die Assise nur einzelne Streitfragen, im Seerecht von Oleron, der Statuten von Marseille, dem römischen Recht und den Basiliken unentschieden, beantworten und das gemeine Recht ergänzen sollte. Sie erscheint hier zuerst im französischen Originaltext. Eine italienische Uebersetzung ist 1534 und in *Canciani's* Sammlung Tom. 2. und 5. herausgekommen. Auch ist der französische Text ins Griechische übertragen, von welcher noch ungedruckten Uebersetzung ein mangelhaftes Exemplar auf der Pariser Bibliothek unter No. 1390 aus dem funfzehnten Jahrhundert existirt.

Im *achten* Kapitel kommt der Vf. auf das Seerecht, unter dem Namen *Rooles* oder *Jugemens d'Oléron* bekannt (S. 283 ff.). Als eine Uebersetzung davon sieht *Pardessus* die *Jugemens de Damme* oder die Gesetze von Westcappeln, und jünger als beide das Wisbysche Seerecht an: wonach denn freylich *Martens*, der noch *Vinnius* folgt, §. 145. Not. 6), zu berichtigen seyn würde. — *Clairac's* Abdruck der Sammlung von Oleron in f. *Us et coutumes de la mer*, wovon 1647 die erste Ausgabe erschien, ist die gangbarste, und nach einem jetzt verschollenen Werke von *Garcie* dit *Ferrande*, betitelt *Grand Routier de la mer*, besorgt. Dieser Abdruck enthält ungefähr zwanzig Artikel mehr als die drey zu Oxford und London befindlichen Handschriften, und als die damit übereintreffenden ältesten Abdrücke, z. B. in der Ausgabe der *ancienne coutume de Bretagne* v. J. 1485. Nimmt man hinzu, dafs die Rechtssprüche von Dammen oder Gesetze von Westcappeln ebenfalls nur die 24 Artikel jener Handschriften enthalten, so wie eine castilianische Uebersetzung spätestens v. J. 1266; so ergiebt sich, dafs das Ganze so, wie es Clairac hat, nicht zu derselben Zeit zusammen getragen ist. *Pardessus* unterscheidet vier verschiedene Segmente. Das erste enthält ausser den 23 ersten Artikeln von Garcie und Clairac noch zwey in den englischen Handschriften und den ältern Ausgaben befindliche. Das zweyte Stück besteht aus zwey Artikeln von späterem Datum, welche die Mss. nicht haben. Das dritte umfafst acht bisher nicht edirte Artikel, die *Pardessus* nach dem Stil für noch älter hält, als die von Garcie und Clairac edirten. Das vierte Stück begreift zwanzig Artikel, die vom Schiffbruch, Strandrecht und herrenlosem Gut handeln.

Hiernächst prüft und widerlegt *P.* die Ansicht, welche die Engländer dem Selden nachgeschrieben haben, als ob die *Jugemens d'Oléron* englischen Ursprungs wären (S. 288—297.), und vindicirt dieselben seiner Nation. Wichtig für diese Ansicht ist die *ordonnance* vom J. 1364. Diese bestätigt diejenigen von 1340, 1350, 1357 und 1361, worin den Castilianern in Frankreich Handel zu treiben erlaubt, und ihnen die den Portugiesen durch eine *ordonnance* vom Januar 1309 bewilligten Privilegien ebenfalls eingeräumt werden. Dabey bemerkt sie Art. 42, dafs die Streitigkeiten der Castilianer nach dem Recht und Gesetz von Leyron (Oléron) gerichtet werden sollen, und bestimmt damit ersichtlich nichts Neues, sondern eine alte, seit 1309 anerkannte Thatsache. Eine ebenfalls sehr alte Instruction über Admiralitätsrechte, bey *Fontanon* (die *Meyer* in f. *historia ll. maritim.* §. 28. nicht richtig als Edict oder *ordonnance* bezeichnet) erwähnt auch, dafs die Admiralitätsrichter nach den Gefetzen von Oleron fprechen. Es ift nicht anzunehmen, dafs die Franzofen den Caftilianern follten ein englifches Recht bewilligt haben, um danach franzöfifche Richter fprechen zu laffen. Dagegen findet *Pardeffus Valin's* Raifonnement für die franzöfifche Herkunft des Seerechts von Oleron darum unanwendbar, weil daffelbe fich auf die Vergleichung einiger englifcher Statute mit Artikeln ftützt, die nicht in der urfprünglichen Sammlung zu finden find, fondern in dem letzten Stücke, welches einer fpätern Zeit angehört. Er meint, dafs die *Roles* fchriftlich verfafst find gegen das Ende des elften Jahrhunderts, möglicher Weife in einer ältern Sprache, als die in ihrer gegenwärtigen Geftalt. Sie find von keiner gefetzgebenden Behörde ausgegangen, fondern, fo wie alle Gerichtsacten jener Zeit, auf Pergamentrollen gefchriebene gerichtliche Urkunden über Entfcheidungen der damals am häufigften vorgekommenen Seefachen. Sie find urfprünglich nicht für Oleron, fondern für die ganze franzöfifche Küfte von Bordeaux bis Flandern, für das Meer von England und Schottland berechnet. Man fühlte in Seeproceffen, die nicht durch Gewalt oder abergläubifche Gebräuche, fondern durch Recht und Vernunft entfchieden werden konnten, das Bedürfnifs einer Sammlung von Entfcheidungen, denen die allgemeine Beyftimmung eine Art von Sanction verliehen hatte. Ein folches Bedürfnifs gab zu der Sammlung Veranlaffung. Den Namen von Oleron hat fie vielleicht ganz zufällig dem Notar oder Schreiber auf diefer Infel zu verdanken, deffen Abfchrift gerade allen übrigen auf unfere Zeit gekommenen zum Typus diente. *Pardeffus* fucht diefe Conjectur mit Gründen zu unterftützen (S. 305.). Er befeitigt die frühere Meinung, als ob die Sammlung auf Veranlaffung der Eleonore von Guienne veranftaltet fey (S. 306—309.). Doch gilt alles bisher Gefagte nur von dem erften Fragmente der Sammlung; das zweyte unbedeutende ift auch franzöfifchen Urfprungs, und findet fich nur in den franzöfifchen Handfchriften und alten Ausgaben. Das dritte Stück gehört England an. Das vierte ift nicht blofs der Sprache, fondern auch dem Inhalte nach, der dem Zuftande der Dinge zur Zeit der Redaction des erften Stücks widerftreitet, fpäteren Urfprungs (S. 318—319.), und vielleicht die Normandie deffen Vaterland (S. 319.).

Aufser den bekannten Ueberfetzungen, die *Martens* §. 144. *b*) anführt, bemerkt *P.* auch eine holländifche von *Leclercq* in deffen Werke: *Allgemeene Verhandeling van de Heerfchappy der Zee*, gemacht nach der englifchen in *a general treatife*. Bey dem Abdruck, den *P.* S. 323 ff. mit einer neufranzöfifchen Ueberfetzung folgen läfst, find die englifchen Mff. zu Grunde gelegt und die franzöfifchen alten Ausgaben und Handfchriften benutzt.

Im *neunten* Kapitel unterfucht der Vf. die Seegebräuche der füdlichen Niederlande, die man unter dem Namen *Jugemens de Damme* oder Gefetze von Weftcappeln kennt. In Flandern blühte der Handel fchon im dreyzehnten und vierzehnten Jahrhu[ndert]. *Meyer annales Flandrici* p. 1[?]. verfichert, [dafs] Brügge von Kaufleuten aus allen Gegenden b[esucht] wurde. Wohl etwas übertrieben fagt Derfelbe: *nempe Flandria totius prope orbis ftabile merc[atori]bus emporium: feptemdecim regnorum negoti[atores] tum Brugis fua certa habuere domicilia ac f[...] praeter complures incognitas pene gentes quae [undi]que confluebant.* Befonders merkwürdig ift, [was] die *Chronyk van Vlaendern* cap. 40. p. 462. erz[ählt]: „Auf Anfuchen der Einwohner von Brügge im *J.* [...] erlaubte der Graf von Flandern in diefer *Stadt* d[ie] Errichtung einer Affecuranzkammer, *mittelft* d[eren] die Kaufleute ihre Waaren vor Seegefahr gegen einige Procente fo verfichern laffen konnten, *wie d[ies] noch* jetzt gefchieht. Es wurden aber *eigene Gefetze* und Förmlichkeiten vorgefchrieben, *denen* Verficherer wie Kaufleute fich unterwerfen mu[ß]ten." (*Pardeffus* hat diefe Gefetze nicht ausfindig machen können.) Zu derfelben Zeit hatte die Stadt Dammen einen nicht weniger belebten Seehandel, der das Bedürfnifs von Seegefetzen anregte. Aber ehe Gefetze entftanden, nahmen die füdlichen Niederlande Gebräuche an, und diefe find *es*, welche mehrere Schriftfteller unter dem Namen *der Städ[te]* Weftcappeln oder Dammen bekannt gemacht haben. Diefe Gebräuche find in 24 Artikeln enthalten, welche buchftäblich mit den 24 erften Artikeln der Sammlung von Oleron übereinkommen, und die Flandern zufolge *Ps.* Meinung von Frankreich entweder direct oder durch England entlehnt hat. Der Vf. beftreitet von S. 357 ff. an des holländifchen Kaufmanns *Verwer* Anficht, der in feinem zuerft 1711 und dann 1736 gedruckten *Nederlands Zeerechten* die Urheberfchaft jener Sammlung den füdlichen Niederlanden beylegen will. — Die Gebräuche von Dammen wurden auch in Seeland angenommen, und erhielten hier den Namen der Gefetze von Weftcappeln. Eine plattdeutfche Ueberfetzung befindet fich in Lübeck, drey andere in Hamburg, wovon die eine vom J. 1469, die andere der Schrift *nach* aus dem funfzehnten Jahrhundert. Man hat *auch* eine dänifche Verfion, abgedruckt in *Sandwig's* Annalen Chriftian II. *Pard.* liefert die *Jugemens de Damme* nach *Verwer* mit einer von einem jungen Manne, *de Leclercq*, beforgten franzöfifchen Ueberfetzung S. 371 ff., und die Gefetze von Weftcappeln nach Boxhorn S. 385 ff.

Der Gegenftand des *zehnten* Kapitels find die Seegebräuche der nördlichen Niederlande, verbreitet unter dem Namen *Coutumes d'Amfterdam, d'Enchuyfen et de Stavern* S. 393 ff. — Die *Coutumes d'Amfterdam*, die in andern Mff. den Namen von Stavern und in noch andern den von *Enchhuyfen* tragen, find theils buchftäbliche Ueberfetzung, theils Nachbildung der Rollen von Oleron. *Verwer* legt ihre Abfaffung in die Mitte des funfzehnten Jahrhunderts, fpäter als die Urtheile von Dammen. Man kann fie nach Mff. im Hamburger Stadtarchiv vielleicht für älter halten, und dann gehören fie Stavern in n Friesland. *Pardessus* zeigt aus mehreren Gründen, dass die Meinung, die sie als eine Uebersetzung des Wisbyschen Seerechts betrachtet, unhaltbar sey, und dass sie gewiss in den nördlichen Niederlanden abgefasst sind. S. 403. führt er die gedruckten Ausgaben auf. *Verwer* hat sie nach zwey Handschriften abdrucken lassen. Später als er, *van Leuwen* und *Wagenaar*. *Pardessus* hat S. 405 ff. den Text von *Verwer* mit einer französischen Uebersetzung seines jungen Freundes *de Leclercq* und S. 418 ff. den Text von *Wagenaar* (*Description d'Amsterdam* tom 2. p. 549.), der ihm einer der ältesten zu seyn scheint, seiner Sammlung einverleibt.

Das *elfte* und letzte Kapitel des ersten Theils beschäftigt sich mit dem Wisbyschen Seerecht (S. 425 ff.). *Pardessus* vertheidigt die Ansicht, dass die Compilation, bekannt unter dem Namen *Hogeste Waater Recht tho Wisby* nicht vor dem vierzehnten Jahrhundert gemacht und jünger ist, als das von *Hadorph* herausgegebene, von *Pardessus* in die erste Hälfte des vierzehnten Jahrhunderts verlegte *Wisby Stadt-Lag på Gotland*, welches das eigentliche *Wisbyer* Seerecht in dem zweyten Theile des dritten Buchs enthält, auch jünger als die Rollen von Oleron (S. 425 — 435.). Dann beweiset er aus innern Gründen sehr geschickt, dass das Wasterrecht nicht in Wisby gemacht sey. Man müsse zwey Theile trennen; von diesen zerfalle der erste wiederum in zwey Abschnitte, wovon der eine Art. 1 — 12 aus dem Lübischen Recht entnommen (S. 436 — 438.), der andere Art. 13 ff. die Rollen von Oleron (S. 438 — 440.). Der zweyte Theil lasse sich ebenfalls in zwey Abschnitte zerlegen, von denen der erste Art. 37 — 70 mit den Seegebräuchen der nördlichen Niederlande (f. Kap. 10.) (S. 441. 442.) übereinstimme, der zweyte Art. 71 und 72 abermals aus dem alten Lübischen Stadtrechte aufgenommen sey (S. 441.). *Pardessus* stellt mehrere Conjecturen über den Ursprung der Sammlung zusammen, entscheidet sich selbst aber für *Meyer's* Vermuthung, dass die Compilation ohne obrigkeitliche Autorität vielleicht von einem Schreiber in einem der hanseatischen Comtoire zu Wisby zusammengetragen ist (S. 441 — 447.). *P.* ist der Meinung, dass der Zusatz in der ältesten Ausgabe des Waterrechts (Kopenhagen 1505), worin es heisst, dass die Kaufleute und Schiffer diess Gothländische Wasserrecht zu Wisby geordnet und gemacht, von dem Herausgeber selbst herrühre, der das eigentliche Wisbysche Seerecht im Stadt-Lag nicht gekannt, und überdiess nicht mit sonderlicher Gewissenhaftigkeit die ihm von Wisby überkommene Handschrift abgedruckt haben mag (S. 446.). Es existiren von dieser nichts destoweniger sehr interessanten ältesten Ausgabe nur überall noch zwey Exemplare und zwar beide auf der königl. Bibliothek zu Kopenhagen, von welchen *Pardessus* eine Beschreibung liefert (S. 449. 450.). Mit dieser Ausgabe von 1505 stimmen zwey in Lübeck befindliche Handschriften bis auf einige daselbst fehlende Artikel und eine Titelaufschrift buchstäblich überein, nach welchen Handschriften *Brokes* seinen *Observationes forenses* einen nicht sonderlich kritischen Abdruck angehängt hat. Diese Mss. und Ausgaben können zusammen als eine Familie betrachtet werden (S. 455. 456.). Die andere bilden die sämmtlichen Mss. und Ausgaben seit der Lübecker von 1537. Von dieser letztern findet sich nirgends als auf der Hamburger Commerzbibliothek ein Exemplar; aber über die Abweichungen von der Kopenhagener ist nichts angegeben. Mit ihr werde, meint *Pardessus*, die Danziger Ausgabe von 1588, die *Kurike* benutzt haben dürfte, übereinstimmen, und gewiss ein Ms. auf der Greifswalder Bibliothek von 1541. Noch eine andere Lübecker Ausgabe v. J. 1575 von *Johann Ballhorn*, die sich auf der Hamburger Commerzbibliothek befindet, soll im Wesentlichen mit der Ausgabe von 1537 übereinstimmen. Endlich steht noch ein Abdruck im *Corpus statutorum Slesvicensium* tom. II. p. 675 sqq. (Schleswig 1795).

Zu diesen literarischen Notizen ist dasjenige hinzuzufügen, was Dr. *Lappenberg* in seiner bereits oben erwähnten Recension von Hüllmann a. a. O. Sp. 296. 297 über zwey Hamburger Mss. des Wasserrechts aus der Mitte des funfzehnten Jahrhunderts bemerkt hat. Es fehlen in diesen der erste oder lübische Abschnitt; hiernach wäre dieser also später hinzugefügt (wiewohl sich Gründe denken lassen, warum der Abschreiber für Hamburg den Theil, der im benachbarten Stadtrecht zu finden war, wegliess), und somit wird allemal *Meyer's* Conjectur über den Urheber der Compilation wieder bedenklich. *Lappenberg* meint, es sey dieselbe von denjenigen Deutschen, die eine grosse Factorey in Wisby bildeten, nicht lange vor 1505 in der damaligen Gestalt verbunden. Früher wurden die Streitigkeiten nach dem Rechte der Kaufleute in Gothland entschieden. — *Martens* führt übrigens §. 146 eine holländische Ausgabe des Wasserrechts v. J. 1532 an, vermuthlich zufolge *Hadorph* in der Vorrede zu dessen schwedischer Uebersetzung. *Pardessus* hat diese Ausgabe nicht gesehen (S. 457.). — Ausser den von *Martens* bemerkten Uebersetzungen giebt es eine dänische, gedruckt zu Kopenhagen 1545. 8. Es befindet sich, so viel bekannt, nur ein Exemplar von diesem seltenen Buche auf der Kopenhagener Bibliothek und ein anderes in einer Klosterbibliothek zu Odense (S. 458. 459.). Eine schwedische Uebertragung v. J. 1549 durch *Michael Agricola*, Bischof von Åbo, wird von *Hadorph* in seiner Vorrede, aber als ungedruckt, angeführt. *Pardessus* macht darauf aufmerksam, dass *Dreyer*, *Lange* und *Brokes* den *Hadorph* missverstehen, wenn sie behaupten, *Hadorph* habe keine eigene, sondern nur Agricola's Uebersetzung abgedruckt (S. 461. Not.). Die gute lateinische Version, welche *Brokes* herausgab, ist nicht von ihm. Eine andere italienische Uebersetzung steht in *Baldasseroni delle assecurazioni marittime.* Vol. 5. p. 589 sqq. Diese, so wie die in der *biblioteca di gius nautico* sind nach der sehr ungenauen französischen von *Clairac*.

Von

Von S. 468 an beschliefst den ersten Theil ein Abdruck des Wasserrechts sowohl wie es sich nach der Ausgabe von 1505 im *Danske Magazin* Tom. V. findet, als auch nach dem Greifswalder Mf., nebst einer buchstäblichen französischen Uebersetzung, die P. ebenfalls, wie die früherer Seerechte, von *de Lecleroq* hat besorgen lassen.

Rec. hegt die Hoffnung, dafs die wichtigen literarischen Vorarbeiten in *Pardessus* Sammlung endlich ein gründliches und der neuern wissenschaftlichen Forschungen würdiges Handbuch des allgemeinen Seerechts veranlassen werden, und wünscht, dafs die Fortsetzung und Beendigung der vorliegenden Sammlung sich nicht zu lange verzögern möge.

C. Trummer, Dr.

FORSTWISSENSCHAFTEN.

STETTIN, b. Morin: *Neue Beobachtungen über den Kiefernspinner* u. s. w. von von *Bülov-Rieth*. 1828. XVIII u. 62 S. 8. (8 gr.)

Der Vf., früher Oberforstmeister in preufsischen Diensten, hat sich lange mit Beobachtung des Kiefernspinners, *Ph. Bombyx pini*, beschäftigt und wurde vorzüglich durch die Schriften *Hartigs* und *Pfeils*, welche die Verheerungen dieses verderblichen Insekts zum Gegenstande haben, veranlasst das Resultat seiner Erfahrungen mitzutheilen.

Er nimmt an, dafs der Kiefernspinner immer innerhalb einer Zeit von zehn Jahren sich so vermehrt, dafs er schädlich werden kann, wenn gleich durch hindernde Umstände oft bewirkt wird, dafs die Vermehrung desselben nicht wirklich in einer solchen Ausdehnung erfolgt, dafs bemerkbarer Schade dadurch entstehet. Die dabey zum Grunde liegende Idee ist, dafs im ersten Jahre nur wenig Kieferraupen existiren, weil in dem vorhergehenden alle durch Schlupfwespen getödtet sind. Dafs sie sich aber ungehindert vermehren können, indem die Schlupfwespen, ihre natürlichen und gefährlichsten Feinde, mangeln, da sie nach Tödtung der frühern Generationen der Kieferraupen keine Gelegenheit fanden, sich fortzupflanzen. Dafs auch in den folgenden Jahren die Vermehrung der Kieferraupe noch fortgehet, indem die der Schlupfwespen sie noch nicht eingeholt hat. Dafs daher in den 3 letzten Jahren Raupenfrafs zu fürchten ist, der aber nicht bis in das vierte Jahr fortdauern kann, weil dann die Schlupfwespen sich wieder so werden vermehrt haben, dafs sie alle Raupen, Puppen und Schmetterlinge tödten können. Da nun aber damit auch alle Mittel sich fortzupflanzen den Schlupfwespen entzogen werden — indem dazu die nöthigen Kieferraupen mangeln — so kann auch nun wieder d[ie] Vermehrung dieser ungehindert beginnen. M[an] kann daher, schliefst der Vf. weiter, der Vermeh[rung] der Kieferraupe Schranken setzen, wenn m[an] die Ichneumons, Schlupfwespen u. s. w. dadur[ch] erhält, dafs man ihnen Raupen zu ihrer Fortpfla[n]zung darbietet, indem man diese besonders erzie[ht] und im Walde aussetzt.

Diese Idee ist in sich so unhaltbar, dafs sie ka[um] einer Widerlegung bedarf, was in der Unbekann[t]schaft des Vfs mit dem Insektenleben liegt, der eben so wenig die den Kieferraupen nachtheilig werdenden Ichneumons namhaft machen kann, noch *ihre* Oekonomie und Fortpflanzung kennt.

Wir wollen unbemerkt lassen, dafs es *ganz gegen die Erfahrung streitet*, dafs alle zehn *Jahre die* Vermehrung der Raupen wiederkehrt; *dafs die* Schrift von Widersprüchen mangelt, indem z. B. S. 89 behauptet wird, dafs es unmöglich sey, dafs bey ausgedehntem Raupenfrafse auch nur eine Raupe den Nachstellungen der Schlupfwespen entgehen könne, und dennoch nach 10 Jahren eine abermalige Vermehrung der Raupen statt finden soll, was doch nicht füglich geschehen kann, wenn nicht ein Stamm davon zurückbleibt.

Wir wollen blofs bemerkbar machen, *dafs das* Aussetzen der Raupen wohl wenig helfen kann: denn wenn diese angestochen werden, um die Schlupfwespen zu erhalten, so wird es gar nicht möglich seyn, noch die nöthige Zahl zum jährlichen Aussetzen zu conserviren, und dafs ja die Schlupfwespen eben so gut die im Walde übrigbleibenden Raupen, von denen die nach 10 Jahren wiederkehrende Vermehrung nothwendig herrühren mufs, aufsuchen können, und leichter, da anzunehmen ist, dafs sie über den ganzen Wald verbreitet sind, als die dazu ausgesetzten Raupencolonieen.

Wir wollen nicht bestreiten, dafs die Ichneumons und Schlupfwespen es in der Regel sind, welche die in grofser Menge vorhandenen Raupen vorzüglich tödten; aber die Erhaltung und *Vermehrung* derselben hängt von ganz andern *Bedingungen zugleich* mit ab, und kann nicht allein durch *das* Vorhandenseyn von Raupen gesichert *werden*: denn sonst müsten diese letztern längst ganz ausgerottet seyn, da nach dem Vf. sich die Ichneumons noch unendlich viel rascher vermehren, als die Raupen.

Wenn daher die Schrift wegen mancher Beobachtung über Raupenschaden nicht uninteressant ist, und wegen des anständigen Tons, der ungeachtet ihrer polemischen Tendenz, darin herrscht, *Lob* verdient; so kann sie doch nur in Bezug auf die Hauptidee, die ihr zum Grunde liegt, als durchaus verfehlt angezeigt werden.

ALLGEMEINE LITERATUR-ZEITUNG

November 1828.

LITERARISCHE ANZEIGEN.

I. Neue periodifche Schriften.

In der Nicolaifchen Buchhandlung in Berlin und Stettin ift fo eben erfchienen und an alle Buchhandlungen verfandt, die längft erwartete

Zeitfchrift
für
wiffenfchaftliche Bearbeitung
des
Preufsifchen Rechts,
herausgegeben von
Simon,
Geh. Ober-Juftiz- und Revifionsrath
und
von Strampff,
Juftizrath.
Erften Bandes erftes Heft.
gr. 8. Geheftet 1¼ Rthlr.

II. Ankündigungen neuer Bücher.

Geometrie.

So eben ift bey Metzler in Stuttgart erfchienen:

Scholien zu Euclid's Elementen,
aus *C. F. Pfleiderer's*, weil. Prof. der Mathem. zu Tübingen, gedruckten und handfchriftlichen Nachläffen zufammengeftellt. 1ftes bis 5tes Heft, enthaltend die Scholien zu den fechs erften Büchern der Elemente Euclid's. Mit Figuren. gr. 8.

Die früher als akadem. Differtationen in latein. Sprache gedruckten Scholien des berühmten Pfleiderer zu Euclid, welche feit mehreren Jahren vergriffen und im Buchhandel nicht mehr zu erhalten waren, erfcheinen hier, mit den handfchriftlichen Nachläffen Pfleiderer's vermehrt, zum Theil ergänzt und, damit auch des Lateinifchen Unkundige fie gebrauchen können, in deutfcher Sprache bearbeitet durch *C. F. Hauber*, Ephorus zu Maulbron und Prof. *Plieninger* zu Stuttgart. Heft 1 enthält die Scholien zu Buch I der Elemente (Pr. 2 Fl. 54 Kr. od. 1 Rthlr. 16 gr. Sächf.); Heft 2 die Schol. zu B. II (Pr. 54 Kr. od. 12 gr.); Heft 3 Schol. zu B. III und IV (Pr. 54 Kr. od. 12 gr.); Heft 4 Schol. zu B. V (Pr. 1 Fl. 36 Kr. od. 22 gr.); Heft 5 Schol. zu B. VI (Pr. 2 Fl. 12 Kr. od. 1 Rthlr. 8 gr.); und jedes Heft wird auch einzeln abgegeben. Auf diefe Art bildet obiges Werk einen vollftändigen Commentar zu den 6 erften Büchern von Euclid's Elementen, welcher durch die zufammengeftellten und mit neuen Zufätzen von Pfl. vermehrten Erläuterungen und Zufätze früherer Commentatoren dem *gelehrten Mathematiker* einen zweckmäfsig geordneten Auszug aus der Euclidifchen Literatur darbietet, und zugleich dem *Schulmanne* und dem *mathematifchen Lehrlinge* eine reiche Fundgrube von Zufätzen und Entwickelungen geometr. Uebungsftücke, zu Uebung in felbftftändiger Anwendung der Euclidifchen Elementarfätze, an die Hand giebt. Zu erhalten in allen guten Buchhandlungen.

Es ift erfchienen und an alle Buchhandlungen verfandt:

Commentatio critica
de
Ephraemo Syro
S. S. interprete,
qua fimul
verfionis Syriacae, quam Pefchito vocant, lectiones variae ex Ephraemi commentariis collectae exhibentur
Auctore
Caefare a Lengerke,
Phil. Dr.
4 maj. 12 gGr.

Halle, im November 1828.

Gebauer'fche Buchhandlung.

In Baumgärtner's Buchhandlung in Leipzig ift fo eben erfchienen und in allen Buchhandlungen zu haben:

CORPUS JURIS CIVILIS.

Recognoverunt brevibusque adnotationibus criticis inftructum ediderunt *C. J. Albertus* et *C. Mauritius fratres Kriegelii.* Editio Stereotypa. Opus uno volumine abfolutum. Fafc. I. Inftitutiones, tabulam fynopticam, nec non quasdam plagellas Digeftorum continens. Royal 8.

Das hier angezeigte Corpus juris c., weit entfernt nichts als der Abdruck einer ältern Ausgabe zu feyn, ift eine völlig felbftftändige und fowohl in Rückficht der Einrichtung als auch der kritifchen Bearbeitung durchaus *neue Unternehmung*, wie der in allen Buchhandlungen *gratis zu empfangende gleichzeitig ausgegebene Profpectus genügend darthut*, welche, mit Benutzung der neuesten Entdeckungen und Leistungen, besonders für den Handgebrauch berechnet ist und für die, in Bezug auf Correctheit, Bequemlichkeit beym Gebrauch und äussere Ausstattung Alles gethan worden ist, was einer solchen Vertrauen und Freunde erwerben kann. Der Ladenpreis für die Ausgabe auf gutem französ. Velinpapier 3 Rthlr. 12 gr., für die Pracht-Ausgabe auf dem *feinsten* französ. Velin 4 Rthlr. 6 gr. ist unverhältnissmässig wohlfeil und erlaubt eine grosse Verbreitung. Die Lieferungen werden möglichst schnell auf einander folgen und wenig über Jahresfrist wird hoffentlich die letzte in den Händen der Abnehmer seyn.

Neue Runenblätter. Von Dr. *Fr. L. Jahn* (Verfasser des Volksthums). ord. 8. Brosch. Preis 15 Sgr. (12 gGr.)

NB. Der Hr. Verfasser beabsichtigte, die Neuen Runenblätter fortzusetzen, wurde aber daran behindert. Diese 1ste Lieferung enthält durchgängig ungetheilte Abhandlungen, und bildet demnach ein geschlossenes Ganzes. Das englische Journal *London weekly Review* vom 15. März d. J. enthält folgende Beurtheilung dieses Werks: Der berühmte Patriot, Professor *Jahn*, erscheint nach vieljährigem Stillschweigen wieder als Verfasser einer bemerkungswerthen Schrift, unter dem Titel: „Neue Runenblätter," welche als Fortsetzung seines meisterhaften Werks: „Deutsches Volksthum" betrachtet werden kann. Dieses neue Werk des Herrn Professor *Jahn* ist voll treffender Gedanken, die er in einer höchst originellen und kernvollen Sprache ausdrückt.

Scandinavien und die Alpen. Von *Victor von Bonstetten.* Treu aus dem Französischen übersetzt. ord. 8. Brosch. Preis 10 Sgr. (8 gGr.)

Die Geschichte des Nordens liegt, wie bekannt, noch sehr im Dunkel. *Bonstetten's*-Scharfblick in allen Fächern der Wissenschaft ist bekannt, und giebt in dieser Schrift Aufklärung und Licht.

Obige Schriften sind durch alle Buchhandlungen zu erhalten.

Naumburg, im October 1828.

Die Wild'sche Buchhandlung.

Neuigkeiten für 1828.
TEUBNER'SCHE AUTOREN.

Als Fortsetzung meiner Sammlung Griechischer und Römischer Klassiker sind im Laufe d. J. neu erschienen und versandt:

Homeri Hymni, Epigrammata, Fragmenta et Batrachomyomachia. Ad optimorum editionum fidem recensuit et notis instruxit *Frid. Franke.*
Charta impr. 16 gr. Ch. angl. 1 Rthlr.

Apparatus criticus ad Aristophanem. Digessit et lectione codicum ab *J. Bekkero* novissime collatorum auxit *Carolus Passow.* Vol. III. Adnotatio critica in Aristophanis Nubes.
Charta impr. 10 gr. Ch. angl. 16 gr.

T. Lucretii Cari de rerum natura libri sex. Ad optimorum librorum fidem edidit, perpetuam annotationem criticam et exegeticam adjecit *Albertus Forbiger.*
Charta impr. 1 Rthlr. 16 gr. Ch. angl. 2 Rthlr. 8 gr.

M. Tulli Ciceronis Laelius, sive de amicitia dialogus. Ad librorum MSS. et editt. fidem recensuit et annotatione perpetua instruxit *Carolus Beierus.*
Charta impr. 18 gr. Ch. angl. 1 Rthlr. 3 gr.

M. Tulli Ciceronis Laelius, sive de amicitia dialogus. In usum scholarum brevi annotatione critica instruxit *Carolus Beierus.*
Charta impr. 5 gr. Ch. angl. 8 gr.

Ausserdem sind in meinem Verlage erschienen und versandt:

Apollonii Rhodii Argonautica. Ad fidem librorum manuscriptorum et editionum antiquarum recensuit, integram lectionis varietatem et annotationes adjecit, scholia aucta et emendata indicesque locupletissimos addidit *Augustus Wellauer.* II Voll. 8 maj.
Charta impr. 3 Rthlr. Ch. angl. 4 Rthlr. 12 gr.

Die zwölf kleineren Propheten, von Dr. *J. A. Theiner,* Professor der Theologie bey der katholisch-theologischen Facultät der Breslauer Universität. gr. 8. 1 Rthlr. 9 gr.

Lehrbuch der christlichen Religion für die unteren Klassen der Gymnasien. Von *J. G. Rätze,* Lehrer am Gymnasium in Zittau. Mit einem Vorbericht von *Friedrich Lindemann,* Director am Gymnasium daselbst. gr. 8. 12 gr.

Leipzig, im October 1828.

B. G. Teubner.

Bey F. Rubach in Magdeburg ist so eben erschienen und durch alle Buchhandlungen zu haben:

Mixpickel und Mengemus
eingemacht
von
H. Lami.
Mit 16 colorirten Steinabdrücken.
Sauber brosch. 20 gr.

Allen Freunden harmloser Scherzes sind unter obigem Titel eine Anzahl launiger Anekdoten oder sogenannter Berliner Witze gewidmet. Es sind komische Scenen, welche theils sich in Berlin wirklich zugetragen haben, theils aber nur dieser guten Stadt und ihrem treuen Volke angedichtet wurden. — Die Auswahl ist mit Umsicht getroffen, so dass sie besonders zur Unterhaltung unter Gebildeten in frohen Kreisen dienen können, um so mehr, da gewiss Jeder unter dem Mixpickel eine pikante Frucht findet, die seinem Gaumen besonders behagt und an die sich Erinnerungen knüpfen, welche ihm in fröhlicher Gesellschaft doppelt angenehm seyn werden. Die Scherze sind leicht und gut

...at versificirt, und eignen sich auch für den Ungeübten ...hne Schwierigkeit zum öffentlichen Vortrag. Sechs...ehn colorirte Steinabdrücke vergegenwärtigen die ori...ginellsten Scenen der poetischen Schilderungen *al fresco*, ...nd werden — wenn der Vortragende von Herzen be...acht ist — beym Anschauen aufs Neue das Zwergfell ...der Anwesenden in Bewegung setzen. Die Ausstattung ...des Werkchens ist niedlich, die Bilder höchst originell, ...der Druck gut, und wer den Mixpickel zu einem Ge...schenke wählt, wird sich gewiss Dank verdienen.

In allen Buchhandlungen ist zu haben:

Der Olymp,
oder
Mythologie
der Aegypter, Griechen und Römer.
Zum Selbstunterricht
für
die erwachsene Jugend und angehende Künstler.
Von
A. H. Petiscus, Professor.
Dritte verbesserte und vermehrte Auflage.
8. 280 S. Mit 40 Kupfern. Geheftet 1 Rthlr.
Berlin. Verlag von Karl Fr. Amelang.

Die nöthig gewordene *dritte* Auflage vorstehender Schrift hat das einstimmige Urtheil öffentlicher kritischer Blätter noch mehr bewährt:

dass dieselbe die grossen Schwierigkeiten des Unterrichts der Jugend in der Mythologie glücklich überwinden hilft, und bey *der ihr eigenthümlichen, vorsichtigen Säuberung alles Anstössigen* aus diesem Lehrgegenstande, jedem zur Jungfrau heranreifenden Mädchen, und jedem dem Jünglingsalter annahenden Knaben mit besonderm Erfolge in die Hände gegeben werden könne.

Durchaus verbessert und durch *Zusätze ansehnlich vermehrt* erscheint diese *dritte* Auflage, — und möge durch *Einführung in öffentliche Lehranstalten* ihr entschiedener Nutzen für die Jugend noch immer ausgebreiteter werden!

Die Krankheiten der Neugebornen und Säuglinge, nach neuen klinischen und pathologisch-anatomischen, in dem Hospital der Findelkinder zu Paris angestellten, Beobachtungen geschildert von *C. Billard*. Aus d. Französ. 1ste Lieferung. 12 Bogen. gr. 8. Weimar, im Verlage des Landes-Industrie-Comptoirs. In Umschlag geheftet. Preis 18 gr. Sächs. oder 1 Fl. 21 Kr. Rhein.

Diess Werk ist so reich an neuen und für den Arzt höchst wichtigen Beobachtungen, dass der Herausgeber glaubt, die Uebersetzung, so wie eine Anzahl Bogen gedruckt ist, in einzelnen Lieferungen versenden lassen zu müssen. In dieser *ersten* Lieferung sind z. B. das Kapitel *von den Mitteln des Kindes sich auszudrücken*, das Kapitel *von den Hautkrankheiten* und besonders die *synoptische vergleichende Tabelle über dieselben*, sodann das Kapitel *über Zellgewebs-Verhärtung*, so wichtig, dass sie kaum schnell genug in die Hände der Praktiker gelangen kann.

Die dazu gehörigen Kupfertafeln werden mit der nächsten Lieferung ausgegeben und die Erscheinung des Ganzen möglichst gefördert; Haupttitel und vollständige Inhaltsanzeige werden am Schlusse des Werks geliefert.

Bey Karl Cnobloch in Leipzig ist erschienen und durch alle Buchhandlungen zu erhalten:

Thucydidis de bello Peloponnesiaco libri octo.

Ad optimorum librorum fidem, ex veterum notationibus, recentiorum observationibus recensuit, argumentis et annotatione perpetua illustravit, indices et tabulas chronologicas adjecit, atque de vita auctoris praefatus est *Franc. Goeller*. 2 Vol. 8 maj. Accessit topographia syracusarum aeri incisa. Preis 6 Rthlr.

Nach dem Urtheile der Hallischen Literaturzeitung und der Seebode'schen krit. Bibliothek ist dieses die beste Hand-Ausgabe, welche wir bis jetzt besitzen.

Leipzig, im October 1828.

Karl Cnobloch.

Es ist erschienen und an alle Buchhandlungen versandt:

Henrici Eduardi Foss,
Philosophiae doctoris,
de
Gorgia Leontino
Commentatio.
Interpositus est
Aristotelis de Gorgia liber emendatius editus.
8 maj. 18 gGr.

Halle, im November 1828.

Hemmerde und Schwetschke.

Bey F. A. Brockhaus in Leipzig ist erschienen:

Urania.
Taschenbuch
auf
das Jahr 1829.
Mit 7 Kupfern. Taschenformat. Geb. mit Goldschn.
2 Rthlr. 6 gr.

Inhalt:

I. Des Falkners Braut. Erzählung von *C. Spindler*. II. Wanderung durch den Markt des Ruhms. Von *Ch. A. Tiedge*. III. Das Töpferhaus. Eine Wintergeschichte in brieflichen Mittheilungen von *Ludwig Robert*. IV.

IV. Karl Stuart. Trauerfpiel von *Andreas Gryphius*, gedichtet im Jahre 1649. Auszug, in reimlofen Jamben bearbeitet von *Guftav Schwab*. V. Der Hagestolz. Skizzirte Gruppe aus einem Sittengemälde der neueften Zeit, von *Wilhelm Blumenhagen*. VI. Des Adlers Horft. Erzählung von *Johanna Schopenhauer*.

In unferm Verlag ift fo eben erfchienen und durch alle Buchhandlungen zu haben:

Rotermund, H. W., Gefchichte des auf dem Reichstage zu Augsburg im Jahr 1530 übergebenen Glaubensbekenntniffes der Proteftanten, nebft den vornehmften Lebensnachrichten aller auf dem Reichstage zu Augsburg gewefenen päpftlich und evangelifch Gefinnten. gr. 8. (32 Bog.) 2 Rthlr. 12 gGr.

Schlegel, J. K. F., Kirchengefchichte Norddeutfchlands, von Einführung des Chriftenthums bis zur Reformation, mit befonderem Hinblick auf die Hannoverfchen Staaten und Reformationsgefchichte der Hannoverfchen Staaten, von ihrem erften Beginnen bis zum Abfchlufs des weftphälifchen Friedens mit Hinblick auf den Gang der Reformation im Allgemeinen. 1fter Theil. (29 Bog.) gr. 8. Im zweyten Subfcript. Preis bis Ende Febr. 1829 zu 1 Rthlr. 21 gGr. und für den zweyten Theil Subfcript. Pr. à 1 Rthlr. 6 gGr. pr. Alphabet. Der erfte Theil ift fertig, der zweyte wird es im Februar.

Ueber den Lerchenbaum. Eine Abhandlung vom Forftinfpector *G. W. Lemke*. 8. Geh. 9 gGr.

Stahl, E. D., Dr., Entwurf eines naturgemäfsen Verfahrens, Krankheiten zu heilen. gr. 8. (28 Bog.) Erfter Theil. 2 Rthlr.

Helwing'fche Hofbuchhandlung
in Hannover.

Bey Brüggemann in Halberftadt ift erfchienen:

Gefchichte des Chriftenthums und der Kirche. Herausgegeben von Dr. *F. Cramer*. 1fte Abtheilung. Geheftet ⅔ Rthlr.

Diefs Werk, welches aus 8 Abtheilungen beftehen wird, ift ein Beytrag zu der *allgemeinen hiftorifchen Tafchenbibliothek*, und für jede Klaffe von Lefern beftimmt.

III. Vermifchte Anzeigen.

Nachricht für Freunde der klaffifchen Literatur, insbefondere für Numismatiker.

In der Epoche, wo in Deutfchland *Spanheim, Morelli, Beyer, Haveroamp, Liebe, Gefsner, Zoega, Hafche* mit Kupferwerken und Befchreibungen das Gebiet der alten Münzkunde erweiterten, fchrieb in Wien *Eckhel* feine unfterbliche *Doctrina numorum veterum*, und wurde dadurch, geftützt auf die Arbeiten feiner Vorgänger, der Gründer einer neuen Wiffenfchaft, deren volle Nützlichkeit für das genaue Verftändnifs der alten Klaffiker und der alten Gefchichte er zu gleicher Zeit auf das überzeugendfte bewies und im weiteften Umfange in Anwendung brachte. — Eben durch die volle Brauchbarkeit feines Werkes und feine Unentbehrlichkeit für jeden, der auf klaffifche Bildung Anfpruch macht, vergriffen fich allmählig alle vorhandenen Exemplare und ftiegen zugleich fo im Preife, dafs man kaum mehr um 100 Fl. Conv. Münze eines zu Kaufe finden konnte. Es kann den Befitzern von Bibliotheken und befonders den wahren Freunden *klaffifcher* Literatur daher nur fehr angenehm *feyn zu* erfahren, dafs es dem Endesunterzeichneten *gelungen ift*, durch den in jeder Beziehung auf Papier, *Druck, Gröfse* und Correctheit ganz genauen Wiederabdruck mehrerer Bände, eine kleine Anzahl der in feinem Verlage vorräthigen, aber unvollftändigen Exemplare diefes Werkes von der urfprünglichen Auflage zu ergänzen und fie um den für 8 ftarke Quart-Bände (im Durchfchnitte keiner unter 400 Seiten) auf Schreibpapier mit 6 Kupfertafeln gewifs fehr billigen Preis von 50 Rthlr. Conv. Münze den verehrten Sammlern anzubieten, als wofür es durch jede Buchhandlung vom *Endesgefertigten* auf beftimmtes Verlangen bezogen werden kann. Wir glauben noch beyfügen zu müffen, dafs in diefem Werke mehrere Abfchnitte, wie z. B. über die jüdifchen Münzen bis auf den *Barchocebas*, über die Phrygifche mit $N\Omega\Psi$, dann eine Reihe höchft merkwürdiger chronologifcher Beftimmungen aus der römifchen Kaifergefchichte, daffelbe für den gründlichen Theologen eben fo wichtig machen, wie für den Freund der klaffifchen Literatur im Allgemeinen. — Es hatte fich noch ein Original-Manufcript des verewigten Verfaffers, Zufätze zu diefem feinem grofsen Werke enthaltend, in dem kaif. königl. Münz- und Antiken-Kabinette in Wien vorgefunden, von welchem der Unterzeichnete durch die Beyhülfe des gegenwärtigen Directors diefer kaiferlichen Sammlung, Herrn *von Steinbüchel*, einen genauen Abdruck veranftalten, *und daffelbe* zugleich mit der ebenfalls lateinifch *gefchriebenen* Biographie und dem wohl getroffenen *Bildniffe Eckhel's* ausftatten liefs.

Diefer Band: *Addenda ad Doctrinam numorum veterum*, welcher in Format und allem Uebrigen dem Hauptwerke ganz gleich ift und felbigem die gewünfchte Vollftändigkeit giebt, ift in jeder Buchhandlung um den Preis von 1 Rthlr. 16 gr. zu haben.

Wien, im October 1828.

Friedrich Volke.

Berichtigung.

In der Allgemeinen Kirchengefchichte des Predigers Dr. *Wilcke*, Leipzig bey Hartmann 1828, lefe man S. 241. Z. 6. für *Judaeorum* — *Indorum*.

ALLGEMEINE LITERATUR-ZEITUNG

November 1828.

HEILKUNDE.

1) Wien, b. Kupfer u. Wimmer: *Theoria morbi, ſ. pathologia generalis*, quam praelectionibus publicis accommodavit *Phil. Car. Hartmann*, M. D. Pathol. et Pharmacol. P. P. O. in univerſitate Vindobonenſi. 1814. VI u. 468 S. 8. (2 Rthlr 12 gr.)

2) Wien, b. Gerold: *Ph. C. Hartmann* u. ſ. w. *Theorie der Krankheit* oder *allgemeine Pathologie*. Nach dem lateiniſchen Originale frey bearbeitet vom *Verfaſſer*. 1828. VI u. 644 S. 8. (3 Rthlr.)

3) Wien, b. Wimmer: *Ph. Caroli Hartmann*, M. D. et Profeſſoris P. O.: *Theoria morbi* ſeu *pathologia generalis*, Praelectionibus academicis adcommodata. Editio altera emendata. Cum effigie auctoris aeri inciſa. 1828. VIII u. 471 S. 8. (3 Rthlr. 16 gr.)

Bevor noch Rec. ein Wort über die anzuzeigenden wichtigen Schriften ſagt, hält er es für gut, ſeinen Leſern, leichtem Errathen zuvorkommend, mit dem Geſtändniſſe zu begegnen, daſs er ein *Saulus inter prophetas* ſey, d. h. ein Nichtrecenſent unter Recenſenten. Hiemit jedoch will er weder Lob noch Tadel (zu beidem iſt noch keine Veranlaſſung) über ſich ausgeſprochen, ſondern nur ſich von gewiſſen Formen und Pflichten eines Recenſenten losgeſprochen haben. So weiſs er kein Wort zur Entſchuldigung oder Erklärung darüber vorzubringen, warum die A. L. Z. bisher noch keine kritiſche Beurtheilung der allgemeinen Pathologie des Hn. H. geliefert hat, und warum dieſs aber jetzt, nachdem das Werk ſchon über die Jahre der gewöhnlichen Kinderkrankheiten (dieſs ſind, nach *Lichtenberg*, die Recenſionen für die Bücher) hinaus iſt, noch geſchehen ſoll?. Probleme, die ein ebenbürtiger Recenſent ohne Zweifel in der ſchönſten (kreisförmigen) Weiſe auflöſen würde. Und wie Rec. einerſeits über manches ſchweigen wird, worüber ausführliche Berichterſtattung erwartet werden könnte, ſo wird er wiederum über anderes ſich verbreiten, daſs Vielen dem Orte, wie dem Veranlaſſung fremd ſcheinen dürfte. Der geneigte Leſer aber daſs, wenn ihm unſer Thun und Laſſen miſsfällt, nicht mit uns, die wir fremden Geſetzen uns zu unterwerfen, uns keineswegs anheiſchig gemacht haben, ſondern lediglich mit der verehrlichen Redaction rechten, die uns in dieſs kritiſche Revier freundlich hineingelockt und unbeſchränkte Jagdfreyheit zugeſichert hat. Die verehrliche Redaction aber — die einzige Dame, welche Literaturzeitungen nicht bloſs leſen *darf*, ſondern ſogar vorleſen *muſs*, — ſie richte nach dem Wahlſpruche, den wir bey ihrer Palingeneſie vorausſetzen: *„erlaubt iſt was ſich ziemt!“*

Noch eines Leſers, den wir uns beſonders wünſchen, des Herrn. Prof. *Hartmann*, erwähnen wir hier im Voraus. Rec. hat in mehrern Schriften öffentlich bekannt, in welchem wiſſenſchaftlichen Verhältniſſe er zu jenem ſtehe; auch Hr. *H.* hat eine gegenſeitige Beziehung nicht verheimlicht. Beide jedoch achten einander und ſich ſelbſt zu hoch, um eine lobhudleriſche Vetterſchaft von irgend jemandem, oder wohl gar von einander zu begehren. Ihre engſte Verbindung im Geiſte (eine andere und weitere waltet zwiſchen ihnen gar nicht) beſteht eben vielmehr in der freyſten und nothwendigſten Entwickelung des Eigenſten, ihrer wiſſenſchaftlichen Perſönlichkeit. Die Wahrheit und innere Würdigkeit dieſes Verhältniſſes wird ſich auch im Folgenden, ſey es Tadel oder Lob, bewähren. Beide jedoch, bey aller Freymüthigkeit, mit Haltung und Mäſsigkeit auszuſprechen, iſt Ehrengeſetz der Anonymität. Hr. *H.* übrigens kann nicht lange über unſere Perſon in Zweifel ſeyn, und entſtände er dennoch bey ihm, ſich ihn von der verehrl. Redaction löſen laſſen.

Nachdem wir durch dieſe Bevorwortung diejenige Freyheit uns vindicirt haben, ohne welche wir wohl ſchweigen, aber nicht reden können, nehmen wir eine Zeitlang von den in Rede ſtehenden Schriften Abſchied, um die Betrachtung auf die Diſciplin ſelbſt, welche durch jene behandelt und bereichert worden iſt, zu richten.

Seit geraumer Zeit, wenigſtens ſeit *Gaub*, hat in Deutſchland die Meinung: allgemeine Pathologie ſey die Fundamentaldiſciplin der praktiſchen Medicin, ſich — nicht ſowohl geltend gemacht, als feſtgeſetzt. Ueberall wird ſie ohne Anſtoſs und ohne Widerſpruch ausgeſprochen. Sehr verbreitete Dogmen von Zeit zu Zeit erneueter Unterſuchung zu unterwerfen, kann nur dem nutzlos ſcheinen, der noch nicht begriffen hat, daſs ſelbſt die wahrſten ihren beſten Theil — lebendige Wirkſamkeit — durch regungsloſe Stabilität einbüſsen. Wahre Worte ſind lange noch nicht Worte der Wahrheit! — Sollte die Geſchichte das Urtheil über die Richtigkeit jener Meinung abgeben, ſo würde ſie gewiſs fallen müſſen. Denn nicht nur iſt die praktiſche Medicin überall viel älter, als die allgemeine Pathologie,

logie, sondern jene hatte auch zu verschiedenen Zeiten schon einen ziemlich hohen Grad der Entwickelung und Ausbildung gewonnen, es hatte schon grosse und weithin wirkende medicinische Schulen gegeben, selbst medicinische Theorieen waren schon ausgebildet, die der Anhänger, Bekämpfer und Vertreter nicht ermangelten, und immer noch war nicht einmal der Gedanke an eine allgemeine Pathologie, als eine Doctrin, erwacht. Selbst als Problem war sie noch nicht da. Es läfst sich erweisen, dafs diefs vor *Stahl* in keiner, und selbst in ihm nur auf eine sehr bedingte Weise Statt fand. Und selbst nachdem *Gaub* mit einer, wie Rec. glaubt, noch nicht genugsam erkannten wissenschaftlichen Genialität diesen Kreis ärztlicher Forschung als ein Besonderes und Ganzes hervorgehoben, und eine dunkle Doctrin in eine glänzende Disciplin verwandelt hatte, ist dennoch die Aufgabe selbst, und mehr noch der Weg zu ihrer Lösung so wenig begriffen worden, dafs, bey aller äufsern Huldigung, die praktische Medicin selbst nicht nur von ihr nicht durchdrungen, sondern meist auch nicht einmal berührt wurde. Und eben defshalb konnte das Entgegengesetzte geschehen: Männer von Geist und Talent, der eigentlichen (praktischen) Medicin aber völlig fremd, konnten, *Gaub's* eingeferchter Betrachtungsweise folgend, als Lehrer und Schriftsteller der allgemeinen Pathologie sich geltend und verdient machen; und umgekehrt: umfassende Werke über Nosologie und Therapie, ja ganze, in ihren Erfolgen wichtige Systeme der Medicin konnten entstehen und vergehen, ohne auf ihrer Wanderung mit der allgemeinen Pathologie irgendwie zusammen zu treffen. Man erinnere sich z. B. des *Brownischen Systems:* es hatte und bedurfte keiner allgemein pathologischen Grundsätze, noch weniger einer wissenschaftlichen Grundlage: Erregbarkeit war eine leere, substratlose Formel, die Reize eitle Zufälligkeiten, die Erregung, wie das Leben selbst, ein Erzwungenes, die Summe des Nichtigen und Grundlosen. Und als der Brownianismus aus dem Natur- in den Culturzustand hinübergeführt, in *Erregungstheorie* umwandelt wurde, hatte und gewann er dennoch keinen Boden in der allgemeinen Pathologie, noch diese irgend einen Antheil an ihm. Auch nur auf einen mäfsigen, objectiv wissenschaftlichen Inhalt in dem ausführlichen Pathogeniewerke *Röschlaub's* (das reiffte Product jener Zeit und Secte) kann man nur durch das Vorurtheil für die Fülle des bedruckten Papiers schliefsen. Welch wohlfeilen Kaufs selbst die bessern Erregungstheoretiker zu dem nun für schicklich erachteten *hors d' oeuvre* einer allgemeinen Pathologie gelangen konnten, lehrt auf überzeugende Weise ein unter diesem Titel noch im Jahre 1806 von dem durch spätere Schriften sehr verdienstvollen *Henke* herausgegebenes Werk. Wesentlich unverändert blieb es hierin auch, nachdem die Ehre und der Ruhm des Brownianismus in Schmach verkehrt war. *Marcus*, der beyfällige „*Prüfer der Brownischen Lehre am Krankenbette*," zeigte mit bewunderungswürdigem Lakonismus, o[illegible] Reue und Schmerz, aphoristisch an: „*die Naturphilosophie habe im verflossenen Jahre den Brownianismus gestürzt*," und mit Einem Wurfe war nun [illegible] „*Entwurf einer speciellen Therapie*" da, ohne [illegible] Beyhülfe einer allgemeinen Pathologie. Ist je[illegible] theilnahmloser der Tod der Mutter angekündigt worden, wenn auch ein Kindlein dabey geboren wurde? Doch — was mehr als alles dieses ist — giebt es nicht sogar grosse, blühende medicinische Literaturen ganzer Völker, in denen, genau genommen, von allgemeiner Pathologie gar nichts, wenigstens explicite nichts vorkommt? Ist sie nicht in Frankreich und England (wohin der Blick der Deutschen sich immer mit demuthsvoller *Andacht* richtet) im Allgemeinen fast gänzlich *unbekannt?*

Wenn demnach allerdings nach dem Zeugnifs der Geschichte vergangener und gegenwärtiger Zeit jene Meinung: allgemeine Pathologie sey die Fundamentaldisciplin der praktischen Medicin, thatsächlich unwahr ist, so dürfte sie vielleicht dennoch — und diefs eben ist die Ueberzeugung des Rec. — völlig wahr seyn, sobald die Medicin Anspruch auf Wissenschaftlichkeit, nicht blofs der Form, sondern auch dem Wesen nach, macht. Hat jenes aus der äufsern Geschichte der Medicin nachgewiesen werden können, so kann dieses aus der innern Geschichte, durch Erforschung der Wege, auf welchen die Medicin zu einem wissenschaftlichen Gehalt zu gelangen vermag, dargethan werden.

In der That aber giebts nur zwey Inductionswege (denn die Deduction ist für die Medicin, als Erfahrungswissenschaft, eben so verwerflich als allgemeine Base, wie die Induction ungereimt für die Mathematik wäre), auf welchen die ärztlichen Forschungen wissenschaftlich eingeleitet und ihrem Ziel entgegen geführt werden können. Von jeher sind diese Wege, mit mehr oder minder klarem Bewufstseyn, mit gröfserm oder geringerm Erfolge, von den selbstständigen Forschern unter den Aerzten betreten worden. Selten aber hat man mit beiden Bekanntschaft, oder wohl gar Vertrautheit gesucht. Wir nennen den einen den *physiologischen*, den andern den *pathologischen*. Dort wird die Krankheit in Beziehung gesetzt zum Bau, der Verrichtung und Natur des Organismus, oder des Organs; hier wird die Untersuchung auf die Erkenntnifs des Processes gerichtet. Dort erscheint die Krankheit als ein Zufälliges (Grundloses: *Anomalie*), als ein Factum, zu dessen Auffassung nichts fehlt, als die Einsicht in die *Möglichkeit* desselben; denn die Ausdrücke: abnorm u. s. w. drücken ganz wohl die Frage, allenfalls auch die Thatsache, ganz und gar aber nicht die Antwort aus. Eben so enthält die sehr übliche Rede: Krankheit und Gesundheit seyen nur Modificationen des Einen Lebens, nichts wahrhaft Belehrendes; vielmehr gehört sie zu jenen entschlossenen Versuchen, wissenschaftlichen Verlegenheiten vor der Untersuchung ein rasches Ende zu machen, oder: objective Ausfälle durch subjective Einfälle zu ersetzen. I[illegible]

[illegible] dem

nn das Weſen jener Einheit, ſammt dem darin etwa nthaltenen Grund der Modification, verſtändlich macht worden? Iſt denn überall das Leben ein bjectives Etwas? eine Subſtanz zu welcher eine annigfaltigkeit der Accidentien gedacht werden ann? Soll eine dunkle Metapher die Grundlage ines wiſſenſchaftlichen Baues werden, ſo darf das lte Chaos nicht fürchten durch irgend welche Ordnung geſtört zu werden. Durch den *pathologiſchen Weg* hingegen dringt man zur Erfaſſung der *realen Möglichkeit*, d. h. des Geſetzes der Krankheitsbildung. Beide Wege, einzeln verfolgt, haben ihre groſsen Vorzüge und Mängel; aller Gefahr läſst ſich nur durch die Benutzung beider entgehen. Die *phyſiologiſche Unterſuchung* der Krankheit ſetzt dieſe ſchon voraus und es kommt dabey nur auf die beſtimmte Ermittelung des *Was* an, daher denn auch hiebey ungemein viel für *Diagnoſtik* gewonnen werden kann und, wo ſie mit Gründlichkeit geführt worden iſt, ſind auch in der That die ſchönſten Früchte für die Diagnoſtik geerntet worden. Mit der gröſsten Anerkennung und aufrichtigem Dank darf hier aus der neuern Zeit an *Bayle, Haſtings, Laennec* und *Lallemand* erinnert werden. In der That übertreffen die Leiſtungen dieſer ausgezeichneten Forſcher auf diagnoſtiſchem Gebiete, namentlich *Laennec's* und *Lallemand's*, alles, was man noch vor einigen Decennien zu erwarten ſich kaum getraut hätte. Hier aber endet auch die Sphäre dieſer ganzen Unterſuchungsweiſe; denn der eigentlichen Noſologie und Therapie, inſofern ſie ſich durch rationelle Grundſätze, durch die Einſicht in den Bildungsproceſs der Krankheit (Pathologie) aufbauen ſollen, gewährt ſie unmittelbar nichts, oder wenig. Wenn, ohne Zweifel, die Namen *Laennec's* und *Lallemand's* immer werden genannt werden müſſen, wann die Diagnoſtik der Krankheiten der Kopf- und Bruſteingeweide gründlich erörtert werden ſoll, ſo wird doch ihrer nicht mehr erwähnt werden können, ſobald die Betrachtung auf den letzten praktiſchen und höchſten wiſſenſchaftlichen, auf den ſchlechthin ärztlichen Zweck, *auf die durch Weſenserkenntniſs bedingte rationelle Heilung*, gerichtet ſeyn wird. Mit einem Worte: die *phyſiologiſche Unterſuchung* der Krankheit giebt, im glücklichſten Falle, eine Naturgeſchichte des *gegebenen* Objects; dieſe aber, wie wünſchenswerth und erſprieſslich ſie auch iſt, bildet lange noch nicht den Arzt: weder vermag ſie ſeinen Durſt nach Erkenntniſs zu ſtillen, noch ihn zu einer heilſamen, menſchlichwürdigen (bewuſsten) Thätigkeit geſchickt zu machen. Sie beginnt wo das Factum ſchon vollendet, das Fiens alſo ſchon erloſchen iſt, und was ſie als Analyſe darbietet, iſt bey weitem mehr eine mechaniſche, als eine dynamiſche.

Nicht übler jedoch könnte dem Rec. mitgeſpielt werden, als wenn ihm, dieſer Bemerkungen wegen, eine Nichtachtung der Phyſiologie, oder die Meinung: ſie ermangle in ihrem eigenen Beweiſe eines wiſſenſchaftlichen Princips und Zuſammenhanges, aufgebürdet würde. Wäre eine ſolche Meinung zu jeder Zeit verkehrt geweſen, ſo könnte ſie dermalen vollends nur in dem entſtehen, der die letzten Decennien im tiefſten Schlaf zugebracht und keinen Freund mehr fände, um bey ihm Nachfrage über das ſeitdem Geſchehene zu halten. Noch in keiner frühern Zeit hat die Phyſiologie ihre höchſte wiſſenſchaftliche Aufgabe mit ſo deutlichem Bewuſstſeyn gefaſst und ſo feſt im Auge behalten, als eben jetzt. Was *Malpighi* geahnt haben mag, was *C. F. Wolff* im kühnen Geiſtesfluge, mit Seherkraft erblickt und, unbegriffen von ſeiner Zeit, theils deutlich ausgeſprochen, theils aber auch nur angedeutet, das iſt dermalen mehr oder minder die allgemeine Baſis aller phyſiologiſchen Unterſuchung; nicht leicht dürfte jetzt jemand noch zweifeln, daſs keine phyſiologiſche Lehre ſich Vertrauen erwerben könne, wenn ſie ſich nicht als in der *Entwickelungs- und Bildungsgeſchichte* wurzelnd nachzuweiſen vermag. Und ſo feſtbegründet und ſichergeſtellt iſt nun dieſe Wiſſenſchaft, daſs ſie, ohne das Wunder einer einbrechenden Barbarey, keinen Rückfall weder in eitel empiriſches noch phantaſtiſches Meinen mehr zu fürchten hat. Dennoch aber könnte die nach wiſſenſchaftlicher Würde ſtrebende praktiſche Medicin ſich in keine verwirrendere Täuſchung ſtürzen, als wenn ſie, ſtatt von der Phyſiologie in ihren Reſultaten ſo wohl, als durch die Beſonnenheit in der Weiſe ihre Forſchungen anzuſtellen, ſich belehren zu laſſen, dieſe Diſciplin ſelbſt (wie man dieſs nicht genug anpreiſen zu können geglaubt hat) als den Boden, ja als die alleinige lebendige Quelle, aus welcher ſie rationelle Einſicht und ein leitendes Princip für das Handlen gewinnen könnte, ſich zu betrachten zwingen wollte. *Zwingen* ſag ich, denn zur ſchlichten klaren Einſicht iſt ſolcherley noch niemals gebracht worden, und welche Früchte eine ſolche in die Höhe geſchrobene Wiſſenſchaftlichkeit getragen, werden wir an einem ſehr niederſchlagenden Beyſpiele zu zeigen bald eine auffordernde Gelegenheit haben. Die Phyſiologie, auf praktiſche Medicin angewandt, dient bey weitem mehr den Knoten der pathologiſchen Unterſuchung zu ſchürzen, als zu löſen; je genauer ſie den phyſiologiſchen Proceſs kennen lehrt, deſto ſchärfer ſtellt ſich der pathologiſche heraus, aber eben nur als — *Problem*. Wird dieſer Punkt verkannt, wird die Aufgabe ſelbſt als ihre Löſung genommen, ſo kann die völlige Erfolgloſigkeit aller ſolcher Bemühungen für die praktiſche Medicin nicht auffallen; groſse, ſchöne Hoffnungen müſſen unerfüllt bleiben, eben weil dasjenige unterbleibt, was allein ſie hätte verwirklichen können: *die Unterſuchung des pathologiſchen Proceſſes ſelbſt*. Zwiſchen dieſem aber und dem phyſiologiſchen findet nicht bloſs eine Differenz der Wirkungen (Erſcheinungen), ſondern auch der Urſachen Statt.

Rec. hält das eben Ausgeſprochene für ſo wichtig, daſs er es der ernſtlichen Erwägung den wiſſenſchaftlichen und denkenden Aerzten zu empfehlen

len wagt; ja, er glaubt hiemit den innern Grund für die fehr auffallende Erfcheinung, dafs in der That in neuerer Zeit die praktifche Medicin an ihrer wiffenfchaftlichen Würde in Form und Inhalt in eben dem Maafse eingebüfst, als an beiden die Phyfiologie gewonnen hat, angegeben zu haben. In jedem Falle möge es geftattet feyn einige auf diefen wichtigen Punkt bezügliche hiftorifche Bemerkungen hinzu zu fügen, zumal wir nur fo zur Erfaffung des Kerns der *Hartmann'fchen* Pathologie gelangen können.

Zuvörderft kann es nur nützlich feyn, an einigen eminenten Geiftern, denen die Förderung der ärztlichen Wiffenfchaft am Herzen lag und ihr Leben diefem Zwecke gewidmet hatten, zu fehen, wie in ihnen und durch fie jenes Verhältnifs geftaltet wurde. Wo könnte ein Ueberfchreiten des rechten Maafses in der Anwendung der Phyfiologie auf praktifche Medicin mehr beforgt werden, und wo wäre es leichter zu entfchuldigen, als beym Begründer der wiffenfchaftlichen Phyfiologie, bey *Galen?* Aber eben er bewährt hiebey einen wunderbar feinen Takt und die klarfte Befonnenheit. Nur zur Ermittelung der geftörten Functionen und des Sitzes der Krankheit, d. h. des afficirten Organs, dienen ihm, als Arzt, feine grofsen phyfiologifchen Unterfuchungen (z. B. in Beziehung auf die *Krankheiten des Rückenmarks*, von denen vor ihm ja gar nichts, und von ihm ab bis auf *P. Frank* nichts Erhebliches gefprochen worden ift); keineswegeș aber läfst er fie Einflufs auf fich haben zur Beftimmung der Natur des Krankheitsproceffes. Kurz, nur einen *fubfidiarifchen* Gebrauch macht er von ihnen (*für Diagnoftik*), durchaus aber keinen *conftitutiven* (*für Pathologie und Therapie*); doch fallen ihm Phyfiologie und eigentliche Medicin nicht wiffenfchaftlich auseinander, vielmehr treten fie ihm in der durch vielfeitige Bildung gewonnenen allgemeinen philofophifchen Anficht der Natur und des Menfchen wohlgeordnet zufammen. In gleicher Art verhielten fich in *Stahl* Chemie und Medicin, fo dafs ihm nicht einmal eine Verfuchung zur Chemiatrie entftehen konnte. Wie ganz anders dagegen — um nur Ein Beyfpiel des Unterliegens in folcher Verfuchung anzuführen — ging es in *Reil* zu! Ausgehend von der Ueberzeugung: die Phyfiologie müfste die wiffenfchaftliche Grundlage der Medicin hergeben, nur zu bald aber die Sprödigkeit des Unternehmens, nicht aber deffen Fehlerhaftigkeit wahrnehmend, unterwarf er fich mit rafcher Entfchliefsung der Zerfallenheit felbft, ohne ihren Urfachen nachzufpüren, oder Heilung dafür zu fuchen. Während ihm, als Phyfiologen, nicht leicht eine Hypothefe zu gewagt fchien, wenn fie nur die Ausficht zur Gewinnung eines Zufammenhangs in der Vorftellung eröffnete, tauchte er, ohne fich um die Gröfse des Opfers zu kümmern, in den roheften Empirismus, ja in den platteften medicinifchen Aberglauben unter, fobald er dem eigentlich ärztlichen Gebiete fich näherte. Selbft mit der Beobachtung nahm er es da fo wenig genau, dafs man in Zweifel bleiben mufs, was verwunderlicher fey: die Ungenauigkeit und grundlofe Zuverficht der Mittheilung, oder der ftarre Glaube Anderer daran? Kaum tr[aut] man feinen Augen, wenn man z. B. feinen Beri[cht] (im Kapitel von den Blutungen) von einem *epidemifchen Blutharnen*, das er felbft beobachtet zu ha[ben] verfichert, liefet, das fo allgemein und fo rein e[pi]demifch und im Organismus felbft fo ifolirt gew[efen] feyn foll, „dafs auch übrigens ganz gefunde Men[-]fchen blutigen Harn ausfonderten"! Und Beyfpi[ele] der Art könnten aus *Reil's* berühmten und in viel[er] Hinficht trefflichen Werke — *die Fieberlehre* — i[n] einem betrübenden Ueberfluffe angeführt werde[n], wenn es überall darauf ankäme. *Reil's* eigenthümliche Weife alles auf eine geiftreiche, oft *imponirende*, nie aber auf klare Weife auszufprechen, fein phantafiereicher Geiftesflug und feine *Willigkeit* im Dogmendienft, feine Kühnheit und *Verzagtheit*, fein Uebermuth und Unmuth haben in der *That* nicht blofs viele Andere über ihn, fondern auch ihn über fich felbft, zum grofsen Nachtheil für die Wiffenfchaft, für welche er eine feurige Liebe bewahrte, getäufcht. Was er aus der Phyfiologie als einen durchgreifend wichtigen Lehrfatz der Patholog[ie] einzupflanzen bemüht war: *Form und Mifchung der Materie als Grund der Erfcheinungverfchiedenheiten*, ift, bey näherer Betrachtung, etwas fo Winziges und eitel Formelles, ja, fofehr nur Ausdruck des Problems felbft, dafs nicht einmal ein difcurfiver Gebrauch davon gemacht werden kann. — Der von *Galen* aber eingefchlagene Weg der pathologifchen Unterfuchung ift fofehr ein von der Natur felbft angedeuteter, dafs er von keinem treuen und befonnenen Forfcher niemals wieder ganz hat verlaffen werden können. Wir fehen hierbey ganz ab von dem mehr als taufendjährigen Reiche der götzenhaften Anbetung *Galens;* aber felbft *Fernel*, der wahre Begründer der Solidarpathologie, wie weit er auch beym erften Anblick von *Galen* fich entfernt zu haben, ja ihm entgegengefetzt zu feyn fcheint, ift, innerlich und dem Grunde nach, ihm dennoch fehr nahe verwandt; er verhält fich, wie Rec. an einem andern Orte überzeugend dargethan zu haben glaubt, zur genuinen Lehre *Galens* nicht re- fondern *evolutionär*. In aller Beziehung revolutionär trat erft *Paracelfus* gegen *Galen* in die Schranken, eben fofehr aber auch gegen die Natur felbft. Was diefer ftürmende Geift als allgemeine Naturanficht aufftellte, ift ein wildes Traumgeficht; er, von keiner gründlichen Kenntnifs und keiner Verehrung der Beftrebungen der edelften Geifter vor ihm geweiht, hielt fich in der That für den grofsen Erfinder des Gedankens eines allgemeinen und innigen Zufammenhanges in der Natur. Und mit fo tobendem und rohem Uebermuth fchrie er diefs in die Welt hinein, dafs er, wie diefs nur zu leicht zu gefchehen pflegt, fich eine Schaar betäubter Gläubiger erwarb. Der mittelaltrige alchymiftifche Wahn hätte ihm gut vorgearbeitet, und mit allerley zufammengerafften Kenntniffen und Notizen fand er keine Schwierigkeit die ganze Natur in eine Sudelküche zu verwandeln, deren Proceffe aus einer angemeffenen oder ftörenden Verbindung willkürlich erträumter Elemente (Schwefel,

Salz

Salz und Mercur) hervorgehen. Doch entwickelte sich hieraus und aus so trübem Ursprunge eine neue Betrachtungs- und Untersuchungsweise für die Pathologie, eben diejenige, welche wir, wo sie zum bewusten Thun gelangt ist, die *physiologische* nennen. Zuvörderst finden sich hier die schwachen Anfänge zur *Chemiatrie*. In *Sylvius de le Boë* hatte diese sich formell schon mehr zugerundet, jedoch nur um der galenischen Humoralpathologie eine scheinbar naturwissenschaftliche Grundlage zu geben, denn dass diese die thatsächliche Wahrheit enthalte, bezweifelte weder dieser berühmte und für seine Zeit ehrwürdige Systemstifter, noch, im Ganzen, der bey weitem geistvollere *Thomas Willis*, wiewohl dieser den Fesseln seiner eigenen Fermentationstheorie mit der löblichsten Inconsequenz sich entwand. Denn bis zu welcher Verzerrung oder gänzlichen Verleugnung der Naturwahrheit eine sorgfältige Consequenz in dieser Betrachtungsweise zu führen vermag, kann deutlich genug an *Ackermann* (*Jacob Frdr.*), *Reich* u. A. gesehen werden. Von *Sertürner* schweigen wir hier, wie billig, ganz. Die wichtigste Belehrung welche der Pathologie von der Chemie zugeflossen ist: *dass in den Secreten Kali, in den Excreten dagegen Säure vorherrsche*, verdanken wir keinesweges den Jatrochemikern (deren Dogmen der Vergessenheit nicht entgehen können), sondern *Berzelius*. — In solcher Art also hatte es bis dahin den Versuchen der Pathologie ein physiologisches Princip unterzulegen, entweder gar nicht, oder doch nicht mit dauerndem Beyfalle gelingen wollen. Mit der Chemie keinen solchen Versuch mehr anzustellen, verbietet wohl dermalen schon ihr eigener sehr blühender Zustand und die nachahmungswürdige Besonnenheit ihrer wissenschaftlichen Pfleger. Von *Sertürner*, dem wir gern für seine Entdeckung des Morphiums dankbar bleiben, schweigen wir wiederum aus Achtung. — *Friedr. Hoffmann* und der zwischen diesem und *Fernel* der wissenschaftlichen Richtung nach stehende *W. Cullen* haben in anderer Beziehung zwar die praktische Medicin wesentlich gefördert, die Pathologie aber verdankt ihnen in der That weder einen wirklichen Vorschub, noch überall eine empfindbare Veränderung: denn so sehr man auch gewöhnlich Humoral- und Solidarpathologie als entschiedene Entgegensetzungen betrachtet, so wenig sind sie es in Wahrheit; schon desshalb nicht, weil, wie Rec. an einem andern Orte bewiesen hat, es noch niemals eine Solidarpathologie gegeben hat, die nicht eine Humoralpathologie, unbewusst, vorausgesetzt und implicite eingeschlossen hätte. Ein Umstand, der den verschiedenen Schulen zwar als Inconsequenz zur Last fällt, in der Natur selbst aber, in welcher Festes und Flüssiges keine Gegensätze bilden, sondern nur Uebergangsstufen, sehr wohlbegründet ist. *Stahl*, dessen grosse ärztlich - wissenschaftliche Tendenzen in die Zeit gar nicht eingegriffen haben (wenn man nicht etwa missverstehende Stahlianer als Gegenbeweise geltend machen will), können wir hier ganz übergehen. Völlig anders ists mit *Hermann Boerhave*; um ihn, als ihren belebenden Mittelpunkt, versammeln sich alle regsamen Geister der Zeitgenossen, von ihm empfangen sie den ersten Anstoss, die folgende Richtung und den reichen Inhalt ihrer Thätigkeit; er allein trägt in hoher Genialität in sich verbunden, was seine berühmten Schüler später, als vereinzelte Geistesgaben, mit Treue und seegenreich ausbilden. Immer wird man das Richtige verfehlen, wenn man durch Nennung einzelner Vorzüge und, um Unbefangenheit zu bewähren, einzelner Mängel die Charakteristik dieses Mannes zu geben unternimmt. Seine Eigenthümlichkeit und das Specifische seiner Erscheinung in der Wissenschaft sind in seiner hohen, durch keine Einzelnheit sich abbildenden Persönlichkeit enthalten. Diese aber in Besonderheiten wieder zu erkennen setzt ihre Kenntniss voraus. *Boerhave* war der ärztlichen Wissenschaft, in ihrem weitesten Umfange genommen, das, was *Lessing* der Kunst- und freyen Denkwissenschaft war; was — freylich in einer viel kleinern Sphäre — *Lichtenberg* der Physik und — wenn der Ausdruck gestattet wäre — *dem humanen Wesen*. Muss man schon in Verlegenheit gesetzt seyn, wenn auf eine peremtorische Weise gefragt würde: wer denn dieser *Lichtenberg*, ausser dass er ein witziger Kopf gewesen ist, für die Wissenschaft selbst gewesen sey und wodurch er sich in ihr eine Stelle erworben habe? so würde sich schwerlich *Boerhave's* unendlich grösseres Ansehen durch ostensible Documente rechtfertigen lassen. Wie beschämend wäre es dann etwa ein lange schon unbrauchbares Compendium der Chemie zu nennen, oder die, wenn auch meisterhafte, Beschreibung einiger merkwürdiger Krankheitsfälle, einige *opuscula academica*, ein Paar Vorreden, einige von ganz hingegebenen Schülern herausgegebene Collegienhefte, ein kleines Heft Aphorismen u. s. w.! Aber wahrlich, wie es keine Erfindung falscher Demuth war, wenn Johannes sich nur einen schwachen und unzureichenden Interpreten Christi nannte, oder, menschlich zu reden, wie *Plato* sich nichts vergab und sich und *Socrates* nur Gerechtigkeit wiederfahren liess, wenn er sich diesem sehr unterordnete und als seine Lebensaufgabe es ergriff, die hohe Bedeutung des *Socrates* in möglichst vollendeten Werken philosophischer Kunst darzustellen: so wär es gewiss weder eine Schmälerung des eigenen Werths, und noch weniger eitle Bescheidenheit, wenn ein *Haller*, *Gaub*, *van Swieten* u. A. es nicht verlernen können im Geiste zu den Füssen *Boerhave's* zu sitzen. Und so darf denn auch in Wahrheit alles, was eine lange Zeit hindurch in den einzelnen Zweigen der medicinischen Wissenschaft Erweiterndes und überall Grosses geschehen ist, als die Frucht der *Boerhave'schen* Saat betrachtet werden. Namentlich aber gehören hieher *Haller's* unsterbliche Werke über Physiologie und *Gaub's* Pathologie. Denn was die praktische Medicin anlangt, so hat sie unmittelbar nicht die gleiche, wenn auch immer eine sehr dankenswerthe Förderung erfahren. In jene Disciplinen nämlich ist *Boerhave's* schöpferischer Geist über-

übergetreten, während die praktische Medicin nur treues Beobachten und gelehrten Fleiſs aus jener friſchen Zeit ererbt hat. Der edle *Tiſſot* und *van Swieten* haben uns in dieſer Art Werke hinterlaſſen, die ſtets Muſter geſchickter Beobachtung und nützlich verwendeter Gelehrſamkeit bleiben werden. Das gleiche Talent, aber mit beklagenswerthem Aberglauben vermiſcht, ſehen wir in *de Häen;* Gröſseres würde *Zimmermann* geleiſtet haben, wenn ſeine verkehrte, aus eitler Selbſtbeſpiegelung entſprungene, Gemüthsverfaſſung ihm nicht diejenige harmloſe Geiſtesſtimmung geraubt hätte, ohne welche ſich auch in der Wiſſenſchaft nichts Reines, aus der Wahrheit ſelbſt geſchöpftes, hervorfördern und ungetrübt darſtellen läſst.

Doch wir kehren zurück zu demjenigen Punkt, zu welchem alles bisherige eben nur der Weg war. *Gaub* iſt das edelſte Muſter in der Bearbeitung der Pathologie — nicht ſowohl wegen ſeines Reichthums an dogmatiſcher Wahrheit (der, wie groſs er auch iſt, doch dermalen natürlich überboten werden kann), ſondern wegen ſeiner, nach des Rec. innigſten Ueberzeugung, einzig richtigen *Methode* der Verbindung ſowohl, als der Trennung phyſiologiſcher und pathologiſcher Unterſuchung. Eben dasjenige, was *Gaub* bey jeder Einſeitigkeit in die Anſchuldigung eines unwiſſenſchaftlichen Eklekticismus bringen muſs, das eben bewährt, beſſer erwogen, die Lauterkeit und Beſonnenheit ſeiner wiſſenſchaftlichen Methode. Mit Leichtigkeit nämlich laſſen ſich in ſeinen *inſtitutionibus pathologiae medicinalis* Belege bald für humoral-, bald für die ſolidarpathologiſche, bald für die rein dynamiſche, bald aber auch für die mechaniſche Betrachtungsweiſe anführen; und doch war gewiſs niemand von der bequemen Weisheit: in einem Meinungsgemenge werde die volle Wahrheit am ſicherſten ergriffen, entfernter, als eben *Gaub*. Er aber, eben ſo fern von einer träumenden monadologiſchen Anſicht des Organismus, als von der ganz hülf- und troſtloſen materialiſtiſchen (Rec. verweiſt deſshalb auf eine minder bekannte Schrift *Gaub's: de regimine mentis quod medicorum eſt* etc. ſermo acad. Lugd. Bat. 1747); er, die Natur für das gröſste Wunder erkennend, in ihr aber keine Wunder ſuchend, war in keinen ſich ausſchlieſsenden Gegenſätzen eingeſchloſſen und zu keinen eitlen Conſequenzmachereyen verurtheilt. Er genoſs des rein wiſſenſchaftlichen Glücks die Conſequenz das Folgende, nicht das bedingend Vorangehende ſeyn zu laſſen. In der That auch bedarf es nur einiger unbefangener Ueberlegung (doch begegnet man ihr ſelten!), um bald inne zu werden, daſs alle jene Betrachtungsweiſen, auf ihre rechten Objecte gerichtet, einander nicht widerſprechen und der lebendige Organismus ſie alle nicht bloſs zulaſſe, ſondern auch zu ſeiner vollendeten Erfaſſung erfordere. Wer gebietet denn das Mechaniſche mechaniſch, oder das Dynamiſche als ein Geſetzloſes aufzufaſſen? *Gaub*, im vollkommenen Beſitz und freyer Herrſchaft der phyſiologiſchen Einſicht ſeiner Zeit, derſelben auch ſich mit Beſtimmtheit bedienend zur Bezeichnung desjenigen Zuſtandes, deſſen Störung eben der pathologiſche iſt, geräth nirgends auf den Abweg dieſen ſelbſt durch jenen, oder nur als eine Modification deſſelben erklären zu wollen; überall erklärt er nichts und will ſolches auch nicht, ſondern nur den *pathologiſchen Proceſs* ſelbſt, d. h. die Verkehrung der Geſundheit in Krankheit in ihren Bedingungen und Erſcheinungen, wie ſie eben ſind (oder ihm zu ſeyn ſchienen; denn geirrt hat er mannigfach), ſucht er nachzuweiſen, ohne einen Anlaſs zu nehmen von alle dem das *Warum?* nicht zu kennen; kurz, er beobachtet genau die Grenzen einer empiriſchen Wiſſenſchaft, die Pathologie aber ſelbſt zu einer ſolchen geſtaltend. Darum auch iſt in der That dieſe Disciplin, ſelbſt bey beträchtlichem Anwachs der Summe für ſie brauchbarer *Facten*, innerlich aufgelöſt, wenn jene Methode, welche wir zum Unterſchiede von einer äuſsern, lediglich formellen, die innere nennen, verlaſſen wird. Und ſo auch iſts wirklich geſchehen: denn bey allem Lobe, welches man, in Deutſchland wenigſtens, dem Werke *Gaub's* und der allgemeinen Pathologie ſelbſt zollte, ja, obgleich man dieſe die Fundamentaldiſciplin der geſammten Medicin nannte, ſo ſind dennoch ſeit *Gaub* faſt nur Rückſchritte gemacht worden, eben weil ſein von ihm ſelbſt zwar nicht ausgeſprochenes, aber lebendig dargeſtelltes Princip (das pathologiſche) verlaſſen, und ſpäter ſogar ein entgegengeſetztes befolgt worden iſt. Viel zu dieſer Verwirrung hat zwar der Brownianismus beygetragen, doch auch von andern Seiten noch kam ſie her. In Deutſchland — wo allein das Studium der allgemeinen Pathologie in Ehren gehalten und zum vollſtändigen akademiſchen Curſus für nothwendig gehalten wird — war es namentlich *Reil*, der die Meinung geltend machte: die Pathologie bedürfe eines phyſiologiſchen Princips zu ihrem Gedeihen, was im Grunde nichts anderes ſagen will, als: ſie müſſe, um fortzukommen, völlig entwurzelt werden. Und in Wahrheit ſtellt auch ſein über allgemeine Pathologie nachgelaſſenes Werk die Trümmer dieſer Wiſſenſchaft dar. *Sprengel*, an keinem extravaganten Streben theilnehmend, zu fern jedoch von dem Mittelpunkte der mediciniſchen Wiſſenſchaft ſtehend und die Bedürfniſſe des zur Thätigkeit hingedrängten Arztes aus eigener Erfahrung zu wenig kennend, hat zwar auch auf dieſem Gebiete, durch Gelehrſamkeit und beſonnene Haltung, Dankenswerthes genug geleiſtet, aber den mit dem Schein wiſſenſchaftlicher Wahrheit einbrechenden gefährlichen Irrthum weder verhindern, noch aufhalten können. *Kreyſig*, in einer ſehr complicirten Täuſchung ſtehend, theils nämlich direct durch ſehr weſentliche Irrthümer (man erinnere ſich z. B. nur an ſeine völlig ungegründete und unhaltbare Anſicht über Irritabilität), theils aber auch über dieſe ſelbſt durch ſein überwiegendes praktiſches Kunſttalent und durch die Wohlthat der Inconſequenz, konnte durch ſeine „*allgemeine Krankheitslehre*" der Zeit keine Förderung bringen: denn ſubjective Vorzüge laſſen ſich, als Unlehrbares, nicht mittheilen, und das Objective iſt zu ſehr mit Irrthümern

mern behaftet. *Kieſer*, ſich ſelbſt verurtheilend aus einer der Phänomenologie entlehnten *Metapher* (*Polarität*) ein Syſtem der praktiſchen Medicin mit „*furchtbarer Conſequenz*“ *zu deduciren*, verſchwendet, obwohl die letztere ſcheulos aufgebend, ein groſses Talent und eine achtungswürdige Gelehrſamkeit um das Vergeblichſte zu Stande zu bringen. Solche Unternehmungen ſind ganz geeignet die roheſten Empiriker zum ſchaamloſen, triumphirenden Vernunfthohn, und die hohlſten Köpfe zur verwegenſten Willkür zu treiben. Dieſe bittern Früchte auch ſind nicht ausgeblieben, die Wiſſenſchaft ſelbſt aber iſt leer ausgegangen. — Wer kann in *Stärk's pathologiſchen Fragmenten* den vielſeitig gebildeten Geiſt ihres Verfaſſers und deſſen vertraute Bekanntſchaft mit dem Gebiete der Beobachtung verkennen? aber eben ſo gewiſs muſs ſich jeder Unbefangene bekennen, daſs auf ſolche Weiſe die Kluft zwiſchen nakter Empirie und Wiſſenſchaft nicht ausgefüllt werden könne, und jeder Verſuch der Art eine neue Hemmung für das wahre Fortſchreiten zur rationellen Erkenntniſs ſey. Bilder ſind gut, aber nicht das Beſte; wo ſie in der Wiſſenſchaft nicht in deutliche Begriffe zu verwandlen und von der Gegebenheit ſelbſt aufgenöthigte Abbilder ſind, da ſind ſie verwirrend, verwerflich. *Stark* irrt ſich gewiſs, wenn er, wie er anzudeuten ſucht, durch ſein Werk ein Mittelglied zwiſchen *Hartmann's* und *Kieſer's* Pathologie gegeben zu haben glaubt: denn weder ſind dieſe Werke irgend einer Vermittelung fähig, noch auch vermöchte er auf dieſe Weiſe der Vermittler zu ſeyn. — Viel gröſser aber noch wird die Verwirrung durch die Art, wie jetzt das Studium der Medicin durch die beſſern Aerzte Frankreichs betrieben und auch bey uns empfohlen wird. Phyſiologiſche Unterſuchung und pathologiſche Anatomie iſt ihnen *α* und *ω*; beide befördern und erweitern ſie mit Glück und rühmlichem Fleiſse; noch aber iſt der wahre Segen hiervon für die praktiſche Medicin nicht gewonnen, weil die pathologiſche Unterſuchung ſelbſt, eben dasjenige alſo, was jene Ergebniſſe mit dem eigentlichen Object der ärztlichen Forſchung in die rechte, fruchtbringende Verbindung ſetzen könnte, gänzlich vernachläſsigt wird. Von der Richtigkeit dieſer Bemerkung wird man ſich leicht überzeugen, wenn man die neuern, namentlich die franzöſiſchen pathologiſch-anatomiſchen Unterſuchungen mit denen des unſterblichen *Morgagni* vergleicht. Während bey dieſem, unbeſchadet der anatomiſchen Genauigkeit und eben mit dieſer, alles auf Ermittlung des pathologiſchen Proceſſes ausgeht und dahin zurückkehrt, und deſshalb auch leitende pathologiſche Grundſätze ſich auf die natürlichſte Weiſe herausſtellen, beginnen und beſchlieſsen jene mit der Aufſuchung und Beſchreibung des Factums der pathologiſchen Veränderung des Organs. Es ſey fern von uns den Nutzen auch dieſer Kenntniſs herabſetzen, oder irgend ſchmälern zu wollen; gewiſs nur ſcheint es uns, daſs hiemit nicht dem eigentlichen Bedürfniſſe des Arztes entſprochen wird und daſs eine ſ. g. pathologiſche Anatomie, wenn ihr keine Pathologie zum Grunde liegt, ſich von ihrem wiſſenſchaftlichen Ziele entferne. Und will man ſich einen recht lebhaften Eindruck von der Verſchiedenheit zwiſchen der ärztlichen Anwendung der Phyſiologie auf Pathologie und der Subſtitution der erſteren für die letzte verſchaffen, ſo vergleiche man *Wilſon Philip's* ſchönes Werk „*über Verdauungsſchwäche*“ mit den zahlloſen Abhandlungen der Franzoſen „*ſur le vrai ſiége de l'inflammation.*“ Rec., in mehrern und weſentlichen Punkten zwar von *W. Philip* abweichend, hält nichts deſtoweniger dieſes Werk für eines der ausgezeichnetſten der neuern mediciniſchen Literatur und für eine wahre Bereicherung derſelben. Alles darin hat, ohne der wiſſenſchaftlichen Unbefangenheit und der freyen Unterſuchung Abbruch zu thun, ſeine feſte Richtung auf den rein ärztlichen Zweck und zuvörderſt auf Erhellung verwickelter pathologiſcher Probleme; alles iſt der reiflichſten Erwägung, das Meiſte der beherzigenden Annahme des Arztes würdig. In welch' unendlicher Entfernung aber von dem eigentlichen Object ärztlicher Forſchung liegen nicht alle jene Unterſuchungen der franzöſiſchen Aerzte über den Sitz der Entzündung! Kann irgend ein Arzt in Wahrheit verſichern, hierdurch in ſeiner wiſſenſchaftlichen, praktiſch ſich bewährenden Einſicht jenes pathologiſchen Proceſſes auch nur im Mindeſten gefördert worden zu ſeyn? Rec. darf ſich nicht ſcheuen dieſs, auf die Gefahr mancher Miſsdeutung hin, ganz unumwunden auszuſprechen, da er ſich einer aufrichtigen Anerkennung und willigen Werthſchätzung aller mit wiſſenſchaftlicher Redlichkeit geführten Unterſuchungen bewuſst iſt; auch entgeht es ihm keinesweges, daſs in einer ſo vielverzweigten Wiſſenſchaft, als die Medicin offenbar iſt, ihre entferntere Einflüſſe, ihre Subſidia und Auxilia unberechenbar ſind; alles dieſs jedoch darf nicht verleiten den eigentlichen Boden der Unterſuchung zu verlaſſen und Gründlichkeit zu nennen, was Abſchweiſung iſt.

Rec. weiſs ſehr wohl, daſs er durch alle dieſe vorangeſchickten, in ſich zwar zuſammenhangenden Betrachtungen die Grenzen dieſer Blätter überſchritten hat, ohne jedoch den Gegenſtand ſelbſt, wie er es verdient, in ein volles Licht geſetzt zu haben. Unterdrücken aber konnte er ſie nicht, theils weil ſie auf ein dermaliges wahres Bedürfniſs des ärztlichen Studiums eine ſehr weſentliche Beziehung haben, theils aber auch weil er dadurch erſt in den Stand geſetzt iſt den eigentlichen und auszeichnenden Charakter der *Hartmann'ſchen Pathologie* mit Beſtimmtheit anzugeben. Er kann dieſs auch nun ſofort thun durch folgenden Uebergang.

Seitdem der Geiſt und die Richtung der pathologiſchen Unterſuchung, wie ſie bey *Gaub* in wiſſenſchaftlicher Form aufgetreten ſind, ſich allmählig verwiſcht haben, und im Allgemeinen, obwohl unbemerkt, mehr oder minder Fremdartiges in ihre Stelle getreten iſt, hat es nicht ausbleiben können, daſs das ganze mediciniſche Studium der bewuſstloſen Empirie heimfalle. Dieſs auch iſt allmählig wirklich geſchehen. — Weder kühne Speculation auf der ei-

einen, noch die trefflichſten phyſiologiſchen Forſchungen von der andern Seite konnten dieſes Schickſal verhindern: denn jene, wäre ſie auch richtig in ſich, braucht unendlich viele, noch nicht gefundene Mittelglieder, um mit der praktiſchen Medicin in eine gerechte Verbindung geſetzt zu werden; dieſe aber können nur durch eine ungezwungene Verſtändigung mit der Pathologie einen fördernden und ſegenreichen Einfluſs auf die praktiſche Medicin ausüben. Unterbleibt aber dieſe Verſtändigung — wie ſie denn im Allgemeinen unterblieben iſt —, wird die eigentliche, wiſſenſchaftliche, pathologiſche Unterſuchung immer mehr zurückgedrängt — wie dieſs ebenfalls geſchehen iſt —, ſo muſs die Medicin, um jede rationelle Grundlage gebracht und aller leitenden Principien ermangelnd, in jene Zerfallenheit gerathen, aus welcher die kraſſeſte Empirie und die völlige (in Vernunftſpott ſich vernünftig preiſende) Verzichtung auf alle rationelle Einſicht und wiſſenſchaftlichen Zuſammenhang allein noch eine ſcheinbare Aushülfe darbieten. Und eben dieſes Anerbieten iſt von der groſsen Mehrzahl der Aerzte als Aſyl der Bequemlichkeit entgegenkommend angenommen worden. Daſs nichts deſtoweniger Werke von der gröſsten Bedeutung, namentlich in Deutſchland, als einzelne Meteore, hervortraten, daſs ein *P. Frank* — nach dem Dafürhalten des Rec. der edelſte Solitaire der praktiſchen Medicin — ſein Daſeyn im Lapidarſtile hat ausbilden können; daſs auch unter den lebenden Aerzten Namen genannt werden können, die der ſchönſten Zeit eine Zierde geweſen wären: *Autenrieth, Stieglitz, Clarus* u. A.; daſs auch ſonſt vereinzeltes Treffliche durch alle Verworrenheit und Aufgelöstheit der Zeit hindurch entſtanden iſt: alles dieſs kann, als wahr, vollkommen zugegeben, aber es muſs dann auch hinzugefügt werden, daſs das Beſſere eben im Gegenſatze zur Zeit geſchehen und von ihr entweder gar nicht, oder nur mit Widerſtreben aufgenommen worden iſt. Und in der That auch ſtehen eben die genannten ausgezeichneten Geiſter nicht in einem herrſchenden Einfluſſe auf unſere Zeit. Iſt nicht alles, was Schule genannt werden kann, was auf Reglung nach einem Geſetze ausgeht und dem Umherſchweifen des bloſs Subjectiven ſteuert, in Verachtung gerathen? Iſt's nicht wirklich dahin gekommen, daſs es den Aerzten an einem Gemeinſamen zur gegenſeitigen Verſtändigung fehlt? Eben ſo wenig aber auch giebt es unter ihnen einen wirklichen, wiſſenſchaftlichen Streit; und ganz natürlich! nur über pathologiſche Grundſätze und ihre Anwendung iſt unter Aerzten Streit und Verſtändigung möglich; beide machen der bloſsen Verworrenheit Platz, ſobald die allgemeine Pathologie in ihrem regelnden Einfluſſe verdrängt wird und die Noſologie ſich aus andern Elementen aufbaut. Hätte man *P. Frank*, ſtatt ihn ſtarr zu verehren, wahrhaft verſtanden, ſo würde man ein groſses Muſter der noſologiſchen Forſchung auf pathologiſchem Boden an ihm gewonnen haben. Rec., durch ein zwanzigjähriges Studium mit *Franks* unſterblichem Werke *de hominum morbis curandis* innig vertraut, glaubt nichts zu wagen, wenn er behauptet: das Meiſterhafteſte darin und der Schlüſſel zum Eindringen in das Noſologiſche und Therapeutiſche liege in den jedem Hauptabſchnitte vorangeſchickten pathologiſchen Betrachtungen („*generalia*"). Aber eben durch Verkennung *dieſes* Elements iſt eine der reichſten Quelle für ärztliche Belehrung, trotz ihrer Zugänglichkeit, nicht gehörig benutzt worden. Aber auch Anderes, das ſich weit offener und unmittelbarer darbot, verfehlte ſeine Wirkung auf die in ihrem Streben abgeirrte Zeit. Zwey, der Form, Darſtellung und manchem andern Unweſentlichen nach ſehr verſchiedne, *dem Weſen und dem Geiſte nach* aber ſehr verwandte Werke, *Hufelands „Ideen über Pathogenie* u. ſ. w." und *Malfatti's „Entwurf einer Pathogenie* u. ſ. w." waren in ſich ganz geeignet die wahrhaft pathologiſche Unterſuchung in ihre rechte Bahn zurück zu leiten, da beide nicht bloſs mit feinem ärztlichen Takt, ſondern mit bewuſstem, philoſophiſchem Sinn, das wiſſenſchaftlich-ärztliche Bedürfniſs im Auge behaltend, ein richtiges Verhältniſs zwiſchen der phyſiologiſchen und pathologiſchen Betrachtung herzuſtellen aufs Ernſtlichſte bemüht ſind. Was aber half es, daſs man ſich zu allgemeiner Lobpreiſung dieſer Werke verſtand, wenn man doch das, was ihre Seele iſt, unbeachtet lieſs? Von tieferm Eindringen Einzelner, inſofern dadurch keine Verallgemeinerung beſſerer Einſicht bewirkt wurde, kann hier überall nicht die Rede ſeyn. — So geſchah es denn, daſs das mediciniſche Studium im Allgemeinen ſo weit zurückſchritt, daſs ſelbſt ſeine wiſſenſchaftliche Fundamentalaufgabe, die allgemeine Pathologie, in ihrer Bedeutung ſich völlig verdunkelt hatte — *bis auf Hartmann.* Ein dieſs aber iſt, nach des Rec. feſt gewonnenen Ueberzeugung, das nicht genug zu ſchätzende Verdienſt der *„Theorie der Krankheit"* des Hn. *Hartmann*, daſs durch ſie mit der wünſchenswertheſten wiſſenſchaftlichen Klarheit und Beſtimmtheit *die eigentliche* Aufgabe dieſer Diſciplin (und *hiemit der* geſammten Medicin) gefaſst, und, ſo weit dieſs von einem einzelnen Manne geſchehen kann, ausgeführt worden iſt. Mit der gröſsten Beſonnenheit ſind meiſtens die Klippen (von der Zeit fälſchlich für Häfen gehalten) bezeichnet und vermieden. Einerſeits nämlich iſt Hr. *Hartmann*, aus voller, kritiſcher Kenntniſs der Zeitphiloſophie, derſelben nicht bloſs aus dem Wege gegangen, ſondern er hat auch meiſtens den Weg ſelbſt, ſoviel als möglich und nöthig war, von ihren lockenden Irrthümern gereinigt; andererſeits aber hat er, bey aller gerechten Anerkennung und Benutzung der erweiterten phyſiologiſchen Einſicht, die Rechte der pathologiſchen Forſchung und die Eigenthümlichkeit ihrer Aufgabe in den bey weitem meiſten Fällen mit Nachdruck und überzeugenden Gründen vertreten.

(Die Fortſetzung folgt.)

ALLGEMEINE LITERATUR-ZEITUNG

November 1828.

HEILKUNDE.

1) Wien, b. Kupfer u. Wimmer: *Theoria morbi, s. pathologia generalis,* quam praelectionibus publ. accommodavit *Phil. Car. Hartmann* etc.

2) Wien, b. Gerold: *Ph. C. Hartmann* u. s. w. *Theorie der Krankheit* oder *allgemeine Pathologie* u. s. w.

3) Wien, b. Wimmer: *Ph. C. Hartmann* — — *Theoria morbi* seu *pathologia generalis* etc.

(Fortsetzung der im vorigen Stück abgebrochenen Recension.)

Wer es zugiebt, daſs allgemeine Pathologie eine auf Erfahrung beruhende philosophische (keineswegs speculative) Wissenschaft sey, der hat es auch eingeräumt, daſs ein Schriftwerk darüber beurtheilt ist, wenn sein Geist bezeichnet und seine bestimmte Stellung zum jeweiligen Stand der Wissenschaft angegeben, d. h. wenn sein ob- und subjectiver Character kenntlich gemacht wird. Beides, so weit er es vermag, zu leisten, war bisher das Bemühen des Rec. Er könnte hiemit um so mehr seine Anzeige schliessen, als hier von keinem Werke die Rede ist, mit dessen Daseyn die Leser dieser Blätter erst bekannt gemacht werden muſsten. Seit 14 Jahren vielmehr ists in mehrern Auflagen und einer ausführlichern Darstellung in den Händen Vieler und im besten Ansehen bey den deutschen Aerzten. Eine üble Beurtheilung hat es noch nirgends erfahren; nur der verstorbene *Goeden* bemerkte einmal beyläufig davon, es leide an einem „*Mangel an Ideen, an einem zu niedrigen Standpunkte, an Eklekticismus.*" Wir lassen es unentschieden, ob *Goeden* das so beurtheilte Werk je im Zusammenhange gelesen habe, jedenfalls bezweifeln wir seine Befähigung es gerecht zu würdigen. Was er in dieser Hinsicht zu leisten vermochte, hat er durch seine eben so leichtfertige als willkürliche Charakteristik des *Sydenham* dargethan; und mit so geringem Bedacht zwar auf die eigene schriftstellerische Ehre, und mit solchem Unglauben: ob wohl noch irgend ein Mensch in Deutschland leben möchte, der den *Sydenham* gelesen und dadurch den wissenschaftlichen Biographen der falschen Geistesbeschwörung und offenbarsten Flenkerey leicht überführen könnte, daſs an einem solchen Kritiker nichts zu bewundern bleibt, als die Stärke seiner Schwäche. Wir bemerken hier diesen, sonst ganz indifferenten Umstand nur deshalb, weil es bey einem Werke, wie die allg. Pathologie des Hn. *H.*, das seiner ganzen Natur nach geeignet ist dem Studium des behandelten wissenschaftlichen Gegenstandes eine veränderte Richtung zu geben, nicht ohne Bedeutung ist, wie es von den Zeitgenossen aufgenommen wird. *Hartmann's* Werk nun ist allerdings im Allgemeinen mit Achtung empfangen worden; aber auch mit Anerkennung und lebendiger Theilnahme? dieſs so wenig, daſs es fast überall sorgfältig vermieden worden ist, ein bestimmtes Wort darüber zu sprechen. Rec. wenigstens erinnert sich nicht in irgend einer kritischen Zeitschrift eine in die Sache selbst eingehende Recension darüber gelesen zu haben. Es darf dieſs jedoch nicht auffallen, wenn man bedenkt; daſs dieses Werk einerseits keine offene Polemik (außer durch sein Daseyn selbst) ausübt und (als Lehrbuch) in rein dogmatischer, der Zeit am meisten zusagender Darstellung aufgetreten ist; es konnte also als eines unter vielen betrachtet, geduldet, ja wohl auch, als den Frieden nicht brechend, gelobt werden. Andererseits aber ist seine ganze Tendenz, wie oben angegeben wurde, eine der Zeit so sehr zuwider laufende, daſs es, trotz der Friedlichkeit seiner Erscheinung, das Gefühl des Nichtgeheuern erregen muſste; worin aber dieſs liege wurde nicht untersucht, nicht entdeckt; und so kam es denn, daſs im Ganzen ein Schweigen darüber das Bequemere war; oder man bezeigte ihm diejenige allgemeine Höflichkeit, die eine nähere Verbindung mehr ausschliesst, als einleitet; oder endlich man sagte; von seinem Standpunkte her sey es ganz gut, dieser selbst aber sey es ganz und gar nicht *(Kieser)*. So groſs indessen ist der innere Reichthum dieses Werks, daſs alle, selbst die den Standpunkt vornehm Tadelnden, daraus geschöpft haben, was nur Lob verdient hätte, wenn es offen geschehen wäre. — Alles dieſs nun zusammengenommen macht es zweckmäſsig, daſs Rec. hier noch einiges vom Speciellen erwähne; wodurch denn auch der unbefangene Leser die Gewiſsheit erlangen kann, inwiefern etwa den Rec. der Vorwurf der Befangenheit zu Gunsten des Hn. *H.* treffen möge.

Das Verhältniſs der in der Ueberschrift angegebenen Werke zu einander ist folgendes: Nr. 1 und 3 sind zu Compendien bey den Vorlesungen des Vfs über allg. Pathologie bestimmt, und zwar ist Nr. 3 die zweyte Ausgabe von Nr. 1. Nr. 2 hingegen ist eine ausführlichere, den Gelehrten bestimmte Bearbeitung dieser wichtigen Disciplin. Der Plan jedoch und die Grundansicht, so wie überhaupt alles Wesentliche ist in allen dreyen unverändert geblieben, wiewohl der Vf. sich gegen die bessern Einflüsse der Zeit nicht abgesperrt hat. — Die innere Anordnung ist sehr einfach; das Ganze zerfällt in drey Haupt-

un-

unterfuchungen: *Pathogenie* (allgemeine Nofologie), *Symptomatologie* und *Aetiologie*. Jeder diefer Hauptabfchnitte zerfällt in mehrere Hauptftücke, denen wiederum, in meiftens natürlicher Entwickelung, die Unterabtheilungen folgen, welche alle hier einzeln zu nennen, bey der vorauszufetzenden Bekanntfchaft unferer Lefer mit dem Werke felbft, überflüffig wäre. Rec. begnügt fich daher nur mit der Bemerkung, dafs er, feit vielen Jahren fchon über diefes Werk Vorlefungen haltend, die Anordnung deffelben fo bequem für fich und feine Zuhörer gefunden, dafs er, bey einer nur geringen Veränderung in der Vertheilung der Materien, fich felbft im Vortrage völlig frey erhalten, und feinen Zuhörern übermäfsiges Nachfchreiben erfparen, wohl aber fefte Punkte zur unerlafslichen Repetition anweifen kann. Diefe guten Dienfte leiftet diefes Werk dem Rec. bey feinen akademifchen Vorträgen auch dann noch, wo er von demfelben entfchieden abweicht; ja, eben hier in einem vorzüglichen Grade: denn nichts in der That kann bey Mittheilung felbftftändiger Unterfuchungen für Lehrer und Schüler förderlicher feyn, als das Aneinanderhalten des Neuen mit dem Beften unter dem Gangbaren. Die daraus entftehende Polemik ift, nach der Ueberzeugung des Rec., nicht nur kein ftörendes, fondern ein unentbehrliches Element jedes gedeihlichen akademifchen Vortrages: denn zuvörderft ift die Polemik felbft, fo geführt, niemals in Gefahr auf unwefentliche Momente zu gerathen, wo fie fofort als Lächerlichkeit auf den Docenten felbft zurückfallen würde; fodann aber werden die Studirenden frühe fchon gewöhnt Gründe und nicht Autoritäten als die competenten Richter in wiffenfchaftlichen Discuffionen zu betrachten. Wahrlich ein Vortheil, der nicht hoch genug angefchlagen werden kann. — Eröffnet wird das Werk, nach einer kurzen, das Object und die Dignität der Difciplin angebenden Einleitung, durch eine „*Gefchichte der allgemeinen Pathologie*" (*Confpectus*) nach *Sprengel*, wie der ehrwürdige, mit den Quellen wohl vertraute Vf. felbft fagt. Wunderbar! diefer felbe *Confpectus*, nur mit allerley hochtönenden und polternden Redensarten bereichert, ift fpäter von einem rüftigen Scribenten als eine felbftftändige, aus den Quellen gefchöpfte Unterfuchung dem ärztlichen Publicum vorgelegt und, um einen äufserften, jedoch mit Glück vollbrachten Verfuch auf die Langmuth diefes Publicums zu machen, felbft diefes Pfeudooriginal ift, durch blofses Abfchreiben und eitle Wortverbrämung, wiederum in ein neues Original verwandelt worden. Kundigen Lefern brauchen die Namen diefer Unternehmer nicht genannt zu werden; andern hilft es nicht. Rec. glaubt durch feine obigen Bemerkungen einen kleinen Beytrag zu des Vfs. Gefchichte der allg. Pathologie geliefert zu haben. Auf diefe hiftorifche Skizze folgt dann die Angabe der allgemeinen Literatur diefer Wiffenfchaft nach *Burdach*. In Nr. 2 werden auch bey den einzelnen Lehren die wichtigern Schriften darüber (Monographieen) mit kritifcher Auswahl genannt. Diefs a[...] in den Compendien zu thun, wäre wohl nicht ü[...]flüffig gewefen. Jeder wichtigen pathologifc[...] Lehre ift die phyfiologifche kurz vorangeftellt, w[...]niger um jene durch diefe zu erklären, als um [...] Differenz beider kenntlich zu machen. Ohne [...] rein dynamifche Anficht irgendwo zu verleug[...] ift faft überall dem Organismus, als eine in der E[...]fcheinung gegebene, in fich gefchloffene Beding[...] und Bedingtes verfchmolzen in fich tragende Ein[...] fein Recht gelaffen und dadurch jede hyperphyfi[...] Abirrung auf dem Boden phyfifcher Unterfuch[...] meiftens glücklich vermieden. An einigen *Stelle[...]* jedoch, z. B. bey der Lehre „von den innern dyn[a]mifchen Schädlichkeiten Nr 2 S. *600 u. ff.*), w[...] diefs nicht gefchehen ift, da bieten *fich auch allgemeinere* Angriffspunkte dar. Hievon fpäter! —

Noch ift eine allgemeine Bemerkung über den fchriftftellerifchen Character und die wiffenfchaftliche Perfönlichkeit des Hn. *Hartmann* hinzu zu fügen, die fowohl als Lob, wie als Tadel ausgelegt werden kann, eben weil fie, beziehungsweife, beides enthält. Hr. Prof. *Hartmann* nämlich hat in fich eine allgemeine, philofophifche Naturanficht ausgebildet, deren Richtigkeit ihm, wie natürlich, fehr einleuchtend ift. Er hält fich überzeugt keiner der idealiftifchen Philofophie, deren Unhaltbarkeit er felbft in mehrern fehr lefenswerthen, verfchiedenen Zeitfchriften übergebenen Abhandlungen zu erweifen fich bemüht hat, ergeben zu feyn. Rec. hingegen kann nicht umhin, zu behaupten: Hr. *H.* habe fich, philofophifch, noch nie von dem Boden des blofsen und ganz einfeitigen Idealismus zu entfernen vermocht. Denn wer, wie unfer Vf., fich des Materialismus nur durch das Leugnen des *Seyns* der Materie, durch die Annahme: fie fey blofse „*Erfcheinung der Thätigkeit*," als des allein wahrhaft Seyenden, entfchlagen kann, der fitzt wohl tief im Idealismus, wie fehr er auch felbft fich dagegen fträhben mag. Eben das Genannte aber ift Hn. *Hartmanns* philofophifche Grundanficht der *Materie* und der als das Objective erfcheinenden Natur *überhaupt*. Mit vollftändiger Ausführlichkeit hat er *diefe* Lehre in feinem berühmten Werke: „*der Geift des Menfchen, oder Phyfiologie des Denkens, Wien* 1820) vorgetragen. Nie aber kann es zu einer befriedigenden Erkenntnifs im Gebiete der Erfahrung kommen, fo lange man ihre Gegenftände in Täufchungen zu verwandeln, und ftatt des Seyenden felbft irgend einen *Modus feines Seyns* (einen *Act*) zu fetzen fich erlaubt. So lange man nicht mit rechtem Ernft an die Unterfuchung der *Materienbildung geht*, fondern ftatt deffen fcheulos die Materie felbft wegleugnet, um fie nachher, ohne eine Einficht in ihr Wefen fuchen zu dürfen, dennoch annehmen zu können; fo lange man nicht die nicht wegzutilgende Thatfache des Dafeyns der Materie zu einer durchfichtigen Erkenntnifs ihrer Wahrheit erhebt, hiemit zugleich aber die Einficht in die *Immaterialität des Materiales der Materie* gewinnt; fo lange wird es

frey-

freylich geſchehen, daſs die edelſten und erregteſten Geiſter Schutz gegen den nackten und in der That auch hohlen Materialismus beym Idealismus ſuchen werden, aus deſſen Höhen ſie dann ganz getroſt ſich wiederum in den dickſten Materialismus herabſenken können, den Schein edlerer Abſtammung mitbringend. Doch wird wahrlich hiedurch jene gewaltige Kluft zwiſchen Schein und Seyn nicht ausgefüllt und (ganz abgeſehen von den immerfort ungelöſt bleibenden metaphyſiſchen Schwierigkeiten) nicht der kleinſte Schritt gethan zur Gewinnung einer mehr als illuſoriſchen Pſychologie, oder wohl gar einer wahrhaften Naturphiloſophie; kurz, eben das Gebiet der Erfahrung (worauf, als Anfang und Ende des Bewuſstſeyns, alles ankommt) geht bey allen Unternehmungen: das freylich *vermittelſt* der Vorſtellungen zu erfaſſende Reale in *bloſse* Vorſtellungen, und den Act (einen bloſs bedingten *Modus* des Seyenden) in das Seyn ſelbſt zu verwandeln, ganz leer aus. Und ſo kann es denn auch nicht ausbleiben, daſs, je conſequenter der Idealismus ausgebildet wird, ihm, ohne irgend eine andere Vermittelung als bewuſsten oder unbewuſsten Machtſpruch eintreten zu laſſen, der roheſte Materialismus ſich zugeſellt, ſobald die Unterſuchung ſich den Gegenſtänden der Erfahrung nähert. An Hn. *Hartmann* müſſen wir in dieſer Beziehung ein Doppeltes mit Lob anerkennen. Einmal tritt er dem Vernunfthohn, welcher ſich in dieſer Zeit als pöbelhafte Weisheit ausgebildet hat, mit der würdigſten Strenge entgegen: philoſophiſcher Einſicht nachzuſtreben und ſie als die Blüthe aller wiſſenſchaftlichen Erkenntniſs zu erkennen, fordert er überall, und geht ſelbſt mit wackerem Beyſpiel voran. Da ihm aber andererſeits das Unzureichende derjenigen Philoſophie, welcher er huldigt, innerhalb ſeiner Forſchungen auf dem Felde der Erfahrung nicht entgehen kann; da ihm die Wahrheit höher ſteht als die Conſequenz, das Reale höher als die ſpeculative Form, ſo räumt er in der That ſeinem ſpeculativen Credo einen nur geringen beſtimmenden Einfluſs auf die Gegenſtände der rationellen Empirie ein, vielmehr bewährt er ſich hier meiſtens als beſonnener Realiſt und geräth nur in gefährliche Schwankung, wo er zur Unterſuchung des Pſychologiſchen gelangt. Mit aufrichtigem Lobe alſo gedenken wir hier ſeiner Liebe zur Philoſophie; mit wahrhafter Verehrung aber ſeines edlen Muthes der Wahrheit ſelbſt ungeſtört zu folgen, wo ihm ſeine Verwickelung mit einer falſchen, oder wenigſtens unwahren Philoſophie zur lockendſten Verſuchung in glänzende Irrthümer werden könnte. Mit Leichtigkeit würde ihm ſeine ausgezeichnete Denkkraft die Demüthigung der Unſcheinbarkeit, ja der Inconſequenz ſelbſt geſpart haben, wäre die rein ſittliche Wahrheitsliebe in ihm nicht zur ſtärkern, alle wiſſenſchaftlichen Unterſuchungen beherrſchenden Kraft ausgebildet. Um die Gröſse dieſes Verdienſtes zu erkennen, darf man unſern Vf. nur im Geiſte zuſammenhalten mit einem andern ausgezeichneten Schriftſteller, mit dem trefflichen *Heinroth*. Dieſem geflügelten Denker iſts ein geringes geweſen der bloſsen Conſequenz der idealiſtiſchen Denkweiſe (ohne eine kritiſche Prüfung ihres oberſten Princip's, des Ichs, vorgenommen zu haben) die ganze Natur in ihrer vollen Beſtimmtheit und Unausweichbarkeit aufzuopfern; nur wo ſie ihm ein bequemes Bild zur Perſonification irgend einer gehegten Vorſtellung darbietet, läſst er ſie gelten; wo ſie ſein Gemüth mit Freundlichkeit erfaſst, liebt er ſie; wo ſie aber ruhig hintritt als Seyendes und Wirkendes ſchlechthin, da verwirft er ſie nicht nur, ſondern hält ſie ſchier für die Sünde ſelbſt. Und welchen Erfolg hat dieſs für ihn als Forſcher auf dem rein ärtztlichen Gebiete gehabt? Zuvörderſt hat er (völlig materialiſtiſch) ſomatiſche und pſychiſche Medicin, als dem Principe nach Verſchiedenes, *auseinander* — nicht ſo wohl: *legen*, als *reiſſen* müſſen; die ſomatiſchen Krankheiten hat er (wie materialiſtiſch!) als in der bloſsen Leiblichkeit begründet, die ſomatiſche Medicin alſo als in der Unterſuchung des Phyſiſchen, als *Selbſtſtändiges*, eingeſchloſſen betrachten und zur Seite ſchieben, die pſychiſchen Krankheiten hingegen als aus einem Miſsbrauch der Freyheit (= Sünde) hervorgehend charakteriſiren müſſen. Dieſe Freyheit ſelbſt aber wird (wie gewaltſam!) als ein *Factum* hingeſtellt; die Möglichkeit der Sünde, oder — was daſſelbe iſt — durch Miſsbrauch der Freyheit von Gott abzufallen, wird durch den Teufel bewieſen, und der Teufel ſelbſt (von dem übrigens doch auch noch gefragt werden müſste, wie *er* von Gott habe abfallen und aus einem Engel des Lichts der Fürſt der Finſterniſs werden können?) durch bekannte Schriftſtellen! Was tritt uns hier, als Reſultat, anders entgegen, als eine ſehr unfreywillige Verbindung von Idealismus mit Materialismus nebſt einer Zugabe von buchſtäblicher Schriftexegeſe, um einige der wirkſamſten Dogmen gegen alle Widerrede, ja ſchon gegen die philoſophiſche Unterſuchung ſelbſt zu ſchützen; während nicht nur der vollendete Realismus, ſondern ſelbſt ſchon jede nur einigermaſsen zur Beſinnung gekommene, rationelle Empirie ſehr bald die Nichtigkeit des Materialismus erkennt, für immer von ihm ſcheidet und ein unbeſchränkt offenes Feld der Unterſuchung ſich mit unbefangenem Geiſte erhält. Und eben dieſs macht einen der ſchönſten Vorzüge unſeres Vfs. aus; überall ſieht man ihn mit derjenigen Ruhe zur Unterſuchung kommen, die es nicht für ihre Aufgabe hält: Wahrheiten zu *machen*, oder beſtimmte Dogmen durchzuſetzen; deſshalb auch bleibt jeder auf die gleiche Weiſe unbefangene Leſer in unaufgelöſter Verbindung mit ihm: denn ſelbſt wo die einzelnen Meinungen ſich trennen, bleibt die feſte Hoffnung zur Annäherung oder völligen Vereinigung durch fortgeſetzte Unterſuchung.

Nach allem bisher Bemerkten kann es nicht in der Abſicht des Rec. liegen, alles dasjenige hier hervorzuheben, worin er mit dem Vf. völlig übereinſtimmt, denn hiezu würde nicht weniger als die

Wiederholung eines grofsen Theils des Werkes nöthig feyn; eben fo wenig wäre bey feiner grofsen Verbreitung eine vollftändige Inhaltsanzeige nöthig, oder, feines gedrängten, facherfüllten Vortrages wegen, möglich. Es bleibt demnach nichts übrig, als einige derjenigen Punkte zu erwähnen, in welchen der Rec. vom Vf. abzuweichen fich genöthigt fühlt. Auch hierüber aber wird kein Streit zwifchen ihnen entftehen können, da eine einfache Erwägung der Gründe zur vollkommenen Verftändigung hinreichend ift.

Jeder zu einem wiffenfchaftlichen Bewufstfeyn hindurchgedrungener Patholog hat die Aufgabe zu löfen: die phyfiologifche, pfychologifche und die eigentliche pathologifche Unterfuchung nicht blofs in ein fymmetrifches Erkenntnifsverhältnifs zu ordnen, fondern auch zu einer harmonifchen Einheit der Erkenntnifs (die jedoch keinesweges eine Einheit des Princips, fondern nur die des Bewufstfeyns fordert, und überdiefs fchon vorweg hat) zu erheben. Bey einem jeden auf wiffenfchaftliche Würde Anfpruch machenden pathologifchen Werke hat daher die Kritik vorzüglich ihre Prüfung auf die fymmetrifche Anordnung und harmonifche Verfchmelzung jener Elemente zu richten. Indem nun von einigen der Differenzpunkte zwifchen dem Hn. Vf. und Recenfenten die Rede feyn foll, wird es nicht unzweckmäfsig feyn, diefe nach den eben genannten Beziehungen darzulegen:

A. *phyfiologifche*

a) Ganz zweckmäfsig hat Hr. *H.*, um die Pathogenie der Abnormitäten der organifchen Vegetation zu entwickeln, die Unterfuchung in fo viele Theile zerfällt, als die Vegetation felbft Factoren hat. Einer der wichtigften hievon ift offenbar die *Secretion*. Leider aber bringt unfer Vf. die alte phyfiologifche Meinung von der Abfonderung mit, dafs fie durch die Haargefäfse aus dem Blutwaffer bewirkt in das Parenchyma der Organe geleitet und durch den eigenthümlichen Lebensprocefs jedes derfelben in einem fpecififch-chemifchen Procefs verwandelt werde und hiedurch alfo die fpecififch verfchiedenen Secreta gebildet werden. In Wahrheit ift alles, was in diefer angeblichen Erklärung von der Abfonderung mehr liegt, als das nackte Factum: es gefchehen Abfonderungen und zwar verfchiedene, eitle Hypothefe, Irrthum; ja, gewiffermafsen fogar: Unmöglichkeit. Auf wirklicher Beobachtung, oder auf directen Schlüffen aus Beobachtungen beruht wenigftens jene Lehre nicht, und wer, wie unfer Vf. (Nr. 2. S. 212), fich nicht zur Annahme freyer Gefäfsmündungen, d. h. wandlofer Blutftrömchen entfchliefsen kann, geräth in Widerfpruch mit fich felbft, wenn er *ductus fecernentes* als eine Art von Arterienendung behauptet, da diefe in Wahrheit eine blofse Fiction zu Gunften einer falfchen Secretionstheorie ift; und nimmt man vollends feine Zuflucht zu *wirklichen Poren* in den Gefäfsen, fo ftellt man damit nicht blofs etwas in der Natur nicht Vorhandenes auf, fondern man mufs fich auch durch den Erklärungsdrang fo weit verleiten laffen, um den kleinern Gefäfsen gröfsere Poren als in den gröfsern, und die gröfsten eben in den kleinften (in Endungen) vorauszufetzen. Will man aber endlich die Abfonderung vermittelft blofser *Durchfchwitzung* gefchehen laffen, fo erklärt diefs nicht beffer, als wenn man von vorn herein die Frage felbft in die Antwort verwandelte und ganz gelaffen fagte: die Abfonderung gefchehe, indem — abgefondert würde; denn gewifs würde man fich vergeblich abmühen ein erträglich Denkbares mit der Bezeichnung Durchfchwitzung zu erhalten, wenn man davon abzieht fowohl freye Gefäfsmündung, als auch offene Abfonderungskanälchen (Gefchöpfe *der Hypothefe* und des Erklärungsverfuchs im *Zirkel*), *als auch* wirkliche (d. h. unwahre) Poren. Dafs Hr. *Hartmann* nicht blofs in der erften Ausgabe feiner *theoria morbi* (1814), fondern auch in der deutfchen ausführlichern Bearbeitung diefes Werks (1823) und felbft noch jetzt (1828) in der zweyten Ausgabe des Compendiums eine fo verwerfliche phyfiologifche Anficht vom Secretionsgefchäft als die richtige vorausfetzt und lehrt, ift um fo auffallender, als ihm einerfeits die grofse Wichtigkeit diefer Function für die Pathologie fehr fühlbar geworden ift, fo dafs er auch darauf befonders aufmerkfam macht, und andererfeits *Döllinger* durch fein klaffifches Werkchen: *Was ift Abfonderung? und wie gefchieht fie?* (*Würzburg* 1819) das bey weitem Naturgemäfsere hierüber gelehrt hat. Da eine Unbekanntfchaft des Hn. *H.* mit diefer Schrift *Döllingers* nicht angenommen werden kann; fo bleibts Rec. unerklärlich, wie Hr. *H.* fie fo gänzlich habe ignoriren können (er nennt fie auch nicht einmal!), zumal fie ganz geeignet ift, um eben den Pathologen über eine bedeutende Reihe wichtiger Krankheitsvorgänge theils aufzuhellen, theils auf eine richtige Bahn der Unterfuchung zu leiten. Rec. ift diefs zu bekennen nicht abgehalten, obgleich er eben jetzt an einem andern Orte eine phyfiologifche Abhandlung *bekannt* machen läfst, in welcher er feine *wefentliche Differenz* von der *Döllinger*fchen Abfonderungstheorie ausfpricht: denn jedenfalls ift diefe *von fo* entfchiedener Wichtigkeit und fo fehr über *eine* blofse discrete Meinung erhaben, dafs fie nicht ungeftraft überfehen, oder zur Seite gefchoben werden darf. Dafs diefes wirklich von Hn. *Hartmann* gefchehen ift, hat nicht geringen nachtheiligen Einflufs auf diefen Theil feiner pathologifchen Forfchung ausgeübt, der alles in althergebrachter Verwirrung und Dunkelheit läfst. Schon die Annahme, dafs die Abfonderung aus dem Blutwaffer gefchieht und die Trennung deffelben im lebendigen Organismus vom Blute felbft ift eine blofse Beliebigkeit und ein Irrthum, neben welchem auf diefem Gebiete keine richtige Einficht gedeihen kann. Alles was nun Hr. *H.* über die quantitativen und qualitativen Abnormitäten der Secretion, fo wie über die vicariirenden Secretionen lehrt, beruht auf nichts, als auf gröfserm oder ge-

[…]ringern Blutandrang und auf einem eigenthümlichen, nicht weiter zu beſtimmenden Reizungszuſtand des Abſondrungsorgans ſelbſt, oder damit ſympathiſch oder antagoniſtiſch verbundener Gebilde. Hiemit jedoch iſt lange noch nicht das Problem der krankhaften Abſonderungen aufgefaſst, viel weniger noch etwas zu ihrer Erklärung beygetragen. Ueberhaupt wäre es ſehr zu wünſchen geweſen, wenn Hr. *H.* da wo es die Unterſuchung des Beſondern gilt, ſich weniger allgemeiner Ausdrücke und ſolcher Erklärungsformeln bedient hätte, die gleichſam an beiden Enden offen ſind, und in denen man daher auch leicht alles hinein- und hinausſchieben kann. Was z. B. kann es wohl verſchlagen ſich bey Erklärung der abnormen Secretionen auf pathologiſche Reizungszuſtände der Abſondrungswerkzeuge zu berufen, da man ſich doch bald genöthigt findet aus dem gleichen, nicht näher beſtimmten Momente ſowohl vermehrte, als verminderte, als auch qualitativ abweichende Abſondrungen herzuleiten, und eben dadurch Zeugniſs ablegt, daſs jenes Moment, *in ſeiner Allgemeinheit*, zur Erklärung weder des einen, noch des andern krankhaften Vorganges ausreiche. Kurz, das wichtige Kapitel von der Secretion kann weder phyſiologiſch noch pathologiſch fruchtbar behandelt werden, wenn man nicht, wie dieſs *Döllinger* gethan hat, die ganze Unterſuchung in die des Entwicklungs- (plaſtiſchen) Proceſſes verſetzt, oder wenn man nicht — man miſsdeute dieſe Bemerkung hier nicht — mit Recenſenten das Secretionsgeſchäft als ein integrirendes, nothwendiges Moment der Nutrition auffaſst. Von einem, wie vom andern aber wird man ſich ſo lange abgehalten finden, als man nicht von dem Vorurtheil des Vorhandenſeyns eines ununterbrochenen zuſammenhängenden Gefäſsſyſtems als Einen, nur im Herzen freymündenden Kanal bildend, ſich befreyt hat, ohne deshalb andererſeits an *Wilbrands* chimäriſcher Vorſtellung von der Blutbewegung Theil zu nehmen.

b) Die gegenſeitig ſich unterſtützende und bedingende Thätigkeit des irritablen und ſenſiblen Syſtems hebt Hr. Prof. *H.* überall, und mit dem gröſsten Rechte, als ein beſonders wichtiges Moment für richtige pathologiſche Einſicht hervor; ſelbſt in der *Symptomatologie*, wo die verſchiedenen organiſchen Syſteme als Haupttheilungsgrund zur Expoſition gewählt worden ſind, iſt an jene Wechſelwirkung überall erinnert. Leider aber finden ſich nirgends ſcharfe und beſtimmte Auffaſſungen der Begriffe: Senſibilität und Irritabilität, und eben deshalb auch iſt das Verhältniſs dieſer zu dem von der Production, oder organiſchen Vegetation nicht recht deutlich geworden. Dieſe phyſiologiſche Unbeſtimmtheit wird beſonders fühlbar, wo von der ſenſiblen, oder Nerventhätigkeit die Rede iſt, was nicht viel weniger heiſst, als: überall. Freylich ſind es die Aerzte ſchon lange gewöhnt vom Nervenſyſtem ſchlechthin, als von einem nicht durch unſere Merkmale zu beſtimmenden monadiſchen Weſen, oder vielmehr als von einem, ſelbſt keiner Erklärung bedürfenden, allgemeinen Erklärungsgrunde zu reden und ſich damit zu getröſten. Solche Bequemlichkeit jedoch dürfte man bey einem ſo gründlichen Forſcher als Hr. *Hartmann* wohl nicht beſorgen, zumal er in ſeiner „*Phyſiologie des Denkens* u. ſ. w." bewieſen hat, wie wichtig ihm eine ſpecielle Unterſuchung des Nervenſyſtems und namentlich des Gehirns ſey, ja, da er uns beachtungswerthe Reſultate eigener anatomiſcher Unterſuchungen mitgetheilt hat. Um ſo befremdender iſt die Allgemeinheit, mit welcher er ſich in der Pathologie in dieſer Beziehung begnügt. Ueberall wird nur ganz allgemein vom Nerveneinfluſs, oder von Nerventhätigkeit überhaupt geſprochen; nicht einmal der allgemeinſten Differenzen des Nervenſyſtems als Gehirn- Rückenmarks- und Ganglienſyſtem wird gedacht, noch weniger der Bedeutung einzelner Nervengruppen und beſtimmter einzelner Nerven. Und doch kann dermalen dieſe Berückſichtigung von jedermann ſtreng gefordert werden, da eben auf dieſen Punkt die Aufmerkſamkeit mehr als je hingerichtet worden iſt und, ohne in eitle Hypotheſen und leere Conjecturen einzugehen, Reſultate der wichtigſten Art daraus gewonnen werden können. Wer darf leugnen, daſs die heutige Phyſiologie über eine bedeutende Reihe organiſcher Functionen, namentlich in Beziehung der dabey in Wirkſamkeit tretender Nerven, viel beſtimmteren Aufſchluſs gäbe, als die Frühere? in einzelnen Fällen ſogar auf faſt genügende Weiſe? Man erinnere ſich nur an die ſo ſehr geforderte phyſiologiſche Einſicht in den Athmungs- und Verdauungsproceſs und den Zuſammenhang beider in den Thieren höherer Ordnung. Die Lehre über Empfindung und Bewegung — eine der wichtigſten für Phyſiologie und Pathologie — hat durch die erweiterten *Charles Bell'ſchen* anatomiſch-phyſiologiſchen Unterſuchungen eine ſo ſichere wiſſenſchaftliche Grundlage erhalten, daſs die Bahn zu ihrer Vervollkommnung deutlich vorgezeichnet iſt. Die Einſicht in die Bedeutung einzelner Hirntheile iſt durch die Unterſuchungen des geiſtreichen *Flourens* und ſeiner Nachfolger um ein bedeutendes erweitert und zugleich gegründete Hoffnung zu noch gröſserer Bereicherung auf dieſem Wege eröffnet worden. Alles dieſes aber und Aehnliches iſt wahrlich nicht von der Art, daſs es die Pathologie unbeachtet laſſen dürfte, da es eben zu derjenigen Erkenntniſs führt, die dem Arzte die hülfreichſte iſt; zum Verſtehen des Beſondern im Allgemeinen. Welcher wahrheitsliebende Arzt kann zu bekennen anſtehen, daſs die Ausdrücke: *Aſthma*, *Digeſtionsbeſchwerde*, *Hypochondrie*, *Hyſterie*, *Krampf*, *Gehirnleiden*, *Nervenleiden* überhaupt, mehr leere als erfüllte Stellen ſeiner Einſicht bezeichnen? mehr dazu dienen die Unkundigen durch Nennung eines Namens, als ſich ſelbſt durch ſpecialiſirende Begrenzung des fraglichen Krankheitsobjects zu befriedigen? mehr Ausſprüche innerer Verlegenheit wegen verfehlter, als

der

der Festigkeit mit Besonnenheit erfassten Erkenntniss sind? Wie sehr haben wir daher Ursache mit Freuden jede wahre Aufhülfe und schon jede Anleitung zu richtigerer, genauer, specieller Einsicht anzunehmen! Und solche in der That sind die physiologischen Untersuchungen über die einzelnen Zweige des Nervensystems, wenn sie mit Wachsamkeit und ohne sich einem tumultuarischen Erklärungsdrange hinzugeben vom Pathologen benutzt werden. Man erinnere sich wie sehr einzelne treffliche Aerzte früherer Zeit, ohne so einladende Vorarbeiten, wie dermalen wir, zu finden, diesem Ziele entgegen gerungen haben; man gedenke — um nur Ein Beyspiel zu nennen — des freylich nun fast vergessenen herrlichen *J. H. Rahn* (*mirum inter caput et viscera abdominis commercium. Goett.* 1771.)! Und woher mag es denn wohl kommen, dass gegen die ungeheure Fluth von Schriften über Entzündung die Bearbeitung der Nervenkrankheiten in immer grössere Ebbe geräth? Und wenn denn noch einmal von Nervenkrankheiten die Rede ist, warum mehr um „*neue Mittel*" dagegen zu empfehlen, als die Erkenntniss *der alten Uebel* besser zu begründen? Warum sucht denn kein Arzt neue *Antiphlogistica*, alle aber nach Einsicht in das Wesen und die Natur der Entzündung? Nun, da niemand jene Unterlassungen durch schon gewonnene, und als wissenschaftliches Gemeingut verbreitete, genügende Erkenntniss der Nervenkrankheiten zu erklären wagen kann, so erledigen sich die eben aufgeworfenen Fragen ganz von selbst; der Schaden selbst aber wird nicht gehoben, indem man ihn durch Bewusst- und Sorglosigkeit verdeckt. — Ganz unerwähnt durfte Rec. dieses hier nicht lassen, da er sich einem Manne gegenüber befindet, den er willig als *principem pathologorum* erkennt, dem es aber gleichwohl gefallen hat noch im Jahre 1828 seine Pathologie ohne irgend einen Beytrag über diesen wichtigsten und verlassensten Theil der Krankheitslehre auszustatten, ja, selbst die dazu durch die bessern Bemühungen der Zeit gelieferten Materialien unbenutzt liegen zu lassen. — Die Grösse dieses Tadels sehr wohl kennend, spricht ihr Rec. dennoch unverhohlen aus um der Wahrheit und der reinen Hochachtung willen, die er für Hn. *Hartmann* stets empfunden. Auch die grosse Schwierigkeit des Geforderten kennt Rec. ganz wohl, aber von wem sollte die Ueberwindung derselben, mindestens das rüstige Anfassen sonst erwartet und selbst gefordert werden, als vom reich Begabten?

Anderer, mehr einzelner physiologischen Differenzen, in sofern sie gleichwohl auf Pathologie Beziehung haben, hier noch zu gedenken, oder sie wohl gar zu erörtern, liegt ausserhalb der Absicht des Rec. und widerspräche dem Charakter dieser Recension, welche, bey Gelegenheit der Anzeige eines ausgezeichneten Werks, mehr das Ganze der Wissenschaft im Auge hat, als dass sie auf einzelne Besonderheiten eingehen dürfte. Ueberdiess muss auch noch Raum vorbehalten werden für Bemerkungen über die *psychologischen* [und] eigentlichen *pathologischen* Elemente der unserer Betrachtung vorliegenden Schriften. Splitterrichtend werden wir auch hier nicht verfahren [und] unsere Gegenbemerkungen nur gegen Grundvorstellungen, gegen die Hauptmassen, oder gegen wichtige Unterlassungen richten.

B. *psychologische Differenzen.*

Oben schon ist erinnert worden, dass *in psychologischer Beziehung* Rec. am wenigsten mit dem Vf. übereinstimmen könne; nicht etwa, *dass nicht* sowohl in den in der Ueberschrift genannten pathologischen Werken und vorzüglich in der „*Physiologie des Denkens*" ein Reichthum feiner *psychologischen* Bemerkungen und Beobachtungen enthalten wäre, oder dass eine *Verschiedenheit* der Principien den Rec. und Vf. aus einander hielte; sondern lediglich des Umstandes wegen, dass, nach der Ueberzeugung des Rec. Hr. *Hartmann* jedes Princips für Psychologie ermangelt. Dieser Vorwurf jedoch trifft nicht die wissenschaftliche Individualität des Vfs, sondern das philosophische System, oder vielmehr die Philosophirweise, welcher Hr. *H.* zugethan ist. In welcher Art nämlich der Idealismus auch auftreten und eine Form annehmen möge, immer *wird er* sich selbst zerschellen müssen, sobald er es mit etwas anderm, als mit der Vorstellung selbst, d. h. mit dem Vorgestellten zu thun haben muss. Diesem selbst ins Auge zu sehen und ihm zu stehen, verschiebt er daher so lange als möglich, indem er immer von Neuem das Experiment anstellt: das Vorgestellte in eine Vorstellung zu verdünnen und aufzulösen; dabey ereignet es sich nun freylich, dass auf die Frage nach einem *Wovon* der Vorstellungen, geantwortet werden kann: von den Vorstellungen selbst. Allerdings entsteht hiedurch ein Unding mit einem Anfange und Ende vor dem Anfange. Dieser Knaul (ein in sich selbst zusammenlaufendes System darstellend) kann nicht abgewickelt *werden*, weil in der That gar nichts aufgewickelt *ist*. *Ein* Lichtstrahl (obwohl nicht die Sonne *selbst*) kann abgesperrt werden, aber nicht der *Schatten*. Endlich jedoch muss der Idealismus sich *selbst* verlassen, um seine Legende vom Etwas zu erzählen; mit welch feyerlichem Ernste er diess nun auch thun mag, und mit welcher Erbauung seiner im innersten nürnberger Becher in Gläubigkeit ruhender Zuhörer, immer muss diese Verwandlung durch einen Machtspruch bewirkt werden. Wie am ersten Tage wird nun eine Welt aus Nichts erschaffen — nicht durch das schöpferische Wort des allmächtigen Gottes, sondern weil sie — zur grossen Erleichterung der idealistischen Baumeister — schon vollkommen fertig ist, und zwar fertig da ist schlechthin, ohne allen weitern Grund, als den ihres Seyns selbst. *Kant* stellt an die Spitze seiner praktischen Philosophie eben alles dasjenige als Axiom hin, was *in seiner* theoretischen als Unerkennbares das Feld hat räumen

men müssen, auf dessen Annahme die Strafe der Transcendenz gesetzt war. *Kant's* kritischer Idealismus daher hat seine siegendste Kraft, wo er gegen sich selbst gekehrt ist. *Fichte's* mehr vollendeter, aber auch mehr dogmatischer Idealismus hält es etwas länger aus; aber auch er findet seinen rühmlichen Tod in dem feyerlichen Act des unbedingten Setzens einer Welt, weil sie schon gesetzt *ist*, und zwar als Stoff, an welchem die sittliche Thätigkeit sich ausüben soll. Die sittliche Thätigkeit selbst aber *soll* zur Ausübung kommen, weil sie sich selbst fordert, d. h. weil ein Sollen vorhanden ist; dieses Soll wiederum, wenn es wirklich soll sollen können, muss ein Können voraussetzen. Sind aber das Sollen und Können da, so fehlt der sittlichen Thätigkeit weiter nichts als — der Gegenstand; der Gegenstand endlich kann nicht fehlen, weil sonst Sollen und Können weder sollen noch können würden. Hiermit ist der Beweis fertig, und damit auch — Alles! *Obstupuere omnes!* — Was aber wollen so künstliche Entschuldigungen für das Daseyende (Welt) verschlagen, wenn doch am Ende zugegeben werden muss, dass eben diese Welt ohne Schuld, wie ohne Verdienst des Idealismus da sey, und dass sie in Wahrheit keinen Theil an einander haben? Und so werden denn auch alle diejenigen wenigstens, denen es darum zu thun ist zur Erfahrung zu gelangen und in derselben sich orientiren zu können, bald die Ueberzeugung erhalten, dass weder reine Naturphilosophie noch Psychologie durch eine idealistische Philosophie, wie durch keine materialistische, gewonnen werden können. — Soll es hiezu kommen, so muss einerseits ein sehr ernstes, philosophisches Nachdenken auf die Materienbildung aus immateriellen (unräumlichen) Elementen gerichtet, und andererseits die Seele selbst als ein Bestimmtes, Seyendes aufgefasst und nicht mit dem eitlen Trugbild einer in sich selbst labyrinthisch verwickelten Reflexion, mit dem *Ich*, verwechselt werden. Hr. Prof. *Hartmann* aber, die Materie für blosse *Erscheinung der Thätigkeit* haltend, und die Seele für den *Act des Reflektirens* (*Fichte's* Formel: *cogitans sum*), wäre in Beziehung auf wahre Naturphilosophie und Psychologie ins Leere gebannt, wenn ihn nicht seine stärkere Wahrheitsliebe zum Entschluss, wenigstens zum Factum der Inconsequenz leitete. Oder ist's nicht Inconsequenz wenn — freylich mit dem grössten objectiven Rechte — der Vf. einen bestimmenden Einfluss des Leibes auf die Seele einräumt und auch überall beide als in Wechselwirkung stehende Potenzen anerkennt? Wie soll es denn zu einem solchen Einflusse, oder zu einer solchen Wechselwirkung kommen, wenn es überhaupt nichts giebt, als — Thätigkeit und Erscheinung derselben? Wer wohl wird zu behaupten wagen: die Bewegung z. B. einer Billardkugel übe, als besonderes, einen bestimmenden (Bewegung erregenden) Einfluss auf die Billardkugel selbst aus? oder: Stoss und Bewegung sind Thätigkeit und ihre Erscheinung, gleichwohl aber, wie zwey Potenzen, im Verhältniss der Wechselwirkung zu einander stehend? Kurz, je mehr man sich der objectiven Wahrheit in der Auffassung des Gegebenen und seiner Verhältnisse anschliesst, desto mehr muss man sich, wissentlich oder unwissentlich, von Grundsätzen, Ansichtsweisen und Philosophemen lossagen, die jene Wahrheit entweder gar nicht aufkommen, oder nur sehr entstellt durchkommen lassen. Solche Inconsequenz haben wir schon oben an unsern würdigen Vf. als einen ehrenden Vorzug gerühmt, und ein Gleiches müssen wir auch hier, nachdem wir gezeigt haben, dass seine Philosophie ihm nicht bloss zu keinem richtigen, sondern zu gar keinem Princip für die psychologische Untersuchung verhilft, hinzufügen. Aber wie die Inconsequenz niemals, wenn sie nicht, sich selbst erkennend, den Irrthum ganz ausscheidet, an sich zum Ziel ungetrübter Wahrheit führen kann, so ist sie auch bey Hn. Prof. *Hartmann*, und für seine in das Mark unserer Wissenschaft dringenden Forschungen, nicht ohne sehr störende Nachtheile geblieben.

Jeder Psycholog, wenn er sich der wissenschaftlichen Strenge nicht entschlagen will, hat ein dreyfaches Geschäft: *a*) *die psychologischen Phänomene rein herauszustellen*; *b*) *sie phänomenologisch zu ordnen* und *c*) *sie metaphysisch* (*und physiologisch*) *zu erklären*, d. h. *den psychologischen Process selbst nach Inhalt und Form zu erörtern*. Für den mündlichen oder schriftlichen Vortrag kann ihm die Wahl der Darstellungsweise ganz anheim gestellt werden; er selbst aber wird nie einen wissenschaftlich fördernden Schritt thun können, wenn er nicht alle drey Untersuchungen in mannichfach abgeänderter Ordnung, vor- und rückwärts, prüfend und aneinanderhaltend durchgemacht hat. Wie aber sieht man alles diess in unsern gewöhnlichen Psychologieen abgethan? Statt der *Phänomene* selbst werden nur ihre — oft zufälligen — Hüllen aufgefasst und diese, mit allerley Reflexionen (meist unwillkürlichen Ursprungs) und Anekdoten versetzt, mitgetheilt; statt der *phänomenologischen Ordnung* werden prästabilirte Seelenvermögen genannt und statt der Erklärung des *psychologischen Processes* wird die Fiction von den bald in Thätigkeit, bald in Ruhe gerathenden Seelenvermögen, von ihren Vermischungen und Trennungen erzählt. Merkwürdig dabey ist vorzüglich der Umstand, dass die Seele selbst bey allen Unternehmungen und Unterlassungen ihrer Vermögen weder etwas zu thun noch zu lassen hat, ausgenommen — *frey zu seyn*. Doch selbst wenn sie dieses Gebot übertritt, so hat diess, für sie selbst, wenig zu sagen: Unfreyheit ist entstanden, durch die Schuld einzelner Vermögen, gewöhnlich der niedern, sie sind aus der rechten Spur gekommen; die dienenden wollen (denn wohl zu merken: jedem Seelenvermögen muss sein Theil Willen beygelegt werden, wie könnte denn sonst das einzelne etwas verfehlen?) herrschen; die herrschenden haben — eben weil sie, als Vermögen, wohl *können* aber nicht *müssen* — ihre rechtmässige Gewalt auszuüben unterlassen u. s. w.; kurz, die

Seele

Seele selbst bleibt bey diesen abnormen Vorgängen ohne Schuld, die wiederum nur auf Rechnung der Vermögen kommt. Darum auch soll die Seele, wenn es nur gelingt den Tumult in den niedern Regionen der Vermögen zu stillen, in aller Reinheit und Unversehrtheit zurückkehren können. — Nun, eben durch solche Betrachtungsweisen hat es freylich dahin kommen müssen, dass die eigentliche Aufgabe der Psychologie ganz verdeckt worden, und in ihre Stelle ein Schwarm lustiger und luftiger Mythen getreten ist. Den Ruf eines feinen psychologischen Beobachters erwirbt leicht, wer von vielen schlauen Manoeuvren der Seelenvermögen zu erzählen weiss, und erklärlich ist's, warum die Psychologen von den lautersten und edelsten Gemüthszuständen, von grossen, vollkommen ausgebildeten, in unzerlegbarer Einfachheit auftretenden Charakteren wenig mehr zu sagen wissen, als — viele leere Worte, wenn es nicht gar vorgezogen wird auch diese erhabensten Erscheinungen im Leben der Menschen und Völker als Ergebnisse eines Zusammenflusses der kleinlichsten Motiven und elendesten Intriguen zu betrachten, so dass die Tugend als Glück, das Laster als fatale Combination erscheint, und sogleich die Vorstellung als möglicherweise richtig sich einstellt: dass im Monde wohl als Laster betrachtet werden könnte, was auf der Erde die höchste Ehrerbietung abnöthigt. — Aus diesem traurigen Zustande wurde die wissenschaftliche Psychologie durch *Kant's* belebendes Eingreifen in die übrigen Theile der Philosophie nicht nur nicht errettet, sondern auch nicht einmal berührt, da *Kant* selbst die alte Psychologie in ihren Grundpfeilern (die Seelenvermögen) stehen liess, ja sie sogar als Materiale zu seinem Neubau benutzte. In der That ist's eine eben so offenbare als wunderbare Erscheinung, dass dieser grosse Denker in der tiefsten Sicherheit über den Zustand der Psychologie geblieben, und nicht sowohl durch kritische Forschung etwas für sie, als mit ihr auszurichten bemüht gewesen ist; ja, es scheint recht eigentlich eine persönliche Schwachheit bey ihm gewesen zu seyn in der vulgären Manier zu psychologisiren, wie sich diess in seinen zahlreichen Werken durch eine grosse Menge gelegentlich eingestreuter Bemerkungen dieser Art zeigt. Dass er in der Anordnung der Seelenvermögen etwas änderte, ist selbst nur ein deutlicher Beweis, dass er mehr auf die äussere Form, als die inneren Gründe und den Boden der Psychologie sein Nachdenken gerichtet hatte. *Fichte* bekümmerte sich um Psychologie, als besondere Doctrin, gar wenig; desto leichter hatte sie es, ihm unbemerkt, grossen Einfluss auf ihn auszuüben. Welche ausgedehnte Anwendung dieses erhabene Denkgenie von der Einbildungskraft als einem Seelenvermögen gemacht, ist jedem Kenner der neuern Philosophie bekannt. Dass bey *Fichte* alles saftreicher und grossartiger ausfiel, ist freylich wahr; eben so wahr aber auch ist's, dass hiedurch der Irrthum nicht geringer wird. *Schelling*, die Begründung einer Naturphilosophie unt[ernehmend], befand sich in einem solchen Gew[...] dringender Aufgaben, dass schon deshalb keine Lösung aller zu erwarten war; dass aber die *Psychologie* dabey völlig leer ausging, lag an den Elementen, aus welchen die neue Philosophie entstehen sollte: Spinocismus und transcendentaler Idealismus. Trägt jedes derselben schon unbesiegbare Schwierigkeiten in sich, so wirken sie noch überdiess bey jedem Versuch zu einer Verbindung auflösend und zersetzend auf einander. Friedliche *Einung ist* da nicht zu erwarten und — Machtsprüche können wohl drücken, aber nicht helfen. Wahrlich unsere *Zeit* hat ein gutes Recht von *Schelling's* philosophischem Talente Berichtigung und Versöhnung vieler *durch ihn* entstandener Irrungen zu fordern. *Möchte doch einst* die Geschichte der Philosophie mehr von den *durch* ihn entdeckten oder geretteten Wahrheiten, als von seinen glänzenden Irrthümern zu erzählen haben! Dermalen aber muss es bekannt werden, dass er der Psychologie — welche wir hier besonders im Auge haben — wenigstens in keiner Weise geholfen habe; denn dass er, wie früher schon *Fichte*, die Bemühungen der gewöhnlichen Psychologie mit wenig verdeckter Ironie betrachtete, konnte ja wohl nicht fördern. —

(Die Fortsetzung folgt.)

JURISPRUDENZ.

Lüneburg, b. Herold u. Wahlstab: *Zellische Canzley - und Hofgerichts - Ordnung* nebst *Justizreglement* vom Jahre 1718. Mit Genehmigung des Königl. Cabinetsministerii von neuem herausgegeben, durch gegenseitige Citate mit einander in Verbindung gebracht und hin und wieder mit Anmerkungen begleitet von *L. von Schlepegrell*, Assessor (jetzt Justizrathe) bey Kön. Grossbr. Hannov. Justizcanzley zu Zelle. 1828. 315 S. gr. 8.

Seit längerer Zeit schon sind Ausgaben der Zellischen Canzley- und Hofgerichts-Ordnung, so wie des Justizreglements vom Jahre 1718, (diese Gesetze sind nämlich die das Verfahren vor der Justizcanzley zu Zelle oder Celle bestimmenden Processvorschriften) in den Buchhandlungen nicht mehr anzutreffen und selbst in Bücher-Auctionen kann man nur selten Exemplare derselben ankaufen. Die Lüneburgischen Landesconstitutionen, eine Sammlung, worin sie gleichfalls abgedruckt sind, werden ebenfalls täglich seltner. Schon dieserhalb war es ein zweckmässiges Unternehmen, einen neuen Abdruck jener Processordnungen in einem gefälligen Formate zu veranstalten; der Herausgeber hat dieses sein Verdienst aber noch dadurch bedeutend erhöht, dass er dieselben durch gegenseitige Remissionen in Verbindung mit einander gesetzt, und unter Nachweisung der sie erläuternden Bemerkungen aus den Schriften der vaterländischen Rechtslehrer, wie *v. Pufendorf*, *v. Bülow*, *Hagemann* u. s. w., so wie des gegenwärtigen Gerichtsgebrauchs, auf eine den Bedürfnissen der Geschäftsmänner völlig angemessene Weise glossirt hat.

ALLGEMEINE LITERATUR-ZEITUNG

November 1828.

HEILKUNDE.

1) Wien, b. Kupfer u. Wimmer: *Theoria morbi, s. pathologia generalis*, quam praelectionibus publ. accommodavit *Phil. Car. Hartmann* etc.

2) Wien, b. Gerold: *Ph. C. Hartmann* u. s. w. *Theorie der Krankheit* oder *allgemeine Pathologie* u. s. w.

3) Wien, b. Wimmer: *Ph. C. Hartmann* — — *Theoria morbi seu pathologia generalis* etc.

(*Fortsetzung der im vorigen Stück abgebrochenen Recension.*)

Herbart's tief eindringende Forschungen sind von der Zeit nicht aufgenommen worden, und wo es noch scheinbar geschehen ist (z. B. von *Beneke*): auf eine entstellende, den Geist des Vorbildes unkenntlich machende Weise. Das Wenigste, das man von *Herbart* in Beziehung auf wissenschaftliche Psychologie hätte lernen können und sollen, wäre seine wohlgerüstete Polemik gegen die alte, durch Tradition überkommene Psychologie gewesen. Es würde sich mindestens dann die Ueberzeugung allgemeiner entwickelt haben, dass die ganze Untersuchung von Neuem begonnen und in einer ganz andern Richtung fortgesetzt werden müsse. Und so weit können auch diejenigen noch durch *Herbart* geführt werden, welche mit den Waffen der höhern Rechenkunst zu kämpfen nicht geübt sind. Aber noch viel mehr ist auf diesem Wege zu gewinnen; verwickelte psychologische Processe decken sich hiebey als schlichte Erkenntnisse zur überraschenden Freude des unbefangenen Forschers auf. Rec. gedenkt hier, als eines Beyspiels unter vielen, an die wichtige Lehre von der Ideenassociation. Was erfährt man hierüber in den gewöhnlichen Psychologien anders, als höchstens das exemplificirte Factum selbst, freylich in unverdaubarer Paraphrasis und mit Voraussetzung der mythischen Seelenvermögen? Bey *Herbart* erblickt man hingegen den Process in seiner Genesis, und eben an der Quelle des Werdens stehend, hat die Mannigfaltigkeit des Gewordenen nichts Befremdliches und Verwirrendes mehr. Es wird hiebey keine Erklärung *gegeben*, nicht einmal *gesucht*, sondern indem das Fiens vor dem Factum erblickt wird, begegnet, wie in jeder gelungenen Entwickelung, die befriedigende Antwort der fordernden Frage. Kurz, Resultate von der durchgreifendsten Wichtigkeit hätten hier gewonnen werden können, wenn es der Zeit gefallen hätte diesen Weg ernster Prüfung einzuschlagen; ja, es wäre diess auch denen noch gewinnreich gewesen, welche — wie diess bey Rec. der Fall ist — zu keiner völligen Uebereinstimmung mit diesem Philosophen hätten gelangen können. Doch, wie gesagt, weder die Forschung selbst noch ihre Ergebnisse haben bey der Zeit Aufnahme, oder Eingang gefunden. — *Hegel's* „*Phänomenologie des Geistes*," obwohl das schlechte Fundament der alten Psychologie — die Seelenvermögen — ebenfalls bedürfend, ist dennoch an grossen Gedankenmassen so reich, dass ein kritisches Studium desselben nicht anders, als sehr belehrend ausfallen kann. Ausser der allgemein naturphilosophischen (spinozistisch-idealistischen) Grundlage fordert und bringt dieses ausgezeichnete Werk noch die Annahme, dass die gesammte geistig-moralische Entwickelung des Menschen und der Menschheit ein mit Nothwendigkeit sich vollziehender organischer Process sey, in welchem die Freyheit (als Gegebenes) ein Element der Naturnothwendigkeit des Ganzen ausmache. Es darf nicht erinnert werden, dass nach der Uebersteigung dieses Berges sonstige grosse und vielfältige Schwierigkeiten der Untersuchung geebnet erscheinen, und richtige Probleme im Leben des Individuums, wie des Geschlechts mit vieler Präcision sich auflösen; wer aber weiss nicht, dass am Ende alles sich erklären lasse, wenn man nur in der Annahme gewisser Voraussetzungen nicht schwierig ist und über die Freude alte Fragen des Geistes (die es in der Art haben so lange als Plagegeister zurückzukehren, bis ihnen ihr Recht widerfahren ist) beseitigt zu sehen, die Art vergisst, wie diese täuschende Ruhe gewonnen worden sey? Eben dieses Bedenken aber muss jedem aufsteigen, der mit prüfendem Sinne die Prämissen der *Hegel'schen* Psychologie erwägt und vom Lockenden der Folgesätze nicht zu ungehöriger Nachgiebigkeit gegen die Vordersätze sich bestimmen lässt. Hätte *Hegel* das Glück gehabt kritisch studirt, und nicht das Unglück in gewisser Weise Mode zu werden, so würde ohne Zweifel grösserer Segen durch sein umfassendes, grosses Talent verbreitet worden seyn. Dermalen jedoch werden die Worte des Meisters mit mehr muhamedanischem Ungestüm als christlichem Eifer von den Jüngern umhergetragen, mehr das dumpfe Schweigen oder den tobenden Jubel der Sclaven, als treue Genossenschaft vom Irrthum befreyter Seelen suchend. Wie wenig hiebey das Heil der Wissenschaft gefördert werden könne, ist leicht zu begreifen.

Unter ſolchen Umſtänden nun geſchieht das Unausbleibliche: das Unweſen der alten Pſychologie wird mit ſtiller Emſigkeit fortgetrieben, namentlich ſteht es noch in allen Ehren in denjenigen Gebieten, wo die Pſychologie zur Anwendung kommen ſoll, vorzüglich in der Medicin und in ihren beſondern Zweigen: Pſychiatrie und gerichtliche Arzneykunde, obwohl ihr innerer Unwerth und äuſsere Unbrauchbarkeit eben hier ſich recht kund geben. Was kann auch hier, wo alles auf beſtimmte, poſitive, regulative Entſcheidung ankommt, von einer Doctrin erwartet werden, die, ihrer eigenen Erklärung nach, ſich lediglich auf formelle Möglichkeiten (Vermögen) ſtützt? Weder über die Weiſe der Verbindung zwiſchen Seele und Leib, der ſ. g. inneren und äuſsern Sinne, noch über die Geſetze der Wechſelwirkung dieſer, noch über rein pathologiſche Zuſtände des In- und Aufeinanderwirkens, noch endlich über zweifelhafte Seelenzuſtände in forenſiſcher Beziehung vermag ſie eine andere Auskunft zu geben, als daſs ſie, im glücklichſten Falle, das fragliche Factum ſelbſt, mit andern Worten ausgedrückt, als Erklärung deſſelben nennt. In Summa läuft ihre Erklärung über alle dieſe Dinge darauf hinaus, daſs ſie alles dasjenige von der Seele, vermittelſt ihrer Vermögen, als möglicherweiſe ausgehend lehrt, was, als wirklich geſchehen, Gegenſtand der Frage war; ſo bringt ſie es als Belehrung bey, daſs die Seele mit dem Leibe auf eine nicht weiter zu erklärende Weiſe ſich zu verbinden vermöge; ſtirbt aber der Leib, ſo iſt die Verbindung — gelöſt; — die inneren und äuſsern Sinne wirken gemeinſchaftlich und erzeugen Eine Vorſtellung, ſie können aber auch auseinander gehen und dann entſtehen bewuſste, oder unbewuſste Täuſchungen und falſche, oder ſtreitende Vorſtellungen; Seele und Leib ſtehen in gegenſeitig ſich beſtimmender Wechſelwirkung, es kann dieſe aber auch geſtört, unterbrochen, aufgehoben werden; die Seelenvermögen können in falſche Verbindungen, in Ueber- und Abſpannungen gerathen, dann entſteht Irreſeyn, Seelenſtörung u. ſ. w., d. h. die vernünftige (*alias: freye*) Seele wird unvernünftig, unfrey: und dieſs kann geſchehen durch die Sünde, wie durch einen Knochenſplitter oder Knochenauswuchs u. dgl.; durch übermäſsige Liebe wie durch Leberverhärtung, durch Geiz wie durch Congeſtion, durch Ehrſucht wie durch zurückgetretene Krätze u. ſ. w. Ferner: die Seele, die aus Gott geborene, iſt dem beſtimmenden Einfluſſe des Himmelſtrichs, unter welchem ſie mit ihrem Leibe pilgert, unterworfen, der Erziehung, den Sitten, der Mode, den Epidemien; anders iſt die Afficirbarkeit einer proteſtantiſchen, anders einer katholiſchen Seele; ſie iſt von Ewigkeit her, unſterblich, einfach; aber ſie iſt auch veränderlich in der Zeit, ja alles, was mit ihr vorgenommen wird, zum Guten wie zum Böſen, beabſichtigt Veränderung in ihr vorzubringen; mehr noch: ſie ſelbſt täuſcht, belügt und betrügt — ſich! Alles dieſs lehrt, den innern Widerſpruch, das Unerklärliche, den Trotz der Behauptungen ungeſtört und unbeachtet laſſend, die Pſychologie als *möglich*, weil ſie es, durch Tradition, als *wirklich* erhält. Und hierauf ſoll, und hierauf wird eine Seelenheilkunde gegründet! Frägt endlich der weltliche Richter beym Arzte, als *Sachkundigen*, an: ob ein beſtimmter Verbrecher, der mit Kenntniſs des Verbrechens und ſeiner Folgen daſſelbe begangen, als zurechnungsfähig zu betrachten und zu beſtrafen ſey? ſo hindert ihn die Pſychologie nicht verneinend zu antworten: der Brandſtifter hat aus einem Brandſtiftungstrieb, der Mörder in einer *mania occulta* (ein Ding ohne *alle Merkmale!*) gehandelt, und dergeſtalt zwar, *daſs ſie bey* voller Kenntniſs des Verbrechens, *ſeiner Strafbarkeit* und Abſcheulichkeit, ja unter *heiſsen Gebeten* dennoch ihren Willen nicht haben *befreyen*, die verhaſste That haben vollbringen *müſſen!* Und wie ſalbungsreich läſst alles dieſs ſich nicht darſtellen, wie deutlich der Teufel *ad oculos* demonſtriren!

Rec. führt dieſs hier an, nicht um einzelne Mängel, deren Druck genugſam gefühlt wird, der vielleicht auch dermalen gar nicht gehoben werden kann, zu rügen, ſondern um das Grundübel: die praktiſche Hülfloſigkeit und theoretiſche Grundloſigkeit der Pſychologie, unverhüllt vortreten zu laſſen. Und wahrlich die ehrenwertheſten Bemühungen zur Aufhülfe, das redlichſte Beſtreben nach Wahrheit werden erfolglos bleiben, ſo lange man nicht mit Entſchloſſenheit den eingewurzelten Irrthümern der Pſychologie entgegentreten und, von den hohlen Formen der ſ. g. Seelenvermögen ſich abwendend, der ganzen Unterſuchung eine andere Richtung geben wird. Welch günſtigen, poſitiven Erfolg dieſs haben möchte, darf hier nicht unterſucht werden, um ſo weniger da offenbare Irrthümer aufzugeben und allenfalls auch nur das redliche Bekenntniſs des Nichtwiſſens in die Stelle eines falſchen und hohlen Wiſſens treten zu laſſen, immer ſchon gewinnreich genug wäre.

Nur Einen Punkt noch bitten wir Hn. *Hartmann* und unſere Leſer mit uns gemeinſchaftlich zu überlegen, der ganz geeignet ſcheint entweder eine Verſtändigung, oder die Einſicht in die Unmöglichkeit einer ſolchen zu bewirken. *Herr Hartmann* hat in ſeiner „*Phyſiologie des Denkens*" ein ausführliches Kapitel der Widerlegung der *Gall'ſchen* Kranioſkopie gewidmet, und dabey die Reife und Gründlichkeit ſeines philoſophiſchen Nachdenkens, ſo wie eine Fülle der trefflichſten phyſiologiſchen Einſicht beurkundet. Dem Meiſten pflichtet Rec. aus voller Ueberzeugung bey. Wie aber konnte es Hn. *Hartmann* entgehen, daſs die Hauptmomente ſeiner Polemik verletzender die auch von ihm gehuldigte Pſychologie, als die *Gall'ſche* Theorie treffen? Oder giebts denn zwiſchen der Annahme von Seelenvermögen und der von am Schädel ſicht- und fühlbaren Organen einen andern Unterſchied, als daſs dieſe gröſsere, wenigſtens ſcheinbare, empiriſche Wahrſcheinlichkeit für ſich hat? Herr *Hartmann* ta-

tadelt *Gall*, daſs er ſich dem Trugſchluſſe: *cum hoc, ergo propter hoc* hingegeben habe; wir räumen dieſs ein: kann aber auch nur eine ſolche Entſchuldigung für die Hypotheſe von den Seelenvermögen angeführt werden? Herr *Hartmann* empfindet unangenehm den faſt gänzlichen Mangel an pſychologiſcher Vorbereitung, mit welcher *Gall* an die Unterſuchung beſonderer Organe für beſtimmte Erkenntniſs- und Gemüthsverrichtungen gegangen iſt. Man kann dieſs ſehr nachempfinden und dieſe Unterlaſſung dennoch für ein ſehr Geringes achten gegen die völlige Sorgloſigkeit und Unachtſamkeit der herrſchenden Pſychologie in Beziehung auf den eigentlichen Gegenſtand ihrer Unterſuchung. Um was bekümmert ſie ſich denn weniger, als eben um die Seele ſelbſt? Schiebt ſie dieſe nicht gleich vorweg zur Seite, lediglich von Seelenvermögen, deren jedes ein zufälliges Accidens iſt, redend? Iſt nicht eine Seele auch ohne Imaginations-, Gedächtniſsvermögen u. ſ. w. dennoch eine Seele? Ja, was iſt denn die Seele des neugeborenen Kindes, in welcher weder Erkenntniſs- noch Willensvermögen angegenommen werden können? Will man antworten: die Seele ſelbſt ſey eben nur eine *tabula raſa*, ſo muſs doch weiter zu fragen erlaubt ſeyn: was iſt denn die *tabula* ſelbſt? man würde antworten: Thätigkeit! was aber iſt eine Thätigkeit die — nichts thut? Antwort: Vermögen! Und nun bitten wir um eine aufrichtige Antwort auf die Frage: ob wohl etwas Leereres und Nichtigeres gedacht werden könne, als ein nichts vermögendes Vermögen als Seyn, und zwar als Grundſeyn zu ſetzen? Sollte man uns die Frage zurückgeben wollen: ob denn, unſerer Meinung nach, die Seele nicht vermöge? und, da wir ja wohl dieſs unbedingt bejahen müſſen: ob man dieſs nicht ein Vermögen zu nennen berechtigt ſey? ſo haben wir hierauf einfach zu antworten, daſs die Richtigkeit des Vermögens als *Infinitiv* in Zweifel zu ziehen eben ſo abgeſchmackt wäre, als die Behauptung deſſelben als *Subſtantiv* grundlos und leer iſt. Alſo ein bloſser Wort-, oder grammatiſcher Streit? Mit nichten! Wir können hier, wie billig, ganz von der wichtigen Unterſuchung des Begriffes: Subſtanz (des Dinges mit mehrern Merkmalen) abſehen; ja wir können uns hier ſogar mit der gangbaren Definition (Rec. glaubt: *Locke'ſchen*) begnügen: Subſtanz ſey der Träger der Prädicate, ſo bleibt dennoch gewiſs, daſs von der Seele (als Subſtanz) nichts ausgeſagt iſt, ſo lange nicht *weſentliche* Prädicate, d. h. ſolche, ohne welche die Subſtanz nicht als ſeyend gedacht werden kann, angegeben werden. Hiezu aber gehört in der That etwas ganz anders, als bloſse Vermögen, die übrigens in ſich ſelbſt keine Nothwendigkeit des Erſcheinens und Wirkens tragen. Offenbar alſo iſts, daſs jede unter der Vorausſetzung von Seelenvermögen ſich aufbauende Pſychologie von allem andern eher und gründlicher handlen könne, als eben von der Seele, von welcher ſie von vorne herein ſcheidet, und alſo von der Entſtehung, Verwickelung und Trennung der Vorſtellungen ohne Vorſtellung bleiben muſs. Sie macht's etwa wie ein Reiſender, der ein Land in der entgegengeſetzten Richtung ſeiner wirklichen Lage ſuchte und, da man reiſend immer irgend wohin kommen muſs, das fremde als das geſuchte beſchriebe. — Endlich bemerkt Hr. Prof. *Hartmann* noch im Allgemeinen gegen die *Gall'ſche* Theorie, daſs bey ihrer Annahme die Einheit des Bewuſstſeyns, die Selbſtbeſtimmung in aller pſychiſchen Thätigkeit und die Möglichkeit menſchlichen Denkens überhaupt unerklärbar blieben. Aber eben dieſer wohlbegründete Einwurf trifft viel ſchärfer noch diejenige Pſychologie, welche vernachläſſigt zu haben *Gall* zum Vorwurf gemacht wird. Oder vergeſſen es die Pſychologen, daſs ſie zur Erklärung der Einheit des Bewuſstſeyns noch nie das Geringſte gethan, ſondern nur darauf ſchlieſsen, theils durch das Factum ſelbſt, theils durch die Annahme der Einheit der Seele? Aber ſelbſt was ſie auf dieſe Weiſe, durch Erſchleichung, gewinnen, geben ſie ſelbſt wiederum auf, indem ſie alles von einzelnen Vermögen geſchehen laſſen. Denn wenn ſie von einer fortſchreitenden Syntheſis reden und dadurch die Einheit des Bewuſstſeyns geſichert glauben, ſo beruht ſelbſt dieſs nur auf einer Begriffsverwirrung: in einem Einfachen (der Seele) kann es zu keiner realen Syntheſis kommen, weil ihr das Mannigfaltige fehlt, und die mannigfaltigen Vermögen wiederum können wiederum nicht diejenige Einheit und Einfachheit bilden helfen, die ſie als ihren dunklen Hintergrund vorausſetzen müſſen. Eben ſo hat ſie nur den falſchen Schein die Selbſtbeſtimmung zu erklären, indem ſie dieſe unbedenklich vorausſetzt und überall ſich die Freyheit nimmt, viel von der Freyheit zu reden. Alle Ingredientien der Selbſtbeſtimmung: das Selbſt, die Beſtimmung und das Wie der Richtung beider aufeinander, ſind ihr in der That völlig unbekannt, ja, eben alles dieſs wird von ihr gänzlich verkannt: für das Selbſt hält ſie (obgleich ſie es Seele nennt) das ihr ſtets vorgaukelnde ſubjective Reflexionsproduct, das Ich; für die Beſtimmung ſetzt ſie das unbekannte Verhältniſs zwiſchen Vorſtellung und Vorgeſtelltem, mit dem ſtillen Vorbehalt: jene in dieſes, oder dieſes in jene einzuſchachteln, je nach dem Bedürfniſſe der eine beſchwichtigende Erklärung fordernden Probleme. Und was endlich die Relation zwiſchen dem Selbſt und der Beſtimmung anlangt, ſo iſt dieſe eben nichts anderes, als der pſychologiſche Proceſs ſelbſt, den ſie vermittelſt der Seelenvermögen (deren Zahl man bald gröſser, bald geringer angeben hört) zu Stande kommen läſst. Vom Denken darf hier nichts beſonderes bemerkt werden, da dieſes ganz mit dem allgemeinen Begriff des pſychologiſchen Proceſſes überhaupt zuſammenfällt.

Rec., fern zwar von jedem Anſpruch den hier berührten wichtigen Gegenſtand der philoſophiſchen Unterſuchung irgendwie poſitiv ins Klare ſetzen zu wollen, glaubte ihm doch diejenige Ausführlichkeit widmen zu müſſen, die hinreichend

ſeyn

seyn könnte, um den falschen Trost veralteter und fortschleichender Irrthümer, wenn möglich, verschwinden und die Ueberzeugung eintreten zu lassen, dass eine mit so wesentlichen Schäden behaftete, dem Objecte ihrer Forschung untreu gewordene Psychologie am wenigsten geeignet seyn könne in exacte Anwendung auf die f. g. realen Wissenschaften, und vor allem auf die mit ihrer eigenen Unsicherheit schon hinreichend belasteten Medicin gebracht zu werden. So sehr diese einer Verbindung mit wahrer Psychologie bedarf und ohne diese weder zu einer rein wissenschaftlichen, noch befriedigend praktischen Dignität gelangen kann, so sehr muss sie sich gegen Ansteckung von Irrthümern aus den angrenzenden Doctrinen bewachen. Und wie sehr solche Ansteckung aus einer falschen Psychologie für die Medicin zu befürchten sey, wird jedem denkenden Arzte, der sich das glänzende Elend unserer heutigen Psychiatrie hat zu Herzen gehen lassen, in unzweifelbarer Gewissheit aufgegangen seyn; ja, es kann diess schon daran erkannt werden, dass die bey weitem lehrreichsten Schriftsteller über Seelenheilkunde eben solche sind, welche, nach dem gangbaren Maasstabe, die schlechtesten Psychologen sind: *Pinel d. V.* und *Esquirol!* Von jenem sagte einst ein berühmter deutscher Arzt und schwungreicher Psycholog: er verstände nicht mehr Psychologie, als um gute Aufwärter für Irrenanstalten zu erziehen, und der treffliche *Esquirol* hat einen geistreichen Epilogen gefunden, der ihm allen Geist abspricht, wenigstens den rechten. Und wahrlich beide verrathen nicht mehr Psychologie, als gute Seelen in kunstloser Entwickelung als unbewusstes Eigenthum mit sich führen; bey jedem *examen psychologicum* kann ihnen also aller psychologische Schmuck, den sie, des Anstandes wegen, bey ihrem literarischen Erscheinen angelegt haben, leicht abgerissen werden, und sie stehen dann da in ihrer Nacktheit, ohne andere Hülfe, als die der Wahrheit selbst, und ohne andern Schutz, als mit dem unversiegbaren der feinen und guten Herzen. Wird aber vollends das Anathem des Materialismus auf sie geschleudert, so dürften sie wohl fragen: „lieber Gott! weisst auch du etwas hievon? ists dein Wille, dass der Leib, den du geschaffen, als ein Schandpfahl der Seele betrachtet werde?" Und sie, die nie, und mit dem besten Rechte, Bibelstellen angeführt haben, wenn sie von natürlichen, der menschlichen Forschung übergebenen Dingen geredet haben, dürften endlich den Muth fassen und fragen: „wo doch, ihr Eifrer, steht von eurer Bibelweisheit etwas in der Bibel selbst? Lehrt sie nicht überall Seele und Leib heilig zu achten, weil sie von Gott sind? und giebt sie eine andere Verheissung für die Unsterblichkeit der Seele, als die durch Auferstehung der Leiber? Drum, da *wir* keine Feigen aus Attika einschmuggeln, so lasst ab von uns, ihr Sykophanten!" — Kurz, Rec. ist zu der festen Ueberzeugung gelangt, dass die Medicin überhaupt, namentlich aber die Psychiatrie und gerichtliche Arzneykunde, alle Gemeinschaft mit der dermaligen Psychologie, von der sie nur Verhärtung, nicht aber Entfernung der Irrthümer zu erwarten haben, aufgeben müssen. Und doch ist diess andrerseits unmöglich! Denn wie das tägliche Brot bedarf die Medicin, wie kümmerlich sich zu behelfen sie auch die Resignation haben mag, der wahren Psychologie; daher auch ihre Versuchung, sich in die entgegengesetztesten Richtungen verlocken zu lassen, wenn ihr nur ein Hoffnungsschimmer des Gelingens vorgehalten wird. Sie wird also auch fernerhin, auf alle Gefahr hin, Hülfe hie und da suchen, wohl noch von manchem Irrthum sich schwächen lassen, *bis sie endlich Ruhe in der Wahrheit finden wird. Und eben* weil Hr. *Hartmann* zu den Wenigen unter den *deutschen* Aerzten gehört, welche eine grosse Annäherung zu diesem Ziele bewirken können, ja vielleicht niemand es so sehr könnte, als er (denn ein Arzt, der auf gleiche Weise mit wissenschaftlicher Klarheit das physiologische, pathologische und psychologische Studium beherrscht, wird es immer seyn müssen, der die Psychologie zu der Höhe und Wahrheit einer philosophischen Naturwissenschaft erheben soll) —: eben deshalb hat es Rec. über sich gewinnen können, mit solcher, der Missdeutung so leicht unterliegenden Unumwundenheit von der Noth der Wissenschaft zu sprechen. Gefiele es indessen Hn. Prof. *H.*, unseren Betrachtungen, wie mangelhaft sie auch immerhin ihrer Abgerissenheit wegen seyn mögen, eine ernste Erwägung zu schenken; könnten sie ihn, oder er sich selbst bestimmen, seinen psychologischen Forschungen eine andere, und eben die als Desiderat angedeutete Richtung zu geben; unternähme er diess auch nur als reines philosophisches Experiment, so wäre alles erreicht, was Rec. in dieser Beziehung nur zu wünschen wagen kann, da er ohne allen Zweifel über den grossen wissenschaftlichen Erfolg ist, den ein solches Unternehmen, von einem philosophischen Arzte wie Hr. *H.* ausgeführt, haben würde. Soll aber Rec. auf *eine Frage* antworten, die er im Geiste schon auf *den Lippen* Vieler schweben siehet: warum er *denn*, bey solcher Ueberzeugung von der Möglichkeit, *ja* Nothwendigkeit des Gelingens, das Werk *nicht* selbst unternehme? so erwiedert er in aller Wahrheit zweyerley: *einmal* fühlt er sich zu schwach dazu, denn von der Conception der wahren Idee bis zu ihrer wissenschaftlichen Durchbildung ist ein weiter Weg zurückzulegen, auf welchem Arbeiten vielerley Art, zu denen weder jeder geschickt ist, noch sich geschickt machen kann, zu vollbringen sind. Und *zweytens:* was Rec. in der Sphäre seiner wissenschaftlichen Thätigkeit für die Lösung jener Aufgabe zu thun vermag, das unterlässt er in der That auch nicht.

(*Die Fortsetzung folgt.*)

LLGEMEINE LITERATUR-ZEITUNG

November 1828.

HEILKUNDE.

1) Wien, b. Kupfer u. Wimmer: *Theoria morbi, s. pathologia generalis*, quam praelectionibus publ. accommodavit *Phil. Car. Hartmann* etc.

2) Wien, b. Gerold: *Ph. C. Hartmann* u. s. w. *Theorie der Krankheit* oder *allgemeine Pathologie* u. s. w.

3) Wien, b. Wimmer: *Ph. C. Hartmann* — — *Theoria morbi* seu *pathologia generalis* etc.

(*Fortsetzung der im vorigen Stück abgebrochenen Recension.*)

Indem Rec., diesen, die Psychologie betreffenden Abschnitt seiner Beurtheilung beschliessend, zum letzten, das rein Pathologische angehenden, sich wendet, fühlt er sich wiederum in einem richtigeren, ihm entsprechenderen Verhältnisse zu Hn. *Hartmann*. Während nämlich Rec. dort, bey der willigsten Anerkennung vieler vorzüglichen, glücklichen Einzelnheiten, wegen seines Unvermögens in die Grundansicht des Vfs. einzustimmen, sich ohne alle wissenschaftliche Gemeinschaft mit demselben fühlte und deshalb das Gelungene eben als das Fremdartige betrachten musste, tritt ihm hier der treffliche Vf. sogleich als ruhiger Meister und Beherrscher seiner Forschung entgegen. Ueberall waltet hier der Geist des Friedens durch gelassene Verständigung mit der Natur, deshalb auch theilt sich dem aufmerksamen Leser die wohlthuendste Empfindung befriedigter Anstrengung und belehrter Forschung mit. Und diese Empfindung erfährt keine Störung, wenn sich auch noch einzelne Wünsche regen und, unter reichlichem Empfangen, neue, höhere Bedürfnisse sich entwickeln. Einige, mehr oder weniger zu dieser Art gehörige Momente auch sind es, mit deren Erwähnung Rec. hier seine vielleicht schon über die Gebühr ausgedehnte Beurtheilung beschliessen will.

C. *Pathologische Differenzen.*

a) Nichts wohl fällt häufiger in die ärztliche Beobachtung, von nichts auch wird so oft unter Aerzten, sowohl zur Bezeichnung, als zur Erklärung gegebener Krankheitszustände gesprochen, als von der *Congestion*. Doch ist das, was als allgemeine Einsicht darüber verbreitet ist, sehr geringe. Soll sie der Art und dem Grade nach genau unterschieden werden von *Plethora*, *Erethismus*, *irritabler Entzündung* und den *Blutungen*, so möchte in vielen Fällen die Verlegenheit gross werden. Will man sich die Ueberzeugung verschaffen, wie sehr die gangbare Einsicht hierin eine grenzenlos zerfliessende sey, so vergleiche man *Reil's Fieberlehre* K. 3. *von den Blutflüssen und kranken Ab- und Aussonderungen*. Sowohl das einleitende Kapitel über die Blutcongestion, als alle folgenden, die Profluvien betrachtenden, zeigen das dringende Bedürfniss einer deutlichen Erkenntniss des wahren Wesens und Hergangs der Congestion, setzen dieselbe wohl auch nur zu oft voraus, gewähren sie aber nirgends. Ja, es ereignet sich bey dieser Lehre der sehr missliche Umstand, dass das in der Beobachtung krankhafter Zustände evident Gegebene in einen aufhebenden Widerspruch tritt mit dem, was man als unbezweifelbare physiologische Einsicht mitbringt. Wie doch soll lebendiges Blut örtlich sich anhäufen und oft eine längere Zeit hindurch angehäuft bleiben, wenn doch alles Blut in Einem ununterbrochen zusammenhangenden Gefässsystem enthalten ist, und die Venen, im Bereiche des s. g. grossen Kreislaufs kein andres Blut erhaltend, als welches von den Arterien ihnen mit grösster Rapidität und ohne alle Unterbrechung während des Lebens zugeführt, oder vielmehr in sie hineingestossen wird, dergestalt, dass kein Moment angenommen werden kann, in welchem das Blut an einer einzelnen Stelle innerhalb des geschlossenen Gefässsystems zur Ruhe oder irgend eine Art des Verweilens gelangen könnte, indem die mit gleicher Kraft und Schnelligkeit nachdringende Welle nichts Ruhendes vor sich duldet: — wie doch, muss man fragen, soll bey solcher Beschaffenheit der Blutbewegung — die mit axiomatischer Gewissheit behauptet und vorausgesetzt wird — es dennoch zu einzelnen Blutanhäufungen (allgemeine giebts entweder gar nicht, oder nicht auf erkennbare Weise, oder wenigstens nicht als Congestion) kommen, und zwar auf daurende Weise, und nur innerhalb des Venensystems? Indem aber gleichwohl alles diess wirklich geschieht und auf so unzweifelhafte Weise, dass die Aerzte, mit vollkommenem Rechte, sich in der Annahme dieser Thatsächlichkeit durch keine Schwierigkeit der Erklärung stören lassen, so hat sich daraus — was freylich nicht das Wünschenswerthe ist — eine gewisse Scheu auf eine wissenschaftliche Erörterung dieser Verhältnisse einzugehen entwickelt. Aus gleichen Gründen hat sich eine gewisse verlegene Eile zu den Resultaten der Beobachtung hin gebildet, wo es die pathogenetische Untersuchung der Blutflüsse gilt. Die Erklärung derselben *per diaeresin* und *per dia-*

diapedeſin iſt phyſiologiſch und pathologiſch — wie Rec. eben an einem andern Orte deutlich bewieſen zu haben glaubt — vollkommen richtig; die Deutung *per anaſtomoſin* hingegen verſtöſst zu ſehr gegen die für unantaſtbar geachtete phyſiologiſche Lehre vom Kreislauf des Bluts, als daſs man ſich ihrer mit Wohlgemuthheit zu bedienen getrauen ſollte; ja, der pathologiſche Begriff: *anaſtomoſis* iſt von vorn herein dem, was phyſiologiſch und anatomiſch mit dem gleichen Namen bezeichnet wird, diametral entgegengeſetzt, indem dort Erweiterung freyer Gefäſs- und Höhlenmündungen, hier aber unmerkliche Verſchmelzung und Einmündung entgegengeſetzter Gefäſsreihen in einander damit ausgedrückt werden ſoll. Was nun iſt unter ſolchen Umſtänden natürlicher, als entweder ſich des entſchiedenen Widerſpruchs der Thatſachen gegen die imponirende Theorie bewuſst zu werden, würdige Hülfe dagegen zu ſuchen, in jedem Falle aber ihn ſchonungslos einzugeſtehen; oder der Verlegenheit ſelber ſich zu ergeben und um den Schaden durch klares Bewuſstſeyn deſſelben nicht empfindbarer und ſchärfer einſchneidend zu machen, die ganze Unterſuchung mehr beſchwichtigend und verdeckend, als aufhüllend und bloſsſtellend zu führen? Daſs Letzteres von der groſsen Mehrzahl ſelbſt derjenigen Aerzte, welche den wiſſenſchaftlichen Forſchungen nicht den Rücken gekehrt haben, vorgezogen wird, kann bey Kennern der Menſchen und ihrer Cardinalfehler (nach *Fichte*): Feigheit und Trägheit, keine Verwunderung erregen. Aber auch Hr. Prof. *Hartmann*, dem ſonſt ein *horror vacui* der edelſten Art nachzurühmen iſt, hat es vermieden, wenigſtens unterlaſſen über dieſe wichtigen, auf die geſammte praktiſche Medicin einfluſsreichen Punkte in eine nähere Unterſuchung einzugehen. Daher iſt auch alles andere, was hiemit genau zuſammenhängt, unaufgehellt geblieben, z. B. die Lehre von der *obſtructio vaſorum et viſcerum*, ſodann dasjenige, was in neuerer Zeit auf eine ſehr unbeſtimmte Weiſe „*erhöhete Venoſität*" genannt wird u. A. Freylich iſt Hr. *H.* ein zu guter Arzt, und eben deshalb auch ein zu unbefangener Wahrheitsfreund, um nicht die wirkliche Exiſtenz der Obſtruction zu geſtehen; unbedenklich auch kann man ihm in der Bemerkung zuſtimmen, daſs die ältern Aerzte in der zu häufigen Annahme, die neuern hingegen in der Verwerfung und Wegleugnung ſolcher Krankheitszuſtände vielfältig geirrt haben. Hiedurch allein aber iſt lange noch keine wiſſenſchaftliche Einſicht in die Entſtehung und Bedeutung der pathologiſchen Objecte ſelbſt und ihrer cauſalen Stellung zu einer groſsen Gruppe der wichtigſten Krankheiten begründet. Und was die ſ. g. *erhöhete Venoſität* anlangt, ſo hatte Hr. *Hartmann* ohne Zweifel recht, wenn er früher mit dem beliebten Namen unzufrieden zu ſeyn ſchien; hätte man nicht wenigſtens — ganz abgeſehen noch von der widerwärtigen Wortbildung — zuvörderſt einen beſtimmten, phyſiologiſch richtigen Begriff von der *Venoſität* aufſtellen ſollen, ehe man es unter[nahm] von einer pathologiſch erhöheten zu reden? [Und] wenn auch dieſs unterlaſſen wurde, wie kann man ſich überreden mit Einem Namen, und [zwar] einem ſo dunklen, Krankheitszuſtände, die dem Grade und der Art, dem Urſprunge wie den Folgen nach höchſt verſchieden ſind, noſologiſch richtig zu bezeichnen? Was aber Hr. *H.*, jetzt ſelbſt mit dem Namen, wie es ſcheint, ausgeſöhnt, als „*character venoſus*," „*vorherrſchende Venoſität*" beſchreibt, iſt in der That etwas ganz Verſchiedenes von dem, was die Aerzte unter jener Bezeichnung begriffen haben wollten. Hr. *H.* nämlich verſteht darunter eine vermehrte *Blutdichtigkeit*, d. h. ein abnormes Ueberwiegen der feſten Beſtandtheile des Bluts (der Blutkügelchen, des Faſerſtoffs) gegen das Blutwaſſer; während jene eine weit gröſsere Sphäre des pathologiſchen Proceſſes im Sinne hatten: die Venenturgeſcenz überhaupt, gleichviel aus welchen anderweitigen Urſachen ſie entſtanden ſeyn und welche weitgreifende Folgen ſie nach ſich ziehen möge. Wie groſs dieſe Differenz ſey, leuchtet ſchon dadurch ein, *daſs in* Wahrheit gröſsere Blutdichtigkeit, man betrachte ſie als Folge oder Urſache (beides kann, unter verſchiedenen Umſtänden, mit Recht geſchehen), die abſolut ſeltnere Verbindung mit Venenturgeſcenz iſt. Hätte es Hn. *H.* gefallen die gründlichſte Unterſuchung über dieſe wichtigen pathologiſchen Verhältniſſe, die wir ohne Zweifel dem trefflichen *Carus* („*der Krampf*" u. ſ. w. Th. I. Leipz. 1822) verdanken, einer gröſsern, verdienten Aufmerkſamkeit zu würdigen, ſo würde er gewiſs dem eigentlichen Nerven des Problems näher gekommen ſeyn. Aber eben den geringen Einfluſs, den Hr. *H.* überhaupt dieſem ausgezeichneten Werke eines geiſtesverwandten, klaſſiſchen Schriftſtellers auf ſich geſtattete (namentlich auch in Beziehung auf die Pathogenie und die pathologiſche Bedeutung des Krampfs), hat Rec. mit Verwunderung bemerken müſſen. Indeſſen muſs es auch bekannt werden, daſs ſelbſt die ſehr lehrreichen pathologiſchen Unterſuchungen von *Carus* nicht hinreichend ſind, um ein volles Licht über dieſes Kapitel zu verbreiten; hiezu bedürfte es einer erneuten, *völlig* unbefangenen phyſiologiſchen Unterſuchung über Blutbereitung und Blutbewegung. Was Hn. *H.* bewogen haben mag alles hierauf Bezügliche in überkommener alter Weiſe vorzutragen, iſt, da ihm das dagegen in neuerer Zeit von mehrern Seiten Angeregte ohne Zweifel wohl bekannt iſt, nicht leicht zu erklären. Sollte er es für ſo unbedeutend und unbegründet achten, um es nicht einmal einer Widerlegung werth zu finden? Weder dieſs, noch die Meinung: die Entſcheidung dieſer phyſiologiſch - pathologiſchen Streitfrage ſey ohne Einfluſs und Intereſſe für die praktiſche Medicin, kann bey einem ſo ſorgfältig prüfenden Arzte wie Hr. *H.* angenommen werden.

b) Jedem aufmerkſamen Arzte ſind aus häufiger Beobachtung Krankheitszuſtände bekannt, deren begriffgriffliche Auffaſſung ſowohl, als zweckmäſsige Behandlung groſsen Schwierigkeiten unterliegen, weil ſie in der Erſcheinung ſehr flüchtig, vielgeſtaltig und täuſchend ſind. Rec. meint die *erethiſchen.* Nicht ſelten treten ſie ſelbſtſtändig, ſowohl allgemein als örtlich, auf; es giebt aber auch keine andere Krankheit, der Erethismus nicht beygemiſcht ſeyn könnte und in der That es ſehr oft auch iſt; es kann ſich dieſs ſowohl bey entſchiedenen, irritablen Entzündungen, als beym *Hydrops* ereignen; beym Faulfieber, wie bey der *Intermittens;* bey groſsen organiſchen Metamorphoſen und Degenerationen, wie bey den ephemerſten dynamiſchen Vorgängen; der Erethismus iſt eben ſo oft deuteropathiſch, als protopathiſch; eben ſo oft aus Plethora ſtammend, als Congeſtion veranlaſſend; eben ſo oft von relativer Blutarmuth herrührend, als zu ſtarke Conſumtion herbeyführend und manche *Tabes* bis zum tödtlichen Ausgange begleitend. Und bey alle dem darf der Erethismus niemals in der individuell gegebenen Art ſeines Seyns ohne groſse Gefahr und zu ſpäte Reue überſehen oder verkannt werden. Unſere Noſologien und ſpeciellen Therapien haben, eben ſeiner Formloſigkeit wegen, keine beſtimmte Stelle für ihn; meiſtens ſchweigen ſie von ihm, oder ſie berühren ihn nur leiſe, vorübergehend, hie und da. Seine pathologiſche Erörterung wird, ſtillſchweigend, den allgemeinen Pathologien, die Anweiſung zur Heilung den allgemeinen Therapien überlaſſen. Verſchmähen, oder umgehen aber auch dieſe die Unterſuchung, ſo bleibt der angehende Arzt ohne Belehrung, ja ſelbſt ohne Warnung gegen eine Klippe, die zu vermeiden er, im glücklichſten Falle, nur durch groſse Opfer erlernen wird. Wäre mehr verſtändige Einſicht hierüber verbreitet geweſen, ſo hätte wenigſtens dem Wahn der neuern Phlogoſiologen und ihrem Schauder erregenden Blutvergieſsen ein Einhalt gethan werden können. Leider hat Hr. Prof. *Hartmann* dieſen ganzen wichtigen Gegenſtand mit keinem Worte berührt und auch durch anderweitige Vorkehrungen nichts zu ſeiner Aufhellung beygetragen. Es iſt dieſs um ſo mehr zu beklagen, als eben in ihm ſonſt das Gefühl für die Noth der praktiſchen Medicin mit dem Berufe ihr zu begegnen ſo glücklich zuſammentreffen. Wir verdanken ihm eine ſehr treffliche uud zeitgemäſse Abhandlung über die dermalige gedankenloſe und weitgreifend verderbliche Mode der Aerzte das verſüſste Queckſilber gegen faſt alle Krankheiten anzuwenden, und den Menſchen damit von der Wiege bis zum Sarge zu füttern. Ein weiteres Feld zur nützlichſten Belehrung würde ſich ihm eröffnet haben, wenn es ihm gefallen hätte, in eine ernſtliche Unterſuchung über den Erethismus einzugehen. So ungern jedoch Rec. dieſe Unterlaſſung bey Hn. *Hartmann* bemerkt, ſo zieht er dennoch deſſen Schweigen mancher Erklärung anderer Pathologen über dieſen Gegenſtand bey weitem vor. Wer z. B. den Erethismus für gleichbedeutend mit „*irritabler Schwäche*" halten und ihn in einen *Gefäſs-* und *Nervenerethismus* eintheilen kann — wie dieſs verſucht worden iſt, — der verbreitet einen vollkommenen und folgenreichen Irrthum ſtatt Belehrung. Rec. hat früher ſchon, und neuerlich mit gröſserer Vollſtändigkeit, die pathologiſche Bedeutung des Erethismus nachzuweiſen und ihm die gebührliche Stelle in der Noſologie anzuzeigen, ſich bemüht.

c) Der oben ſchon angeführte Umſtand, daſs Hr. *H.* vom Nervenſyſteme in zu groſser, unbeſtimmter Allgemeinheit handelt, wird beſonders drückend, wo in der Pathogenie von der *krankhaften Nervenerregung* geſprochen werden muſs. Die ganze Lehre hierüber wird auf wenigen Blättern abſolvirt. Und doch giebts in der geſammten Pathologie ſchwerlich ein Kapitel, das einer ausführlichen mehr bedürfte, als eben dieſes. Freylich aber kann hier nicht das mindeſte ausgerichtet werden, ſo lange man eine ſpecielle Unterſuchung des Nervenſyſtems nicht ſo weit wenigſtens fortführt, um die Hauptdifferenzen deſſelben in ſich ſelbſt und die hervorſtechendſten Beziehungen einzelner bedeutender Gebilde ſowohl auf dieſs organiſche Syſtem ſelbſt, als auch auf die andern und einzelne wichtige Organe, mit Deutlichkeit hervortreten zu laſſen. Alle allgemeinen Berufungen auf Sympathie, Antagonismus und Wechſelwirkung der organiſchen Syſteme unter einander verſchlagen, trotz ihrer generellen Wahrheit, in der Sache ſelbſt gar nichts, wohl aber ſchaden ſie dem Anfänger ungemein, in ſofern ſie die Täuſchung in ihm begünſtigen, als hätte er eine irgend brauchbare, orientirende Einſicht dadurch erhalten. Sie entweicht ihm aber ganz gewiſs bey dem erſten Zuſammentreffen mit dem Concreten, das es allezeit in der Art hat für die Zauberformeln der Allgemeinheit völlig unempfindlich zu ſeyn. Die kleinſte ſpecielle Erkenntniſs hingegen kann, unter günſtigen Umſtänden, Groſses fördern, indem ſie zum Archimedeiſchen Punkte wird; in jedem Falle aber bewahrt ſie, was ſie *hat,* denn ſie hat *etwas.* Aerzte, welche wenigſtens Aufrichtigkeit gegen ſich ſelbſt nicht verlernt haben, werden von der Wahrheit des hier Ausgeſprochenen durchdrungen ſeyn und Hr. *H.*, den eben die ernſteſte Wahrheitsliebe ziert, in einem vorzüglichen Grade. Um ſo mehr aber muſs es bedauert werden, daſs er eine leere Stelle der Pathologie, deren Ausfüllung ſo beſonders Noth thut, ganz unerfüllt gelaſſen und als Inhalt ihr kaum mehr, als eine Ueberſchrift gegeben hat. Ganz unbegreiflich aber iſt's, wie ihm dieſs an einer Stelle hat begegnen können, wo eben, durch anderweitige Erregungen in der Nachforſchung der Zeit, nicht zu verſchmähende Beyhülfen dargeboten werden. Bey Hn. *H.* muſs dieſs um ſo mehr auffallen, da er, und mit vollkommenem Rechte, bey der Entwicklung jedes pathologiſchen Vorgangs auf den Antheil, welchen der Nerveneinfluſs darauf hat, *im Allgemeinen* aufmerkſam macht; ſoll dieſs nun zur wahren Belehrung gedeihen, ſo

muſs

mufs es in einem wiffenfchaftlichen Vortrage der gefammten Pathologie wenigftens Eine Stelle geben, an welcher diefes durchgreifend wichtige Verhältnifs auf eine fpecielle Weife zur Sprache gebracht wird. Rec. fagt: *wenigftens Eine Stelle*, um das Bekenntnifs hinzu zu fügen, dafs es ihm felbft nicht gelungen ift eine folche einzelne Stelle zu finden, von wo aus fich eine überfichtliche und doch einigermafsen fpecielle Darftellung des Nervenantheils an den pathologifchen Proceffen geben liefse; auch zweifelt er, ob die dermalige factifche Nervenphyfiologie ein folches Unternehmen geftatten möchte, indem diefe felbft noch fehr im Einzelnen fteht. Daher auch trägt Rec. bey feinen Vorträgen über Pathologie an *vielen* Stellen dasjenige vor, was ihm über das fragliche Verhältnifs durch eigene und fremde Unterfuchung gewifs, wahrfcheinlich, oder zweifelhaft geworden ift. Es gewährt diefe Art des fchriftlichen und mündlichen Vortrags noch den Vortheil, dafs die geringe Summe des Beftimmten, ja felbft das offene Bekenntnifs des Nichtwiffens zum Erregungsmittel für eine vordringendere und ergiebigere Forfchung werden kann.

Doch Rec. bricht hier die Angabe feiner Defiderate an die Pathologie des Hn. *H.* ab, obwohl ein Werk, das der Belehrung fo viel gebracht, an feinem Werthe und verdienten grofsen Anfehen nicht leiden würde, wenn auch das Verzeichnifs des minder Vollkommenen noch etwas gröfser gemacht werden möchte. Rec. jedoch der, bey Gelegenheit diefer Anzeige, mehr die Intereffen des Ganzen der Wiffenfchaft und das epochemachende Verhältnifs der pathologifchen Werke des Hn. *H.* hervorzuheben gedachte, würde durch längeres Verweilen bey blofs Einzelnen, fey es beyftimmend oder widerlegend, feinen eigentlichen Zweck aufser Augen laffen. Ueberdiefs gehört auch Rec. nicht zu denjenigen, die den Mächtigen in der Wiffenfchaft ihren Mangel an Allmacht als Tadel anzurechnen, oder an ihren relativen Schwächen fich zu weiden, oder wo ihnen fonft Menfchliches begegnet unmenfchliches Gefchrey zu erheben vermöchten. Mit dem gröfsten Danke vielmehr bekennt Rec. einen entfchiedenen und vielfach zurechtftellenden Einflufs, den Hr. *H.* auf ihn, ohne die wiffenfchaftlich felbftftändige Entwicklung zu ftören, ausgeübt hat. Rec. auch ift, wenn er nicht irrt, der Einzige, welcher Hn. *Hartmann's* Pathologie als Leitfaden zu feinen Vorlefungen über Pathologie *öffentlich* genannt hat, denn *heimlich* fchmücken fich freylich nicht Wenige mit feinen Federn. Wie aber eben diefs dem Rec. einerfeits ein reines Motiv zur unbefangenen Aeufserung nicht nur fchwankender Bedenklichkeiten, fondern auch entfchiedenen Tadels darreichen könnte, fo erklärlich ift's auch andererfeits, dafs er in folchem Thun Ausführlichkeit zu fuchen sich aufgelegt feyn kann. Deshalb nur noch Eine Bemerkung.

(*Der Befchlufs folgt.*)

VERMISCHTE SCHRIFTEN.

Hildesheim, in Comm. der Hahn. Hofbuchh. zu Hannover: *Univerfalmaafs für alle Gefchäfte des praktifchen Lebens, wozu man der Maafse, Münzen und Gewichte bedarf.* Zum Gebrauch für Banquiers, Wechsler, Kaufleute, Oekonomen, Cameraliften, Bau- Maurer- und Zimmer-Meifter, Forft- und Hüttenbeamte, Holzhändler, Vifirer, Bötticher, Kupferfchmiede und Reifende, welche fremde Länder befuchen und fich mit den Maafsen, Münzen und Gewichten derfelben bekannt machen wollen u. f. w, von *Joh. Gottfr. Sylvefter Kerftein*, vorm. Fürftl. Hildesh. Hofbau-Infpektor. — *Erfter Theil* mit 1 Kupf. und 18 Tabellen. 2te neu verb. und verm. Ausgabe. 1827. 25 S. 8. (Vorr. und Einleit.) CLXXIV (Abhandl.) 210 (Tafeln) und (die 12te Taf. in Fol.) 211 — 217 S. (2 Rthlr. 12 gGr.)

Die erfte Auflage diefes ganz brauchbaren Werks erfchien im J. 1809. Der ausführliche Titel überhebt eine befondere Inhaltsanzeige, auch ift diefe fchon bey Beurtheilung der erften Auflage angegeben. In diefer 2ten Auflage ift Einzelnes verändert worden; doch beftehen die hauptfächlichften Vermehrungen *theils* in der Zugabe des 5ten Abfchnitts (S. 115 — 123) von der Stöchiometrie oder Mefskunft chemifcher Elemente, für welche die *Prechtl'fche* Tafel für die Verhältnifszahlen chemifcher Elemente und ihrer Verbindungen entlehnt ift, *theils* in der Erläuterung der 11ten — 18ten Tafel durch 42 verfch. Beyfpiele oder Aufgaben für Geldwechfel, Gold- und Silber-Reductionen u. f. f. welche man im 10ten Abfchn. von Geldwechfelrechnungen (S. CLI — CLXX.) finden wird.

Auf folche Weife ift diefs auf ftarkes Schreibpapier gedruckte Buch allerdings an Brauchbarkeit noch erweitert worden. Wir können es daher aufs neue mit Recht empfehlen und bemerken nur noch, dafs der Vf. die Erfcheinung des 2ten Theils zur nächften Meffe verheifst (1827 Mich. oder 1828 Oftern? Denn die Vorr. zum 2ten Theil ift ohne Datum). Bis jetzt ift er uns aber nicht vorgekommen.

ALLGEMEINE LITERATUR - ZEITUNG

November 1828.

HEILKUNDE.

1) Wien, b. Kupfer u. Wimmer: *Theoria morbi, f. pathologia generalis*, quam praelectionibus publ. accommodavit *Phil. Car. Hartmann* etc.

2) Wien, b. Gerold: *Ph. C. Hartmann* u. f. w. *Theorie der Krankheit* oder *allgemeine Pathologie* u. f. w.

3) Wien, b. Wimmer: *Ph. C. Hartmann* — — *Theoria morbi* feu *pathologia generalis* etc.

(Befchlufs der im vorigen Stück abgebrochenen Recenfion.)

Hr. *Hartmann* hat der Symptomatologie eine relativ fehr grofse Ausdehnung gegeben, in allen drey Werken nimmt fie ungefähr den dritten Theil des Ganzen ein. Als Grund dafür giebt er in der Vorrede zu Nr. 3 zuvörderft feine befondere Werthfchätzung diefes Theils der Pathologie an, fodann den Umftand, dafs er hiedurch den Vortheil erlange fich in den ihm obliegenden Vorträgen über Semiotik, die ihm, ihrem gröfsten Theile nach, nichts ift, *„ac Symptomatologia, ad cognofcendum morbum adplicata,"* kürzer faffen zu können. Aber eben diefs fcheint dem Rec. eine der wiffenfchaftlichen Betrachtung beider Doctrinen ungünftige Beziehung zu feyn. Die Symptomatologie nämlich, wie fie die allg. Pathologie zu lehren hat, foll, nach dem Dafürhalten des Rec., nichts anders feyn, als die Pathogenie in umgekehrter Ordnung; wie diefe nämlich von der Unterfuchung des pathologifchen Proceffes in feinen Bedingungen ausgeht und mit feinen Erfcheinungen fchliefst, fo beginnt jene von den Erfcheinungen und fteigt fortfchreitend zur Erkenntnifs der Bedingungen auf; je vollftändiger und gründlicher daher die Unterfuchung in der Pathogenie geführt worden ift, defto kürzer und lichtvoller wird dann der Vortrag der Symptomatologie ausfallen. Rec. beftimmt defshalb immer dem Vortrage der Pathogenie ⅓ der gegebenen Zeit, und der Aetiologie (denn auch diefe ift implicite fchon in der Pathogenie enthalten) und Symptomatologie das letzte Drittel. Alle vorbereitende Rückficht, welche die allgemeine Pathologie zu nehmen hat, darf, wie Rec. glaubt, nur auf Nofologie, um ihr den Boden zur fpeciellen Erforfchung zu bereiten, und auf allgemeine Therapie, um eine rationelle Indicationenlehre zu begründen, gerichtet feyn. Alles dagegen, was nur die Krankheitsfpecies angeht, mufs, als das noch Unbekannte, von der allgemein pathologifchen Betrachtung ausgefchloffen werden. Diefe Verfahrungsweife fchützt nicht nur gegen verwirrende Vermifchungen der einzelnen Doctrinen, fondern auch gegen bedenkliche Uebereilungen und leichtfertige Erklärerey, wozu befonders der angehende Arzt leicht verfucht wird. Rec. hält es defshalb für nützlich, in feinen allgemein pathologifchen Vorlefungen zuweilen Excurfe in die fpecielle Nofologie zu machen, nicht um die Leichtigkeit des Erklärens zu zeigen, fondern anfchleichenden Irrthümern in diefer Beziehung zu begegnen, und feine Zuhörer inne werden zu laffen, welch ein weiter Weg von der allgemein pathologifchen Einficht bis zur fpeciell nofologifchen Erkenntnifs zurückzulegen fey, und mit welcher Wachfamkeit man auf diefem Wege wandeln müffe, um nicht in labyrinthifch verfchlungene Irrfale zu gerathen. An Semiotik vollends jetzt fchon zu denken und fie irgendwie, durch Zurechtlegung der Materialien, vorzubereiten, fcheint dem Rec. etwas fehr Verfehltes zu feyn. Setzt auch allerdings die Semiotik eine Symptomatologie voraus, fo ifts doch gewifs nicht die der allgemeinen Pathologie, fondern der fpeciellen Nofologie; ja felbft diefe ift noch nicht hinreichend (fie haftet in der That auch gar nicht): der angehende Arzt mufs fich und fein nofologifches Wiffen unter der Leitung eines gewandten klinifchen Lehrers verfucht, und die vielfachen Verlegenheiten, in welche das Bemühen das flüffige Krankheitsobject in eine fefte und *wahre* Einficht aufzunehmen verfetzt, empfunden haben; mehr noch: der klinifche Lehrer mufs die gröfste Sorgfalt angewendet haben diefe Prüfungszeit keinesweges abzukürzen, oder den Mühen mit Bequemlichkeiten zuvorzukommen, und Schlaflieder am Morgen zu fingen; es mufs vielmehr feiner Lehrertreue gelungen feyn, die Hülflofigkeit allgemeiner Sätze, die Dürftigkeit des zufälligen Meinens, Glaubens und Behauptens, die Vergeblichkeit und Lächerlichkeit alles Streitens gegen die Natur zur lebhafteften Empfindung heranzubilden; es mufs der werdende Arzt Gelaffenheit und Hingebung genug errungen haben, um nicht zu widerftreben, wenn ihm glänzende Anfichten, ja felbft ganze Maffen dogmatifchen Vorraths mit einem Striche, durch Ein beftimmtes, wenn auch noch gar nicht erklärtes Erfahrungsergebnifs hinweggeriffen werden; er mufs es gelernt haben, mit Geduld und Muth im Zuftande der Skepfis auszuharren — nicht um darin zu verharren und den Zweifel felbft zum Dogma zu erheben,

heben, sondern um jede andere feste Verbindung, als die mit der Wahrheit selbst, zu vermeiden —: alles diess muss geschehen seyn, wenn auch nur das rechte Bedürfniss zur wahren Semiotik entstehen und, was von ihr gegeben werden kann, Aufnahme finden soll. So sehr bildet, nach des Rec. innigster Ueberzeugung, die Semiotik den Schlussstein der ärztlichen Wissenschaft und Weisheit, dass ihn weder die Armuth der medicinischen Literatur an einigermassen guten und brauchbaren semiotischen Schriften, noch auch andererseits, bey der fast allgemeinen Verkennung des Werthes und der Bedeutung dieser Doctrin, die Scheulosigkeit der Unberufensten sich zu Bearbeitern und Lehrern der Semiotik aufzuwerfen, in Verwunderung setzt. Wohl aber musste es ihn sehr befremden, dass Hr. Prof. *Hartmann*, der in so vollständiger Kenntniss der *copia* und *inopia* der Medicin ist, es unternehmen kann, die Semiotik aus irgend einem Zweiglein der theoretischen Medicin, aus der allgemein pathologischen Symptomatologie, aufbauen zu wollen. Hiezu jedoch mag vielleicht eine äussere, amtliche Nöthigung ihn bestimmt haben, da er, als Lehrer der theoretischen Medicin, allgemeine Pathologie, Pharmakologie und Semiotik öffentlich vortragen muss (ist doch in *Dorpat* die Semiotik sogar dem Professor der Physiologie zugewiesen!); aber es hat hiedurch auch der Vortrag der Symptomatologie, wie die allgemeine Pathologie ihn fordert, sehr wesentlich gelitten: statt eine regressive Pathogenie zu seyn, ist sie zu einem ausführlichen, durch kein rein pathologisches Princip zusammenhängendes Verzeichniss von Symptomen und ganzer Symptomengruppen geworden. Was hilft es dem Pathologie Studirenden, wenn ihm gleich jetzt schon z. B. eine fast vollständige Synopsis der Augenkrankheiten, die er alle nicht kennt, noch auch hier kennen lernen kann, gegeben wird, während dem Gehörsinne kaum einige Andeutungen gewidmet werden? Ja, diese Richtung auf formelle Symptomatologie scheint es auch gewesen zu seyn, welche auf die Bearbeitung des wichtigen Abschnittes von den *Organisationskrankheiten* einen nachtheiligen Einfluss ausgeübt hat, denn auch hier findet der Anfänger weiter nichts, als ein, nach einem formellen Eintheilungsgrund geordnetes, Verzeichniss von verschiedenen Krankheiten, oder abnormen, die relative Gesundheit nicht störenden Zuständen. Das Bemühen zur Vollständigkeit in dieser Hinsicht geht so weit, dass manches hier aufgeführt wird, dessen Daseyn in der Natur wenigstens noch fraglich ist: sollten z. B. manche Hysterolaxien (*als ausgebildete krankhafte Zustände*) nicht bey weitem öfterer in den Köpfen der Geburtshelfer, als in den Unterleibern der Frauen existiren? In jedem Falle muss die eigentliche Belehrung über alle diese Gegenstände an andern Orten, mit ganz andern Hülfsmitteln und in einem geschlosseneren, realern Zusammenhang gegeben werden. Und wie es logisch richtig ist, dass wer zu viel beweiset, nichts beweiset, so artet auch jedes [Extre]mum im Vortrage einer durch bestimmte Gr[enzen] gesonderten Disciplin in ein Widerspiel aus.

Doch hiemit schliesst Rec. diese Anzeige, de[ren] Ausführlichkeit er hinreichend durch die gr[osse] Wichtigkeit der besprochenen Gegenstände und d[en] eminenten Werth der zu beurtheilenden We[rke] entschuldigt glaubt. Auszüge zu geben hielt Re[c.] selbst da, wo er der Meinung des verehrten Hn. V[f.] entgegentrat, für überflüssig, da völlige Bekanntschaft mit dem einen oder andern der in Rede stehenden Werke (und sie sind im Wesentlichen übereinstimmend) bey dem Publicum, zu welchem hier geredet wird, vorausgesetzt werden kann, und, w[enn] diese Voraussetzung etwa nicht einträfe, doch kein anderer und besserer Rath zu ertheilen wäre, als das versäumte, sorgfältige Studium doch ja, und je eher je besser, nachzuholen. Dass in jedem Falle aber die Unterlassung wörtlicher Anführungen kein Manoeuvre der Bequemlichkeit für die Polemik war, dass Rec. überhaupt diese weder gesucht und, wo sie unvermeidlich war, sie sich nicht leicht gemacht habe, dieses Zeugniss darf Rec. sich selbst in aller Wahrheit geben, und auch Hr. *H.* kann es ihm nicht versagen.

Hätte jede Hauptdisciplin der gesammten ärztlichen Wissenschaft in den letzten Decennien eine solche Förderung erhalten, als die allgemeine Pathologie durch die Theorie der Krankheit des Hn. Prof. *Hartmann*, so wären die Hoffnungen auf eine würdige Erhebung der Medicin zur Wissenschaft gegründeter, als sie es dermalen in der That sind. Möchte es doch aber Hn. *H.* selbst gefallen, seine bisherigen Verdienste um das rationelle Studium der Medicin durch die Bearbeitung der *Theorie der Heilung* (allgemeine Therapie) gewissermassen zu vollenden! Er ist hiezu freylich durch kein gegebenes Versprechen verpflichtet, sehr aber durch das, was ihm gegeben ist, durch seinen ausgezeichneten Beruf.

BOTANIK.

ILMENAU, b. Voigt: *Die Botanik in ihrer praktischen Anwendung auf Gewerbskunde, Pharmacie, Toxicologie, Oekonomie, Forstcultur und Gartenbau.* Eine Anleitung zur Kenntniss derjenigen Gewächse, welche für Künstler und Handwerker, für Aerzte, Apotheker, Oekonomen, Forstmänner, Gärtner, Kräutersammler und für Liebhaber der Gewächskunde überhaupt, hinsichtlich ihres Nutzens oder Schadens, ihrer Anwendung oder sonst merkwürdiger Eigenschaften wichtig sind. Frey nach dem Französischen bearbeitet von Dr. *Theodor Thon.* 1828. XVI u. 424 S. 8. (1 Rthlr. 16 gGr.)

Seit mehreren Jahren erscheint in Paris eine die verschiedenen Zweige des menschlichen Wissens um-

umfassende Sammlung abgesonderter Werke unter dem gemeinschaftlichen Titel: *Bibliothèque du XIX. siècle.* Der der Kräuterkunde gewidmete Band führt die Aufschrift: *Elémens de Botanique, ou Histoire des plantes considérées sous le rapport de leurs propriétés médicales et de leurs usages dans l' économie domestique et les arts industriels;* par M. M. **Brierre et Pothier** (de Rouen). Paris, chez Raymond 1828. XVI u. 367 S. kl. 8. Dieser Theil ist der anzuzeigenden Schrift zum Grunde gelegt. Eine blosse Uebersetzung hätte deutschen Lesern nicht genügt, zumal der Verleger den Wunsch aussprach, die auf dem gewählten deutschen Titel genannten Stände besonders zu berücksichtigen, das Ganze mehr zusammen zu drängen und endlich einen möglichst populären Vortrag zu wählen. Diess rechtfertiget zwar hinreichend die Bezeichnung des Werkes als eine freye Bearbeitung, hat aber vielleicht den Umstand übersehen lassen, dass der beybehaltene Inhalt der Urschrift dem wesentlich veränderten Titel nicht mehr völlig entsprach. In den engen Grenzen der ebenfalls veränderten Aufgabe lag die Unmöglichkeit, den Gegenstand zu erschöpfen. Aus dieser Ursache beschränkte man sich, von den Grundlehren der Botanik nur soviel beyzubringen, als zum Verständnisse der folgenden Aufzählung der einzelnen Gewächse nothwendig war. Hiernach zerfällt das Werk in *drey* Abschnitte, wovon der *erste* den Bau und das Leben der Gewächse, der *zweyte* die Systematik, der *dritte* die praktische Botanik umfasst. Im *ersten* Theil ist uns die grosse Anzahl fremder Wörter aufgefallen, deren der Bearbeiter sich bedient. Was soll der Handwerker, für welchen das Buch ja mit geschrieben ward, unter den Ausdrücken *Elementarorgane, Ascidien, Morphologie, Glossologie, Taxonomie, Phytonomie, Phytologie, toxicologische Botanik* und dgl. mehr verstehen? Eine der Hauptabsichten des Werkes, nämlich allgemeine Verständlichkeit, wird bey dem Gebrauch solcher Ausdrücke, für welche unsere unerschöpfliche Muttersprache völlig entsprechende Benennungen hat, nicht erreicht werden. Es lässt sich nichts dagegen einwenden, wenn bey einem sogenannten Kunstausdrucke der lateinische *terminus technicus* in Klammern aufgeführt wird; denn diess dient zum Verständnisse, wenn derjenige, der das Buch benutzt, mit einem eigentlichen Kräuterkundigen nähere Rücksprache nehmen will. Warum aber noch ausserdem die französischen Benennungen beysetzen? Dieses Verfahren gewährt gar keinen Nutzen und der Rec. wäre begierig zu erfahren, welchem deutschen Handwerker es interessirt zu wissen, dass z. B. der Mittelstock auf Französisch *collet* oder *noeud vital* heisst? Im Uebrigen bleibt dieser *erste* Abschnitt bey weitem das Beste im ganzen Werke. Es enthält eine recht brauchbare Einleitung in die theoretische Kräuterkunde. Die Beyspiele sind gut gewählt; sie erläutern auf eine lehrreiche Weise, was von den einzelnen Theilen der Gewächse, ihrem innern Bau und den Lebensverrichtungen derselben beygebracht wird. Auffallend bleibt es aber, dass die Lehren von den Bestandtheilen der Gewächse, ihren Missbildungen, ihren Krankheiten, ihren Standorten und ihrer Verbreitung unter die nichts weniger als passende Aufschrift „*Physiologie*" gebracht worden sind. In dem *zweyten* Theil S. 151 wird die „*Systematik*" vorgetragen, d. h. das *Linné'sche* System und das *Jüssieu'sche natürliche* (!) System. — Da Hr. *Th.* S. X der Vorrede ausdrücklich erklärt: er habe bey dem *dritten* Theil das *Sprengel'sche natürliche* (!) System zum Grunde gelegt; so wären diess denn *zwey* natürliche Systeme! Wann wird man wohl einmal aufhören sich dieser widersinnigen Benennung zu bedienen? Auch dürften die S. 183 enthaltenen Aeusserungen über die Vortheile, welche das natürliche (!) System vor dem künstlichen voraus hat u. s. w. bey einer etwanigen zweyten Auflage gegen passendere zu vertauschen seyn. Man vergesse doch nicht, dass die Wörter „*natürlich*" und „*System*" sich einander ausschliessen und schon an und für sich ein System, d. i. irgend eine gegebene künstliche Anordnung, nicht natürlich seyn kann. Gehen wir nun auf die S. 7 enthaltene Aeusserung zurück, der zufolge die praktische Botanik der eigentliche und alleinige Gegenstand der Abhandlung seyn und in dem Buche eine Anleitung zur Kenntniss derjenigen Gewächse, die ihrer Anwendung wegen wichtig sind, gegeben werden soll, so scheint uns dieser Hauptzweck wenn nicht verfehlt, doch ungemein erschwert. Diess ergiebt sich aus der im *dritten* Theil S. 183 befolgten Ordnung der aufgezählten Pflanzen. Der Bearbeiter hätte hier die praktischen Schwierigkeiten erwägen sollen, die das angeblich natürliche System darbietet. Wie kann er nur entfernt glauben, dass die nützlichen Männer, für die er sein Werk bestimmt, sie jemals zu überwinden im Stande seyn werden? Auch musste ihn schon die einfache Thatsache, dass es noch keine vollendete *Species plantarum* nach dem natürlichen System giebt, abhalten, eine andere Reihefolge zu wählen, als die Linné'sche, die auch dem Nichtgelehrten leicht begreiflich gemacht werden kann. Ist es aber wohl möglich, mit diesem Buche in der Hand, eine von den darin aufgeführten Pflanzen zu bestimmen oder botanisch aufzufinden? Darin liegt aber gerade die Aufgabe einer Anleitung zur Kenntniss von Gewächsen. Schon der gewählte Titel: Die Botanik in ihrer praktischen Anwendung auf Gewerbskunde u. s. w., berechtigt, einen solchen Schlüssel in dem Buche zu suchen. Reichen etwa die beygebrachten Kennzeichen der Familien dazu hin? Gewiss nicht, da es sich hier hauptsächlich um die Kenntniss der Arten (*Species*) handelt und es dem Handwerker völlig einerley seyn kann: ob z. B. der Schwarzdorn (*Prunus spinosa*) zu den Rosaceen, der hundertsten angenommenen natürlichen (!) Familie, oder zu einer andern gehört. Kennt er ihn nicht etwa so schon, so läuft er Gefahr, ihn für irgend eine andere Pflanze die-

dieser Familie zu halten; denn Unterscheidungsmerkmale sind nicht weiter angegeben. Man hat, um es mit einem Wort zu sagen, die gemeinschaftlichen Kennzeichen der Familien mitgetheilt, anstatt diejenigen aufzuzählen, durch welche die Gattungen und die Arten von einander getrennt werden. Wenn man nun auch glücklich genug gewesen wäre, den Namen zufällig zu entdecken, so bleibt man dennoch ganz zweifelhaft, weil niemals der Name des Botanikers, von welchem die wissenschaftliche oder lateinische Benennung herrührt, beygefügt stehet. Ueber diesen wesentlichen Fehler sagt eine S. 190 befindliche Note: „Unsere Leser werden manches hier aufgeführte Gewächs in anderen Werken mit anderen Namen belegt finden. Alle diese Namen verschiedener Schriftsteller hier mit aufzuführen, würde unnöthigerweise vielen Raum weggenommen haben. Wer diese andern Namen (Synonymen) kennen lernen will, findet sie in Steudel's *nomenclator botanicus* 2. Th. 8." Wer einigermaassen die unter den Botanikern herrschende Sprachverwirrung kennt und des Zwecks des Werkes eingedenk ist, kann diese Entschuldigung nicht gelten lassen. Die *Revue encyclopédique* Tome XXVI. S. 801 und Tome XXX. S. 157 enthält einige lehrreiche Winke über den inneren Werth der Urschrift, welche zu beherzigen sind, wenn Hr. *Th.* die zweyte Auflage seiner Umarbeitung liefert, welche er am Schluss der Vorrede verspricht.

VERMISCHTE SCHRIFTEN.

Altenburg, b. Schnuphase: *Bericht der theologischen Facultät zu Leipzig*, erstattet zur höchsten Behörde in Bezug auf des Professors *Krug* Schrift: „Was sollten jetzt die protestantischen Katholiken in Deutschland thun?" Mit einigen Bemerkungen. 1828. 24 S. kl. 8. Als Motto hat die Broschüre die Worte Jesu: „Habe ich unrecht geredet, so beweise es; habe ich recht, warum schlägst du mich?" (4 gGr.)

Rec. freut sich, den besondern Abdruck des vorliegenden Berichts hier anzeigen zu können, da er denselben schon früher, theils aus *Röhr's* „kritischer Prediger-Bibliothek" (1828. 9. 1.), theils aus *Eichstädt's* auch sonst höchst lesenswerthem Progr. „*Ad orationem audiendam, qua Augustanae Confessionis memoria etc. instaurabitur, in diem XXX Maji invitat* etc. Jenae 1828," kannte und ihm um des kräftigen Geistes willen, in dem er abgefasst ist, die grösste Verbreitung wünschte. Diese kann ihm jetzt um so eher zu Theil werden. Was die Veranlassung zur Abfassung desselben betrifft, die der Titel nur unbestimmt andeutet, so will Rec. hier folgendes kürzlich darüber bemerken. Den Lesern dieser Blätter wird die Schrift des Hn. Prof. *Krug* in Leipzig: „Was sollten jetzt die protestantischen Katholiken in Deutschland thun?" welche im November 1827 erschien, wohl nicht bloss ihrem Titel nach bekannt geworden seyn. Besonders an einer — wie es scheint noch ausserdem falsch aufgefassten — Stelle derselben nahm das seit Februar 1827 erst bestehende, also noch sehr jugendliche, katholische Consistorium in Dresden, als an einer Beleidigung der gesammten katholischen Kirche (wiewohl sogar katholische Schriftsteller selbst das, was *Kr.* sagt, ebenfalls *gesagt haben*), Anstoss, und wandte sich, statt *die Unwahrheit des von dem Vf. Behaupteten ehrlich zu beweisen*, an den Kirchenrath in Dresden *mit einer Beschwerde* über denselben. Der Zweck dabey *war* unleugbar kein anderer, als der Versuch, zu *sehen*, wie weit man wohl in dem Streben, die Schreibfreyheit, im Allgemeinen die Rechte der Protestanten in Sachsen zu beherrschen, kommen könne. Der Kirchenrath schien jedoch diese Absicht nicht zu durchschauen und erliess an die theologische Facultät in Leipzig ein Rescript, das keine andere Absicht hatte, als dieselbe, die zugleich die Censuranstalt für kirchliche Schriften ist, zur Rede zu setzen wegen des der genannten Schrift des *Prof. Krug* ertheilten *Imprimatur*, und ihr so wie der Schreibfreyheit der Protestanten für die Zukunft gewisse Schranken anzuweisen. Indess liess das die genannte Facultät nicht auf sich beruhen, sondern nahm sich so wohl des Prof. *Krug* als auch des Censors seiner Schrift kräftig an, indem sie in einem Berichte an den Kirchenrath der evangelischen Kirche das Recht vindicirte, „das, was sie dem Worte Gottes gemäss erachtet, jeder Zeit und unter allen Umständen, nur frey von Verunglimpfungen, öffentlich zu bekennen." Die beygefügten Bemerkungen eines Unbekannten verbreiten sich über das Recht der evangelischen Kirche, das, was sie als wahr erkennt, auch zu sagen, und das *Recht* des Prof. *Krug*, das, was er gesagt, zu *bekennen*; so wie über die auch im Berichte *angedeuteten* Nachtheile, die eine auf willkürlichen *Grundsätzen* beruhende und mit Aengstlichkeit gehandhabte Censur auf den Buchhandel habe.

Diess nun ist das Resultat des vorliegenden Berichts, der, als ein erfreuliches Zeichen, dass noch echtevangelische Freymüthigkeit und Offenheit, den Anmaassungen Roms gegenüber, unter den Protestanten sich findet, nicht bloss allgemeinere Anerkennung, sondern, wo möglich, auch kräftige Nachachtung, zur Unterdrückung ähnlicher Machinationen verdient.

ALLGEMEINE LITERATUR-ZEITUNG

November 1828.

LITERARISCHE NACHRICHTEN.

Schulnachrichten.

Grimma.

Den 14. Sept. dieses Jahres feyerte die *K. Sächsische Landesschule* zu *Grimma* eins der erhebendsten Feste seit ihrer Entstehung. An diesem Tage wurde das prachtvolle Schulgebäude eingeweiht, das an der Stelle des alten Klosters mit einem Kostenaufwande von über siebenzig tausend Thalern aufgeführt worden war. Bereits im J. 1820 hatten die Schüler das alte baufällige Gebäude verlassen und ein geräumiges Fabrikhaus, das vom König für den einstweiligen Aufenthalt der Schüler gekauft und dazu eingerichtet worden war, bezogen. Obgleich schon im J. 1822 der Grundstein zu dem neuen Gebäude gelegt worden war, so verhinderten dennoch ihre frühere Vollendung besondere Umstände. Mit desto gröfserer Sehnsucht harrten Lehrer und Schüler des Tages, wo sie das bereits baufällig gewordene Interimsgebäude mit dem neuen und schönen Schulhause vertauschen sollten. Es sollte dieser Tag ein allgemeines Fest des Dankes und der Freude werden. Defshalb waren schon einige Wochen zuvor alle Gönner und Freunde dieser Anstalt durch ein Gedicht des Rectors und ersten Prof. *M. Weichert* zur Theilnahme an diesem Feste freundlichst eingeladen worden. Und diese Einladung blieb nicht unberücksichtigt. Aus dem In- und Auslande strömten so viele Fremde herbey, dafs die Stadt sie kaum fassen konnte. Namentlich befand sich unter ihnen eine grofse Anzahl ehrwürdiger Männer, welche an dieser Anstalt ihre erste Bildung erhalten hatten. Selbst der hochverehrte Praesident des Oberconsistoriums zu Dresden, der Hr. Geheime Rath *von Globig*, liefs sich durch sein Augenleiden nicht abhalten, dieses Fest durch seine hohe Gegenwart zu verherrlichen und der Schule einen neuen Beweis seines überaus gnädigen Wohlwollens zu geben. Die Feyer des Festes begann des Morgens um sieben Uhr mit einem kurzen Gebet, das in dem alten Schulgebäude vom Hn. Prof. *Käuffer* in Gegenwart Sr. Excellenz des Hn. Geh. Rathes *von Globig*, der Schulinspection, des Schulcollegiums, und der gesammten Schüler gehalten wurde. Unter dem Geläute aller Glocken zogen hierauf halb acht Uhr die Schüler, Lehrer, und die Schulinspection in die schön geschmückte Klosterkirche. Die ehemaligen Schüler dieser Anstalt, unter welchen sehr angesehene Männer waren, hatten sich zur Freude der Lehrer und Schüler diesem Zuge angeschlossen und folgten unmittelbar hinter den Schülern. Am geschmückten Haupteingang der Kirche wurde der Zug von der Geistlichkeit, dem Superintendent und den beiden Diaconen empfangen und bis an den Altar, wo die Plätze der Lehrer und Schüler sind, begleitet. Für die ehemaligen Schüler der Anstalt waren Stühle auf den freyen Platz um den Altar gesetzt worden. Als Hauptlied wurde ein vom Hn. Prof. *Käuffer* verfertigtes Lied, das dem Feste angemessen war, gesungen. Eben so bezog sich die ergreifende und gehaltvolle Predigt des Hn. Superintendenten M. *Hanke* natürlich blofs auf die Feyer des Festtags. Nach beendigtem Gottesdienst begab sich derselbe Zug in derselben Ordnung aus der überfüllten Kirche wieder in das alte Gebäude. Nachdem man hier eine halbe Stunde zum Genufs eines Frühstücks verweilt hatte, wurde der Königl. Commissarius, der Hr. Kreishauptmann *von Einsiedel*, von zwey Lehrern aus seiner Wohnung abgeholt, um mit demselben Zug in das neue Gebäude, und zwar in den Hörsaal, einzuziehen. Es geschah diefs unter Begleitung eines Musikchores. Trotz der grofsen Menge Einheimischer und Fremden, welche die Strafse anfüllten, wurden dennoch die feyerlichen Züge nicht im mindesten gestört, wozu das beorderte Militär das seinige beytrug. Kaum konnte aber der Hörsaal, in welchem die Einweihungsreden gehalten wurden, die Masse der theilnehmenden Einheimischen und Fremden fassen. Die Feyerlichkeit wurde mit dem Gesang eines Liedes, das Hr. Prof. *Käuffer* verfafst hatte, eröffnet. Sodann sprach in feyerlicher Rede der Hr. Kreishauptmann *von Einsiedel* die Worte der Weihe, welche der Schulinspector, der Hr. Oberhofrichter *von Ende*, beantwortete. Darauf wurden drey vom Hn. Prof. *Käuffer* gedichtete Verse gesungen, nach welchen der Rector und erste Prof. Hr. M. *Weichert* das Katheder bestieg und in einer lateinischen Rede theils die hohe Gnade der beiden Fürsten Sachsens, unter deren allweiser Regierung der Bau des neuen Schulhauses begonnen und vollendet ward, und die Fürsorge der hohen Staatsmänner, welchen die Leitung des Baues anvertrauet worden war, mit gebührendem Lobe pries, theils von der Zweckmäfsigkeit und Heilsamkeit der früheren einfacheren und strengeren Disciplin an den Landesschulen mit kräftigen Worten sprach. Auf diese Rede erfolgte wieder der Gesang einiger vom Hn. Prof. *Käuffer* gedichteten Verse. Nach diesen trat noch der Primus der Schüler auf und sprach in einer lateinischen Ode die Gefühle der Dankbarkeit seiner Mitschüler aus. Die Feyerlichkeit im Hörsaale wurde mit Musik gegen zwölf Uhr beendigt. Hierauf wur-

wurden die Schüler festlich gespeist. Nach ein Uhr versammelten sich die sämmtlichen Lehrer der Schule, die Schulinspection und der Königl. Commissarius auf dem Rathhause zu einem Male, das besonders noch durch die Gegenwart des Hn. Geh. Rathes *von Globig* und vieler ausgezeichneten Männer, von denen wir nur die beiden Zierden der Leipziger Universität, *Hermann* und *Krug*, nennen, ungemein verherrlicht wurde. In demselben Saale speisten noch an andern Tafeln gegen einhundert und funfzig Gäste, welche die Theilnahme an dem Feste zusammengeführt hatte. Der gröſste Theil derselben bestand aus ehemaligen Schülern der Landesschule zu Grimma. Die gemeinschaftliche Erinnerung an die Wohlthaten, welche sie dieser Anstalt verdankten, erregte in ihnen den Wunsch, zum Andenken an dieses schöne Fest ein Denkmal der Dankbarkeit zu errichten. Und so wurde bey diesem festlichen Mahle ein Kapital von ihnen zusammengebracht, dessen jährliche Interessen zu Prämien für ausgezeichnete Schüler verwendet werden sollen. Der unvergeſsliche Festtag wurde mit einem feyerlichen Gebete im neuen Schulhause beschlossen, dem die sämmtlichen Lehrer der Anstalt beywohnten. Das eigentliche Schulfest, das auf den 14ten Sept. fällt, wurde den folgenden Tag auf gewohnte Weise *gefeyert* und mit einem Schulballe beendigt. — Eine ausführliche Beschreibung dieser Festtage wird der Rector dieser Landesschule, Hr. Prof. *Weichert*, in einer besondern Schrift geben, in welche zugleich alle Reden und Gedichte, die für diese Feyerlichkeit *verfaſst* worden sind, aufgenommen werden sollen. *Der Ertrag* dieser Schrift, welche auf Subscription *herausgegeben* werden wird, soll zu einer frommen Stiftung *verwendet* werden.

LITERARISCHE ANZEIGEN.

I. Ankündigungen neuer Bücher.

In allen Buchhandlungen des In- und Auslandes wird *Subscription* angenommen auf:

Dr. *Philipp Melanchthon's Werke.*
In einer
auf den allgemeinen Gebrauch berechneten Auswahl.
Besorgt von
Dr. *Friedrich August Köthe.*
Sechs Bändchen.
Octav. Auf gutem Druckpap. Subscr. Pr. 2 Rthlr. 8 gr. oder 4 Fl. 12 Kr. Rhein.

Die ersten zwey Bändchen verlassen gleich nach Neujahr die Presse, und die übrigen 4 folgen bis zu Michaelis 1829.

Ausführliche Ankündigungen sind in allen Buchhandlungen zu finden.

Leipzig, den 1. Sept. 1828.

F. A. Brockhaus.

So eben ist erschienen und versandt:

Extemporirbare Predigtentwürfe, nebst kurzen Dispositionen und Hauptsätzen zu freyen Vorträgen über die Episteln an den Sonn- und Festtagen des ganzen Jahres, so wie über die neuen Pericopen in der sächs. Agende und über Texte aus der Leidensgeschichte Jesu. 1ster Band: *Vom Advent bis zum letzten Sonntage nach Ostern.* gr. 8. 2 Rthlr.

Wie sich die in meinem Verlage bereits vor mehreren Jahren erschienenen *extemporirbaren Predigtentwürfe über die Evangelien* (2 Bände 3 Rthlr. 6 gr.) durch lichtvolle Klarheit und Reichthum an Ideen als sehr brauchbar zu freyen Vorträgen empfehlen: so zeichnen dieselben Vorzüge auch die nun fertig gewordenen *Entwürfe über die Episteln* auf das vortheilhafteste aus. Um sie noch brauchbarer zu machen, hat der Verf. gewöhnliche und schon oft bearbeitete Hauptsätze vermieden, den Entwürfen gröſsere Ausführlichkeit gegeben, und über jede Epistel noch einige kurze Dispositionen geliefert.

Joh. Ambr. Barth in Leipzig.

Von: *J. H. v. Wessenberg, die christlichen Bilder,* ein Beförderungsmittel des christlichen Sinnes. *Zwey* Bände (68½ Bogen) mit 19 Kupfern. gr. 8. Constanz, bey W. Wallis, 1827. *Velinpapier,* brosch. 9⅓ Rthlr. oder 16 Fl. — Weiſs Druckpap., brosch. 7⅔ Rthlr. od. 12 Fl.

ist nun auch eine Ausgabe *auf gewöhnlichem Druckpapier, ohne Kupfer,* veranstaltet worden, und *in allen* Buchhandlungen für 5⅓ Rthlr. od. 8 Fl. 45 Kr. zu haben, wodurch die Anschaffung dieses *ausgezeichneten* Werkes nun auch dem weniger *bemittelten* Kunstfreunde erleichtert ist.

Bey Unterzeichnetem ist in Commission erschienen:

Der *christliche Prediger als Rationalist.* Ein apologetischer Versuch von einem jungen Prediger. gr. 8. 12 gr.

Bey der regen Theilnahme an den neuesten Erscheinungen auf dem Felde der Theologie, und mehr noch bey den harten Anklagen, welche gegenwärtig der Rationalismus im Angesichte des Volkes erfährt, unternahm es ein junger Prediger, die Sache einer angeschuldigten Partey mit Ernst, aber auch mit Mäſsigung zu führen. Indem er seine Behauptungen mit Gründen der Wissenschaft und Erfahrung zu belegen sucht, hofft er nicht nur auf Berücksichtigung, sondern auch ich auf unbefangene Prüfung und ruhige Würdigung iner Schrift, welche in *Röhr's* kritischer Prediger-ibliothek, Neunten Bandes viertem Hefte, S. 684—93 gebührende Anerkennung gefunden hat.

Leipzig, im October 1828.

B. G. Teubner.

Bey Brüggemann in Halberstadt ist erschienen:

Des *Apollonius* von *Perga* 2 Bücher vom Raumschnitt. Ein Versuch in der alten Geometrie von *A. Richter*. Mit 9 Kupfertafeln. 8. ¼ Rthlr.

In der Wild'schen Buch- und Kunsthandlung in Naumburg a. d. Saale ist so eben, Michaelismesse 1828, erschienen und durch alle solide Buchhandlungen für beygesetzte Preise zu erhalten:

Lafayett's Reise durch Amerika in den Jahren 1824 und 1825. Beschrieben von *A. Levasseur*; gleichzeitig aus dem Französischen übersetzt von *A. Levasseur* geb. *Zeis*. Nebst dem wohlgetroffenen Bildniss des General Lafayette. gr. 8. Preis 1 Rthlr. 5 Sgr. (4 Ggr.)

Gedenkemein. Taschenbuch für 1829. Herausgegeben von *Archibald*. ord. 8. Fein Velinpapier. Preis 1 Rthlr. 20 Sgr. (16 Ggr.)

Forstbotanische Tafeln. Enthaltend die farbigen Abbildungen der Blätter, Blüthen und Früchte der Holzpflanzen Deutschlands, nach der Natur gezeichnet, nebst Classification und kurzer Beschreibung derselben nach Linné, Burgsdorf, Bechstein, Borckhausen, Willdenow u. s. w. Zur Beförderung und Erleichterung des Selbstunterrichts für Forstzöglinge, Förster u. a. m. Herausg. von einer Gesellschaft praktischer Forstmänner. *Erste* Lieferung, 1stes bis 8tes Heft, gr. 4., jedes Heft enthält 3 colorirte Tafeln mit mehrern Abbildungen und Früchten. „Liebe zur Sache, eifriges Forschen, sorgsames Vergleichen, unnachlässige Ausdauer werden hier wie überall — das Meiste thun." *G. F. D. aus dem Winkel.*

Angezeigte 8 Hefte erscheinen mindestens in Jahresfrist. Das Ganze wird aus 48 Heften bestehen. Der Subscriptionspreis für 8 Hefte ist 4 Rthlr. Die Verlagshandlung fordert keine Pränumeration, nur sichere und solide Bestellungen. Das erste Heft ist in jeder guten Buchhandlung einzusehen.

Die von den Verlagshandlungen selbst ihren Bücheranzeigen beygefügten öffentlichen Anpreisungen erregen in unserer jetzigen Schreib-, Uebersetzungs- und Druckseligen Zeit öfters ein gerechtes Misstrauen gegen den Ankauf wirklich guter und gemeinnütziger Schriften. Die unterzeichnete Verlagshandlung fühlt sich daher veranlasst, kritische Beurtheilungen ihrer Werke den hierzu bestimmten Recensions-Anstalten, so wie — den Lesern und Sachverständigen selbst — zu überlassen, und dabey erwarten, in wie fern sie auf diesem Wege sich unparteyischer Empfehlungen zu erfreuen haben soll und wird.

Naumburg, im October 1828.

Die Wild'sche Buchhandlung.

Archiv der Naturgeschichte, oder Sammlung belehrender Abbildungen aus dem Thierreiche; nebst vollständigen Erläuterungen. Zur Belebung des Sinnes für die Freuden an der Natur. 1sten Bandes 4tes Heft. Colorirt 1 Rthlr. 10 Sgr. (8 Ggr.), schwarz 25 Sgr. (20 Ggr.)

Dieses Heft ist noch reichhaltiger, als die drey ersten, von denen zahlreiche unparteyische Beurtheilungen, und namentlich in der Allgem. Preuss. Staatszeitung Nr. 210, 1828; Frankf. O. P. A. Ztg. Nr. 149, 1828; Allgem. Anz. d. Deutschen Nr. 283, 1827; Leipz. polit. Ztg. Nr. 232, 1827; Magdeb. Ztg. Nr. 150, 1827; Wegweiser zur Abendztg. vom Hofr. *Böttiger* Nr. 7, 1828; Leipz. Tageбl. Nr. 124, 1828; Zeitung für die elegante Welt Nr. 101, 1828; u. a. m., zu vertrauungsvollerer Würdigung dieses Werks von der Verlagsbuchhandlung gesammelt und in besondern wörtlichen Abdrücken unter dem Titel: *Unparteyisch-kritische Beurtheilungen, welche bereits über das neue Bilderwerk: Archiv der Naturgeschichte*, erschienen und durch alle Buchhandlungen unentgeldlich zu erhalten sind.

Bey Fr. Weber in Ronneburg ist so eben erschienen und in allen Buchhandlungen zu haben:

Botta's Geschichte Italiens vom Jahre 1789 bis 1814. 3ter Bd. 1 Rthlr. 12 gr.

Von diesem äusserst interessanten Werke erscheint der 4te und letzte Band zur Neujahrs-Messe 1829.

Luther's Schriften wider die Türken und deren unauslöschlichen Hass gegen die Christen. Mit Vorwort und Anmerkungen von *G. B. Eisenschmidt*. Neue Auflage. Brosch. 12 gr.

Deutlicher Unterricht, wie man leicht und mit wenig Kosten aus den *Kartoffeln* Reiss, Sago, Gries, Nudeln, Mehl, Stärke, Brod, Butter, Käse, Zucker, Syrup, Kaffee, Wein, Branntwein, Essig u. s. w. verfertigen und solche auf 50 verschiedene Arten für jede Haushaltung schmackhaft und der Gesundheit am zuträglichsten zubereiten kann. Neue Auflage. Brosch. 6 gr.

Bey La Ruelle und Destez in Aachen ist erschienen und in allen Buchhandlungen Deutschlands zu haben:

Krimer, Dr. *W.*, *Ueber die radicale Heilung der Harnröhrchen-Verengerungen und deren Folgen*, nebst kritischen Bemerkungen über *Ducamps* Heilververfahren gegen dieſelben. Mit zwey Steindrucktafeln. gr. 8. Br. 16 gGr. oder 20 Sgr.

Reumont, Dr. G., *Aachen und ſeine Heilquellen.* Mit Abbild. 16. Geb. in Etui. 1 Rthlr.

Steinmann, Friedr., Erzählungen. 2tes Bdchen (enth. I. Die Freyer. Faſtnachtſkizze. II. Der Todtenkopf. Novelle. III. Spagnuoletto und ſeine Schüler. Novelle.) 8. Br. 16 gGr. oder 20 Sgr.

(Das 1ſte Bdchen erſchien 1826. 8. Br. 16 gGr.)

Vignola, der kleine, zur Belehrung für Künſtler und Handwerker, enthaltend die fünf Säulen-Ordnungen und deren Anwendung. Mit 32 lithographirten Abbildungen. 16. Geb. 1 Rthlr.

Es iſt erſchienen und an alle Buchhandlungen verſandt:

M. *Antonii Mureti*
Variarum Lectionum
libri XVIIII,
cum
Obſervationum juris
libro ſingulari.
Editionem novam,
ſuperioribus accuratiorem, inchoatam
a
Frid. Aug. Wolfio,
abſolvit, recognovit,
animadverſionibus atque indicibus
inſtruxit
Jo. Huldr. Faeſius,
Prof. Gymn. turic.
Vol. II.
8 maj. 1 Rthlr. 12 gGr.

Mit dieſem Bande iſt nun dieſe ſchätzbare Handausgabe vollendet. Der *erſte* Band, welcher gleichfalls durch alle Buchhandlungen zu beziehen iſt, koſtet 1 Rthlr. — Das Ganze alſo 2 Rthlr. 12 gGr.

Halle, im November 1828.

Hemmerde und Schwetſchke.

In der Buchhandlung von J. H. Reimann in Berlin iſt ſo eben erſchienen und in allen Buchhandlungen zu haben:

Neue Mährchen.
Für Kinder reiferen Alters,
von *Polycarpus.*
16. Sauber eingebunden 15 Sgr. (12 gGr.)

Wir können dieſe 7 erſten Mährchen mit voller Ueberzeugung für den Zweck, wie der Titel ihn ausſpricht, anempfehlen, da überall ein reines und würdiges Sujet zum Grunde liegt, und eine poetiſche Phantaſie ſich verbindet mit gutem Geſchmack, zweckmäſsig vertheilten Lehren und witzigen Ei len, welche zur Ausbildung oder zum eigenen De und Forſchen anregen. Je weniger dieſe Rückſich auſser Acht geſetzt ſind, um ſo mehr wird das Bü lein dazu beytragen, die Phantaſie der Kinder — wohl denen, die ſich zu ihnen zählen, — zu beleb zu läutern und zu belehren.

Bey mir iſt ſo eben erſchienen, und an alle ſoli Buchhandlungen verſandt worden:

Aphorismen über *Nichtwiſſen* und *abſolutes Wiſſen.* kl. 8. Geh. Pr. 21 gGr. oder 1 Fl. 30 Kr.

Der geehrte Herr Verfaſſer hat ſich in *vorliegender* Schrift die Aufgabe geſtellt, *Jacobi'ſche* und *Hegel'ſche* Philoſophie in ihrem Verhältniſſe zum Chriſtenthum zu entwickeln. Der Stoff iſt mithin anziehend genug!

Cäcilius und *Octavius;* Geſpräche über die vornehmſten Einwendungen gegen die *chriſtliche* Wahrheit. Mit einem Vorwort von Dr. *A. Tholuck.* kl. 8. Geh. Preis 20 gGr.

Daſs Herr Dr. *Tholuck Mittelmäſsiges* nicht empfehlen *kann,* wird gewiſs jeder glauben. Uebrigens iſt der Werth dieſer Schrift durch die Urtheile einiger kritiſchen Blätter ſo begründet, daſs ſie jetzt keiner Empfehlung mehr bedarf.

Berlin, October 1828. Emil Franklin.

Bey Leopold Voſs in Leipzig iſt ſo eben erſchienen:

Kunſt, in zwey Monaten Griechiſch zu lernen. Zweyte, verbeſſerte, mit einer vergleichenden griechiſchen Sprachlehre und mit *einer kleinen* neugriechiſchen Grammatik, auch mit einer Wandtafel vermehrte Auflage. Von *Chr. Aug. Lebr. Käſtner.* gr. 8. 12 gr.

Das Urtheil gediegener Schulmänner *hat* längſt über die Vortrefflichkeit der Käſtner'*ſchen Sprach*unterrichts-Methode entſchieden, und *der Beyfall,* welchen die Sprachlehren des Herrn *Verfaſſers* gefunden, wird hinreichend durch die ſchnelle Erſcheinung der *zweyten* Auflage der griechiſchen bezeichnet.

II. Auctionen.

Den 1. Dec. ſoll in Leipzig eine Sammlung von Büchern aus allen Wiſſenſchaften, Landkarten, Kupferſtichwerken, Kupferſtichen und ausgeſtopften Vögeln u. ſ. w. verſteigert werden, wovon der Catalog durch alle Buchhandlungen zu erhalten iſt.

J. A. G. Weigel.

LLGEMEINE LITERATUR-ZEITUNG

November 1828.

PHILOSOPHIE.

Leipzig, b. Breitkopf u. Härtel: *Anregungen für philosophisch-wissenschaftliche Forschung und dichterische Begeisterung*, in einer Reihe von Aufsätzen eigenthümlich der Erfindung nach und der Aufführung. Vom Grafen *Georg von Buquoy*. 1827. XXIV u. 792 S. 8.

Nach Angabe des Vfs. hat das Philosophiren jedes inzelnen wesentlich nur den Zweck, sich im Philosophiren zu üben, eine vollendete allgemein gültige Philosophie zu construiren, wird nie gelingen, de aufgestellte Philosophie wird sich immer nur als artikularphilosophie behaupten. Er selber strebt icht nach dem Begreifen und Erklären des Seyns, ndern nach dem Totalbilde des Seyenden in und sser ihm, und dieses Totalbild strebt er im Einlnen wiederzufinden, nicht als ob er endlich etas erlange und dann auf immer ruhe, sondern inem er in diesem Verfolgen selbst seine Befriediang sucht. In dem gesammten Naturwalten in und sser ihm besteht durchgehends ein Auf- und Nieerwogen, woran sich in jedem einzelnen Acte der harakter von Bedingtheit, Beschränktheit beurundet, welcher deswegen erschaut wird als Ausruck einer zwischen zwey entgegengesetzten Polen naufhörlich vor sich gehenden Oscillation. Die ole, als Entgegengesetzte, sind essentiell verschieen von dem Erscheinungsganzen selbst, nämlich inerseits das bezüglich auf Raum und Zeit unbeingt sich Behauptende, das Unendliche, Ewige, Jnwandelbare, das Höchstuniversalisirte, das Urrahre, Urschöne, Urgute, das *Plus-Absolutum;* ndrerseits das nach dem Zero von Raum und Zeit Urgeschleuderte, die höchste Potenz der Bedingtheit, Beschränktheit, das Höchstspecificirte, der Superlativ der Vergänglichkeit, das Urfalsche, Urhässliche, Urböse, das *Minus-Absolutum.* Jenes muss Alles in sich fassen, also auch das *Selbstbewusstseyn* der eignen Absolutheit, und dieses Behauptend setzt es sich das Minusabsolutum gegenüber, welches seinerseits das Urstreben hat, nach dem Plusabsolutum zurückzufliessen, aber immer von diesem zurückgedrängt wird, da das Plusabsolutum das Selbstbewusstseyn durch Contrast fortan unterhält. Die Möglichkeit der Existenz des Absolutums schliesst seine Wirklichkeit ein, weil eine nicht zur Wirklichkeit werdende Möglichkeit Beschränkung wäre, die dem Begriff des Absolutums widerspricht. Es besteht ein unabänderliches Factum, worin jeder Pulsschlag der Natur, jeder meiner leisesten Tritte mit einbegriffen ist. Die Naturgesetze sind die mannigfachen Modificationen des Typus am *Wie* aller einzeln Momente der von Ewigkeit her und in Ewigkeit hin bestehenden Totaloscillation. Meine moralische Freyheit bezieht sich bloss darauf, dass ich den Wahlact, der einen veränderten Entschluss bewirken *kann*, aber nicht bewirken *muss*, nach Belieben vorzunehmen vermag, was aber aus solchem Wahlacte für ein Wille in mir entsteht, liegt nicht unmittelbar in meinem Belieben, obwohl ich mittelbar darauf einwirken kann. Mein Leib ist ein Theil des universellen Leibes der Natur, des Weltleibes; mein Geist ist ein Theil des universellen Geistes der Natur, des Naturgeistes, der Weltseele. Die Weltseele ist der ideal angeschaute Weltleib, der Weltleib ist die somatisch angeschaute Weltseele; beide sind eine und dieselbe Totalität der Natur, nämlich der Totaloscillation; falsch wäre es daher, Weltseele und Plusabsolutum als identisch zu betrachten, welches der Pantheismus thut. Das Plusabsolutum ist weder Leib noch Seele, noch Leib und Seele zugleich, sondern Etwas, wofür es meinem Vorstellungsvermögen an der imperativen Form der Vorstellung gebricht, etwas mir Unfassbares. Hingegen vermag das Plusabsolutum seinerseits sich der Welt zu offenbaren. Es *kann* eine Offenbarung geben, weil aber ein Können, welches nicht in Action übergeht, auf Beschränkung hindeutet, so giebt es eine Offenbarung als nothwendiges Factum. Diese Offenbarung vermag ich bloss zu fassen durch gläubiges Hingeben, versperre mir den Weg dazu durch entgegengesetztes Verhalten, durch Vernunftwürdigung. Das Christenthum ist das vom Plusabsolutum mir geoffenbarte Wort, das in oscillatorischer Form, in Naturform, ausgesprochene Wie und Was des supraoscillatorischen, des über dem Naturganzen liegenden Seyns. Meinem Philosophiren unterliegt als nothwendige Form die Dualität und zugleich die Identität, jene trennt das Geistige vom Sinnlichen, dieses parallelisirt das Geistige und Sinnliche. Nur diese doppelte Beziehung genügt vollkommen den Foderungen meines Denkens und Fühlens, und diese Methode liesse sich parallelisirender Dualismus nennen. Jener Act, wodurch das Unbedingte, das Plusabsolutum, unausgesetzt sich selbst die Grenzen setzt, die wir Minusabsolutum nennen, manifestirt sich als Lebensprocess der gesammten Natur, als physische und moralische Weltordnung. Dieses Gesetz manifestirt sich in dem unausgesetzten Entstehen neuer Bildungen, in dem Aufſteigen derſelben zu höhern Lebensſtufen, in dem Niederwelken und Abſterben der zu ihren Akmen gelangten Formationen. Die Aufgabe über den Urſprung und die Weſenheit des phyſiſchen ſowohl als des moraliſchen Böſen und Guten wird hiedurch gelöſt. Die Naturgeſetze ſind unmittelbare Emanation aus der Weſenheit des Unbedingten. Dem Weſen Gottes kommt die über alle meine Begriffe hinausliegende Einfachheit zu; er ſetzt, autonom, ſich gegenüber, die Zuſammengeſetztheit (minus Einfachheit) zwiſchen welcher und der Einfachheit (plus Einfachheit) die Erſcheinungswelt in und auſser mir, als beſtändige Oſcillation, hervortritt. Autarkie und Autonomie kommen nur Gott zu, nicht der innerhalb der Totaloſcillation ſtatt habenden Willensmanifeſtation. Aller Wille emanirt von Gott. Und ſo ſagt der Vf.: „vom Materialismus mich abwendend, den Pantheismus hindurch wandelnd, aber auch über dieſen mich höher hinausſchwingend, befinde ich mich auf einer Bahn, hinweiſend nach einer Methode des Philoſophirens, deren Reſultate aſymptotiſch der Weisheit chriſtlicher Offenbarung ſich annähern" (S. 68).

In den beiden erſten Aufſätzen I. *meine philoſophiſche Grundanſicht*, II. *zur Metaphyſik*, findet ſich dieſe Naturphiloſophie entwickelt, wobey der Vf. in den folgenden Aufſätzen auf dieſe erſten und ſeine frühern Schriften zurückweiſt. Er behält mit ſolcher pantheiſtiſchen Emanationslehre das Chriſtenthum im Auge, ſucht ſich der Weisheit deſſelben anzunähern, was auch von andern unſrer Zeitgenoſſen in ihrer Weiſe geſchieht, und den Werth des Chriſtenthums als eines Leitſterns menſchlicher Speculation auf eigne Weiſe bewährt. Nur wäre zu fragen: wenn die Weisheit chriſtlicher Offenbarung nicht erreicht werden kann durch Reſultate der Philoſophie, und wenn eine Vernunftwürdigung den Weg zur Weisheit verſperrt, ob es nicht beſſer ſey, mit der gläubigen Hingebung den Anfang zu machen und dadurch den paralleliſirenden Dualismus wie jede andre philoſophiſche Methode zu berichtigen. Freylich gilt der Grund, es *könne* eine Offenbarung geben, alſo *gebe* es eine, eben ſo gut für jede andre Offenbarung, als die chriſtliche. Dem Fatalismus wird ſchwerlich irgend eine pantheiſtiſche Lehre mit oder ohne Emanation ſich entziehen, wiewohl der Vf. dem Menſchen einen Wahlakt einräumt, auf den die Stimme des ſittlichen Gefühls und der Vernunft einwirkt (S. 98). Sagt er doch ſelbſt, des Menſchen Freyheit beziehe ſich weder auf Wollen noch auf Handeln (S. 476), und „es beſteht ein Fatum" (S. 66). Abweichend von andern Behauptungen und daher mit Wenigen eigenthümlich dem Vf. iſt die Ueberzeugung: daſs kein unumſtöſsliches in ſich geſchloſſenes, rein reflectiv durchgeführtes Syſtem conſtruirt, ſondern auſserhalb des Gebiets der reinen Mathematik allemal auf Nullität reducirt werden könne (Vorr. S. XV); weswegen einzelne Wahrheiten, einzelne Sätze ſich in der Geſchichte in ihrem Glanze erhielten, aber nicht ein einziges Syſtem ſich in ſeiner Integrität zu behaupten vermochte (Vorr. S. X). Er rechtfertigt hiedurch ſeine fragmentariſche Bearbeitung, gewährt auch zugleich eine gröſsere Freyheit und Vielſeitigkeit des Denkens, welche den mannigfaltigen Inhalt ſeiner Mittheilungen anziehend macht. Wir können ihm hiebey nicht ins Einzelne folgen, wollen aber auf Einiges aufmerkſam machen. „*Der Dichter*, obgleich weniger deutlich und klar, ſchildert dennoch oft viel wahrer, als der Philoſoph; da er (der Dichter) von dem die Wahrheit oft ſo ſehr entſtellenden Sections- und Scheidungsproceſs nichts weiſs..... Den ſichern Theil hat der *Dichter* gewählt, den ſchwankendern der *Philoſoph; ſolider* handelt der, ſo ſich der Dichtkunſt *weiht, als der*, ſo ſich der Philoſophie hingiebt" (S. 74. 75). „*Soll* die Naturphiloſophie nicht in eitle Träumereyen, in poetiſch tändelndes Grübeln, und hiemit in bedeutungsvoll *ſcheinende*, eigentlich aber gedankenleere Sentenzen, Ex- und Declamationen, in einen *Naturroman* ausarten..... ſo muſs ſie ihren erſten Anlauf aus der *Erſcheinungswelt ſelbſt* nehmen" (S. 81). — „So wie es Axiome giebt für den *Wahrheitsſinn*, eben ſo giebt es Axiome für den *Schönheitsſinn*, für den *Gutſinn*, (moraliſchen Sinn); oder: es giebt Axiome des Wiſſens, der äſthetiſchen Würdigung und der moraliſchen Würdigung..... Die fernere Deduction aus dem Axiome iſt immer an dem Sinne für Wahrheit, dem Verſtande und der Vernunft, zugetheilt" (S. 89). — „Es giebt eine Alllebensformel, wenn ſie gleich noch nicht *gefunden* ſeyn mag, aus der ſich durch gehörige Subſtitution der Werthe für die Wurzeln, die Formeln der einzelnen Lebenserſcheinungen finden lieſsen, ſelbſt bis auf die leblos ſcheinenden, in der That aber immer noch lebendigen Manifeſtationen hinab. Hiemit iſt dargethan, daſs die Annahme eines Alllebens in der Natur ... nichts Abſurdes *in ſich faſſe*" (S. 142). „Der Erde Bau machte ſich, wie er ſich machen *müſste*, wenn, an dem All der *Natur*, die Erde, der Bedeutung ihres individuellen *Lebens* gemäſs, mit eingreifen, und wenn ſie *vom All*, ihrer Lebenspoſition gemäſs, wieder *influenzirt* werden und wenn ſo die Oſcillation *zwiſchen* telluriſcher Individualität und zwiſchen kosmiſcher Univerſalität durch den Erdball realiſirt werden ſollte" (S. 114). Könnte man dieſe Aeuſserung etwas wortreich und unbeſtimmt finden, ſo iſt eine andre deſto beſtimmter über die (von *Herbart* aufgeſtellte) Möglichkeit und Nothwendigkeit, Mathematik auf Pſychologie anzuwenden: „daſs da nicht gemeſſen werden könne, wo man nicht meſſen kann, und man kann da nicht meſſen, wo ſich nicht eine Maaſseinheit aufſtellen läſst" (S. 448). Eben ſo: „jede phyſikaliſche Theorie iſt weiter nichts, als die Reduction mehrerer Erſcheinungen auf Eine Grundactivität, und leiſtet nichts mehr, als die Erſcheinungen zu *klaſſificiren*" (S. 454). Gleichfalls werden Gründe angegeben, weswegen jede Philoſophie Particularphiloſophie iſt, und der Satz: „das Abſolute iſt das

reine

reine Seyn," wird nicht zugegeben. Ohne irgend etwas *Seyendes* hat auch das Seyn an ſich gar keine Bedeutung. Das Seyn bezieht ſich immer nur auf einen vom *Seyenden* überhaupt abſtrahirten Urzuſtand. Wird die Definition von Gott gegeben: „Gott iſt das Seyn in allem Seyn;" ſo ſtreitet dieſs gegen die religiöſe Wortbedeutung Gottes als eines Seyenden, und dieſe Bemerkung iſt deswegeu von Wichtigkeit, weil durch dergleichen erſchlichene, in Form von Machtſprüchen hingeworfene Definitionen ſo wohl die wahre Philoſophie untergraben, als zugleich ein Widerſpruch zwiſchen Philoſophie und Offenbarung herbeygezogen wird. Das Seyn überhaupt iſt ein vom Seyenden überhaupt erſt Abgeleitetes, das Seyende überhaupt ſteht höher, als das Seyn überhaupt, das Seyn an ſich iſt kein Abſolutes (S. 459—465). — Zum Beſchluſſe ſtehe hier des Vfs. Aeuſserung über Prädeſtination und Fatum. Es herrſcht (S. 640—642) ein unabänderlich vorhinein beſtimmtes, in der Weſenheit des Abſolutums und des Gelangens zum Selbſtbewuſstſeyn ſeiner Abſolutheit gegründetes Fatum, an dem etwas ändern zu können meynen, der höchſte Grad von Abſurdität wäre. Menſchen handeln zwar nach Zweck und Abſicht, allein indem ſie dieſs thun, wirken ſie nur mit, das Fatumgeſetz zu realiſiren, da durch das Fatum beſtimmt war, daſs die Abſicht entſtehe, daſs ſie gerade ſo verfolgt werde, daſs ſie nur in dieſem oder jenem Grade erreicht werde. *Was* geſchieht und *Wie* es geſchieht, ſey es nun durch uns, oder durch andre thätige Naturpotenzen, iſt als Fatum haarſcharf vorhinein beſtimmt, von Ewigkeit her, in Ewigkeit hin. Der Irrthum der mohammedaniſchen Prädeſtinationslehre liegt weſentlich darin, daſs die auf das Schickſal einwirkenden Potenzen ſämmtlich als *auſserhalb* des Menſchen liegend betrachtet werden, da doch des Menſchen Weben und Trennen an dem ewig wandelbaren Schleyer des Geſchickes *mit* zu dem Geſchicke ſelbſt gehört. Der die Prädeſtinationslehre conſtituirende Irrthum ſelbſt gehört abermals zu den vorhinein vom Fatum beſtimmten Erſcheinungen am Auf- und Niederwogen im Entwickelungsacte des Menſchheitlebens. — Rec. ſtaunt wenig über dieſe ſtreng ausgeſprochene Lehre, weil er ſelber ſie in ſeiner Art zur Erklärung mancher Erſcheinungen brauchte, behauptend: jeder Menſch ſey zum Chriſten, Mohammedaner, Heiden, Naturphiloſophen, prädeſtinirt; mithin ſey die mohammedaniſche von Mohammedanern ſchlecht befolgte Anſicht weiſe, über Bekehrungen das Schickſal walten zu laſſen.

PP.

REISEBESCHREIBUNGEN.

FRANKFURT a. M., b. Sauerländer: *Bilder aus England.* Von *Adrian.* Erſter Theil. Mit Kupfern. 1827. IV u. 308 S. 8. (1 Rthlr. 18 gr.)

Mit dieſen *Bildern* hat der Vf. der Leſewelt ein recht erfreuliches Geſchenk gemacht. Wahrheit in einer angenehmen Form vorgetragen, iſt deren Grundcharakter, und es iſt wirklich ſchwer zu beſtimmen, *welche* von den kleinen Gemälden den Vorzug vor den übrigen verdienen, da ſie alle ſo recht aus dem Leben gegriffen ſind. Am glänzendſten ſind die Farben für London gemiſcht, das der Hauptpunkt und Zweck der Reiſe des Hn. *Adrian* war. Man denke ſich aber nicht, als ob der Autor uns von ſeiner Heimath über alle durchlaufene Stationen, nach gewöhnlich beliebter Weiſe ſolcher Beſchreibungen, bis zum Ziele und ſo eben wieder zurückführen und dadurch ſein Buch dicker aber auch langweiliger mache. Nein! er verſetzt den Leſer gleich nach *Calais*, dann aufs Dampfboot, nach Dover, auf den Weg gen London, und mit dem fünften Bilde ſind wir in der Weltſtadt, welche alle folgenden neunzehn Bilder füllt. Um von der Lebendigkeit der Schilderungen und zugleich dem Stile des Autors eine Probe zu geben, ſtehe hier ein kleines Stück aus dem *vierzehnten* „Vauxhall" überſchriebenen Bilde. „Wir traten in den Garten (es war bey Nacht und es brannten 30,000 Lampen mehr als gewöhnlich). Der Eindruck war mächtig; er läſst ſich aber im Ganzen nicht wiedergeben. Eine ausgedehnte Rotunda mit Logen, unabſehbare Gänge, wo tauſendfarbige Feuer zu brennen ſchienen, ein Tempel, der von unten bis zum Giebel aus flammenden Edelſteinen erbaut ſchien; von einer dunkeln Seite des Gartens her eine aufgehende Sonne, deren Goldglanz das Auge blendete; ein Brunnen, deſſen Waſſer kunſtreich beleuchtet, in allen Farben des Regenbogens ſpielten; in einer ausgedehnten Grotte ein Veſuv, der Flammen ſpie, und in deſſen Eingeweiden man den Donner hörte, während die Umgebungen in einer ſchauerlich glühenden Beleuchtung dalagen; ein neuer prächtiger Tempel, in deſſen Mitte unſer unſterblicher Händel in Marmor, als Orpheus, die Leyer ſpielend ſich erhebt u. ſ. w. Man denke ſich dieſen Feengarten von einer zahlreichen und glänzenden Menſchenmaſſe belebt, die zur Hälfte das Erſtemal hier iſt, und ſich vor Verwunderung gar nicht zu faſſen weiſs und ſtets von etwas Schönerem angezogen, von Stelle zu Stelle, von Gang zu Gang ſich drängt! Hier eine adelige Familie vom Lande, die ſchlanken, etwas gothiſch herausgeputzten Töchter, wie Küchlein um die Henne, um die beliebte gravitätiſche Mutter gedrängt; dort eine Geſellſchaft von Schottländerinnen und Schottländern, im gewürfelten Kleide, von den Freunden der Walter-Scott'ſchen Muſe gefolgt und vom Fuſse bis zu der gewürfelten Mütze und den fliegenden Federn gemuſtert. In der That, ſo eine kleine Schottländerin nimmt ſich im Würfelkleide und in ihrer, etwas tanzmeiſterlichen Haltung ganz allerliebſt aus. Hier eine franzöſiſche Schneider-Familie, die mit volubiler Zunge Vergleichungen zwiſchen Tivoli und Vauxhall anſtellt, welche natürlich zu Gunſten des Pariſer Vauxhall ausfallen, denn dem Franzoſen geht nichts über Paris; dort der Herzog von Wellington mit einigen reizenden Damen,

men, mit denen er sich gewiss nicht von dem Elende seiner Irischen Landsleute unterhält. Hier einige Spanier und Italiener, aus deren düsterm Blicke die Gefühllosigkeit spricht, mit welcher sie auf des Friedens Saat sehen, zu welcher die Fremdlinge in ihrer Heimath die wuchernden Keime legten; dort eine Schaar von Schönen aus den Umgebungen des Leicester-Square's, deren liberale Ansichten nicht weniger augenscheinlich daliegen als die der düstern Südländer. — Plötzlich fuhr eine Rakete neben mir auf; der Schrecken hinderte mich nicht, ihr nachzusehen; es schien als wolle sie ihre Bahn unter den Sternen suchen. Das war das Signal, dass das Feuerwerk beginne. Tausend Bilder aller Formen und Farben entwickelten sich, dazwischen flogen Raketen aller Art zu einer unermesslichen Höhe empor. Ein Blitz nun, und der lange Laubengang ist wie von hundert Sonnen beleuchtet, und in einer schwindelnden Höhe über mir bewegt sich auf dünnem Seile ein Luftspringer, der Dachgallerie eines fernen Hauses leicht entschreitend. Fast hat er das Dach erreicht, da knallt es, als stürzten Berge ein; ganze Heere von Raketen und Schwärmern entzünden sich, durchbrausten die Luft, sprudeln, zischen, brausen und kreuzen sich um des Seiltänzers Haupt, der unerschrocken in dem wüthenden Elemente steht; ein glänzendweisses Silberlicht steigt jetzt empor und zeigt den Verwogenen in der schwindelnden Höhe, wie von einer Himmelsglorie umstrahlt, dem nahen Ziele zuschwebend, wo der Beyfall der jubelnden und jauchzenden Menge ihm nachtönt."

Aus diesem wahllos gegebenen Bruchstücke wird man sich überzeugen, wie mächtig des Stoffs und der Sprache der Vf. für seine Darstellungen ist. Kleine Verstösse, Wiederholungen einzelner Worte, z. B. „brausen" in zu groser Nähe beysammen, scheinen der Feder in einiger Eilfertigkeit entschlüpft zu seyn. Leicht wäre dem nachzuhelfen gewesen. Doch diess wenige Fehlerhafte wird durch das viele Vorzügliche hinlänglich ausgeglichen und verwischt. Recht sehr wünscht Rec. bald den zweyten Theil dieser Bilder anzeigen zu können. Druck und Papier geht an, der Kupferstich der *Lady Beatrice* ist unbedeutend, und — irren wir nicht ganz — schon in einem von *Adrian* herausgegebenen Taschenbuche zu finden; dass der der Waterloobrücke fehlt, zu bedauern.

GERICHTLICHE MEDICIN.

DARMSTADT, b. Leske: *Aerztliche Untersuchung der Criminalprocesse* von *Léger*, *Feldmann*, *Lecouffe*, *Jean-Pierre* und *Papavoine*, bey welchen eine Geisteszerrüttung als Vertheidigung vorgeschützt wurde. Nebst Betrachtungen über die moralische Freyheit in gerichtlich-medicinischer Hinsicht. Von Dr. *Georget*. Aus dem Französ. vom Dr. *F. Amelung*, Arzt am Ir-renhause zu Hofheim. 1827. II u. 191 S. 8 (20 gr.)

In neueren Zeiten ist bey den Franzosen, Engländern und Amerikanern ein besonderer Eifer für die gerichtliche Medicin erwacht, so dass *die Deutschen* nicht mehr, wie früher, als fast alleinige Bearbeiter dieser Wissenschaft dastehen. Diese Thatsache ist für die Franzosen um so rühmlicher, da nach ihrer Gesetzgebung die Aerzte nur als kunstverständige Zeugen betrachtet werden, und also *um so weniger* Aufforderung und Bedürfniss haben, *sich mit* der Anwendung der Medicin auf die *Rechtswissenschaft* zu beschäftigen.

In kurzer Zeit kamen bey den Gerichtshöfen zu Paris und Versailles die Fälle der oben genannten fünf Verbrecher vor, bey denen Geisteszerrüttung als Entschuldigungsgrund angeführt wurde. Bey keinem derselben wurde sie indessen als solcher zugelassen. Der Vf. giebt im *ersten* Abschnitte seines Werkes eine Geschichtserzählung der Fälle, sammt den zum Verständniss nöthigen Stellen aus den Verhören, und knüpft daran seine Bemerkungen in gerichtlich-medicinischer Hinsicht. Wenn etwa den Vorzug des Verhältnisses des Arztes zum Richter in Deutschland vor dem in Frankreich in ein helleres Licht stellt, so sind es diese Fälle. Gewiss würden besonders *Léger* und *Papavoine*, bey denen die Spuren einer Geisteszerrüttung in früherer Zeit, die Ursachen aus denen eine solche zur Zeit der That sich entwickeln oder stärker hervortreten konnte, deutlich erwiesen waren, bey denen auch nicht das entfernteste Beweggrund eines scheusslichen, unmenschlichen Verbrechens aufgefunden, ja nicht einmal gedacht werden konnte — gewiss würden sie in Deutschland nicht zum Tode verurtheilt seyn.

An diese Fälle knüpft der Vf. Betrachtungen über diejenigen Zustände, welche den *freyen* Willen schwächen oder aufheben — Geisteszerrüttung, fieberhaftes Delirium, Trunkenheit, Somnambulismus, heftige Leidenschaften und gebieterische Bedürfnisse, Geistesschwäche, Unwissenheit und Vorurtheile, Epilepsie, Hypochondrie und Hysterie, Taubstummenheit (wenn dabey die Erziehung ganz vernachlässigt ist) und ungewöhnliche Begierden bey manchen Schwangern. Besonders in dem Paragraphen von der Geisteszerrüttung hat er eine Menge interessanter Fälle zusammen getragen.

Die Uebersetzung ist im Ganzen fliessend, an manchen Stellen aber scheint sie zu wörtlich zu seyn, und ist desshalb holprig.

LLGEMEINE LITERATUR-ZEITUNG

November 1828.

LITERARISCHE NACHRICHTEN.

Akademieen und gel. Gefellfchaften.

ie *Königl. Akademie der Wiffenfchaften* zu *München* lt am 25. Aug. zur Feyer des Geburtstags Sr. Maj. Königs von Baiern eine öffentliche Sitzung, wel- anftatt des abwefenden Vorftandes durch den Herrn atsrath *von Sutner* eröffnet wurde. Hr. Hofrath *en* hielt in derfelben eine Rede über *das Zahlenge- z in den Wirbeln des Menfchen* und Hr. Akademiker d Profeffor Dr. *Thierfch* las ein Kapitel aus des Hn. äfidenten *von Roth deutfcher Gefchichte*, woran afer feit einer Reihe von Jahren arbeitet, und welche Refultat langer und forgfältiger Unterfuchungen die hickfale aller germanifchen Stämme, fowohl der in rer Heimath gebliebenen, als der nach Panonien, lien, Gallien, Britannien, Hispanien und Afrika gewanderten umfafst, und bis auf Karl den Grofsen d die Vermifchung der ausgewanderten mit den ro- anifchen Völkern, aus welcher die neuen Nationen wachfen find, herabgeht. Hr. Staatsrath *von Sutner* hlofs fodann die Sitzung mit einer Rede, worin er e Verdienfte des Königs um die Civilifation, Kunft nd Wiffenfchaft rühmte.

Am 5. October hielt die *Akademie der fchönen ünfte* zu *Paris* unter dem Vorfitze des Hn. *Thevenin* re jährliche Sitzung. Hr. *Quatremère* eröffnete die- lbe mit einer *hiftorifchen Notiz über das Leben und ie Arbeiten des berühmten Bildhauers Baron Lemot*, on dem die Basreliefs im Fronton des Säulenganges es Louvre, die Bildfäule Ludwigs XIV in Lyon, leinrichs IV Bildfäule in Paris u. f. w., herrühren. lierauf verlas Hr. *Garnier* einen Bericht über die Ar- beiten der franzöfifchen Penfionnaire in Rom, welcher mehr Ermunterungen zu künftigen Fleifse, als Lobes- erhebungen über das bisher geleiftete, enthielt. Alle in diefem Jahre eingefandten Arbeiten waren nämlich fehr mittelmäfsig und unbedeutend. Den zweyten grofsen Preis in der Malerey erhielt Hr. *Jourdy* aus Di- jon, den erften Preis der Bildhauerey Hr. *Dantan*, den erften in der Architektur Hr. *Delannoy* aus Paris, den erften in der Kupferftecherkunft Hr. *Vibert* ebenfalls aus Paris, den erften Preis in der Mufik Hr. *Déspreaux* aus Clermont.

In der letzten Sitzung der Akademie der Wiffen- fchaften zu Petersburg wurde derfelben angekündigt, dafs der Ankauf der Manufcripte, Kupfertafeln und des Herbariums des verftorbenen Marfchall *von Biberftein*, für 10,000 Rubel, aus den Oekonomifchen Summen der Akademie, bewilligt worden fey. Die Verwendung einer gleich grofsen Summe, für das erfte Jahr, zum Behuf einer *archäographifchen Reife durch Rufsland*, ift gleichfalls bewilligt. Das Unternehmen beginnt mit dem Anfange des künftigen Jahres und die Leitung deffelben wird dem Hn. Titularrath *Strojew* anvertraut. Eben fo ift auch der Ankauf einer, von Hn. *Ménétriés* aus Dorpat mitgebrachten Sammlung von Vögeln, welche dem zoologifchen Mufeum noch fehlen, genehmigt worden.

Zu Berlin hat fich am 20. April d. J. ein Verein für die Erdkunde gebildet, der für die Ausbildung der Geographie nützlich werden will, und fich immer am erften Sonnabende eines jeden Monats verfammelt, um über geographifche Gegenftände zu verhandeln und die Vorträge einzelner Mitglieder anzuhören. Er zählt bereits 30 Mitglieder und unter ihnen Männer wie *Ritter*, *v. Chamiffo*, *Zeune*, *Enke*, *Klöden* u. f. w. Zum Director ift Hr. Profeffor *Ritter* gewählt, zum Ehrenälteften aber der Hr. Hauptmann *Reimann*, bey deffen Jubiläum die Idee zu einem folchen Vereine gefafst wurde.

II. Todesfälle.

Zu München ftarb am 1. May der Kaplan *Albert Wilkens* im 38ften Jahre des Alters. Als Schriftfteller hat er fich befonders durch feinen *Verfuch einer allgemeinen Gefchichte der Stadt Münfter* (1823) bekannt gemacht.

Zu Hietzing bey Wien am 2. Auguft der Nieder-Oeftreich. Appellationsrath, Dr. der Rechte und Mitglied der juridifchen Facultät in Wien, *Jofeph* Ritter *von Schmerling*, 51 Jahr alt. — Ebendafelbft ftarb am 23. Aug. der zu Grätz den 14. Jun. 1751 geborne *Franz* Edler *von Zeiller*, Dr. der Rechte, Ritter des K. Unger. St. Stephans-Orden, K. K. Hofrath bey der oberften Gerichtsftelle, Mitglied der Hofcommiffion in Juftizgefetzfachen, Landftand in Steyermark, gewefener Rector-Magnificus an der Univerfität zu Wien. Er hat fich als Staatsbeamter, unbefcholtener Richter, Verfaffer und vorzüglichftes Organ der geltenden öftreichifchen Gefetzbücher, als vieljähriger öffentlicher Profeffor der Rechte, Director der juridifchen Studien und Präfes der juridifchen Facultät an der Wiener Univerfität, als Lehrer mehrerer Durchlaucht. Glieder des regierenden Kaiferhaufes, als ausgezeichneter Gelehrter und Schriftfteller viele Verdienfte erworben.

Zu Henzberg ftarb am 13. Aug. der Rector dafiger Stadtfchule, *Joh. Jakob Rudolf*, im 51ften Jahre.

Am 18. Aug. der Doct. jur., *Aug. Gottlieb Köchy*, als Schriftfteller unter dem Namen *Glover* bekannt.

Zu Wien den 23. Aug. der Doct. med. et chirurg. *Ignaz Corda*, Mitglied dafiger medicin. Facultät, 54 Jahr alt.

Zu Amfterdam im Aug. der berühmte Gelehrte *ten Broeke Hoekftra.*

Anfangs Sept. zu Hofwyl der bejahrte Graf *Louis von Villevieille*, ein durch vielfeitige Bildung ausgezeichneter Franzofe, der feit 11 Jahren bemüht war, die Fellenberg'fchen landwirthfchaftlichen Ideen und Einrichtungen nach Frankreich zu verpflanzen. Er hat vor etwa 10 Jahren einen ausführlichen und intereffanten *Bericht über die v. Fellenberg'fchen Anftalten* im Druck erfcheinen laffen, wovon er eine *zweyte* Ausgabe kurz vor feinem Tode noch beendigen konnte.

Zu Montauban am 10. Sept. der General Graf *Anton Franz Andréoffy*, Mitglied der Deputirtenkammer und der Akademie der Wiffenfchaften zu Paris, geboren zu Caftelnaudery den 6. März 1761. Er hat unter Napoleon die Feldzüge in Aegypten mitgemacht, und an den Arbeiten der Commiffion für die Kunde von Aegypten fehr thätigen Antheil genommen. Später erhielt er den Gefandtfchaftspoften in Conftantinopel, den er für die Wiffenfchaften fehr erfolgreich benutzte. Als Schriftfteller hat er fich durch mehrere Werke, namentlich durch das über den *Canal du Midi*, und das über die *Schifffahrt auf dem fchwarzen Meere*, rühmlichft bekannt gemacht.

Zu Potsdam am 11. Sept. der geheime Oberrechnungs- und Oberrevifions-Rath *Friedrich Wilhelm von Beguelin.*

Zu Berlin in der Nacht vom 13. zum 14. Sept. der Grofsherzogl. Meklenburg-Schwerinfche geh. Finanzrath Dr. *Israel Jacobfon*, der fich um die Berliner jüdifche Gemeinde und ihre Bildung fehr verdient gemacht hat.

Zu Wien am 21. Sept. der als Schriftfteller bekannte Profeffor der Statiftik in Lemberg, *Jofeph Rohrer*, 59 Jahr alt.

Zu München am 23. Sept. der K. baierfche Oberconfiftorialrath, Decan und erfter Stadtpfarrer bey der proteftant. Gemeinde dafelbft, Dr. *Heinrich Theodor Stiller*, geboren zu Strehlen in Schlefien den 21. April 1765. Er hat fich durch mehrere Erbauungsfchriften und Predigten als Schriftfteller bekannt gemacht.

Zu Nürnberg am 25. Sept. der penfionnirte Profeffor der franzöfifchen Sprache am dafigen Gymnafium *Chriftoph Friedrich Wilhelm Penzenkuffer.*

Zu Leyden an demfelben Tage im Haufe feines Vaters der achtungswerthe Theolog und Profeffor an der Univerfität zu Gröningen, Dr. *Theodor Adrian Clariffe*, 33 Jahr alt.

Zu Eakendorf in Holftein ftarb am 28. Sept. des Dänifche Kammerherr und aufserordentl. Gefandte [am] Berliner Hofe, Graf *Friedrich von Reventlow.*

Zu Paris im Sept. der ältefte Profeffor dafiger Univerfität, *Jak. Nic. Mouchard*, 87 Jahr alt. Er hat eine Sammlung von Gedichten und Fabeln in *lateinifcher* Sprache hinterlaffen.

Unweit Ravenna in der Nacht zum 1. October der bekannte italienifche Gelehrte *Antonio Cefari* von Verona in einem Alter von 69 Jahren. Seine Ueberfetzungen der Briefe des Cicero und feine Kirchengefchichte find unvollendet geblieben. Einen verdienten Beyfall fanden feine wohlgefchriebenen *Novellen*, von denen in wenigen Jahren mehrere *Auflagen* erfchienen find.

Zu Leipzig am 2. Octbr. der privatifirende Gelehrte und Beyfitzer des literarifchen Mufeums dafelbft, *Johann Adam Pomfel.*

Zu Berlin am 10. Octbr. der durch feine Verdienfte um die ftatiftifchen Wiffenfchaften bekannte Freyherr *Jofeph von Liechtenftern*, geboren zu Wien am 12. Februar 1765. Er hat fich in Berlin, wo er die letzten Jahre zubrachte, namentlich um die Einführung der Seidenzucht fehr verdient gemacht.

Zu Wittenberg am 11. Octbr. in dem jugendlichen Alter von 25 Jahren der Subrector und dritte Oberlehrer am Gymnafium dafelbft, *Friedrich Alwin Schmidt* im älterlichen Haufe zu Hornburg bey Halberftadt, wohin er fich feit dem April d. J. auf erhaltenen Urlaub zur Wiederherftellung feiner wankenden Gefundheit begeben hatte, an langen und anhaltenden Bruftbefchwerden.

Zu Leipzig am 13. Octbr. einer der älteften und fehr verdienten Lehrer dortiger Univerfität, *Dr. Chriftian Gottlob Biener*, Ordinarius der Juriftenfacultät und erfter Profeffor der Rechtswiffenfchaft, des Hochftifts Merfeburg Capitular, K. Sächf. Hof- und Obergerichtsrath und Ritter des Civilverdienft-Ordens, geboren zu Zörbig am 10. Januar 1748. Seine ausgezeichneten und zahlreichen akademifchen *Schriften* werden in einer von feinem Sohne beforgten *Sammlung*, die man längft gewünfcht hat, bey *Cnobloch* in Leipzig erfcheinen.

Zu Weiffenburg am Sand den 15. Octbr. der K. baierfche Decan, Diftricts-Schulinfpector und Stadtpfarrer, *Johann Simon Rehm*, im 66ften Jahre des Alters.

Zu Gotha am 17. Octbr. der Kriegsdirector u. f. w., *Heinrich Auguft Ottokar Reichard*, geboren am 3. März 1751. Er hat fich durch feinen *Guide des Voyageurs* und andere geographifche Schriften bekannt gemacht; in früheren Jahren hat er den Theaterkalender und die Romanenbibliothek herausgegeben, und zu mehreren Zeitfchriften Beyträge geliefert.

Zu Pratau am 18. Octbr. der Paftor M. *Johann Chriftoph Lederer* nach vollendetem 83ften Lebensjahre.

LITE-

LITERARISCHE ANZEIGEN.

I. Neue periodische Schriften.

Der ausführliche *Prospectus*, nebst beygedruckter Probe des Textes einer neuen englischen Zeitschrift, betitelt:

THE MIRROR,
A LONDON JOURNAL
OF
LITERATURE, AMUSEMENT,
AND
INSTRUCTION,

welche in *London* redigirt und gedruckt wird, und bey Ernst Fleischer in Leipzig auf *Subscription* erscheint, ist in allen Buchhandlungen einzusehen.

In Commission bey Joh. Ambr. Barth in Leipzig ist so eben erschienen und an alle Buchhandlungen versandt:

Archiv für Bergwerks-Geschichte, Bergrecht, Statistik und Verfassung bey dem Bergbau im Königreich Sachsen und in den angrenzenden deutschen Staaten. Aus urkundlichen Quellen bearbeitet und herausgegeben von *Fr. A. Schmid.* 1stes Heft. 8. 1 Rthlr.

II. Ankündigungen neuer Bücher.

So eben ist bey mir erschienen und in allen Buchhandlungen des In- und Auslandes zu erhalten:

Handwörterbuch
der
Mineralogie und Geognosie.
Bearbeitet und herausgegeben
von
Karl Friedrich Alexander Hartmann.
Mit 10 lithographirten Tafeln.
8. 53 Bogen auf Druckpapier. 3 Rthlr. 8 gr.

Das Studium der Mineralogie und Geognosie gehört zu den nützlichsten und angenehmsten und schreitet aus diesem Grunde auch ausserordentlich rasch vor. Zu den Bedürfnissen der Literatur jener Wissenschaften gehörte vor Allem ein brauchbares Wörterbuch, und diesem Mangel hat der als Mineralog und Geognost rühmlichst bekannte Herr Verfasser auf eine sehr befriedigende Weise abgeholfen. Dem gelehrten Naturforscher, dem Bergmanne, dem Arzte und Pharmaceuten, kurz Jedem, der die Mineralogie und Geognosie zum Nutzen oder als Dilettant betreibt, ganz besonders auch dem Reisenden, wird das vorliegende Werk, das sich durch geringen Umfang und sehr billigen Preis bey grosser Vollständigkeit auszeichnet, ganz unentbehrlich seyn. Selbst der Ausländer wird es nicht unbefriedigt aus der Hand legen, da ein englisches, ein französisches und ein italienisches Register den Gebrauch erleichtern. Die 10 Steindrucktafeln enthalten 313 genaue Krystallfiguren.

Leipzig, den 1. Septbr. 1828.

F. A. Brockhaus.

Walter Scott's
poetische und biographische Werke.
Wohlfeilste Ausgabe.

Im Verlage der Unterzeichneten sind erschienen und in allen Buchhandlungen zu erhalten:

I. *W. Scott's sämmtliche poetische Werke.*
Aus dem Englischen von *Wilibald Alexis*, *E. von Hohenhausen*, *K. L. Kannegiesser*, *W. von Lüdemann* und *C. Richard.* Vollständig in 18 Theilen, welche nicht getrennt werden, 3 *Thaler* oder 5 *Gulden* 24 *Kreuzer* Rheinisch.

II. *W. Scott's Lebensbeschreibungen der ausgezeichnetsten Romandichter.*
Aus dem Englischen von *W. von Lüdemann.* Aus 3 Theilen bestehend. Preis für diese 3 Theile 12 *Groschen* oder 54 *Kreuzer.*

III. *W. Scott's Leben des Napoleon Buonaparte, Kaisers der Franzosen.*
Aus dem Englischen von Dr. *G. N. Bärmann.* Vollständige und mit Anmerkungen des Uebersetzers versehene Ausgabe in 21 Bänden. Preis für sämmtliche 21 Bände 3 *Thaler* 12 *Groschen* oder 6 *Gulden* 18 *Kreuzer* Rheinisch.

Diese Werke werden, wie die Romane, *roh* und *ohne Kupfer* ausgegeben, und sind durch alle gute Buchhandlungen zu beziehen. *Einzelne Bände* können aber nicht davon abgelassen werden, und sind solche bloss in der Ausgabe *mit Kupfern*, von welcher das Bändchen 9 gGr. *geheftet* und 8 gGr. *roh* kostet, zu erhalten.

Auch kann man in allen Buchhandlungen *ausführliche* Anzeigen über diese wohlfeilen Ausgaben erhalten.

Zwickau, im October 1828.

Gebrüder Schumann.

Bey Metzler in Stuttgart ist so eben erschienen:

Vierstimmiges Choralbuch
für Orgel- und Klavierspieler,

oder Melodien zu sämmtlichen Liedern des öffentlichen Gesangbuchs der evangelischen Kirche in Würtemberg, nebst einer Auswahl von den beliebtesten ältern Kirchen-Melodien, von Vor- und Nachspielen, und einer Belehrung über Einrichtung und Behandhandlung der Orgel. Auf *höheren Befehl* herausg. von *Kocher, Silcher* und *Frech*. Querfol. Schreibpapier Pr. 6 Fl. od. 3 Rthlr. 15 gr. Sächf.

Um die Einführung des Chorals in die häusliche Mufik zu befördern, ift ftatt des fonft bey Choralbüchern üblichen Difcantfchlüffels der *Violinfchlüffel* gebraucht worden. — Auf Beftellung zu erhalten durch alle gute Buchhandlungen.

Bey August Schmid in Jena ift erfchienen und in allen Buchhandlungen zu haben:

The dramatic Works of Shakspeare. Part. I. *containing As you like it and Alls well that ends well.* Cart. 10 gr.

Da fich diefe Ausgabe des *Shakespeare* durch Schönheit des Papiers und des Drucks auszeichnet, fo bedarf fie wohl bey diefem äufserft billigen Preife weiter keine Empfehlung.

Der Hammer in feiner fymbolifchen Bedeutung, für Jedermann, infonderheit für Maurer und die es werden wollen. Herausg. von *G. Schulz*. Mit 3 lith. Tafeln. ord. 8. Brofch. Preis 10 Sgr. (8 gGr.)

Der Speculant, oder die Kunft, in fchweren Zeiten ohne Nahrungsforgen zu leben. Ein praktifches Noth- und Hülfsbuch für alle Stände. Von Dr. *H.* ord. 8. 23 Bogen. Preis 15 Sgr. (12 gGr.)

Phyfiognomik und Chiromantie, das ift: deutliche Anweifung, wie man aus dem Aeufsern eines Menfchen auf fein Inneres fchliefsen könne. Nach ältern und neuern Erfahrungen. Von Dr. *H.* Mit 3 lith. Tafeln. Brofch. Preis 10 Sgr. (8 gGr.) — In Gefellfchaften wird diefs Buch als angenehme und belehrende Unterhaltung viel Vergnügen gewähren.

Obige Schriften find in allen Buchhandlungen zu erhalten.

Naumburg, im October 1828.

Die Wild'fche Buchhandlung.

Im Verlage der Nicolai'fchen Buchhandlung in Berlin und Stettin ift fo eben erfchienen und in allen Buchhandlungen zu haben:

Gefchichte der Bildung des preufsifchen Staats von Dr. *C. W. von Lancizolle*, ord. Prof. d. Rechte a. d. Univerf. zu Berlin. Ifter Theil in 2 Abtheilungen. gr. 8. Preis 3½ Rthlr.

Der Verfaffer des oben genannten Werkes beabfichtigt in der Bildungsgefchichte des preufs. Staats fo ausführlich und forgfältig, als es die vorhandenen Quellen und Hülfsmittel geftatten, eine Grundlage für das vollftändige Studium der preufs. Gefchichte, mit befonderer Rückficht auf preufsifches Staatsrecht, zu liefern.

Der *vorliegende erfte Theil* verfolgt die Gefchichte des Länderbefitzes des preufs. Königshaufes, von der früheften Zeit an, wo daffelbe in der Gefchichte mit urkundlicher Gewifsheit erfcheint, bis zum Regierungsantritt des Kurfürften Johann Sigismund, und umfafst hauptfächlich, nächft der Bildungsgefchichte des älteften fränkifchen Befitzthums, die Acquifition der Mark Brandenburg, einiger Theile der Laufitz und Schlefiens, des Herzogthums Preufsen, *ingleichen* die Gefchichte der Hausverfaffung in ihren *Beziehungen* zur Bildung der Monarchie, endlich die *Vorbereitung* fpäterer Erwerbungen, in Pommern, Schlefien u. f. w. durch Erbverträge, Lehnsverhältniffe u. f. w.

Der *zweyte Theil* wird bis zum Regierungsantritt des Königs Friedrich II., und der *dritte Theil* bis auf die neuefte Zeit herabreichen.

Die Fortfetzung und Vollendung des Werks wird von dem Verfaffer und der Verlagshandlung möglichft befchleunigt werden.

Bey Brüggemann in Halberftadt ift erfchienen:

Allegate zu dem allgemeinen *Landrechte*, der *Gerichts-*, *Criminal-*, *Hypotheken-* und *Depofital-Ordnung*, dem *Sportel-Caffen-Reglement*, der *Sportel-Taxe* und dem *Stempel-Gefetze* der Preufsifchen Staaten; der auf einander Bezug habenden Vorfchriften derfelben, fo wie der noch geltenden, abändernden oder ergänzenden Gefetze und Verfügungen der Juftiz-, Polizey- und adminiftrativen Behörden u. f. w. Von *C. L. P. Strümpfler*. *Zweyte* vermehrte und verbefferte Ausgabe. 1fter Band. Preis 1 Thaler. (Der 2te und letzte Band erfcheint in *einigen* Wochen.)

III. Herabgefetzte Bücher-Preife.

La vita nuova e la rime di Dante Allighieri, edizione di *G. G. Keil*. 8. Druckpap. 16 gr. Schreibpap. 20 gr.

Diefe in meinem Verlage erfchienene, und in mehreren kritifchen Blättern mit Beyfall aufgenommene Ausgabe, finde ich mich bewogen bis *zu Ende* der *Oftermeffe* 1829 im Preife herabzufetzen, und zwar auf Druckpap. zu 8 gr. und auf Schreibpap. zu 10 gr., wofür folche durch alle *folide* Buchhandlungen auf *fefte* Beftellung zu bekommen ift.

Chemnitz, im October 1828.

Wilhelm Starke.

ALLGEMEINE LITERATUR-ZEITUNG

November 1828.

GRIECHISCHE LITERATUR.

Leipzig, b. Kühn: *Poetae minores Graeci.* Praecipua lectionis varietate et indicibus locupletissimis instruxit *Thomas Gaisford.* Editio nova, Fr. V. Reizii annotationibus in Hesiodum, plurium poetarum fragmentis aliisque accessionibus aucta. Vol. I—V. 1823. 8. auf Druckpapier 11 Rthlr., auf Schreibpapier 14 Rthlr. 16 gr.

Dieser Abdruck der in den Jahren 1814 bis 1820 zu Oxford in vier Grofsoctavbänden erschienenen Originalausgabe zeichnet sich durch gröfsere Wohlfeilheit des Preises, mancherley recht dankenswerthe Zusätze, so wie durch die Güte und Genauigkeit des Druckes vortheilhaft aus; während der englischen Ausgabe hinsichtlich der typographischen Eleganz und ihrer ganzen äufsern Ausstattung, verbunden mit der sorgfältigsten Correctur, unbedenklich der Preis zuerkannt werden mufs. Auch in der sonstigen Einrichtung unterscheidet sich die Oxforder Ausgabe von der Leipziger: dort umfafst der erste Band den Hesiodus, nebst den Fragmenten anderer Dichter, der zweyte die Bukoliker, der dritte die Scholien zum Hesiodus, und der vierte die Scholien und Commentare zum Theocritus; hier enthält der erste Band sämmtliche Ueberbleibsel des Hesiodus, der zweyte die Scholien dazu, der dritte die eben angedeuteten Fragmente mit bedeutenden Bereicherungen, der vierte den Theocritus, Bion und Moschus, der fünfte die Scholien. Auch ist im Einzelnen manches zweckmäfsiger gestellt, als in der Originalausgabe, und das in den verschiedenen Bänden Zerstreute gleich gehörigen Orts eingerückt worden.

Unter der Ueberschrift *Poetae minores Graeci* gab zuerst R. Wintertoon im Jahre 1635 zu Cambridge folgende Dichter heraus: Hesiodus, Theocritus, Moschus, Bion, Simmias, Musaeus, Theognis, Phocylides, Pythagoras, Solon, Tyrtaeus, Simonides, Rhianus, Naumachius, Panyasis, Orpheus, Mimnermus, Linus, Callimachi Epigr., Euenus Parius, Eratosthenes, Menecrates, Posidippus, Metrodorus, *Fragmenta quaedam Comicorum, diversorum poetarum Gnomae.* Diejenigen unter diesen Dichtern, welche ausgemachter Mafsen einem spätern Zeitalter anheimfallen, als ihr Name aussagt, (wie Orpheus, Musaeus u. s. w.) nebst einigen andern hat *Gaisford* von seiner Sammlung gänzlich ausgeschlossen; dagegen an ihrer Statt die Fragmente des Hesiodus, Archilochus und Simonides so vollständig als irgend möglich in die Reihe aufgenommen; ferner hat er die einzelnen Dichter auf eine der Geschichte und der Gattungen der griechischen Poesie angemessnere Weise auf einander folgen lassen, wiewohl auch hier noch gar Vieles zu wünschen übrig bleibt. So sieht z. B. kein Mensch ein, warum Theognis dem Kallinus, Archilochus, Tyrtäus, Mimnermus, Solon u. s. w. vorangestellt, und diese selbst wiederum unter einander ganz unkritisch vermengt worden sind. Um uns hierüber nicht in weitere Erörterungen einzulassen, wollen wir in aller Kürze bemerken, dafs wir mit Rücksicht auf das Historische und Generische der griechischen Dichtungswerke die von *Gaisford* einmal aufgenommenen Auctoren etwa in dieser Reihenfolge eingeführt haben würden: 1) *Poetae epici.* Hesiodus, Panyasis. 2) *Poetae elegiaci aliique diversi generis.* Callinus, Archilochus, Tyrtaeus, Mimnermus, Solon, Theognis, Phocylides, Simonides, Euenus Parius, Empedocles, Parmenides. 3) *Poetae bucolici.* Theocritus, Bion, Moschus. Es soll hiermit keineswegs gesagt seyn, als wollten wir die *elegische* und *bukolische* Poesie der *epischen* coordiniren. Wir befolgten diese Eintheilung nur aus dem Grunde, weil es gerathener zu seyn scheint, das einmal chaotisch Nebeneinandergestellte so gut wie überhaupt möglich zu ordnen, als das Historische ganz und gar unberücksichtigt zu lassen. Wir sind im Uebrigen vollkommen mit den gröfsten Philologen unserer Zeit darin einverstanden, dafs sich den drey Hauptgattungen der griechischen Poesie, der *epischen, lyrischen* und *dramatischen* alle Neben- und Ausarten bequem und leicht unterordnen lassen. Dafs die Fragmente des Xenophanes, Ion von Chius, Dionysius von Athen, Kritias dem Tyrannen, Antimachus, Krates von Theben und von ähnlichen hauptsächlich elegischen Dichtern überhaupt fehlen, ist gewifs nur zufällig, so wie denn überhaupt die ganze Benennung *Poetae minores* schwankend ist und eines logischen Haltpunktes ermangelt. Einige der oben aufgeführten Dichter verfafsten nicht allein elegische Verse, sondern hinterliefsen auch andre Poesieen, wie namentlich Archilochus in der jambischen, Simonides in der lyrischen (im engern Sinne des Wortes) Gattung sich auszeichnete: allein um die Ueberbleibsel der einzelnen Dichter selbst nicht weiter zu zerstückeln, dürfte es am zweckmäfsigsten seyn, ihre sämmtlichen Fragmente gleich unter der Rubrik aufzunehmen, unter welcher sie zuerst vorkommen. Die χρυσᾶ ἔπη des Pythagoras hätte *Gaisford* mit eben so grofsem Rechte ausschliefsen sollen, als die dem Orpheus und andern untergeschobenen Machwerke späterer Dichterlinge. Eben so wenig sieht man ein, warum hier die Fragmente des Linus, Nau-

Naumachius und Rhianus eine Stelle finden. Es ist überhaupt ein grosser Uebelstand, dass sich der Herausgeber keine bestimmten und festen Grenzlinien gezogen hat.

Da nun einmal die Sammlung in diesem planlosen Zustande vor uns liegt, so müssen wir uns auch gutwillig damit begnügen und dem Herausgeber insonderlich dafür Dank wissen, dass er wenigstens im Einzelnen vieles Erspriessliche geleistet hat. Ueber sein kritisches Verfahren mag er selbst das Wort führen Vorrede S. X. *Quod ad rationem criticam spectat, satis erit in universum monuisse, me in contextu, uti vocant, constituendo semper illaesam servare voluisse optimorum et vetustissimorum exemplarium fidem. Manuscriptorum itaque et edd. antiquarum, quotquot ad manum erant, collationibus diligenter usus, lectiones, quae vulgatis anteferendae videbantur, exinde haud dubitanter recepi. Emendationes ex conjectura rarissime (nunquam certe inconsulto lectore) admisi: quod sane saepius factum debuerat, si omnia ad accurate scribendi leges exigere mihi propositum esset.* Der Fleiss und die Gewissenhaftigkeit unseres englischen Philologen sind allgemein anerkannt, und was bereits von andern Recensenten über *Gaisfords* Ausgaben des Stobäus und Herodotus bemerkt worden ist, findet auch hier vollkommen statt; er hat das Ueberlieferte treu und redlich benutzt, ohne gerade durch scharfsinnige Combinationen und geistreiche Conjecturen seinen grossen Landsleuten oder auch Lehrern Bentley und Porson rühmlich nachzueifern.

Ehe wir zur Beurtheilung der Leistungen im Einzelnen vorwärts schreiten, wollen wir erst über die Bereicherungen der Leipziger Ausgabe Bericht abstatten. Hierher gehören zunächst *Reizens* Anmerkungen zur Theogonie, zu dem Scutum Herculis und den Fragmenten des Hesiodus, Zusätze von *Barker* und *W. Dindorf*, endlich die Bruchstücke des Alkaeus, der Sappho und des Stesichorus, von Blomfield zusammengetragen und bearbeitet, und zuerst in dem früh hingewelkten *Museum criticum Cantabrig.* herausgegeben, nebst einer Abhandlung über den Antimachus aus dem *classical Journal* VII. p. 281 sqq. Der Vorzug der deutschen Ausgabe vor der englischen besteht also besonders darin, dass sie die in kostbaren englischen Zeitschriften vergrabenen Schätze dem deutschen Publicum zugänglicher gemacht hat.

Der *erste* Band führt einen besondern Titel, der also lautet:

Hesiodi carmina. Praecipua lectionis varietate et indicibus locupletissimis instruxit Th. Gaisford. Leipzig 1823. 8. XIV u. 290 S.

Die Hülfsmittel, deren sich *Gaisford* hierzu bedient hat, sind folgende: 1) *In opera et dies. Voss.* 1. 2. duo Mss. Isaaci Vossii a Graevio adhibiti. *Pal.* 1. 2. duo Mss. Palatini ap. Commelinum. *Barocc.* 46. 60. 109. *Bodl. Reg. Soc. Coislin.* sämmtlich bey Robinson. *Ac. Sen.* Zwey Leipziger Handschriften bey Lösner. *Aug.* Eine Augsburger bey Lö[...] *Med.* die Mediceische Handschr. Nr. 89. Sec[...] von Dorville verglichen (v. Bibl. Bodl. Auct. X[...] 11.). *D. E.* Zwey von Dorville verglichenen [...] (Bibl. Bodl. X, 1. 3, 12. X, 1. 3, 13.) *Gal.* Eine H[...] Cambridge im Collegium Trinitatis. *Eine* Ve[...]chung von Pariser Handschriften, die Boisso[...] für den Herausgeber besorgt hat, ist erst später [...]getheilt, in dem Leipziger Abdruck S. 149 sqq. [...] editio princeps Mailand 1493. — 2) *In Theog[...] Med.* Diese Vergleichung der Mediceischen [...] die sich unter den Büchern von Dorville fand, [...] S. 144. *Bar.* Cod. Baroccianus 109. *Reg.* E[...] Hds. der königlichen Societät zu *London* bey R[o]binson. — 3) *In Scutum Herculis. Med. Ema[n].* Hds. zu Cambridge, die jedoch sehr neu und *fehlerhaft* ist, obgleich hier und da die Spuren besserer Lesarten hervorschimmern. *Harl.* Cod. Harleianus bey Robinson. *Rehd.* die Rehdigersche Handschr. [aus] der Bibliothek des Elisabethanums zu Breslau, di[e] Heinrich in seiner vortrefflichen Ausgabe benutzt hat. — Unter den Ausgaben sind angeführt *Al[d.]* die Aldinische (1495), *Junt.* 1. die erste Florentinische von Junta (1515), *Trinc.* die Venetianische von Trincavelli (1537), *Junt.* 2. die zweyte Florentinische (1540), *Commelin.* die von Commelinus 1591 und von Lösner zu Leipzig 1778 besorgten Ausgaben; endlich die Theogonie von *Fr. Aug. Wolf*, und das Scutum *Herculis* von *Heinrich*. Ausserdem ist zu d[en] ἔργ. auch *Bruncks* Recension in den *Poetis gnomi[cis]* benutzt worden.

Diesen Vorrath hat *Gaisford* mit gewissenhaftem Fleiss und lobenswerther Genauigkeit benutzt, obgleich die Arbeit dem gegenwärtigen Zustande der Philologie, namentlich in Deutschland, noch keinesweges entspricht. Wir wollen uns bey der näheren Betrachtung einzelner Stellen des Hesiodus nur kurz fassen, dafür aber desto länger bey den Bruchstücken anderer Dichter, hauptsächlich der Elegiker, verweilen. Die dem griechischen Texte untergesetzten Anmerkungen enthalten theils *die Stellen* anderer Schriftsteller, die einzelne *Stellen des* Hesiodus citiren oder darauf anspielen, theils die Varianten und kritischen Erörterungen. Wir müssen es billigen, dass *G.* die zehn ersten Verse der ἔργα, obgleich sie nach Pausanias IX, 31, 4. schon frühe als unecht galten, und die Scholien des Tzetzes namentlich berichten, ὅτι Ἀρίσταρχος καὶ ἕτεροι ὀβελίζουσι τὸ προοίμιον, καὶ Πραξιφάνης, ὁ μαθητὴς Θεοφράστου, λέγει ἀπροοιμιάστῳ βιβλίῳ ἐντυχεῖν, ἀρχομένῳ ἐντεῦθεν, οὐκ ἔρα μ[...] κτλ. wenigstens in den Text aufgenommen und nicht mit dem leichtfertigen Brunck ganz ausgestossen hat. Auf jeden Fall tragen sie das Gepräge eines relativ hohen Alterthums an der Stirne, und verdienen daher keinesweges der Vergessenheit hingegeben zu werden. Wie vielerley sich in dieser Beziehung durch scharfsinnige Untersuchungen noch ermitteln lasse, hat *Twesten* gezeigt in seiner *Dispu. crit. de Hesiodi carmine quod inscribitur O. et D.* (Kiel 1815). Damit soll aber keinesweges gesagt seyn, dass alles, wenn auch noch so schar-

scharfsinnig als nicht Hesiodisch Erwiesene gänzlich aus der griechischen Literatur verbannt werde. Gegen die Interpunction, wie sie sowohl in diesem Proömium als auch anderwärts eingeführt ist, wäre Mehreres zu erinnern, worauf aber hier nur hingedeutet zu haben genug seyn mag. Vs. 25. fehlt unter den Schriftstellern, welche diesen Vers citiren, Stobaeus *Florileg.* XXXVIII, 26. p. 224. — Vs. 50. *Heinrich ad Twesteni com. c. p.* 70. hat darauf aufmerksam gemacht, dass bey der Unbeständigkeit der Schreibweise von *αὖτις* und *αὖθις* die erstere Form dem Hesiodus durchweg anzueignen sey. Vs. 64. *χρυσῆν Ἀθήνην.* Hier ist gewiss, so wie in den Homerischen Gedichten, die auseinandergezogene Form *χρυσέην* wieder herzustellen. Eben so Vs. 145. *ἀργυρέῳ* statt *ἀργυρῷ.* Vs. 67 sq. Es ist auffallend, dass *G.* hier nicht auf Stobaeus *Florileg.* LXXIII, 50. p. 484. verwiesen hat; denn in den Ausgaben des Hesiodus lautet die Stelle also:

> *ἐν δὲ θέμεν κύνεόν τε νόον καὶ ἐπίκλοπον ἦθος*
> *Ἑρμείην ἤνωγε διάκτορον Ἀργειφόντην.*

Bey Stobäus dagegen:

> *ἐν δὲ θέμεν κύνεόν τε νόον καὶ ἐπίκλοπον ἦθος.*
> *ἐν δ' ἄρα οἱ στήθεσσι διάκτορος Ἀργειφόντης*
> *ψεύδεα θ', αἱμυλίους τε λόγους καὶ ἐπίκλοπον ἦθος.*

Ein Herausgeber, der sich einmal zur Pflicht gemacht hat, alle Varianten zu sammeln, muss auch auf solche Kleinigkeiten hinweisen, da durch dergleichen scheinbare Nebensachen oft grosses Licht aufgehen kann, das auf den ersten Anblick nicht immer gleich hervorschimmert. Die beiden letzten Verse bey Stobäus folgen im gewöhnlichen Text erst mit Vs. 77. Ausserdem hätte *Ἑρμείαν* statt *Ἑρμείην* geschrieben und nach *διάκτορον* (desgleichen Vs. 77.) ein Comma gesetzt werden sollen, nach *Heinrichs* scharfsinniger Bemerkung l. c. p. 70 sq. *Meineke Commentat. misc.* I. p. 62. hat zwar die alte Erklärungsweise dadurch vertheidigen wollen, dass er bezweifelte, ob überhaupt Homerus *διάκτορος* ohne *Ἀργειφόντης* gebraucht habe. Dagegen aber lässt sich anführen Odyss. *μ*, 390. *ο*, 319. Hymn. in Mercur. 12. — Vs. 97. Die Handss. des Hesiodus geben grösstentheils *ἔμιμνε*, Plutarch. *de Consol.* p. 105. E. Stob. *Florileg.* CX, 6. p. 580. *ἔμεινε*, welche Lesart *G.* nach *Bruncks* Vorgang in den Text hätte aufnehmen sollen. — Vs. 105. *οὕτως οὔτι πῆ ἐστι* schreibt *G.* nach der Auctorität von *Voss.* 1. *Med. Gall. et Tzetzes.* Eine Var. ist *ποῦ.* Mag die eine oder die andere Lesart für echt gehalten werden, richtig accentuirt ist keine: denn hier ist die Enclitica erforderlich, welche *πη* oder *που* geschrieben werden muss: *πῆ* und *ποῦ* sind ja particulae interrogativae. cf. *Hermann. ad Viger.* p. 794. Es ist übrigens zu verwundern, dass noch *W. Dindorf* in der Schulausgabe bey *Teubner πῃ* mit einem Jota subscr. gegeben hat. — Vs. 120. *αὐτὰρ ἐπειδὴ τοῦτο γένος κατὰ γαῖα κάλυψεν.* So hat *G.* mit *Brunck* geschrieben; die früheren Ausgaben und die Hdss. haben *ἐπεί κε* oder *κεν*, welche Lesart wegen des folgenden *κάλυψεν* unerträglich ist. cf. *Hermann. ad Viger.* p. 929. Da nun dieser Vers weiter unten noch zweymal wiederkehrt, 139. 155. und zwar in dieser Gestalt:

> *αὐτὰρ ἐπεὶ καὶ τοῦτο γένος κατὰ γαῖα κάλυψεν,*

so dürfte wohl *Hermanns* Vermuthung am richtigsten seyn, *hunc versum ab interprete aliquo etiam in primi hominum aevi commemoratione adscriptum esse, quumque ab librariis in textum receptus esset, sed quod ferri non posse sentirent, imperite esse immutatum.* — Vs. 165. Zu Ende des Verses *ἀμφεκάλυψε.* Hier sowohl als an andern Stellen der Art ist das *ν ἐφελκυστικὸν* hinzuzufügen. Eben so Vs. 248. der *Dat. pl. δίκῃσι* statt *δίκησιν.* — Vs. 208 sq. steht auch bey Stob. *Flor.* IV, 8. p. 52. 301—303. ib. XXX, 5. p. 211. 359 sq. ib. XXIX, 18. p. 199. Dergleichen Nachweisungen sowohl aus Stobäus selbst, als auch aus andern späteren Schriftstellern liessen sich noch mehrere nachtragen. So viel über die *Ἔργα.*

Der Theogonie hat der Herausgeber vorangehen lassen *Excerptum ex Epistola Godof. Hermanni ad Car. Dav. Ilgenium Hymnorum Homericorum editioni Lips.* 1806 *praemissa.* Diese Abhandlung über die Diaskeuasis der alten Dichter ist zu sehr bekannt, als dass wir umständlicher darüber sprechen sollten. Hinter der Theogonie stehen *Tabulae chronologicae, hoc est stirpes deorum et heroum secundum Hesiodum,* von *Heyne* verfasst. Das *Scutum Herculis* wird eröffnet mit der griechischen *ὑπόθεσις.* Ueber den Text beider Gedichte haben wir ungefähr dasselbe zu bemerken, was bey den *ἔργοις.* S. 159 sqq. folgen *Excerpta ex annotatis Hemsterhusii* aus der Bibliothek zu Leyden. S. 170 sqq. *Excerpta ex Ruhnkenianis in Hesiodum* ebendaher. S. 174 sq. *Hesiodi fragmenta.* Diese Sammlung lässt noch ausserordentlich viel zu wünschen übrig. Nicht nur eine genauere Sichtung der echten und untergeschobenen Stellen, sondern auch eine richtigere Vertheilung der einzelnen Bruchstücke ist ein wahres Bedürfniss. Die Hauptsache bey Fragmentensammlungen ist unstreitig die, dass der Leser aus den zerstreuten Trümmern eine Aussicht gewinnt in die Construction des ehemals vorhandenen Ganzen. Davon scheint aber der Herausgeber keine Ahndung gehabt zu haben: im Gegentheil er hat alles ganz chaotisch durcheinander geworfen, und scheint mehr auf Vollständigkeit, als auf Planmässigkeit gerechnet zu haben. Denn eine geistlosere Verfahrungsweise kann doch wohl nicht gedacht werden, als die Fragmente, wie sie bey jedem einzelnen Schriftsteller vorkommen, der Reihe nach aufzuführen, wie hier die Fragmente bey Eustathius, Strabon, Pausanias u. s. w. Da uns bekannt ist, dass Hr. *Grashof* in Düsseldorf schon längst mit einer Sammlung der Hesiodischen Fragmente beschäftigt ist, so fordern wir denselben hiermit öffentlich auf, gerade dem gedachten Punkte seine besondere Aufmerksamkeit zu widmen, und somit einem dringenden Bedürfniss in der griechischen Literatur bald abzuhelfen. Auch lässt sich die *Gaisford*sche Sammlung noch um ein Bedeutendes vervollständigen, und in den einzelnen Stellen nach

den

den neuesten Hülfsmitteln verbessern. So steht z. B. Fragm. II, 2. folgender Vers:

ἀλλ' ἐπὶ πυραμίνων ἀθέρων δρομάασκε πόδεσσι,

der nach *Bekkers* Ausgabe der *Schol. in Homeri Iliad.* υ, 227. also zu verbessern ist:

ὅς ῥ' ἐπὶ πυραμίνους ἀθέρας φοιτασκε πόδεσσιν.

Cf. *Lobeck. ad Phrynich.* p. 583. 590. — Ein bey weitem wichtigeres Resultat ergiebt sich, wenn man Fragm. IV. nach den neueren Hülfsmitteln verbessert. Bey *Eust. ad Il. B.* p. 265. lautet es dermaſsen:

ἢν δίη Ὑρίη Βοιωτίης τρέφε κούρην.

Schon der Leipziger Herausgeber hat bemerkt: *Leg. e Schol. Ven. Il. B. Cat. 8. ἢ οἵη Ὑρίη Βοιωτίη ἔτρεφε κούρην. editur quidem Βοιωτίης τρέφε, sed ε inceptiva cum σ finali haud raro commutatur.* Das Richtige steht aber bey *Bekker β*, 496.

ἢ οἵην Ὑρίη Βοιωτίη ἔτρεφε κούρην.

Daraus geht hervor, daſs dieses ein Fragment aus den *μεγάλαις Ἠοίαις* ist. — Die allergröſste Sorglosigkeit des Herausgebers besteht unstreitig darin, daſs er die aus den Venetianischen Scholien zur *Ilias* entlehnten Fragmente LXX—LXXV. sogar ohne Accente geschrieben hat, weil sie auf diese Art von *Villoison* herausgegeben sind. Nachzutragen sind einige Fragmente aus *Eustath. ad Od. δ.* p. 1494. Rom. *Herodian. περὶ μονήρους λέξεως* p. 11. 17. 18. 42. *Harpocratio* p. 191. *Schol. ad Hesiodi Theog.* p. 142. *Scut.* p. 122. *ed. Lips. Philemo v. εὐφυής. Favorinus* p. 781, 20. *Bekkeri Anecd.* p. 1183. *Tzetzes Exeges. in Iliad.* p. 68, 20. *Schol. ad Eurip. Rhesum Vat.* v. 28. Den Beschluſs dieses Bandes macht ein *Index vocabulorum fere omnium, quae in Hesiodi Reliquiis continentur.* Daſs auch dieser sehr planlos abgefaſst ist, wird man auf den ersten Blick gewahr. Wir möchten dem Herausgeber die von *Böckh* zum Pindarus gemachten Indices als Muster aufstellen.

Der zweyte Band führt noch den besondern Titel:

Scholia ad Hesiodum. E Codd. Mss. emendavit et supplevit Th. Gaisford. 660 S.

Gaisford hat hierzu neun Pariser Handschriften benutzt, die er von *A* bis *K* nach den Buchstaben des Alphabets bezeichnet. *S.* Cod. Schellershemianus, olim Florentinus, dem Herausgeber von *Creuzer* mitgetheilt. *Dorv.* eine vormals dem Dorville gehörige Hdſ. *Bibl. Bodl. Auctar.* X, 1. 3, 12. — Die Scholien selbst bestehen aus den Prolegomenis *Πρόκλου Διαδόχου*, die hier zuerst vollständig erscheinen nach Cod. C. D. und eine Lebensbeschreibung des Hesiodus enthalten; ferner aus der *ἐξήγησις Ἰωάννου τοῦ Τζέτζου εἰς τὰ ἔργα καὶ τὰς ἡμέρας τοῦ Ἡσιόδου*; sodann folgen des Proklus *Σχόλια εἰς τὰ ἔργα καὶ τὰς ἡμέρας*, weiterhin *εἰς τὴν Ἡσιόδου Θεογονίαν σχόλιά τινα μερικά, παλαιά; Ἰωάννου Διακόνου τοῦ Γαλήνου εἰς τὴν Θεογ. ἀλληγορίαι*; endlich *Ἰωάννου Διακόνου τοῦ Πεδιασίμου σχόλια παραφραστικὰ μετὰ τῆς τεχνολογίας τοῦ αὐτοῦ, καὶ Ἰωάννου τοῦ Τζέτζου ἐξήγησις εἰς τὴν τοῦ Ἡσιόδου ἀσπίδα.* Unter dem Texte stehen überall die Vari[anten] der Handschriften und Ausgaben. Voran[ge]... die Dedication und Vorrede des *Dan. Heinsius*, ... den Beschluſs macht ein *Index nominum*, wo[raus] man eine leichte Uebersicht der in den Scholien e[nt]haltenen Fragmente gewinnt. Wir können we[iter] nichts hinzufügen, als daſs der Druck sehr corr[ect] ist, und dadurch dem Leipziger Herausgeber E[hre] macht.

Genauer wollen wir uns mit dem *dritten* Ba[nde] befassen, dessen specielle Ueberschrift folgende ist:

Theognidis, Archilochi, Solonis, Simonidis, Tyrtaei, Empedoclis, Parmenidis, Sapphonis, Alcaei, Stesichori et aliorum fragmenta. 449 Seiten.

In der Beurtheilung der einzelnen in *dieser Fragmenten*-Sammlung enthaltenen Dichter befolgen *wir* lieber die historische Reihenfolge, als die willkürliche des Herausgebers; darum mache den Anfang *Kallinus von Ephesus* S. 224 = 426. Die Interpunktion der zwey ersten Disticha hat *Gaisford* hier von *Brunck* entlehnt, indem er zwar die Sätze bis zu dem Worte *μεθιέντες* als Fragesätze einführt; Vs. 4. aber nach *ἧσθαι* ein Kolon, und nach *ἔχει* ein Punctum setzt. Unstreitig ist der letzte Satz ebenfalls ein fragender und folgender Art zu interpungiren:

ἐν εἰρήνῃ δὲ δοκεῖτε
ἧσθαι, ἀτὰρ πόλεμος γαῖαν ἅπασαν ἔχει;

Wenigstens erhält dadurch der Gedanke weit mehr Kraft und Stärke; weshalb auch *W. E. Weber* trefflich übersetzt:

Wähnt Ihr, im Frieden
Sicher zu ruhn, und der Krieg waltet daher durch das Land?

Nach Vs. 4. folgt eine Lücke, die *Jo. Camerarius* durch folgenden Hexameter zu ergänzen suchte:

εὖ νύ τις ἀσπίδα θέσθω ἐναντιβίως πολεμίζων.

Allein es scheint uns mit *Weber* sichtbar, daſs der Ausfall sich nicht auf einen einzigen Vers beschränkt hat. Vs. 6—8. sind durch unnütze Commata verunstaltet, die sämmtlich besser weggeblieben wären. V. 8. Cod. B. *θάνατος δὲ τότ' ἔσσεται, ὁππότε κεν δή.* Vulg. *θ. δέ ποτ' ἔσ. κτλ.* Dem Relativum *ὁππότε* correspondirt freylich das Demonstrativum *τότε*, weshalb dem ersten Anblick nach die Lesart *τότ'* vorzuziehn seyn dürfte; allein der erste Gedanke erscheint weit treffender, wenn in ihm der Begriff der Unbestimmtheit enthalten ist: und doch scheint keine von den beiden überlieferten Lesarten die ursprüngliche zu seyn, die vielleicht zwischen beiden in der Mitte liegt. Vergleichen wir das im ersten Verse vorkommende *κότ'*, so zwingt uns die Consequenz, auch hier die ionische Form wieder herzustellen und also zu schreiben: *θάνατος δέ κοτ' ἔσσεται, ὁππότε κεν δή.* Cf. *Mimnermi fragm.* X, 1. IX, 2. *Koen. ad Gregor. Corinth.* p. 414. *ed. Schaefer.* — *W. Dindorf* hat aus *Stephanus Byz.* v. *Τρῆρος* folgendes Fragment nachgetragen:

— *Τρήρεας ἄνδρας ἄγων.*

Vgl. *Franckii Callin.* p. 111.

(Die Fortsetzung folgt.)

ALLGEMEINE LITERATUR - ZEITUNG

November 1828.

GRIECHISCHE LITERATUR.

Leipzig, b. Kühn: *Poetae minores Graeci* — — instruxit *Thomas Gaisford* etc.

Fortsetzung der im vorigen Stück abgebrochenen Recension.

Ein drittes Fragment wollen wir aus *Strabon* XIV. p. 647 (958) sq. nachtragen: καὶ τὸ παλαιὸν δὲ συνέβη τοῖς Μάγνησιν ὑπὸ Τρηρῶν ἄρδην ἀναιρεθῆναι, Κιμμερικοῦ ἔθνους, εὐτυχήσαντος πολὺν χρόνον, τῷ δ' ἑξῆς ἔτει Μιλησίους κατασχεῖν τὸν τόπον. Καλλῖνος μὲν οὖν ὡς εὐτυχούντων ἔτι τῶν Μαγνήτων μέμνηται καὶ κατορθούντων ἐν τῷ πρὸς Ἐφεσίους πολέμῳ· Ἀρχίλοχος δὲ ἤδη φαίνεται γνωρίζων τὴν γενομένην αὐτοῖς συμφοράν·

κλαίειν τὰ Θάσσον, οὐ τὰ Μαγνήτων κακά.

ἐξ οὗ καὶ τὸ νεώτερον εἶναι τοῦ Καλλίνου τεκμαίρεσθαι πάρεστιν. Ἄλλης δέ τινος ἐφόδου τῶν Κιμμερίων μέμνηται πρεσβυτέρας ὁ Καλλῖνος, ἐπὰν φῇ·

Νῦν δ' ἐπὶ Κιμμερίων στρατὸς ἔρχεται
ὀμβριμοέργων,

ἐν ᾗ τὴν Σάρδεων ἅλωσιν δηλοῖ. cf. *Franck. l. c.* p. 89 sq. Ebenderselbe will S. 100 diesen Vers mit dem grösseren Bruchstück des *Kallinos* so vereinigen, dass er ihn nach Vs. 4 in die Lücke einschiebt, und zwar folgendermassen:

νῦν δ' ἐπὶ Κιμμερίων στρατὸς ἔρχεται ὀμβριμοέργων
* * * * * *
* * * * * * *
καί τις ἀποθνήσκων ὕστατ' ἀκοντισάτω, etc.

Endlich findet sich bey ebendemselben *Strabon* XIV. p. 633 (939) ein viertes Fragment des *Kallinos* aus einem λόγος πρὸς Δία· — ἡ νῦν καὶ Σμύρνα ἐκαλεῖτο ἡ Ἔφεσος· καὶ Καλλῖνός που οὕτως ὠνόμασεν αὐτήν, Σμυρναίους τοὺς Ἐφεσίους καλῶν ἐν τῷ πρὸς Δία λόγῳ·

Σμυρναίους δ' ἐλέησον —

καὶ πάλιν·

Μνῆσαι δ' εἴ κοτέ τοι μηρία καλὰ βοῶν
— — — — —

J. Scaliger und *Casaubonus* suppliren zu dem letzteren Verse ganz passend Σμυρναῖοι κατέκηαν. *Francke l. c.* p. 82. bemerkt hierüber ganz passend: λόγος πρὸς Δία *bellicosa sine dubio, sicut ceterae omnes, elegia fuit, in qua Jovem precabatur poeta, ut civibus opem ferret adversus Trerum, Cimmeriae gentis, impetum.*

Archilochus von Parus. S. 85—180. Vorausgeschickt ist die Abhandlung aus *Fabricii Bibliotheca Gr.* T. II. p. 107. ed. *Harles*, worin freylich nach *Franckes* (im *Callinus*, worauf *Dindorf* zuweilen hinweist) und Andrer Untersuchungen Mancherley zu berichtigen ist, dessen weitere Erörterung hier zu weit führen würde. Die Fragmentensammlung selbst nebst den dazu gehörigen Anmerkungen ist grösstentheils aus *Jacobs Anthologia Graeca* Vol. I. p. 40 sq. *Animadv.* Vol. I. P. 1. p. 147 abgedruckt. Wir wollen in wenigen Beyspielen zeigen, wie Vieles der neue Herausgeber noch hätte leisten können, wenn er nicht zu sclavisch seinem grossen Vorbilde gefolgt wäre. Fragm. I. *Stobaci* Florileg. CXXIV, 30. p. 617 *ed. Gesner.* (*Gaisf.* hat falsch abdrucken lassen S. 615.) Vs. 1. ist die Lesart der Handschriften ἀστῶν, statt deren hier die von *Grotius* in Vorschlag gebrachte Aenderung αὐτῶν ohne Grund aufgenommen worden; ebenso Vs. 2. das sogar Ungriechische μεμνόμενος statt der handschriftlichen Lesart μεμφόμενος, ποτοῖς statt πόλις. Das ganze Distichon ist daher folgendergestalt wieder herzustellen:

Κήδεα μὲν στονόεντα, Περίκλεες, οὔτε τις ἀστῶν
μεμφόμενος θαλίῃς τέρψεται οὔτε πόλις.

Vs. 4. ἔκλασεν ὑδαλέους *Vulg.* ἔκλαυσεν οἰδαλέους *Gesn. marg. et sic Voss. Arsen.* ἔκλυσεν· οἰδαλέους *B.* Weil namentlich die letzte Lesart einen ganz vernünftigen Sinn giebt, so können wir nicht begreifen, warum in unserer Ausgabe ἔκλυσε· μυδαλέους geschrieben ist; denn dass *Photius* das Wort Μυδάλεος als Archilochisch anführt, beweist noch keineswegs, dass dieses Wort gerade an dieser Stelle von *Archilochus* gebraucht seyn musste. Am Ende des Verses δ' ἀμφ' ὀδύνῃ ἔχομεν *Vulg.* ὀδύνῃ ἴσχομεν *Voss. Arsen.* ὀδύνῃ σίσχομεν *Trinc.* δ' ἴσχομεν ἀμφ' ὀδύνῃ *B.* δ' ἀμφ' ὀδύνῃς ἔχομεν *Gaisford.* Mit sorgfältiger Erwägung der handschriftlichen Spuren tragen wir kein Bedenken den Vers also zu schreiben:

ἔκλυσεν, οἰδαλέους δ' ἴσχομεν ἀμφ' ὀδύνῃ
πνεύμονας·

d. h. und wir tragen die Brust rings mit Gram angefüllt. ὀδύνῃ ist als *Dativus instrumenti* zu betrachten. — Fragm. XVIII. hat *Dindorf* auf die *scholia ad Homeri Odyss.* p. 546 *ed. Buttm.* verwiesen, wo statt κερτομεῖν die richtige Lesart κερτομέειν steht. — Einige Fragmente hat *Dindorf* aus später erschienenen Griechischen Grammatikern hinzugefügt.

Tyrtäus von Athen. S. 226 — 245. Voransteht die Abh. aus *Fabricii Bibl. Gr.* I. p. 738. und *A. Matthiae dissertatio de Tyrtaei Carminibus*, aus einem zu Altenburg 1820 erschienenen Programm wieder abgedruckt, worin hauptsächlich *Francke's* kritische Wagestücke mit ruhiger Besonnenheit abgefertigt werden. Das erste Fragment ist das berühmte aus *Lykur-*

Lykurgus' Rede gegen *Leokrates*. In den fechs erften Verfen ift Einiges gegen die Interpunction und Accentuation zu erinnern, was Jeder leicht felbft verbeffern kann durch Vergleichung mit *Heinrich's* und *Bekker's* vortrefflichen Ausgaben. Vs. 7 ift hier noch gefchrieben:

ἔχθιστος γὰρ τοῖσι μετέσσεται, οὕς κεν ἵκηται,

ganz gegen die Auctorität der Handfchriften, welche uns folgenden Vers liefern:

ἐχθρὸς μὲν γὰρ τοῖσι μετέσσεται, οὕς κεν ἵκηται.

cf. *Franck. Callin.* p. 188. *Hermann. ad Viger.* p. 932. *Paffow Symbolae criticae* (Progr. Vratislav. 1820.) p. 29. Vs. 14. zu Ende ift ftatt des Commas ein Punktum zu fetzen, dagegen Vs. 16 ftatt des Punkts ein Comma. Vs. 17. ποιεῖτε. *Bekker* hat nach *Codd. A B P.* ποιεῖσθε gefchrieben, während jenes nun in ς ftebt; in der That ift auch das *Medium* hier am paffendften angebracht. Vs. 19. *pro* ὧν οὐκ ἔτι γούνατ' ἐλαφρά, *fcribe* ὧν οὐκέτι γούνατ' ἐλαφρά, — Vs. 28. „ἐρατῆς *Z cum Valckenario* (*Diatrib. in Eurip.* p. 293. *A*), ἀρετῆς *ABLP*: ἄρα τῆς ς." Im. Bekker. In unfrer Ausgabe fteht noch die ausgemacht falfche Lesart ἄρα τῆς. *Valckenar l. c.* hat ganz richtig bemerkt, dafs erftlich die Partikel ἄρα hier ganz müffig, und fodann der Artikel τῆς dem Sprachgebrauch des Dichters ganz zuwider fey. Cf. *Hermann. ad Viger.* p. 986. *Paffow. Symb. crit.* p. 80. wo noch befonders bemerkt ift: *Sed eximia huius coniecturae elegantia oculos criticorum offendiffe videtur: nemo certe editorum Tyrtaei facillimo hoc remedio in textu conftituendo ufus eft. Haud diutius puto refugient, fi in codice noftro* (*Rehdigerano*) *fic clariffime fcriptum effe acceperint: ipfos litterarum ductus fideliter expreffos habebunt in tab. lithogr. Nr. IV.* Auf gleiche Weife haben wir Mimnerm. XII, 3. (Strab. XIV. p. 634.) die gemeine nichts fagende Lesart ἐς δ' ἄρα τὴν K. unbedenklich verbeffert ἐς δ' ἐρατὴν Κολοφῶνα. — Unbegreiflich ift es uns, dafs das letzte Diftichon,

ἀλλά τις εὖ διαβὰς μενέτω ποσὶν ἀμφοτέροισιν
στηριχθεὶς ἐπὶ γῆς, χεῖλος ὀδοῦσι δακών.

ohne alle Erinnerung hier ganz weggelaffen ift, wenn es gleich Fragm. II, 21 fq. wiederkehrt.

Fragm. II. Vs. 6. γῆρας αὐγαῖς *A. Voff.* κ. ἐπ' αὐγαῖσιν *B.* woraus *Hermann* das richtige ὑπ' αὐγαῖσιν hergeftellt hat, welches eben fo viel bedeutet als ὑφ' ἡλίῳ. *Gaisford* hat *Brunck's* Conjectur ἴσ' αὐγαῖσιν aufgenommen, die erftlich unmetrifch ift, und wo aufserdem ftatt ἴσ' hätte ἶσ' gefchrieben werden müffen.

Fragm. III. Vs. 12. Nach ὀρέγοιτ' ift ein Komma zu fetzen, weil verbunden werden mufs δηίων ὀρέγοιτ', und die Worte ἐγγύθεν ἱστάμενος als Appofition zu betrachten find. — Vs. 44. Nach der Richtfchnur des Homerifchen Sprachgebrauches mufs die Vulg. μὴ μεθιεὶς πόλεμον verändert werden in μὴ μεθιεὶς πολέμου, wie auch *Gesner's* Randgloffe und *Urfinus* fchreiben. Fragm. VII. erfcheint nach *Buttmann's* (*ad Platon. Alcib.* p. 151. ed. 3.) und *Francke's* (*ad Callin* p. 295 fq.) fcharffinniger Erörterung nunmehr verbeffert und bereichert. Ohne uns [illegible] hier einzulaffen, wollen wir nur das Bruchftück feiner neuen Geftalt hierher fetzen:

Πολυδώρῳ,
ἡμετέρῳ βασιλῆι, θεοῖς τε φίλῳ Θεοπόμπῳ,
ὃν διὰ Μεσσήνην εἵλομεν εὐρύχορον,
Μεσσήνην ἀγαθὴν μὲν ἀροῦν, ἀγαθὴν δὲ φυτεύειν.

Diefer Verbindung hat auch *Weber* in der Ueberfetzung der Griechifchen Elegiker S. 27 feinen Beyfall gefchenkt.

Mimnermos aus Kolophon. S. 217 — 225. Vorausgefchickt ift die *Notitia* aus *Fabricii Bibl. Gr.* T. [illegible] p. 733.

Fragm. I. Vs. 2. ὅτ' ἐμοὶ nach *Brunck's* Vorgang ftatt der allein richtigen Lesart der *Handfchriften* ὅτε μοι. cf. *Bekker ad Theognid. ed.* I. Vs. 4. Eben fo ift Fragm. V, 1 falfch gefchrieben αὐτίκ' ἐμοὶ ftatt αὐτίκα μοι. — Fragm. II. Vs. 2. ἦρος nach Grotius, obgleich alle *Codd.* ἔαρος, die echt epifche und elegifche Form, darbieten. cf. *Hefiod.* Ἔργ. 460. — Zur Erklärung von Vs. 4 fq. läfst fich paffend vergleichen Lucret. II, 645 fq.

Omnis enim per fe divôm natura neceffe eft
Immortali aevo fumma cum pace fruatur,
Semota a noftris rebus feiunctaque longe.
Nam privata dolore omni, privata periclis,
Ipfa fuis pollens opibus, nihil indiga noftri
Nec bene promeritis capitur, neque tangitur ira.

Cf. VI, 57. *Horat. Satir.* I, 5, 101. *Philetas ap. Stob. Eclog. phyf.* V, 4. p. 156.

Ἰσχυρὰ γὰρ [παντὸς] ἐπικρατεῖ ἀνδρὸς ἀνάγκη,
ἣ ῥ' οὐδ' ἀθανάτους ὑποδείδιεν, οἵ τ' ἐν Ὀλύμπῳ
ἔκτοσθεν χαλεπῶν ἄχθων οἴκους ἐκάμοντο.

Vs. 10. αὐτίκα δὴ τεθνάναι βέλτιον, ἢ βίοτος. Die Partikel δὴ ift hier durchaus überflüffig und bedeutungslos, weshalb fie H. Stephanus fchon ausgeftofsen hat. Weil aber dadurch das Metrum verletzt wird, fo glauben wir den ganzen Vers vollkommen zu heilen, wenn wir ihn fo emendiren:

αὐτίκα τεθνάμεναι βέλτιον ἢ βίοτος.

Auf gleiche Weife hat *Bekker Theognis* 181 *aus Cod. A* geheilt. Cf. *Tyrtaeus* I, 1. — Vs. 11. ἄλλοτέ τ' οἶκος *Vulg.* ἄλλοτε οἶκος *A. Grotius* und *Brunck* fchreiben δ' ftatt τ' auf eine ziemlich gewaltfame Art. Das Wahre ift wohl erft durch eine fich leicht darbietende Emendation wieder herzuftellen, ἄλλοθεν οἶκος. Dadurch bildet fich ein Gegenfatz zu dem vorhergehenden ἐν θυμῷ, das Unglück, welches von aufsen her auf uns losftürmt, wird gegenübergeftellt dem Gram, der innerlich unfer Gemüth benagt. — Fragm. V. Vs. 2. πτοιοῦμαι δ' ἐσορῶν ἄνθος ὁμήλικος κ. τ. λ. Nach diefer Stelle läfst fich ein fehr verunftaltetes Fragment des *Philetas* glücklich emendiren, welches bis jetzt, und namentlich bey *Kayfer* p. 35 fo gefchrieben wird:

Πῶς δ' οἴμοι, πολέω γαίης ὕπερ, ἠδὲ θαλάσσης
ἐκ Διὸς ὡραίων ἔσχομεν ὧν ἐτέων.

In den Handfchriften des *Stobäus* fteht zu Anfange des Diftichons τῷ οὐ μοι πολέων. Obige Lesart rührt von

Grotius her, ist aber schon wegen der Dorischen rm τεῦς grundfalsch. *Gesner* hat gegeben τῷ αἰεὶ ὅσο. *Jacobs* hat zuerst den Weg zur Wahrheit zeigt, ohne ihn jedoch selbst gefunden zu haben, dem er vorschlägt: ἀτῶμαι πολέων. — Betrachtet n die Grundzüge der handschriftlichen Lesart nauer, *ΤΩΙΟΥΜΟΙ*, so ergiebt sich alsbald, dass aus *ΠΤΟΙΟΥΜΑΙ* entstanden sind. Wenn wir zweyten Verse *Jacobs* Verbesserung aufnehmen, erhält nunmehr das ganze Distichon seine ursprüngliche Gestalt wieder:

Πτοιοῦμαι πολέων γαίης ὕπερ ἠδὲ θαλάσσης
ἐκ Διὸς ὡραίων ἐρχομένων ἐτέων.

Fragm. VI. Vs. 2. liefern alle Handschriften ἑξηκονταέτη. *Gaisford* ist aber ohne alles gesunde Urtheil der Afterkritik des *Menagius* gefolgt, und hat ὀγδωκονταέτη ohne weiters in den Text aufgenommen. Vergleiche, was wir zum Solon gesagt haben S. 100.

Fragm. VII. Aus *Anth. H. Steph.* p. 120.

Τὴν σαυτοῦ φρένα τέρπε· δυσηλεγέων δὲ πολιτῶν
ἄλλος τίς σε κακῶς, ἄλλος ἄμεινον ἐρεῖ.

Anthol. Palat. ed. Jacobs. IX, 50. Vs. 1. ist getrennt zu schreiben σ' αὐτοῦ. cf. *Homer. Il.* ζ, 490. *Odyss.* α, 356. ξ, 185. Eben dasselbe Distichon kömmt auch in der Theognideischen Sammlung vor, und zwar so, dass noch ein anderes dem Gedanken nach mit ihm eng verbundenes Distichon vorausgeht. Da nun bekannter Maassen in dem heutigen *Theognis* viele Disticha andrer elegischer Dichter zusammengetragen sind, so tragen wir gar kein Bedenken, den *Mimnermus* zum Nachtheil des *Theognis* zu bereichern:

Μήτε τινὰ ξείνων δηλεύμενος ἔργμασι λυγροῖς,
μήτε τιν' ἐνδήμων, ἀλλὰ δίκαιος ἐών,
τὴν σ' αὐτοῦ φρένα τέρπε, δυσηλεγέων δὲ πολιτῶν
ἄλλος τίς σε κακῶς, ἄλλος ἄμεινον ἐρεῖ.

Fragm. IX. Vs. 2. Hier und X, 1. ist die Ionische Form οὐδέ κοτ' herzustellen statt der Vulg. οὐδέ ποτ' in der ersteren, und οὐδ' ὁκότ(αν) an der zweyten Stelle. — Vs. 5. 6. In allen Handschriften steht hier εὐνὴ κοίλη, ausser dass bey *Eustathius ad Odyss.* 1, 847. p. 1632, 28. κύλη geschrieben ist. Vergleichen wir nun hiermit die Worte des Athenäus, womit er die Verse des Mimnermus einführt: αἰνισσόμενος τὸ κοῖλον τοῦ ποτηρίου, so kommt man der wahren Lesart auf die Spur; denn wenn der Dichter nur auf die Form des Bechers angespielt hat, so kann er sie nicht schlechtweg κοίλη genannt haben. Wir halten also κύλη fest, und verdoppeln nur noch, um dem Metrum Genüge zu leisten, das λ. Somit ist κύλλη (i. q. κύλιξ, sich beziehend auf die concave Form des Sonnenbechers) Apposition von εὐνή, um zu bezeichnen, dass das goldne Bett des Helios die Gestalt eines Bechers gehabt habe. — Vs. 6. Cod. Paris. 1. Med. 4. διαστήεντος Par. 4. δι' ἀστήεντος Med. 3. δ' ἀναστάντες, woraus *G.* gegeben hat δ' Ἀστήεντος. Was damit ausgedrückt werden soll, hätte er freylich erst erklären müssen. Das Richtige hat unstreitig schon *Brunck* gefunden, κεῖθεν δ' Ἀλήεντος; ohne jedoch die erforderlichen Belege beyzubringen, die wir aus unserm Vorrathe nachtragen wollen. Pausanias VIII, 28, 2. Ἄλεντος δὲ τοῦ ἐν Κολοφῶνι καὶ ἐλεγείων ποιηταὶ τὴν ψυχρότητα ᾄδουσιν. *Tzetzes ad Lycophr.* 868. Ἄλεντος ποταμοῦ Κολοφῶνος. Auch auf der Insel Kos war ein Fluss dieses Namens, wie *Moschus Idyll.* III, 99 beweist:

ποταμῷ θρηνεῖ παρ' Ἄλεντι φιλητᾶς.

cf. *Theocrit.* VII, 1. wo der Scholiast neben dem Fluss Ἄλευς auf Kos einen andern dieses Namens auf Sicilien erwähnt. Ausser dieser gewöhnlichen Form scheint noch eine Ionische und poetische bestanden zu haben Ἀλήεις *contr.* Ἀλῆς, woher *Plinius H. N.* V, 30 die Lateinische *Halesus* gebildet haben dürfte: *Ab Epheso Manteium aliud Colophoniorum et inter ipsa Colophon, Haleso affluente.* Der Genitivus Ἀλήεντος ist hier als Apposition von κεῖθεν zu fassen: von hier (*Kolophon*) aus, nämlich vom Gestade des Haleus u. s. w. Vs. 6 hat *Gaisford* die verdorbene Lesart der Handschriften εἴδομεν sehr glücklich vertauscht mit ἵκομεν. — Fragm. XI. Vs. 6. 7. *Cod. A.* εὖθ' ὅτ' ἀνὰ προμάχους σεύηθ' αἱματόεντος ἐν ὑ. κ. woraus *G.* gegeben hat ἕσθ' ὅτ' ἀνὰ προμάχους σεῦ, ἠδ' αἱμ. κ. τ. λ. Hiermit ist erstlich viel zu wenig Rücksicht genommen auf die Spuren der *Codd.* sodann muss die Gesellschaft der Partikeln ἕσθ' ὅτε auffallen, indem ja ἔστε schon zusammengesetzt ist aus ἐς und ὅτε. Wegen des darauf folgenden ἀνά konnte hier leicht die Partikel ἄν ausgefallen seyn, wodurch ein Abschreiber veranlasst wurde, zur Ausfüllung des Metrums ὅτ' einzuschieben. Auf diese Art erklärt sich auch der darauf folgende Conjunctivus σεύηθ', die echte von *G.* schrecklich zerrissene Lesart; und somit ist Alles in gehöriger Ordnung. Wir schreiben also:

εὖτ' ἂν ἀνὰ προμάχους
σεύηθ', αἱματόεντος ἐν ὑσμίνῃ πολέμοιο
πικρὰ βιαζόμενος δυσμενέων βέλεα.

βιαζόμενος nämlich ist noch zu lesen mit Uebereinstimmung aller Handschriften, Apposition des nicht ausdrücklich genannten, hier beschriebenen Helden, statt der von *Gaisford* aufgenommenen Vulg. βιαζομένου.

Ausser einigen unmetrischen Fragmenten ist noch Folgendes nachzutragen aus *Bekkeri Schol. ad Iliad.* π, 287. p. 452.

Παίονας ἄνδρας ἄγων, ἵνα τε κλειτὸν γένος ἵππων.

Vielleicht bezieht sich dieser Vers auf den Troischen Helden *Δαίτας* oder *Δαίτης*. *Athen.* IV. p. 174. *Δαίταν ἥρωα τιμώμενον παρὰ τοῖς Τρωσίν, οὗ μνημονεύειν Μίμνερμον.* cf. *Eustath. ad Od.* α, 225 p. 1413.

Fragm. XIII.

ἀληθείη δὲ παρέστω
σοὶ καὶ ἐμοί, πάντων χρῆμα δικαιότατον.

Hierzu wird bemerkt: „*Hoc fragmentum Theognidi tribuit Stobaei margo ed. Grot.* p. 76. *Sed Trincavellus habet* Μενάνδρου. *Gesnerus* **Menandri in Nan-**

Nannis. Certissime reponatur Mimnermi." *Brunck* und *Bekker* haben dieses Bruchstück in die Sammlung des *Theognis* aufgenommen, letzterer jedoch in der ersten Ausgabe (1815.) eine Anmerkung *Passows* hinzugefügt, worin das Fragment dem *Mimnermus* zugestellt wird, die er (Gott weiss warum?) in der letzten Ausgabe (1827) ganz ausgelassen hat. Wenn etwa *Bekker* gegenwärtig glauben sollte, *Passow's* Meinung sey ungegründet, so irrt er gewaltig; denn durch die neuesten von *Gaisford* in *Stobaei Florilegio* benutzten Hülfsmittel wird es bis zur bestimmtesten Evidenz erwiesen, dass das Bruchstück dem *Mimnermus* angehört; indem der *Codex Paris. A.* ausdrücklich die Ueberschrift liefert *Μενάνδρου Ναννοῦς*. *Ναννώ* ist aber die Ueberschrift der Elegien des *Mimnermus*, wie Rec. in seiner Ausgabe S. 19 ff. gezeigt hat. Auch *Meineke* ist schon vor der neuesten Ausgabe des *Florilegiums* in der Ausgabe der Bruchstücke des *Menandros* S. 305. der Ansicht *Passow's* unbedenklich beygepflichtet. Statt *Μενάνδρου Ναννοῦς* ist also zu schreiben *Μιμνέρμου Ναννοῦς*, eine Verwechselung, die öfter als einmal vorkommt; denn *Stob. Florileg.* CXVI, 1. p. 590 steht im *Cod. A.* *Μενάνδρου*, in allen übrigen aber *Μιμνέρμου*, die allein richtige Lesart.

Am Schlusse der Fragmente des *Mimnermus* wird noch bemerkt: „*Contra Iambos, quos tanquam Mimnermi citat Stobaeus* CII. p. 422. *Grot. et* CXXVI. p. 515. *Menandro potius, si bene memini, assignare solitus erat Porsonus.*" Rec. hat in seiner Ausg. S. 49 ff. diese Frage einer sorgfältigen Erörterung unterzogen und gefunden, dass die Antwort darauf immer noch zweifelhaft bleiben muss. Darum hätte *Gaisford* auch besser daran gethan, wenn er die fraglichen iambischen Bruchstücke wenigstens nicht geradezu ausgeschlossen, sondern lieber mit einem *ὀβελός* versehen seiner Sammlung einverleibt hätte.

Solon von Athen. S. 131 — 146. Vorausgeschickt *Notitia de Solone ex Fabricii Bibl. Gr.* I. p. 735. Ueber die Anordnung der Fragmente wäre hier Vieles zu sagen: wir verweisen aber deshalb auf unsre Ausgabe, und gehen gleich auf das Einzelne über. Fragm. I. Vs. 3. *καὶ μεταποίησον λιγέως τοδὶ*, nach *Meibom* und *Brunck*. In den *Codd.* steht *ἀγυιὰς ταδὶ*, woraus *Sopingius ad Hesych.* II. p. 1339 das richtige *λίγυρ᾽ τόδι* hergestellt hat, welche Conjectur unlängst von *Fr. A. Wolf* (*Analect.* II. p. 96 sq.) wieder angefrischt und also erklärt worden ist: *Refinge*, [illegible] *leviculum hoc* (*das bischen*), *pro sexagenario ponens octogenarium.* Uebrigens [illegible] hier dieselbe Rüge anzubringen, wie oben be[i] *Mimnermus*, dass G. *ἑξηκονταέτη* statt *ὀγδωκοντ*[…] gegen alle Handschriften aufgenommen hat. Vs. 5. *μηδ᾽ ἐμοὶ* von *Brunck* geborgt statt *μηδὲ* […] Fragm. V. Vs. 23. *κατ᾽ ἀπείρονα γαῖαν*, aus [illegible] vischer Nachbeterey mit *Brunck* statt der handschriftlichen Lesart *κατὰ πίονα γαῖαν*, wie b[ei] *Homer. Il.* ψ, 832. *πίονες ἀγροί*. *Tyrtaeus* I, 8. Vs. Statt des Punktes hinter *πάντως* ist ein Ko[mma] nach *αὖτις* zu setzen. S. *Ed. Gerhardi lection. Apollon.* p. 214. Vs. 34. *ἐσθλὴν δ᾽ εἰς αὐτοῦ*, nach *Brunck*, obgleich die *Codd.* nichts der Art liefern. Das wahre bietet *Cod. B.* [illegible] *εἰς αὐτοῦ*. Vs. 40. *καὶ καλὰς, μορφὴν οὐ χαρίεσσαν ἔχων*. Abermals nach *Brunck* gegen die *Codd* *καὶ κάλλος* [illegible]. Hierdurch wird nicht nur die Construction edler und eleganter, sondern auch das Versmaass fliessender: *καὶ μορφὴν οὐ χαρίεσσαν ἔχων κάλλος δοκεῖ ἔχειν*. Vs. 51. *διδαχθῇ* statt *διδαχθεὶς* in *Codd.* indem [illegible] dem Vorhergehenden zu suppliren ist *ξυλλέγεται βίοτον*. Vs. 55. Mit ebendemselben *Brunck* gegen alle vernünftigen Regeln der Kritik *συνομαρτήσωσι* statt — *τήσωσι*. Vs. 57. *οὐδ᾽ οἱ Παιῶνος π.* [illegible] falls aus allzu kleinmüthiger Huldigung gegen *Brunck*; denn alle *Codd.* *ἄλλοι, Παιῶνος π.* Die Construction ist: *ἄλλοι, Παιῶνος ἔργον ἔχοντες, ἰητροί εἰσιν*· *Alii arti medicae student.* Vs. 67. An dieser Stelle liess sich der Rec. auch einmal verleiten, mit *Brunck* in den Text zu setzen: *ἀλλ᾽ ὁ μὲν εὐδοκιμεῖν* aus der interpolirten Lesart bey *Theognis* statt der alten und echten bey *Stobaeus*: *ἀλλ᾽ ὁ μὲν εὖ ἔρδειν*. cf. *Welcker ad Theogn.* p. 137 sq. *W. E. Weber* im Pädagogisch-philolog. Literaturblatt zur allg. Schulzeitung 1825. Nr. 47. — Fragm. XII. Vs. 4. 5. *ἁβρὰ παθεῖν, παῖδές τ᾽ ἠδὲ γυναῖκες* nach *Brunck's* absurder Aenderung. Alle Handschriften geben *ἁβρὰ παθεῖν παιδός τ᾽ ἠδὲ γυναικός*, — der Genitivus abhängig von *παθεῖν*, wie sonst auch in *ἐρᾶν* und ähnlichen *verbis concupiscendi*, z. B. *Xenoph. Anab.* IV, 1, 14. *ἢ παιδὸς ἐπιθυμήσας ἢ γυναικὸς τῶν εὐπρεπῶν*. *Theognis* 1008. *τῶν δ᾽ αὐτοῦ κτεάνων εὖ πασχέμεν*. cf. *Hermann. ad Viger.* p. 875. — Vs. 6. *σὺν δ᾽ ἥβη γίγνεται ἁρμοδία*. So liest G. richtig mit den Handschriften, indem *γίγνεται* als Subjunctivus zu fassen ist für *γίγνηται* (cf. *Thiersch* griech. Gramm. p. 620); der Rec. liess sich in seiner Ausgabe durch *Hermann's* Conjectur *ad Viger.* p. 924 zu voreilig für folgendes bestimmen: *σὺν δ᾽ ἥβη γίγνεται ἁρμόδια.* —

(*Die Fortsetzung folgt.*)

ALLGEMEINE LITERATUR-ZEITUNG

November 1828.

GRIECHISCHE LITERATUR.

Leipzig, b. Kühn: *Poetae minores Graeci* — — instruxit *Thomas Gaisford* etc.

(Fortsetzung der im vorigen Stück abgebrochenen Recension.)

Fragm. XV. Vs. 16. ist aus den Codd. wieder herzustellen ἀποτισαμένη statt ἀποτισομένη, Vs. 29. εἴ γέ τις φεύγων statt εἴ κέ (κε ohne Accent, wie hier geschrieben, ist unstreitig nur Druckfehler) τις φεύγων, wobey man ἦ leicht suppliren kann, welches als Randglosse in den Text geschlichen zu seyn scheint. — Fragm. XVIII. Da dieses Bruchstück unlängst durch *Mai's* Entdeckungen in der Vaticanischen Bibliothek um ein Distichon bereichert worden ist, so wollen wir es hier behandeln, als ob das Ganze zum ersten Mal herausgegeben würde. *Scriptorum vett. nova collectio e Vatt. codd. edita ab Ang. Maio T. 2. Romae* 1827. *Diodori Excerpt. lib. VII—X. p.* 2059. Ὅτι Σόλων ὁ νομοθέτης κατελθὼν εἰς τὴν ἐκκλησίαν παρεκάλει τοὺς Ἀθηναίους καταλύειν τὸν τύραννον, πρὶν τελέως ἰσχυρὸν γενέσθαι· οὐδενὸς δὲ αὐτῷ προσέχοντος, ἀναλαβὼν τὴν πανοπλίαν προῆλθεν εἰς τὴν ἀγορὰν γεγηρακώς· καὶ τοὺς θεοὺς ἐπιμαρτυρόμενος, ἔφησεν καὶ λόγῳ καὶ ἔργῳ τῇ πατρίδι κινδυνευούσῃ βεβοηθηκέναι τὸ κατ' αὐτὸν μέρος· τῶν δὲ ὄχλων ἀγνοούντων τὴν ἐπιβουλὴν Πεισιστράτου, συνέβη τὸν Σόλωνα τἀληθῆ λέγοντα παραπέμπεσθαι. Λέγεται δὲ Σόλων καὶ προειπεῖν τοῖς Ἀθηναίοις τὴν ἐσομένην τυραννίδα δι' ἐλεγείων·

> Ἐκ νεφέλης πέλεται χιόνος μένος ἠδὲ χαλάζης,
> βροντὴ δ' ἐκ λαμπρᾶς γίγνεται ἀστεροπῆς.
> Ἀνδρῶν ἐκ μεγάλων πόλις ὄλλυται· εἰς δὲ μονάρχου
> δῆμος ἀϊδρείῃ δουλοσύνην ἔπεσεν.
> Λείης δ' ἐξάραντα ῥᾴδιον ἐστι κατασχεῖν
> ὕστερον. ἀλλ' ἤδη χρὴ πάντα νοεῖν.

Aus den Worten des Diodorus geht hervor, dass des Recensenten früher bereits ausgesprochene Ansicht (*Solonis Carm. p.* 28.), jene Verse gehörten zu den Elegieen περὶ τῆς τῶν Ἀθηναίων πολιτείας, vollkommen begründet war. Das zweyte Distichon stand vorher schon bey Diodor. XIX, 1. mit der Variante τυράννου und ἀϊδρίῃ. Diogenes L. I, 50. citirt die zwey ersten Disticha, und Plutarchus (Solon c. 3.) fügt zwischen diese beiden ein drittes Distichon hinzu, so dass wir gegenwärtig in allem vier zusammenhängende Disticha erhalten. Wir wollen daher zunächst das vollständige Fragment in derjenigen Gestalt hierher setzen, in welcher es unsrer Ueberzeugung nach der Urgestalt am nächsten kommt, und dann erst über das Einzelne Rechenschaft ablegen.

> Ἐκ νεφέλης πέλεται χιόνος μένος ἠδὲ χαλάζης,
> βροντὴ δ' ἐκ λαμπρᾶς γίγνεται ἀστεροπῆς,
> ἐξ ἀνέμων δὲ θάλασσα ταράσσεται· ἢν δέ τις αὐτὴν
> μὴ κινῇ, πάντων ἐστὶ δικαιοτάτη·
> ἀνδρῶν δ' ἐκ μεγάλων πόλις ὄλλυται, εἰς δὲ μονάρχου
> δῆμος ἀϊδρείῃ δουλοσύνην ἔπεσεν.
> λείην δ' ἐξάραντ' ὤρα ῥ ῇ δ ι ό ν ἐστι κατασχεῖν
> ὕστερον· ἀλλ' ἤδη χρὴ [τάδε] πάντα νοεῖν.

Auf die hier angewandte Vergleichung scheint Cicero anzuspielen in der Rede *pro Cluentio c.* 49. *Ex quo intelligi potuit id, quod saepe dictum est: ut mare, quod sua natura tranquillum sit, ventorum vi agitari atque turbari; sic et populum Romanum sua sponte esse placatum, hominum seditiosorum vocibus ut vehementissimis tempestatibus concitari.* — Vs. 1. πέλεται bey Diodor. und Plutarch. wofür Diog. φέρεται. Jene Redensart ist schon Homerisch und darum hier gewiss die ursprüngliche. Vs. 6. μονάρχου bey *Diodor. ed. Mai.* und Diog. τυράννου bey Diodor. XIX, 1. Wir stimmten früherhin für die letztere Lesart, halten aber jetzt μονάρχου sowohl wegen seiner grössern Auctorität als wegen des schärferen Gegensatzes, den es zwischen der Volksherrschaft (δῆμος) und der des Peisistratus bildet, für echter. — Vs. 6. δῆμος ἀϊδρείῃ *Diodor. ed. Mai.* Zwey Handschriften bey Diog. L. ἀϊδρίῃ Diodor. XIX, 1. ἀΐδρης ὢν *MS. Palat.* Ohne die Auctorität der Stimmenmehrheit zu berücksichtigen haben bis jetzt die meisten Herausgeber (und dazu gehört leider der Rec. selbst) nur die letzte Lesart im Auge behalten und erst durch Emendation, δῆμος ἄϊδρις ἐών, etwas Geeignetes hervorgebracht, während doch die andere Lesart sich auf den ersten Blick empfehlen sollte. — Die Nachricht von dem neu aufgefundenen Distichon theilte dem Rec. zuerst *Welcker* von Bonn aus mit, worauf er sich mit *Passow* darüber schriftlich unterhielt. Vs. 7. suchte *P.* so zu heilen, dass er durch sehr passende Emendation ἐξέραντα in ἐξάραντα veränderte und statt ῥαΐδιον ῥᾴδιον schrieb, diesem aber den Artikel τὸ vorsetzte, den er durch die letzte Sylbe des vorhergehenden Wortes verschlungen glaubte: *τὸ ῥᾴδιον pro ῥᾳδίως dictum est, quemadmodum τὸ λοιπόν, τὸ πρῶτον et similia apud Matth. Graec. Gramm.* 2. *p.* 578. *quibus adde τὸ καλόν = καλῶς, Valck. Theocr.* 3, 3. 18. *Jacobs. ad Callim. epigr.* 8, 1. *et Pompei. iun.* 2, 1. τὸ πᾶν = πάντως *Theocr.* 3, 18. *alia v. ap. Bergl. ad Alciphr.* 1, 36. *p* 216. *Wagn.* Gegen diese Emendation wäre gewiss nicht das mindeste zu erinnern, wenn sie nur an einem späteren Dichter als dem Solon zu machen wäre: bey diesem aber ist uns gleich anfangs der Artikel aufgefallen, ſo wie ihn auch *Paſſow* ſelbſt bey Tyrtäus I, 28. geſchickt auszumerzen wuſste. Erſt jetzt fiel es dem Rec. ein, durch ein eingeſchobenes ῥα nachzuhelfen, welches durch ſeine Nachbarſchaft leicht verſchlungen werden konnte. Um jedoch einer unangenehmen Kakophonie zu begegnen, haben wir ῥάδιον mit der ioniſchen Form ῥήδιον vertauſcht, wie bey Theognis 574. 577. Die Conſtruction wäre dieſe: ῥήδιόν ἐστι λείης ὕστερον κατασχεῖν τὸν αὐτὴν ἐξάραντα, d. h. Wer die Beute (die Tyrannis) einmal aufgehoben hat, der kann ſie nachmals leicht feſthalten. Jedoch möchten wir noch lieber, wie auch *Paſſow* vorſchlug, ſtatt λείης leſen λείην, zumal da nach *Mai's* Bericht auſserdem im Codex Vs. 4. δουλοσύνης ſteht, ſtatt δουλοσύνην. Den Pentameter hat *Paſſow* ſehr geſchickt ausgefüllt. Das eingefügte τάδε könnte ſich leicht auf den Rath Solon's beziehen, der auf dieſe Diſticha folgte, wie etwa in dem Fragment εἰ δὲ πεπόνθατε λυγρά, welches gerade auch bey Diodorus auf die vorhergehenden Verſe folgt. Dann vielleicht dürfte erſt das ſchöne Diſtichon folgen:

Δείξει δὲ μανίην μὲν ἐμὴν βαιὸς χρόνος ἀστοῖς,
δείξει, ἀληθείης ἐς μέσον ἐρχομένης:

welches der ganzen politiſchen Elegie an die Athenäer den Schluſsſtein auflegen würde.

Fragm. XIX. ſteht ebenfalls bey *Diodor. Excerpt. l. c. p.* 21 *ſq.* Es iſt auffallend, daſs dieſes Fragment, welches von mehreren Schriftſtellern citirt wird, auf zwey verſchiedene Quellen zurückzuführen iſt: aus der einen haben Plutarchus und Clemens von Alexandria, aus der andern Diodorus, Diogenes und Niketas geſchöpft; jene Recenſion ſcheint der Urſchrift am nächſten zu ſtehen, dieſe dagegen in die Hände der Diaſkeuaſten gerathen zu ſeyn. — Fragm. XXIII. Vs. 2. τήν τε πόλιν ναίοις. So ſchreibt *Gaisford* nach der von Plutarchus überlieferten Lesart, die ſchon *Brunck* für unanſtehlich hielt und darum vorſchlug τὴν πόλιν εὖ ναίοις. Allein dieſe Conjectur iſt zu gewaltſam und auf jeden Fall unhaltbar, weil die wahre Lesart in der *Vita Arati Tom. II. p.* 480. *ed. Buhl.* erhalten iſt: τήνδε πόλιν ναίοις. Fragm. XXV. Vs. 3. περιβαλὼν δ' ἄγραν, ἀγασθεὶς — So die Ueberlieferung. *Reiske* ſchlug vor ἀτυζηθεὶς, *mente perturbatus, conſternatus.* Richtig iſt aber wohl nur die Conjectur des Biſchofs *Hyetius*, welche *Koraës* in ſeiner Ausgabe des Plutarchus mitgetheilt hat: π. δ' ἄγραν ἀγρευτής, — Fragm. XXVIII. Vs. 1. χρόνου, nicht paſſende Lesart der Handſchriften. Wegen der darauf folgenden Γῆ iſt die Conjectur *Claviers* zu *Amyots Plutarch.* 1. *p.* 416. unſtreitig die wahre, Κρόνου, deſſen Mutter allerdings die Erde iſt. S. *Heſiod. Theog.* 137. V. 12. muſs ἤδη in ἠδὲ verwandelt werden. Vs. 24. δρᾶσαι κακὰ, ſo hat *G.* geſchrieben nach *Valckenar. ad Herodot. p.* 475. 61. Die Handſchriften überliefern aber δρᾶσαι διὰ, was freylich nicht erklärt, aber leicht in δρᾶσαι βίῃ verändert werden kann. Fragm. XXX. V. 2. ἄρτον αὐτῶν, unerklärlich; weſshalb *Schweighäuſers* Conjectur aufzunehmen: ἄρτον αὐτόν, *ipſum panem, ſolum, nudum panem,* wie Homer. Il. ϑ, 99. Τυδ. δ', αὐτός περ ἐών. cf. *Welcker. ad Theogn. p.* [illegible] *eutr.* Fragm. XXXI. Hier muſs nach *Ilgen's* Vorgang (*Scolior.* 89.) das Metrum wieder hergeſtellt werden:

Πεφυλαγμένος ἄνδρα ἕκαστον ὅρα,
μή, κρυπτὸν ἔχων ἔγχος κραδίῃ,
φαιδρῷ πρός σ' ἐνέπῃ προσώπῳ,
γλῶσσα δέ οἱ διχόμυθος
ἐκ μελανῆς φρενὸς γεγωνῇ.

Vs. 2. hat *Ilgen* die Worte ἔγχος ἔχων umgeſtellt, ohne Grund aber ſtatt ἔγχος ἔχθος vorgeſchlagen. V. 3. προσεννέπῃ ebenfalls von *Ilgen* gut emendirt. V. 5. Die Handſchriften bieten alle ἐκ μελαίνης φρενὸς, dem Metrum zuwider, da hier ein *verſus dactylicus logaoedicus* erforderlich iſt. Darum hat *Ilgen* μελάνος vorgeſchlagen, nach der attiſchen Regel, daſs ein männliches Adjectivum mit einem weiblichen Subſtantivum verbunden werden kann. cf. *Gregor. Corinth. p.* 25. Ob aber dieſe Regeln des feinern Atticismus auch bey Solon Anwendung leiden, möchten wir ſehr bezweifeln. Da alſo auſser der gewöhnlichen weiblichen Form μέλαινα auch noch die ſeltene μελανά beſtanden hat, ſo haben wir gewiſs das Richtige aufgefunden, ἐκ μελανῆς φρενὸς — S. *Heſych. v. μελαναί. Etymolog. M. p.* 492, 57. — Fragm. XXIX. gehört ohne Zweifel zu Fragm. XXVIII. Es wird gewöhnlich ſo angeführt: Ἐκ τῶν τοῦ Σόλωνος ἐλεγείων παραινετική· Ἄρχων ἄκουε καὶ δικαίως κἀδίκως. Daſs dieſer Vers kein elegiſcher iſt, ſieht Jedermann auf der Stelle. *Gaisford* bemerkt daher: *Legendum videtur ἰάμβων vel ὑποθηκῶν, et in Solonis verbis δίκαια κἄδικα.* Vielleicht aber könnte man noch beſſer ſo nachhelfen: Ἐκ τῶν τοῦ Σ. παραινέσεων. In umgekehrter Hinſicht iſt eine Stelle merkwürdig *ap. Hermiam Ms. in Platonis Phaedr.* ὅς καὶ τὸν ἴαμβον τοῦτον εἶπε· Φόβος ἢ λύπη παῖς πατρὶ πάντα βίον. Doch unſtreitig ein dactyliſcher Pentameter. cf. *Jacobs ad Antholog. Gr. I,* 1. *p.* 321. In dem Soloniſchen Jambus ſetzten wir früher καὶ δικαίῳ κἀδίκῳ in den Text, mit Verweiſung auf Homer. Il. π, 515 ſq. Man kommt aber den handſchriftlichen Spuren noch näher, wenn man ſchreibt: καὶ δικαίων κἀδίκων. Der Leipziger Herausgeber hat noch einige Soloniſche Gloſſen nachgetragen, die noch mit anderen bereichert werden könnten. Sie gehören aber nicht hierher; eher dagegen eine Stelle aus *Bekker Schol. in Platon. dialog. de Juſto p.* 465. Παροιμία, ὅτι πολλὰ ψεύδονται ἀοιδοί, ἐπὶ τῶν κέρδους ἕνεκα καὶ ψυχαγωγίας ψευδῆ λεγόντων. φασὶ γὰρ τοὺς ποιητὰς πάλαι λέγοντας τἀληθῆ, ἄθλων ὕστερον αὐτοῖς ἐν τοῖς ἀγῶσι τιθεμένων ψευδῆ καὶ πεπλασμένα λέγειν αἱρεῖσθαι, ἵνα διὰ τούτων ψυχαγωγοῦντες τοὺς ἀκροωμένους τῶν ἄθλων τυγχάνωσιν. ἐμνήσθη ταύτης καὶ Φιλόχορος ἐν Ἀτθίδος ά καὶ ΣΟΛΩΝ Ἐλεγείαις καὶ Πλάτων ἐνταῦθα.

Theognis von Megara. S. 1—84. Vorausgeht die *Praefatio Fr. Sylburgii.* Es würde zu weit führen, wenn wir die elegiſchen Bruchſtücke des Theo-

Theognis eben so durchgehen wollten, wie die der vorhergehenden Dichter. Daher statten wir nur einen kurzen Bericht über das Geleistete ab. Der Text ist grösstentheils nach *Brunck* gegeben, in den Anmerkungen sind die Conjecturen und Erklärungen der gelehrten Herausgeber des Theognis, namentlich *Sylburg's*, *Brunck's* und anderer, so wie die Auctoren angegeben, welche Stellen aus dem Theognis citiren. Mit Benutzung der neuesten Leistungen zur Berichtigung des Textes (namentlich bey *Bekker* und *Welcker*) ließen sich hier eine Menge von Ausstellungen machen, die wir eben darum, weil einem Jeden diese Vergleichung leicht zu Gebote steht, unsern Lesern erlassen wollen. Erst bey Erscheinung des zweyten Bandes der Oxforder Ausgabe kam dem Herausgeber *Bekker's* Recension zu Gesichte. In dem vorliegenden Abdruck steht das *Supplementum* aus dieser Ausgabe, verschiedene Lesarten und die aus dem *Cod. Mutinensis* geflossenen Zusätze enthaltend, S. 63 — 84.

Phokylides von Miletus. S. 246 — 260. Der aechte Phokylides von Miletus und der Pseudonymus, dem das *ποίημα νουθετικόν* zugeschrieben wird, sind richtig von einander unterschieden. Die Fragmente des ersteren sind ganz planlos durcheinander geworfen. Mitten unter lauter Hexametern steht Fragm. V. ein elegisches Distichon, das entweder ganz ans Ende oder an den Anfang hätte gesetzt werden sollen. Das grösste uns erhaltene elegische Bruchstück des Phokylides ist ganz ausgelassen, weshalb wir es hier nachtragen aus *Jacobs Anthologia Palat.* X, 117. *Voll. II.* p. 313.

Γνήσιός εἰμι φίλος, καὶ τὸν φίλον ὡς φίλον οἶδα,
τοὺς δὲ κακοὺς διόλου πάντας ἀποστρέφομαι·
οὐδένα θωπεύω πρὸς ὑπόκρισιν· οὓς δ' ἄρα τιμῶ,
τούτους ἐξ ἀρχῆς μέχρι τέλους ἀγαπῶ.

Auf dieses würden wir gleich das andre allein noch erhaltene elegische Bruchstück N. V folgen lassen:

Καὶ τόδε Φωκυλίδεω· Λέριοι κακοί, οὐχ ὁ μέν, ὃς δ' οὔ,
πάντες, πλὴν Προκλέους, καὶ Προκλέης Λέριος.

Jetzt erst mögen die rein hexametrischen an die Reihe kommen. Ob Fragm. VIII. IX. X. XI. aus den Elegieen des Phokylides entnommen sind, bleibt zweifelhaft.

Simonides von Keos. S. 147 — 216. Zuerst die *Notitia de Simonide ex Fabricii Bibl. Gr. II.* p. 142. Die unsinnige Confusion der lyrischen und iambischen Stellen in dieser Sammlung hat schon *Welcker* gerügt in *Jahn's* Jahrbüchern für Philologie und Pädagogik Jahrg. III. Bd. 1. p. 391. Eine neue Bearbeitung dieser Bruchstücke ist also wahres Bedürfniss geworden; und wenn auch *Sander* (der aus *Böckhs* Vorrede zum *Corpus Inscriptionum Gr.* dem gelehrten Publicum bekannt ist) mit seiner längst begonnenen Arbeit nie hervorrücken sollte, so steht doch zu erwarten, dass mit der Zeit *Fr. Neue* in seiner mit den Gedichten der Sappho so rühmlich begonnenen Sammlung sämmtlicher Ueberbleibsel der lyrischen Dichter der Griechen auch des Simonides sich annehmen wird. Der Leipziger Herausgeber hat manche gute Bemerkung sowohl aus fremdem als aus eignem Vorrath hinzugefügt. Unter den S. 215 f. neu hinzugekommenen Fragmenten ist besonders ein Epigramm hervorzuheben, welches Simonides auf die in den persischen Kriegen gefallenen Athenienser gedichtet hatte, zuerst von *Böckh* aus *Fourmont's* Nachlass in dem Lections-Verzeichniss der Berliner Universität von 1817 — 1818 herausgegeben.

Euenus von Parus. S. 277 — 290. In der vorausgeschickten *Notitia ex Fabricii Bibl. Gr. I.* p. 728. wird bemerkt, dass es zwey elegische Dichter Namens Euenus, und zwar beide aus Parus, gegeben habe, von denen der ältere Zeitgenosse des Empedokles und Parmenides war. *Jacobs ad Antholog. Gr. III,* 3. p. 898. theilt dem älteren Euenus die Bruchstücke zu, welche in *Brunck's* Analekten Nr. I — VI. stehen. Davon sind hier nur Nr. I — III. und Nr. V. aufgenommen. Nr. IV., zwey Hexameter enthaltend, ist abermals ganz unlogisch unter die elegischen Stücke gemengt. *Jacobs l. c. I,* 1. p. 327. bemerkt noch zu Fragm. XV. (*Brunck*) „*Veteris Eueni videtur, et fortasse Elegiae particula.*" Und *W. E. Weber* hat es in seine Uebersetzung S. 251. aufgenommen, und sagt in den Anmerkungen S. 638. über den ersten Vers: „der in diesem Verse bemerkbare Reim der Reihen ist bey einem sophistischen Dichter, der auf äussere Abspitzung seines Gedankens vorzüglich bedacht ist, nicht bloss als Zufälligkeit zu betrachten." Im Alexandrinischen Zeitalter scheinen die elegischen Dichter diese Eigenheit noch mehr ausgebildet zu haben, wie hauptsächlich aus dem schönen Bruchstück des Hermesianax hervorgeht. Fragm. I. V. 4. ist hier geschrieben:

Σοὶ μὲν ταῦτα δοκοῦντ' ἐστὶν, ἐμοὶ δὲ τάδε.

nach der Casaubonschen Lesart im Athenaeus und nach Stobaeus. Bey Athen. aber giebt *Cod. A.* *δοκοῦντ' ἔστω*, was unstreitig besser ist; dafür stimmen auch die verdorbenen Lesarten bey Athen. *δοκοῦντες τῶ* B. *δοκοῦντες τως* P. *δοκοῦντά πως* V. — Ein ganz neues und zwar ziemlich bedeutendes Fragment gewinnen wir auf dem Wege kritischer Forschung. *Aristoteles Eth. Eudem. II,* 7. *τὸ βίαιον λυπηρὸν καὶ πᾶν, ὃ ἀναγκαζόμενοι ποιοῦσιν ἢ πάσχουσιν, ὥσπερ καὶ Εὔηνός φησι·*

Πᾶν γὰρ ἀναγκαῖον πρᾶγμ' ἀνιαρὸν ἔφυ.

Id. Metaph. IV, 5. *Plutarch. Non posse suaviter vivi sec. Epicur.* c. 21. In den Rhet. I, 11. führt Aristoteles zum drittenmal diesen Vers an, jedoch ohne den Euenus als dessen Urheber anzugeben. Allein wir haben durch die angeführten Auctoritäten schon Beweises genug, dass der Vers dem Euenus angehört. Nur weil ihn Aristoteles als ziemlich allgemein bekannt vorausgesetzt hat, scheint er das Eine Mal den Namen des Verfassers nicht genannt zu haben. Derselbe Vers erscheint aber auch in der Sammlung der Elegieen des Theognis Vs. 472. und zwar im Zusammenhange mit andern Versen. Nun ist es bekannt, dass die auf uns gekommene Sammlung

der

der Theognideischen Gedichte in ungemischter Weise Bruchstücke des Tyrtäus, Mimnermus und Solon enthält (s. Welckers Ausgabe S. 68. 137.). So gut wir später andern auch der Autorität des Aristoteles (Polit. I, 3, 9.), wo er einen einzigen Vers des Solon anführt, drey ganze Disticha bey Theognis Vs. 227 ff. unbedenklich dem Solon zugeschrieben haben, mit eben so grossem Rechte müssen wir hier nach der doppelten Autorität desselben Schriftstellers das ganze, dem Theognis untergeschobene Bruchstück dem Euenus zurückgeben. Wir tragen daher kein Bedenken folgende fünf Disticha dem Euenus zuzueignen:

Μηδένα τῶνδ' ἀέκοντα μένειν κατέρυκε παρ' ἡμῖν,
μηδὲ θύραζε κέλευ' οὐκ ἐθέλοντ' ἰέναι·
μηδ' εὕδοντ' ἐπέγειρε Σιμωνίδη ὅντιν' ἂν ἡμῶν
θωρηχθέντ' οἴνῳ μαλθακὸς ὕπνος ἕλῃ,
μήτε τὸν ἀγρυπνέοντα κέλευ' ἀέκοντα καθεύδειν·
πᾶν γὰρ ἀναγκαῖον χρῆμ' ἀνιηρὸν ἔφυ.
τῷ πίνειν δ' ἐθέλοντι παρασταδὸν οἰνοχοείτω·
οὐ πάσας νύκτας γίγνεται ἁβρὰ παθεῖν.
αὐτὰρ ἐγώ — μέτρον γὰρ ἔχω μελιηδέος οἴνου —
ὕπνου λυσικάκου μνήσομαι οἴκαδ' ἰών.

Die in den gewöhnlichen Ausgaben des Theognis (auch der Bekkerschen) mit diesen eng verbundenen nächstfolgenden Disticha müssen wir dem Theognis lassen, weil Athenäus X, p. 428. CD. sie ihm zueignet. Ueber die nothwendige Vereinigung der beiden ersten Disticha vergleiche *Welcker ad Theogn.* p. 140. Unbegreiflich erscheint es uns, dass *Welcker* das letzte Distichon ganz aus seinem Zusammenhange gerissen hat. Die Worte *μέτρον γὰρ ἔχω μελιηδέος οἴνου* sprechen um so eher für Euenus, als derselbe Fragm. XV. (*Jacobs*) ebenfalls sagt:

Βάκχου μέτρον ἄριστον, ὃ μὴ πολὺ μηδ' ἐλάχιστον·
ἔστι γὰρ ἢ λύπης αἴτιος ἢ μανίης.

Empedocles und *Parmenides*. S. 284—288. Eine vollständige Sammlung der Fragmente dieser Dichter ist hier nicht gegeben, sondern nur einige Stücke, welche erst durch *Peyron* in einer verbesserten Gestalt erschienen sind. Zu Oxford befinden sich zwey Handschriften des *Simplicius in libros Aristotelis de Coelo*, die *Gaisford* verglichen hat, und von denen er einen mit *A*, den andern mit *B* bezeichnet: „*Ambo codd. recentissimi sunt, h. e. saec. XVI. vel saltem sub finem saec. XV. exarati. Prius exemplar scripturae elegantia praestat: alterum, incultius descriptum, eminet tamen lectionis integritate.*" Die in dem Commentar des Simplicius befindlichen Fragmente des Empedocles und Parmenides werden hier vollständig mit den dahin gehörigen Varianten mitgetheilt. Wir wollen daher in aller Kürze angeben, wo durch diese neuen Hülfsmittel der Text gewonnen hat. *Empedocles* Vs. 2. der *Codex Taurinensis* (*T.*) bey *Peyron* schreibt *ὑποχετεύων*, *B.* *ἐπιχετεύων*, *A.* *ὀχετεύων*, welche letztere Lesart *Gaisford* wiss mit Recht aufgenommen hat; indem dadurch der Gedanke ein ganz eignes poetisches Gepräge gewinnt. Vs. 4. *δίνησιν δὲ μέσῃ B. T.* *δίνης ἐν δὲ μ[έσῃ]* *A.* und *Simpl. ad Aristot. Phys. I. f. 7. b.* der Genitivus *δίνης* hängt jetzt ab von dem vorhergehenden *βένθος*. Vs. 6. ist mit Hülfe der Handschriften verbessert:

οὐκ ἄφαρ, ἀλλὰ θέλημα συνιστάμεν' ἄλλοθεν ἄλλα.

Das in den Codd. befindliche *θέλημα* scheint durch die verschiedene Aussprache des *η* entstanden zu seyn. Bey *Simpl. ad Phys.* steht *θέλυμνα*. *Θέλυμνα* sind hier unstreitig die *Semina rerum* des *Lucretius*. *Passow* scheint daher auch Unrecht zu haben, wenn er in seinem Lexicon jenes Wort für ein von den Grammatikern gemachtes erklärt, um davon *προθέλυμνος* und *τετραθέλυμνος* abzuleiten. *Gaisford* accentuirt nur falsch *θελυμνά*. Vs. 8. *πολλὰ δὲ ἦν ἄμικτα παρεστήκει κεραϊζομένοισιν ἐναλλάξ* *P.* ganz falsch. Das Richtige liefern *A. B.* und *Simpl. ad Phys.*

πολλὰ δ' ἄμικτ' ἔστηκε κεραιομένοισιν ἐναλλάξ.

Vs. 9. 10. in *B.* und *T.* ganz verdorben, werden richtig nach *A.* wieder hergestellt: *οὐ γὰρ ἀμεμφέως πᾶν ἐξέστηκεν ἐπ' ἔσχατα τέρματα κύκλου.* V. 12. *ἐπιπροθέοι T. A. B.* — Vs. 13. nach *A.*

ἠπιόφρων φιλότητος ἀμεμφέος ἄμβροτος ὁρμή.

Vs. 18. *ξύμμιγμαι' A.* Vs. 19. *εἰ δ' ἔτι σοι A.* wohl auch *B.* spricht *εἰδέ τι σοι. T. εἰ δέ τισι*, unstreitig falsch. Vs. 23. *ἐδίηνεν* (*Gaisf.* schreibt falsch *ἐδίηνε cum iota subscr*) *ἐν ὄμβρῳ A.* das allein Richtige. *ἐδείκνυεν ἐν B.* *ἐδείκνυεν T.* Vs. 25. *ἐπαρθῇ A.* Vs. 30. nach *A.*

αὐτὰρ ἐπεὶ κατὰ μεῖζον ἐμίσγετο δαίμονι δαίμων,

wo *B.* und *T.* das Wort *δαίμονι* auslassen, ohne welches der Vers mangelhaft ist. Vs. 32. *ἐξεγένοντο A.* *ἐξεγένετο B. T.* gegen das Metrum. — *Parmenides* Vs. 2. *χρεὼ δέ σε* so allein richtig *A.* V. 10. *καὶ νῦν ἴασι A. B.* In *T.* wird *καὶ* ausgelassen, wesshalb *Peyron* schreibt *νῦν τε ἴασιν*. *Gaisford* *καὶ νῦν ἴασι*. Warum nicht *ἴασιν* am Ende des Verses? — Vs. 12. „*ἑκάστῳ ἐπίσημον*. *Taur. B.* et sic ed. *Peyron. qui ut suam procul dubio rei metricae peritiam ostenderet, hanc annotationem subjecit: Vocalis ω et prima vocis ἐπίσημον per synizesin pro una brevi accipiuntur. Vid. Eustath. Il. α. 15. Quem daturus eram si nullus codex addixisset, verborum ordinem exhibeo ex A.*" Der Vers lautet also jetzt:

τοῖς δ' ὄνομ' ἄνθρωποι κατέθεντ' ἐπίσημον ἑκάστῳ.

Gaisford beschliesst diesen Band mit einem *Excerptum* aus eben denselben Handschriften, *quod Ruhnkenianae ad Timaeum in v. Γῆν ἰλλομένην annotationi aptissime subnectatur.*

(*Der Beschluss folgt.*)

ALLGEMEINE LITERATUR-ZEITUNG

November 1828.

GRIECHISCHE LITERATUR.

Leipzig, b. Kühn: *Poetae minores Graeci* — — instruxit *Thomas Gaisford* etc.

(*Beschluss der im vorigen Stück abgebrochenen Recension.*)

Der Leipziger Herausgeber hat noch hinzugefügt *Sapphonis, Alcaei et Stesichori Fragmenta. Collegit C. J. Blomfield;* und *Blomfield's Diatribe de Antimacho, poeta et grammatico Colophonio.*

Die Fragmente der Sappho sind abgedruckt aus dem *Museum criticum Cantabrig. fasc. I.* und stehen hier S. 289—314. In einem Vorworte werden die früheren Leistungen des *F. Ursinus* und *J. Ch. Wolf* gebührend erwähnt, und über *Volger's* schlechte Arbeit das gerechte Urtheil gefällt: *Sappho—Commentariis instructa, seu potius enerata, rerum vulgarium plenis, styloque longe putidissimo conscriptis.* Daraus erklärt sich das Bedürfniss einer neuen Bearbeitung, worüber *Bl.* bemerkt: *Sapphonis verba ad severioris Aeolismi normam revocavi, quó usum fuisse decimam Musam universi fere grammatici tradunt. Plurimis igitur in locis pro aspero spiritu lenem substitui, quod hic moneo, ne idem saepius mihi dicendum sit.* Dass aber *Blomfield* in seinen Restaurationen sehr oft zu weit gegangen sey, haben schon andere Stimmführer gerügt, ganz kürzlich erst *Neue* in seiner Ausgabe der Sappho, die mit Vergleichung dessen, was *Welcker* in *Jahn's* Jahrbüchern für Philologie Jahrg. III. Bd. 1. S. 389 ff. beygebracht hat, als die beste und gediegenste Recension ihrer nächsten Vorläuferin betrachtet werden kann; wesshalb wir statt aller eignen Bemerkungen darauf verweisen. Ein übler Umstand in *Blomfield's* Ausgabe ist auch der, dass über die Lebensumstände der Sappho und über die Schicksale ihrer Schriften gar nichts gesagt ist. *Neue's* Ausgabe ist auch mit vielen Bruchstücken bereichert, indem sie deren 139 zählt, während wir bey *Blomfield* nur 94 finden.

Die Fragmente des Alcaeus sind abgedruckt aus demselben *Museum fasc. IV.* Hier S. 315—335. Im Vorworte wird auch hier bemerkt: *Ceterum quam in Sapphicorum dialecto recte constituenda curam adhibuimus, eandem etiam in Alcaei fragmentis collocavimus, qui ad veteris Aeolismi normam carmina componere solebat. Hoc tam ex ipsis fragmentis, quam ex Dionysii Halicarnassensis sententia colligendum, qui laudat Alcaei* τὸ μεγαλοφυὲς καὶ βραχὺ καὶ ἡδὺ μετὰ δεινότητος, ἔτι δὲ καὶ τοὺς σχηματισμοὺς μετὰ σαφηνείας, ὅσον αὐτῆς μὴ τῇ διαλέκτῳ τι κεκάκωται. So wie die Sammlung der Sapphischen Bruchstücke mit *Neue's* Bearbeitung, so lässt sich die vorliegende mit *Matthiae's* Ausgabe des Alcaeus am besten vergleichen, worin aus *Bekker's Anecdotis* p. 1183. 1389 Einiges nachzutragen ist. Ein Recensent dieser Ausgabe *Matthiae's* hat folgende Stelle bey *Plutarch. Sept. Sap. conviv. c.* 14 dem Alcaeus zueignen wollen, wo Thales spricht: Ἐγὼ γὰρ τῆς ξένης ἤκουον ᾀδούσης πρὸς τὴν μύλην, ἐν Λέσβῳ γενόμενος·

Ἄλει μύλα, ἄλει·
καὶ γὰρ Πιττακὸς ἀλεῖ,
μεγάλας Μυτιλάνας βασιλεύων.

Dieses Urtheil ist aber unstreitig ein voreiliges; denn kein Mensch wird in diesen Worten etwas mehr finden, als das Bruchstück eines Volksliedes, wie schon aus Plutarchs Anführungsweise hervorgeht.

Stesichorus aus demselben *Museum fasc. VI.* S. 336—348. In dem Vorworte ist einiges Wenige über das Leben und die Schriften des Dichters gesagt, welches mit folgenden Worten beschlossen wird: *Porro autem si id verum sit, quod Cicero ait* (in *Verr. II,* 35.) *Stesichorum tota in Graecia summo propter ingenium honore et nomine fuisse, dignus profecto judicetur, cujus reliquiae forma aliquanto castigatiore iterum in lucem prodeant.* Was die Bruchstücke des Stesichorus durch *Kleine's* neueste Bearbeitung gewonnen haben, kann Rec. nicht beurtheilen, da ihm dieselbe noch nicht zu Gesicht gekommen ist.

Die Abhandlung über den Antimachus ist aus dem *Classical Journal* abgedruckt *Nr. VII. p.* 231 ff. *Schellenbergs* Ausgabe des Antimachus kannte *Blomfield* nur durch ihre Erwähnung von *Villoison* und *Schweighäuser: Hunc libellum mihi non adhuc vidisse contigit. Sed qualis tandem cunque sit, dabo forsan nonnulla, quae editorum diligentiam effugerint.* Zuerst wird ein Fragment aus der Lyde behandelt, welches bey *Schellenberg* Nr. 36. steht, und auf diese Weise eingeleitet: *Inter alia raptum quoque Proserpinae in Lyde commemorárat Antimachus, uti colligere licet e fragm. apud Suid. v.* Ὀργεῶνες. ὁ γοῦν Ἀντίμαχος ἐν τῇ Λύδῃ γενεῷ Κυβάρνους θῆκεν ἀβακλέας ὀργεῶνας; *ubi luce clarius est legi debere* Λύδῃ ἐλεγείᾳ. *Bochartus* ἀγακλέας, *recte; ita enim Photius MS. Versum vero hunc in modum refingo,*

Καβάρνους (*vel* Κυρβάνους) μὲν ἔθηκεν ἀγακλέας ὀργειῶνας.

Photius ὀργιῶνας. — Gewiss der allein richtige Weg zur Verbesserung, dessen Fussstapfen auch *Weber* gefolgt zu seyn scheint, der er übersetzt:

Mach-

Machte Kabarnos Geschlecht ihr zu rühmlichen Opferpriestern.

wenn er nicht etwa, wie es uns leichter und besser zu seyn scheint, so gelesen hat:

Καβάρνους οἱ ἔθηκεν ἀγακλέας ὀργειῶνας.

οἱ, *sibi.* Das Subject ist *Δημήτηρ.* Denn Hesychius berichtet v. *Καβάρνοι· οἱ τῆς Δήμητρος ἱερεῖς.* Cf. *Ruhnken. ad Homeri H. Cer.* 496. *Schellenberg* fabelt über das Corrupte *γένει* hin und her, und bildet mit *Valesius ad Harpocrat.* p. 126. folgenden schlechten Vers:

Γέννων Καβάρνου θῆκεν ἀγακλέας ὀργειῶνας.

Cabarni posteros sacerdotes suos constituit. — *Blomfield* ergreift diese Gelegenheit, wie er sich ausdrückt, um sich an einigen Versen des Hermesianax zu versuchen, welche von Athenaeus XIII. p. 597 sqq. erhalten sind. Vs. 15 ff. glaubt er auf diese Art heilen zu können:

Οὐ μὴν οὐδ' υἱὸς Μήνης ἀγέραστον ἔθηκεν
Μουσαῖος, χαρίτων ἤρανος, Ἀντιόπην·
Ἥτε ΠΟΛΥΝ ΜΥΣΤΗΙΣΙΝ Ἐλευσῖνος παρὰ πέζαν
Εὐασμὸν κρυφίων ἐξεφόρει λογίων,
ΡΑΡΙΟΝ ΟΡΓΕΙΩΝ ΝΟΜΩΙ διαπαιπνύουσα
ΔΗΜΗΤΡΟΣ· γνωστὴ δ' ἐστὶ καὶ εἰν Ἀΐδῃ.

Diese Verbesserungen, ausser denen sich noch eine grosse Anzahl von andern Gelehrten aufzählen liesse, entfernen sich im Ganzen zu sehr von den handschriftlichen Spuren, als dass wir ihnen ohne Bedenken beypflichten könnten. Es lässt sich ausserdem noch manches Andere dagegen erinnern, worüber Rec. auf seine so eben dem Druck übergebene Bearbeitung der Fragmente des Hermesianax im Voraus verweist. Wir glauben dem Urtext folgender Massen am nächsten gekommen zu seyn:

οὐ μὴν οὐδ' υἱὸς Μήνης ἀγέραστον ἔθηκεν
Μουσαῖος, Χαρίτων ἤρανος, Ἀντιόπην,
ἥτε πολυμνήστηισιν Ἐλευσῖνος παρὰ πέζαν
εὐασμὸν κρυφίων ἐξεφόρει λογίων,
*Ῥάριον *) ὀργι' ἀνὰ τέμενος διαποιπνύουσα*
Δήμητρος, γνωστὴ δ' ἐστὶ καὶ εἰν Ἀΐδῃ.

Hierauf wird wieder zum Antimachus übergegangen und über den Inhalt der Lyde folgendes beygebracht, das man zum Theil vergebens bey *Schellenberg* sucht: *Inter ἡρωικὰς συμφοράς, quas in hâc Elegiâ narraverat poeta Colophonius, traditum fuit, satis ridicule, Herculem ab Argonautis e nave detrusum fuisse ob nimium ejus pondus, teste Schol. Apollon. Rhod.* I. 1289. *Bellerophontis quoque calamitates ibi memoratae fuerunt, uti discimus e Schol. Venet. ad Iliad. Z.* 200. — Hierauf werden mehrere Stellen alter Auctoren angeführt, bey welchen Fragmente des Antimachus stehen. Nr. XVI. aus Athen. XI. p. 469. F., wo *Blomfield* emendiren will:

τότε δὴ μὲν λέχθω ἐν δέπαϊ σφε
Ἠελίου πέμπεσκεν ἀγακλυμένη Ἐρύθεια.

Auch *Schellenberg* hat sich zu einer [illegible] Conjectur verleiten lassen, und dadurch, dass ein [illegible] Hexameter herausgekommen, scheint er auf den [illegible] gerathenen Einfall verfallen zu seyn, das Fragment der Thebaïs des Antimachus zuzueignen. Es ist [illegible] wenn wir die Auctorität der Handschriften nicht [illegible] Füssen treten wollen, ein elegisches Bruchstück, [illegible] so zu lesen:

τότε δὴ εὔχρυσῳ ἐν δέπαϊ
Ἠέλιον πόμπευεν ἀγακλυμένη Ἐρύθεια.

Es bezieht sich auf den oben bey Mimnermus [illegible] erwähnten Sonnenbecher. *Ἐρύθεια* bezeichnet gerade dasselbe, was bey Mimnerm. IX, 8. *χώρων Ἑσπερίδων.* Zwey Fragmente, die man bey *Schellenberg* und *Blomfield* vergebens sucht, wollen wir hier nachtragen. *Arati Vita I. Vol. II.* p. [illegible] ed. Buhl.

Γηγενέας τε θεοὺς προτερηγενέας τε Τιτῆνας.

Das andere bey *Draco v. γεγράφασι.*

οἱ δὲ πάροιθε κένεια γεγράφασιν ἄλλος ἐπ' ἄλλῳ.

S. *Schaefer ad Gregor. Corinth.* p. 166. cf. id. p. 34. — Hiernächst geht *Bl.* wieder auf den Hermesianax über, und zwar mit dieser Einleitung: *Quoniam vero quaestio est de poetâ Colophonio, ignoscat velim lector eruditus, si ad nonnulla me convertam in Hermesianactis Elegiâ, quae minus feliciter a viris doctis tentata fuisse video.* — Vs. 4. ist unter so vielen Versuchen anderer Philologen seine Verbesserung gewiss die gelungenste: *Ἔνθα Χάρων ἀχερὴν ἕλκεται εἰς ἄκατον. in pallidam cymbam — ut Orci pallentis regna.* Weniger glücklich ist Vs. 7. *ἐγγαίους* für [illegible], da dieses von *Heinrich* befriedigend erklärt wird, *divos omnigenos.* Vs. 38. wird der Weg zur gesunden Lesart theilweise gezeigt: *Mirum est profecto, quantum se in hoc loco torserint viri eruditi, neque hilum profecerint. Quid de postremis efficiatur nescio: sed repono κημωθεὶς; notus est mos tibicinum, qui κημοὺς induebant, vel, ut Sophocles dixit φορβειάς. vide Scholiast. Aristoph. Equit.* 1147. Der ganze Vers wird am leichtesten so emendirt:

κημωθεὶς κώμους στεῖχε συνεξανύων.

Vs. 62. gut verbessert *ἐξ ὀνύχων* statt *ἐκ συνοχῶν.* „*Vides easdem litteras, Ξ tantum pro ΚΣ scripto — ἐξ ὀνύχων, ἁπαλῶν scilicet. Qui omnino mulierum osor a teneris unguiculis fuerat, μῖσος κτώμενος, ut νόσον κτᾶσθαι, τὸ γαῦρον κεκτημένος, et similia apud Tragicos.*" — Vs. 80. wird ohne einen genügenden Grund *οὐ μὴν οὐδ'* corrigirt statt *οὐδὲ μὲν οὐδ'.* —

ICHTHYOLOGIE.

Zürich, b. Orell, Füssli u. C.: *Helvetische Ichthyologie*, oder Naturgeschichte der in der Schweiz sich vorfindenden Fische. Herausgegeben von G.

*) Alle Herausgeber, selbst der genaueste, *W. Dindorf*, haben bis jetzt *Ῥάριον* mit einem Spiritus asper geschrieben, obgleich nach dem ausdrücklichen Bericht des Scholiasten *ad Homeri Iliad.* α, 56. dieses Wort vor *P* den Spiritus lenis hatte. Cf. *Hermann. ad Homer. H. Cer.* 450. *Siebelis ad Pausan.* I, 14, 2.

G. [illegible] 1827. XII u. 240 S. gr. 8. (1 Rthlr. 16 gr.)

Der Vf. äussert in der Vorrede, dass er in diesem Werke „einen Beytrag zu einer in ihrem ganzen Umfange noch immer mangelnden, helvetischen Fauna" übergebe. Als vollendet wolle er denselben nicht angesehen wissen; nur seine Beobachtungen habe er vorlegen wollen, und bemerke über die Art und Weise seiner Bearbeitung, dass ihm scheine, „die Faunen, grösserer oder kleinerer Gegenden, seyen bisher zu oft entweder eine blosse Nomenclatur dessen gewesen, was innert (innerhalb) einem bestimmten Umfange anzutreffen sey; oder ihre Vff. haben sich anderseits zu sehr in das Allgemeine der Naturgeschichte ihrer Gegenstände eingelassen, sie nicht örtlich genug behandelt" u. s. w.; welcher Ansicht wir recht gern beystimmen. Von seinen Vorgängern hat der Vf. keinen übergangen, aber auch keinem bloss nachgebetet.

Das Werk zerfällt in drey Abtheilungen. In der ersten giebt der Vf. eine *„Einleitung zur Kenntniss der Fische"* in zweckmässiger Kürze bearbeitet und bey der Terminologie immer Beyspiele aus der Fauna selbst. Der Vf. fand in einem Hechte zugleich Milch und Rogen. Das Holzflössen in den Gebirgsbächen, das Flachsrösten an andern Orten, noch mehr aber Vitriolwasser aus Fabriken ist den Fischen sehr schädlich. Mehr aber als alles Andere ist der Fischerey in der Schweiz die Invasion der Franzosen verderblich gewesen, *„wo bald jeder Soldat alle, sonst verbotene Künste im Fischfange übte"* und sie *„jeden Halunken lehrte, der zu faul war, sein Brod durch ein ordentlich erlerntes Handwerk zu verdienen."* Wenn die Fische in den Alpseen im Winter ohne Wunen, dauern, so kommt diess theils von dem immerwährenden Zuflusse frischen Wassers, theils davon her, dass sich zu Zeiten von selbst Löcher im Eise bilden. Todte Flussfische leuchten auch stärker, wenn man sie mit schwachem Salzwasser, $\frac{1}{16}$, oder wenigem Salze besprengt. Das seltene Erscheinen eines unbekannten, sehr grossen Fisches, dessen die Fischer nie habhaft werden konnten, möge wohl auf optischer Täuschung beruhen. Die leidenschaftlichsten Fischfänger in der Schweiz sind die Bewohner des Canton Tessin.

Im zweyten Abschnitt, *„Geschichte des ichthyologischen Studiums in der Schweiz"* eröffnet *Konrad Gesner* die Reihe der helvetischen Ichthyologen. Nach ihm kam *Joh. Gesner*, dann *Coxe* und neuerdings *Schinz*, wegen dessen Uebersetzung von *Cuvier's Regne animal* mehrere Irrthümer nachgewiesen werden. Ein einziger Monograph war *Wartmann*. Ichthyographen einzelner Gegenden sind *Mangold*, ein Zeitgenosse *K. Gesner's* vom Bodensee, Graf *von Razumowsky*, *Bridel*, *Jurine* vom Genfersee, *Morigia* vom Lago maggiore, *Cysat* und *Businger* vom Vierwaldstädtersee, *Escher* vom Zürchersee, *Razumowsky* und *Coxe* vom Neufchatelersee, *Wyttenbach* vom Thunersee, und endlich *Bruckner* von den Fischen im Rheine und in der Wiese bey Basel.

Der dritte Abschnitt: *„Naturgeschichte der schweizerischen Fische"* folgt in der Anordnung dem *Linné*'schen Systeme. Bey jedem einzelnen Fische ist als Ueberschrift der deutsche und lateinische *Name*, und in der Note Hinweisung auf *Bloch*, *Donndorf* u. s. w. beygebracht; dann folgen die vaterländischen deutschen, französischen und italienischen *Benennungen*, hierauf werden die *Schweizer Schriftsteller*, welche des Fisches gedenken, angeführt und ihre Angaben kritisirt, dann folgt die *Beschreibung*, *Zergliederung*, und nach dieser die Angaben über *Verbreitung*, *Aufenthalt*, *Fortpflanzung*, *Wachsthum*, *Nahrung*, *Naturell*, *Eigenheiten*, *Nutzen*, *Schaden*, *Fang*, *Krankheiten und Feinde*.

Der enge Raum unserer Recension verbietet über die mancherley wichtigen Notizen, welche diess Werk enthält, weitläufig zu seyn, indessen mag doch das Verzeichniss der helvetischen Fische mit wenigen Bemerkungen hier Platz finden. — *Petromyzon marinus*, bey Rheinfelden gefangen, wurde für Geld gezeigt. *P. fluviatilis*. *P. branchialis*, soll, mit dem Rückgrat genossen, meist Magenkrampf erregen. *Accipenser Sturio*, der letzte ward zu Basel-Augst 1815 gefangen. *Muraena Anguilla*. Zu Anfang des XV. Jahrhunderts sprach *Wilh. von Chalant*, Bischof von Lausanne, den Fluch über die Aale aus und verbannte sie aus dem Genfersee und allen sich in denselben ergiessenden Flüssen, als Raubfische! Auch in der Schweiz weiss man über die Fortpflanzung noch nichts Bestimmtes, die meisten Angaben laufen auf das Gebähren lebendiger Jungen im May oder August hinaus. *Gadus Lota*, wird höchstens 8, aber nicht 18 ℔ schwer. Die Leber gilt als Delicatesse, und Elisabeth von Mazingen, Aebtissin in Zürich, soll um das Jahr 1340 ein Gut am Zollikerberg durch solche Bischen vernascht haben! *Cottus Gobio*. *Perca fluviatilis*. *Blochs taf. LII.* ist zwar citirt, doch weicht der Barsch, wie er sich in der Schweiz findet, von derselben ab, und der Vf. ist nicht abgeneigt, *Blochs* Fisch nicht für die Stammart, sondern den seinigen dafür anzunehmen. Bey dem Letzteren laufen die Strahlen der hintern Rückenflosse, mit Ausnahme der beiden ersten, nicht stachelig, sondern ästig aus. *P. asper*. *P. cernua* ist weggelassen, da dessen Vorhandenseyn in den Schweizer Gewässern sehr ungewiss ist. *Gasterosteus aculeatus*. *G. pungitius*, von *Coxe* aufgeführt, hat der Vf. auch nicht entdecken können. *Cobitis barbatula*. *C. taenia*. *C. fossilis*. *Silurus Glanis*, die Fischer am Murtersee hegen den Aberglauben, dass, so oft ein *„Salut"* gefangen werde, ein Fischer sterben müsse. *Salmo Salar*; macht wirklich Gruben in den Sand für die Eyer, irrig aber wird behauptet, dass Männchen und Weibchen dieselben auch wieder mit Sand bedecken. Im May 1445 kosteten 18 Säcke Roggen so viel als

ein

ein Saim, nämlich 4 fl. Im Jahre 1786 entstand über den Lachsfang ein sehr ernsthafter Zwist zwischen dem Stande Basel und dem französischen Hofe. *S. lacustris* wird vom Vf. mit *Bloch* für eine Abart des Lachses erklärt, von welcher wieder die Lachsforelle — nicht *S. Trutta L.* und *Blochs* — sondern die Seeforelle des Bodensees; eine Spielart (*mutatio*) seyn soll. Auch *S. Schiefermülleri* und *Hucho* kommen in der Schweiz nicht vor und *S. alpinus L.* ist mit dessen *Salvelinus* einerley, *Wartmann's S. alpinus* aber nichts anders als *S. Fario*. Diese ist absichtlich in entlegene Bergseen eingesetzt worden und lebt behaglich in Gletscherquellen; aber der Vf. bezweifelt die Angabe, dass sie auch im warmen Badwasser zu Pfeffers nicht absterbe. *S. Salvelinus*. Zufolge einer Vergabung im Jahre 1285 waren die Mönche zu Kapell verbunden an Hermann von Bonstetten jährlich 400 *pisces Rufos de Egry* zu liefern, und noch bis vor der Revolution lieferten die Einwohner von Ober- und Unterägri alle 6 Jahre 80 lebendige Rothforellen an das Frauenmünster in Zürich; wofür sie in dieser Stadt zollfrey kaufen durften. *S. Umbla*, *Bloch's* Beschreibung sey verwirrt. *S. Thymallus*, riecht nach dem Vf. nicht wie Feldthymian, wie *Bloch* geglaubt hat. *S. Lavaretus* findet sich nicht in der Schweiz. *S. Maraena*, das berühmte Weissfelchen, führt allein am Bodensee 14 verschiedene Namen, deren mehrere auch dem Blaufelchen gegeben werden. Es herrscht oft eine Seuche unter dieser Fischart, der Körper bedeckt sich mit Eiterbeulen, der Fisch zehrt schnell ab und schwimmt bald faul auf dem Wasser. *S. Maraena media* ist noch von keinem systematischen Schriftsteller beschrieben, nur *Gessner* und *Mangold* erwähnen seiner und *Hartmann* (Beschr. d. Bodensee's) nennt ihn *S. Lavaretus*. Er heisst am Bodensee Kilchen oder Kirchfisch, auch Kropffelchen. Die weitere Beschreibung müssen wir übergehen. *S. Maraenula*, in alten Urkunden Wattfisch, *Vadi pisces*, ob er der *Besole* und *Gravenche* der französischen Schweizer ist, ist zweifelhaft; 1182 ertheilte der Abt Berthold zu Engelberg diesen, ihm häufig begegnenden Fischen den Segen, sie lassen sich seitdem alle Jahr um dieselbe Zeit in Menge in jener Gegend bey Stanz-Staad fangen und die Fischer zahlen deshalb den Mönchen zu Engelberg eine gewisse Abgabe! *S. Albula*, von *Bloch* gar nicht, von *Donndorf* unbestimmt unter dem falschen Namen Weissfelchen angeführt, wird oft mit voriger Art verwechselt, heisst gewöhnlich Hägling, am Brienzersee Brienzling, zu Luzern — Nachtfisch; am Brienzersee wurden einst auf einmal 14,000 Stück gefangen. Wegen der Beschreibung m[illegible]sen wir auf das Werk selbst verweisen. *S. W[illegible]manni*, das berühmte Blaufelchen, welchen N[illegible]men er jedoch erst im siebenten und den folg[illegible]den Jahren erhält; fast alle Citate bey *Bloch* g[illegible]hören ihm entweder gar nicht, oder nur zum T[illegible]en; führt in jedem Jahre andere und überh[illegible] 12 Namen bloss am Bodensee; im XII. Jahrh[illegible]dert *Velchones*. Er ist für die Fischer des B[illegible]densee's, was der Häring für den Norden. E[illegible] *Lucius*; *Artedi* erwähnt kleiner Oeffnungen [illegible] Kopfe, deren auch der Vf. fünf auf jeder S[illegible] am Kiemendeckel, zehn unten an den *Kinnlad[illegible]* und zwölf oben am Kopfe vertheilt, *fand*; kei[illegible] späterer Schriftsteller gedenkt ihrer; *sie gehen* i[illegible] Knochenkanäle, die unter einander in Verbindung stehen und auf der Schädeldecke sich concentriren. — Verdient weitere Untersuchung. *Clupea Alosa*. *Cyprinus*. Die Abtheilung in Familien sehr schwierig, die von *Cuvier* sey besonders verunglückt. Bey der kleinen Anzahl Inländer genüge folgende: 1) mit Bartfäden, 2) ohne Bartfäden, Schwanzflosse ungetheilt, 3) diese getheilt. *C. Carpio*. Im Canton Tessin sollen alle Versuche, die Karpfen einheimisch zu machen, gescheitert seyn. Erzeugt mit Gattungsverwandten Bastarde. An, von einer eigenen Krankheit ergriffene, matte Karpfen hatten sich (1810) einige Kröten, *B. cinereus*, angeklammert, denen man nun den Tod der Fische, sehr mit Unrecht, Schuld gab. Wir bemerken diese Angabe besonders um deswillen, weil auch in neuerer Zeit in öffentlichen Blättern Aehnliches von Fröschen behauptet wurde. *C. macrolepidotus*. *C. Barbus*. *C. Gobio*. *C. Tinca*. *C. Cephalus*. *C. Phoxinus*. *C. Aphya*. *C. Dobula*. *C. Leuciscus* muss als eigene Art wegfallen; *Bloch* hat t. 97. f. 1. einen jungen Dobula abbilden lassen und beschrieben, und seine Citate aus *Gessner* gehören zu *C. alburn*. *C. grislagine* ist zwar als einheimisch angeführt in *Coxe*, aber nicht aufzufinden, auch wohl nicht einmal eigene Art. *C. Alburnus*. *C. Idus* wird vom Vf. zum erstenmal als einheimisch beschrieben, bloss im Neufchatelersee. *C. Nasus*. *C. Vimba*. *C. bipunctatus*. *C. erythrophthalmus*. *C. rutilus*. *C. Brama*, der Vf. fand 35 bis 40 Rückenwirbel und 14 Ribbenpaare. *C. Balleriis*, von Coxe angeführt, ist nicht einheimisch. *C. Bücca*. *C. Annoni* ist aus *Donndorf* bloss angeführt.

Ein deutsches, lateinisches, französisches und italienisches Register beschliesst diess Werk, welches in jeder Hinsicht, selbst wegen schönen Papiers und reinen Drucks zu loben ist.

ALLGEMEINE LITERATUR-ZEITUNG

November 1828.

LITERARISCHE ANZEIGEN.

I. Ankündigungen neuer Bücher.

Bey Joh. Ambr. Barth in Leipzig wurde so eben fertig und an alle Buchhandlungen versandt:

Baumgarten, J. C. F., Lehr- und Uebungsbuch für Diejenigen, welche sich selbst, ohne Lehrer, im Rechtschreiben (in der Orthographie) unterrichten und üben wollen. 8. 9 gr.

Früher erschien von demselben Verfasser:

Buch für Schüler, oder Leitfaden für Schüler in den Bürgerschulen, bey dem Unterrichte in der Naturlehre, Chemie, Astronomie, Zeitabtheilung, Menschenlehre (Menschenkunde), Mythologie oder Götterlehre, Naturgeschichte oder Naturbeschreibung, Technologie oder Gewerbskunde, Erdbeschreibung (Geographie), Weltgeschichte, deutschen Sprache und Orthographie (Rechtschreibung), im Schönschreiben (Kalligraphie), in der Arithmetik, Algebra und Geometrie. 8. 12 gr.

Liedersammlung für Landschulen, mit einer Singstimme, zur Beförderung und Beherzigung des ländlichen Volksgesanges. 8. 6 gr.

Und vom Herrn Vice-Director M. *Dolz:*

Hülfsbuch zur Schön- und Rechtschreibung und zum schriftlichen Gedankenvortrage in Bürgerschulen. 6te verb. Aufl. 8. 9 gr.

Lehrbuch der nothwendigen und nützlichen Kenntnisse für die Jugend. 2te verb. Auflage. 8. 1 Rthlr. 3 gr.

Philologie.

Bey Leopold Voss in Leipzig ist so eben erschienen:

Weber, Mich., Symbolae ad grammaticam latinam et criticam. 8 maj. 1 Rthlr. 8 gr.

Der Herr Verfasser, der von seinen hohen Obern den Befehl erhielt, zu den akademischen Gedächtnissreden Programme zu schreiben, hat dieses kleine Werk akademischen Jünglingen dedicirt, die solche Reden zu halten haben. Dass es eben nicht bloss diesen, sondern auch gelehrten Männern, besonders den Philologen, sehr interessant seyn müsse, wird hoffentlich folgende kurze Inhaltsanzeige lehren. Der *erste* Theil handelt: 1) *De formularum comparandi — non magis (non plus — quam vero usu.* 2) *De formularum — nescio — haud scio — dubito — an — vero usu.* 3) *De particularum interrogandi vero usu.* Der *zweyte — de cura lectionis emendandae et tempestiva et intempestiva —* enthält kritische Untersuchungen über vier Stellen des Cicero, unter denen ganz vorzüglich die merkwürdig sind, von denen selbst *Ernesti* offen gestand, dass er sie nicht verstehe, und glaubte, dass sie verfälscht seyn müssten.

CORPUS
SCRIPTORUM HISTORIAE BYZANTINAE.

Editio emendatior et copiosior, consilio *B. G. Niebuhrii* C. F. instituta, opera ejusdem Niebuhrii, Imm. Bekkeri, L. Schopeni, G. Dindorfii aliorumque philologorum parata. Pars XX. *Cantacuzenus,* Vol. I. 8 maj.

Auch unter dem Titel:

Joannis Cantacuzeni Eximperatoris Historiarum libri quatuor, graece et latine. Cura *Lud. Schopeni.* Vol. I.

Subscript. Preis auf weissem Druckp. 2 Rthlr. 16 gGr.; auf Schreibp. 3 Rthlr. 8 gGr.; auf Velinp. 4 Rthlr.

Diesem so eben im Druck vollendeten Bande dieses Werkes folgen in längstens vier Wochen noch zwey Autoren: *Leo Diaconus ex rec. Hasii* und *Nicephorus Gregoras ed. Boivini cur. Schopenus* Vol. I., deren Druck gleichfalls bis auf die Schlussbogen beendigt ist. Unter der Presse sind in diesem Augenblick bereits auch *Syncellus Georgius ex rec. Guil. Dindorfii* und *Constantinus Porphyrogenitus* mit höchst wichtigen, bisher ungedruckten Anmerkungen *Reiske's,* die zu Anfang k. J. erscheinen werden. So von nun an nach und nach auch die übrigen Autoren, je nachdem die mehrere oder mindere Schwierigkeit der neuen Bearbeitung, welche die berühmtesten Philologen unserer Zeit zu übernehmen die Güte hatten, deren Druck gestattet.

Auch die jetzt und in vier Wochen erscheinenden Bände werden, wie ich hoffen darf, den Beweis liefern, dass ich bey der Ausführung dieses Unternehmens unablässig bemüht bin, in jeder Hinsicht das Mögliche und weit mehr, als versprochen worden, zu leisten: der auf viel geringere Leistungen und Kosten meinerseits anfänglich berechnete billige Preis ist für die geehrten Subscribenten dessen ungeachtet derselbe ge-

geblieben. Indem ich auch aus diesem Grunde hoffe, einer sich immer mehrenden Theilnahme an diesem grossen Unternehmen mich erfreuen zu dürfen, sehe ich mich jedoch zu der Anzeige veranlasst, dass ich im nächsten Jahre für die erst dann eintretenden resp. Unterzeichner auf das vollständige Corpus einen zweyten, etwas höheren, Subscriptionspreis zu berechnen genöthigt bin. Einzelne, nicht vorher bestellte, Autoren werden dann aber nur zu den ¼ und ⅓ höheren, gleich nach Erscheinen eintretenden, Ladenpreisen zu haben seyn; für die fertigen Bände gelten diese bereits mit Anfang des nächsten Jahres.

Ich bitte daher diejenigen resp. Beförderer dieses Werkes, welche noch den ersten Subscriptionspreis benutzen wollen, um *baldgefällige* Anzeige, um zugleich ihre Namen in das nächstens erscheinende zweyte Subscribenten-Verzeichniss aufnehmen zu können.

Bonn, im September 1828.

Eduard Weber.

In der J. C. Hinrichs'schen Buchhandlung in Leipzig sind eben erschienen:

Jahrbücher der Geschichte und Staatskunst, herausgeg. vom Hofrath und Prof. *Pölitz*. 12tes Heft. (Das Januarheft 1829 erscheint Anfang Decembers.)

Stein's Reisen u. s. w. 9tes Bändchen.

Auch unter dem Titel:

Reise nach *Amsterdam*, Haag, Rotterdam, *London*, Oxford, Manchester, Liverpool u. s. w. Mit 1 Kupfer u. 1 Karte. 8. (19½ B.) 1 Rthlr. 8 gr.

Tzschirner's Predigten. 1817—28. Herausgeg. vom Dr. *J. D. Goldhorn*. 3 Bände. (77½ B.) gr. 8. Ladenpr. 4 Rthlr. 16 gr. Schreib. 6 Rthlr. 8 gr.

Venturini, C., Chronik des 19ten Jahrhunderts. Neue Folge. 1ster Band. Das Jahr 1826. (oder 23ster Band des ganzen Werks.) gr. 8. (58 B.) 3 Rthlr. 8 gr.

und in allen Buchhandlungen zu haben, in Halle bey Hemmerde und Schwetschke.

Im Verlage der Unterzeichneten ist erschienen, und dem gebildeten Publicum als ein schönes und billiges *Weihnachtsgeschenk* mit Recht zu empfehlen:

W. Scott's sämmtliche Romane.

Wohlfeile Taschenausgabe

in

sieben Lieferungen oder 99 Theilen.

(Subscriptions-Preis für sämmtliche 99 Theile 16 Rthlr. 12 gGr. oder 29 Fl. 42 Kr. Rheinisch.)

Diese elegante, auf das schönste Velinpapier correct gedruckte Taschenausgabe, welche sich durch vollständige und gediegene Uebersetzungen sehr vortheilhaft auszeichnet, hat sich seit ihrem Beginn einer so grossen Theilnahme zu erfreuen, dass von fast allen Romanen eine *zweyte*, ja von mehreren eine *dritte* Auflage veranstaltet werden musste.

Die nun *vollständig* erschienenen sieben Lieferungen sind, so lange der geringe Vorrath ausreicht, durch alle Buchhandlungen noch für den äusserst billigen Subscriptionspreis (das 250 bis 300 Seiten starke Bändchen kostet nicht mehr als 4 Groschen oder 18 Kreuzer) zu erhalten.

Zur Erleichterung des Ankaufs werden auch *einzelne Lieferungen* abgelassen, jedoch muss jede derselben *vollständig* genommen werden.

Ausführlichere Anzeigen über die *ersten 6 Lieferungen* sind in allen Buchhandlungen *vorräthig*.

Die so eben erschienene 7te Lieferung *besteht aus* 14 Theilen, welche enthalten:

Woodstock, 4 Thle. *Chronik von Canongate*, 3 Thle. *Erzählungen eines Grossvaters*, 3 Thle. *Chronik von Canongate*, 2te Folge, 4 Thle.

Alle bis jetzt von *Walter Scott* herausgegebenen Romane sind nun in unserer Ausgabe enthalten, und ist sie demnach unter den vielen in Deutschland herauskommenden Gesammtausgaben von *W. Scott's* Werken *die einzige*, welche ganz *vollständig* erschienen ist.

Zwickau, im November 1828.

Gebrüder Schumann.

Bey mir ist erschienen und in allen Buchhandlungen des In- und Auslandes zu erhalten:

Allgemeines Handwörterbuch der philosophischen Wissenschaften nebst ihrer Literatur und Geschichte.

Nach dem heutigen Standpunkte der Wissenschaft bearbeitet und herausgegeben

von

Wilhelm Traugott Krug.

In vier Bänden.

Erster bis dritter Band.

A—Sp.

gr. 8. 1827—28. 48, 52¼ u. 48½ Bogen auf gutem Druckpapier. Subscriptionspreis des Bandes 2 Rthlr.

Der vierte Band erscheint zur Ostermesse 1829 und dauert bis dahin der Subscriptionspreis fort.

Leipzig, den 1. September 1828.

F. A. Brockhaus.

Leben und Leiden des Joseph Wintor, eines gebornen Leipzigers. Er war Zeitgenosse der französischen Revolution; Soldat unter Napoleon in Aegypten, türkischer Sclav in Aegypten, Arabien und Syrien, ägyptischer Marinesoldat bey Navarino, und ... der

der sich jetzt wieder in seinem Vaterlande. Nebst 2 colorirten Abbildungen. Zweyte Auflage. ord. 8. Preis 6¼ Sgr. (5 gGr.)

Sultan Mahmud II., jetzt herrschender Kaiser des Ottomannischen Reichs. Nach einem Original-Gemälde in Wien lithographirt. gr. 8. 2te Auflage. Preis 5 Sgr. (4 Ggr.)

Durch alle Buchhandlungen um beygesetzte Preise zu erhalten:

Naumburg, im October 1828.

Die Wild'sche Buchhandlung.

An alle Buchhandlungen wurde so eben versandt:

Schmitthenner, Fr., ausführliche deutsche Sprachlehre nach neuer wissenschaftlicher Begründung, als Handbuch für Gelehrte und Geschäftsleute und als Commentar über seine kleineren Lehrbücher.

Auch unter dem Titel:

Teutonia. gr. 8. Preis 3 Rthlr.

Religiös-kirchliches Leben in Frankreich während des 17ten und 18ten Jahrhunderts, von Dr. *Raess* und Dr. *Weis*. 1ster Band. gr. 8. Preis 1 Rthlr. 12 gr.

Auch unter dem Titel:

Denkwürdigkeiten aus d. Kirchengeschichte Frankreichs im 17ten Jahrhundert, oder Darstellung der in diesem Zeitraume gestifteten religiösen Anstalten und Beyspiele der Tugend, des Eifers und der Frömmigkeit. Nach dem Französischen des Herrn *Picot* frey bearbeitet von Dr. *Raess* u. Dr. *Weis*. 1ster Bd.

Dieses in jeder Beziehung höchst interessante Werk wird in 4 Bänden erscheinen, jeder Band von *circa* 33 Bogen, und wir können die bestimmte Versicherung geben, dass der 2te Band, der sich bereits unter der Presse befindet, noch Ende dieses Jahres, die zwey letzten Bände im Laufe des nächsten Jahres ausgegeben werden.

Frankfurt a. M., im October 1828.

Joh. Christ. Hermann'sche Buchhandlung.

Bey B. Fr. Voigt in Ilmenau ist erschienen:

Die Mineralogie in 26 Vorlesungen.

Ein Lehrbuch für Berg-, Forst-, Real- und polytechnische Schulen, Gymnasien und zum Selbststudium. Von Dr. *C. F. A. Hartmann*. Mit 358 Holzschnitten. gr. 8. 3 Rthlr.

Der als Verfasser der beiden Wörterbücher der Mineralogie, Berg-, Hütten- und Salzwerkskunde, als Uebersetzer der schätzbaren Werke eines *Villefosse*, *Daubuisson de Voisins*, *Beudant* u. a. m. rühmlichst bekannte Hr. Verfasser, liefert hier ein Originalwerk, welches in seinen auf dem Titel angegebenen Beziehungen, bis jetzt noch gefehlt hat. Keiner, selbst der geübteste Mineralog, wird dieses, sich durch eine so bequeme Einrichtung — wozu besonders die — nach englischer Weise — in den Text eingedruckten 358 Krystallfiguren beytragen — besonders empfehlende Buch, das *alle bis jetzt bekannten Fossilien* beschreibt, unbefriedigt aus der Hand legen, da man unbedenklich versichern kann, dass keines der bis jetzt vorhandenen Lehrbücher den vorgezeichneten Zweck so vollkommen erreiche. Nicht allein dem Bergmanne und dem Mineralogen vom Fach, sondern auch dem Landwirthe, dem Forstmanne, dem Architecten und Hydrauliker, dem Arzte und Apotheker, dem Juwelier und Fabrikunternehmer, dem Kaufmanne, Künstler und Handwerker, ja selbst Frauenzimmern, die sich jetzt mit der, zur Modewissenschaft gewordenen Mineralogie beschäftigen, wird das Werk von dem grössten Nutzen seyn.

In meinem Verlage erscheinen im nächsten Jahre:

Dr. *C. G. Biener's* sämmtliche akademische Schriften, herausgegeben und mit einer Vorrede von dessen Sohn *Fr. Aug. Biener*, Professor in Berlin. 2 Bde. in gr. 4.

Der *erste* Band wird die Programmen, und der *zweyte* Band die Dissertationen enthalten. Durch ein alphabetisches Inhaltsverzeichniss, dessen Besorgung ein bewährter junger Gelehrter übernommen hat, wird die Brauchbarkeit dieser Sammlung noch erhöhet werden.

Leipzig, im November 1828.

Karl Cnobloch.

Bey uns ist erschienen und in allen Buchhandlungen zu erhalten:

Dr. *J. S. Vater's*

Jahrbuch

der häuslichen Andacht und Erhebung des Herzens,

für das Jahr 1829.

Es enthält Beyträge von:

Elisa v. d. Recke, *Bilterling*, *Deckert*, *Freudentheil*, *Gebauer*, *Güttermann*, *Göpp*, *Haug*, *Hesekiel*, *Hey*, *Rienäcker*, *Schmalz*, *Schmidt*, *Schottin*, *Schuderoff*, *Spieker*, *Starke*, *v. Teubern*, *Tiedge*, *Wilhelmine Thilo*, *Veillodter*, *Weber*, *Weiss*, *Witschel*, u. d. Herausgeber, *A. G. Eberhard*.

Mit einem historischen Titelkupfer, dem (sehr ähnlichen) Bildniss *A. H. Niemeyer's*, und einer Musikbeylage.

Eleg. geb., mit vergold. Schnitt Preis 1½ Rthlr.

Wir glauben, versichern zu dürfen, dass die Freunde dieses Jahrbuchs auch in dem gegenwärtigen Jahrgange vielen, herzerhebenden Stoff zu stiller, häuslicher Erbauung finden werden. — In dem Anhange zur Erinnerung an edle Verstorbene finden die zahlreichen Schüler und Verehrer *Niemeyer's* und *Tzschirner's* gedrängte Charakterschilderungen dieser beiden Männer, von dem Herausgeber und aus der Feder

der des trefflichen *Schmelz* in Dresden, die hoffentlich bey Vielen eine lebhafte Theilnahme finden werden.

Renger'sche Verlags-Buchhandlung in Halle.

Neue italienische Sprachlehre.

Bey Leopold Voss in Leipzig erschien so eben:

Müller, G. W., Grammatica ragionata, oder vollständige theoretisch-praktische italienische Sprachlehre. *Zwey* Theile. (47 Bogen) gr. 8. 2 Rthlr.

Bey F. Rubach in Magdeburg erschien so eben:

Allgemeiner Volkskalender. 6ter Jahrg. auf das J. 1829. 15 Bogen. Brosch. 8 gr.

Sammlung von Mustern zur weissen Stickerey im neuesten Geschmack. Auf das J. 1829. 1 Rthlr. 12 gr.

Böhme, K., 24 *grössere Vorlegeblätter zum Zeichnen für Geübtere.* 2tes Heft. 1 Rthlr. 6 gr.

Anzeige für Aerzte und Wundärzte.

Es ist erschienen und in allen Buchhandlungen zu haben:

Wilhelm Sprengel's,
Professors der Chirurgie zu Greifswald,
Chirurgie.
Erster Band.
Der allgemeinen Chirurgie erster Theil.
1828. gr. 8. (52 Bogen.) Preis 3 Rthlr.

Seit Richters Wundarzneykunst ist in Deutschland kein umfassendes Handbuch der Chirurgie erschienen, und man kann also wohl behaupten, dass ein solches zu den Bedürfnissen der gegenwärtigen Zeit gehören müsse. In wie fern der Herr Verfasser (besonders den Preussischen Militär-Aerzten aus den Kriegsjahren 1813 bis 15 bekannt) berufen war, diesem Bedürfnisse abzuhelfen, und wie er seine Aufgabe löset, wird dem Kundigen bald klar werden; es liegt uns bloss ob, über den Plan des Werkes Bericht zu erstatten.

Das Ganze wird aus sieben Theilen bestehen. Die beiden ersten Bände enthalten allgemeine Chirurgie, und zwar der gegenwärtige *erste* die Lehren von den Entzündungen und Wunden, der *zweyte* die von den Geschwülsten. Der *dritte*, den Uebergang von der allgemeinen zur speciellen Chirurgie machend, beschäftigt sich mit der Chirurgie der Knochen, der *vierte* mit der des Schädels und der Augen, der *fünfte* enthält die Chirurgie der Ohren, der Nase, des Antlitzes, der Mundhöhle und des Halses, im *sechsten* wird die der Brust, des Bauches, der Geschlechts- und Harn-Organe, im *siebenten* die der Gliedmassen vorgetragen werden. Jedem Bande gehet ein vollständiges Inhaltsverzeichniss, eine Art Conspectus, voraus, der dann auch als kurzer Leitfaden zu Vorlesungen benutzt werden kann. Dem letzten Bande aber wird ein genaues alphabetisches Sachregister angehängt werden. *Das ganze* Manuscript ist fertig, und bedarf nur der fortgesetzten sorgfältigen Ueberarbeitung. Der Druck gehet rasch vor sich — der *zweyte* Band ist schon unter der Presse — so dass in zwey Jahren der letzte Theil erscheinen wird.

Das Aeussere ist höchst anständig, der Preis so billig als möglich.

Halle, im November 1828.

Gebauer'sche *Buchhandlung.*

Bey Brüggemann in Halberstadt ist erschienen:

Des *Q. Horatius Fl.* Episteln, erklärt von *Th. Schmid.* 1ster Theil. gr. 8. Auf fein Druckpap. 2 Thaler. Velinpap. 2⅔ Thaler.

II. Herabgesetzte Bücher-Preise.

Den Vertrieb der seit einer langen Reihe von Jahren bekannten

Rabenhorst'schen Taschenwörterbücher, als:

Taschenwörterbuch der deutschen Sprache. Als die zweyte völlig umgearbeitete, mit einheimischen und fremden Wörtern vermehrte Ausgabe des Handwörterbuchs der deutschen Sprache. 12. 1 Rthlr. 12 gr. (sonst 2 Rthlr.)

Dictionaire nouveau, de poche, françois-allemand et allemand-françois, enrichi des mots nouveaux généralement reçus dans les deux langues, des tables des verbes irréguliers, des nouvelles mesures et des poids et monnoies etc. en deux parties, 7 eme edition originale, revue, corrigée et augmentée. 12. 1 Rthlr. 12 gr. (sonst 2 Rthlr.)

Dizionario, nuovo, portatile italiano-tedesco, e tedesco-italiano compendiato da quello d'*Alberti*, arrichito di tutti i termini propri *delle scienze* e dell' arti, ed accresciuto di molti *articoli* e della geografia. Edizione nuova, correttissima e molto aumentata. 2 Tomi 12. 1 Rthlr. 12 gr. (sonst 2 Rthlr.)

habe ich seit dem 1sten Junius d. J. übernommen, und sind dieselben durch alle Buchhandlungen zu denen hier bemerkten gegen sonst um ein Viertheil *ermässigten* Preisen zu beziehen.

Es würde überflüssig seyn, zum Lobe dieser äusserst correct und sauber gedruckten vollständigen und mit strengster Kritik gearbeiteten ungemein wohlfeilen Ausgaben etwas mehr hinzu zu fügen, da sie sich schon des ungetheiltesten Beyfalls lange erfreuen.

Joh. Ambr. Barth in Leipzig.

MONATSREGISTER

vom

NOVEMBER 1828.

I.

Verzeichniss der in der Allgem. Lit. Zeit. und den Ergänzungsblättern recensirten Schriften.

Anm. Die erste Ziffer zeigt die Numer, die zweyte die Seite an. Der Beysatz EB. bezeichnet die Ergänzungsblätter.

Hand-

T.

U.

V.

W.

(Die Summe aller angezeigten Schriften ift 67.)

II.

Verzeichnifs der literarifchen und artiftifchen Nachrichten.

Beförderungen und Ehrenbezeigungen.

Todesfälle.

Univerfitäten, Akad. u. and. gel. Anftalten.

Vermischte Nachrichten.

III.

Verzeichniss der literarischen und artistischen Anzeigen.

Ankündigungen von Buch- und Kunsthändlern.

Vermischte Anzeigen.

ALLGEMEINE LITERATUR-ZEITUNG

December 1828.

ERBAUUNGSSCHRIFTEN.

Leipzig, b. Hinrichs: *Predigten*, gehalten von *Heinrich Gottlieb Tzſchirner*, Dr. u. Prof. der Theol. u. Sup. zu Leipzig. Aus deſſen hinterlaſſenen Handſchriften herausgegeben von *Joh. David Goldhorn*, Dr. u. Prof. der Theol. und Archidiac. zu Leipzig. *Erſter* Band. Die Jahre 1817 — 1819. XL u. 391 S. 1828. — *Zweyter* Band. Die Jahre 1820 — 1823. IV u. 362 S. — *Dritter* Band. Die Jahre 1824 — 1828. IV u. 434 S. gr. 8. (Subſcriptionspr. 8 Rthlr. 12 gGr. Ladenpr. 4 Rthlr. 16 gGr.)

Es giebt Männer, an deren ſchriftſtelleriſche Erzeugniſſe man den höchſten Maaſsſtab legen kann, ohne daſs man befürchten darf, ſie würden dabey verlieren. Dieſs ſind die *Claſſiker* bey den gebildeten Völkern des Alterthums und der neuen Zeit. Zwar bleiben ſie hinter dem Ideale, das die Theorie aufſtellt, in demſelben Sinne zurück, wie die Menſchheit ſelbſt hinter dem Ideale der Sittlichkeit, welches die Vernunft in dem Sittengeſetze für alle vernünftig-ſinnliche Weſen aufſtellt; allein auch die Annäherung an das Ideal der Claſſicität hat Grade und Stufen, in Beziehung auf das *Wie?* und *bis wie weit* der Annäherung, noch abgeſehen von dem eigenthümlichen Charakter der Claſſicität in der *Sprache der Dichtkunſt*, der *Proſa* und der *Beredſamkeit*. Denn ſo gewiſs alle Kenner der vaterländiſchen Literatur *darin* übereinſtimmen, daſs *Klopſtock*, *Leſſing*, *Schiller*, *Jeruſalem*, *Engel*, *Garve*, *Spittler*, *Johannes v. Müller*, *Zollikofer*, *Fr. V. Reinhard*, *Marezoll* (um abſichtlich keinen lebenden zu nennen), zu den Claſſikern unſerer Nation gehören; ſo ſind doch die genannten Schriftſteller, theils als Dichter, Proſaiker und Redner ſehr bedeutend von einander verſchieden, theils behauptete ihre Individualität einen entſcheidenden Einfluſs auf das *Wie?* ihrer Claſſicität, d. h. auf die Art und Weiſe, wie ſie dem von ihnen behandelten und geſtalteten Stoffe *in Hinſicht der Form* das Gepräge der Claſſicität ertheilten. Doch geht Rec. in *dieſe* Vorfragen nicht weiter ein, weil, namentlich in Beziehung auf die Sprache der Beredſamkeit, ein Gelehrter, der ſelbſt über dieſe Sprache gebietet, der Geh. Kirchenrath *Schott* in Jena erſt neuerlich dieſen Gegenſtand in ſ. Schrift: „*die Theorie der redneriſchen Schreibart und des äuſsern Vortrages*, mit beſonderer Hinſicht auf geiſtliche Reden; (Leipzig 1828.)" meiſterhaft behandelte und erſchöpfend durchführte. Wer dieſes gediegene Werk nach ſeinen Grundſätzen, und nach der Anwendung dieſer Grundſätze auf die geiſtliche Beredſamkeit ſorgfältig prüft, und deſſen Lehren ſich aneignet; der wird kein Bedenken finden, dem Rec. in ſeinen Urtheilen über *Tzſchirner's* homiletiſchen Nachlaſs beyzuſtimmen. Denn mit voller Ueberzeugung rechnet Rec. den verewigten *Tzſchirner* zu den *Claſſikern* unſrer Nation in der Sprache der geiſtlichen Beredſamkeit. Zwar wird Rec. es nicht verhehlen, wo er einzelne Unvollkommenheiten in den geiſtlichen Reden des Verewigten aufgefunden zu haben glaubt. Wenn aber *einzelne* Flecken von der Claſſicität ausſchlieſsen ſollten; *wem* möchte dann der Ehrenplatz in der Reihe der Claſſiker zugeſprochen werden!

Der Redner, der zu dem Bewuſstſeyn ſeiner hohen Beſtimmung ſich erhebt, weiſs es, daſs er nicht zunächſt belehren ſoll, wie der *Proſaiker*; daſs er aber auch nicht zunächſt das Gefühlsvermögen bewegen und erſchüttern und die Einbildungskraft in ein freyes Spiel verſetzen ſoll, wie der *Dichter*; daſs er vielmehr an den Willen, an das Begehrungsvermögen ſeiner Zuhörer ſich wenden muſs, um dieſes zu Entſchlüſſen und zu Handlungen aufzuregen, die der Redner beabſichtigt. *Dieſs* iſt die groſse Aufgabe des geiſtlichen und des weltlichen Redners, wodurch aber keinesweges die Belehrung über den, dem Willen vorzuhaltenden, Gegenſtand, und die Belebung des Gefühlsvermögens und der Einbildungskraft von der Aufgabe des Redners ausgeſchloſſen wird. Denn nur *das* wird bey der Sprache der Beredſamkeit als der Punkt der Entſcheidung angenommen, daſs jede geiſtliche oder weltliche Rede, die *bloſs* belehrt, oder die *ausſchlieſsend* auf die Gefühle berechnet wird, *ohne* den Willen anzuregen, und *ohne* Entſchlüſſe und Handlungen vorzubereiten und zu veranlaſſen, wohl eine gutgeſchriebene proſaiſche Abhandlung, oder ein rhetoriſcher Abſtecher ins Gebiet der Dichtkunſt, nicht aber ein Erzeugniſs der eigenthümlichen und ſelbſtſtändigen Sprache der Beredſamkeit ſeyn kann. — Es iſt hier nicht der Ort, dieſe theoretiſchen Grundſätze weiter auszuführen; allein ihre Andeutung gehörte hieher, weil — wie man auch die Grenze der Sprache der Beredſamkeit gegen die Sprache der Proſa und Dichtkunſt beſtimmen mag — doch darüber kein Zweifel ſeyn kann, daſs *Demoſthenes*, *Iſokrates*, *Cicero*, *Pitt*, *Burke*, *Fox*, *Sheridan*, *Brougham*, *Canning*, *Luther*, *Maſſillon*, *Bourdaloue*, *Flechier*, *Tillotſon*, *Saurin*, *Mosheim*, *Joh. Andr. Cramer*, *Zollikofer*, *Reinhard*, *Marezoll*

zoll u. s. weder Profaiker, noch Dichter, — fondern *Redner* waren. Es würde zu weit führen, wenn wir hier auf die grofse Verfchiedenheit zwifchen der *geiftlichen* und *weltlichen* Beredfamkeit eingehen wollten, obgleich beide, an fich betrachtet, nur die Untertheile Einer und derfelben Form der Darftellung find; allein *zwey* Bemerkungen dürfen wir nicht übergehen, die wefentlich hieher gehören: die *eine*, dafs der Redner nicht blofs überreden, fondern *überzeugen*, nicht blofs durch rednerifche Künfte täufchen oder glänzen, fondern dafs er — felbft überzeugt und durchdrungen von der religiöfen oder politifchen Wahrheit, die er vorträgt — den bleibendften Eindruck auf den Willen der Zuhörer hervorbringen foll; — die *zweyte*, dafs die *Claffioität in der Sprache der Beredfamkeit* weit fchwieriger ift, als in der Sprache der Profa und in der Sprache der Dichtkunft, weil fie die Gefammtheit der geiftigen Vermögen in Anfpruch nimmt; weil fie folglich bey dem Redner felbft die *gleichmäfsige* Bildung der Gefammtheit *feiner* geiftigen Vermögen vorausfetzt, und nicht, wie bey dem Profaiker, zunächft die Bildung des Vorftellungsvermögens, oder, wie bey dem Dichter, die hervorftechende Bildung des Gefühlsvermögens und der Einbildungskraft verlangt, — und weil alle Erzeugniffe der Sprache der Beredfamkeit zugleich *auf mündlichen Vortrag* — mithin auf eine, dem dargeftellten Stoffe angemeffene *Declamation* und *Gefticulation* — berechnet find.

Wie fchwer daher überhaupt die Aufgabe des Redners, wie eigenthümlich der Kreis feiner öffentlichen Wirkfamkeit, wie ehrenvoll feine Beftimmung, und wie erfolgreich, ja felbft glänzend, die Ausübung feiner Kunft fey; das ergiebt fich aus den Forderungen, die wir mit unnachläfslicher Strenge an den *wahren* Redner machen. — Wir verlangen von ihm jenen feltenen *Reichthum der geiftigen Anlagen* und Kräfte, und namentlich eine *gleichmäfsige Entwickelung und Bildung des Vorftellungs-, des Gefühls- und des Begehrungsvermögens*, mit Einfchlufs des Wort- und Sach-Gedächtniffes, fo wie der Einbildungskraft; wir verlangen ferner von dem Redner eine gründliche *Bekanntfchaft mit der Philofophie*, nicht nach dem Schulftaube diefes oder jenes Syftems, fondern nach dem Eindringen in den *Geift* der wahren Philofophie, welche eben fo zu den höchften metaphyfifchen Ideen auffteigt, wie fie den weiten Kreis der menfchlichen Rechte und Pflichten, und den noch weitern Kreis der individuellen Ankündigungen in der Wirklichkeit, nach den Grundfätzen einer geläuterten empirifchen Pfychologie, umfchliefst; wir verlangen weiter eine tiefe und vertraute *Kenntnifs der Gefchichte*, weil die Menfchen, wie fie find und feyn follen, im Spiegel der Vergangenheit am beftimmteften wahrgenommen werden, und weil die Verfinnlichung, welche die Gefchichte für die Lehren, Forderungen, Warnungen, Zurechtweifungen, Ermunterungen und Tröftungen des wahren Redners aufftellt, am tiefften auf das Gemüth der Zuhörer wirkt; wir verlangen fodann ein forgfältiges *Studium der c[...] fchen Redner des Alterthums*, weil fie, wie im [...] Claffifchen, fo auch in der Sprache der Beredf[...] keit, die ewig geltenden Mufter der Nachahm[...] bleiben, fo wefentlich verfchieden auch die W[...] der Gegenwart von der Welt des Alterthums [...] ankündigt; wir verlangen weiter, dafs der Red[...] des Gebiets und Geiftes *der* Sprache, in welcher [...] fpricht, *völlig fich bemächtigt habe*, wohin [...] Kenntnifs der Grammatik, der Theorie *des S*[...] des Periodenbaues, und felbft die Kenntnifs der [...] genthümlichen *mufikalifchen* Gefetze *einer gege*[...] nen Sprache, in Hinficht auf die *Aufeinanderfolg*[...] und Verbindung der einzelnen Wörter, *Sätze* und Perioden nach den Bedingungen des äufsern *Wohlklanges* und der Declamation rechnen; fo wie *wir* endlich verlangen, dafs der Redner die Claffiker in *feiner* Sprache, die ihm den Weg bahnten, vollftändig kenne, deren Geift erfafst und die Eigenthümlichkeit verftanden habe, wodurch ihnen von Mitzeit und Nachwelt die ehrenvolle Stelle in der Reihe der volksthümlichen Claffiker angewiefen ward.

Mit diefen Bedingungen fordern wir allerdings *viel* von dem Redner; allein wir können durchaus keine diefer Bedingungen abhandeln laffen, wo von *Claffioität* die Rede feyn foll. Es ift zwar wahr, dafs, wenn wir den aufgeftellten Maafsftab mit kritifcher Strenge an die Redner der deutfchen Nation, und namentlich an die geiftlichen Redner derfelben anlegen, der Kreis derfelben *kleiner* wird, als mancher Homilet an feinem Schreibetifche denkt, der durch die Gutmüthigkeit eines Verlegers einige Bände fogenannter geiftlicher Reden unter den Prefsbengel und auf den literarifchen Markt gebracht hat; doch geht durch die Verminderung der Zahl der claffifchen Redner für die gute Sache der Claffioität felbft nichts verloren; es wird vielmehr für diefelbe gewonnen. Dabey fey überhaupt die Bemerkung erlaubt, dafs — weil faft in keinem Gebiete fchriftftellerifcher Thätigkeit die *Fruchtbarkeit* gröfser ift, als in dem homiletifchen — *die Kritik eben in diefem Fache* mit weit mehr *Strenge* geübt werden follte, als bisher; theils *weil* die *rationes mifericordiae* nirgends am unrechtern Orte angebracht werden, als hier; theils damit die grofse Maffe des Mittelgutes in diefem Felde fich vermindere, und der gefunde und kräftige Sinn unfers Volkes zunächft an den wahren und entfchiedenen Claffikern der Deutfchen fich aufrichte und erftarke, damit allmälig — wie *Göthe*, *Schiller*, *Wieland*, *Leffing*, u. a. in die Hände aller Stände unfers Volkes übergegangen find — auch geiftliche Redner, wie *Zollikofer*, *Reinhard*, *Marezoll*, *Tzfchirner* u. a. in wohlfeilen Ausgaben die Ehre und der Stolz der gebildeten Klaffen unfers Volkes werden und bleiben mögen.

Abfichtlich hat Rec. keines noch lebenden deutfchen Kanzelredners gedacht, fo willig er auch die grofsen rednerifchen Verdienfte feiner Zeitgenoffen —

An-

Ammon's, *Bretschneider's*, *Dinter's*, *Röhr's*, *Schleiermacher's*, *Schmaltz*, *Schott's*, *Schuderoff's*, *Zimmermann's* u. a. — anerkennt. Ueber *ihre* Stelle in der Reihe der Classiker kann erst nach ihrem Tode entschieden werden; denn *nemo ante mortem beatus.* Von den *ältern* und ersten ausgezeichneten Kanzelrednern der Deutschen (z. B. von *Luther*, *Mosheim*, *Jerusalem*, *Cramer*, *Teller*, *Sack*, *Spalding*, *Münter*, *Lavater*, *Löffler*, *Herder*, *Henke* u. a.) dürfte aber nur eine *Auswahl* des Besten und Gediegensten aus ihren Predigten für den Bedarf unsers Zeitalters rathsam seyn; theils weil die vaterländische Sprache in *ihrer* Zeit verhältnissmäfsig noch zu wenig durchgebildet, theils ihr Geist noch nicht vermittelst der Philosophie und Geschichte zu dem Grade der Reife gelangt war, dafs sie vollgültig als Classiker aufgestellt werden könnten. So wie die Sprachen Griechenlands und Roms ihren Höhepunkt hatten, auf welchem ihre Classiker erschienen, die als Muster für *alle* Zeiten gelten; so auch — verhältnissmäfsig — die neuern Sprachen. Denn bey allen Veränderungen, welchen die *lebenden* Sprachen eben so unterworfen sind, wie die Völker, die sie sprechen, giebt es doch ein unveränderliches *Gesetz der Form* (wie für die freyen Handlungen ein Sittengesetz), welches als fester Maafsstab des Classischen gilt, und nach dessen Forderungen an jedes stilistische Erzeugniss der Prosa, Dichtkunst und Beredsamkeit entschieden werden kann, ob der Schriftsteller Anspruch auf den Ehrenplatz in der Reihe der volksthümlichen Classiker hat, oder nicht. —

Hier gilt es nun der Frage: hat der frühzeitig verewigte *Tzschirner* das Recht auf die Stelle unter den classischen Kanzelrednern des deutschen Volkes? — Gelten die von dem Rec. oben aufgestellten Bedingungen der Classicität; so kann über die Antwort kein Zweifel vorwalten. Denn dafs *Tzschirner* überhaupt einen seltenen Reichthum geistiger Anlagen und Kräfte, so wie eine *vielseitige* und *gleichmäfsige* Bildung derselben besafs; das dürften wohl selbst seine Gegner nicht in Abrede stellen, und seine Schriften in den verschiedensten Gebieten und Zweigen des menschlichen Wissens sprechen dafür. Dieselben Schriften zeugen dafür, dafs er die *Philosophie* nicht blofs oberflächlich, oder nach der Einseitigkeit eines Modesystems kannte, sondern dafs er ihren Geist ergründet, ihre Tiefe und Höhe erforscht, mit Logik, Metaphysik, empirischer Psychologie, mit Rechts- Pflichten- und Religionslehre, ja selbst mit Staatskunst und Aesthetik innig sich befreundet, die wichtigsten ältern und neuern Philosophen gründlich gelesen, und sich, unabhängig von aller Nachbeterey und Sectirerey, sein eignes philosophisches Haussystem gebildet hatte, bey welchem aber, den wichtigsten metaphysischen und moralischen Grundsätzen nach, das System der *kritischen* Philosophie die Grundlage ausmachte. Er philosophirte in seinen Schriften, ja selbst in seinen Kanzelvorträgen oft und gern; doch *non scholae, sed vitae.*

Gleichmäfsig aber wie die Philosophie, war die *Geschichte* ihm theuer geworden, und in den letzten zehn bis funfzehn Jahren seines Lebens dürfte er, aus innerm Drange, im Ganzen mehr mit der Geschichte, als mit der Philosophie, im strengern Sinne des Wortes, sich beschäftigt haben. Wenn gleich kein wichtiges Feld der Geschichte ihm fremd war; so gehörte doch seine Hauptneigung der *Kirchengeschichte*, und der *pragmatischen* oder *politischen* Geschichte. So tief sein Quellenstudium, namentlich in der Kirchengeschichte war; so sprach ihn doch zunächst *das* in der Geschichte an, was die Fortschritte oder Rückschritte des menschlichen Geschlechts im Grofsen und Ganzen bezeichnet; wo es entweder besser, oder schlechter ward in der Mitte der erloschenen oder bestehenden Völker; wo der Geist der Völker und ihrer Regierungen aufstrebt zum Lichte der Wahrheit, zum Rechte und zur Sittlichkeit, zur Freyheit des Gedankens und des Wortes, zum Wohlstande, zum regen geistigen Verkehre mit andern Völkern, und zur Erweiterung des Reiches der Wahrheit und der Tugend. Wo er *diefs* fand; da erhob sich seine Sprache; da wurden seine Darstellungen lebendig, warm und kräftig; da stand eine schöne, erntereiche Zukunft der Völker vor seinem innern Blicke. Wo er aber die Völker im Sinken wahrnahm; wo der Stecken der Treiber schwer auf ihnen ruhte; wo er die religiösen und politischen Dunkel- und Reactionsmänner „an ihren Früchten" erkannte; da machte er auch das Wort des Herrn zu dem seinigen: „Weichet von mir, ihr Uebelthäter." Er kannte keine Menschenfurcht, wo es den heiligsten Angelegenheiten der Menschheit, Wahrheit, Freyheit, Recht und Sittlichkeit, galt; er zürnte bestimmt und stark den Reactionsmännern, sie mochten dem eilften, oder dem sechszehnten, oder dem neunzehnten Jahrhunderte angehören; doch verleugnete, bey allem Ernste seines Wortes, seine Sprache nur selten die Würde, womit auch der Gegner behandelt werden muss: denn der, welcher der guten Sache und ihres Dienstes sich bewufst ist, muss selbst nach seiner Sprache höher stehen, als die Dunkelmänner, so wie er an Geist, an Kenntniss, an reinem Willen für das Heilige, und an Kraft und Muth für das, was der Menschheit wahrhaft noth ist, sie weit überragt, — darin besteht eben die unberechenbare Wirkung der Geschichte in der geistlichen und weltlichen Beredsamkeit, dafs, nach ihrem sechstausendjährigen Zeugnisse, das Licht doch zuletzt den Sieg behauptet über die Finsterniss, die Wahrheit über den Irrthum, die Tugend über das Laster, und dafs der, dessen Rath oft wunderbarlich ist, doch in der Geschichte der Menschheit sein Werk herrlich hinausführt. Wer *so* in der Geschichte lieset, dem fehlt es weder am Troste für sich, noch für die, welche ihn als Redner hören. Und deshalb wirkten *Tzschirner's* geschichtliche Predigten so gewaltig, weil er selbst mächtig von den geschichtlichen Gegenständen ergriffen war; weil sein Geist den Zusamsammenhang der einzelnen Thatsachen erforschte, und nicht bloss an Namen und Zahlen hing; weil er überall in der Geschichte das Rein-Menschliche aufsuchte und hervorhob, und weil die Kämpfe unsers Geschlechts in dem Vordringen zum Bessern die geistigen Kräfte des Verewigten wunderbar aufregten.

Diese tiefe Erforschung der Philosophie und der Geschichte ward aber bey *Tzschirner* durch ein gründliches Studium der *Classiker des Alterthums* unterstützt, zu welchem er von der frühesten Jugend an hingeführt ward, und demselben mit grosser Anhänglichkeit in reifern Jahren treu blieb, wie seine in der Sprache der Römer geschriebenen Disputationen und Programme beweisen. Besonders sprechen für seine anhaltende Beschäftigung mit den ältesten Rednern der christlichen Kirche seine *neuen* Programme: *de claris veteris ecclesiae oratoribus.*

Doch hatte das Erforschen des Geistes der alten Classiker und die gewonnene Fertigkeit im classischen Ausdrucke der lateinischen Sprache ihn keineswegs gleichgültig gemacht gegen die Classicität in der *deutschen Sprache*, wie so oft bey Philologen geschieht, die jeden Verstoss in den Sprachen des Alterthums — und zwar mit Recht — an Andern rügen, dagegen aber selbst ein Deutsch sprechen und schreiben, als ob sie in den Zeiten des Niebelungenliedes die Muttersprache erlernt hätten. Anders bey *Tzschirner.* Er erkannte den hohen Werth und die mächtige Wirkung einer classischen Darstellung in der deutschen Sprache auf der Kanzel, wie auf dem Katheder; sein richtiger Takt und seine innige Neigung führten ihn frühzeitig zum Lesen der deutschen Classiker; besonders leuchtete ihm das Beyspiel eines Mannes vor, der mit gleicher Sicherheit und Fertigkeit über den Ausdruck in der römischen, wie in der deutschen Sprache gebot, — des unvergesslichen *Reinhard's.* Wenn die deutsche Kanzelberedsamkeit, welche *vor Reinhard* im Ganzen doch nur den einzigen *Zollikofer* als eigentlich classischen Schriftsteller aufstellen konnte, durch *Reinhard* zu ihrem Höhepunkte gebracht ward; so durfte auch die Erscheinung nicht befremden, dass Mehrere der trefflichsten Kanzelredner *gleichzeitig* und *nach* ihm, mehr oder weniger nach ihm sich bildeten, d. h. auf demselben Wege, und nach denselben Grundsätzen *classisch* werden wollten, wie *Reinhard*, nach Stoff und Form, nach Erfindung, logischer Anordnung und gleichmässiger Durchführung, nach Ebenmaass in Behandlung der einzelnen Theile, nach dem Reichthume der Ideen, nach der Fülle, Reinheit und Lebendigkeit des Sprachbaues, und nach dem declamatorischen Wohlklange des Periodenbaues. Ohne dem eigenthümlichen Geiste dieser Männer und dem selbstständigen Gange ihrer rednerischen Ausbildung irgend ein wohlerworbenes Recht zu verkümmern, werden doch gewiss *Schott, Bretschneider, Röhr, Schuderoff, Zimmermann, Schmaltz, Böckel* u. a. es willig zugestehen, dass sie dem Studium der Reinhard'schen Predigten, bey ihrer eigenen homiletischen Bildung *viel* zu verdanken haben. So auch *Tzschirner.* Man lese, was Sup. *Facilides* in Rochlitz im zweyten Stücke von *Röhr's* Journale über *Tzschirner's* Predigten, während seiner Amtsverwaltung zu Mittweida von 1801—1805, berichtet, um sich zu überzeugen, dass er in jener Zeit vorzüglich nach *Reinhard* sich bildete. Dasselbe leuchtete auch aus seinen „*Briefe, veranlasst durch Reinhard's Geständnisse*“ (*Leipz.* 1811) hervor. In dieser Schrift erklärte er (S. 89) folgende Eigenschaften als das Eigenthümliche der Reinhard'schen Kanzelberedsamkeit: „unerschöpfte Mannigfaltigkeit der Materie, bey einem seltnen Wechsel der Form; ebenmässige Vollendung des Ganzen, bey einem seltenen Hervortreten einzelner Theile; eine Besonnenheit, welche über der Thätigkeit der Kraft, aus deren Fülle das oratorische Leben kommt, mit unablässiger Strenge wachet und waltet; Kunst und Wahl, ohne gesuchten Schmuck und ängstliche Strenge; Reiz und Schmuck, nicht Pracht und Glanz; mehr ernste Würde, als holde Anmuth und zarte Weichheit; und endlich eine gleichmässige Mischung von Klarheit, Fülle, Präcision und Stärke.“ — Rec. steht nicht an, diese Eigenschaften, welche *Tzschirner* Reinhard's Predigten beylegte, auch *auf die seinigen* überzutragen: denn jeder unbefangene Kenner der deutschen Kanzelberedsamkeit wird zugestehen, dass *Tzschirner* seinem grossen Vorgänger und Vorbilde am nächsten steht. In Beziehung auf die *logische* Anordnung bey der Eintheilung des Thema waren beide, *Reinhard* und *Tzschirner*, in frühern Jahren *strenger*, als späterhin. Diess zeigen *Reinhards* Predigten, die er in Wittenberg hielt, *wovon zwey* Theile erschienen; dann seine *Predigten über die* Vorsehung, meistens aus dieser frühern Zeit, die von *Hacker* und *Kenzelmann* herausgegebenen Sammlungen, und die Wittenbergischen Reformationspredigten in den dickbeleibten *drey* Bänden, welche *Bertholdt* und *Engelhard* in Sulzbach besorgten. Eben so verhält es sich mit *Tzschirners* Predigten in den *zwey*, bey Vogel (1812 u. 1816) erschienenen, Bänden, wenn man die Eintheilung dieser Predigten mit der grossen Mehrheit der, in der vorliegenden Sammlung enthaltenen, vergleicht.

(Die Fortsetzung folgt.)

ALLGEMEINE LITERATUR - ZEITUNG

December 1828.

ERBAUUNGSSCHRIFTEN.

Leipzig, b. Hinrichs: *Predigten*, gehalten von *Heinrich Gottlieb Tzſchirner* — — Aus deſſen hinterlaſſenen Handſchr. herausgeg. von *Joh. David Goldhorn* u. ſ. w.

(*Fortſetzung der im vorigen Stück abgebrochenen Recenſion.*)

Neuheit in der *Erfindung* des Thems, *gleichmäſsige Durchführung der Theile*, Würde, Kraft und Fülle der Sprache, haben beide Redner auf gleiche Weiſe; nur daſs im Einzelnen, in der Enunciation des Thema bey *Reinhard* nicht ſelten mehr Klarheit herrſcht, als bey *Tzſchirner*, und bisweilen bey *Tzſchirner* eine *nicht völlig claſſiſche Stellung der Partikeln*, ein Hinweglaſſen der *verba auxiliaria* und ein zu groſser Luxus im Gebrauche der Figuren getroffen wird, Fehler, die man bey *Reinhard* nirgends findet. Dagegen übertrifft *Tzſchirner* ſeinen Vorgänger in der tiefern Kenntniſs, ſo wie in der häufigen und meiſt gelungenern *Anwendung der Geſchichte*, wobey freylich auch die verhängniſsvolle Zeit ſeit dem Jahre 1812 (in welchem *Reinhard* ſtarb,) in Anſchlag gebracht werden muſs, deren wechſelvolle Ereigniſſe in den meiſten europäiſchen Staaten den religiöſen Redner von ſelbſt darauf hinführten, die Weltbegebenheiten im Lichte der Religion zu betrachten, und bald, durch Gründe des Evangeliums, den ſinkenden Muth zu beleben, das Ungemach der Zeit aus einem höhern Standpunkte aufzufaſſen, und in eine beſſere Zukunft hinzublicken. — Was endlich die Predigten *am Feſte der Kirchenverbeſſerung* betrifft; ſo ſind *Reinhard* und *Tzſchirner* einander auch darin ähnlich, daſs ſie an dieſem Tage faſt ohne Ausnahme ſelbſt predigten, daſs ſie den Religionsvorträgen an dieſem Feſte einen beſondern Fleiſs widmeten, und daſs die meiſten derſelben zu den vollendetſten Kanzelreden beider Männer gehören, weil beide von dem groſsen Gegenſtande des Feſtes mächtig ergriffen waren, und zu den einſichtsvollſten, muthigſten und kräftigſten Vertheidigern der heiligen Rechte der evangeliſchen Freyheit und der ſelbſtſtändigen proteſtantiſchen Kirche gehörten. — Uebrigens kannten beide Männer nicht bloſs den eigenthümlichen Charakter der Sprache der Beredſamkeit; ſie wuſsten auch, daſs die ſogenannte *mittlere Schreibart* diejenige für die Form der Sprachdarſtellung ſey, welche für die gebildeten Stände — zu welchen beide ſprachen — am meiſten ſich eigne. Bey beiden Rednern herrſcht dieſe *mittlere* Schreibart vor, doch im Allgemeinen mit *dem* individuellen Unterſchiede, daſs *Reinhards* Sprachform, in den einzelnen Ausweichungen von der mittleren Schreibart mehr zur *niedern* (*genus tenue*), *Tzſchirner's* Sprachform aber in ſolchen Fällen mehr zur *höhern* (*genus ſublime*) ſich hinneigte. Daraus läſst ſich auch erklären, daſs, bey dem groſsen Reichthume an Stoff und Form in *Reinhard's* Predigten, doch bey *dieſem* Redner durchaus keine Spur der *Dichterſprache*, keine Anwendung von Bildern, geſchweige gar ein Luxus in denſelben, oder eine angeführte dichteriſche Strophe ſich findet, während *Tzſchirner* — bey ſeiner fortdauernden Vorliebe für die Dichtkunſt und bey ſeinen eigenen Verſuchen in derſelben — nicht bloſs zum Schluſſe ſeiner Predigten bisweilen dichteriſche Strophen wählte, ſondern auch in der Mitte der Rede nicht ſelten in einem, meiſt glücklichen, Farbenſpiele von Bildern und Gleichniſſen ſich gefiel.

Beide Kanzelredner, *Reinhard* und *Tzſchirner*, haben aber auch darin Aehnlichkeit, daſs, ohne gerade in ſpätern Jahren an den Fortſchritten der Menſchheit zu verzweifeln und die Lichtſeiten in den Ereigniſſen der neueſten Zeit zu verkennen, doch die Predigten aus ihren frühern Jahren mehr heitere Anſichten des Lebens und der Welt enthalten, als die aus den ſpätern, und daſs — im Durchſchnitte und nach der Mehrzahl genommen — die Predigten *Reinhard's* aus den Jahren 1796 — 1800, ſo wie die von *Tzſchirner* aus den Jahren 1816 bis 1820, ihre übrigen aus früherer und ſpäterer Zeit zu übertreffen ſcheinen, man mag nun dabey die Neuheit der Erfindung des Thema, oder die Kraft in der Behandlung, oder die Fülle der Sprache, oder die Wärme an dem Gegenſtande ſelbſt, oder die Rundung des Periodenbaues berückſichtigen. — Da übrigens beide Männer keine Kenner der Tonkunſt, wohl aber Freunde derſelben waren; ſo verdient es volle Anerkennung, daſs ſie — ohne tiefere Einweihung in die Geſetze der Harmonie und Melodie, und des nothwendigen Zuſammenhanges beider — doch ihrer Sprachform vielen Wohlklang gaben, das Declamatoriſche für den äuſsern Vortrag meiſtens glücklich berückſichtigten, und, bey dem mündlichen Vortrage der Predigten, ſelten gegen die Geſetze der Declamation verſtieſsen, wenn gleich beide in *dieſem letzten Verhältniſſe* den verewigten *Hanſtein* nicht erreichten, wiewohl dieſer in allen übrigen redneriſchen Eigenſchaften hinter beiden zurück blieb. —

Nicht ohne Abſicht hat Rec. bey dieſen Vorbegriffen verweilt; theils weil ſie den Maaſsſtab ſeines Urtheils über die von *Tzſchirner* nachgelaſſenen Predigten enthalten; theils weil es am rechten Orte zu ſeyn ſchien, bey der Recenſion der Erzeugniſſe eines claſſiſchen Kanzelredners an *die* Grundſätze zu erinnern, von welchen alle Kanzelberedſamkeit ausgehen muſs, ſo wie die Bedingungen aufzuſtellen, ohne welche keine Claſſicität in der Sprache der Beredſamkeit möglich iſt. Mögen daher angehende Prediger, wenn ſie *Tzſchirner's* Nachlaſs leſen, es ſich vergegenwärtigen, *wie viel* nach Geiſt, Kenntniſs und Sprachdarſtellung dazu gehört, claſſiſch zu werden, und daſs die einzige *Nachahmung* des Verewigten *darin* beſtehen ſoll, ihm, wo möglich, an geiſtiger Bildung, an Vielſeitigkeit und am Reichthume der philoſophiſchen und geſchichtlichen Kenntniſſe, an geläuterter Wärme für die heilige Sache des Evangeliums, und an Reinheit, Schönheit, Fülle und Kraft in der Sprache der Beredſamkeit zu gleichen!

Treten wir nun der vorliegenden Sammlung näher; ſo finden wir, nach einem Subſcribentenverzeichniſſe von 1207 Namen, das *Vorwort* des Herausgebers, eines Mannes, der bereits in einer Monographie ſeinem verklärten Freunde und Collegen ein würdiges Denkmal ſetzte. Das Vorwort ehrt den Verfaſſer, wie den Vollendeten; denn es enthält nicht nur einen *kurzen* Abriſs des Lebens des letztern, ſondern auch ſehr geiſtreiche, vielſagende Andeutungen über *Tzſchirner's* homiletiſche Bildung und Eigenthümlichkeit, nicht bloſs nach den Grundſätzen der Homiletik in Hinſicht auf Erfindung, Eintheilung, Ausführung, Sprachform und Declamation, ſondern auch über *Tzſchirner's* Rationalismus und über deſſen Stimmung in Beziehung auf die *politiſchen* und *kirchlichen* Verhältniſſe, die er erlebte. Der Vf. des Vorwortes ſchrieb daſſelbe nicht bloſs mit der Klarheit der Begriffe und mit der Sicherheit des Urtheils, die überhaupt von einem Profeſſor der Theologie erwartet werden muſs, ſondern auch mit der Freymüthigkeit, die den Mann ehret, der es weiſs, *woran er glaubet*, und mit dem richtigen Takte, der, wenn er die Verirrungen der Zeit berührt, nicht gemeint iſt, etwas zu verhehlen, ohne doch die Männer von der entgegengeſetzten Anſicht beleidigen zu wollen; ſo wie mit der ſtiliſtiſchen Fertigkeit und Gewandheit, die ihm ſelbſt, nach den nicht eben überhäufig bey den Homileten vorkommenden Eigenſchaften eines gediegenen Stils, den ehrenvollen Platz neben ſeinem vollendeten Collegen und Freunde ſichert. Der Vorredner bezeichnet die Predigten *Tzſchirner's* als *Beyträge zur Erbauung*, und erklärt ſich darüber (S. XXIX) in folgender trefflichen Stelle: „Wenn es erbaulich iſt, des menſchlichen Herzens innerſte Tiefe aufzuſchlieſsen, den Entwickelungsgang ſeiner Gefühle und Beſtrebungen zu enthüllen, und die ſittliche und religiöſe Bedeutung der Anlagen und Re[illegible] des menſchlichen Gemüths nachzuweiſen und [illegible] vorzuheben; wenn es erbaulich iſt, die manni[illegible]tigen Verhältniſſe und wechſelſeitigen Berühr[illegible] des häuslichen, geſelligen und bürgerlichen Le[illegible] in ihrem genauen Zuſammenhange mit dem Zw[illegible] des menſchlichen Daſeyns bemerklich zu mac[illegible] wenn es erbaulich iſt, die merkwürdigen Bege[illegible]heiten der Vergangenheit und die erſchütter[illegible] Ereigniſſe der Gegenwart in ihrer Verknüpfung [illegible] dem göttlichen Walten und mit der Fortleitung [illegible]ſers Geſchlechts zu vollſtändigerer Entwickelung [illegible] Betrachtung vorzuhalten; wenn es erbaulich iſt, [illegible] herrlichen Offenbarungen Gottes *theils in* d[illegible] groſsen Werken der Natur, theils *in dem Inhal*[illegible] wie in der Geſchichte des Evangeliums *und* i[illegible] dem Leben und (den) Schickſalen ſeines Stifters, immer aufs Neue in ein klares Licht zu ſtellen, und in ihnen die unerſchöpflichen Quellen der höchſten Weisheit und der köſtlichſten Beruhigung im Leben nachzuweiſen; wenn es erbaulich iſt, den Blick des forſchenden und handelnden, des fröhlichen und des traurigen Menſchen auf die Zukunft jenſeits der Gräber warnend und erhebend hinzulenken: — fürwahr, ſo verdienen *Tzſchirner's* Predigten das Zeugniſs der Erbaulichkeit im ganzen Umfange und mit allem Rechte." — Eben ſo richtig und treffend bezeichnet der Vorredner den *Geiſt* der Predigten des Verewigten (S. XXXIII): „Unleugbar war in der innern Angemeſſenheit ſeiner Vorträge zu ihrem Zwecke der hauptſächlichſte Grund des Eindruckes *zu* ſuchen, den ſie auf die Gemüther machten, ſo wie in der meiſt glücklichen Befolgung der Regeln für die Beredſamkeit, welche aus der Natur des menſchlichen Denkens und Empfindens hervorgehen. Das Anziehende in den Hauptſätzen, die Richtigkeit und die Schärfe in den Entwürfen, das Treffende in der Wahl der Beweiſe und Beyſpiele recht aus der Mitte des Lebens und dem Innerſten des Gemüths, das Würdige und Rührende in den *Bildern und* Vergleichungen, das ſchnelle Fort*ſchreiten zum* Ziele mit glücklicher Vermeidung aller *ermüdenden* Weitſchweifigkeit, das Schlagende, *bis*weilen Ueberraſchende in den eingeflochtenen Beobachtungen und Sentenzen (warum nicht: *Sinn*ſprüchen? Rec.), die Reinheit, der Wohlklang, die Kraft der Sprache, das allmählige Aufſteigen zu immer höherer Lebendigkeit, welche am Schluſſe der Rede bisweilen in wirklich dichteriſche Ergieſsungen überging (die dichteriſchen Ausgänge mehrerer Predigten ſind ſämmtlich *) eigene Arbeit): dieſs alles vereinigte ſich in *Tzſchirner's* Vorträgen, um ihnen das Zeugniſs der Beredſamkeit nicht nur (richtiger: um ihnen nicht nur das Zeugniſs der Beredſamkeit, Rec.), ſondern auch den Lohn der Beredſamkeit, die allgemeinſte Theilnahme zu erwerben." — *Aus* den vorausgehenden Anſichten des Rec. von dem Weſen der

*) Hier irrt der Herausgeber; denn Th. 2. S. 80 iſt von *Joh. Andr. Cramer*, und Th. 5. S. 264 von *Gellert*.

der wahren Kanzelberedſamkeit ergiebt ſich von ſelbſt ſeine völlige Uebereinſtimmung mit dieſer Schilderung des Vorredners. Eben ſo theilt Rec. die Ueberzeugung deſſelben, daſs „ein ſolcher Grad von Vollendung nur die Frucht einer unausgeſetzten Sorgfalt bey *Tzſchirner's* Arbeiten habe ſeyn können: denn *Tzſchirner* arbeitete nicht mit Leichtigkeit, auch machte er ſich die Arbeiten nie leicht, wohl aber ſchrieb er ſtets mit klarer Beſonnenheit und mit ſorgfältig berechneter Gleichmäſsigkeit in der Behandlung des Stoffes und der Form. *Er extemporirte nie;* denn er erkannte darin eine Verletzung der eignen Würde des religiöſen Redners und der Würde ſeiner Gemeinde; ob er gleich, bey dem Reichthume ſeines Geiſtes, wohl glücklicher hätte extemporiren können, als manche, die im buchſtäblichſten Sinne, „geiſtig arm" ſind, und doch ihren Gemeinden zumuthen, die ſonn- und feſttägigen Zeugen dieſer Armuth zu ſeyn. Zunächſt durch dieſes Extemporiren ſind in neuerer Zeit, namentlich in hochgebildeten Städten, die Kirchen leer geworden. Bey *Reinhard* und *Tzſchirner* waren ſie nie leer! *Tzſchirner memorirte* aber auch ſcharf und genau im Einzelnen. In allen dieſen Gegenſtänden tritt Rec. dem Vorredner völlig bey; weniger (S. XXXIV) in der Entſchuldigung des „Ungewöhnlichen und von der, bey andern anerkannten Stiliſten gebräuchlichen, Weiſe Abweichenden", weil die Geſetze des Stils, in Hinſicht auf Reinheit (Correktheit) und Schönheit, eben ſo feſt und unerſchütterlich ſind, wie die Geſetze der allgemeinen und der beſondern Sprachlehre in jeder wirklichen Sprache. Der Vorredner geſteht ſelbſt zu, „daſs es dem Verewigten vielleicht ſchwer geworden ſeyn möchte, jede ſeiner Eigenheiten gegen die ſtrengen Sprachlehrer zu rechtfertigen." Wenn aber der Vorredner daraus folgert, „daſs gerade durch dieſe Beſonderheiten der Tzſchirnerſchen Sprache *eine eigene, der Kräftigkeit des Gedankens entſprechende, Kräftigkeit der Darſtellung erreicht worden ſey, welche,* in Verbindung mit den übrigen Erforderniſſen der in einem Werke der Beredſamkeit mit Recht geſuchten Schönheit der Rede, *ſeine Vorträge zu bleibenden Muſtern machte;*" ſo muſs Rec. *dieſer* Aeuſserung geradehin widerſprechen, weil die Eigenheiten eines übrigens trefflichen Stiliſten (man denke nur z. B. an *Johannes Müller*, an *Jean Paul* u. a.) wohl aus ihrer Individualität erklärt und entſchuldigt, nie aber als mitwirkende Bedingungen betrachtet werden können, durch welche ihre Arbeiten *„zu bleibenden Muſtern"* wurden. Deſto williger unterſchreibt Rec. die Schluſsbemerkung *Goldhorn's* über *dieſen* Gegenſtand: „Mögen nur aber alle die, welche nach ihm ſich bilden wollen (und deren giebt es hunderte), nicht vergeſſen, daſs der Geiſt, der in ſeinen Vorträgen wehte, noch nicht über ſie ausgegoſſen iſt, wenn ſie eine oder die andere ſeiner ſtiliſtiſchen Eigenheiten ſich angeeignet haben." — Denn eben ſolcher unberufenen Nachahmer wegen verweilte Rec. länger bey *dieſem* Gegenſtande, als es ſonſt die Grenzen einer Recenſion verſtatten. Rec. glaubte aber überhaupt, es ſey beſſer, bey der Anzeige dieſes Tzſchirnerſchen Nachlaſſes, ein *allgemeines*, auf die höchſten Geſetze des Wahren und Schönen in der ſtiliſtiſchen Darſtellung zurückgeführtes, *Urtheil* auszuſprechen, als viele einzelne treffliche Stellen aus den vorliegenden Predigten aufzuſtellen. Für *dieſe* Aufgabe werden ſchon die homiletiſchen Zeitſchriften ſorgen; die Wiſſenſchaft ſelbſt aber kann nur dadurch gefördert werden, daſs *Tzſchirnern*, nach feſten theoretiſchen Grundſätzen, ſein Ehrenplatz in der Reihe der claſſiſchen Kanzelredner unſers Volkes angewieſen und geſichert wird. Denn beynahe überflüſſig dürfte die Verſicherung ſeyn, daſs auch keine einzige der hier mitgetheilten Predigten ohne mehrere Stellen iſt, welche als muſterhaft ausgehoben und als Belege des, oben über dieſe Sammlung ausgeſprochenen allgemeinen, Urtheils in dieſe Recenſion aufgenommen werden könnten.

Weil übrigens Rec., bey dem übergroſsen Reichthume dieſer Sammlung in jeder Hinſicht, nicht in das Einzelne der einzelnen Predigten eingehen kann; ſo wird er *zuerſt* eine Claſſification der Themata mehrerer der mitgetheilten Predigten, nach den dogmatiſchen, moraliſchen, pſychologiſchen und geſchichtlichen Stoffen verſuchen, die ſie behandeln, woraus als Ergebniſs hervorgeht, daſs *Tzſchirner* eben ſo die Dogmen des Evangeliums, wie deſſen ſittliche Vorſchriften, eben ſo das fruchtbare Gebiet der Menſchenkunde, wie den religiöſen Standpunkt für die wichtigſten Ereigniſſe der Geſchichte der Kirche und des politiſchen Lebens feſthielt; *dann* aber wird er für die *logiſche* und *ſtiliſtiſche* Behandlung der Stoffe von dem Verewigten einige Beyſpiele mittheilen, und ſein Urtheil darüber ausſprechen.

Tzſchirner behandelte in den vorliegenden drey Bänden folgende wichtige *dogmatiſche* Stoffe: „daſs die dunkelſten Stunden im Leben des Herrn die Stunden der herrlichſten Verklärung waren." — „Das Geburtsfeſt Jeſu Chriſti ein Zeugniſs von der Entwickelung groſser Erfolge aus kleinen Anfängen." — „Wie die Zukunft des Herrn in dem Geſchlechte jeder Zeit ſich erneue." — „Was uns auffordere, die Aufnahme des Herrn in dem Geſchlechte dieſer Zeit zu fördern." — „Die Macht, welche Jeſus Chriſtus, der Leidende, über die menſchlichen Gemüther übet." — „Die Fürbitte des Herrn für die Seinen." — „Der wahre Sinn und Grund der Erklärungen der Schrift: daſs in Chriſto allein das Heil gefunden werde." — „Auch dem Geſchlechte dieſer Zeit muſs die chriſtliche Lehre von der Vergebung der Sünden verkündiget werden." — „Der Herr als Sittenrichter ſeiner Zeit." — „Jeſus auf ſeinem Todespfade, ein Gegenſtand heilſamer Trauer und tröſtlicher Hoffnung." — „Die ſittliche Kraft der chriſtlichen Lehre von der Verſöhnung des Menſchen mit Gott." — „Die Stiftung der chriſtlichen Kirche ein Werk des Glaubens." — „Daſs uns alle

die

die heilſame Wirkung der Erſcheinung Chriſti berührt."

Als Belege wie *Tzſchirner ſittliche* und *pſychologiſche* Stoffe auffaſste, mögen folgende Themata gelten: „Das aufblühende Geſchlecht iſt die Freude und Hoffnung guter Menſchen." — „Alle wahre Liebe erhebt ſich über die irdiſche Schranke." — „Wie uns im Leidenskampfe das Beyſpiel derer ſtärke, die wie wir gekämpfet und überwunden haben." — „Die Erfahrung, daſs uns das Leiden öfter, als die Freude, zu Gott führe, und uns inniger mit ihm vereine." — „Die heilſame Wirkung des Gedankens an den verborgenen Zuſammenhang der Gegenwart mit der Zukunft." — „Die uneigennützige Theilnahme an den menſchlichen Dingen." — „Wie der Himmel in den ſchönſten Lebensaugenblicken ſich uns öffne." — „Von dem Werthe freyer Mittheilung im vertrauten Umgange der Freundſchaft." — „Von der rechten Anwendung des Grundſatzes, daſs das Unglück nicht der Maaſsſtab der Verſchuldung ſey." — „Daſs das Bewuſstſeyn unſerer Freyheit der Grund aller Weisheit und Tugend ſey." — „Die Kraft des Gedankens, daſs Gott unſer Herz kenne." — „Was wir thun müſſen, wenn wir erfreuliche Erfahrungen von menſchlicher Güte machen wollen." — „Die Liebe zu den künftigen Geſchlechtern." — „Wie wir die Ungleichheit in dem Lohne der Arbeit mit chriſtlicher Weisheit betrachten ſollen." — „Die Freude, welche zu Gott führet." — „Daſs Gott zu den Menſchen redet in den entſcheidenden Lebensſtunden." — „Vom Zorne ohne Sünde." — „Daſs Kampf und Schmerz das Loos der Meiſten war, welche wir als groſse Männer verehren." — „Die Abhängigkeit der menſchlichen Wahl in entſcheidenden Lebensſtunden von zufälligen Umſtänden." — „Die Erneuerung einer weiſen Liebe zum Leben." — „Daſs nur die ſittliche Geſinnung der Geiſtesbildung den wahren Werth und die rechte Richtung gebe." — „Wie die Erinnerung an ſchmerzliche Erfahrungen Erweckung zum Guten uns werde." — „Von den Verſuchungen, welche durch einen unmerklichen, immer ſich erneuernden Einfluſs zur Sünde uns reizen." — „Vom Unglauben des Herzens." — „Die heilſame Wirkung menſchlicher Freude auf das menſchliche Herz." — „Daſs die Macht der Neigungen und der Verhältniſſe ſtärker zu ſeyn pflege, als die Kraft des Willens." Und ſeine *letzte* Predigt: „Von der Theilnahme an den menſchlichen Dingen, auch wenn die Weltluſt und die Lebensliebe (die Liebe zum Leben) vergeht."

Rec. wendet ſich zu den *geſchichtlichen* Stoffen, welche theils die Kirche Chriſti, theils die Kirchenverbeſſerung, theils die Zeitbegebenheiten im Lichte der Religion darſtellen. — „Der Sieg der Wahrheit in der Gründung und Vereinigung der Kirche." „Das Bild des ſächſiſchen Volkes im Zeitalter der Kirchenverbeſſerung." — „Die Kirchenverbeſſerung als eine Offenbarung der erziehenden Weltregierung Gottes." — „Wie die Geſchichte der entſtehenden Kirche den Kampf zwiſchen Licht und Finſterniſs betrachten lehre." — „Die Reformation als die Frucht ihrer Zeit." — „Erinnerung an die Stifter unſrer Kirche." — „Die Freyheit, welche unſere Kirche fordert und gewähret." — „Wie wichtig es ſey, ein Veränderliches und ein Bleibendes in der Kirche zu unterſcheiden." — „Von der Befehdung der evangeliſchen Kirche." — „Die Bedeutung der ſegensreichen Wirkſamkeit *der Apoſtel* des Herrn." — „Der Segen unſrer *friedlichen und* fruchtbaren Zeiten." — „Die Klage der *Weiſen* über das Verderben ihrer Zeit." — „Der ſiegreiche Kampf des Evangeliums mit den irdiſchen Mächten." — „Von dem durch die neueſte Zeit veränderten Verhältniſſe der Kirchen unſrer Lande." — „Von den Opfern, welche die Gründung der evangeliſchen Kirche der Welt gekoſtet hat."

Zu dieſer dritten Klaſſe der geſchichtlichen Vorträge gehört auch der *Anhang* des dritten Theils. Er enthält folgende: 1) Gebet am Geburtstage des Königs, den 23. Decbr. 1816. 2) Predigt am Jubelfeſte der 50jährigen Regierung des Königs Friedrich Auguſt, den 20. Septbr. 1818. 3) Predigt am Jubelfeſte der 50jährigen Verbindung des königlichen Paares, den 17. Jan. 1819. 4) Gedächtniſspredigt bey der Todesfeyer des Königs Friedrich Auguſt, den 18. Jan. 1827. 5) Predigt bey der *Huldigung* des Königs Anton, den 24. Octbr. 1827. 6) *Worte* der Huldigung im Namen der Geiſtlichkeit des Leipziger Kreiſes, an demſelben Tage.

Nach der Aufführung dieſer wichtigen und intereſſanten, gröſstentheils neuen Stoffe, welche *Tzſchirner* behandelte, erlaubt ſich Rec. auch einige mitzutheilen, wo er *im Ausdrucke des Thema* theilweiſe Klarheit und Beſtimmtheit vermiſst: „Der Geiſt, wie er im Gefühle der fliehenden *Zeit das* Gelübde des weiſen Lebensgebrauches *erneuert.*" — „Daſs den Sieg über die Verſuchung *das Gefühl* der Nähe Gottes begleite." — „Daſs *das Geheimniſs* des Lebens im Tode der Gegenſtand *zwar* fruchtloſer Forſchung, aber dennoch eines vernünftigen Glaubens ſey." — „Wie in dem Gedanken an den Herrn über Leben und Tod die Lebensliebe erwache, *und* die Todesfurcht vergehe." — „Die Betrachtung des ſterbenden Erlöſers lehret auch in des Todes Zerſtörung und Schmerze die ewige Weisheit und Güte uns ahnen." — „Der Herr wecket die Seele auf und führet ſie dennoch zur Ruhe." — „Von der Feindſchaft der Feinde des Herrn." —

(Der Beſchluſs folgt.)

LLGEMEINE LITERATUR-ZEITUNG

December 1828.

ERBAUUNGSSCHRIFTEN.

Leipzig, b. Hinrichs: *Predigten*, gehalten von *Heinrich Gottlieb Tzſchirner* — — Aus deſſen hinterlaſſenen Handſchr. herausgeg. von *Joh. David Goldhorn* u. ſ. w.

(Beſchluſs der im vorigen Stück abgebrochenen Recenſion.)

Es folge nun ein Wort über die Art, wie *Tzſchirner* logiſch diſponirte und die aufgeſtellten Themata ausführte. Rec. wählt folgende Diſpoſitionen.

„Das aufblühende Geſchlecht iſt die Freude und Hoffnung guter Menſchen:“

Denn in ihm 1) ſchauen ſie die Entwickelung und das rege Walten menſchlicher Kräfte; 2) den Ausdruck glücklicher Unſchuld und heiterer Fröhlichkeit; 3) die Erneuung und Wiedergeburt des Menſchenlebens; 4) herrliche Keime künftiger Früchte, und 5) das Band, das ihr Daſeyn und Wirken an die Nachwelt knüpft.

„Wie der Himmel in den ſchönſten Lebensaugenblicken ſich uns öffne:“

1) indem das Gefühl erfüllter Pflicht, das unſere Bruſt hebet, das Bewuſstſeyn der Kraft wecket, die uns mit Gottes ewigem Reiche verbindet; 2) indem die Liebe, die unſre Herzen beweget, zu einer Hoffnung uns führet, die über das Grab hinausgehet; 3) indem die Freude an der Welt und an unſerm Daſeyn die Seligkeit uns ahnen läſst, die auf einer höheren Stufe der Vollkommenheit unſrer wartet; 4) indem die Andacht, die zu Gott uns emporträgt, mit dem Gedanken des ewigen Seyns und Leben unſre Seele erfüllet.

„Von der Freyheit, welche unſere Kirche fordert und gewährt.“

1) Das *Weſen* dieſer Freyheit:
- a) Unſere Kirche *fordert:* Unabhängigkeit von geiſtlicher Oberherrſchaft, und eine von dem Staate anerkannte und unverletzte Selbſtſtändigkeit;
- b) Unſere Kirche *gewährt:* Freyheit des Glaubens durch das Allen zugeſtandene Recht eigener Forſchung und ungehinderter Benutzung jedes Mittels der Belehrung, und Freyheit des Gewiſſens durch die Unterſcheidung menſchlicher Satzungen von göttlichen Geſetzen.

2) Der *Werth* dieſer Freyheit:
- a) Nur eine freye Kirche kann im Geiſte des Evangeliums wirken;
- b) mit der Wiſſenſchaft aufrichtig ſich befreunden;
- c) die höhere Bildung der Völker fördern, und
- d) die Liebe zur bürgerlichen Freyheit pflegen und nähren.

Doch völlig darf eine Recenſion, welche ihre Anſprüche an den Redner auf ein höchſtes Geſetz des Stils zurückführt, und dieſes Geſetz als höchſten Maaſsſtab an die ſtiliſtiſchen Erzeugniſſe des Redners legt, die dem Verewigten eigenthümliche Form der ſtiliſtiſchen Darſtellung nicht übergehen. Es mögen alſo auch dafür einige Beyſpiele hier ſtehen.

Rec. hebt zuerſt einige Beyſpiele aus, wo er mit der bereits oben gemiſsbilligten Stellung der Wörter und der Conſtruction ſich nicht ausſöhnen kann, weil er ſie, nach den Geſetzen des Stils, für eben ſo unrichtig hält, als wenn man, z. B. nach den Geſetzen des Contrapunkts, den [illegible] oder unvollkommenen Sexten-Accord *über* ſich, und nicht unter ſich, auflöſen wollte.

Rec. führt, ſo häufig auch ſolche Stellen vorkommen, nur einige an: (Th. 2. S. 267.) „Die Seelenruhe vieler Menſchen iſt Selbſtvergeſſenheit *nur*, Gleichgültigkeit und Sicherheit“ ſtatt: Die Seelenruhe vieler Menſchen iſt nur u. ſ. w.; denn die Partikel *nur* bezieht ſich auf alle drey folgende Begriffe: Selbſtvergeſſenheit, Gleichgültigkeit und Sicherheit. — S. 269: „Schlaf bald, bald Sicherheit nennet die Schrift den Zuſtand der Seele u. ſ. w.“ ſtatt: Die Schrift nennet u. ſ. w. noch abgerechnet, daſs, beym Hören, das erſte Wort: *Schlaf* als Imperativ — Schlafe bald! — miſsverſtanden werden kann. — Th. 3. S. 1: „Nicht über Glückliche *allein* iſt dieſer Morgen aufgegangen, Thränen *auch* und Klagen haben die erſten Stunden des Jahres begrüſst.“ — S. 142: „Oder giebt es keinen Hochmuth, welcher ſich dünken läſst *mehr*, denn ihm gebühret?“ — S. 362: „Im Einzelnen und Perſönlichen *nur* kann das allgemein Menſchliche uns begegnen.“ u. ſ. w. Dabey darf nicht überſehen werden, daſs *dieſe* Fehler gegen die Wortſtellung und Wortfolge in *Tzſchirner's* frühern, bey *Vogel* erſchienenen, Predigten, ſo wie auch in den hier mitgetheilten nicht aus den erſten, ſondern zunächſt in den letzten Jahren ſich finden. Doch *ubi plura nitent* u. ſ. w.

Rec. wendet ſich von dieſen Bemerkungen zu einer trefflichen Stelle, welche er, als Beyſpiel der claſſiſchen Reife des Verewigten, aus der Predigt am erſten Tage des Jubelfeſtes der Kirchenverbeſſerung (Th. 1. S. 144.) entlehnt: — „Vergleichet den Anfang des ſechszehnten und neunzehnten Jahrhunderts mit einander, und das Bild einer doppelten

Welt wird euch begegnen. Der Anfang des sechszehnten Jahrhunderts zeigt euch zwar die Christenheit als *eine*, fest und innig verbundene, Gesellschaft, aber auch in dieser Einheit eine erzwungene Gleichförmigkeit des Glaubens und des Gottesdienstes; der Anfang des neunzehnten Jahrhunderts stellt euch zwar Trennung und Verschiedenheit, aber in dieser Trennung und Verschiedenheit ein religiöses Leben dar, welches frey und mannigfaltig sich offenbaret und gestaltet. Im sechszehnten Jahrhunderte steht in der Mitte der europäischen Völker ein sichtbarer Statthalter Christi, welcher mit stolzer Demuth den Knecht der Knechte sich nennt, und die Rechte des Gesetzgebers und Richters über die ganze Christenheit übet; im neunzehnten Jahrhunderte ehret zwar noch eine Hälfte der Welt den römischen Bischof, doch ohne die Demuth und Unterwürfigkeit der frühern Zeit; die andere aber fragt längst nicht mehr nach Rom und seinen Gesetzen. — Wenn vor dreyhundert Jahren unsere Väter in diesem Tempel sich versammelten, knieten sie hier und dort vor den Bildern vergötterter Menschen; blickten sie nach dem Altare, wo ein opfernder Priester stand, und vernahmen, statt des göttlichen Wortes, die unverständlichen Töne einer fremden Zunge. Heute beten wir ihn allein an, den Unsichtbaren, der droben im Himmel wohnet; heute wird an jenem Altare das Nachtmahl des Herrn nach seiner Anordnung gefeyert, nicht ein Opferdienst, den das Christenthum verwirft, begangen; heute stehen keine Priester, sondern Lehrer und Führer der Gemeinde in eurer Mitte; heute schlagen wir dieses Buch der Bücher vor euch auf; heute beten wir zu Gott in der Sprache unsers Volkes. Wunderbar hat sich im Laufe der Zeit die Gestalt der christlichen Welt verändert." — Diess aus dem *Eingange* dieser Predigt; es folge der *Schluss* derselben. „Unablässig verändert die Welt ihre Gestalt. Die Zeiten gehen und kommen, und keine gleichet der andern. Jedes Jahrhundert trägt sein eignes Gewand. Wenn wieder hundert Jahre abgelaufen sind, und nun ein anderes Geschlecht auf unsern eingesunkenen Gräbern steht, wird auch eine andere Zeit gekommen seyn. Wohl möchten wir hinausschauen in die Zukunft; wohl möchten wir wissen, auf *welchem* Punkte dann die christliche Welt stehen werde? — Nur das Gegenwärtige erkennen wir im Lichte. Wie eine Dämmerung liegt die Vergangenheit hinter uns, und was vor uns stehet, bedecket Finsterniss und Nacht. Das Künftige kann auch die Weisheit der Weisesten nicht errathen. Nur das wissen wir, dass, wie viel auch untergehe, und neu sich gestalte im gewaltigen Umschwunge der Zeiten, doch das Evangelium in seiner ewigen Kraft bestehen werde; denn einen andern Grund kann Niemand legen, ausser dem, der gelegt ist, welcher ist Jesus Christus. Ja, das Evangelium wird ewig bleiben mitten im reissenden Wechsel der weltlichen Dinge, und mit ihm *Glaube*, *Liebe* und *Hoffnung*. — Der *Glaube* wird bleiben. Wie wir heute uns neigen vor deiner [illegible] benen Gestalt, Jesus Christus, du Sohn des lebendigen Gottes; also werden auch die *Kinder* unserer Kinder, wenn sie nach hundert Jahren hier wieder versammelt stehen, zu dir hinaufschauen als dem Anfänger und Vollender ihres Glaubens. Wie wir heute zu dir, du unsichtbarer Herr und König der Welt, vertrauend und hoffend, dankend und preisend beten; also werden auch die, welche nach uns kommen, dich suchen und *finden*. Der Glaube wird bleiben, und mit ihm die *Liebe*. Wie in diesem schönen Augenblicke, wo wir als Brüder uns begegnen im Angesichte *des himmlischen* Vaters, menschliches Gefühl *unser Herz* beweget, dass wir einander weinend in *die Arme* fallen möchten, und beten für Alle, die wir *die* Unsern nennen, beten auch für die getrennten Brüder, beten für die Väter, die eingegangen sind zu ihrer Ruhe, und für die künftigen Geschlechter; also werden auch die beten, die nach uns kommen, und wenn sie wie wir vor Gott stehen, im innersten Herzen fühlen, dass sie alle eins sind in dem Sohne und in dem Vater. Wie wir von der streitenden zu der triumphirenden Kirche, zu der Gemeinde der Heiligen hinaufschauen, die droben um den Herrn versammelt steht, also wird die Heimath zum himmlischen Vaterlande, und die Krone, die dort des Kämpfers wartet, auch der künftigen Geschlechter Trost und Hoffnung seyn. — Der Erde Schmerz und Jammer wird sich erneuern, so lange Menschen vom Weibe geboren werden. Wie aber wir in des Leibes Aengsten und Nöthen; so werden auch unsere weinenden Kinder himmelwärts schauen; der *Strahl der Hoffnung* wird auch in die Thräne ihres Auges und in die Nacht ihrer Seele fallen. — Es bleibet der Glaube, die Liebe und die Hoffnung: denn das Evangelium wird bleiben bis an der Welt Ende. Sein Licht wird nicht verlöschen, *so lange* die Sonne am Himmel stehet; weiter immer und weiter wird sein Schall durch die Länder *dringen*; so lange Menschen menschlich denken *und fühlen*, wird es Recht und Menschlichkeit *sie lehren*, und zum Himmel sie führen. Ja, *es wird bleiben* das Evangelium, das vom Himmel *stammt*; es wird bleiben, bis einst der Abend des *langen* Tages, dessen Aufgang kein menschliches Auge sah, und dessen Ende nur der Allwissende weiss, — es wird bleiben, bis einst der Abend dieses langen Tages kömmt, und nach dem Abende ein neuer Morgen, und mit dem neuen Morgen ein neuer Himmel und eine neue Erde, darin Gerechtigkeit wohnet."

Rec. rechnet diese Stelle — und ähnlicher giebt es zu hunderten in den drey Bänden dieser Sammlung — zu den sichersten Beweisen, dass es *factisch* eine selbstständige Sprache der Beredsamkeit giebt, die eben so scharf gegen die Sprache der Prosa, wie gegen die Sprache der Beredsamkeit abgegrenzt ist. Mögen prosaische Naturen daran zweifeln, und in veralteten Compendien der „prosaischen Schreibart" nach-

nachschlagen, dafs die Beredſamkeit Profa, und die Profa Beredſamkeit ſey. *Reinhard* und *Tzſchirner*, und vor ihnen *Joh. Andr. Cramer*, *Münter*, *Zollikofer* und *Marezoll*, und zugleich *mit* ihnen die Eingangsweiſe genannten lebenden Kanzelredner haben durch ihre Schriften bewieſen, es gebe eine eigenthümliche Sprache der Beredſamkeit, die aber freylich wie über den Horizont, ſo auch über das homiletiſche Dintenfaſs von Tauſenden hinausliegt, welche, ohne Ahnung des Höhern, den heiligen Lehrſtuhl betreten. — Es war an der Zeit, bey der in unſern Tagen erreichten Höhe der ſtiliſtiſchen Vollendung in der deutſchen Sprache, und am Grabe eines der erſten Kanzelredner der proteſtantiſchen Kirche, an das Ideal zu erinnern, welchem die chriſtliche Beredſamkeit zuſtreben ſoll. Je mehr ſie dieſem ſich nähert; deſto mehr werden die Klagen über „Unkirchlichkeit" verſchwinden. — Weil aber diese vorliegende Sammlung von *Tzſchirner's* Predigten wahrſcheinlich vor Ablaufe eines Jahres neu gedruckt werden muſs, ſo fordert Rec. den Herausg. und die Verlagshandlung auf, dann — wie von *Zollikofer's* nachgelaſſenen Predigten *zwey Ergänzungsbände* erſchienen — auch aus *Tzſchirner's* Nachlaſſe noch einen *vierten* Band mitzutheilen, der, wie ſich von ſelbſt verſteht, den Beſitzern der erſten Auflage beſonders abgelaſſen werden muſs. — Als Nachtrag zu den mehrern Monographieen, die über *Tzſchirner* erſchienen ſind, gehört die (Th. 1. S. 263) vom Herausgeber mitgetheilte Nachricht, daſs die *anonyme* (1826 in Hannover erſchienene) Schrift: „*Vorſtellung eines auswärtigen Staatsmannes an einen deutſchen Fürſten, welcher jüngſt zur katholiſchen Kirche übergetreten war*" aus *Tzſchirner's* Feder floſs. Er hatte dieſs ſelbſt ſeinen vertrauteſten Freunden verſchwiegen. — Zum *Schluſs*, dieſer Anzeige und als Nachruf an den Vollendeten ſtehe hier noch das *dichteriſche Wort* von ihm (Th. 1. S. 39):

„Ein Garten Gottes ſtehet die Welt;
Ihm grünt und reift, was blüht und was fällt;
Sein iſt die Frucht und das Reis.
Er ſäet die Saat und pflegt den Keim,
Er trägt die Früchte und Garben heim;
Sein iſt das Kind und der Greis."

Landshut, b. Krüll: *Kurze Frühpredigten auf alle Sonn- und Feſttage des ganzen Kirchenjahres.* Von *Gottlieb Ackermann*, der Gottesgelahrtheit Licentiat. 1827. *Erſter* Band, die Predd. auf die Sonntage. XVI u. 352 S. *Zweyter* Band, die Predd. auf die Feſttage. XII u. 332 S. 8. (2 Rthlr.)

Für evangeliſche Leſer möchten dieſe Kanzelvorträge wohl nichts Anziehendes enthalten. Sie ſind ſehr populär, und die Anordnung derſelben iſt überaus einfach. Das iſt ein Vorzug, der unter den Rednern der katholiſchen Kirche nicht immer ſtatt findet. Uebrigens ſind ſie ſehr kurz und keiner derſelben überſchreitet das Maaſs von 6 nicht eng gedruckten Seiten. Daſs dabey weder in den Text noch in die Sachen tief eingegangen werden konnte, leuchtet von ſelbſt ein. Rec. muſs aber der Wahrheit darin die Ehre geben, daſs er dennoch recht viel Gutes gefunden hat, und manche Anſicht, die er von einem Katholiken kaum erwartete. So iſt auch vorzüglich zu loben die ſtete Anwendung des Empfohlenen oder Getadelten in Beyſpielen aus dem täglichen Leben. Daſs ſich hier auch Vorträge für mehrere Heiligentage finden, und daſs dabey aus den Legenden mancher ſonſt unbekannten Namen etwas vorkommt, kann nicht auffallen. Durch die Ausdehnung auf dieſe Feſttage ward es möglich mit den Vorträgen für dieſelben einen eben ſo ſtarken Band zu füllen, als der für die Sonntage iſt. Vor allzu populären Wendungen und Ausdrücken, z. B. „armer Schlucker" hat ſich der Vf. zu hüten.

ERDBESCHREIBUNG.

Wien, im Verlage von Heubner: *Geographiſch-ſtatiſtiſch-topographiſches Handwörterbuch von Groſsbritannien und Irland (Ireland)* zur Kenntniſs der Natur- und Kunſtmerkwürdigkeiten dieſer Länder für Geſchäftsleute, Naturfreunde und Reiſende. Nach den neueſten und beſten Quellen bearbeitet und mit einem vollſtändigen Meilenzeiger verſehen, von *Rudolph von Jenny* 1828. 702 S. gr. 8. (Pr. 8 Rthlr.)

Der Vf. beabſichtigt mit dieſem geographiſchen Handwörterbuche nicht nur ein umfaſſendes, ſondern auch ein anſprechendes und anſchauliches Localitätsgemälde von den drey britiſchen Inſeln, die ſo reich an Merkwürdigkeiten der Natur und Kunſt ſind, aufzuſtellen: er will nicht in das innere Leben der Staatsmaſchine eingreifen, oder ſich in weitläufige Erörterungen über den Staat ſelbſt einlaſſen, ſondern nur deſſen einzelne Theile eintragen und ſowohl dem Manne von Fache als dem Dilettanten ein Repertorium in die Hand geben, woraus er ſchnell die Hauptnotizen über jeden merkwürdigen Ort oder Provinz der drey Inſeln entnehmen kann.

Für einen Einländer, der nicht weiter eindringen will, kann ein dergleichen Repertorium, wenn es in ſeiner Sprache geſchrieben iſt, brauchbar ſeyn, auch allenfalls für den Reiſenden, dem es als Wegweiſer dienen kann; aber für das ganze übrige Publikum ſcheint es Rec. völlig überflüſſig. Was der Vf. darin giebt, ſoll ſchon jedes verſtändig angelegte geographiſche Wörterbuch enthalten, und wenn dem nicht ſo iſt, ſo erfüllt es die Forderungen nicht, die der Leſer an daſſelbe zu machen berechtigt iſt!

Hiervon abgeſehen, muſs Rec. dem Vf. das Zeugniſs geben, daſs er ſein Thema mit Umſicht und Fleiſs behandelt und ausgeführt, und alles gethan habe, um das Werk für das Publikum brauchbar zu machen. Vorzüglich liegt bey demſelben *Cappers topographical dictionary of the united kingdom*, ſo viel Rec. weiſs, das neueſte, was wir über die

drey

drey Infeln haben, zum Grunde: nebenbey hat er auch die meisten deutschen Hülfsmittel benutzt, und die neuern Reisebeschreibungen in seinen Bereich gezogen. Nur Ireland ist auch hier, wie im Capper und den übrigen Hülfsmitteln zu stiefmütterlich bedacht: der Brite bekümmert sich um die verschwisterte Insel wenig, und die Deutschen konnten sämmtlich *Masons statistical survey*, das 1814 den Anfang nahm und erst 1826 beendigt ist, so wie *Moreaus* statistisches Werk nicht benutzen. Daher denn auch hier mancher merkwürdige Ort nicht eingetragen, die Häuser- und Volkszahl der Irischen Ortschaften nur bey den grössern angegeben ist.

Was die Einrichtung des Buches selbst betrifft, so hat der Vf. eine statistische Einleitung von Grossbritannien und Ireland vorausgeschickt. Diese enthält I. Namen. Hauptmomente der Geschichte. II. Landeskunde. 1). Lage, Grenzen, Grösse: letztre 5,546 Qu. Meilen, worunter aber auch Scilly, Man und die normannischen Eilande stecken. 2) Physische Beschaffenheit nach Oberfläche, Abdachung, Boden, Gebirge, Gewässer (hier hätte doch wohl das Kanal- und Flussystem etwas weitläuftiger auseinander gesetzt werden müssen, da die Gewässer keine eigne Artikel erhalten haben), Klima und Produkten. III. Volkskunde. 1) Einwohner. Nach dem Census von 1821. 2) Kunstfleiss, Handel. 3) Strassen. 4) Münzen, Maass, Gewichte. 5) Kirchliche Verfassung, wo doch bloss die herrschende Kirche in das Auge gefasst ist. 6) Künste und Wissenschaften. IV. Staatskunde. 1) *Staatsverfassung* und *Staatsverwaltung* mit Finanzen, Land- und Seemacht. 2) Eintheilung. — Zu der Einleitung gehört als Anhang: Hauptmomente der neusten Zahlenstatistik von Grossbritannien und Ireland (S. 701 u. 702), die aus der Allg. Zeit. gezogen ist. Uebersichtlicher und vollständiger gewähren diese die *statistical illustrations of the territorial extent and population of the british empire.* Lond. 1825, die auch eine Menge andrer statistischer Daten enthalten, aber von dem Vf. nicht gekannt zu seyn scheinen. Auch hätte der Vf. bey seinem Gemälde des britischen Reichs wohl eine Uebersicht von dessen Kolonien, worauf sich doch eigentlich seine Grösse und Macht stützt, mittheilen können. Sonst ist diese Einleitung zwar kurz, aber doch genügend dargestellt.

Hierauf folgt die topographisch (topisch) statistische Darstellung von England, Scotland und Ireland in alphabetischer Ordnung. Es ist wahr, Rec. hat in derselben keinen Ort ausgelassen gefunden, der mit Ausnahme Irelands sich durch eine Merkwürdigkeit auszeichnete und [illegible] mehr sagen liesse, als dass er da sey, so [illegible] viele Häuser und Einwohner und zu dieser [illegible] jener Grafschaft, Insel u. s. w. gehöre; aber in [illegible] nem speciellen geogr. Wörterbuche sollten [illegible] auch solche nicht fehlen, welche die Hauptörter [illegible] Kirchspielen wären oder eine Bevölkerung [illegible] die über ½ tausend hinaufstiege! So vermisst [illegible] im Buchstaben *A* folgende Artikel: Abbey [illegible] 619, Aberdalgy 613 (bekannt durch *die Sch*[illegible] von Dupplin), Aberford 649, Aberfraw [illegible] Abergwilly 1,789, Aberustwith 1,626, *Adding*[illegible] 1,471, Ainsworth 1,422, Albours 1,260 (*bek*[illegible] durch s. Manschester), Alrewas 1,121, *Alveton* [illegible] Appleton 1,204 Einw. (alle nach *der Volkszä*[illegible] von 1811 und nach der von 1821 gewiss *um viel* höher); so sind einige geringe Havenplätze, [illegible] Aberavon, Appledore u. s. w. verschiedne [illegible] wie die 4 Annagh an Irelands Küste, Annet, [illegible] der Scillys u. s. w. ausgelassen, die um [illegible] nicht fehlen sollten, weil die Zeitungen sie [illegible] len berühren. Aber alle Artikel, die der Vf. aufgenommen hat, sind mit vieler Präcision und Vollständigkeit bearbeitet, und wenn auch hie und da nur kurz angedeutet, doch nichts ausgelassen, was für irgend einen Leser Interesse haben [illegible] Vorzüglich hat der Vf. die Landsitze der [illegible] worin meistens die Kunstschätze aufgehäuft [illegible] zum Theile versteckt liegen, die das brittische [illegible] dem Festlande entwendet hat, hervorgehoben, und alles angeführt, was eine sehenswürdige Naturmerkwürdigkeit aufzuweisen hat. Manufakturen und Fabriken sind nicht aus der Acht gelassen, aber doch nur im allgemeinen aufgezeichnet. Zu loben ist es, dass er aus Capper und den brittischen Quellen nicht die antiquarischen Kleinigkeiten, bey deren Zergliederung sich die Insulaner so sehr gefallen, in sein Werk herübergezogen hat: doch ist das Historische nicht aus der Acht gelassen. In Hinsicht der Volkszahl hat der Vf. die neueste Volksliste, die wir haben, *die von 1821* zum Grunde gelegt (bekanntlich findet *ein Census* auf den brittischen Inseln nur *jedesmal nach* Ablauf eines Decenniums statt); nur bey den Irischen Oertern fehlen häufig Häuser- und Volkszahl.

Das Buch ist gut und auf schönem Papiere gedruckt: Druck- oder Schreibfehler sind Rec. wenige aufgestossen, und der Anhang, welcher eine Darstellung der Packetbootfahrten und des *Post*fahrwesens im brittischen Reiche enthält, ist [illegible] eine willkommne Zugabe für den Reisenden, der eine Tour durch die Inseln machen will.

G. Hassel.

ALLGEMEINE LITERATUR-ZEITUNG

December 1828.

LITERARISCHE NACHRICHTEN.

I. Univerſitäten.

Leipzig.

Am 5. Julius habilitirte ſich auf dem philoſophiſchen Katheder Hr. M. *Aug. Otto Krug*, Jur. Baccal., durch Vertheidigung ſeiner Streitſchrift: *De natura dominii directi et utilis feudorum ex principiis juris philoſophici recte aeſtimanda.* (46 S. 8.) Am 12. Julius hielt Hr. Profeſſor *Höpfner* ſeine Antrittsrede wegen der ihm ertheilten ordentlichen Profeſſur der Philoſophie; zu welcher Feyerlichkeit er durch das Programm eingeladen hatte: *De conſecutione ſententiarum in Pauli ad Romanos epiſtola. Sub calcem legitur praeconium immortalis Tzſchirneri.* (71 u. 8 S. 8.) Die Rede ſelbſt iſt nachher unter dem Titel gedruckt worden: *Philoſophiae et ſuperſtitionis certamina, quae ardentiſſima flagrant hac noſtra memoria, inde ab aeterno jam fuerunt conſerta. Oratio philippica prima etc.* (22 S. 8.) Am 17. Julius hielt der Stud. Math., Hr. *Friedr. Ed. Thieme* aus Leipzig, *die Kregel–Sternbach'ſche* Gedächtnißrede. Das Programm dazu handelt: *De Archimedis problemate bovino* (12 S. 4.) und hat Hn. Profeſſor *Hermann* als Dechanten der philoſophiſchen Facultät zum Verfaſſer. Am 23. Auguſt habilitirte ſich der Doct. Med. et Philoſ., Hr. *Alfr. Wilh. Volkmann*, auf dem philoſophiſchen Katheder, indem er ſeine Streitſchrift: *De animi affectionibus* (52 S. 8.) vertheidigte. Am 28. Auguſt vertheidigte der Advocat, Hr. *Herm. Härtel* aus Leipzig ſeine Inauguralſchrift: *De ſervitutibus per pacta et ſtipulationes conſtitutis ex jure romano* (88 S. 4.) und erhielt hierauf die juriſtiſche Doctorwürde. Hr. Ord. und Domher *Biener* ſchrieb dazu das Programm: *Interpretationum et reſponſorum praeſertim ex jure ſaxonico ſylloge. Cap. XXXV.* (19 S. 4.)

Am 8. Sept. verſammelte ſich die zur Verwaltung der Stiftung und die zur Erinnerung an des Oberhofpred. Dr. *Reinhard's* Verdienſte um die evangeliſche Kirche und um Sachſen gegründete Geſellſchaft, in welche an die Stelle des verſtorb. Dr. *Tzſchirner* Hr. Archidiaconus Dr. und P. O. *Joh. David Goldhorn* gewählt worden war, zur Vertheilung der Predigtpreiſe zufolge der Stiftung. Von 21 eingegangenen Predigten erhielt den erſten Preis die Predigt des Cand. des Pred. A. Hr. *Aug. Friedr. Unger*, der auch durch eine Schrift *über die Parabel Jeſu* ſich bekannt gemacht hat, den zweyten die des Cand. Hr. *Karl Traugott Leuſchner*, den dritten die des Cand. Hr. *Franz Friedr. Fürchtegott Wange*. Eine vierte konnte nicht concurriren, weil ihr Verfaſſer ſich nicht genannt hatte. Unter den übrigen 17 Arbeiten befanden ſich noch mehrere einer rühmlichen Erwähnung würdige Aufſätze.

Am 25. Sept. erhielten von der theologiſchen Facultät, nach vorhergegangenem Colloquium, die Hn. Prof. M. *Karl Gottfr. Wilh. Theile* und Prof. *Ferdinand Florens Fleck* (Nachmittagsprediger an der Univerſitätskirche), M. *Guſtav Adolf Schumann* (Collab. an der Thomasſchule und Nachmittagspred. an der Univ. K.) und M. *Chr. Wilh. Niedner* die Würde von Baccalaureen der Theologie. Am 13. Sept. hatte die Univerſität zu Roſtock dem Hn. Profeſſor *Theile ſummos in theologia honores et dignitatem ac privilegia doctoris Theologiae honoris cauſſa* ertheilt und ihm das Doctordiplom überſandt. Hr. M. *Karl Aug. Haſe* iſt unter die hieſigen Baccalaur. der Theologie aufgenommen. Zu Ende des Septembers kehrten die auſserordentl. Profeſſoren der Rechte, Hr. Dr. jur. *Guſtav Hänel* und Hr Dr. philoſ. *Guſtav Seyffarth* von ihren gelehrten Reiſen, von denen ſie ſchon manche Früchte bekannt gemacht haben, mit anſehnlichen literariſchen und archäologiſchen Schätzen wieder zurück. Im October ging Hr. M. *Karl Friedr. Aug. Fritzſche* ab, um die Profeſſur der Beredſamkeit auf der Univerſität zu Roſtock anzutreten.

Hr. Dr. *Bruno Schilling* hat eine auſserordentl. Profeſſur der Rechtswiſſenſchaft und eine auſserord. Beyſitzerſtelle im K. Conſiſtorio erhalten.

Am 20. Octbr., an welchem Tage die Wintervorleſungen von einigen Lehrern eröffnet wurden, ward auch der Unterricht in dem neuen Locale (auf dem Grimmaiſchen Steinwege, wo das Haus Nr. 1294 zum Entbindungshauſe und Schule und zur Wohnung des Directors und Obergeburtshelfers zweckmäſsig eingerichtet worden iſt) der Entbindungsſchule (die ſich bisher in dem Trieriſchen Grundſtücke befand, daher auch den Namen Trieriſches Inſtitut führt) feyerlich eröffnet durch eine Rede des Hn. Hofrath und Prof. der Geburtshülfe und Directors u. ſ. w., Dr. *Joh. Chriſt. Gottfr. Jörg*, worin er zeigte, daſs es das Studium der Phyſiologie und Pſychologie ſehr befördere, wenn man das Erlernen der Erſtern mit dem Zuſtande des Fötus und das der Letztern mit dem Eintritte des Kindes in dieſe Welt beginnt. Er hatte dazu eingeladen durch ein Programm: *Was hat eine Entbindungsſchule zu leiſten, und wie muſs ſie organiſirt ſeyn?* Leipzig 1828 bey Meiſsner, 27 S. in 4. In dem Vorworte und der Einleitung ist die Geschichte der Veränderung des Locals und die Geschichte der Entbindungsschule, des auch sogenannten Hebammen-Instituts, erzählt, und in der Abhandlung selbst der Unterschied einer Entbindungs- und Geburtshülfe-Schule und eines Hebammeninstituts dargestellt.

II. Vermischte Nachrichten.

Der Propst und Bibliothekar Hr. *von Fejer* entdeckte vor Kurzem bey seinem Durchforschen mehrerer Archive, zum Behufe seines nächstens erscheinenden *Diplomatarium Universale Regni Hungariae* in dem Primatial-Archiv zu Gran das authentische Original der berühmten *Bulla aurea* König Andreas II. (des Hierosolymitaners) vom Jahre 1222, und erhielt davon eine Copie für sein Diplomatarium. Niemand wufste bisher etwas von der Existenz der Bulla aurea in einem ginal. Bekanntlich wurde dieselbe unter A[illegible] in sieben authentischen Originalen in verschied[illegible] Archiven des Königreichs deponirt; allein man w[illegible] in der Folge der Zeit nicht, wohin diese gekom[illegible] waren, und begnügte sich mit den Abschriften, [illegible] welchen die in dem bischöflichen Archiv zu Ag[illegible] (*Transumtum Zagrabiense*) die älteste war. Der [illegible]rühmte *Kollar* hoffte in dem Wiener Staatsarchiv [illegible] authentisches Original zu finden, allein seine Hoffn[illegible] wurde nicht erfüllt. *Martin Georg von Kovach[illegible]* setzte einen Preis von 200 Ducaten für die Auffind[illegible] eines Originals der Bulla aurea mit einem *goldnen Siegel*, und von 100 Ducaten für eins *ohne Siegel* au[illegible] allein man fand nirgends ein Original. *Das jetzt aufgefundene* hat drey Siegel, das vierte (*das goldene*) fehlt jedoch; es sind aber deutliche Spuren vorhanden, dafs es daran befindlich gewesen seyn mufs.

LITERARISCHE ANZEIGEN.

I. Ankündigungen neuer Bücher.

Weihnachtsgeschenk.

So eben ist erschienen und durch alle Buchhandlungen zu haben:

C. Hildebrandt, *der Einsiedler, oder Wilhelms wunderbare Abenteuer, und der Sclav.* Zwey Erzählungen zur belehrenden Unterhaltung. Mit 6 sauber gestochenen und illuminirten Kupfern. Magdeburg 1828 bey Ferdinand Rubach. 1½ Rthlr.

Der Verfasser, schon durch mehrere mit Beyfall aufgenommene Jugendschriften, namentlich durch die *Colonie Robinsons*, *Kotzebue's Reisen* u. s. w. bekannt, hat hier, um zu unterhalten und zu belehren, einen Weg gewählt, auf dem ihn jeder Erzieher, jeder Lehrer gern begleiten wird — den Weg einer zusammenhängenden Erzählung. Die Begebenheiten sind von der Art, dafs die gebildetere Jugend sie gern lesen wird. Die Einbildungskraft der Jugend wird auf eine ruhige nützliche Art beschäftigt. Die jungen *Leser* bleiben erwartungsvoll und sehen mit Vergnügen der Entwickelung und dem Ausgange einer Begebenheit entgegen, deren Erzählung, vom Anfange bis Ende, in immer gleichbleibender Aufmerksamkeit und Spannung erhält. Was aber dieser Gallerie einen noch gröfsern Vorzug giebt, sind die trefflichen, für die Jugend so äufserst nützlichen Belehrungen, die, im Gewande der Erzählung vorgetragen, und durch redendes Beyspiel versinnlicht, ihren wohlthätigen Einflufs auf das Herz der jungen Leser nicht verfehlen können. Dafs bey diesem Werkchen die reinste Sittlichkeit mit jugendlicher Gemüthlichkeit Hand in Hand gehen, dafs die Gelegenheit zu manchem schönen frommen Grundsatz benutzt ist, bedarf kaum der Erwähnung. Zum Vorlesen in Schulen eignet sich diese Gallerie eben so gut als dazu, die Stunden der Einsamkeit auf eine unterhaltende Weise zu benutzen: denn schwerlich möchte eine andere Jugendschrift die Aufmerksamkeit so beschäftigen und dem Lehrer so reichlich Gelegenheit, nützliche Kenntnisse zu verbreiten geben, als diese Gallerie. Der Verleger hat sie noch überdiefs zu gröfserer Empfehlung mit mehreren, von der Hand eines sehr geschickten Künstlers angefertigten, Kupfern geziert.

Physiologie.

So eben ist bey Leopold Vofs in Leipzig erschienen:

Burdach, K. F., die Physiologie als *Erfahrungswissenschaft.* *Zweyter* Band. Mit Beyträgen von *K. E. von Baer*, *H. Rathke* und *E. H. F. Meyer.* Mit vier colorirten Kupfertafeln. gr. 8. 5 *Rthlr.*

„Wenn ich zufolge des Planes, der *diesem Werke* zum Grunde liegt," sagt der verehrte *Herr* Verfasser im Vorworte zum vierten, die *Lehre vom Embryo* enthaltenden Buche, „hier die bisherigen Untersuchungen über die Entwickelung des *Embryo* zuerst in umfassender Uebersicht zusammenzustellen hatte, um Resultate für die Wissenschaft zu gewinnen, so schreite ich nach dem Gesagten über mein nächstes Ziel hinaus, indem sich dieser Zusammenstellung Arbeiten anschliefsen, welche dem Erfahrungsschatze der Wissenschaft die erfreulichste Bereicherung darbieten. — Die Freunde, wovon der Eine schon durch die Entdeckung des Ureyes der Mammalien, der Andere durch die Entdeckung der Kiemen am Embryo sämmtlicher Lungenthiere seinen Namen in die Geschichte der Wissenschaft unvertilgbar eingezeichnet hat, beweisen ihre Theilnahme an meinem Unternehmen durch Mittheilung der Resultate ihrer eben so glücklichen als mühsamen Forschungen, und

und so kann ich von diesem Buche freudig rühmen, dass es ein neues Licht über die Entwickelungsgeschichte verbreitet und einen neuen Zeitraum in der Geschichte der Wissenschaft bezeichnet."

Bey B. F. Voigt in Ilmenau ist erschienen:

F. B. Busch theoretisch praktische Darstellung der Rechte geschwächter Frauenspersonen gegen ihre Verführer und der unehelichen Kinder gegen ihre Erzeuger, aus dem Gesichtspunkt des gemeinen bürgerlichen Rechts. Nebst den hierüber bestehenden kais. östreichischen, königl. preuss., baierischen, sächsischen u. herzogl. sächsischen Gesetzen. gr. 8. 2 Rthlr.

Sowohl Praktikern als Betheiligten ist dieses Handbuch — die Frucht eines zehnjährigen Studiums — unentbehrlich, da es alles, was in vielen Schriften zerstreut stehet, in ein systematisches Ganze vereinigt und eine bisher oft gefühlte Literaturlücke ausfüllt.

Nachricht,

die von dem Herrn Prof. Dr. Kühn besorgte Ausgabe der griechischen Aerzte betreffend.

Von der im Jahre 1821 begonnenen Ausgabe der *Opera medicorum graecorum quae extant cum versione latina edid. C. G. Kühn* sind bis jetzt 20 Bände erschienen. Nämlich:

Galeni opera omnia Tom. I—XV. et XVII. Pars I.

Der 16te und 17te Bd. 2te Abtheil. erscheinen bis Ostern 1829, und zur Vervollständigung des ganzen Werkes werden inclusive des Register-Bandes noch 5 Bände nöthig seyn, welche ich binnen hier und 2 Jahren zu liefern gedenke. Diese Ausgabe von *Galen's* Werken zeichnet sich ausser ihrer Correctheit vor allen übrigen dadurch aus, dass sie den griechischen Text von drey Büchern Galen's geliefert hat, welche bis jetzt bloss in einer lateinischen Uebersetzung bekannt waren.

Hippocratis opera omnia 3 Tomi cum indice. 1825. 26.

Aretaei Cappad. opera omnia. 1828.

Der hierzu gehörige und vom Herrn Prof. *W. Dindorf* besorgte Commentar erscheint bis Ostern, und wird gratis nachgeliefert.

Der dann zunächst erscheinende und bereits im Druck befindliche Band enthält:

Dioscoridis libri VIII. ed. Curt Sprengel.

Gleichzeitig werden die in der Sammlung des Nicetas befindlichen wundärztlichen Schriften der Griechen, unter welchen besonders die drey Bücher des *Apollonius* aus Kittium von den Gelenken merkwürdig sind, erscheinen.

Aus dem raschen und regelmässigen Fortschreiten dieses Werkes geht wohl hinreichend hervor, dass es dem Herausgeber und dem Verleger gleich stark darum zu thun ist, ein Unternehmen, dessen sich noch keine Nation zu rühmen hat, so schnell als möglich zu beenden. Dabey ist aber nichts vernachlässigt worden, um das Werk gut zu liefern, und ich habe keine Kosten gescheuet den Text correct zu geben, wobey ich anfänglich vom Herrn Prof. *Schäfer* und dann später vom Herrn Prof. *W. Dindorf* durch gefällige Uebernahme einer Revision unterstützt wurde, und der Druck so wie das Papier sind durchgängig schön.

Der Pränumerations-Preis für den Band von 2½ Alphabet ist auf Druckpapier 3 Rthlr. 8 gr. Sächs. und auf Schreibpap. 4 Rthlr. 8 gr. Einzelne Bände kosten im Ladenpreis auf Druckpap. 5 Rthlr. und auf Schreibpap. 6 Rthlr. 12 gr.

Leipzig, im October 1828.

Karl Cnobloch.

Für Schulen.

Bey H. Ph. Petri in Berlin erschienen, und sind durch alle Buchhandlungen zu beziehen:

Geographische Handtafeln über die ganze Erde. Ein allgemein verständlicher Hausbedarf für die Einwohner der Mark Brandenburg und Pommern, wie auch Schlesiens und Preuss. Sachsens u. s. w. Von *J. Pfeiffer. Dritte verm.* und *verb. Aufl.* kl. 4. 9 Bogen. 7½ Sgr. Partiepreis 6¼ Sgr.

Geograph. Wandtafeln vom Preuss. Staate. Ein besonderer Abdruck von Seite 1 — 18 der Handtafeln. Folio. 4 Bogen. 5 Sgr.

Wie brauchbar sich dieser geographische Leitfaden für Schulen und das Geschäftsleben erwiesen, davon zeugen am bündigsten die frühern rasch vergriffenen zwey starken Auflagen.

In der Schwickert'schen Buchhandlung in Leipzig ist erschienen und in allen Buchhandlungen zu haben:

ΠΛΑΤΩΝΟΣ ΣΥΜΠΟΣΙΟΝ.

Platon's Gastmahl, ein Dialog. Hin und wieder verbessert und mit kritischen und erklärenden Anmerkungen herausgegeben von *F. A. Wolf.* Neue, nach den vorhandenen Hülfsmitteln durchgängig verbesserte Ausgabe. gr. 8. 18 gGr.

Die häufigen Nachfragen nach dieser trefflichen Jugendarbeit *F. A. Wolf's* veranlassten die Verlagshandlung, eine neue Ausgabe davon zu veranstalten, welche jedoch den Bedürfnissen und Anforderungen der jetzigen Zeit möglichst entspräche. Ohne daher den ursprünglichen Zweck des Buchs aus den Augen zu setzen, hat der neue Herausgeber den Text durchgängig nach den jetzt vorhandenen Hülfsmitteln der Kritik verbessert, die Gründe der wichtigsten Aenderunsungen in den Anmerkungen angedeutet, den Commentar berichtigt und vervollständigt, und so alles gethan, was zur Lectüre des herrlichen Werks für junge Freunde des Plato erforderlich zu seyn schien. Auch das Aeussere des Buchs ist gefällig und schön. Wir glauben, dass es bloss dieser Anzeige bedürfe, um dem Gebrauche desselben recht vielen Eingang zu verschaffen.

So eben ist bey mir erschienen und in allen Buchhandlungen zu erhalten:

Betrachtungen über die Ursachen der Grösse der Römer und ihres Verfalls. Von Montesquieu. Uebersetzt von *Karl Freyherrn von Hacke.* 12. X u. 240 Seiten auf feinem Berliner Druckpapier. Geh. 1 Rthlr.

Leipzig, den 1. Sept. 1828.

F. A. Brockhaus.

In der Buchhandlung von F. H. Riemann in Berlin ist so eben erschienen und in allen Buchhandlungen zu haben:

Die Schule der weiblichen Jugend, dargestellt von *Friedrich Schubart*, Mitvorsteher einer weiblichen Bildungs-Anstalt in Berlin. 8. 9½ Bogen. Geheftet 15 Sgr.

Diese Schrift hat ein mehrseitiges Interesse. Der Pädagoge von Fach findet hier den Gedanken der weiblichen Schule zum erstenmal in einer abgesonderten selbstständigen Betrachtung behandelt, und in ihrem Verhältnisse zum Familienleben angesehen. Die deutsche pädagogische Literatur besass bisher noch kein eigenes Buch über diesen Gegenstand. Auch scheint sich diese Schrift durch Inhalt und Darstellung jedem gebildeten und über das Leben nachdenkenden Menschen zu empfehlen.

II. Herabgesetzte Bücher-Preise.

Für Chemiker, Pharmaceuten und Mineralogen.

Kürzlich ist bey mir erschienen und durch alle Buchhandlungen zu erhalten:

Hermbstädt, S. F., *systematischer Grundriss der allgemeinen Experimentalchemie,* zum Gebrauch bey Vorlesungen und zur Selbstbelehrung beym Mangel des mündlichen Unterrichts; nach den neuesten Entdeckungen. 5ter oder Supplementband zu den 4 ersten Bänden der *dritten* Auflage. Nebst einem *vollständigen Register.* gr. 8. 3 Rthlr.

Dieser 5te Band liefert die neuesten Entdeckungen und Erfahrungen, welche während der Herausgabe der 4 ersten Bände gemacht worden sind, für jeden einzelnen Band, jeden einzelnen Abschnitt und jeden einzelnen Paragraphen nachgetragen, nebst einem v-ständigen Register, so dass nun das Werk in [illegible] 5 Bänden ein vollständiges Ganzes ausmacht.

Der Preis aller 5 Theile ist 14 Rthlr. 12 gr.; um aber den Ankauf dieses anerkannt brauchbaren Werkes möglichst zu erleichtern, setze ich dasselbe für einige Zeit auf 8 Rthlr. 12 gr. herab, wofür es durch alle Buchhandlungen zu erhalten ist.

Hermbstädt, S. F., *Grundriss der theoretischen und experimentellen Pharmacie,* zum Gebrauch bey Vorlesungen und zur Selbstbelehrung beym Mangel des mündlichen Unterrichts, für angehende Wundärzte und Apotheker. 2te durchaus umgearbeitete und verbesserte Auflage. 3 Bände. 1806—10. Ladenpreis 7 Rthlr. 12 gr.; herabgesetzter Preis 4 Rthlr. 12 gr.

Ferner sind bey mir erschienen:

Desselben *Grundlinien der theoretischen und experimentellen Chemie,* zum Gebrauche beym Vortrage derselben. gr. 8. 1804. 2 Rthlr. 16 gr.

Desselben *Katechismus der Apothekerkunst,* als *die ersten Grundsätze der Pharmacie für Anfänger.* 16 gr.

Klaproth, M. H., *Beyträge zur chemischen Kenntniss der Mineralkörper,* 5 Bände mit Register. Ladenpreis 10 Rthlr. 12 gr., herabgesetzter Preis 6 Rthlr.

Karsten, D. L. G., *mineralogische Tabellen mit Rücksicht auf die neuesten Entdeckungen,* mit erläuternden *Anmerkungen* versehen. 2te verbesserte u. vermehrte Auflage. Ladenpreis 3 Rthlr. 16 gr., herabgesetzter Preis 2 Rthlr.

Basel und Leipzig, im October 1828.

H. A. Rottmann.

III. Vermischte Anzeigen.

Eine von Hn. *Puder* in die A. L. Z. Nr. 228. eingerückte lügenhafte Antikritik wird in *Jahn's Jahrbüchern* für Philologie eine gebührende Abfertigung finden.

Breslau, den 30. October 1828.

Dr. N. Bach.

Der von 6 Rthlr. — auf 3 Rthlr. — herabgesetzte Preis der *göttlichen Komödie des Dante Alighieri,* übersetzt von *Karl Streckfuss,* besteht, der früheren Ankündigung gemäss, nur bis zum 1sten April 1829, und es tritt nach Ablauf dieses Termins unwiderruflich der vorige Ladenpreis ein.

Wir machen hierauf ausdrücklich aufmerksam.

Halle, im November 1828.

Hemmerde und Schwetschke.

ALLGEMEINE LITERATUR - ZEITUNG

December 1828.

THEOLOGIE.

Schriften in Bezug auf die Säcularfeyer der Berner Reformation.

Nachdem Rec. die Schriften über diesen Gegenstand nicht ohne Mühe zusammengebracht, und mehrere mit Befriedigung und Interesse, andere wenigstens pflichtmäſsig gelesen hat; so will er dem Leser sein Urtheil darüber, die minder wichtigen mehr im Fluge berührend, etwas länger aber festhaltend, was ihm bedeutsamer schien, oder ihm zu besondern Bemerkungen veranlaſste, vor Augen legen.

A. *Geschichtliches.*

1) Zürich, b. Schulthefs: *Biographieen berühmter Schweizerischer Reformatoren. Lebensgeschichte M. Heinrich Bullinger's,* Antistes der Kirche Zürich, von *Salomon Heſs,* Pfr. am St. Peter in Zürich. *Erster* Band. XXXII u. 492 S. 8.

Mit Vergnügen sieht man hier einen nicht unberühmten Veteranen der Schweizerisch-kirchlichen und kirchengeschichtlichen Literatur, nach einem Zeitraume von vollen fünf und zwanzig Jahren mit der Fortsetzung eines Werkes hervortreten, welches mit dem Leben *J. Oekolampad's* begonnen hatte und nach dem damals entworfenen, jedoch hauptsächlich wegen der geschäftvollen Lage des Vfs., vielleicht auch zum Theil wegen der Unzulänglichkeit der Unterstützung von Seite des Publicums, unausgeführt gebliebenen Plane eine Folge von *Biographieen Schweizerischer Reformatoren* enthalten sollte. So wie der Vf. im Jahre 1819 das Säcular-Fest der Zürcher Reformation durch mehrere kirchenhistorische Beyträge, vorzüglich aber durch die Schrift: *Ursprung, Gang und Folgen der durch Ulrich Zwingli in Zürich bewirkten Glaubensverbesserung und Kirchenreform* verschönern half, so hat er zu seinem jetzigen Wiederauftreten nicht unschicklicher Weise den Zeitpunkt des Reformations-Jubiläums zu *Bern*, an welchem auch er den innigsten Antheil nimmt und denselben durch diese seine Arbeit öffentlich zu bezeugen wünscht, auserſehen. Diese Rücksicht ist es auch, welche den Recensenten bewogen hat, diesen *ersten* Abschnitt der Bullingerischen Biographie unter den Säcular-Schriften aufzuführen, während daſs eine genauere Anzeige des (vielleicht etwas zu weitschichtig) auf *drey* Bände angelegten Ganzen, füglicher bis zur Erscheinung des *dritten* Bandes verschoben bleiben mag. Was demnach in Kürze den vorliegenden, die Periode von 1504—1548 umfassenden Band betrifft, so erzählt darin Hr. *Heſs* in drey Büchern und in seiner bekannten Manier die Geschichte von Bullinger's ersten Jugendjahren und Studien, seine Bekanntschaft mit Zwingli und seiner nachherigen Gattin bis zu seiner Erhebung zur Antisteswürde; sodann seine vielfachen Amtsverrichtungen in Zürich, die merkwürdigsten dortigen Ereignisse, die Geschichte der Concordien-Verhandlung und was überhaupt die damaligen Zeiten an Streitigkeiten, Congressen, Correspondenzen u. s. w. herbeyführten, nebst noch viel anderm Anziehenden von Bullinger, dem höchst fruchtbaren und emsigen Schriftsteller, dem wohlthätigen und uneigennützigen Manne, dem eifrigen Beförderer des Schulwesens, dem durch Einfachheit der Sitten und Herzlichkeit ausgezeichneten Hausvater. Es liegt, worauf auch der Vf. in der Vorrede hindeutet, in der Natur der Sache, daſs seine Arbeit nicht bloſs Biographie allein, sondern eine Zeitgeschichte Bullinger's zugleich sey; wie denn wirklich, zum Theil schon in diesem Bande, die Hauptereignisse der Reformationsgeschichte überhaupt, so weit, als sie Bullingern und seine Vaterstadt betreffen, und zugleich von ihrer noch wenig bekannten Seite, einer umständlichen Darstellung unterworfen werden; also daſs das Ganze, gleich den ältern Arbeiten der beiden *Hottinger* und den spätern Leistungen eines *Wirz*, *Kirchhofer* und Prof. *Hottinger* als ein schätzbarer Beytrag zur nähern Beleuchtung der Schweizerischen Kirchengeschichte im Allgemeinen und zur Vervollständigung der Charakterzüge anderer Gelehrter aus der Reformations-Periode, der Zeitgenossen und Freunde Zwingli's, zu betrachten ist. Dem Vf. standen übrigens bey seiner Arbeit alle nur wünschbaren Quellen unbedingt zu Gebote, und er hat nicht ermangelt, dieselben, und zwar ganz vorzüglich den handschriftlichen Reichthum der Zürcher Bibliotheken, vor allen aber derjenigen im Stiftshause mit Treue und beharrlichem Eifer für sein Lieblings-Studium zu benutzen. Scharf und mit Bestimmtheit charakterisirt er Bullinger, diesen Feind aller Verstellung und alles heimtückischen Wesens, diesen geraden offenen Mann ohne Falsch und Arglist, dem sein Herz auf der Stirne geschrieben stand; aber er schildert ihn nicht nach der Weise so mancher biographischen Enkomiasten, als unbändiger, einseitiger Lobredner, sondern mit gerechter und unparteyischer Würdigung seiner Verdienste. Als Kritiker, Exegeten, Sprachkenner und Philosophen will er ihn nicht einem Erasmus und Zwingli gleichsetzen; auch dass, zufolge Bullinger's frühzeitiger Bekanntschaft mit den Theologen der damaligen Zeiten, seine Religions-Ideen in eine gewisse, nimmer weichende Form gezwängt wurden, dass der herrschende Geist der Polemik zum Nachtheil seiner Privatstudien, ihn vor der Zeit auf den allgemeinen Kampfplatz, wo er von nun an nicht mehr bloss ruhiger Zuschauer bleiben konnte, und dass die Vorliebe für den mit solchem Uebermass von Mühen erkämpften Lehrbegriff ihn mitunter in den Strom der Orthodoxie hineinriss — Diess alles wird von der Unparteylichkeit des hellsehenden Verfassers zugegeben. Gleichwohl hält er seinen Mann eines bleibenden Denkmals und der Hochschätzung künftiger Geschlechter würdig wegen seiner unermüdeten Thätigkeit, der Bedeutsamkeit seines Wirkens in den politischen und kirchlichen Angelegenheiten seines Vaterlandes, wegen seines biedern Schweizersinnes, seines unerschütterlichen Muthes, seines durchaus religiösen, menschenfreundlichen und wohlthuenden Charakters und seines häuslichen Sinnes. Mitunter hätte Hr. *H.* sich gedrängter fassen können: auch liebt er es, eine grosse Anzahl in ihrer Bedeutung nur wenig verschiedener Ausdrücke und Epitheten an einander zu reihen. In der Vorrede wird er eigentlich geschwätzig und spricht ein wenig zu viel und zu ruhmredig von sich selbst und seinen Schriften. Nach wie vor aber muss jeder Freund dieser Gattung von Literatur der Fortsetzung dieses Werkes, dessen *zweyter* Band dem Vernehmen nach bereits unter der Presse ist, mit Verlangen entgegen ehn.

2) Zürich, b. Orell: *Berchtold Haller, oder die Reformation zu Bern*, von *M. Kirchhofer*, Pfr. zu Stein am Rhein. 240 S. 8.

Der Zweck des Vfs. geht keineswegs dahin, die Reformations-Geschichte Berns nach allen ihren Verzweigungen zu beschreiben: wohl aber das, was der hochverdiente Mann, welcher schon lange der Gegenstand seiner Forschungen gewesen war, — er nennt ihn S. 235, *das auserwählte Werkzeug, dessen sich Gott zu Verherrlichung seiner Kirche unter den Bernern bedient hat* — in jener viel bewegten Zeit seinem Vaterlande geleistet hat, da seine stille Wirksamkeit und abwechslungslosen Schicksale für sich allein nicht Stoff genug zu einer besondern Bearbeitung darzubieten schienen, mit dem Wesentlichsten, dem Gang und Geist der Berner-Reformation ganz vorzüglich bezeichnenden, in Verbindung zu setzen und zu *einem* Ganzen zu verknüpfen. Auch in dieser Schrift, die zu dem Gründlichsten und Lehrreichsten gehört, was das dritte Jubelfest der Berner Kirche erzeugt hat, zeigt Hr. *K.* sich als einen in seinem Fache Erfahrenen, die unverdächtigen Quellen, aus denen sich bey solchen Arbeit schöpfen lässt, kennt, sie ver... und ohne von seinem Zweck abzuschweifen, zu ... weiss; dabey von dem hohen Werthe ... Glaubensverbesserung und ihrer mannigfachen Se... nungen — was auch sein Weihebrief an *die Ber...sche Kirche beweist* — durchdrungen und der Pfl... keineswegs fremd ist, welche *unserm Geschle...te*, besonders den Religionslehrern und Theo...gen obliegt, jener kostbare Glaubenserbtheil ... Liebe, Kraft und gesundem Verstande zu bewah... *B. Haller* war, und so wird er neben andern S. 7... 78, 87 und 121 von seinem Biographen *geschildert*, ein ruhiger Mann, von gläubigem *Gemüthe*, dabey von viel Kraft und hohem Muthe, reich an *Wissen* und von reinem Wahrheitssinne, also dass, *wie Müller sagt, die Sache der Wahrheit und Ordnung immer seine eigne war.* Nebenbey bildeten Bescheidenheit und eine von allem verdämmenden, der eigenen Würde vergessenden und gegen jeden Andersgesinnten sofort auflodernden Eifer entfernte Milde den Grundzug seines liebenswürdigen und echt christlichen Charakters, dem er bis ans Ende seiner Tage getreu blieb. Es ist zwar von einem verdienstvollen Schweizerischen Geschichtschreiber nicht ohne Grund bemerkt worden, es sey jene Milde und die mit derselben verbundene Behutsamkeit bey *Haller* oftmals zu wirklicher Aengstlichkeit erwachsen. Auch war er selbst bescheiden genug, an Zwingli zu schreiben: „*Nisi me tuis excitasses calcaribus torpentemque expergefecisses hunc spiritum meum, profecto mox officio concionandi cessissem; at epistola tua suavi erectus vires omnes intrepidus resumsi etc.*" Dessen ungeachtet müssen wir es Hn. K. um so mehr Dank wissen, dass er an seinem Gegenstande unter manchem andern Löblichen vorzüglich auch diesen Punkt herausgehoben hat, weil einerseits gerade diese Tugend bey mehr als einem der Reformatoren in hohem Grade vermisst wurde, wie man wirklich zu *Haller's* Zeiten selbst den unbändigen Eifer seines Collegen, *Sebastian Meyer's zu seinem eigenen*, sanftern Benehmen einen schroffen Gegensatz bilden sah, und weil anderseits leider nur zu viele von denen, welche in unsern Tagen an Kirchen und höhern Lehranstalten zu Bewahrern der gereinigten Lehre bestellt sind, die schönen Vorbilder eines *Haller* und andrer mehr in der fraglichen Rücksicht unbeachtet zu lassen pflegen, und indess sie in Sachen des Wissens gross, mitunter als Riesen erscheinen, sich in Sachen der Milde und Duldsamkeit, als engherzige, zornmüthige Zwerge zur Schau stellen, angethan mit der Rüstung des Unfriedens, und mit derben Kriegserklärungen gegen Jeden Andersdenkenden in der Tasche. Für solche zumal dürfte das Leben eines Mannes viel Beherzigungswerthes enthalten, der (S. 216) von sich selbst sagen konnte: „Es ist nicht möglich, dass ich der Kirche und der Pfarrer, meine und Anderer, Män-

gel

gel schreibe... Ich habe gegen keinen Menschen weder Groll noch Neid, und wenn einige von Ehrgeiz getrieben, ihren Ruhm auch mit Verkleinerung des meinigen suchen, so bekümmert mich diess nicht. Mir ist leid, dass mein Name einmal gedruckt wurde. Ich verachte niemand, ja ich achte die Arbeiten und den Geist anderer hoch und freue mich, wenn ich auf solche stosse, die mit mir übereinstimmen."

In der Schrift:

3) Bern, in der Stämpflischen Buchdruckerey: *Thomas Wyttenbach, oder die Reformation zu Biel*, von *J. C. Appenzeller*. 64 S. 12.

werden die ausgezeichneten Verdienste *Th. Wyttenbach's* um die Reformation seiner Vaterstadt *Biel* dankbar gewürdigt und die dortigen Bewegungen bis zur Reformation, vor und nach seinem Tode beschrieben; es wird der von Seiten *Biels* auf die Glaubensverbesserung im *Sanct-Immerthale* und in *Neuenburg* ausgeübte Einfluss dargestellt, ganz besonders aber die lobenswerthe Beharrlichkeit und Charakterstärke herausgehoben, womit das kleine Biel, von den Altgläubigen, im bigotten Geiste jener Zeit, schimpfsweise das *Ketzerstädtlein* genannt, seinen einmal gefassten Entschluss, zu der reformirten Kirche überzugehen, durchzusetzen und zu behaupten wusste, ohne sich weder durch *Wyttenbach's* frühzeitigen Tod, noch durch die zahlreiche und sehr ansehnliche Partey der Altgläubigen und eben so wenig durch die Warnungen von Seiten des immer noch schwankenden Berns, oder durch die Mahnungen des Bischofs von Basel und die Drohungen der katholischen Stände von seinen Gesinnungen zurückbringen zu lassen. Die leichte und angenehme Erzählungsweise des Vfs., dessen *Gertrud von Wart* einige Jahre auf allen Putztischen einheimisch war, ist hinlänglich bekannt. Er ist allernächst ein Schriftsteller für das schöne Geschlecht. Als solcher mag er auch des Umstandes Erwähnung thun, dass „nach einer alten Sage, den Frauen und Töchtern von *Biel* ihre, aus Verehrung für ihren berühmten Mitbürger bey der Reformation ihrer Vaterstadt bewiesene Energie, bis auf die neueste Zeit *den Vortritt vor den Männern beym Genusse des Heiligen Abendmahls erworben habe*" (S. 56). Tiefer in die Geheimnisse und Verwickelungen der Geschichte dringt Hr. *A.* nicht ein; auch ist er offen genug, die, im Jahre 1620 von dem Pfarrer *Nötzli* zu *Biel*, in eine, in dem dortigen Pfarrhause noch jetzt sich vorfindende Froschauer-Bibel eingeschriebenen (reichhaltigen), die Reformation der Stadt Biel betreffenden Notizen, als das einzige von ihm benutzte Hülfsmittel anzugeben; was auch für seinen Zweck vollkommen genügen mochte.

4) Bern, b. Burgdorfer: *Merkwürdige Züge aus dem Leben des Zürcherschen Antistes Heinrich Bullinger*, nebst dessen Reise-Instruction und Briefen an seinen ältesten Sohn *Heinrich*, auf den Lehranstalten zu Strassburg und Wittenberg. Der studirenden Jugend auf das dritte Reformations-Jubiläum der Stadt und Republik Bern 1828 gewidmet von *F. J. Franz*, evang. Pfr. zu Mogelsberg, C. St. Gallen. VIII u. 158 S. 8.

Der Vf., Hr. Pfr. *Franz*, hat durch diesen Versuch einerseits das Säcular-Fest der Bernerischen Kirche mitfeyern, andrerseits den Studirenden nützlich werden, dann aber auch, aus uns unbekannten Gründen „dem *hohen* Stande *Bern* seine *reinste* Verehrung *ehrerbietigst* zu erkennen geben wollen" (S. VIII). Mit Recht bedauert er, dass B. noch keinen eigentlichen Biographen gefunden habe. Und in der That verdient, was sich aus der eilfertigen Feder des gutmüthigen Zürcher Polyhistors Meister über diesen berühmten Zürcher vorfindet, kaum den Namen einer eigentlichen Biographie. *Jos. Simmler's* Schrift: *Narratio de ortu, vita et obitu Henrici Bullingeri*, und *Ant. Trissi: Eloges d'hommes Savants tirés de l'histoire de Ms. de Thou* etc. scheint Hr. *F.* nicht gekannt zu haben; und durch die neuliche Erscheinung von Nr. 1 wird die vorhandene Lücke bis jetzt nur einem Theile nach ausgefüllt. Auch er selbst ist, seiner eigenen Erklärung zufolge, äusserer und innerer Hindernisse wegen nicht im Stande gewesen, eine ausführliche, auf ein sorgfältiges Quellenstudium gegründete Biographie des Reformators zu liefern, und hat sich darauf beschränken müssen, die *reifere Jugend* Deutschlands und der Schweiz in die vertrautere Bekanntschaft des als Vorsteher der Zürcherischen Kirche, als Mitarbeiter an dem grossen Werke der Reformation, als Schriftsteller und Hausvater gleich ehrwürdigen *Bullinger's* einzuführen. Die Hauptquellen, aus denen er schöpfte, sind die *Miscellanea Tigurina*, die, gleich so mancher Schweizerischen Zeitschrift, schon mit dem ersten Hefte in Stocken gerathenen, *Sammlungen zur Beleuchtung der Reformationsgeschichte der Schweiz* von *S. Hess*, andere durch die Gefälligkeit des Hn. *H.* ihm mitgetheilte Materialien, und ein Theil des Bullinger'schen, in den Zürcherischen Archiven zerstreut liegenden, brieflichen Nachlasses. Der Titel der Schrift selbst giebt an, was für Momente der Vf. hauptsächlich ins Auge gefasst. Angehängt sind einige kurze Notizen betreffend *Heinr. Bullinger, den Sohn*, Pfarrer bey St. Peter in Zürich, welchen der Tod in der vollesten Kraft des männlichen Alters hinwegraffte. Den anziehendsten Theil der Schrift bilden die Briefe Bullinger's, des sorgsamen Vaters, an seinen auf der Universität von Strassburg studirenden Sohn. Nach des Vfs. Meinung aber wären diese Briefe in so *rohem* (?) Deutsch und in einer oft so unverständlichen Landessprache abgefasst, dass ihm eine freyere Bearbeitung und Umschmelzung (?) des ungeschlachten Stoffes in einen geniessbarern unumgänglich nothwendig schien. Rec. hätte es, zumal was die Deutsch geschriebenen jener Briefe betrifft, für

für zweckmäſsiger gehalten, dieselben, auch auf Gefahr hin, daſs ein Ausländer sich vielleicht über einzelne Ausdrücke hätte Raths erholen müssen, genau so wieder zu geben, wie sie geschrieben worden, und dem Leser den echten unveränderten *Heinrich B.* vorzuführen. Die Sprache gehört mit zu dem Charakteristischen des Zeitalters und nicht selten gereicht ein solches Modernisiren und Umschmelzen der ursprünglichen Kraft, Naivetät und Herzlichkeit zu bedeutendem Nachtheile.

5) Bern, b. Stämpfli: *Was ist das Reformations-Fest, welches wir feyern wollen?* Von *G. J. Kuhn*, Pfr. zu Burgdorf. 48 S. 8.

Eine, geraume Zeit vor der Jubelfeyer erschienene, darauf vorbereitende Volksschrift. Es gebührt ihr das Lob der Gemeinfaſslichkeit, verbunden mit zweckmäſsiger Kürze und sorgfältiger Auswahl des Wichtigsten an Personen und Ereignissen in Betreff des in Rede stehenden Gegenstandes. Der Vf. zeigt zuerst wie die christliche Religion zu demjenigen geworden (oder vielmehr herabgesunken) sey, was die römisch-katholische Religion vor der Reformation war; sodann warum das Werk der Reformation angefangen und wie es fortgeführt worden und endlich, was das jetzt lebende Geschlecht zu thun habe, wenn auch es der beseligenden Früchte derselben theilhaftig seyn und bleiben wolle, und wie eine solche religiöse Freudenfeyer nur dann von gesegneter Wirkung seyn könne, wenn ihr ein frommes, von heiliger Achtung für die Religion ergriffenes, zugleich aber auch niemandem feindseliges und die Bekenner anderer Religionen mit Liebe umfassendes Gemüth zum Grunde liege. „Siehe" sagt Hr. K. S. 42, „noch lebt eine Menge des unsinnigsten, jüdischen, heidnischen, oder römisch-katholischen Aberglaubens unter euch. Viele von euch zittern und beben noch vor Gespenstern und bösen Geistern und vor sichtbaren Erscheinungen des Teufels, dessen Macht sie der Macht Gottes beynahe gleichschätzen. Viele nehmen noch ihre Zuflucht zu Wahrsagern und Zeichendeutern; viele glauben noch an die astrologischen Lügenprophezeyungen des Kalenders. Dazu giebt es noch Leute genug, die dem Brote im Abendmahl körperliche Kräfte zutrauen, Kranke gesund zu machen, Geister zu vertreiben, u. s. w...." Und S. 43: „Der Herr sagt: Nicht jeder, der mich seinen Herrn nennt, u. s. f. Nun ist der Wille Gottes sicher nicht, daſs immer mehrere Kinder in Unzucht erzeugt werden, daſs der Mensch stehle und betrüge u. Sind aber euere Werke so, wie muſs denn euer Glaube seyn? Jeder erbärmliche Winkelprediger, jeder fromme Schwätzer findet ja zahlreiche Zuhörer; jede frömmelnde Zusammenkunft findet Theilnahme; jede, wenn auch noch so abscheuliche Secte findet Gläubige unter euch ...." Eine solche Sprache läſst auf groſse, zur Stunde noch unter dem Volke, zu welchem gesprochen wird, herrschende Verderbnisse schlieſsen: um so mehr ist zu wünschen, daſs die Stimme des Hn. K. nicht ungehört verhallen möge.

Von demselben Verfasser ist noch eine andere Vorbereitungs-Schrift:

6) Bern, b. Walthard: *Das bevorstehende Reformations-Fest des Cantons Bern*, von G. J. Kuhn, Pfr. zu Burgdorf. 56 S. 8.

Sie ist gleichsam als Beleuchtung und Commentar zu der Ueberzeugung des Vfs. zu betrachten, daſs *die würdigste Feyer des Reformationsfestes bestehe in der klugen und gewissenhaften Anwendung alles dessen, was im Laufe eines Jahrhunderts, im Gebiete des menschlichen Denkens und Glaubens Gutes und Nützliches erwachsen ist, auf die kirchlichen Einrichtungen des Vaterlandes* (S. 26). Mit Bezug auf den bey Vielen fortwährend für Aufklärung und Geistesbildung geltenden philosophischen Unglauben, auf den religiösen Indifferentismus unserer Tage, auf die sich immerfort mehrenden Jünger und Jüngerinnen des Pietismus, Mysticismus und *anderer der* wahren Religiosität feindseligen Sectirerey *scheint es* ihm, und wohl jedem Helldenkenden *mit* ihm, Zeit, daſs das Eine, was Noth ist, wieder einmal alles Ernstes hervorgehoben, der gemeinsame Antheil Aller an der heiligsten Angelegenheit des Menschengeschlechtes, an der Verehrung Gottes *im Geiste* und in der Wahrheit wieder geweckt, daſs *laut und* kräftig, und, wie solche Solennitäten es mit sich bringen, auch durch äuſsere Feyer unterstützt, *der Gesammtheit* der Protestanten der gemeinsame *Mittelpunkt* in ihrem Glaubensbekenntnisse *wieder* einmal nachgewiesen werde, damit alle sich in allgemeiner Theilnahme und freundlicher *Liebe* vereinigen. Der Vf. hat sein Thema mit Kraft, mit Einsicht in die nicht allein seine Vaterstadt drückenden Gebrechen einer zwischen Licht und Finsterniſs wogenden Zeit und ohne alle Menschenfurcht ausgeführt, so daſs nicht leicht ein Leser diese Schrift unbefriedigt aus der Hand legen wird.

(*Die Fortsetzung folgt.*)

ALLGEMEINE LITERATUR-ZEITUNG

December 1828.

THEOLOGIE.

Berner Reformationsschriften.

(Fortsetzung vom vorigen Stück.)

7) Bern, b. Walthard: *Die Reformatoren Berns im XVI Jahrhundert.* Nach dem Bernerschen Mausoleum umgearbeitet, von *G. J. Kuhn*, Pfr. zu Burgdorf. 481 S. 8.

Wie der Titel besagt, ist diess eine (der jetzigen Zeit in Form und Schreibart etwas besser angepasste) Umarbeitung von *Scheuermann's* 1740—1741 erschienenem, als Materialiensammlung keineswegs werthlosen *Bernerischen Mausoleum*, in Betreff dessen Hr. K., abgesehn davon, dass es für unser Zeitalter nicht mehr sehr lesbar sey, vielleicht irriger Weise glaubt, dass es sich selten mehr vorfinde und durch diese Vermuthung sich mit zur Unternehmung seiner Arbeit bestimmen liess. Zeit und Umstände gestatteten ihm nicht die in dem Werke vorkommenden Biographieen — es sind die des *Th. Wyttenbach*, *S. Meyer*, *B. Haller*, mit Zugabe einiger seiner Briefe an Vadian, *G. Brunner*, des beissenden Satyrikers *N. Manuel* mit einem Verzeichnisse seiner zum Theil seltener gewordenen Spottschriften, des *Fr. Kolb*, *G. Kunz*, *J. Haller*, des Vaters und des Sohnes, und *W. Farel* — aus den Quellen neu zu bearbeiten (an Zeit, denkt Rec., sollte es dem, der sich an eine so grosse Unternehmung wagen will, vor allem *niemals* fehlen); inzwischen ist er doch im Stande gewesen, über *Th. Wyttenbach* eine Sammlung handschriftlicher Familiennachrichten, über *B. Haller* einige Mittheilungen aus der St. Galler-Bibliothek, über *N. Manuel* die Sammlungen des Hn. *R. G. Manuel*, und über *Farel* ein Manuscript aus Neufchatel nebst einigen allbekannten gedruckten Werken bey diesem seinem Erstlingsversuche, der kein gelehrtes Buch seyn soll, zu benutzen. Nach einem bestimmten und geregelten Plane ist Hr. K. bey Anlegung seines Werkes eben nicht zu Werke gegangen: so findet sich z. B. S. 37, bloss zur Befriedigung der Neugierde, die Abschrift eines Samsonschen Ablassbriefes eingeschoben. Uebrigens zweifeln wir keineswegs, dass die Arbeit des Hn. K. viele Leser finden und befriedigen werde. Was er von *Wyttenbach*, *B. Haller* und *N. Manuel*, der mit Waffen focht, die nicht jeder Gegner auch gleich bey der Hand hatte, erzählt, gewährt eine eben so anziehende als lehrreiche Unterhaltung. Was aber in dem ganzen Buche vorherrscht, ist Hn. *Kuhn's* eifrige und lebendige Anhänglichkeit an die Sache seines Glaubens. Durch diese lässt er sich, seinem eigenen Geständnisse nach, zuweilen zu etwas derbern Aeusserungen gegen die römisch-katholische Kirche, zum Polemisiren hinreissen. Wie könnte diess aber anders seyn, in Fällen, wo die reine, nackte Wahrheit selbst schon Polemik ist? Er selbst will übrigens keineswegs *wider* die Katholiken, sondern bloss *für* die Reformirten geschrieben haben, in der Meinung, dass letztere sie angreifen, nie herausfordern; aber eben so wenig — worin Rec. ihm vollkommen beystimmt — sich verkriechen oder ihre Waffen verbergen, und dass man überhaupt Jeden in seinem Glauben ungekränkt Gott auf seine Weise verehren lassen soll; was allein geeignet sey, einen bleibenden kirchlichen Frieden herbey zu führen.

8) Bern, b. Jenni: *Geschichte der Reformation in Bern auf das dritte Jubiläum 1828*, von *Samuel Fischer*, Pfr. in Aarberg. 104 S. 8.

Mit dieser Schrift will der Vf. ohne anderweitige Ansprüche, bloss das Wissenswürdigste aus der Ref. Geschichte Berns, in der Form eines leichtverständlichen und wohlfeilen Volksbuches, Jedem, den solche Dinge interessiren möchten, bey Anlass der Jubelfeyer von 1828 in die Hand geben. Zu dem Ende stellt er in *fünf* Abschnitten, ausgehend von einer Schilderung des Verfalles des Christenthums vor der Reformation, wie auch jener Männer, Umstände und Begebenheiten, welche dieselbe eingeleitet oder herbeygeführt, und schliessend bey den Kappeler-Kriegen, die denkwürdigsten Ereignisse jenes Zeitabschnittes in *eine* Uebersicht zusammen. Dass in dieser Darstellung wenig Neues oder minder Bekanntes vorkommt, darf niemand befremden. Manches, wie z. B. die ärgerliche, für den Mönchsgeist höchst charakteristische Geschichte Hans Jetzer's hat Rec. schon kräftiger erzählt gelesen. Auch ist Hn. *Fischer's* Schrift nicht eigentlich ein Volksbuch im strengen Sinne des Wortes. Es fehlt hie und da an der erforderlichen, gleichmässigen Gedrängtheit und Kürze; nicht durchgehends und ausschliesslich hat der Vf. dasjenige ins Auge gefasst, was allernächst für das Volk passt, dessen Fassungskraft nicht überschreitet, nicht solche Kenntnisse voraussetzt, die niemand ihm zutrauen kann, und geeignet ist, ihm einen tiefern Ein-

Eindruck in Betreff der schönen Sache, um die es sich handelt, zurück zu lassen, wie z. B. jene gewaltige, für die Kraft und Würde der Glaubensverbesserung laut sprechende Wirkung von Zwingli's Predigt im Münster zu Bern (Jan. 1528) auf den ebendaselbst zu derselben Stunde Messe lesenden Ordensmann. (Man sehe Lebensbeschreibung des Schweiz. Reformators Ulrich Zwingli, Zürich 1819 und Ursprung, Gang und Folgen der von Ulrich Zwingli in Zürich bewirkten Glaubensverbesserung. Ebendas. 1819.) Vorherrschend ist übrigens und verdienstvoll die Bemühung des Vfs. um die Belehrung und Zurechtweisung seines, wie schon aus unserer Anzeige von Nr. 5 erhellet, an so vielen Gebrechen danieder liegenden und der Verbesserung so vielfach und so dringend bedürfenden Volkes.

9) Bern, b. Jenni: *Geschichte der Disputation und Reformation in Bern*, von *Samuel Fischer*, Pfr. in Aarberg. 587 S. 8.

Was in diesem grössern Werke des Hn. *F.*, zu suchen und wie dieses entstanden sey, giebt er in der Vorrede zu dem kleinern (Nr 8) selbst an. Ersteres ist das Urwerk; letzteres liefert aus jenem einen vier- bis fünfmal kleinern Auszug. Der Zeit nach geht dieser Auszug dem grössern Werke voran; dieses liess der Vf. erst im Drucke erscheinen, nachdem er in der günstigen Aufnahme seines Auszuges hinlängliche Ermunterung dazu gefunden hatte. Es enthält übrigens dieses aus *Hottinger*, *Ruchat*, *Läufer*, *Scheurmann's* Bernerischen Mausoleum, dann auch aus *Wirzen's* Kirchengeschichte und deren Fortsetzung von *Kirchhofer*, den Verhandlungen der Berner-Disputation, aus *Lüthardti explicatio et defensio disputationis Bernensis* und einigen dem Vf. aus den Staatsarchiven mitgetheilten Actenstücken zusammengetragene Werk, neben mancherley Reformationsgeschichtlichen Thatsachen und Anekdoten, welche der Auszug nicht zu fassen vermochte, die meisten von Seiten der Regierung für oder wider die Reformation erlassenen Erklärungen und Verordnungen, viele andere urkundliche Belege, Auszüge aus *N. Manuel's* Schriften, Briefe *B. Haller's* an Zwingli, Auszüge aus den Acten der Berner-Disputation von 1520 und der Berner-Synode, die Friedensverträge nach den beiden Cappelerkriegen, biographische Nachrichten betreffend den ersten Decan in Bern, *Johann Haller*, den langwierigen Sacrament-Streit, mit besonderer Hinsicht auf Berns Antheil an demselben u. a. m., so dass es hauptsächlich als ein ausführlicher und vervollständigter Commentar zu Nr. 8 zu betrachten ist. Der Verfahrungsweise so mancher Schriftsteller entgegen, erklärt der Vf. unumwunden, dass anderweitige Geschäfte, Erziehungssorgen und Entfernung von der Hauptstadt es ihm unmöglich gemacht haben, ausser den angeführten, noch andre, minder leicht zugängliche gedruckte oder handschriftliche Quellen zu benutzen, und will sich selbst kein höheres Verdienst als dasjenige des Zusammenschreibens aneignen. Wenn demnach sein Werk sowohl in dieser Hinsicht als auch in Betrachtung, dass für das Bedürfniss derjenigen Klasse, auf welche er sein Augenmerk wesentlich gerichtet hielt, schon durch den Auszug hinlänglich gesorgt war, ohne grossen Nachtheil hätte ungedruckt bleiben mögen; so müssen wir gleichwohl der lobenswerthen Absicht und dem Fleisse des Vfs. volle Gerechtigkeit widerfahren lassen, indem wir es zugleich würdiger und gerathener finden, wenn Geistliche, zumal Landprediger, ihre Mussestunden auf Studien solcher Art verwenden, und durch diese Studien auf Zerstörung von Vorurtheilen und Verbreitung nützlicher Kenntnisse und geläuterter Begriffe von Gott und göttlichen Dingen in ihrem Kreise einzuwirken trachten, als wenn sie, wie es öfter der Fall ist, Zeit und Anstrengungen an Dinge hingeben, die ausser der Sphäre ihres Berufes liegend, keineswegs geeignet sind, die Achtung für ihre Person oder das Ansehn ihres Standes höher zu heben. Solche Dinge sind eine zum Sachwalter bald dieser bald jener Partey sich aufwerfende Einmischung in Gemeindeangelegenheiten von bloss civiler Natur, die mehr und minder öffentliche Begünstigung religiöser Absonderungen, des Pietismus, des in der westlichen Schweiz immer mehr überhand nehmenden Momier-Wesens, der schriftstellerische Drang, der bald ohne alle, bald mit verschrobener Phantasie frömmelnde Büchlein und Anderes zu Tage fördert, das trotz seiner Gereimtheit dem gesunden Verstande höchst *ungereimt* vorkommt u. a. m. Die Zueignung dieses Buchs an Ihro Gnaden Fr. *v. Mülinen* klingt fast etwas unschweizerisch.

10) Bern, b. Haller: *Kurze Geschichte der Kirchenverbesserung zu Bern*, auf das Reformations-Fest im Jahre 1828, mit sechs Holzstichen. 144 S. 8.

In klarer, allen unnützen Wortschwall vermeidender Darstellung und unter fortwährender, durch die Menge des Stoffes zuweilen etwas schwierig werdender Heraushebung des Wesentlichen und vorzüglich Belehrenden aus dem Zeitpunkte, um den es sich handelt, erzählt der Verfasser die Geschichte der mehrgedachten Kirchenverbesserung. Vorerst meldet er, wie das Christenthum in die Schweiz eingeführt worden und daselbst immer festern Fuss gefasst; dann wie dasselbe durch menschliche Erfindungen seine ursprüngliche Reinheit eingebüsst und durch Aberglauben, schändlichen Eigennutz, Leidenschaften aller Art, verkehrte Auslegungen der heiligen Schriften, mönchische Unwissenheit, Hochmuth der Geistlichen, Vernachlässigung des Jugendunterrichts, Schändlichkeit des Klosterlebens, steigende Rohheit und Sittenverderbender Betrug in den

den heiligften Dingen, Gewalt der Hierarchie und Anderes mehr den höchften, eine Umgeftaltung laut fordernden Grad der Entartung erreicht habe, und endlich wie daffelbe im Schweizerifchen und namentlich im Bernerifchen Vaterlande feine urfprüngliche Geftalt wiedergewonnen und zufolge der wohlthätigen, durch die Kirchenverbefferung bewirkten Veränderungen, nach dem Sinne ihres Stifters neuerdings zu einer unterrichtenden, veredelnden, tröftenden und erfreuenden Anftalt erwachfen fey. Vorzüglich belehrend ift bey aller ihrer Kürze am Schluffe die Vergleichung zwifchen unferm jetzigen Zuftande und demjenigen in den Zeiten vor der Reformation, und fchwerlich dürfte eine andre Darftellung deffelben Gegenftandes diefe an echter Popularität übertreffen.

11) Bern, b. Haller: *Reformations-Gefchichte für die Bernifche Schuljugend*, als Leitfaden bey öffentlichen Katechifationen und zur häuslichen Belehrung und Erbauung am dritten Bernifchen Reformations-Jubiläum, von *G. Steck*, Pfr. zu Oberwyl im Simmenthal. 3te Aufl. 64 S. 8.

Den Zweck diefer Schrift von Hn. *St.*, von welcher Rec. die dritte Auflage vor fich liegen hat, giebt der Titel deutlich genug an. Die Entftehung des Chriftenthums und was feine Grundlage ausmacht, der Verfall und das Wiederaufleben deffelben werden der Jugend in kurzen und deutlichen Sätzen unter Beybringung der am meiften hervorfpringenden gefchichtlichen Momente dargeboten und ihr zum Schluffe auf das Nachdrücklichfte ans Herz gelegt, dafs fie vor allem vorzüglich dahin zu trachten habe, dafs ihre auf Gottes Wort fich gründende Religionserkenntnifs immer richtiger, von Vorurtheilen und Irrthümern freyer und dadurch Gottes würdiger und vollkommner werde, immer mehr in thätiger Liebe ins Leben hervortrete, und auch gegen unfere anders denkenden Mitchriften offenbar und treu bewahrt werde, bis in den Tod.

Von diefer fchätzbaren Schrift liefert folgende:

12) *Ebendaf.*: *Du Dogme et de l'hiftoire de la Réformation* pour fervir de guide aux inftructions publiques et particulières de la jeuneffe. Traduit de l'Allemand et publié à l'occafion du Jubilé de la Réformation dans le canton de Berne en 1828 par *Ch. F. Morel*, pafteur et doyen de la claffe du Jura. 102 S. 8.

mit geringen Abweichungen eine verftändige Ueberfetzung, der eine hiftorifche Notiz, betreffend die Reformation in einigen Gegenden des vormaligen Bisthumes Bafel angehängt ift.

13) *Ebendaf.*: *Précis de l'hiftoire de la Réformation de la ville et république de Berne* fuivi d'un appendice fur la Réformation des Baillages du Jura. Publié à l'occafion du Jubilé de 1828. 64 S. 8.

Diefs ift ebenfalls eine fehr gedrängte Ueberficht der Reformations-Gefchichte der Stadt und Republik Bern. Die (mit denfelben hiftorifchen Umriffen wie Nr. 11 verzierte) Schrift ift, zufolge der Erklärung des Vfs., für Kinder beftimmt, mache weder auf Gelehrfamkeit noch auf neue Gedanken oder eine erhabene Schreibart Anfpruch und foll in einer nachfichtigen und wohlwollenden Stimmung gelefen werden. Rec. erkennt die Abficht des Vfs., das Säcular-Feft der Reformation neben anderem zur Befeftigung des Friedens und der Eintracht zwifchen den Bekennern beider Confeffionen zu benutzen und fein Beftreben, mit darauf einzuwirken, dafs unter den *brébis du Seigneur* (S. 63) *cette voix retentiffe depuis les rochers des Alpes jusqu' à ceux du Jura: Aimons et ne haïffons point!* als (S. 49) fehr lobenswerth; dagegen findet er, es hätte hie und da etwas von franzöfirender und kraffer, kopfverwirrender Declamation, wie S. 48, wo davon die Rede ift, was auf den Fall, *que nous regarderions d'un mauvais oeil nos frères de l'églife catholique romaine* unfer Loos feyn werde „*dans ce jour, où les globes, qui roulent fur nos têtes abandonnés par la main du Tout-puiffant, qui les tenoit fuspendus dans l'efpace fe précipiteront fur l'univers,*" oder „*dans ce jour où un cri général de défolation fe fera entendre, ira porter l'effroi dans les tombeaux, et où les morts fortant de leurs cercueils pour s'informer du fujet qui les trouble apprendront avec furprife, que le grand jour eft venu*" etc. gar füglich wegbleiben können. Ein kurzer Anhang handelt von der Einführung der Reformation in den Vogteyen und Thälern des Jura und einigen der vormals bifchöflich Bafelfchen Lande.

14) Bern: *Chriftophel's Erzählung der Berner Reformations-Gefchichte von 1528*, auf Verlangen feiner Urenkel. 2te Aufl. 7 S. 8.

Der heilige *Chriftoph* erzählt hier, in einem Volksliede und mit eingeftreuten Nutzanwendungen über die Reformation, feine eigene damalige Reform und Verfetzung von der Kathedrale auf das Murter-Thor zu Bern, von welchem er noch heute als *Riefe Goliath* herabfchaut.

B. *Predigten und Reden.*

15) Bern, b. Haller: *Säcular-Predigt über Sprichwörter XXIII, 23. Gehalten am dritten Reformations-Fefte der Bernerifchen Kirche den 1. Brachm. 1828* von *S. Studer*, Decan. 24 S. 8.

Hr. Decan *Studer*, welcher, obgleich ein mehr als 70jähriger Greis und feit langem der Kanzel entfremdet,

det, die Hauptpredigt am Feſttage ſelbſt freywillig übernahm, predigte über Sprichw. 23, 23: „Kaufet die Wahrheit und verkaufet ſie nicht" (warum, wenn ihm die Wahl frey gegeben war, nicht lieber über einen der vielen hieher paſſenden *Neuteſtamentlichen* Texte?) *von dem eigenthümlichen hohen Werth der göttlichen Wahrheit.* Im erſten Theile wird gezeigt, 1) Welche Wahrheit wohl der weiſe König gemeint haben könne, wenn er anräth, die Wahrheit zu kaufen („den, ſo vielen Menſchen, ja ganzen Ländern und Völkern mangelnden, beſſern Religionszuſtand") und 2) Welchen Werth man derſelben zuſchreiben könne (ihre hohe Wichtigkeit, die ſo wohl für ein ganzes Volk als für jeden einzelnen Menſchen, wird nachgewieſen). Im zweyten Theile macht der Redner auf die Pflichten aufmerkſam, welche ſich hieraus ergeben, nämlich, 1) die Wahrheit zu kaufen, für die, denen dieſelbe noch mangelt, und 2) ſie nicht wieder zu verkaufen, für die, welche bereits im Beſitze derſelben ſind.

16) Bern, b. Burgdorfer: *Vorbereitungspredigt auf das Reformations-Feſt, gehalten am Münſter zu Bern den 30. May 1828,* von *C. Baggeſen,* Helfer am Münſter. 24 S. 8.

Dieſe Vorbereitungspredigt des Herrn *Baggeſen* „den Studirenden, welche im Laufe dieſes Jahres die Weihe des Predigtamtes empfangen ſollen, als ein freundſchaftliches Andenken und Zeichen brüderlicher Liebe gewidmet" handelt nach 1. Joh. 5, 4. *von der Kraft des Glaubens an die Wahrheit.* Der ſehr zeit- und ortgemäſse Eingang faſst die mancherley Zweifel und Beſorgniſſe ins Auge, welche in dem einen oder andern Zuhörer die Feſtfreude trüben und ſtören möchten, veranlaſst durch den in der proteſtantiſchen Kirche geltenden Grundſatz der Glaubensfreyheit und der freyen Schriftforſchung — vermehrt durch den gegenwärtigen in der proteſtantiſchen Kirche bemerkbaren Mangel an Einheit im Glauben, Lehre und Leben, und zur eigentlichen Aengſtlichkeit geſteigert durch die Wahrnehmung, wie das Papſtthum rings um uns her ſeine verlorne Herrſchaft wieder zu gewinnen und zu befeſtigen verſuche. Solche Beſorgniſſe zu beſeitigen und zu einer reinen und ungetheilten Feſtfreude aufzumuntern, verweiſet der Redner auf die Kraft des Glaubens an die Wahrheit. Im erſten Theile wird dieſer Glaube geſchildert, als *ein Glaube an die Wahrheit ſelbſt,* und als *ein Glaube an die Vorſehung Gottes in der Leitung des Menſchengeſchlechtes zur Wahrheit;* im zweyten Theile werden die *Wir[illegible]* dieſes Glaubens in der Geſchichte nachgewieſen [illegible] gezeigt, wie derſelbe in den erſten Apoſteln des [illegible] die Welt überwindende Kraft war, und wie ſeine [illegible] ſich von neuem offenbarte in der Reformation [illegible] Kirche. Die Schluſsaufforderung, gröſstentheils [illegible] die Studirenden der Theologie gerichtet, ſich [illegible] Glaubens zu freuen, enthält, wie die ganze Re[illegible] höchſt beherzigenswerthe und treffliche Worte.

17) Bern, b. Burgdorfer: *Jubelpredigt zur Re[illegible]mations-Feyer der Berner'ſchen Kirche, geha[illegible] in der Filial-Capelle des Münſters von Bern, [illegible] dem äuſsern Krankenhauſe,* von *C. Baggeſe[illegible]* Helfer am Münſter. 18 S. 8.

Die Jubelpredigt deſſelben Verfaſſers über *Joh.* 8, 31 führt die Aufſchrift: *die Freyheit durch die Wahrheit in Chriſto.* Die Väter ſind frey geworden von der Knechtſchaft der Unwiſſenheit, des Aberglaubens, des Prieſterthums und der Sünde. — Was ſie frey gemacht hat war die Wahrheit, d[illegible] ſie als ſolche erkannten durch ihre geſunde Vernunft und wo dieſe nicht mehr aushalf, durch Gottes Wort. — — Wie können wir frey bleiben in der Wahrheit? Wenn wir an der Rede des Herrn [illegible]ten in Glauben und Liebe. — Gegen die [illegible] Form der Eintheilung lieſse ſich das Eine und [illegible] einwenden, wie z. B. daſs Theil 1. durch die Fra[illegible] angekündigt wird: Worüber *freuen* wir uns *heute?* Doch ſind dieſs nur äuſsere Mängel, die von dem innern Gehalt, durch den ſich auch dieſe Rede auszeichnet, weit übertroffen werden. Ganz vorzüglich iſt die Stelle S. 15 über *den Vernunftgebrauch in religiöſen Dingen.*

18) *Ebendaſ.,* b. Haller: *Säkular-Predigt am dritten Reformations-Feſte gehalten im Münſter zu Bern* vom Helfer *König.* 20 S. 8.

Dieſe Säcularpredigt mag durch ihr *Feuer* und ihre Lebendigkeit einen gewiſſen *Eindruck hervorgebracht* haben, aber ſie faſst ihren *Gegenſtand* zu oberflächlich und äuſserlich. *Von welcher Art* der Sieg ſey, den Gott durch *Jeſum Chriſtum* gegeben hat, hätte (nach dem gewählten Texte) doch ſollen aus dem Geiſte der proteſtantiſchen Kirche gezeigt werden. Indeſſen da der Prediger Manches anregte und da ein Jeder gewiſſe Vorausſetzungen mit hinzu brachte, ſo mochte manche Stelle ergreifend und erhebend wirken.

(*Die Fortſetzung folgt.*)

ALLGEMEINE LITERATUR - ZEITUNG

December 1828.

THEOLOGIE.

Berner Reformationsſchriften.

(Fortſetzung vom vorigen Stück.)

19) Bern, b. Jenni: *Predigten auf die dritte Jubelfeyer der Berniſchen Reformation.* Von *J. J. Schweizer*, Pfr. zu Trub. IV u. 167 S. 8.

Durch die Ausarbeitung dieſer Predigten iſt der Verfaſſer, dem Verlangen einer Anzahl ſeiner Amtsbrüder entgegengekommen, welche (wohl nicht mit Unrecht) glaubten, daſs auch jüngere Geiſtliche beym Ausdenken und Entwerfen ihrer eigenen Lehrvorträge über die Wohlthat der Kirchenverbeſſerung und die Pflichten, welche ſie den Religionslehrern auflegt, gern die Arbeiten eines ältern und erfahrnern Amtsgenoſſen darüber einſehen und etwa benutzen würden. Nebenbey hielt er es für zweckmäſsig, ſeinen religiöſen Betrachtungen die Form von Andachten zu geben, deren ſich chriſtlich-reformirte Familien oder einzelne Perſonen auch zur ſtillen häuslichen Vorbereitung auf Berns religiöſes Säcularfeſt (und wir denken auch nachher) bedienen könnten; ein Bedürfniſs, welchem, ſo tief es gefühlt werde, ſeines Wiſſens noch kein Religionslehrer abzuhelfen verſucht habe. Die Sünde, bey gänzlichem Mangel an allen geſchichtlichen Hülfsmitteln und bey bedeutender Entfernung ſeines Wohnortes von Bern (und wohl auch von andern noch ungleich reichlicher flieſsenden Quellen) ſeinen hiſtoriſchen Angaben einzig das Converſations-Lexicon zum Grunde gelegt zu haben, welcher er ſich S. 111 der Vorrede ſelbſt anklagt, wird jeder nicht unbillige Leſer ihm um ſo eher zu Gute halten, da ſeine, in der bekannten Manier des Verfaſſers des Nikodemus abgefaſsten, Aufſätze mit vieler Klarheit, Faſslichkeit und Wärme geſchrieben, ihrem Inhalte nach echt evangeliſch ſind und es nicht an ſchönen und tiefen Blicken und geiſtreichen Wendungen fehlt. Aus paſſenden Texten finden ſich die Hauptmomente der Reformation geſchickt entwickelt. Auch die Schreibart, obwohl, was bey manchen Andachtsbüchern der Fall iſt, etwas breit und wortreich, iſt nichts weniger als tadelnswerth; alles Eigenſchaften, welche dem Herrn S. unter den homiletiſchen Schriftſtellern einen ehrenwerthen Platz zuſichern. Als auf eine der vorzüglichſten dieſer Predigten rückſichtlich auf Gedankenreichthum und Beredſamkeit, verweiſen wir auf die neunte, die nach Hebr. 13, 7 das den ehrwürdigen *Perſonen*, der wahrhaft evangeliſchen *Lehre*, dem tugendhaften *Wandel* und dem frommen *Glauben* der vollendeten *Reformatoren* gewidmete ehrfurchtsvolle Andenken dankbarer Söhne zum Gegenſtande hat.

20) Bern, b. Jenni: *Synodal-Predigt*, gehalten *nach geendigter Säcular-Feyer der Reformation im Münſter zu Bern den 11. Julius 1828*, von *G. Hünerwedel*, Dr. u. Prof. d. Theol. 26 S. 8.

Mit paſſender Anſchlieſsung an den Text, Hebr. 13, 9, handelt der Verfaſſer dieſer Predigt ſein Thema ab. Es iſt eine doppelte Aufgabe, die durch die Reformation uns geworden iſt, theils *fortzuſchreiten*, theils *feſtzuhalten:* I. Wir ſollen fortſchreiten vom Unvollkommenen zum Vollkommenen: 1) im Glauben und in der Erkenntniſs. Der Lehrbegriff, den uns die Reformatoren überliefert haben, iſt nicht von menſchlichen Zuſätzen und Fehlern frey. 2) In der Tugend, in der Gottſeligkeit. Auch in der katholiſchen Kirche ſchreitet man fort: es giebt da manche ehrwürdige Muſter; wie viel mehr ſollen die proteſtantiſchen Lehrer fortſchreiten? II. Wir ſollen feſthalten 1) den Glauben und die Lehre, *a*) den Glauben an Chriſtus als Sohn Gottes, als den einzigen göttlichen Menſchen; *b*) als den ſichern Lehrer der Wahrheit, der über alle Zweifel erhaben iſt; *c*) als den Verſöhner und Erlöſer der Menſchen. Die nähere Beſtimmung der Lehre von der Verſöhnung der Schule überlaſſend, dringt der Redner auf den bibliſchen Kern dieſer Lehre, welche mit Unrecht als praktiſch gefährlich in Zweifel gezogen ſey. 2) Sollen wir das von den Reformatoren gegebene Beyſpiel der Tugend und Frömmigkeit feſthalten und nachahmen. — Hier ſcheint uns der Redner aus der logiſchen Ordnung herausgefallen zu ſeyn. Er hätte es vermieden, wenn er das Feſthalten zum erſten Theile gemacht und es beſtimmt hätte als feſthalten 1) des echt chriſtlichen Glaubens der Reformatoren, 2) des echt chriſtlichen Lebens derſelben. — Der milde freye Geiſt der Predigt iſt zu loben.

21) *Ebendaſ.: Entwürfe zu Vorbereitungspredigten auf das dritte Berniſche Reformations-Feſt.* 1828. 38 S. 8.

Wir erhalten hier zwey Reihen von Entwürfen zu Vorbereitungspredigten auf das Säcularfeſt nach einem verſchiedenen Plane. Der Verfaſſer der erſten Reihe

Reibe will das Reformations-Moment zum alleinigen Gegenstande der Betrachtung machen; der Verfasser der zweyten hingegen in jeder Predigt ein rein religiöses Moment hervorheben, das Reformations-Moment aber nur in einem, höchstens zwey Theilen berühren. Die erste Reibe scheint zweckmässiger, die Wahl der Texte glücklicher, der Gedankengang gediegener, die Hauptmomente der Reformation besser herausgehoben, die Disposition mehr Freyheit zur Ausarbeitung lassend. Die zweyte geht zu sehr in das Einzelne ein, namentlich auch in der Bezeichnung der katholischen Irrthümer. Beide aber sind zu loben wegen des echt evangelischen Sinnes, in welchem sie geschrieben sind.

22) Bern, b. Jenni: *Rede*, gehalten *im Münster den 4. Brachmonat 1828, an dem Feste für die Jugend, bey der dritten evangelischen Jubelfeyer in Bern*, von *J. J. Richard*, Helfer. 22 S. 8.

In dieser mit viel Feuer und Beredsamkeit geschriebenen Rede fasst Hr. *R.* vorerst dasjenige, was der Bernerischen Schuljugend in dem besondern Vorbereitungsunterrichte seit mehrern Monaten über den Ursprung und Gang der Reformation war mitgetheilt worden in einem kurzen Ueberblicke zusammen, indem er ihr noch einmal zu Gemüthe führt, *was denn eigentlich durch die Reformation wieder erkämpft werden sollte* (musste), Freyheit im Glauben, in der Lehre und im Gottesdienste; und *durch wen und wie das geschah, durch kräftige Männer*, nach *Petrus Waldus, Wiclef* und *Huss*, durch *Luther, Melanchthon*, den *edeln und festen Zwingli* (S. 10); zu Bern besonders durch *Wyttenbach, Haller, v. Manuel, Meyer, Brunner, v. Kolb*, aber auch durch viele treffliche Frauen (*Anna Reinhard*). Hieran knüpfen sich Worte der Ermunterung zum treuen Festhalten und zur redlichen Benutzung des Wiedererworbenen, an die Söhne und Töchter, die Väter und Mütter, die Lehrer und Erzieher gerichtet. Der Verfasser scheint selbst gefühlt zu haben, dass er bey der Schilderung des Zustandes der katholischen Kirche im ersten Theile die Farben vielleicht allzustark aufgetragen und seine Stellung als Redner zur Jugend, — der die Wahrheit zwar ohne Scheu, aber doch mit einer gewissen besonnenen Schonung und Milde aufgedeckt werden soll, so dass in dem leicht erregbaren jugendlichen Herzen keinerley feindselige oder unduldsame Gesinnung gegen die, welche noch nicht im Besitze der Wahrheit sind, erweckt werde, — nicht genugsam berücksichtigt habe, daher er nach dem Schlussgebete sich S. 22 noch einmal an die Kinder wendet und sich also vernehmen lässt: Unbestechlich ist die Geschichte; rücksichtlos musste ich daher auch heute sagen, warum wir uns der Reform der christlichen Kirche freuen, wie die katholische Kirche sich nicht gern frey macht von menschlichen Satzungen und abergläubischen Gebräuchen; aber auch die katholische Welt stellt in unsern Tagen ein erfreulicheres Bild dar, das demjenigen vor der Reformation nicht mehr g[illegible] Lasset euch nur erzählen, wie rein [illegible] ihrem öffentlichen und besondern Leben seit 60 Jahren ein *Ganganelli*, ein *Wessenberg*, ein [illegible]*ler*, ein *van Ess* und andre gewirkt haben, so [wer]det ihr mir in christlicher Liebe gestehen: „Ja, [hier] ist Christus und dort ist Christus; auch in der [ka]tholischen Kirche ist es besser geworden."

23) Ohne Anzeige des Verlegers: *Anrede an [den] souverainen Rath der Stadt und Republik [Bern] Am 3. Säcular-Feste der Reformation*, [den] *1. Junius 1828*. 15 S. 8.

Die Anrede ist der Vortrag, welchen d[er] Amtsschultheiss von Bern, Hr. *Fischer*, *am Tage* des Reformationsfestes, nach vollendetem Gottesdienste, vor dem auf dem Rathhause versammelten souverainen Rathe gehalten hat. Er enthält zeit- und ortgemässe Betrachtungen über die Wirkungen und Folgen der Reformation in Bezug auf sittliche und kirchliche Verhältnisse sowohl im Allgemeinen, als zunächst für sein Vaterland, das er — *quid amplius vis, o mare et terra?* — als den gewichtigsten unter den Staaten der Eidgenossen, als der der glücklichsten Länder unter der — zur Stunde der That ein turbulentes Europa bescheinenden — Sonne, und seine Regierung — etwas keck, in muss man gestehn; denn sie ist von zwey und neunzigen *eine* — als die geachtetste der neuen Republiken bezeichnet. Die Rede handelt ferner mit besonderem Bezuge auf die Zeiten der Reformation, von der Pflicht treuer Regierungen in den Entwickelungs-Perioden der menschlichen Gesellschaft, die solchen Perioden im Gefolge gehenden, Gefahren nicht mit Hast herbeyzurufen, wohl aber, wenn eine solche Epoche wirklich eingetreten, ihr eine vernünftige von dem verderblichen Einflusse zügelloser Leidenschaften schützende Richtung zu geben. Auch die Lage des Vaterlandes, zumahl in Bezug auf die Nachbarstaaten in den frühern Säcular-Epochen wird im allgemeinen Zügen angegeben. Gegen *den König* von Preussen, den hochherzigen, offenen *Beförderer* des Protestantismus, lässt der Redner ein verdientes Wort der Dankbarkeit einfliessen. *Der* Vortrag des Hn. *F.* ist etwas geziert und die Schreibart holperig. Da übrigens diese Rede nicht *für* den Buchhandel bestimmt, sondern als Manuscript für Freunde zu betrachten ist, so darf man es mit der Form so genau nicht nehmen, und dem Vf. sogar eine Periode hingehen lassen, wie die nachstehende S. 8: „Inner dieser Zeit durchwühlte auf seinem Kriegswagen, einem Ungewitter gleich, das Europäische Festland jener Eroberer, *dessen Stimme unser Vaterland mit der schlaflosen Viertelstunde einer Nacht bedrohte, in welcher er, nicht mehr zu seyn, dasselbe verdammen möge*; und, dem Europa zu klein war, der die fabelhaften Züge der Götter und Helden des Alterthums verwirklichen wollte, der den Glauben der Menschen in eine Form *zu giessen sich vermessen zu* kön-

können wähnte, ward der Raum zu einem Grabe in diesem Welttheil, dem *Taumelplatz* seines Ehrgeizes versagt."

24) Zürich, b. Orell: *Rede gehalten vor der studirenden Jugend Berns am Schulfeste den 10. May 1828, im dritten Säcular-Jahre der Bernischen Reformation* von *C. Usteri*, Dir. u. Prof. Gymn. zu Bern. Mit Anmerkungen und Beylagen. 69 S. 8.

Der Verfasser derselben bewährt sich als einen hellen Kopf, der sein Thema scharf zu fassen und in guter logischer Ordnung durchzuführen weiss und dem überdiess eine reiche, gebildete, alles unnütze Wortgepränge vermeidende Sprache zu Gebote steht. Das Thema ist sehr zweckmässig gewählt: denn wovon könnte ein Lehrer zu der studirenden Jugend schicklicher sprechen als davon, wie die Wohlthaten der Reformation den kommenden Geschlechtern ungeschwächt zu überliefern seyen, und was *wir*, Lehrer und Lernende, zur Erreichung dieses Zweckes zu thun und worauf wir zu halten haben? Dieses aber — woraus könnte es klärer hervorgehen, als aus der Bestimmung des Begriffs der Reformation selbst, so wie der Vf. ihn angiebt? Als umfassenden protestantischen Wahlspruch stellt er S. 21 die Worte auf: *Prüfet alles, das Gute behaltet!* in der gegründeten Meinung, dass dieser Prüfungsgeist nicht bloss glauben, sondern auch denken lehre, uns durch Zweifel und Ungewissheit hindurch gehen lasse; um zu einer desto bessern Einsicht und festern Ueberzeugung zu gelangen; vor der Selbsttäuschung bewahre, dass man es schon ergriffen habe, und nun stille stehen dürfe; dass er immer zu neuen Forschungen ansporne, nicht an alten Ueberlieferungen und Gewohnheiten oder an auswendig gelernten Formeln und Lehrsätzen klebe; dass er es wage zu ändern und zu verbessern, eben so sehr von phantastischen und schwärmerischen Abwegen zurückhalte, als vor irreligiösem Spotte und sinnlichem Unglauben bewahre; die Schulen und Lehranstalten erlöse von dem todten und gedankenlosen Mechanismus und dem leidigen Gedächtnisskram, der ihr geistiges Leben niederdrückt, verkrüppelt und gefangen hält; dass er ein Feind sey jeder Halbheit und Oberflächlichkeit, die sophistischen Fallstricke erkenne und die nüchterne und ernste Selbstbetrachtung lehre, die erste Bedingung, um zu Friede und Einheit in sich selbst und zum frohen Bewusstseyn des ewigen Lebens zu gelangen. „An der Unerschütterlichkeit deines Muthes, heisst es S. 25, — es ist von *Zwingli* die Rede — mögen beschämt werden die *Unwissenden* und *Hochmüthigen*, die, selbst nichts Tüchtiges leistend, sich denen widersetzen, die etwas besser machen wollen," u. s. w. Sollte, wie sich nicht zweifeln lässt, der Vf. mit diesen *Hochmüthigen* auch diejenigen gemeint haben, welche den Pfad der Bescheidenheit von Jugend auf verfehlt haben und noch nicht längst dem Jünglingsalter entschlüpft, mit Anmassung und Eigendünkel auf ihre vormalige Lehrer und Altersgenossen herabblicken; die bemüht sind, das, was sie für Jünglinge gut und zweckmässig gesprochen haben, auch der übrigen Welt in möglichster Eile kund werden zu lassen; die frühzeitig nach Ehren haschen, welche der tiefern Gelehrsamkeit des vorgerückten Alters gebühren und in ihrem Benehmen überhaupt mehr das Abstossende in der menschlichen Natur, als das Anziehende durchleuchten lassen, uneingedenk des Horazischen: *Si patriae volumus, si nobis vivere cari* — so sind wir mit ihm über den ganzen Inhalt seiner trefflichen Rede einverstanden. Die Beylagen enthalten grossentheils weitläufige Citate aus den Schriften eines *Villers, de Wette, Tzschirner, Zwingli* u. A., und hätten, da diese Schriften ohnehin in jedermanns Händen sind, füglich wegbleiben können.

C. *Lieder und Gebete.*

25) Bern, b. Jenni: *Stimmen der Andacht. Lieder und Festgesänge auf das Jubiläum der Bernerischen Reformation im Brachmonat 1828.* 128 S. 8.

Diess ist das Resultat des vereinten lobenswerthen Bestrebens einiger Mitglieder der Bernerischen Geistlichkeit, dem Jubelfeste, so wie zu desselben Feyer eine besondere Liturgie verfasst worden war, auch einen eigenen Gesang zu weihen und hierdurch die wahrhaft christliche Erbauung im Glauben und in der Liebe zu befördern. Da von den Verfassern kein im Voraus verabredeter Plan befolgt wurde, sondern jeder nach seiner Neigung und ohne Rücksicht auf das, was die andern leisten würden, arbeitete, so mussten sie natürlicher Weise in ihren Gedanken zusammen treffen, und Wiederholungen eintreten, die leicht hätten vermieden werden können, wenn jeder im Voraus sich mit seiner Dichtergabe an den Gegenstand gemacht hätte, zu welchem sein Herz sich am stärksten hingezogen fühlte. So finden sich z. B. der Lieder die auf das Abendmahl Bezug haben, nicht weniger als fünf, was für eine so kleine Sammlung zu viel ist. Uebrigens theilt sich die Sammlung in Lieder der Vorfeyer, der Hauptfeyer und der Nachfeyer, eine Eintheilung, die bey der Unmöglichkeit einer ganz genauen Bestimmung des Eintheilungsgrundes ohne Nachtheil hätte wegbleiben können. Wenn es mehrern dieser Lieder nicht an Gefühl und Salbung fehlt, so leiden hinwieder andere an Trockenheit und Kälte; auch dürfte die Form, in welcher sich diese und jene Glaubenslehre (unter andern S. 12 u. S. 80) vorgetragen findet, nicht allen Ansichten zusagen. Theilweise kräftig und bilderreich ist S. 29 „*Das Gewitter.*" — Und in schöner und klarer Ansicht seiner Berufspflichten und ihrer Natur spricht S. 111 u. 112 *der evangelische Seelsorger*.

26) Bern, b. Stämpfli: *Lieder für den öffentlichen Gottesdienst im Canton Bern am Reformations-Feste,*

Feſte, den 1. Brachmonat 1828. Geſänge zur Vorbereitung, zur Hauptfeyer, zur Communion. 47 S. 8.

27) Bern: *Cantiques pour le Jubilé de 1828, à l'uſage des égliſes Françaiſes réformées de la ville et république de Berne.* 10 u. 7 S.

Von einer, mit Genehmigung der Regierung, aus dieſen Geſängen zur Vorbereitung, zur Hauptfeyer und zur Communion veranſtalteten Auswahl wurde während der Jubelfeyer bey dem öffentlichen Gottesdienſt Gebrauch gemacht. Dieſe Auswahl findet ſich in Nr. 26, und für die franzöſiſche Kirche in Nr. 27.

28) Bern, b. Haller: *Des heiligen Geiſtes Triumph. Ein Jubelgeſang zur dritten Säcular-Feyer der chriſtlichen Glaubens-Reformation von Gammeter.* 16 S. 8.

Eine poetiſche Darſtellung des Kampfes, den die Wahrheit mit dem Aberglauben, das Licht mit der Finſterniſs in der vorpäpſtlichen wie in der päpſtlichen Zeit zu beſtehen hatte und des endlichen Sieges, welchen jene aus dieſem Kampfe davon getragen. Die Darſtellung zeugt von poetiſchem Talente ihres Verfaſſers, der ſich in ſehr verſchiedenartigen metriſchen Formen leicht zu bewegen weiſs. Unedel iſt, wenn Gott S. 5 von dem Weltall, das er geſchaffen, ſpricht „*der ganze Knäuel*, dacht ich — werde, froh des Daſeyns, friedlich und vollkommen ſich entfalten."

29) Bern, b. Burgdorfer: *Gebete für die kirchliche Feyer des Jubiläums der Reformation in den evangeliſchen Gemeinden des Cantons Bern 1828. Auf Veranſtaltung des Ehrw. Kirchen-Convents.* 60 S. 8.

Die *Gebete* ſind licht- und kraftvoll, auch die Sprache ſehr würdig und frey von veralteten und provinzialen Ausdrücken; die *Betrachtung*, eine fruchtbare Ueberſicht der Schickſale des Chriſtenthums und der Reformation, iſt ſehr zweckmäſsig abgefaſst, und hat gewiſs einen wohlthätigen Eindruck gemacht.

D. *Dogmatiſches.*

30) Bern, b. Jenni: *Die reformirte und die römiſch-katholiſche Lehre in ihren Abweichungen vergleichend zuſammengeſtellt.* Auch ein[illegible] *Gabe auf das Reformations-Feſt 1828*, vom [illegible] *Kohler*, Pfr. zu Worb. 81 S. kl. 8.

Der Verfaſſer in der allerdings gegründeten Ueberzeugung, daſs jene Reinigung des Chriſtenthums von allen aus dem Judenthum und Heidenthum ſich herleitenden, nach und nach in die Kirche eingeſchlichenen Irrthümern und Menſchenſatzungen und die Wiederherſtellung derſelben in ſeine urſprüngliche Würde, *durch Zuſammenſtellung unſers Glaubens mit dem Glauben der römiſchen Kirche* neuen Werth für uns gewinnen müſſe, giebt ſeinen hierin ungelehrten Glaubensbrüdern eine Anleitung in die Hand, um zu *Befeſtigung* ihres auf ein ſolch gereinigtes Evangelium gegründeten Glaubens und zu deſto herzlicherer Begehung des Reformationsfeſtes eine ſolche Vergleichung und Prüfung anzuſtellen. Er thut ſolches unter den Titeln: *Von der Bibel und Tradition, der Kirche und dem Haupt derſelben, den Sacramenten, dem Fegfeuer und den Seelenmeſſen, dem Ablaſs, den Büſsungen und Verdienſt der Werke, der Heiligen- und Bilderverehrung, dem Prieſter-Cölibat, der unverſtändlichen Sprache beym katholiſchen Gottesdienſt, der Intoleranz und Proſelyten-Macherey* mit einer vollkommen genügenden Deutlichkeit dabey und Beſtimmtheit der Begriffe, auch unter Anführung und Anwendung paſſender Bibelſtellen. Was aber ſeine Schrift ganz beſonders auszeichnet, iſt der Geiſt der Milde und Liebe, in welcher ſie abgefaſst iſt. Hr. *K.* ſtellt zuerſt den Grundſatz auf, daſs die Wahrheit *mit Ruhe*, was der Apoſtel *Wahrheit in Liebe* nennt, gelehrt und vertheidigt ſeyn wolle, geht dann fortwährend mit möglichſter Schonung der Andersdenkenden zu Werke und ſtellt Duldung und Liebe gegen ſie als allgemeine Pflicht auf. Man ſoll (S. 79) nicht aus blindem Religionseifer ſie haſſen, beleidigen, verdammen, ſondern ihren Verketzerungen und Anfeindungen Sanftmuth entgegenſetzen, auch ſie in allen andern den Glauben nicht berührenden Hinſichten als Brüder behandeln. Darum ſollen *wir* aber nicht aufhören *uns der* Vorzüge unſers *reformirten*, das iſt, *gereinigten* Glaubens zu freuen, ihn freudig bekennen, ihm treu bleiben, ihn, wo er angegriffen wird, muthig vertheidigen, ihn beſiegeln durch einen chriſtlich frommen Wandel. Rec. wünſcht, daſs dieſe Schrift, deren erſte Auflage von 1000 Exemplaren ſich in wenigen Wochen vergriffen hat, bald durch eine zweyte noch eine gröſsere, in jeder Hinſicht verdiente Publicität erhalten möge. —

(*Der Beſchluſs folgt.*)

ALLGEMEINE LITERATUR - ZEITUNG

December 1828.

THEOLOGIE.

Berner Reformationsſchriften.

(Beſchluſs vom vorigen Stück.)

81) Zürich, b. Schulthefs: *De uno planiſſimo pleniſſimoque argumento pro divinitate diſciplinae ac perſonae Jeſu lucubrationem fraternis cunctorum eccleſiae patriae miniſtrorum ſubjecit Joannes Schultheſs*, D. S. Theol. Prof. O. P. Dogmat. et Exeget. XXXIII et 63 S. 8.

Der berühmte Verfaſſer beſchäftigt ſich in der XXXIII Seiten ſtarken Vorrede mit Rechtfertigung des von dem Genfer Theologen *Nikolaus Vedelius* zu Anfang des XVII Jahrhunderts aufgeſtellten Grundſatzes: *rationis principiis eſt utendum et ſtandum in cauſis fidei*, welchen, wie Hr. *Sch.* meiſt mit ihren eigenen Worten darthut, ſchon die Reformatoren anerkannt haben. Ihre Anſichten nämlich von religiöſer Wahrheit und göttlicher Lehre laſſen ſich nach S. XXXI auf folgende Sätze zurückführen: *Quidquid verum, divinum. Quisquis veri quid loquitur, in eo loquitur Deus. Quare non reſpicientes quis loquatur, ſed quid, pro divinis credimus et jam per Ethnicos dicta, ſi modo ſancta religioſaque ſunt nullamque controverſiam habent a ſenſu communi. Ea eſt verbi Dei perſpicuitas, ut quum primum luce ſplendoris ſui et aeternis radiis hominis intellectum contigerit, ea claritate illuſtret, ut Dei vocem intelligat et certus apud animum ſuum talem agnoſcat. Literam S. Scripturae ſive authentiam fidelis cujuscunque aevi explorat et comprobat ſibi ſolus, non eccleſia repraeſentativa, internis argumentis, non externis* etc. Die Abhandlung ſelbſt geht von der Erklärung der Stelle Joh. 7, 17 aus und ſucht aus derſelben das *unum planiſſimum pleniſſimumque argumentum pro divinitate disciplinae ac perſona Jeſu* zu entwickeln, welches übrigens kein anderes iſt, als das bekannte, der innere Werth, die geiſtige Erhabenheit und ſittliche Reinheit beides der Lehre wie des Lehrers ſelbſt, im Gegenſatze aller äuſserer Gründe, auf welche man ſich in älterer und neuerer Zeit zum Beweiſe des göttlichen Urſprunges des Chriſtenthums und ſeines Stifters berufen hat. Zu einer wiſſenſchaftlichen Prüfung und Würdigung der intereſſanten Schrift iſt hier, wo wir es nur mit einer überſichtlichen Anzeige ſämmtlicher Jubelſchriften zu thun haben, der Ort nicht. Daſs es in derſelben nicht ohne Polemik abgehe, z. B. gegen Hn. Dr. *Hahn*, der S. XVI als *homo criſtatus* und S. XIX als *Lipſienſis ſuperbus* aufgeführt wird, und gegen Hn. Dr. *Lücke*, über welchen der Verfaſſer am Ende doch noch das Urtheil abgiebt: *per magni facimus eruditionem hujus viri, ſubtilitatem, diligentiam, ideoque dignum habemus, quocum in certamen deſcendamus*, brauchen wir den Freunden der Schultheſſiſchen Schriften eben ſo wenig zu bemerken, als daſs ihnen andererſeits für die durch Scharfſinn und Gründlichkeit ausgezeichnete Exegeſe der geehrte Name des Verfaſſers hinlänglich bürgen werde.

82) München, b. Giel: *Bemerkungen über die Disputation* (ſoll heiſsen: S. Fiſcher's *Geſchichte* der Diſputation) *und darauf erfolgte Reformation in Bern*. Von *Franz Geiger*, Chorherr in Luzern. 88 S. gr. 8.

Dieſs iſt eine Streitſchrift, voll der gröbſten Injurien und Albernheiten, z. B. daſs der Proteſtantismus ſeit ſeinem Entſtehen die ganze, ſowohl kirchliche als Profan-Geſchichte vergiftet und verunſtaltet habe (wofür der Vf. freylich den Beweis ſchuldig bleibt), S. 3; daſs der Cölibat ſchon von der Apoſtelzeit her beſtanden und Gregor VII nur die gelübdbrüchigen Prieſter und Cölibatsſchänder aus der Kirche verjagt und wieder eine enthaltſame Geiſtlichkeit hergeſtellt habe, S. 7; daſs der Sinn der Bibel ſchon vor der Bibel da war, S. 11; daſs die Behauptung Zwingli's, die chriſtliche Kirche ſey aus der Bibel geboren, eine offenbare Unwahrheit ſey, S. 18; daſs die Reformatoren elende Philoſophen waren, die nicht einmahl einen Begriff von Zeit und Raum hatten, S. 23; daſs das hebräiſche Vav *allerhand* bedeuten könne, *und, nachdem, weil, denn*, S. 26; daſs zu Corinth bey zweytauſend liederliche Mädchen verſammelt geweſen ſeyen, S. 34 u. ſ. w. Der eigentliche Zweck der Schrift aber geht dahin, Hn. *Fiſcher*, als Verfaſſer von Nr. 8 und Nr. 9. aufs Haupt zu ſchlagen, und das Werk der Reformation, als aus den Köpfen der unwiſſendſten und verdorbenſten Menſchen hervorgegangen, in ſeiner ganzen Heilloſigkeit darzuſtellen. In heiligem Ingrimme macht ſich der gereizte Verfaſſer an die Widerlegung der auf der Diſputation zu Bern von den Reformatoren aufgeſtellten Theſen, und ſein Verfahren dabey iſt dieſes, daſs er ihre Behauptungen ſchlechtweg als elend, nichtsſagend, widerſinnig, ihre Argumente aus der Luft gegriffen, lächerlich und armſelig, ihre Auslegungen für willkürlich, gezwungen und unnatürlich und die ganze Diſputation für ein langweiliges Geschwätz, ein leeres Wortgezänk erklärt. Der Ursprung der Berner Reformation ist nach Hn. *G.*, S. 8 und 9., einzig darin zu suchen, dass die Nonnen in dem Frauenkloster zu Königsfelden, meistens Töchter aus den ersten Familien Berns, denen von den liederlichen Pfaffen der Umgegend *Kopf und Herz warm gemacht wurden*, ihre Freyheit begehrten, dem Stiftsprobst Wattenwyl und vielen anderen Geistlichen die Heirathslust ankam, und der Magistrat von Bern, um nicht an seinen Kindern noch grössere Schande zu erleben, ihren Bitten sich fügte, obgleich nach katholischen Grundsätzen alle solche Heirathen ungültig waren. Hiemit, meint Hr. *G.*, sey der erste und wichtigste Schritt zu allem weitern gethan gewesen.!!

Zum Schlusse der Anzeige obiger Schriften über die Berner Reformation nur noch die gedoppelte Frage: *Einmal*, wie kommt es, dass von allen den erwähnten Jubelschriften auch nicht eine von der Berner Akademie herrührt, und dass es diese so gänzlich unterlassen hat, das erst nach hundert Jahren wiederkehrende Fest auch ihrerseits etwa durch die Biographie eines ihrer um die Reformation hochverdienten Mitbürger, oder durch ein Säcular-Gedicht, oder einen Beytrag zur vaterländischen Kirchengeschichte, oder auf irgend eine andere Art ihr zu Gebote stehende Weise zu verherrlichen? *Zweytens:* Hätte nicht, trotz dem, was einige Zeitungsblätter von dem glänzenden Erfolge jenes Festes und der allgemeinen Theilnahme an demselben haben verlauten lassen (uns hat es scheinen wollen als wäre jener Erfolg weit hinter der Wichtigkeit der Sache zurückgeblieben), *Bern* besser gethan, anstatt der Anordnung einer solchen Separat-Feyer, unter grossmüthigem Uebersehen aller Formen und mit Beyseitsetzung alles kleinlichen Cantonal-Geistes, die Sache aus einem höhern Gesichtspunkte zu fassen, nach dem Beyspiele der Städte *Basel*, *Schaffhausen*, *St. Gallen* und *Chur* sich an jene frühere Feyer von 1819 und an diejenige Kirche anzuschliessen, von welcher zuerst und vorzüglich glänzend das Licht der Reformation ausgegangen war, und hätte nicht eine solche harmonische Einheit auch in Ansehung der äussern Anordnung und Form auf die so sehr auf das Aeussere sehenden römisch-katholischen Nachbarn einen wohlthätigen Eindruck machen müssen, in Zeiten, wo es ohnehin mehr als jemals Noth thut, dass man, wie der Apostel (Philp. 1, 27.) sagt, *auf einerley Lehre* und *Gesinnungen beharre* und *mit vereinten* Kräften für den evangelischen Glauben streite? —

KIRCHENGESCHICHTE.

HADAMAR, in der n. Gelehrten-Buchh.: *Pastoralvorschriften des heiligen Papstes Gregor's des Grossen.* Uebersetzt von Dr. *Ignaz Felner*, Pfarrer in Merzhausen. 1827. XII u. 220 S. kl. 8. (18 Ggr.)

Der Uebersetzer hat diese Schrift den Zöglingen des Erzbischöflichen Seminars zu *Freiburg* im *Breisgau* geweiht, für welches der Staat ein neues Gebäude aufführen lässt. Er drückt in der Vorr. die Freude darüber aus, dass dieser so bedeutende G[...] für die Bildung junger Geistlichen bringe, so wi[e] Hoffnung, dass dieselben nicht vergeblich seyn w[er]den, und hiezu will er durch seine Arbeit etwas [we]niges beytragen. Die *Pastoralvorschriften Greg[ors] des Grossen*, meint er nämlich, verdienten die [Be]herzigung und Befolgung angehender *Geistlic[hen]*, worin wir ihm gern beystimmen, denn sie *finde[n sich unter]* der bessern Schriften aus jener Zeit überhaupt, [...] enthalten Vieles, was auch noch jetzt *einer* all[gemei]gen Beachtung werth ist. Doch können *wir uns* h[ier] auf eine Angabe ihres Inhalts nicht *einlassen*, müs[sen] diesen vielmehr als bekannt voraussetzen. *De[sto]* weniger hat es unsern Beyfall, dass sie hier *in eine[r]* Uebersetzung erscheinen. Der Uebersetzer sagt zwar: (Vorr. VII.) „Das Werklein ist selten geworden, weil es alt ist; ich habe es übersetzt, weil es in einer Sprache geschrieben ist, die eben auch, wie das meiste Alte, mit jedem Jahre seltener wird;" indessen zugegeben, die letztere Behauptung wäre richtig, so scheint es uns doch unpassend, jungen Männern, die eine wissenschaftliche Bildung haben und noch mehr erhalten sollen, eine Schrift in der Muttersprache zu übergeben, welche sie in der Ursprache verstehen müssen, oder doch verstehen lernen [sollen], wenn sie es noch nicht vermögen. Einen correcten, mit einigen nöthigen Erläuterungen versehenen, Abdruck des freylich selten gewordenen Originals würden wir daher weit lieber gesehen haben. Was nun die Uebersetzung betrifft, so können wir sie, auch bey herabgestimmten Ansprüchen, nicht eben für gelungen erklären. Sie ist weder wörtlich treu, noch giebt sie überall den Sinn des Originals genau wieder; sie verwischt an vielen Stellen die alterthümliche Farbe desselben; und doch scheints, als habe der Vf. sie ihm durch alterthümliche deutsche Wörter und Wendungen erhalten wollen. Es finden *sich* Wendungen, die ganz undeutsch sind, und gänzlichen Mangel an Gewandtheit, sich von den *Fesseln des* lateinischen Sprachidioms frey zu machen, beurkunden. Auch an dunklen Stellen, *unglücklich* gebildeten Wörtern und Provinzialismen *fehlt* es nicht. Wir führen nur einige Beyspiele *zur* Bestätigung dieses Urtheils an, obgleich sie *sich in* grosser Anzahl finden. *Culmen regiminis* wird (S. 1.) übersetzt *die Spitze der Seelsorge.* Die Worte Gregors: *Ac deinde necesse est, ut pastoris bonum, quod vivendo ostenditur, etiam loquendo propagetur*, lauten hier (S. 2.) also: doch muss auch seine Sprache in gleichem Schritte mit dem Beyspiele des Lebens die Pfade des Hirten bezeichnen. Die Ueberschrift des 1. Kapitels: *Ne venire imperiti ad magisterium audeant*, wird (S. 2.) übersetzt: Sie möchten nicht unwissend in das Lehramt sich wagen, statt: Es sollen nicht Unerfahrne ein Lehramt zu übernehmen wagen. S. 4. heisst es: Diese Unwissenheit der Hirten entspricht manchmal den *Verdiensten* der Untergebenen, *obwohl* sie *durch ihre Schuld* das Licht der Wis-

Wiffenfchaft nicht haben; fo *fügt* es doch das ftrenge Urtheil, dafs auch die Schaafe durch die Unwiffenheit der Hirten fich verrirren. Im Original fteht *meritum*, was hier offenbar nicht *Verdienft*; fondern wie oft, *Schuld*, *Vergehen* heifst; ftatt *ihre* Schuld mufs es heifsen *deren*, oder *ohne ihre Schuld*, und vor dem *obwohl* mufs nothwendig ein *denn* ftehen, wenn der Periode deutfch und der Gedanke richtig ausgedrückt und verftändlich feyn foll. Undeutfch ift auf derfelben Seite: Auch die Worte des Pfalmiften 68, 24. drücken *nicht fo faft* einen Wunfch, als die Weiffagung aus u. f. w. Im Original fteht *non — fed*, warum wurde das nicht beybehalten, oder doch wenigftens deutfch: *nicht fo wohl, als* gefagt? Völlig incorrect find die Worte: (S. 9.) wenn das Gemüth auf verfchiedene Gegenftände fich vertheilt: *fo kann es fich für jedes ins Befondere* nicht genug *verfammeln*. *Qui* (*Chriftus*) *quafi fine filiis obiit* wird (S. 12.) ausgedrückt; er ftarb beynahe ohne Kinder. Ephef. 6, 15 überfetzt *Gregor: calceati pedes in praeparatione evangelii pacis*, und Ueberfetzer folgt ihm, was er oft genug nicht thut, ohne alles Bedenken: befchuhte Füfse in der *Vorbereitung* des Evangeliums des Friedens; obgleich das durchaus keinen gefunden Sinn zuläfst. Das griechifche Wort *ἑτοιμασία*, bekanntlich ein Hapaxlegomenon im N. T. heifst allerdings *praeparatio*, aber auch *promptitudo* und *fundamentum*, und jede der beiden letztgenannten Bedeutungen giebt einen guten Sinn. Doch wir brechen ab, und führen nur noch einige fehlerhafte und provincielle Ausdrücke an. S. 11 findet fich *Stärkmuth* und *Sefter*; S. 16 *Begierlichkeit* und *Befchrieb*. Unter den nicht angegebenen Druckfehlern erwähnen wir nur S. 14. Z. 17. v. u. befcheuendes für befchauendes Leben.

VERMISCHTE SCHRIFTEN.

Wien, b. Wallishäufer: *Ueber das Leben und die Werke des Anton Salieri* u. f. w., von *J. F.* Edlen *von Mofel*. 1827. 212 S. (1 Rthlr. 12 gr.)

Eine, was die *Lebensverhältniffe* des berühmten Componiften anlangt, ziemlich vollftändige, und manches andere, was bey Gerber, und in den mufikalifchen Zeitungen über ihn zu lefen ift, berichtiende Biographie. Den Stoff fchöpfte der Vf. theils us den Papieren des Hinterlaffenen, welcher ihn lbft beftimmte, fein Biograph zu werden, theils ıs anderweitiger Correfpondenz, und aus freundhaftlichem Umgange mit dem Verftorbenen. Nachem er im Kurzen das Hauptbeftreben feines Lebens ıd feine Verdienfte gefchildert, beginnt er S. 18 die gentliche Biographie, zeigt nach der Folge der ıhre die mufikalifchen Werke und befonders e *Opern* Salieri's ausführlich an, und verfolgt in Wirken bis in die letzte Periode feines Lenns, in welcher er allmählig der Welt, wie fie m, abftarb. Ueber das, was diefem Tode vorherging, ift der Vf., wahrfcheinlich aus Delicateffe gegen Hinterlaffene am kürzeften gewefen. Unter den Grundzügen des mufikalifchen Charakters, welcher Salieri auszeichnet, finden wir der heitern Naivetät und Schalkheit nicht gedacht, welche z. B. in den Rollen des Biscroma oder Calbigi und der Masken im Axur fo unverkennbar hervorleuchtet, und die ihm weit eigenthümlicher war, als der Ausdruck glühender Leidenfchaft. Bemerkbar ift fein Enthufiasmus für die Kunft bis in die fpätern Jahre feines Lebens, und bis auf die Zeit namentlich, wo er gewahr wurde, „dafs der Gefchmack in der Mufik fich allmählig auf eine, feinen Zeiten gerade entgegengefetzte, Weife zu ändern begann, und die verftändige und gediegene Einfachheit durch Uebertreibung und Vermifchung der Compofitionsgattungen" verdrängt werde. So drückt fich Salieri *felbft* über diefe Epoche aus. Jener Enthufiasmus überhob fich aber nicht des gründlichften Studiums und des nüchternen Nachdenkens, was befonders fein Biograph hervorzuheben fucht, welcher damit häufig die contraftirenden Erfcheinungen der neueften Zeit in Vergleichung bringt, aber wahrfcheinlich nur tauben Ohren predigt. Doch fcheint auch mit diefer Satire eine Einfeitigkeit der Anficht verbunden zu feyn, ein gewiffes Unvermögen unfers Vfs, eine auf frühere Erfahrung gebaute Theorie fahren zu laffen, fonft würde er es nicht bey dem *Tadel* der Gegenwart haben bewenden laffen, da doch auch, befonders feit *Weber*, das Bedürfnifs dramatifcher Charakteriftik in der Mufik in Deutfchland wieder zu einem *allgemeinen* erhoben worden ift. Es käme nun darauf an, zu erfahren, worin der Vf. den Begriff eines denkenden dramatifchen Componiften (oder wie er immer fagt Compofitore's) fetzt. „Wahrheit des Ausdrucks in Charakteren und Situationen" ift fehr viel und unbeftimmt gefagt; *Weber* befitzt fie, wie Gluck und Salieri; aber auf *verfchiedene Weife*; der Vf. zieht das Einfachere vor, und fcheint das Mannichfaltigere zu verwerfen, ohne zu bedenken, dafs alle fpätere Zeit ein Mannichfaltigeres fordern mufs. — Zu bemerken ift ferner, dafs Salieri früher manche unbemerkt gebliebene Oper gefchrieben, in welcher er fich mehr dem Gefchmacke feiner *Landsleute* anfchliefsen mochte; dafs aber feine Verfetzung nach Deutfchland überhaupt (in feinem 18ten Jahre), wo er, mit Ausnahme eines fpätern zweyjährigen Aufenthaltes in Italien und feiner Reife nach Paris, bis an das *Ende* feines Lebens blieb, — und der Einflufs des fchaffenden Gluck, welcher von Paris aus eine neue Epoche in der Oper herbeyführte, feiner Thätigkeit die Richtung gegeben hat, durch welche er einen Ruf erlangte.

Hierbey ift es intereffant, den grofsen Gluck in diefe Biographie eintreten zu fehen, und mehrere intereffante Aeufserungen deffelben aus Salieri's Mittheilung zu lefen, z. B. folgende charakteriftifche Anekdote. Gluck, der bey feiner letzten Anwefenheit in Paris fchon fechzig Jahre zählte,

traf

traf einst in einer Gesellschaft einen andern, mit ihm ungefähr in gleichem Alter stehenden, ausgezeichneten Tonsetzer an, der sein Nebenbuhler im Ruhme war, (wahrscheinlich *Piccini* setzt unser Vf. hinzu). Das Gespräch fiel auf die Operncomposition und jemand aus der Versammlung fragte Gluck: wie viel Opern er wohl geschrieben hätte? „Nicht viele," antwortete er, „ich glaube deren zwanzig und auch diese mit vielem Studium und großer Anstrengung." Der andere Meister, der in der Nähe stand, sagte hierauf, ohne gefragt worden zu seyn: ich mehr als *hundert*, und zwar mit sehr wenig Mühe: worauf Gluck ihm zuflisterte: „das sollten Sie nicht sagen, mein Freund!" — Gewiss ist diese Aeusserung auch in *der* Beziehung wahr, dass die räsonnirte Musikgattung, wie es Salieri nennt (*il genere ragionato* S. 93) mehr Ueberlegung und Studium verlangt, als die entgegengesetzte. Dieser Gattung, die er ferner auch „die einzige, wahrhaft achtungswerthe" nennt, widmete sich Salieri, besonders seitdem er mit Paris in Verbindung trat, wo sie, wie er sagt, im Allgemeinen besser aufgeführt und mehr genossen wird, als anderswo. Charakteristisch ist dabey, worein er, nach unserm Vf., das höchste Lob setzte. Salieri's grösstes Lob einer fremden Vocalcomposition lautete „*esprime assai ben le parole.*"

Uebrigens scheint Gluck's Einfachheit weit tiefer, und aus originaler Schöpfungskraft hervorgegangen zu seyn; da hingegen Salieri eine beweglichere Melodie und das Parlando liebte, aber in seiner *Palmira* sich schon wiederholt. Gerade von *dieser* Oper aber spricht unser Vf. am flüchtigsten, da er doch weit unbedeutendere Produkte Salieri's, welche längst vergessen sind, bis ins Einzelne verfolgt. Von der Ouverture der Oper sagt er: sie sey voll Energie und eine der besten Salieri's, wiewohl es S. 158 bey Gelegenheit des Cesare heisst: die Ouverture ist eine der besten Symphonien unsers Componisten, *der in der Regel auf diesen Theil seiner Oper nicht sonderlichen Fleiss zu wenden pflegte.* Rec. findet auch jene Ouverture zur Palmira sehr abgerissen und ohne wahren Zusammenhang.

Im Ganzen findet Rec. noch immer *C. F. Cramer's* (in Kiel) Urtheil über Salieri, dessen Armide er übersetzte, treffend: In Glucks, des Herzenskündigers Fusstapfen wandelnd, hat er, wie Jener, den Schlendrian der Convention verlassen, die unnützigen Ritornelle und da Capo's, den Singsang ausdrucksloser Passagen, das Flittergold täuschen[illegible]render Künsteleyen verschmäht; richtigere Ver[illegible]nisse in seinen Arien; zweckmässigere Kürze [illegible] häufigen Chöre, oft mehr Arbeit, als gewöh[illegible] geschieht, in die Recitative, die bedeutendste [illegible]sey in seine Ouverture (das möchten wir bezweif[illegible]) viel Mannichfaltigkeit in die begleitende Instru[illegible]talmusik gebracht; Tanz mit Gesang verbunden; [illegible] auf Wirkung reducirt, und die Leidenschaften [illegible] Stücks überall mit so innigem, schmelzendem, [illegible]radezu an die Seele greifendem Gesange auszu[illegible]ken gewusst, dass seine ganze Oper (es ist von [illegible] Armide die Rede) vom Anfange bis zum *Ende* [illegible] als *ein* solch *pezzo di prima intenzione zu seyn schei*[illegible] dergleichen man sonst froh ist, in den *Werken* [illegible] bessern Meister nur eins oder etliche *anzutreffen*[illegible] indess man übrigens Raum genug hat, in *andern* Arien das entzündete Feuer seines Herzens wiederum abzukühlen.

Uebrigens lernen wir Salieri in dieser Biographie als Menschen ganz kennen und liebgewinnen. Besonders hat uns die Selbsterzählung von *seiner* Liebe (S. 51) durch ihre Naivetät sehr angesprochen. Seine Dankbarkeit gegen seinen ersten Lehrer *und* Gönner *Gassmann* macht ihn wahrhaft achtungswerth. Andern Anekdoten aus seiner Frühzeit hat der Biograph, wie es aus Liebe für den Gefeierten zu geschehen pflegt, einen zu grossen Raum verstattet. Lieber hätten wir erfahren, *wie er mit* Haydn und Mozart umgegangen, und *wie er über* Beethoven gedacht habe. Hier hat wahrscheinlich der Vf. die Papiere Salieri's nicht *vollständig benutzen* wollen. Dagegen sehen wir in dieser Biographie den Kaiser Joseph II. und von Künstlern noch die berühmte *Banti* auftreten. Zu vielen Raum nehmen endlich die brieflichen Mittheilungen *an Salieri* über den *Erfolg* seiner Opern ein. Dagegen enthalten die Nachrichten des Vfs über diese Opern z. B. über Talismanno (dessen Stoff, beyläufig bemerkt, das Sujet der Preziosa ist) und über das *Verhältniss* des Tarrare zum Axur, welche der Vf. *weitläuftig verglichen* hat, manches Interessante für *Leser*, welche eine nähere Kenntniss wünschen. *Solche* möchten aber auch eine genauere Auskunft *darüber* wünschen, ob Salieri, welcher soviel gute Gesangschüler *und* Schülerinnen gezogen hat, und in den *scherzi armonici* Meister war, seine *scuola* di canto in Reimen verfasst, welche einige male erwähnt wird, zum Drucke bestimmt hat?

ALLGEMEINE LITERATUR - ZEITUNG

December 1828.

LITERARISCHE NACHRICHTEN.

Schulnachrichten.

Wittenberg.

Dem Prof. *Spitzner* überreichten die Gymnasiasten bey seiner Rückkehr aus dem Karlsbade den 22sten August eine latein. Ode. Von dem Gymnasium gingen zum Schlusse des Sommerhalbjahres vier Primaner, einer mit Nr. I, einer mit Nr. II ausgezeichnet, zwey mit Nr. II zur Universität ab. Die Zahl der Schüler war am Schlusse des Sommerhalbjahres 115. Bey der im Gymnasium stattfindenden jährlichen Redeübung zum Andenken der Reformation, die von Wittenberg ausging, den 30sten October d. J., traten diess Mal die sechs ersten Primaner mit eigenen Vorträgen in deutscher, französischer, lateinischer und griechischer Sprache auf. Als Berichtigung zu der in diesen Blättern Nr. 203. S. 770 gegebenen Mittheilung vom hiesigen Gymnasium diene es: dass Ostern d. J. auch die vier letzten Abiturienten ein Abgangszeugniss unter Nr. II. erhielten.

Zu dem den 26. Sept. im K. Gymnasium zu *Stuttgart* stattgefundenen feyerlichen Redeactus von neun aus der Zahl der nach bestandener Prüfung für die Universität reif erklärten Zöglinge des Gymnasiums lud der Professor eloquentiae Ph. D. *Christ. Nathan. Osiander* durch ein lateinisches Programm ein, welches eine Fortsetzung seiner Bemerkungen über Thucydides im vorjährigen Programme enthält. Im Ganzen betrug die Zahl der von dieser Anstalt zur Universität abgehenden 38, wovon 13 evangel., 4 kathol. Theologie, 9 Rechtswissenschaft, 10 Medicin und höhere Chirurgie, 1 Kameral- und 1 Forstwissensch. erwählt haben. Aus dem ganzen Lande meldeten sich zur Universität 72, von denen 7 wegen unzureichender Schulkenntnisse vor der Hand zurückgewiesen wurden. — Am 27sten hielt der Prof. der Naturgeschichte, Med. Dr. *G. F. Jäger*, in Gegenwart des Präsidenten des K. Geheimenraths, des Ministers des Innern und des Cultus, des K. Studienrathes und mehrerer angesehener Freunde der Wissenschaften, die Rede zur Feyer des Geburtstages des Königs in deutscher Sprache „über die psychologische Aehnlichkeit der verschiedenen Thierarten mit dem Menschen", wozu er in einem lateinischen Programm eingeladen hatte, welches von einem nicht weit von Thalheim im Würtembergischen gefundenen merkwürdigen monstruösen Fichtenzweig mit einer ausserordentlichen Menge Zirbelnüssen von einem etwa 30 bis 36 Jahr alten Baum handelt, und auf einem lithographirten Blatte diesen und einen früher gefundenen ähnlichen veranschaulicht. — Nach der Rede fand die Vertheilung der Preis-Medaillen an die Zöglinge des ganzen Gymnasiums, welche sich durch Fleiss, Fortschritte und Sitten im verflossnen Schuljahre ausgezeichnet hatten, Statt. — Am 22. Oct. ist der Unterricht wieder angefangen. Es wurden wegen Ueberfüllung der Klassen im obern Gymnasium (welches aus vier Klassen besteht) von denen, welche sich ausser der obersten Abtheilung des mittlern Gymnasiums, die ins obere übergeht, zur Aufnahme gemeldet hatten, 10 abgewiesen. Für jede Klasse ist die Zahl von 50 bestimmt, eine Zahl, welche besonders in den beiden untern Klassen für Jünglinge von 14 bis 16 Jahren für einen Gymnasial-Unterricht viel zu gross ist und auch nothwendig die Disciplin erschwert. — Der Andrang zum Studiren ist ausserordentlich.

Das landwirthschaftliche und Forst-Institut zu *Hohenheim*, welches in hoher Blüte steht, hat seinen würdigen Director, Hn. *v. Schwerz*, verloren. Er hat Alters und Kränklichkeit wegen um seine Entlassung gebeten, welche ihm unter Bezeigung des höchsten Königl. Bedauerns und Verleihung des Commandeurkreuzes des Ordens der Würtembergischen Krone, von welchem er das Ritterkreuz früher empfangen hatte, mit normalmässiger Pension bewilligt wurde. Die Lehrer und die Zöglinge, auch die von frühern Jahren aus dem ganzen Lande, gaben ihrem hochverehrten Director und Lehrer ein sehr sinnig angeordnetes Abschiedsfest, und die erstern verehrten ihm zum Andenken einen schönen silbernen Pokal. — Es wurde dabey beschlossen, dass der von ihm verbesserte und eingeführte sogenannte Brabanter-Pflug, der so viel Segen verbreite, künftig der *Schwerz'sche Pflug* heissen solle. Hr. *Schwerz* hat sich zu seiner Familie nach Coblenz zurückgezogen. An seine Stelle als Director des Hohenheimer Instituts ist der Kammerherr, Frhr. *v. Ellrichshausen* von Assumstadt, ein erfahrner praktischer Landwirth, getreten, der aber an den Vorlesungen keinen Theil nehmen wird. Das Lehrfach der rationellen Landwirthschaft ist dem seit mehrern Jahren bey der Anstalt befindlichen Hn. Oekonomierath *Pabst* übertragen worden.

II. Ehrenbezeigungen.

Der Grofsherzog von Baden hat dem Geh. Rath und Professor Dr. *von Walther* in Bonn für die so glücklich an der Frau Markgräfin Amalie ausgeführte Staaroperation das Ritterkreuz des Zähringer-Löwenordens verliehen.

Se. Majest. der König von Dänemark hat den Hn. Professor *Wachsmuth* zu Leipzig zum Ritter des Danebrog-Ordens ernannt.

Die Herren Aebte von Königslutter und Riddagshausen, *A. F. L. Hoffmeister* und *E. H. A. Lentz*, haben bey der Reformations-Jubelfeyer in Braunschweig von der theologischen Facultät zu Göttingen die theologische Doctorwürde, so wie der Hr. Magistrats-Director *Bode* von der juristischen die juristische Doctorwürde erhalten.

Die Universität Tübingen hat dem Banquier *v. Ludwig* auf dem Cap (einem gebornen Würtemberger) zum Zeichen der Anerkennung seiner Verdienste um das Studium der Naturwissenschaften und ihres Danks für die schätzbaren Sendungen, durch welche derselbe ihr Kabinet bereicherte, das Diplom eines Doctors der Philosophie übersendet.

Das Königl. Realgymnasium zu Berlin feyerte am 7. October durch einen öffentlichen Redeact das Fest der 50jährigen Amtsführung des Hn. Dr. *Valentin Heinr. Schmidt*, Professors und Mitdirectors der Anstalt, an welcher Feyerlichkeit viele hochachtbare Männer Antheil nahmen. Des Königs Maj. verlieh dem verdienten Jubilar das allgemeine Ehrenzeichen erster Klasse, und das hohe Ministerium des Unterrichts, so wie die Behörden der Stadt, erfreuten ihn durch wohlwollende Glückwünschungsschreiben.

Die philosophische Facultät der Universität [illegible]gen hat sich bewogen gefunden, dem Hn. Dr. [illegible] Assessor der medicinischen Facultät zu Würzburg [illegible] Gründer der orthopädischen Heilanstalt daselbst, [illegible] Ehrendiplom eines Doctors der Philosophie zu ert[illegible]len. Von eben dieser Facultät erhielt auch Hr. *Friedrich Rulemann Eylert* aus Potsdam den 4. October [illegible]ter dem Decanat des Hn. Hofraths und Ritters Dr. [illegible] die philosoph. Doctorwürde, und zwar: *post de[illegible] examine per literas prorsus insignis scientiae speci[illegible] exhibitamque dissertationem inauguralem de Clem[illegible] Alexandrino ejusque philosophia.*

Se. Maj. der König von Preufsen hat dem Hn. Dr. *Ernst Moritz Schilling* in Leipzig für die Zueignung des *ersten* Bandes seines *Landwirthschafts-Rechts der deutschen Bundesstaaten* die grofse goldene Medaille verliehen. Eben diese Auszeichnung erhielt der ebendaselbst lebende, als Verfasser mehrerer juristischen Schriften bekannte Dr. der Rechte, Hr. *v. Hartitzsch*, in Folge der Uebersendung seines Handbuchs über das Eherecht.

III. Vermischte Nachrichten.

Der Herausgeber des nächstens zu London erscheinenden *Lebens des Ariost* ist nicht der berühmte Historiker *William Roscoe*, sondern sein Sohn *Thomas Roscoe*, dem man die *Uebersetzung von Lanzi's Geschichte der Malerey in Italien* und die *Notizen über die italienischen und deutschen Romanenschreiber* (jedes Werk in 4 Bänden) verdankt.

LITERARISCHE ANZEIGEN.

I. Ankündigungen neuer Bücher.

Andachtsbuch für Töchter.

So eben ist bey Leopold Vofs in Leipzig erschienen:

Spieker, C. W., Emiliens Stunden der Andacht und des Nachdenkens. Für die erwachsenen Töchter der gebildeten Stände. *Vierte, verbesserte* und *vermehrte* Auflage. Mit Titelkupfer. Auf Velinpapier. In farbigen Umschlag geheftet. 8. 1 Rthlr. 12 gr.

Anzeige von

Nova scriptorum latinorum bibliotheca ad optimas editiones recensita, lectissimis enodationibus annotata, edidit *C. L. F. Panckoucke.* Parisiis. 50 à 60 Bde. gr. 8. Brosch.

Das Studium alter klassischer Literatur, mit Recht so hoch gestellt für jeden Gebildeten, ist in unsern Tagen mehr als je gewürdigt worden, und die vielen in allen Formen erscheinenden Sammlungen *der Klassiker* bekunden am unwidersprechlichsten den fortwährend sich vergröfsernden Kreis von Verehrern und *Lesern* derselben. Unter den manchen sehr gefällig sich producirenden Ausgaben zeichnet sich die *hier* angekündigte auf höchst vortheilhafte Weise durch die vollendetste Correctheit und die bequemste und gefälligste Anordnung aus, was sich von einem Herausgeber, wie Herr *Panckoucke*, schon erwarten läfst, dessen herrlicher Ausgabe des *Tacitus* erst kürzlich der Preis in Paris öffentlich zuerkannt wurde. Kritiker vom gegründetsten Rufe, und Philologen durch ihre Wissenschaft, wie ihre praktische Thätigkeit im öffentlichen Unterrichte rühmlichst bekannt, unterstützen den Herausgeber, so dafs diese neue Ausgabe die Resultate aller derjenigen enthalten wird, die in Europa durch die Bemühung der ausgezeichnetsten Gelehrten zu Tage gefördert wurden.

Den Werken jedes Autors wird seine biographische Skizze vorangehen, kurze Andeutungen mythologischer, historischer u. a. Erklärungen in alphabetischer fischer Ordnung werden am Ende jedes Bandes beygefügt, die wichtigsten Abänderungen des Textes, so wie die besten eingeführten Lesarten gewissenhaft mit aufgenommen.

Der Preis des Bandes von 1 Rthlr. für die, welche sich für die Anschaffung der *ganzen Sammlung* verbindlich machen, und von 1 Rthlr. 4 gr. für *jeden einzelnen Band* kann bey der, alle bis jetzt erschienenen ähnlichen Ausgaben übertreffenden schönen äusseren und typographischen Ausstattung nur *höchst billig* genannt werden.

Der *erste* Band, bereits an alle Buchhandlungen versandt, enthält:

D. I. Juvenalis et *Auli Persii Flacci satyrae*, eine Dissertation über die Satyre und zu ersteren die in wenigen Ausgaben befindliche Satyre *Sulpicia*, Juvenals und Persius Leben, und einen *indiculus alphabeticus*.

Der *zweyte*, so eben erschienene Band enthält:

C. Vellejus Paterculus et *L. Annaeus Florus*.

Der Inhalt der folgenden Bände soll später angezeigt werden.

Leipzig und Frankfurt a. M.

Joh. Ambr. Barth.

Joh. Christ. Hermann'sche Buchhandlung.

Bey Brüggemann in Halberstadt ist erschienen:

Q. Horatii Fl. Epistola libri primi secunda. In quam commentatus est *L. S. Obbarius*. Inest conspectus variantium lect. ex VII. Codd. Mss. Bernensibus haustarum. ½ Thaler.

Bey B. F. Voigt in Ilmenau ist erschienen:

Die Botanik

in ihrer praktischen Anwendung auf Gewerbskunde, Pharmacie, Toxikologie, Oekonomie, Forstcultur und Gartenbau. Eine Anleitung zur Kenntniss derjenigen Gewächse, welche für Künstler und Handwerker, für Aerzte, Apotheker und Oekonomen, Forstmänner, Gärtner, Kräutersammler und für Liebhaber der Gewächskunde überhaupt hinsichtlich ihres Nutzens oder Schadens, ihrer Anwendung oder sonst merkwürdiger Eigenschaften wichtig sind. Frey nach dem Französ. von *Theod. Thon*. 1 Rthlr. 20 Sgr.

Der Zweck dieses Buches ist, den oben genannten Ständen ein weniger umfangreiches, ein minder kostspieliges Hülfsmittel zur Kenntniss obiger Pflanzengattungen in die Hände zu geben. Nach einer zureichenden Einleitung in die Botanik überhaupt werden darin über 1600 Gewächse dargestellt, ihre Anwendung, Schädlichkeit u. s. w. angegeben und in nöthigen Fällen Beschreibungen und neben ihren systemat. Benennungen auch die der deutschen, engl., französ. u. andern Sprachen, besonders aber diejenigen beygefügt, nach denen die Pflanzen in ihrer Heimath benannt werden, wodurch diese Schrift sich vorzüglich auch denen brauchbar macht, die sich über Gewächse, welche sie in Reisebeschreibungen nur in der Landessprache bezeichnet finden, genauer unterrichten wollen.

Elegante Taschenausgaben.

Von unsern beliebten Taschenausgaben sind kürzlich erschienen und durch alle Buchhandlungen zu erhalten:

I. *W. Scott's sämmtliche Romane*, Bd. 93—95. (Erzählungen eines Grossvaters; übersetzt von Dr. *K. L. Kannegiesser*. 3 Thle.)

II. *W. Scott's poetische Werke*, Bd. 17. 18. (Der Herr der Inseln; übersetzt von Dr. *K. L. Kannegiesser*. 2 Thle.)

III. THE WORKS OF COOPER, Vol. 9—12. (THE RED ROVER, 4 Volumes.)

IV. THE WORKS OF THOMAS MOORE, Vol. 5. 6. (THE EPICUREAN, 2 Vols.)

Der Preis für das sauber und correct auf Velinpapier gedruckte Bändchen mit einem Titelkupfer beträgt 8 Groschen *roh*, und 9 Groschen in farbigem Umschlag *geheftet*.

Zwickau, im October 1828.

Gebrüder Schumann.

Bey Friedrich Perthes in Hamburg ist erschienen:

Geschichte der Europäischen Staaten, herausg. von *Heeren* und *Uckert*. 1ste Liefer., enthaltend: *Pfister's* Geschichte der Deutschen, 1ster Theil. *Leo's* Geschichte von Italien, 1ster u. 2ter Theil. Subscriptionspreis 5 Rthlr.

Die bereits vorläufig angezeigte Schrift:

Ueber die Hegel'sche Lehre,

oder:

absolutes Wissen und moderner Pantheismus.

Leipzig. Kollmann. 18 gr.

ist nun in allen guten Buchhandlungen angekommen. Diese treffliche Schrift entwickelt auf eine fassliche Weise den Inhalt der Hegel'schen Philosophie, sie legt den Grundcharakter dieser Philosophie dar, und zeigt ihr Resultat. Der Zweck derselben ist, dem Leser eine klare Einsicht in diese Philosophie zu geben, zugleich ihn in den Stand zu setzen, die Lehren derselben selbst hervorzubringen, zu prüfen und einen von der Hegel'schen Philosophie unabhängigen Standpunkt zu zu erreichen. Zu diesem Behuf enthält sie außer mannichfachen Hinweisungen auf andere Philosophie-Theorieen eine vollständige kritische Darstellung der Hegel'schen Methode, und sie ist daher um so mehr dazu geeignet, dem Leser Belehrung zu gewähren, als der Verfasser es für seine Pflicht gehalten hat, da, wo er widerlegen muss, die Gründe seiner Widerlegung aus dem zu Widerlegenden selbst zu entnehmen.

Bey A. W. Hayn in Berlin ist so eben erschienen und in allen Buchhandlungen zu haben:

Landtags-Verhandlungen
der
Provinzial-Stände
in
der Preussischen Monarchie.
Vierte Folge,

enthaltend: die Verhandlungen des zweyten Provinzial-Landtages der Mark Brandenburg und des Markgrafthums Niederlausitz, der Provinz Pommern und des Fürstenthums Rügen, des Königreichs Preussen im Jahre 1827.

Herausgegeben von *J. D. F. Rumpf*, Königl. Preuss. Hofrathe. gr. 8. Preis 1½ Rthlr.

Sowohl von den Gesetzen wegen Anordnung der Provinzial-Stände (à 16 gr.) als auch von der ersten (à 16 gr.), zweyten (à 16 gr.) und dritten Folge (à 1½ Rthlr.) der Landtags-Verhandlungen sind noch Exemplare zu haben.

Berliner
Almanach
für
Reiter, Gestüts-Besitzer und Pferdeliebhaber.

Herausgegeben von *Klatte*, Verfasser des systematischen Lehrbuchs der Campagnenreitkunst; der Zäumungskunde; der Vorschule der Soldatenreiterey; der Bearbeitung des Pferdes an der Hand; der neu erfundenen Pferde-Dressur-Maschine und der Wiener Almanachs für Pferdeliebhaber u. s. w. Mit 10 Kupfertafeln. 8. Cartonnirt. Preis 1½ Rthlr.

Medicinische Bücherkunde.

Bey Leopold Voss in Leipzig ist so eben erschienen:

Choulant, Ludw., Handbuch der Bücherkunde für die ältere Medicin, zur Kenntniss der griechischen, lateinischen und arabischen Schriften im ärztlichen Fache, und zur bibliographischen Unterscheidung ihrer verschiedenen Ausgaben, Uebersetzungen und Erläuterungen. gr. 8. 1 Rthlr. 8 gr.

Dieses Werk giebt von jedem Schriftsteller der genannten, bis in das vierzehnte Jahrhundert herabreichenden Periode, die Biographie und historische [illegible] rakteristik dessen, was er für seine Zeit war, und [illegible] sen, was er für die unsrige noch seyn kann, die [illegible] ständige Aufzählung seiner Schriften und ihren [illegible] und fügt endlich die vollständige Bibliographie [illegible] dieser Schriftsteller in der Art hinzu, dass alle Ausg[illegible] und Uebersetzungen und die wichtigern Erläuterung[illegible] schriften genau charakterisirt und so bestimmt wer[illegible] dass der relative Werth derselben eben sowohl für [illegible] gelehrten Gebrauch als für den antiquarischen Be[illegible] handel deutlich hervortrete. So wird es für den [illegible] lehrten Arzt, für den Philologen, Geschichtsfor[illegible] und Bibliothekar sich als brauchbares Handbuch, [illegible] den Vortrag der medicinischen Literargeschichte [illegible] Universitäten aber als ausreichendes *Lehrbuch* er[illegible] weisen.

So eben ist bey mir erschienen und in allen Buchhandlungen zu erhalten:

Praktische Uebungen für angehende Mathematiker. Ein Hülfsbuch für Alle, welche die Fertigkeit [illegible] erlangen wünschen, die Mathematik mit Nutzen anwenden zu können. Von *Ephraim Salomon Unger. Erster* Band. Mit sechs Figurentafeln. gr. 8. 34 Bogen auf gutem Druckpapier. 2 [illegible]

Auch unter dem Titel:

Das Berechnen, Verwandeln und Theilen der Figuren. Ein Hülfsbuch für Geometer und für Solche, die mit Gemeinheitstheilungen zu thun haben, [illegible] ein Uebungsbuch für Alle, welche von der Mathematik einen nützlichen Gebrauch zu machen wünschen. Mit sechs Figurentafeln.

Leipzig, den 1. Septbr. 1828.

F. A. Brockhaus.

II. Herabgesetzte Bücher-Preise.

Herabgesetzter Preis
der

Zeitschrift für psychische Aerzte mit besonderer Berücksichtigung des Magnetismus, und der Zeitschrift für Anthropologie. In Verbindung mit den Herren *Ennemoser, Eschenmeyer, Grohmann, Groos, v. Gruithusen, Haindorf, Hayner, Heinroth, Henke, Heusinger, Hoffbauer, Hohenbaum, Horn, Maas, Pienitz, Romberg, Ruer, Schelver, Schneider, Vering, Weiss* und *Windischmann*, herausgegeben von *Fr. Nasse*. 9ter Jahrg. 1818—26. Ladenpreis 38 Rthlr., herabges. Preis 16 Rthlr.

Eine vollständige Inhaltsanzeige ist zur Empfehlung dieses interessanten Journals hinreichend, und diese ist in allen Buchhandlungen *gratis* zu haben.

Leipzig, im November 1828.

Karl Cnobloch.

ALLGEMEINE LITERATUR-ZEITUNG

December 1828.

ORIENTALISCHE LITERATUR.

1) London: *A Grammar of the Persian language* by *Sir William Jones.* The *eight* Edition, with confiderable additions and improvements, by the Rev. *Samuel Lee,* Professor of Arabick in the Univerfity of Cambridge. 1828. XVIII u. 212 S. 4.

2) Hamburg, b. Meifsner: *Ueber die Verwandtfchaft des perfifchen, germanifchen und griechifch-lateinifchen* Sprachftammes; von Dr. *Bernh. Dorn.* 1827. XIV u. 187 S. 8.

3) *Ebendaf.* b. Ebendemf.: *Drey Luftgänge aus Saadi's Rofenhain,* aus dem Perfifchen überfetzt von Dr. *Bernh. Dorn.* 1827. IV u. 130 S. 8.

Wenn die fchöne und einfache Sprache der Perfer, die an Lieblichkeit und Anmuth alle vorder- und mittelafiatifchen Mundarten weit übertrifft, bis jetzt fo wenige Verehrer unter uns gefunden hat, fo liegt diefs wohl nicht fo fehr an der Unbekanntfchaft mit den Quellen, aus denen Hr. *v. Hammer* in feinen *Redekünften Perfiens,* u. a. fo reiche Auszüge geliefert haben, noch auch an dem Mangel derfelben, da wir bereits eine ziemliche Anzahl von edirten Schriftwerken befitzen und auf vielen unferer Bibliotheken die ausgefuchteften Handfchriften dem Staube und den Motten zur Beute liegen oder höchftens den Fremden gezeigt werden, damit man die fchönen Farben und niedliche Schriftart bewundere: fondern es fcheint mehr die Seltenheit grammaticalifcher, befonders lexicalifcher Hülfsmittel Schuld zu feyn oder doch die Befchaffenheit der grammatifchen Vorarbeiten felbft von diefer Sprache abzufchrecken. Nach den unvollkommenen Verfuchen eines *De Dieu, Gravius, Ignatius a Jefu, Caftellus, Angelus a St. Jofepho, Podefta* und *Meninski* brach fich die gefchmackvolle perfifche Grammatik des *Will. Jones* neue Bahn, fie wurde mit vielem Selbftgedachten von *Wilken* auf deutfchen Boden verpflanzt und erwarb der Sprache einige Gönner, allein lange nicht in dem Maafse als man hätte erwarten follen, weil man das Perfifche nicht dem Gängelbande der arabifchen Grammatik entriffen, das Gebäude nicht in feiner einfachen Schönheit aufgeführt hatte. Seit dem zehnten Jahrhunderte nämlich hat fich das Perfifche mit einer Menge arabifcher Wörter überladen; es ift darin noch weiter gegangen als das Deutfche der vorigen Jahrhunderte in der Aufnahme des Franzöfifchen, und befonders die Profaiker wimmeln von arabifchen Wörtern und Sentenzen: indeffen haben fich die ältern Dichter faft gänzlich frey davon erhalten und man kann den *Ferdufi* lefen ohne Arabifch zu verftehen; nur *Hafiz* hat feiner Poefie dadurch einen neuen Reiz verliehen, dafs er die perfifche Sanftheit mit dem Kräftigen und Sonoren des Arabifchen zu verfchmelzen gewufst hat. Selbft die perfifchen Grammatiker behandeln ihre Sprache nach arabifchen Grundfätzen und durch ihre fpitzfindigen Regeln fowohl, als durch weitläuftige Deductionen über allgemeine Grammatik hat der verdienftvolle *Lumsden* die ungekünftelte perfifche Sprachlehre zu zwey Foliobänden anwachfen laffen (*Grammar of the perf. Lang. Calcutta* 1807. 10). Diefe kann demnach dem Anfänger nicht in die Hände gegeben werden, fo fehr fie durch zahlreiche Belege und eingeftreute Beyfpiele, die meift aus Dichtern entnommen find, weil folche zugleich durchs Metrum vor Corruption gefichert werden, für den Gelehrten ihre grofse Wichtigkeit behauptet. Nach des Rec. Meinung follte jetzt eine reinwiffenfchaftliche Behandlung der perfifchen Grammatik eintreten, d. h. fie follte, ihrer arabifchen Feffeln entledigt, felbftftändig behandelt werden, vor Allem aber auch hier das Sanskrit und die Altperfifchen Dialekte wo möglich die Grundlage bilden. *Jones* mochte es wohl fühlen, wie fchwer die Vereinigung zweyer fo heterogenen Sprachen als Arabifch und Perfifch find, werde, weshalb denn auch feine einfache Grammatik für den Anfänger fo mannigfache Vorzüge hat, dafs fie fchon acht Auflagen erleben konnte. Der als Orientalift rühmlichft bekannte *Lee* hat fie hier wiedergegeben wie fie aus *Jones* Hand kam, und nur dasjenige weggelaffen was anderweitig vollftändiger zu finden war, wie das Verzeichnifs von Handfchriften und die profodifchen Regeln wozu *Jones Commentarii* und *Gladwins differtation on the rhetorik* (von *Nizameddin Ahmed*), *Profody* (von *Seify*) *and rhyme* (von *Schemfeddin* aus *Dehli*) Lond. 1801. 4. mit Recht empfohlen werden. Die Auszüge aus den Memoiren des *Jehangir* über fein Leben und die Stadt *Agra,* welche in früheren Ausgaben hinzugekommen waren, find hier ebenfalls wieder getilgt worden; dafür ift aber manches aus *Lumsden* hinzugefügt, manches berichtigt worden oder hat Einfchränkungen erfahren und fo ift die Grammatik im Wefentlichen wohl geeignet, dafs wir fie dem Anfänger zum Selbftftudium als die Befte anempfehlen können. Die reichhaltigften Zufätze beftehen in einer arabifchen Grammatik: S. 28 bis 57 wird die Lehre vom arabifchen *Verbo* und *nomen*, S. 66—70 vom Pronomen abgehandelt; die arabischen Zahlwörter sind S. 114 eingeschaltet und von der arab. Syntax die Hauptregeln gegeben worden: allein wer mag hier bestimmen wie weit die pers. Prosaiker gehen können? zum gewöhnlichen Gebrauche ist fast das Verzeichniss von Infinitivformen (in den *Asiat. Research.*) hinreichend; wer aber weiter gehen will, muss nothwendig das Arabische völlig verstehen. Gerügt dürfte werden dass Hr. *Lee* das Arabische nicht allenthalben streng genug vom Persischen geschieden hat, was den Schüler verwirren könnte, wie wenn اَمّا, لیکن, بل u. a. unter den persischen Conjunctionen stehen; wenn es nicht bemerkt wird dass *Elif* mit *Hamza* nur in arabischen Wörtern vorkommen könne; dasselbe gilt vom *Teschdid*, denn es giebt nur wenig persische Wörter die ein solches annehmen, wie بتّر für بدتر *schlechter*, زوتّر für زودتر *schneller*, فرّخ für فر رخ *froh*, شپّره für شبپره *Fledermaus*. Die arab. Classification der Consonanten und ihr numerischer Werth ist in einer persischen Grammatik völlig ohne Nutzen, da sie gar nicht in Anwendung kommen können; die grammatischen Terminologien kann man ebenfalls hier entbehren, werden sie aber angewandt, so sollten sie der Regel gemäss punktirt werden, also مُهْمَلَة, نُقْطَة statt مُهْمِلَه u. s. w. Eine zweyte Vollkommenheit dieser Gramm. vor der Jonesischen besteht darin dass Hr. *L.* das Persische durchweg mit Vocalzeichen versehen und die Aussprache hie und da nach den besten Wörterbüchern berichtigt hat: Rec. aber will nicht verhehlen dass ihm die Punctation des Persischen immer etwas Costümwidriges scheint und dass er es vorziehn möchte die Aussprache mit lateinischen Lettern beyzufügen ohne sich hiebey eben so vieler Punkte zu bedienen als Hr. *L.* für nöthig findet. Die bisherigen Grammatiken wimmeln von Fehlern gegen die Aussprache, die selbst von einheimischen Grammatikern nicht immer vermieden werden und von denen sich selbst vorliegende Sprachlehre nicht ganz rein erhalten hat. Es giebt hier, ausser den Angaben der Lexicographen, noch einen ziemlich sichern Weg die Aussprache zu ermitteln: den Reim, in welchem sogar schlechtere Dichter genau zu seyn pflegen; so lernen wir z. B. aus *Saadi's* Divan (*Collections* p. 15) dass man نخست nicht *nukhust* (L. p. 116. 208) sondern *nakhest* aussprechen müsse, da es sich mit نشست بست und شکست reimet; eben so spricht *Saadi* (p. 77) جستن *suchen dschesten* aus, nicht *dschusten* (L. p. 184); بردن reimt mit *kerden*, *awerden* u. a. demnach sollte nicht بُردن punktirt werden; dass der *Imperat.* von کردن

nicht *kun*, wie Hr. *L.* will, sondern *ken* ... hellt aus dem Reimfalle جن, روشن ... (*Collect.* p. 80); das Pronomen او ist zu les... اوست steht im Gleichklange mit دوست ... u. a. (*Coll.* p. 15). Zuweilen giebt die ... Flexion des Wortes seine Punctation an ... (S. 99) sollte *pertew* ausgesprochen werden, ... *Vau consonans* im Plural kein *Je* annimmt, ... wie دیوان گاوان *Dämonen* (nicht zu verw... mit dem arab. دیوان) flectirt wird. Nach ... heutigen Aussprache die frühere feststellen zu ... len ist misslich, wenn auch einzelne Beyspiele ... alten Betonung noch als Eleganzen gelten: schon ... Rabbinen hörten das lange *a* als o in خلاد *khon*... und ein Perser, den Rec. zu hören Gelegenh... hatte, glaubte auch darin Verwandtschaft des Pe... schen mit dem Deutschen zu finden, wenn wir g... *horsamer Diener*, jene خوش آمدید *khusch a*... sagten. In vielen Fällen lässt auch das Sanskrit a... die Aussprache schliessen: Jones sprach پسر ... *pusr* aus (Sanskr. *putra*, *Zend pothre*), k... punktirt allenthalben پِسَر; Jones hat noch جوان *juvân*, wie im Sanskr.; Hr. *L.* spricht جُوان; S. ... verwechselt er مُهر *Liebe* und *Siegelring*, vergl. im Sanskr. *mihira Sonne* مِهر, *mitra Freund* مهر und *mudrâ Siegel* مُهر. Der Paragraph über die Vocale hat mehrere wichtige Zusätze bekommen; mit Recht nimmt Vf. die Diphthonge *ai* und *au* an, die man nach dem Sanskr. noch genauer bestimmen kann: das sogenannte *Vau* und *Je majhul* nämlich lauten fast wie *o* und *e*, wie مور *mor Ameise*, بید *bed die Weide*, vergl. سپید Sanskr. *sveta weiss*, گیسو S. *kesa Haarlocke*, میغ Sanskr. *megha Wolke*, dahingegen *ai* und *au* gewöhnlich ein vorangehendes *Elif* haben: پای *Fuss*, گاو *Kuh* S. *gau*. Die persische Sprache bedient sich in vielen Fällen eines verstohlenen oder wirklich geschriebenen *i*, worüber wir die genauern Bestimmungen bey Hn. *L.* vermissen; es fehlt ganz das sogenannte, bey Dichtern oft vorkommende, *i* der Grösse und Verkleinerung (یای تعظیم وتصغیر) z. B. آن خداوندی *jener grosse Gott* (S. Sacy ... *Pendnameh* p. 18. *Lumsden* II. p. 423); ferner das *i* der Convenienz an Infinitiven, z. B. ناکردنی ... nich...

nicht zu thun iſt, خوردني etwas Eſsbares (Sacy, p. 47. Lumsd. II. p. 421); die Lehre vom Idhafet, dem Keſre der Relation, hätte nöthige Zuſätze erhalten müſſen, z. B. daſs ſich der Ton verändere bey Wörtern die auf Je ausgehen: موي mui das Haar aber مويِ دوست muje duſt, wo alſo noch ein Je gedacht und mit Hamza bezeichnet wird. In der altperſ. Sprache fand wohl dieſes Jod connectivum nicht Statt und ſcheint faſt ſemitiſcher Einfluſs, denn man ſagt im Pehlvi malka keti und keti malka für ملك گيتي König der Welt. Uebergangen iſt auch die Bemerkung daſs Je unitatis oder Tengir und der unbeſtimmte Artikel ſich durch يك erſetzen laſſen, z. B. بي خار غم يك گل شادي بباغ زندگاني كس نيافت Ohne die Dorne des Kummers hat niemand eine Roſe der Freude im Garten des Lebens gefunden. Es ſcheint ſelbſt aus يك entſtanden zu ſeyn, vergl. يازده eilf für يك از ده. — Das Keſre proſodicum hat Hr. L. nicht erwähnt und oft im Context gegen die Metrik daſſelbe vernachläſſiget; S. 16 unten hätte برند S. 17. Z. 10. نيافت und Z. 6 unten گوش punktirt werden müſſen. Am häufigſten kommt dieſs Keſre vor an der 1. 2. u. 3. Perſon der Verben, z. B.

گر چراغ روي تو جانان دلم پروانه شد
سوختم در عشق تو ليكن ترا پروانه شد

Zu der Fackel deines Auges hat ſich ſo mein Herz gekehrt,
Daſs mich, gleich der treuen Mücke, deine Liebesgluth verzehrt.

Häufig wird dann im erzählenden Stil am Imperfect das präfigirte مي getilgt und ein wirkliches ي geſetzt, z. B. in der Chronik des Tabari: وآن روز همه خلق گرد آن درخت شدندي وجامها پوشيدندي an jenem Tage verſammelte ſich alles Volk um den Baum und behing ihn mit Gewändern. Hier haben wir alſo noch die alte Flexion des Sanskr. auf mi, ſi, ti, das مي aber, oder همي ſcheint aus dem ſma vor Aoriſten entſtanden, wie ja aus asmi dialektiſch amhi wird, und in ſofern bezeichnet es continuity of action (S. 78). Die Bemerkung von Jones مر ſtehe vor dem Accuſat. in ſome old compoſitions, hätte weiter ausgedehnt werden müſſen, denn dieſs Partikel, vielleicht urſprünglich der Dat. commodi مر, iſt im Zend und Pehlvi gar nicht vorhanden, in einigen neuern Compoſitionen aber erſtaunlich häufig, z. B. im Pendnameh, jedoch gewöhnlich nur vor dem Pronomen مر اورا, مر ترا. Tawuſi drückt ſtets mit ängſtlicher Sorgfalt das hebr. [illegible] dadurch aus z. B. بر اول آفريد خدا مر آن آسمان ومر آن زمين für das reinperſiſche: در اول خدا آسمان وزمين را آفريد. Das determinirende را des Accuſ. wird von Lumsd. ſowohl als L. (S. 130) durch mehrere Regeln eingeſchränkt, welche indeſs die Hauptregel von Jones nicht völlig unwirkſam machen: in Sätzen wie زيد شير كشت Zaid tödtete einen Löwen iſt das Subject an der Stellung kenntlich genug und Rec. könnte viele Belege beybringen daſs correcte Schriftſteller dieſes را einzig und allein beym determinirten nomen und disjunctiven Pronomen gebrauchen; es findet ſich ſelbſt ein Beyſpiel bey L. (S. 139): daſs du das (vorliegende) Gefäſs mit Geld (زررا) ſaheſt und nicht eine Schlinge (دام). Beym Pronomen hätten auch die obſoleten Formen مان, ماها wir تان, شماها ihr, اوشان ſie, welches auf das اوشن des Zend zurückweiſet, aufgeführt werden müſſen; da die meiſten bey Dichtern vorkommen; Lumsd. hat Beyſpiele aus Hafiz und Khosru und ſie durften in einer vollſtändigen Grammatik eben ſo wenig übergangen werden als ungewöhnliche Zuſammenziehungen, wie كوت für كه او ترا und ähnliche. Die unrichtige Anſicht von Jones daſs alle Infinitive ſich in يدن und دن endigten und daſs erſt Araber die Endung auf تن in die Sprache gebracht, hat Hr. L. (S. 77) nicht ſowohl berichtigt, ſondern auch (S. 81) eine kurze und lichtvolle Claſſification der unregelmäſsigen Zeitwörter gegeben, die bey allen Vorgängern verwickelt vorgetragen war. Sie laſſen ſich mit L. am bequemſten in 11 Klaſſen bringen, je nachdem der Endung des Infinitivs ein ا ر ز م ن و oder ي vorangeht oder das دن nach خ س ش und ف euphoniſch in تن ſich verwandelt; das einzige Unregelmäſsige beſtehet dann im Imperativ und Präſens und entſteht daher, wenn entweder zwey Verbalſtämme des Sanskrit hier zu Einem Verbo verſchmolzen werden, wie كردن Imp. كن aus kri und khan, بستن Imp. بند aus pas und bandh binden, گرفتن Imp. گير aus grih und gri greifen, oder daſs Conſonanten der Wurzel getilgt ſind und

und dialektiſch in andere übergeben, wie زدن (für زندن) *Imp.* زن aus *han ſchlagen* (vergl. *haſta* Hand. Zend. *zaſta*, *hima* Winter zend. *ziamm*); افروختن *Imp.* افروز aus *apa-ruj leuchten*, پختن *Imp.* پز aus *pach kochen* u. ſ. f. Die Verba auf يدن haben dieſs *i* entweder als Bindevocal, oder ſie ſind häufig Paſſiva nach der Bildungsweiſe des Sanskrit, wie كردن *machen* كرديدن *gemacht werden*, بندن *binden* بنديدن *gebunden werden*. Die Klaſſe von Verben mit Präpoſitionen hätte Hr. *L.* durch Hülfe des Sanskr. noch anſehnlich vermehren können, wir finden deren im Perſ. mit *â* z. B. آييدن *kommen â-yd*, آوردن *bringen â-bhri*, آميختن *miſchen â-miſr*, آراميدن *ruhen â-ram*, آشفتن *beunruhigen â-kſhubh*, افتادن *fallen â-pat*, آلفتن *verliebt ſeyn â-lubh*, آلودن *beflecken â-lîd*, vgl. پالودن *durchtröpfeln upa-lîd*; ferner mit *pra*: فرستادن *ſenden pra-ſthâ*; mit *ni*: نهادن *ſetzen ni-hâ*, daher denn auch zuweilen die Präpoſition wegfallen darf, wie der *Imperat.* شان ſtatt نشان *ſetze dich*, هان für نهان *cave!* (*Wilken Chreſt.* p. 213. Z. 9). Die Regel (S. 79) daſs das *particip. praeteriti* aus dem Infinitiv gebildet werde, wenn man ن in ه wandele, iſt unrichtig, da letzteres das ſanskr. *Wiſarga* iſt, welches mit der Endung *tum* des Infin. nichts zu thun hat; eben ſo wenig dürfen wir gelten laſſen (S. 85) daſs ſich die Negation نه beym *Imperativ* in مه verwandle: die verneinende Partikel *na* und das Prohibitivum *mâ* ſind im Sanskr. ſehr verſchieden. Ueber die Wortbildung iſt manches Gute hinzugetreten oder doch richtiger gefaſst worden, der Zuſatz aber (S. 105) daſs ه an Primitiven Verwandtſchaft anzeige, zu unbeſtimmt; vielmehr kann man es anſehen als ein Streben Feminina zu bilden, wie زبانه *Flamme* von زبان *Zunge*, پيره *eine alte Frau* (*Guliſt.* p. 177). خريد وفروخت *Kaufen und Verkaufen* ſind apocopirte Infinitive, nicht aber die dritte Perſ. [...] (S. 108); Hr. *L.* hätte dieſe Kleinigkeiten mit [...] Gewiſſen berichtigen können, wie unter [...] auch die Endung *ſtan* mit Bindevocal *i* unrichtig [...] استان angegeben wird: das *Elif* findet ſich [...] und daſs der Vocal bloſs zufällig ſey, erhe[...] هندوستان بوستان u. a. Zu der ſchönen [...] aus dem *Enweri Soheili* des *Kaſchefi* iſt hier eine [...] ſtändige Analyſis mit ſteter Rückweiſung a[...] Grammat. hinzugefügt, die verſchiedenen *Le*[...] ſind nach Ausgabe und Handſchriften mitgetheilt [...] mitunter zur Berichtigung des Textes angew[...] wie S. 136. Z. 8, wo mit Recht زآب aufgenommen worden. In der Analyſis ſelbſt iſt uns aufgefallen daſs der Vf. bey دهقان annimmt, es ſey nach der arab. Form فعلان von der Wurzel دهقن *he ſet up the prefect of a village*: dieſs Quadrilit[...]terum aber iſt erſt nach dem perſ. Worte gebildet, und دهقان ſelbſt, eine Verſtümmelung [...] ده خان *Herr des Dorfes*, bey *Ferduſi* ſo [...] perſ. Adel überhaupt; eben ſo unrichtig iſt بستان nach der Form فعلان von der *rad.* بستق angenommen: das Wort iſt rein perſiſch der *Ort der Wohlgerüche*. Die metriſche Ueberſetzung des *Ewer dn Turki* iſt beybehalten, ſtatt des Gedichtes aber in Taalik und Schekeſteh iſt hier weit zweckmäſsiger das Alphabet in Taalik, einzeln und combinirt, auf vier Kupfertafeln ſo ſchön als es nur die beſten Handſchriften gewähren, mitgetheilt worden. Das angehängte Gloſſar hat keine Vermehrung erlitten, wohl aber ſind einige arab. Wörter getilgt; bey mehrern vermiſſen wir indeſs die Nachweiſung daſs ſie arab. ſind, wie bey فصل حالت شراب بيت بل etc. Hin und wieder hat Hr. *L.* die Ueberſetzung der Beyſpiele etwas genauer *als Jones* gegeben, beſonders in der analyſirten Fabel, jedoch bedürften noch einige Stellen einer Berichtigung: ſo heiſst (S. 171) بكامست doch eigentlich *in the deſire is* und سنبل هندو (S. 79) iſt nicht *black hyacinth*, ſondern die *ſpica nardi* mit deren Geringel die Locken eines Mädchens verglichen werden.

(*Der Beſchluſs folgt.*)

ALLGEMEINE LITERATUR-ZEITUNG

December 1828.

ORIENTALISCHE LITERATUR.

1) London: *A Grammar of the Persian language by Sir William Jones.* The *eight* Edition — — by the Rev. *Samuel Lee* etc.

2) Hamburg, b. Meifsner: *Ueber die Verwandtschaft des persischen, germanischen und griechisch-lateinischen* Sprachstammes, von Dr. *Bernh. Dorn* u. f. w.

3) *Ebendaf.*, b. Ebendemf.: *Drey Lustgänge aus Saadi's Rosenhain,* aus dem Perfischen überfetzt von Dr. *Bernh. Dorn* u. f. w.

(Befchlufs der im vorigen Stück abgebrochenen Recenfion.)

Einige Druckfehler find angegeben, indeffen finden fich noch manche, die der fonftigen Genauigkeit Eintrag thun, z. B. S. 12 ift zu lefen بضم, und سكون, S. 13 زوائد ftatt زوائد, S. 16 *kandr* ftatt *kándr*, S. 17 نغم wie das Metrum verlangt, S. 87 مصادر ftatt مصادر, S. 98 سرور, S. 104 سراج, S. 106 ift چه *and* hinzuzufügen, S. 119 zu lefen أيها, S. 124. Z. 8. آمدیم und S. 139. Z. 4. mufs der arabifche Satz lauten: هل جزاء الاحسان الا الاحسان er ift aus *Sur.* 55, 60 und *Jones* hat richtig überfetzt *is there any recompenfe for benefits but benefits?* wornach alfo in der Analyfis جزاء als *Masdar* angegeben werden mufs; الا regiert nicht allein den *Accuf.* fondern auch den *Nom.* und *Genit.* (*Sacy Gr.* II. §. 560 f.) und hier wird nothwendig der *Nominat.* erfordert nach §. 563. — Andere Unregelmäfsigkeiten in der Schreibart kann man wohl nicht für Druckfehler halten, wie بديهه (S. 26) wofür S. 60 das richtige بديهه fteht: dergleichen Fehler fallen den einheimifchen Abfchreibern zur Laft, die پنهانی fchreiben ftatt پنهانی *im Geheimen*, پدید ftatt پدید *öffentlich*, پیوستن *praef.* پیمایم vgl. Sanskr. *vi-mâ meffen*, پیوستن und پیوند vgl. Sanskr. *vi-pas binden vi-bandha Band.* Ja die Dichter fpielen abfichtlich mit falfchgefchriebenen Wörtern um an der Gleichheit der Formen fich zu ergetzen, wie in jenem Verfe:

در آن در كه كه كه كه كه وكه كه كه آمد كه
مشو ايمن اگر هستي ز قهر و لطف او آگه

An jenem Hofe des Königs, wo ein Spreu ftatt des Berges und ein Berg zuweilen für Spreu gilt, fey nicht ficher, wenn du nicht feine Tyranney und gute Laune ftets beobachteft; welches gefchrieben feyn follte:

در آن در گاه كي كو كاه كه كوه وگاه گاه
كوه آمد كاه
آگاهي — — — — — — —

Nr. 2 behandelt einen Gegenftand, der fchon feit dem fechszehnten Jahrhunderte zur Sprache gebracht und befonders in neuern Zeiten lebhaft verfochten worden: die grofse Uebereinftimmung zwifchen der perfifchen und deutfchen Sprache, die fich jedem fogleich aufdringen mufs der an das Perfifche fich wagt. Die Verwunderung aber über diefes Zufammentreffen hat mächtig nachgelaffen, feit Sprachforfcher uns das innige Band nachgewiefen, welches den ganzen Sprachftamm umfchlingt, den wir nach dem Vorgange von *W. v. Humboldt* den Sanskritifchen nennen, einmal, weil der Name an fich *vollkommene Sprache* bezeichnet, dann auch, weil fich für alle Zweige diefes Stammes erft durch das Sanskrit eine fefte Wurzel gewinnen läfst. Gewifs darf es uns mehr wundern, wenn aus diefer Familie noch jetzt das Sanskrit im Munde des Lithauers faft ohne Verftümmelung fortlebt, als wenn die gefammten Schwefterfprachen grammatifche und lexicalifche Formen gemeinfchaftlich aufbewahrt, oder in neuern Mundarten, wie doch das Deutfche und Perfifche find, nach gleicher Regel und Norm abgefchliffen haben: indefs bleibt es immer ein Verdienft auch das Bekanntere zufammenzuftellen um es mehr und mehr zur Ueberzeugung zu bringen; nur mufs Rec. geftehen, dafs er kein Freund ift von trockner Linguiftik und divinatorifcher Etymologie, wenn fie nicht ftreng wiffenfchaftlich geführt wird oder einige Punkte der vergleichenden Grammatik, fo wie der Gefchichte und Alterthümer eines Volkes, die mit folchen Unterfuchungen ftets Hand in Hand gehen

gehen müssen, zugleich in ein helleres Licht setzen kann. Das Erstere setzt eine genaue Kenntniss des Sanskrit voraus, ohne welches die Analysis verwandter Sprachen nur Stückwerk bleiben und nothwendig grosse Irrthümer nach sich ziehen muss; um geschichtliche Ergebnisse zu gewinnen, dürfen auch Sitten und Gebräuche, Sagen und Andeutungen, welche im vorliegenden Falle Perser und Germanen an einander knüpfen, nicht vernachlässiget werden. So hatten nach *Herodot* und *Tacitus* beide Völker keine Tempel; beide entnahmen Weissagungen aus dem Pferdegewieher; beide pflegten ernsthafte Berathschlagungen erst beym Trunke abzumachen; beide hatten fast dieselben Kleidertrachten; beide feyerten ähnliche Feste wie das Juelfest und die Sakia; unsere Volks- und Kinderspiele sind noch jetzt bey den Persern üblich, wie man bey *Hyde* und *Richardson* sich überzeugen kann; noch vor einigen Jahrhunderten bedienten sich die Finnen der persischen Schlinge, كمند, als Waffe; die Skythen führten medische Colonien nach dem Tanais und der Sage nach kam Odin von den Ufern des Dniepers her: so entscheidet nicht allein der Name *Germanier* bey *Herodot*, sondern manche Einzelheiten können das sprachliche Argument einigermassen verstärken und Luden's Gegengründe wankend machen, die der Vf. bereits zu schwächen versucht hat: nur die Achtung vor dem verehrten Historiker kann uns hier abhalten das *unsere* zu urgiren, wenn *Luden* meinte: „Unsere Kenntnisse des Persischen und des Sanskrit seyen von gestern und ehegestern." Hr. *D.*, besonders durch die persischen Schätze der Hamburger Bibliothek auf dieses Studium hingeführt, redet zuerst von Aehnlichkeit und Verwandtschaft der Sprachen im Allgemeinen: dass natürliche Schalllaute und Wörter, welche durch Handel, Politik und Religion in eine Sprache gekommen, noch keine Verwandtschaft begründeten; dass überhaupt nicht die Identität von Wörtern sondern der ganze grammatische Bau berücksichtigt werden müsse; dass eigentlich die Consonanten das Wesentliche, die Vocale mehr zufällig seyen; dass ein fremder Schriftcharakter einigen Einfluss ausübe, und alle diese richtigen Ansichten werden durch Beyspiele, vorzüglich aus der griechischen Dialectenabstufung, genauer erörtert. Es gehört dieser Abschnitt zu den bessern Partien des Buches, wozu noch eine reiche Literatur kommt, welche die einseitige Behandlung des Gegenstandes, in sofern sie aus der Unkunde des Sanskrit entspringt, zum Theil vergütet. Gleiche literärische Nachweisungen, bisweilen ziemlich flüchtig zusammen gelesen und ohne eignes Urtheil nur das Bekannte liefernd, finden sich über die persischen Idiome: *Kleuker* und *v. der Hagen* sind dem Vf. sogar Auctoritäten, und lange konnte er wissen, oder durch Untersuchung erfahren, dass das Zend aus dem Sanskrit verstümmelt sey (S. 40 f.) Wann *Zoroaster* gelebt, ist wohl keinem Streite mehr unterworfen, und wozu alle die Notizen der Alten aus dem Richardson, die Erwähnung der Geg[illegible] und Vertheidiger der Zendavesta ohne kurz [illegible] bündig ihre Echtheit ins Licht zu setzen? [illegible] die germanischen Sprachen und deren Wande[illegible] gen, so wie über die Gothen findet sich auch [illegible] ches, welches vor dem Richterstuhle der Geschi[illegible] eben so wenig bestehen möchte, als *Grimm* oder [illegible] über die sprachlichen Bemerkungen einverstan[illegible] seyn werden. Ueber die Dialekte der griechi[illegible] Sprache findet sich viel Gutes beysammen; aber [illegible] es von der lateinischen heisst (S. 89), „sie könn[illegible] der Vergleichung nur eine untergeordnete [illegible] spielen, da sie selbst aus dem Griechischen herst[illegible] me," so dürften wohl wiederum manche *Ausstellun*gen gemacht werden können, und *wenigstens* d[illegible] Beyspiele mit dem äolischen Digamma durch *Hülfe* des Sanskr. völlig wegfallen. In dem folgenden *Abschnitte* wird die Geschichte der Auffindung und der Nachweisung persischer und germanischer Verwandtschaft, vom *Raphelengius* an, sehr vollständig mitgetheilt und mit Recht von dem Gegnern behauptet, dass sie Alle Nichtkenner des Persischen g[illegible] wesen. Im vierten Abschnitte endlich beginnt d[illegible] durchgeführte Vergleichung der genannten Sprach[illegible] stämme und hier findet sich so viel Gehaltloses und Halbwahres, dass wir ein ganzes Buch [illegible] schreiben könnten, wenn es der Sache [illegible]. Gleich anfangs soll mit Hn. *v. Hammer* der germa[illegible] sche, unbestimmte Artikel nachgewiesen werden [illegible] persischen Wörtern, welche mit *á* beginnen, wogegen aber der Vf. selbst die Einwendung macht, dass ein *a prosthеticum* sich in mehrern Sprachen finde; hier vergleicht er zum Unglück *ατμος* und das pers. دم wo das *a* wesentlich ist, vgl. Sanskr. *átman* Seele. Dagegen ist ihm *abru* ابرو das englische *a brow*, weiterhin aber (S. 161) mit ابر *super* verwandt: beides unrichtig, denn jenes ist das sanskr. *bhrû* und grade das Persische hat wie *οφρυς* eine Vorschlagsylbe; ابر ist aber eine gangbare Präposition aller verwandten Mundarten: Mehrere solcher Wörter sind *áwáz* آواز *a voice*, *ámize* آميزه *a mixtion*, *árúgh* آروغ *ructatio*, woraus dann folgen würde, dass selbst die Verba mit der sanskrit. Präposition *á* diesen Artikel hätten, wie آميختن آروغيدن آوردن ja sogar das lateinische *astrum* (pr. *aster* استر *a star*) mit dem Artikel beschenkt werden könnte. Der bestimmte Artikel, ein *t*, soll sich zeigen in *teng* تنگ *d'enge* (Sanskr. *tan dehnen*, *enge* *seyn* mit Suffix) und andern Wörtern, die zum Theil sogar semitisch sind, wie تهمتن *audax* engl. *the hem*, *seher* *ueber* قمر *Säge* vom aram. חבר *ſchneiden.* Will man aber ganze, deutſche Phraſen, wie *'s iſt Täuſchung* aus *ſitaiſch* ستايش *Lob* (Sanskr. *ſtu loben*) ins Perſiſche einſchwärzen, dann kann man wahrlich aus der Sprache Alles machen. S. 141 heiſst es: „*ich*, *ἐγω* ſcheine mit dem perſ. يك *ein* zuſammen zu hängen," allein erſteres iſt im Sanskr. *ah*, *aham*, letzteres *eka*. S. 145 wird die Endung مان friſchweg mit dem deutſchen *Mann* verglichen; aus آب *âb* wird hier ſehr leicht *Waſſer* (S. 159), ſo wie شكربرهن zu *Zuckerwerk* (S. 176), كي zu *König*, چهز zum franz. *choſe* (*cauſſa*), da es doch das Fragepronomen چهز iſt. Wenn es heiſst (S. 147): die griechiſche Form *ἐστω* kläre ſowohl die germaniſche als lateiniſche auf, und (S. 153): wie das latein. Verbum ſubſtantivum in *ſum* übergegangen, ſey ſchwer zu ſagen — ſo konnten darüber ſchon die Schriften des Paullinus, um nicht einmal *Bopp's* Conjugationsſyſtem zu erwähnen, Belehrung geben. Das تا an Zahlwörtern (تو iſt ganz unerhört) ſoll das deutſche *zu* ſeyn: دوتا *zweyfach*, gleichſam *zweyzu* — Glückzu! es iſt das ſanskr. *dhâ* und weiter nichts. Im lexicaliſchen Theil ſind eben ſolche Verſtöſse: es werden Stämme fingirt die nicht ſtatt finden, wie von *πας* (S. 164): *ποω, πεω, πιω* — warum nicht noch durch die andern Vocale? der Stamm iſt *pat gehen* und *fliegen*, woher dann auch *pattra* kommt, das Inſtrument des Fliegens (wie von *pâ trinken pâtra Schale*, von *vas bekleiden vaſtra Gewand*), folglich hat *Feder* kein euphoniſches *d* eingeſchaltet (S. 27) ſondern das perſ. پر iſt bloſs verdorben. Wiederum werden Verbalſtämme verwechſelt, wie چيدن *colligere* 2) *ſcindere* (S. 170) da doch *chi* und *chind* ganz verſchieden ſind; es werden ſpätere Wörter, oder gar griechiſche, mit aufgenommen, wie اردو *Horde*, انكر *Anker*, پاپوش *Pantoffel*, دفتر *διφθερα*, *φανος*, *κισσος*, وال *Walfiſch*, den wir mit orientaliſchem Namen kennen lernten und der zwar von بال *excelſus*, (Sanskr. *bal groſs ſeyn*) den Namen führt, aber nichts zu thun hat mit *Wall* (Sanskr. *vall umzingeln*). Auch unrichtige Schreibarten erlaubt ſich der Vf. damit der Gleichklang augenfälliger ſey: *buchten backen* für پختن, *buſtan Buſen* für پستان (aus *payaſſthâna Ort der Milch*), *bembek bombyx* für پنبه, *kaw Kuh* für گاو; bald ſind die perſ. Wörter mit ihren eigenthümlichen Lettern geſchrieben, bald nicht, überhaupt häufig verdruckt oder unrichtig ausgeſprochen z. B. *kriſten* ſtatt *griſten* S. 18. 178, gewiſs ein Uebelſtand für den Unkundigen, denen doch wohl das Buch beſtimmt war. Rec. iſt bey dieſem Werkchen ſo ſtrenge geweſen, in der Hoffnung, daſs einmal die Etymologie eine wiſſenſchaftliche Grundlage erhalten und alle Sprachmengerey aufhören möge, denn was ſoll man von folgendem, merkwürdigen Satze eines berühmten Mannes ſagen, den Hr. *D.* (S. 185) *bona fide* anführt: „Das perſiſche *bad* (*böſe?* oder باد *Wind?*) und das deutſche *Beten* ſind ein Wort, verwandt mit *bud* oder *Buda* (ſoll wahrſcheinlich *Buddha* ſeyn, im Sanskr. *ſapiens*), daher im Perſiſchen das Subſtantivum (?) *buden* d. i. ſeyn (Sanskr *bhû φυω*) eigentlich den Begriff des religiöſen Daſeyns einſchlieſst?" — Am Schluſſe verſpricht der Vf. ſobald wie möglich etwas Näheres über die Verwandtſchaft des Sanskrit mitzutheilen: wenn dieſs aber nicht gründlich geſchieht, wodurch dann die Hälfte gegenwärtiger Schrift als falſch anerkannt werden wird, dann kann es füglich unterbleiben.

Die Schrift Nr. 8, von demſelben Vf., enthält den gröſsten Theil des Guliſtan von dem berühmten *Saadi* († 1291), nämlich das V. VI. und VIII Buch vollſtändig, aus dem IIIten die Erzählungen 6 — 9. 11. 16 — 18. 22. 24. 26. 28. aus dem IVten 1 — 3. 5 — 8. 10, 11. 13. aus dem VIIten 3 — 10. 12 — 14. ſo wie ein Bruchſtück der Vorrede. Wir könnten hier zunächſt die Frage aufwerfen: warum Hr. *D.* den Guliſtan nicht ganz überſetzte und für welche Leſer er ſeine Auszüge beſtimmt habe, da ſich ſogar die Anmerkung findet (S. 20): der Koran ſey das mohammedaniſche Geſetzbuch, während ſchwierigere Anſpielungen ohne alle Erklärung übergangen ſind, z. B. S. 36, wo قبلة durch *Zielſcheibe* überſetzt, aber nicht erläutert iſt; S. 38, wo Medjnun und Leila wohl eine Anmerkung verdient hätten, ſo wie denn auch S. 83 ſtatt *Verliebter* durchaus das *nomen propr. Medjnun* ſtehen muſs; S. 68 hätte es erklärt werden müſſen, daſs man das chineſ. Porcelan von ſehr altem Thone backe (vergl. *Ramuſio* I. p. 391. II. p. 49). So ſind denn häufig ſchöne Metaphern in Hn. *D's.* Ueberſetzung ganz verwiſcht, wie S. 26, wo es wörtlich heiſsen ſollte: *du haſt Fatahs und Dhammas im Geſichte;* ebendaſelbſt heiſst es ſtatt: „der koſtbare Glanz ſeiner Schönheit war verſchwunden" den Worten nach: *die glänzenden Marktzelte ſeiner Schönheit waren abgebrochen;* S. 84 verſtand der Vf. die grammat. Anſpielung wohl kaum, wenn er überſetzt: „wie kann der es erheben welcher ſtolz iſt" während Saadi vom

Nomi-

Nominativ (رفع) und *Genitiv* (جر) spricht. S. 46 „und wenn du mich umhüllst mit der Verzweiflung Kleid" steht gar nicht im Texte, den *Olearius* trefflich verstanden hat: „Du wirfst in Ungnaden zwar deinen Aermel (بآستين) gegen mich aus, so ergreife ich deinen Schoofs und hoffe Gnade drin zu finden;" welches er erklärt, dafs man in heftigen Reden oft die langen Aermel von sich schlage. Von diesen Aermeln ist öfter die Rede, wie S. 81: „der Aermel des Verlangens sey lang und die Begierde kurz;" welches der Uebers. ganz unrichtig giebt: „der Saum des Kleides sey lang oder kurz." S. 98 steht für *gediegenes Gold* im Originale *Giaffars* (des Barmekiden) *Gold* u. s. w. Hr. *D.* hat zwar bey seiner Uebersetzung zwey Handschriften der Hamburger Bibliothek benutzt; allein dennoch folgt er fast ganz dem *Gentius*, denn, einmal können wir unmöglich glauben, dafs jene Handschriften grade so sehr mit *Gentius* conspirirt haben, dafs sie, wie er, Verse auslassen oder zusetzen, wo die Ausgaben von *Gladwin*, *Dumoulin* und das Mspt. von *Olearius* (auf der königl. Bibl. zu Berlin) einstimmig sind; es finden sich Verse bey Hn. *D.* (S. 51. 52. 91. 116. 128), die nur *Gentius* hat, und wiederum fehlen bey ihm und G. Distichа, die sich in andern Ausgaben finden: S. 50 — wo der Vers erst den Sinn des Folgenden giebt — 72. 79. 86. 125. Häufig sind auch die arabischen Verse ohne alle Veranlassung weggeblieben, z. B. S. 97 und 100, wo es heifst:

قد شابه بالورى حمار • عجلا جسدا له خوار

„wohl ist jener Esel dem Menschen ähnlich, ein Kalb an Körper mit der Stimme eines Ochsen." Ferner, wo *Gentius* falsch übersetzte, finden wir denselben Fehler bey Hn. *D.*, z. B. S. 29, wo beide das البين in يا غراب البين *o Rabe der Trennung* als Nominativ ansehen, da doch بعد folgt. S. 22, wo beide übersetzen: „erhebe dich und tödte ihn sogleich" während es im Texte heifst: „nimm das Licht, erhebe es unter die Gesellschaft mit einem Spiegel" nämlich, damit jener recht gesehen werde; *Olearius* hat den Sinn gut gefafst: zünde lieber noch ein Licht an. S. 77 haben beide eine Umstellung, die andere Ausgaben nicht kennen; S. 78 beide: „was kümmert er sich wenn am Lichte die Mücke stirbt," wo aber das Original lautet: „wenn die Lampe einer armen Wittwe [illegible] S. 81 beide: „das geschenkte Brot der [illegible] aber نان ده خدا ويره ist *Brot und Wildpret* [illegible] *Herrn vom Dorfe*, دهخدا sonst دهقان; [illegible] beide: „dafs man entweder dem eignen [illegible] vorstehe, oder in das Haus Gottes gehe:" [illegible] خانه خدا ist der *Hauswirth*, mit dem man [illegible] einen *Contract* abschliefsen soll. S. 98 steht [illegible] *Gentius* die Anmerkung: „die Insel *Kisch* [illegible] zwischen Indien und Basra und sey *reich an* [illegible] *steinen*" — schon eine oberflächliche *Kenntniss* [illegible] Asiens mufste hier anstofsen, aber *Gent.* hat [illegible] nicht so, sondern *margaritarum* [illegible]! Wir übergehen geringere Fehler, wie wenn der berühmte Ringer *Chiltasch* hier zum *Chibasch* wird (S. 108); wenn für *das ganze Leben* [illegible] *ein Mal* (S. 85), wodurch der Sinn verloren geht, und bemerken nur noch, dafs sich zwar die Uebersetzung im Ganzen gut lesen läfst, obwohl die Reimfälle der Prosa selten, die der Verse [illegible] nachgeahmt sind: es will uns indessen bedünken, als ob ohne dieses Gewand, Saadi's treuherziger und kindlicher Erzählungston, der so sehr an Produkte des Mittelalters erinnert, sich [illegible] und eben darum der ehrliche Olearius oft vorzuziehen sey, z. B.:

Olearius.	*Dorn.*
Die Alten aber wissen ihre Sachen klüglicher anzugehen als die jungen, unbesonnenen Schnautzhanen, drumb soll man sich zu ihnen gesellen.	Die Greise *dagegen führen* ein verständiges, gebildetes Leben, nicht nach der Weise des jugendlichen Unverstandes.

Für die Kritik des Textes hat der Vf. nichts gethan, obgleich er Aenderungen hinsichtlich des Inhaltes vorgenommen zu haben versichert; die doppelt vorkommenden Verse, z. B. S. 59 *und* 73, 79 und 100, sind stehen geblieben, wenn sie auch an einer Stelle falsch waren. *Die Ausgaben* und Vorarbeiten sind nicht genannt und die kurze Notiz über Saadi's *Leben ist sehr* dürftig. Eine rothe Einfassung des Blattrandes ist typographische Spielerey, worauf wohl höchstens einige *Leserinnen* Werth legen werden.

v. Bohlen.

ALLGEMEINE LITERATUR-ZEITUNG

December 1828.

LITERARISCHE NACHRICHTEN.

Beförderungen, Ehrenbezeigungen und Dienstversetzungen.

Der bisherige ausserordentliche Professor in der theolog. Facultät der Universität zu Halle, Hr. Dr. *Stange*, ist zum ordentlichen Professor in gedachter Facultät, und der bisherige Privatdocent, Hr. Dr. *Weber*, zum ausserordentl. Professor in der philosophischen Facultät eben dieser Universität ernannt.

Die bisherigen Privatdocenten, Hr. Dr. *Plücker* in Bonn, Hr. Dr. *Scholz* in Breslau, und Hr. Dr. *Sieffert*, Licentiat der Theologie zu Königsberg in Preussen, sind zu ausserordentlichen Professoren, die beiden ersten in der philosophischen, der letztere in der theologischen Facultät der genannten Universitäten ernannt worden.

Dem Hn. Bergrath und Professor Dr. *Medicus* und dem Professor und Akademiker Hn. Dr. *Thiersch* in München ist von dem Könige von Baiern der Hofrathstitel beygelegt, und der ausserordentliche Professor der Rechte zu Erlangen, Hr. Dr. *Puchta*, als ordentl. Professor nach München versetzt worden.

Der als praktischer Arzt und Schriftsteller bekannte Hr. Dr. *Albrecht von Schönberg*, k. dänischer wirklicher Justizrath und Ritter, ist von Sr. Majestät dem Könige von Dänemark zum Archiater ernannt worden, und hat in Folge dieses hohen Rufes Neapel, wo er seit vielen Jahren lebte und mehrere wichtige Aemter bekleidete, verlassen. Zuvor wurde ihm noch vom Papste das Ritterkreuz des goldnen Spornordens mit einem sehr gnädigen Handschreiben verliehen. Auch eine grosse Anzahl gelehrter Gesellschaften und Akademieen in Italien, Frankreich und Deutschland hat neuerdings den Hn. Archiater zum Mitgliede ernannt.

Der bisherige Oberlehrer am Gymnasium in Münster, Hr. *Soekeland*, ist zum Director des Gymnasiums in Cösfeld ernannt.

Hr. Regierungsrath *Adam Müller von Nitterdorf* in Wien ist zum Hofrathe im ausserordentlichen Dienste der k. k. Haus-, Hof- und Staats-Kanzley befördert worden.

Hr. Professor *Eisenschmid* in Aschaffenburg ist an das evangelische Progymnasium in Schweinfurth versetzt worden.

Hr. *Lorenz Gabriel* hat die Professur der Philosophie an der Universität zu Insbruck erhalten.

Hr. Geh. Rath Dr. *Schweitzer* in Weimar ist zum wirklichen Geh. Rathe, mit dem Prädicat Excellenz, befördert worden.

Der Weltpriester zu Linz, Hr. *Aug. Rehberger*, hat das Lehramt der Dogmatik am dasigen Lyceum erhalten.

Hr. *Marcellin Horack* ist Professor der Philosophie an der Universität zu Lemberg geworden.

Der Königl. Ministerialrath, Hr. *Eduard v. Schenk*, ist von dem Könige von Baiern zum Staatsrath ernannt und ihm das Portefeuille des Ministeriums des Innern anvertraut worden.

Hr. Dr. *Wetzel*, bisher Rector zu Landsberg an der Warthe, ist, an des emeritirten Rectors *Grimm* Stelle, Director der höhern Stadtschule zu Barmen geworden.

Hr. Professor *Zipser* zu Neusohl in Ungern hat vom Herzoge von Sachsen-Altenburg den Titel eines Raths erhalten.

Der bisherige Privatdocent und erste Collaborator an der Thomasschule in Leipzig, Hr. Dr. *Franz Volkmar Fritzsche*, hat die Professur der alten klassischen Literatur auf der Universität zu Rostock, mit dem Auftrage, daselbst ein philologisches Seminarium zu errichten, erhalten. Er ist bereits an seinen neuen Bestimmungsort abgegangen.

Nachdem Hr. *Schellenberg*, bisheriger Prorector am Pädagogium zu Hadamar, als Director des Schullehrerseminars in Idstein dahin abgegangen, ist der erste Conrector, Hr. *Braun*, zum Prorector, und der zweyte Conrector, Hr. *Creizner*, zum ersten Conrector des genannten Pädagogiums ernannt worden.

An *Hüffel's* Stelle ist Hr. Pfarrer *Otto* in Grenzhausen als erster Pfarrer nach Herborn versetzt und zugleich zum Decan und zweyten Professor des evangelisch-theologischen Seminariums daselbst ernannt worden.

Der als Schriftsteller bekannte Pfarrer, Hr. *Wetz*, ist zum Kirchen- und Schulrath bey der Fürstlich Solms-Braunfels'schen Regierung ernannt.

An die Stelle des verstorbenen Superintendent *Rackenius* ist der zeitige Senior des Ministeriums zu Goslar, Hr. Dr. *G. Henrici*, auch als Schriftsteller rühmlich bekannt, zum Superintendenten dieser Stadt ernannt worden.

Der berühmte Professor der Astronomie an der Universität zu Kopenhagen, Hr. Dr. *C. F. Schumacher*, ist bey seinem akademischen Jubiläum vom Kö-

Könige von Dänemark zum wirklichen Staatsrathe ernannt worden.

Der Schulamtscandidat Hr. *Buttmann* ist als vierter Adjunct an der Königl. Landesschule Pforta angestellt worden.

Das Directorat des medicin. chirurg. Studiums an der Universität zu Olmütz hat der Kreisarzt, Hr. Dr. *Karl Ofner*, erhalten.

Der Hr. Oberpräsident *von Merckel* in Breslau ist zum wirklichen Geh. Rath mit dem Prädicat Excellenz ernannt worden.

Der Gymnasial-Professor zu Cilli in Steyermark, Hr. *Joseph Bergmann*, ist zum Custos des k. k. Münz- und Antikenkabinets ernannt worden.

Hr. Conrector *Krüger* zu Wolfenbüttel ist Director des Gymnasiums zu Braunschweig geworden.

Der Schuldirector, Hr. *Koken* zu Holzminden, hat vom Herzoge von Braunschweig den Charakter eines Professors erhalten.

Hr. Prof. *Macculloch* hat die Professur der Sta[illegible] wirthschaft an der neuen Universität zu London, [illegible] seinem Abgange von Galloway über ein Silbergeschi[illegible] 3000 Guineen an Werth, zum Geschenk erhalten.

Hr. Dr. *Rein*, Director des Gymnasiums zu G[illegible] ist bey der Feyer seines 25jährigen Dienstjubi[illegible] zum Schulrathe ernannt worden.

Die Hnn. *Damiron* (Verfasser philosophischer A[illegible] handlungen), *Artaud* (Uebersetzer des Euripides) u[illegible] *Liez* in Paris sind wieder in ihre Professuren an [illegible] tiger Universität, die sie unter dem Villele'schen M[illegible] sterium verloren hatten, eingesetzt worden.

Der Ingenieur-Obristlieutenant und *Professor* d[illegible] Physik und Mathematik an der Ingenieur-*Akademie* zu Wien, Hr. *Alexander Brasseur*, ist in den Adel[illegible] stand des östreichischen Kaiserstaats mit dem *Prädicat* „*von Kehldorf*" erhoben worden.

Hr. Dr. jur. *Ign. Grassl* hat die Professur des öst[illegible] reichischen bürgerlichen Rechts an der Universität zu Lemberg erhalten.

LITERARISCHE ANZEIGEN.

I. Neue periodische Schriften.

Die Unterzeichneten haben den Druck und Verlag nachbenannter Monatsschrift übernommen, von welcher am 1sten Januar 1829 die *erste* Lieferung in groß Octav-Format und übrigens des Ganzen würdig ausgestattet erscheinen wird.

Monatsschrift von und für Schlesien.

Unter diesem Titel wird vom Neujahr ab in monatlichen, ununterbrochen und pünktlich erscheinenden Lieferungen Endesgenannter eine Zeitschrift herausgeben, folgenden Inhalts:

1) Aufsätze, sowohl für Erweiterung als auch Verbreitung der Kenntniss schlesischer Geschichte bis auf die neuesten Zeiten. — 2) Beyträge zur Culturgeschichte Schlesiens, also Darstellungen der Sitten, Gebräuche und Trachten der Vorzeit und Gegenwart, des Handels und der Gewerbe, des Fabrikwesens, der Zünfte und Innungen, des Garten- und Landbaues u. s. w. — 3) Literarisches: *a*) Uebersichten des Zustandes der Literatur Schlesiens nach einzelnen Zeiträumen in allen Richtungen der Wissenschaft und Kunst; *b*) Beurtheilungen und Anzeigen von neu erschienenen Werken schles. Schriftsteller; *c*) Beyträge zur Gelehrtengeschichte Schlesiens im 16ten und 17ten Jahrhunderte, mit besonderer Rücksicht auf Poesie, so wie in neuerer Zeit. (In diesen Beyträgen wird auch dann das von mir lange schon vorbereitete gelehrte Schlesien im Jahre 1827 u. 1828 erscheinen.) *d*) Lebensbeschreibungen merkwürdiger und einflussreicher Männer; *e*) Mittheilungen aus schles. Bibliotheken, Proben aus minder bekannten Geschichtwerken und Dichtern; *f*) Bibliographische Nachrichten, besonders *vollständig* [illegible] die liter. Erzeugnisse der neuesten Zeit, nach [illegible] Gegenständen und chronologisch geordnet.

Jeder Band wird mit einem vollständigen *Namen-* und einem Sachregister versehen werden.

Dr. *Hoffmann*, Custos der Königl. und Universitäts-Bibliothek zu Breslau.

Den Preis von 48 Bogen, welche einen Jahrgang bilden, und wozu Titel, einige Lithographieen, Register und Umschlag unentgeldlich beygegeben werden, haben wir billigst auf 4 Rthlr. Preuss. Cour. festgesetzt, und steht der Beytritt zu jeder beliebigen Zeit offen. — Ausserhalb Schlesien wird jede Buchhandlung Aufträge anzunehmen die Gefälligkeit haben und besorgen, bey welcher auf Erfordern auch Probe-*Exemplare einzusehen* seyn werden.

Breslau, Ende October 1828.

Grass, Barth und Comp.,
Stadt- und Universitäts-Buchdrucker
und Verlagsbuchhändler.

Vom *Journal für Prediger*, Halle u. s. w., ist das 3te Stück des 2ten Bandes des Jahrgangs 1828 erschienen und dessen Continuation versendet. Dieser Band ist sehr reichhaltig an Abhandlungen und Aufsätzen und enthält 73 Recensionen zum Theil grösserer und wichtiger theologischer Schriften. Im Monat Januar erscheint das 1ste Stück des Jahrg. 1829, und im Jahre 2 Bände oder 6 Stück. Preis jedes Bandes 2 Rthlr.

C. A. Kümmel.

II. Ankündigungen neuer Bücher.

Thenard's Chemie.

ist eben erschien bey Leopold Voss in Leipzig:

Thénard, L. J., Lehrbuch der theoretischen und praktischen Chemie, 5te Ausgabe, übersetzt und vervollständigt von *G. Th. Fechner*. 6ter Band. Mit 5 Kupfertafeln. gr. 8. 2 Rthlr. 8 gr.

Mit diesem Bande ist das mit so ungetheiltem Beyfall aufgenommene Werk (6 Bände oder 9 Abtheil. ; Rthlr.) geschlossen, und der Hr. Herausgeber wird ich von Zeit zu Zeit für zu liefernde Supplemente orge tragen, dass es stets das vollständigste Repertorium der chemischen Kenntnisse vom neuesten Standunkte der Wissenschaft aus bleibe.

Als besonderer Abdruck aus Vorstehendem ist erschienen:

Das Brom, ein neu entdeckter einfacher Stoff, nach seinen sämmtlichen chemischen Verhältnissen betrachtet. gr. 8. Geh. 4 gr.

Eine unserer Literatur noch fehlende Zusammenstellung zum Nutzen derjenigen, welche das Thénardsche Werk nicht besitzen.

In der Bran'schen Buchhandlung in Jena ist erschienen:

Notiz über Alexander, Kaiser von Russland. Aus dem Französischen. (Aus der Minerva besonders abgedruckt.) 8. Preis 4½ gGr.

Diese kleine Schrift enthält eine authentische Darstellung der religiösen Unterhandlungen zwischen dem Kaiser Alexander und der Frau von Krüdener.

Bey B. Fr. Voigt in Ilmenau ist erschienen:

Handwörterbuch der Chemie

nach den neuesten Theorieen und nach ihrer prakt. Anwendung auf Künste, Gewerbe und Fabriken, so wie auf Pharmacie, Medicin u. s. w. Mit Hinsicht auf *Naturwissenschaften und allgemeine Waarenkunde*. Nach *Brismontier, Le Coq* et *Boisduval* bearbeitet und mit den neuesten Entdeckungen, ingleichen mit der latein., französ. u. engl. Nomenclatur vermehrt von Dr. *H. Leng*. 8. 2 Rthlr.

Der Einfluss der Chemie auf fast alle Künste und Gewerbe, auf Fabrication der wichtigsten Handelsgegenstände, auf Naturwissenschaften, Pharmacie und Medicin in allen ihren Zweigen, ist durch die Erweiterung der Theorie und durch die glänzenden Fortschritte der Praxis in den neuesten Zeiten so bedeutend geworden, dass ein Werk, welches in gedrängter Kürze unter beständiger Nachweisung auf ausführlichere theoret. und prakt. Schriften das Wissenswürdigste derselben in alphabet. Ordnung leichtfasslich dargestellt enthält, nicht nur insbesondere die Beachtung eines Jeden verdient, der irgend eine Kunst, ein Gewerbe, überhaupt einen Zweig der Industrie mehr als handwerksmässig und auf die einträglichste Weise betreiben will, sondern auch im Allgemeinen eines jeden Mannes, der auf wissenschaftliche Bildung Anspruch macht. Ein compendiöses, in einen Band zusammengedrängtes und dabey möglichst vollständiges Wörterbuch der Chemie mangelte bis jetzt unserer Literatur, und diesem Mangel hat der durch seine Jahrbücher der Erfindungen rühmlichst bekannte Herausgeber durch obiges gemeinnützige Werk abzuhelfen versucht, wobey ihn vor allem der Wunsch geleitet hat, durch Verbreitung der Kenntnisse einer der interessantesten Wissenschaften, deren prakt. Anwendung die reichsten Quellen des Wohlstands eröffnet, seinen Landsleuten nützlich zu werden.

Anzeige für Schulmänner.

Als zur Einführung in Schulen besonders geeignet, wird mit vollem Recht empfohlen:

Uebungsbuch für Anfänger in der lateinischen Sprache, enthaltend *auserlesene deutsche Beyspiele zum Uebersetzen ins Lateinische*, vornehmlich *zur Einübung der Formenlehre*,

zunächst zum Gebrauche beym Unterricht nach den Sprachlehren von *Bröder, Grotefend, Krebs, Wenk* und *Zumpt*, und für solche Lehrer, welche den *Speccius* gegen ein passenderes Uebungsbuch zu vertauschen wünschen; durchgehends mit Rücksicht auf *Reussen's* Methodologie des lateinischen Elementarunterrichts

bearbeitet

von *Joseph Haupolder*,
Gymnasial-Director in Linz am Rhein.

Mit zwey sehr zweckmässigen Tabellen.
8. 12 gGr. oder 54 Kr.

Die Trefflichkeit dieses von einem praktischen Schulmanne bearbeiteten Buchs hat sich durch den vielseitigen Gebrauch bey äusserst billigem Preis bewährt. — Bey directer Bestellung von Partieen werde ich die Einführung noch mehr durch geeignete Vortheile zu erleichtern bemüht seyn.

Giessen, im November 1828.

B. C. Ferber.

In der Buchhandlung von F. H. Riemann in Berlin ist so eben erschienen und in allen Buchhandlungen zu haben:

Lehrbegriff der höheren Körperlehre. Für Lehrer und Selbstlernende. Herausgegeben vom Professor *Samuel Ferdinand Lubbe*. gr. 8. 1½ Rthlr.

Gründlich und lichtvoll hat der gelehrte Hr. Verfasser die höhere Stereometrie hier vorgetragen, und wie in seinem: „*Lehrbuch des höhern Kalkuls*" den Gegenstand aus *Einem* Gesichtspunkt und in wahrhaft wissenschaftlicher Einheit dargestellt. So wie nun Lehrern

rern und Selbftlernenden an diefem Buche ein durchaus zweckmäfsiger Leitfaden fich darbietet, wird der Mathematiker vom Fach, aufser Anderem, eine *neue Integrationsmethode der parziellen Differenzialgleichungen* der zweyten und höheren Ordnungen und Grade darin finden, welche eben fo fcharffinnig ausgedacht, als dem Wefen der Gleichungen auf eine einfache Weife entnommen ift. Es bedarf wohl nur diefer Anzeige, um die *befondere* Aufmerkfamkeit des mathematifchen Publicums auf diefes *gehaltfchwere* Werk in Anfpruch zu nehmen. Jeder weifs, wie wenig noch diefer Theil der Wiffenfchaft in fyftematifchem Zufammenhange bearbeitet worden, und wie wichtig er in feiner Anwendung auf Mechanik, Aftronomie und höhere Phyfik überhaupt ift.

Bey mir ift erfchienen und in allen Buchhandlungen des In- und Auslandes zu erhalten:

Encyklopädie der Freymaurerey, nebft Nachrichten über die damit in wirklicher oder vorgeblicher Beziehung ftehenden geheimen Verbindungen, in alphabet. Ordnung, von *C. Lenning*. Durchgefehen, und, mit Zufätzen vermehrt, herausgeg. von einem Sachkundigen. *Drey* Bände. *A—Z*. gr. 8. Geh. Auf gutem Druckpapier 9 Rthlr. 12 gr., auf feinem franzöf. Druckpapier 11 Rthlr.

(Der *erfte* Band, *A—G*, 1822, 31 Bogen, koftet 2 Rthlr. 12 gr. und 2 Rthlr. 20 gr.; der *zweyte* Band, *H—M*, 1824, 40 Bogen, 3 Rthlr. und 3 Rthlr. 12 gr.; der *dritte* Band, *N—Z*, 1828, 50 Bogen, 4 Rthlr. und 4 Rthlr. 16 gr.)

Diefes Werk, welches mit dem feit vier Jahren erwarteten *dritten* Bande gefchloffen ift, liefert jedem aufmerkfamen Beobachter der Welterfcheinungen den umfaffendften Stoff zur Beleuchtung des darin behandelten Gegenftandes; dürfte aber insbefondere allen Mitgliedern des freymaurerifchen Vereins unentbehrlich feyn, um daraus über deffen Wefen, Formen und Gefchichte gründliche Belehrung zu fchöpfen.

Leipzig, den 1. September 1828.

F. A. Brockhaus.

Es ift fchon lange ein lebhafter Wunfch vieler, die griechifche Literatur liebender Aerzte gewefen, die gegen das Ende des eilften, und am Anfange des zwölften Jahrhunderts von einem gewiffen Niketas veranftaltete Sammlung chirurgifcher Schriften der Griechen vollftändig gedruckt zu erhalten. Denn es enthält diefe Sammlung, aufser den chirurgifchen Schriften des Hippokrates, Galenus u. a., auch mehrere andre, bis jetzt noch ungedruckte, welche der öffentlichen Bekanntmachung wohl werth find. Ant. Cocchi, welcher diefe Wichtigkeit erkannte, hat einen Theil der von Janus Lafkaris, einem jener gelehrten, aus Conftantinopel flüchtig gewordenen Griechen, [illegible] das Abendland die Wiederherftellung der Wiffenfchaften verdankt, nach Florenz gebrachten Handfchrift [illegible] herausgegeben. Aber noch ein bedeutender Theil derfelben blieb ungedruckt zurück. Durch die Güte des Herrn Bibliothekars, Frz de Furia, ift der Herausgeber der griechifchen Aerzte in den Befitz der [illegible] rückftändigen Hälfte jenes Codex gekommen, welcher unter andern die drey Bücher des Apollonius aus [illegible]tium von den Gelenken enthält. Nach dem [illegible] Theile des Aretäus, welcher zur Oftermeffe 1829 [illegible]fcheinen wird, foll fogleich der Druck der griechifchen Wundärzte, jedoch mit Ausfchlufs der bisher [illegible]gedruckten Abhandlungen des Hippokrates, *Galenus* u. a. beginnen.

Leipzig, im November 1828.

Karl Cnobloch.

Bey F. S. Gerhard in Danzig ift fo eben erfchienen und in allen Buchhandlungen zu haben:

Gefchäfts-Tagebuch für praktifche Heilkünftler. Für 1829.

Ein Tafchenbuch zum täglichen Bedarf für [illegible] Aerzte, *nebft einem Anhang*, enthaltend: [illegible]lungen für Theorie und Praxis, über neue [illegible]deckungen und Erfahrungen im Gebiete der [illegible]kunde und der damit verbundenen Naturwiffenfchaften, herausgegeben von Dr. *Leopold Dittmer*. Geb. 20 gGr.

Als vorläufige Empfehlung für diefen *Jahrgang* mögen die in der Jenaifchen Literaturzeitung abgedruckten Recenfionen der beiden erften Jahrgänge dienen. — Der Anhang enthält die im Jahre 1828 im Gebiete der Heilkunft und Chirurgie bekannt gewordenen wichtigften Entdeckungen und Erfahrungen, und ift rein praktifch.

Augenheilkunde.

Bey Leopold Vofs in Leipzig *erfchien fo eben*:

Scriptores ophthalmologici minores. Vol. II. Edidit *Juftus Radius*. Cum tabb. aeneis II. 8 maj. 1 Rthlr. 8 gr. Charta fcript. 1 Rthlr. 18 gr.

Diefer Band enthält: I. *Tourtual* de mentis circa vifum efficacia. II. *Ph. Fr. a Walther* praecepta et monita de fiftula et polypo facci lacrymalis. III. *Martini* de fili ferici ufu in viarum lacrymalium morbis. IV. *Schmidt* de trichiafi et entropio.

Zugleich wird mit diefem Bande eine Kupfertafel zum Erfatz für den dem *erften* Bande beygefügten mangelhaften Steindruck ausgegeben. — Der *dritte* Band, für welchen der gefchätzte Herr Herausgeber bereits im Befitze gediegener Materialien ift, wird im nächften Jahre erfcheinen.

LLGEMEINE LITERATUR-ZEITUNG

December 1828.

GRIECHISCHE LITERATUR.

LEIPZIG, b. Teubner: *Apollonii Rhodii Argonautica* ad fidem librorum manuscriptorum et editionum antiquarum recensuit, integram lectionis varietatem et adnotationes adjecit, scholia aucta et emendata indicesque locupletissimos addidit *Augustus Wellauer*. 1828. II Vol. 203 u. 318 S. 8. (3 Rthlr.)

Mit einer reichhaltigern Ausstattung als die meisten aus dieser Officin bisher hervorgegangenen Ausgaben griechischer und römischer Schriftsteller tritt die vor uns liegende der Argofahrt von Apollonius an das Licht, und Rec. zweifelt nicht, dass sie schon dadurch sich viele Freunde erwerben werde. Hr. *Wellauer* nämlich unternahm es, diess lang vernachlässigte Gedicht, das, wie es im Anfange der Vorrede heisst, innerhalb dreyer Jahrhunderte nur zwey Herausgeber, *Stephanus* und *Brunck*, hatte, die, von kritischen handschriftlichen Hülfsmitteln unterstützt, einen gereinigten Text geben konnten und wollten, mit Benutzung des früher Geleisteten und Vergleichung von geschriebenen Büchern so zu geben, dass die Sprache des Dichters nach dem Ansehn der bessern Quellen und den seit *Bruncks* Zeiten richtiger erkannten Gesetzen der Grammatik hergestellt würde. Das Verzeichniss der benutzten Handschriften und alter Ausgaben Vorr. S. IV ff. steigert diese Verheissungen, wenn wir auch unter den ersten keine noch gar nicht eingesehene bemerken. Das Verdienst Hn. *W's.* beschränkt sich demnach in dieser Beziehung darauf, dass er einmal aus ihm mitgetheilten Sammlungen der Göttinger Universitätsbibliothek, die vordem *Heyne* zusammenbrachte, und über die man die beste Auskunft bey *Schäfer* Vorrede zum zweyten Theile des von ihm geleiteten Abdrucks unsers Gedichts S. IV ff. findet, die Abweichungen der Mediceischen, Wiener und Pariser Handschrift *A* genauer gab, als diess sein nächster Vorgänger gethan hatte, sodann, dass er nochmals selbst nach *Beck* die Breslauer auf der *Rhediger*'schen Bibliothek befindliche genau verglich, endlich auf die Benutzung der ältern Ausgaben, die kritischen Werth haben, namentlich der ältesten Florenzer vom J. 1496. Das Ergebniss, welches Hr. *W.* nach Vorr. S. VI f. durch diese Bemühungen gefunden haben will, nämlich die Annahme von drey verschiedenen, dem Werthe nach einander untergeordneten Quellen für die Textesberichtigung unsers Dichters, wird, wie sich von selbst ergiebt, hauptsächlich davon abhängig seyn, ob auch diese Vergleichung mit der gehörigen Genauigkeit, so dass man sich überall auf sie verlassen könne, angestellt ward und angestellt werden konnte. Es ist diese doppelte Frage um so natürlicher, da Hr. *W.* mit seiner Ansicht der bisher gewöhnlichen, nach der man geneigt war, nur eine doppelte Familie von Handschriften unseres Gedichts anzunehmen, widerspricht, und deshalb *Beck* Vorr. S. 7. bestreitet, mit dem auch *Gerhard Lection. Apollon. C. II.* S. 28 ff. übereinstimmte. Ohne uns für das Eine oder Andere hier geradezu erklären zu wollen, was aus mehrern Gründen nicht wohl thunlich seyn möchte, glauben wir doch, dass in mancher Beziehung die Handschriften, was besonders von dem nur durch *Brunck* eingesehenen Pariser gilt, zu ungenau verglichen wurden, als dass man aus den uns bekannten Abweichungen schon zu solchen Folgerungen berechtigt sey. Grössere Genauigkeit finden wir allerdings in Anmerkung der Lesarten anderer Bücher, wie des Wolfenbüttler, Wiener und Breslauer, und Hn. *W's.* Verdienste, in Hinsicht des letzten, lassen fast nichts zu wünschen übrig. Aber wenn der Herausg. den Göttinger Apparat benutzte, so konnte es ihm doch nicht entgehn, dass schon eine frühere Vergleichung der letztern Handschrift vorhanden war, s. *Schäfer* a. a. O. S. XI. nr. 12. Hr. *W.*, der sie selbst einsah, bezieht sich bey ihrer Erwähnung S. V. der Vorrede bloss auf *Becks* Anführung in der Vorr. zu *Apoll. Arg.* S. VI f. und *Buhle's* Vorrede zum *Aratus* S. XI. *Schäfer* hat bereits die Aufschrift von *Arletius* mitgetheilt, woraus erhellt, dass dieser Gelehrte den Breslauer Codex und die Florenzer Ausgabe, so wie die von *Stephanus* mit der Baseler von 1572. 8. verglich. Zum Schluss hat *Arletius* über den Werth dieser Varianten mit folgenden latein. Distichen geurtheilt:

Quod potui feci: meliora ac plura lubenter
Hic excepturus, si licuisset, eram.
Quandoquidem codex, quo scilicet usus, uterque
Nec bona multa refert, nec bene multa tenet.
Quando maligna seges, quando stat parca per agros,
Inde maligna etiam parcaque messis erit.

Haec ob fugam vacui αὐτοσχεδιάζων adscripsi
J. C. A.

Sonach hätte die Breslauer Handschrift nicht die Vorzüglichkeit, die ihr *Beck* und Hr. *W.* beylegen, jedoch gehört sie unbestritten zu den bessern Büchern. Warum aber unser Herausg. dieses Verdienst eines Landsmannes mit gänzlichem Stillschweigen überging, ist Rec. dunkel. In Verlegenheit befindet er sich auch mit den von Hn. *W.* aus der Mediceischen und

und Pariser Handschrift *A* bekannt gemachten Lesarten. Denn wenn der Herausg. Vorrede S. VI. in Beziehung darauf schreibt: *In horum quoque lectionibus commemorandis non satis accuratum fuisse Brunckium ex eo iudicari potest, quod collatio Regii A. a Ruhnkenio confecta, quae Gottingae servatur, permulta a Brunckio omissa exhibet, quae in editione mea accesserunt*, so wird dadurch dieses Bedenken nicht gelöst. Es giebt nämlich nach *Schäfers* Anführung dafür in Göttingen eine doppelte Quelle, siehe dessen Vorr. S. V. und VIII., wovon die zweyte eine Abschrift der ersten zu seyn scheint. Trügt unsere Muthmaſsung nicht, so floss Hn. *W.* die zweyte, die in den zusammengestellten Abweichungen der Ausgaben von *Aldus*, der Pariser von 1541. 8., der Brubachschen Frankfurt 1548. 8. und endlich in denen der Mediceischen und Pariser Handschrift *A* verglichen mit der Ausgabe von *Heinr. Stephanus* besteht. Von dieser besitzt Rec. selbst eine eigenhändige Abschrift der Varianten zum ersten Buche, und somit ist er im Stande, über die Genauigkeit Hn. *W's.* in Aufzählung derselben ein Urtheil zu fällen; womit er zugleich die nicht oder falsch bemerkten Lesarten anderer ihm zugänglicher Hülfsmittel verbindet. Diese bestehn in einer vollständigen Abschrift der Varianten des Wiener Codex, entlehnt aus der in Göttingen aufbewahrten des verewigten *J. G. Schneider*, einer von ihm selbst angestellten Vergleichung der seltenen Florenzer und der Varianten einiger ältern Ausgaben, endlich aus den von *Schäfer* S. X. nr. IX. a. a. O. erwähnten handschriftlichen Bemerkungen von *Franz Portus*, einem auf der Rathsbibliothek in Leipzig befindlichen Exemplare der Ausgabe von *Stephanus* beygeschrieben. Ob diese Bemerkungen Hn. *W.* von Göttingen aus, woher er durch Vermittelung gelehrter Freunde viele Beyträge bekam, mitgetheilt wurden, läſst sich nicht sagen. Wenn aber auch *Schäfer* vermuthet, daſs diese Excerpte, die durch *Reiske* in *Heyne's* Hände gelangten, ungenau gemacht seyen, so enthalten sie doch, wie wenig es immer ist, einiges Schätzbare. Rec. will nun eine Musterung der beiden ersten Theile von Buch 1 unserer Argofarth anstellen, um das, was Hr. *W.* entweder überging, oder falsch anführte, hier nachzutragen; wobey der Kürze halber, wo dieſs genügt, die Irrthümer der vor uns liegenden Ausgabe nur durch Anführungen der Abweichungen von ihr bezeichnet werden sollen. In 1, 10 hat *ἔνερθεν*, wie Hr. *W.* liest, die Medic. Handschrift. Der Herausg. wollte dieſs zwar nach seiner Bemerkung Vorr. S. IX. nicht angeben, doch war es hier fast unerläſslich. Zu den Büchern, die das *ν* am Schlusse meist ansetzen, konnte die Florenzer Ausgabe, die es gewöhnlich hat, füglich noch erwähnt werden. v. 30. *ἀκίτριμοι* lesen Par. *A* und *E*, der unerwähnt blieb. — v. 33. *πεποιθώς*, nicht *πεποιθὼς* was Hr. *W.* giebt, Par. *A.* — v. 37 *Πειρεσιάς*, Exc. Port. wird *Πειρέας* vorgeschlagen. — v. 47 *Φυλακηΐδαο* R. A. wie die Breslauer, nicht *Φυλακηΐδαν*, was Hr. *W.* sagt. — v. 42 *ἐπὶ θωρήσσ.* Med. — v. 48 *ἐνικρινθῆναι* R. A., nicht *ἐγκρινθ.*, so daſs *Brunck* das Wahre hat, vergl. zu 1, 227. — *τοῖσι δ' ἔπι* schon *Stephanus* wie *Brunck*. — *ἦμεν* R. A. nicht *ἦσαν*. — v. 101 *ὡς πέρι* schon Steph. v. 120 *τὴν δ' ἀμφὶ* Reg. A. — v. 121 *Ἀβολῆσι* [illegible] muthmaſst in Exc. Port. — v. 128 *περώσεσσι* [illegible] Medic. — v. 136 *ὅς πέρι Stephan.* — v. 141 *κλειηδ' ἀγάσαιτο* Vermuthung in den Excerpt. Port. — v. 166 *κομίζοι* auch der Wiener am Rande. — [illegible] *ἀρείνων* Med. — v. 212 nicht *Ἐρεχθεία* R. A., sondern das Gewöhnliche nur mit falschem Spiritus. — v. 214 *ἀνερείψατο* auch der Wiener, nicht *ἀνηρ.* — v. 229 *περιναιετάοντες* gleichfalls im Wiener. — v. 275 *ἐκφλῦξαι* Flor. Brub. Basel. und *wohl die* ältern Ausgaben insgesammt. — v. 278 *εἰς ὄφελον* durch Versehn bey *Steph.* und in den folgenden, *nicht* [illegible] *ὄφ.*, was Hr. *W.* ohne nachzusehn *Beck* entnahm. — v. 281 ist *ταρχύσαις* im Med. nur spätere Correctur. — v. 289 *Ἐλλήθυια* im Med., doch mit Aenderung in *Εἰλειθ.* — v. 330 wird in Exc. P. *ἐπαμοιβαδὶς* [illegible] *ἐναμοιβαδὶς* empfohlen, vergl. 4, 1030, wiewohl auch hier verschiedene Lesart ist. Jedoch scheint [illegible] durch das Homerische *νίκη δ' ἐπαμείβεται ἄνδρας* [illegible] Od. 6, 481 etwas mehr Halt zu haben. — v. [illegible] *κάρτεϊ* Med. — v. 399 *τοῖς μέσσην* [illegible] Brub. *τοῖς μεσσηνείοισιν* Med., wie Vat. D. — v. [illegible] *ἄγοντας* R. A. — v. 427 *ἀμφιμέτωπα* Brub. [illegible] Wort. — v. 459 *ἐψιόωνται* Brub. Bas. *Steph.* [illegible] so wohl alle bis auf *Brunck*, doch steht dieſs Wort in andern Stellen adspirirt. — v. 475 [illegible] was R. A. bietet, wird durch den Beysatz [illegible] ihnen erläutert. — v. 485 *ὣς φάτο Aldus* und [illegible] ihm *Steph.* — v. 512 *σχέδεν* Med. — v. 554 *Φιλυρίδης* auch R. A. — v. 592 *παρέξεθεν* Med. — v. 596 *βαλλεῖν* Wiener, woraus erhellt, daſs es nur Schreibirrung ist. — v. 638 *ἐχέοντο* Wien. am Rande. — v. 672 *λευκοῖσιν* R. A. — v. 742 *Κυθέρεια* R. A. — v. 747 *βουσὶν* Med. Wien., Hr. *W.* *βουσὶ* durch Versehn. — v. 760 *ἔην* auch Med. — v. 761 *στεῖβεν* Med., nach einer häufigen Verwechslung. — v. 787 *ἐρηρεμένας* R. A. gleichfalls, nicht *ἀνηρ.*, wie der Herausg. meint. — v. 811 *κάρτει* Med. — v. 818 *ἀλλ' οἶαι* Med. und *Ald.* — v. 831 *Αἰγαίης* R. *A* und *E*, nicht *Αἰγαίας*, wie sie nach Hn. *W.* schreiben. — 837 *ἦν ἄμ.* Brub. Bas. Darauf bezieht sich die von *Js. Voſs* angemerkte Abweichung des *Aldus*, s. *Schäfer* Vorr. zu Scholien S. IX. Diese an sich nicht viel bedeutenden Varianten sind es, die Hr. *W.* entweder ganz überging, oder falsch lieferte, und sie lieſsen sich aus den ältern Ausgaben mit Ausschluſs der Florenzer noch bedeutend vermehren; bescheidet sich nun Rec. auch gern, daſs sie für die Verbesserung des Textes nicht von Belang sind; so wird doch daraus hervorgehn, wie Manches an der von Hn. *W.* beabsichtigten Treue und Vollständigkeit in dieser Hinsicht fehle.

Ehe Rec. von diesen kritischen Nachträgen scheidet, sey es ihm noch vergönnt, aus den erwähnten Excerpten von *Portus* die herauszuheben, welche

für

für unser Gedicht einige Beachtung verdienen. In 2, 119 ist die von *Sanctamandus* vorgeschlagene und durch Hn. *W.* aufgenommene Besserung, der andere Gelehrte Beyfall gaben: *αἶψα μάλ' ἀντεταγὼν πέλεκυν μέγαν* schon dort beygebracht, erhält also eine Beglaubigung mehr. Eine äussere Bestätigung giebt dafür ein Epigramm auf *Lycurgus*, den Feind des Bacchus, in Anthol. Pal. S. 663. nr. 127, dessen letzte Zeilen heissen:

Βακχιακὸν παρὰ πρέμνον ἴδ'· ὡς ἀγέρωχα μεμηνὼς
Βριθὺν ὑπὲρ κεφαλᾶς ἀντέτακεν πέλεκυν.

In 2, 606, den wir mit den beiden vorhergehenden Zeilen hersetzen:

πέτραι δ' εἰς ἕνα χῶρον ἐπισχεδὸν ἀλλήλῃσιν
νωλεμὲς ἐῤῥίζωθεν, ὃ δὴ καὶ ἐτήτυμον ἦεν
ἐκ μακάρων, εὖτ' ἄν τις ἰδὼν διὰ νηΐ περήσῃ. —

hat Hr. *W.* *περήσῃ* nach *Hermanns* Erinnerung statt *περάσῃ* oder *Bruncks* *περάσσῃ* richtig aufgenommen; denn diess erhält durch 2, 344. 3, 1072. 4, 288. 457 unverwerfliche Stützen. Aber *ἰδὼν*, für welches der Vat. B. *ἰὼν* hat, was *Wakefield* muthmasste und auch die Exc. Port. als Conjectur geben, verwirft er mit Folgendem: *ἰὼν* Vat. B., *quod conjecerat Wakefield*, *male; ἰδὼν est vivens ut saepe.* Hierdurch ist nur *Beck's* Erklärung wiederholt, bey der wir folgende Uebertragung mit der Glosse *vivus* gewahren: *si quis eas conspectas* (*vivus*) *navi traiecerit.* Es ist jedoch augenscheinlich, dass auf diese Weise das Gewöhnliche Anstoss erregen muss. Denn auch der, welcher durch das Zusammenschlagen der Felsen erdrückt ward, sah dieselben, segelte aber nicht hindurch, sondern kam in seinem Beginnen um; dennoch setzte die gewöhnliche Deutung so etwas voraus, und Apollonius hätte dann thöricht gesagt, wenn jemand lebendig mit dem Schiffe durch die Felsen gefahren sey, gleich als wenn der Erdrückte diess auch noch könnte. Niemand wird dem Dichter solche Ungereimtheit aufbürden. Hierzu kommt, dass wenn *βλέπειν*, *ὁρᾶν*, *δέρκεσθαι* und ähnliche Begriffe des *Sehens* so viel als *Leben* bezeichnen sollen, nothwendig etwas vorhanden seyn muss, woraus sich diess entnehmen lässt; hier auch nicht die geringste Andeutung davon zu gewahren ist. Eher könnte man *Toups* Deutung von *Theokrit.* Id. 21, 52 *ἤνυσ' ἐγὼ τὸν ἄεθλον* — *ut piscem vidi, certamen illico confeci* — auf unsere Stelle übertragen. Allein, wenn sich auch jene Erklärung in dem angezogenen Verse rechtfertigen liesse, so wollte doch schwerlich Apollonius sagen, dass die göttliche Bestimmung von der Schnelligkeit der Durchfahrt durch die Symplegadischen Felsen abhängig zu denken sey. Aber Rec. glaubt, dass hier die einfache Erklärung der frühern Herausgeber vollständig ausreiche: *si quis visas transmisisset navigio*, wie *Hölzlin* übersetzt. Somit geben wir zwar Hn. *W.* Recht, können aber die Gültigkeit seiner Erklärung nicht anerkennen. — Das. 1023 *οὐδ' εὐνῆς αἰδὼς ἐπιδήμιος* wird in den Excerpten von *Portus* gemuthmasst *ἐπιδημίου*, welche Aenderung viel Empfehlendes hat. Denn gerade darin liegt die Unverschämtheit der Mossynöken, dass sie das, was andere Leute dem Auge der Zuschauer entziehn, schamlos auf offener Strasse thun; man sehe v. 1018 ff

ἀλλοίη δὲ δίκη καὶ θέσμια τοῖσι τέτυκται.
ὅσσα μὲν ἀμφαδίην ῥέζειν θέμις, ἢ ἐνὶ δήμῳ,
ἢ ἀγορῇ, τάδε πάντα δόμοις ἔνι μηχανόωνται·
ὅσσα δ' ἐνὶ μεγάροις πεπονήμεθα, κεῖνα θύραζε
ἀψεγέως μέσσῃσιν ἐνὶ ῥέζουσιν ἀγυιαῖς.
οὐδ' εὐνῆς αἰδὼς ἐπιδημίου, ἀλλὰ σύες ὣς
φορβάδες, οὐδ' ἠβαιὸν ἀτυζόμενοι παρεόντας,
μίσγονται χαμάδις ξυνῇ φιλότητι γυναικῶν.

Womit das, was *Xenophon* Anab. V, 4, 33 f. von den Mossynöken erzählt, vollkommen übereintrifft. Die latein. Uebersetzung jener Worte wäre dann: *neque concubitus publici ullus est pudor*, was durch das Folgende deutlicher bestimmt würde. Die Uebertragung der gewöhnlichen Lesart *nec concubitus pudor est publicus* oder auch die Erläuterung von *Stephanus* Thes. Ling. Gr. Vol. II. S. 3288. Engl. Ausg. gleichen die Schwierigkeit weit weniger aus als diese so leichte Veränderung. Denn ein Schamgefühl, wie diese Erklärung es will, ist gegen alle Natur und äusserte sich es irgendwo, so müsste die natürliche Folge davon die seyn, welche die Priesterin Polyxo den Lemnierinnen bey unserm Dichter 1, 823 ff. entwickelt. Endlich spricht auch für diese Veränderung der gewöhnliche Gebrauch von *ἐπιδήμιος*, wie in 1, 827. — 4, 552 *ἀλλά, θεαί, πῶς τῆσδε* wollen die Excerpte von *Portus* den Singular. *ἀλλά, θεά, π.*, was gewissermassen der Florenzer Scholiast begünstigt, wenn er sagt: *πυνθάνεται τῆς Μούσης, πῶς τὴν πλοῦν ἐποίησαν οἱ Ἀργοναῦται μετὰ τὸν Ἀψύρτου θάνατον.* Auch ruft anderwärts der Dichter gern nur eine Muse an, wie 4, 1 und im Anfange des dritten Buchs *Erato*, wo man die Scholien nachsehe. Jedoch wird sich die Vielzahl, in der hier alle Zeugnisse übereinkommen, durch 4, 984 und andere Dichterstellen unangetastet behaupten. Die andern Abweichungen dieser Anmerkungen enthalten theils nur die von *Stephanus* in den kurzen Zusätzen zu seiner Ausgabe gegebenen Berichtigungen, theils einige später durch *Brunck* eingeführte Aenderungen, endlich noch eigene Vorschläge, die wieder zu berücksichtigen seyn möchten. Von der ersten Art ist in 2, 694 *καὶ τοὶ μὲν ἄφ.*, was Hr. *W.* nicht als *Stephanus* gehörig erwähnt. Der Vollständigkeit halber will Rec. hier noch die Bemerkungen der letzten beiden Arten mittheilen. In 1, 686 wird *παλιμπνοεῖσαν* vorgeschlagen, 2, 102 *ἐρυσσάμενοι*, 3, 370 *σφι*, v. 608 *ὑπὲκ κακ.* — v. 867 *τὸ ῥ' ἤτ. ἔξαν.* — 4, 80 *θυμοῦ ἀπ' ἰκρ.*, v. 126 *φλογερῇσιν*, v. 370 *πρόφρων* nach *Hartung*, v. 464 *πυκινοῦ ἐξάλτο λέχ.* — v. 1307 *ἐπ' ἀέθλῳ*, — 1324 *μηδ' ἔτι τεῖον*, welche Lesart *Brunck* aus den Pariser Büchern *C* und *E* aufnahm, worin *Beck* folgte. Hr. *W.* sagt dagegen: *neque ego spernerem, si in melioribus libris reperiretur*, was uns sonderbar dünkt, zumal diese Verwechslung so häufig und leicht ist, dass man sie füglich auch hier annehmen kann. — v. 1373 *ἦ γάρ*, was gleich-

gleichfalls die genannten Herausgeber haben drucken lassen; aber hier schützt Hr. *W.* ἤ γὰρ mit triftigern Gründen. — v. 1489 οὐ μὲν ἀφ. — v. 1738 κούρῃ für κούρην, was auch *Brunck* mit umgesetzter Unterscheidung las, Hr. *W.* vertheidigt den Accusativ auf eine Weise, die ihm selbst ungenügend erscheint. Uebrigens folgt unsere Ausgabe in allen nicht ausdrücklich bemerkten Stellen den angezeigten Abweichungen. An andern Orten sind eigene hier unbemerkte Vorschläge gethan, auf die hin und wieder auch andere gekommen sind. In 2,758 wird ὁρμισθέντες wie von *Segaur* angerathen. — v. 843 μήνιος ἐκ κότ. für νήϊον ἐκ κοτ., was unverständlich ist. — 3, 307 σευομένους. — v. 309 μειλιχίοις πρ. — v. 321 ἐπὶ δούρ. — v. 1262 ἐπιγαίετο, was nach 3,470 und den Erklärungen der Scholien zu beiden Stellen unrichtig ist. — 4,746 ἀνήρωο für das sonstige ἀνείρεο, jetzt ἀείρεο nach Handschriften. — v. 949 παρθενικὸν δίχα κόλπον für παρθενικαί, δίχα κ. nach Aufhebung des Kommas. — v. 1455 ἀπλήκτοι. — v. 1478 Ἡρακλῆα Μοῦνος ἀπειρεσίης τηλοῦ χθονὸς εἴσατο Λυγκεὺς für μοῦνον, was zu Ἡρακλ. gezogen wird. Diese Lesart könnte gefallen, wie denn auch *Beck Heroulem solus immensa procul terra videbatur Lynceus conspicere* überträgt. Unumgänglich nöthig ist sie aber nicht, denn μοῦνον kann Adverbium und zu εἴσατο zu beziehn seyn: nur Lynkeus glaubte Herakles in unendlicher Ferne zu schauen. — v. 1555 πάρ' ἐμοὶ für πάρεστί μοι und diess wäre dem Sinne nicht unangemessen, so heisst es 4,1262 πάρα δ' ἄμμι τὰ κύντατα πημανθῆναι Ἔστ' ἄτης. Doch kann auch die gewöhnliche Lesart nicht anders gefasst werden. — v. 1635 ὑπέδεκτό γ' ἀπόπροθι. Wir haben, um dadurch Hn. *W's.* Apparat zu ergänzen, was sich in jenen Excerpten vorfindet, vollständig gegeben.

Ausserdem hätten aus *Heyne's* Sammlungen, die von *Schäfer* a. a. O. S. X. erwähnten Nachweisungen der Handschriften von der Argofahrt unsers Dichters bey einer neuen und zwar kritischen Ausgabe vorzüglich einer Beachtung verdient. Denn gelang es auch nicht, die eine oder andere noch unverglichene zu Rathe zu ziehn, so war wenigstens andern Freunden der griechischen Literatur ein Weg angegeben, wo sie noch etwas Neues aufzufinden hoffen konnten. So enthält z. B. jenes Verzeichniss, wie *Schäfer* erwähnt, zum Schluss eine von *Winkelmann* an *Heyne* gegebene briefliche Nachricht über die Vatikanischen Handschriften von Apollonius. Nach ihr scheint sich Manches anders zu gestalten, als *Flangini* und nach ihm *Beck*, den Rec. allein vergleichen konnte, Vorr. S. VIII, sagen. Diess zu erhärten, stehe hier die Winkelmannsche Notiz, wie sie in *Heyne's* Papieren zu lesen ist, wobey Rec. nur bemerkt, dass sie den 22. December 1764 von Rom aus gegeben ward, und wörtlich so lautet:

In der alten Vaticana sind 2 Codd. { Nr. 1691. — 1358.

In der Heidelberger 3 { Nr. 140. — 186. — 280.

In der Urbinatischen 1 . . . . . . Nr. 146.

1691 kl. Fol. auf Pergament mit den Scholien, sauber geschrieben, scheint aber aus dem 15. Se[…] 1358 auf Papier in 4 ohne Scholien, war e[…] des *Fulvius Ursinus*, ist noch neuer als jener. 1[…] 4 auf Papier mit Scholien, enthält nur 3 Bücher, […] nicht älter als die vorhergehenden. 186 kl. F[…] Papier ohne Scholien, von gleichem Alter (*i[…] near*, aber unerheblich). 280 Pergament in 4 […] Scholien, ist der älteste unter allen, aber […] doch nur aus dem 14. Secul. 146 auf *Papi[…]* Scholien, scheint aus demselben Alter.

Es scheint fast klar, dass diese Handschr[…] so wie andere von *Heyne* namhaft gemachte eine ge[…]nauere Untersuchung auch jetzt noch *nicht ganz* […] belohnt lassen würden.

Wie nun Hr. *W.* seine Hülfsmittel benutzen zu müssen glaubte, davon legt er selbst in der Vorrede S. VIII f. Rechenschaft ab. Nach dieser war es […] Zweck: überall die Worte des Dichters den Handschriften gemäss herzustellen, mit Verdrängung dessen, was die Herausgeber oft sehr unüberlegt eingeführt hatten; zumal diese Argofahrt so wohl auf u[…] gekommen sey, dass man selten zu Muthmassungen seine Zuflucht nehmen müsse. Daher habe er […] in 9 bis 10 Stellen eigenen Conjecturen Platz gegönnt, deren einige so offenbar richtig seyn, dass sie jeder leicht dafür erkennen werde; etwa […]ger seyen fremde Verbesserungen aufgenommen, Anführungen unsers Dichters bey andern Alten und Abweichungen in den Scholien berücksichtigt. In einigen orthographischen Dingen ist Hr. *W.* von *Brunck* ganz abgewichen, z. B. in Hinzusetzung des ν am Ende der Wörter, was der Strasburger Gelehrte nach seiner Theorie fast überall strich. Um ein Urtheil über des Herausgebers Leistungen in allen diesen Fällen vorzubereiten, will Rec. an einzelnen Beyspielen zu zeigen versuchen, *in wie weit* er mit den hier entwickelten Grundsätzen der Kritik epischer Dichter überhaupt und des Apollonius insbesondere einverstanden sey, und was ihm in denselben mangelhaft dünke.

Wirft man einen vergleichenden *Blick auf* den Text der Argonautika, wie ihn *uns Brunck* gab, und den dieser Ausgabe, so *wird man* eine grosse Zahl verschiedener Lesarten *in beiden* entdecken, und wollte man daraus allein *auf* die Vorzüglichkeit der gegenwärtigen schliessen, so müsste diese uns bedeutend und überwiegend scheinen. Bedenken wir aber dabey, dass *Brunck* in Feststellung der Lesarten nicht selten bloss nach dem Ausspruche der […]riser Handschriften sich richtete, und eben so […] eigenen Einfällen folgte, weil er so Manches nach seinen sprachlichen Grundsätzen für ungriechisch hielt, Hr. *Wellauer* dagegen in den meisten Fällen, wo sein Vorgänger durch diese Rücksichten geleitet ward, von ihm abweichen zu müssen glaubte, so wird die grosse Zahl der Umgestaltungen schon dadurch erklärt.

(*Die Fortsetzung folgt.*)

ALLGEMEINE LITERATUR-ZEITUNG

December 1828.

GRIECHISCHE LITERATUR.

Leipzig, b. Teubner: *Apollonii Rhodii Argonautica* ad fidem librorum manufcriptorum et editionum antiquarum recenfuit *Auguftus Wellauer* etc.

(Fortfetzung der im vorigen Stück abgebrochenen Recenfion.)

So find nach den erwähnten Gefichtspunkten im Anfange des dritten Buches durch *Brunck* Veränderungen in v. 21. 58. 61. 74. 75. 97. 101. 109. 110. 112. 119. 123. 147. 190 ff. 225 gekommen, die von Hn. *W.* fämmtlich verworfen und mit der früheren Lesart vertaufcht wurden. Denn unfer Herausg. hegt von dem Werthe der Parifer Bücher gerade die entgegengefetzte Meynung, und wenn *Brunck* ihre Lesarten trefflich und ausgezeichnet fand, fo fchienen fie jenem fchlecht und von Grammatikern verfälfcht. Diefs wird nicht nur in der Vorr. S. VII ausdrücklich behauptet, fondern auch in den Anmerkungen oft wiederholt, z. B. zu 3, 21. 36. 109. 119. 190. 256. Daher hat er, was wir an fich nicht mifsbilligen, die Lesarten derfelben meift wieder ausgemerzt, und das fonft Uebliche zurückgerufen. Deffen ungeachtet ift das fo häufig und ftark ausgefprochene Verdammungsurtheil über diefe Handfchriften in der Anwendung nicht in dem Grade durchgeführt, den man erwarten follte. Denn fonft würden nicht an vielen Stellen die Lesarten diefer Bücher, die fie entweder allein bieten, oder nur wenige mit ihnen, unbedingt vorgezogen worden feyn. Um auch diefs mit in der Nähe liegenden Beyfpielen zu beweifen, werden 3, 120. 164. 166. 190 *ὁ δέ.* 198. 208. 218 diefs bezeugen können; ja nicht felten haben das Aufgenommene nur einzelne Bücher, wie in 3, 659 *ἀκέουσα θαάσσου* D. und E. 4, 371 *ἐποιχόμενος βασιλῆας* 4 Parifer; 1, 61 *ἤλασ' ἀριστεύων* mit denfelben und Vat. B. gefchrieben. Somit will es doch fcheinen, als wären diefe Handfchriften nicht blofs mit Gloffen angefüllt, wie zu 4, 1051 gefagt wird. Aber eine genauere Unterfuchung über das Verhältnifs derfelben zu den andern haben wir vermifst, und doch wäre diefs fehr wünfchenswerth gewefen. Zuweilen fcheinen fogar ihre Lesarten unverdient den Vorrang erhalten zu haben, wie in 3, 198:

— — *ἄφαρ δ' ἄρα νηὸς ὑπὲρ δόνακάς τε καὶ ὕδωρ*
χερσόνδ' ἐξαπέβησαν ἐπὶ θρωσμοῦ πεδίοιο.

Da hier alle Handfchriften *ἄφ. δ' ἀνὰ νηὸς* und nur die Parif. *ἄρα ν.* geben, fo war jenes nach Homerifchem Sprachgebrauch beyzubehalten, vergl. Od. 2, 416. 9, 177 *ὣς εἰπὼν ἀνὰ νηὸς ἔβην.* Der Sinn ift: fie fchritten über das Schiff durch Rohr und Moor heraus auf das Land, und es ift einleuchtend, dafs das, was vom Einfteigen in das Schiff gilt, auch vom Ausfteigen aus demfelben fich fagen laffe. Eben fo müfste das auch nach handfchriftlicher Entfcheidung in 1, 60 *ὅτε σφεας οἷος ἀπ' ἄλλων Ἤλασ' ἀριστήων* beybehalten werden. Denn die Tapferkeit *Kaeneus* zeigte fich gerade darin, dafs er es *allein* mit den Kentauren aufnahm, und fo bedarf es nicht noch, was *Brunck* und unfer Herausg. für nöthig erachten, des Beyfatzes *ἀριστεύων.* Anderwärts mifsbilligt Hr. *W.*, was jeder Andere aufgenommen haben würde, fo in 2, 427 ff:

— — — — — — *ἐπὶ δὲ σχεδὸν υἷε δοιὼ*
Θρηϊκίου Βορέαο κατ' αἰθέρος ἀΐξαντε
οὐδῷ ἐπὶ κραιπνοὺς ἔβαλον πόδας· — —

Für den Plural *ἀΐξαντες* fpricht fchon *ἔβαλον*, aber Hr. *W.* bemerkt dazu: *ἀΐξαντες ex Reg. quinque Brunck. Beck male.* Dagegen ftand daffelbe in 1, 989 von jeher; und 4, 693, wo es einige Bücher mehr haben, wird es von Hn. *W.* eingefetzt, und wir werden belehrt, dafs *ἀΐξαντες*, wie es doch in der erften Stelle fcheinen will, nicht von Abfchreibern herkommen könne. Auf diefe Weife widerfprechen fich Text und Anmerkungen wechfelfeitig und das Verzeichnifs unter *ἀΐσσω* wieder beiden. In 3, 360:

ἄμφω γὰρ Κρηθεὺς Ἀθάμας τ' ἔσαν Αἰόλου υἷες —

mifsbilligt Hr *W.* den von *Brunck* aufgenommenen Dualis, den auch *Beck* hat, weil er aus den Par. Büchern flofs, auch wird jenes in dem von *Brunck* S. 10 f. der Leipziger Ausgabe mitgetheilten Inhalt unferer Argofahrt, der mit unmerklichen Verfchiedenheiten im *Violarium* der *Eudokia* S. 234 f. gelefen wird, beftätigt. Aber weder *Brunck* noch Hr. *W.* find dabey mit fich im Einklange; wie hier jener den Dualis, diefer den Plur. bietet, fo ift es umgekehrt in 2, 87, wo *Br. φυσιόωντες*, *W. φυσιόωντε* hat; 3, 410. 496 ift von Beiden *φυσιόωντε* gefchrieben und 3, 1303 *φυσιόωντες* eben fo. Faft follte man glauben, dafs nur, um beiden Formen ihr Recht widerfahren zu laffen, folcher Wechfel beliebt ward. In den Anmerkungen müfste man freylich den Schlüffel zu diefem Geheimniffe fuchen, allein Rec. wenigftens vermag ihn nicht zu entdecken. Zur letzten Stelle heifst es: *φυσιόωντε vulgo. Pluralem exhibent Vatt. A. C. D. Med. Guelf. Regg. A. B. C. D. E. Vrat. Vind., quem cum Brunckio et Beck. recepi, non propter hiatum, ut illi, fed propter librorum auctori-*

ctoritatem et quia dualis facilius a librariis proficisci potuit. Zu v, 496 φυσιόωντες lesen wir: *φυσιόωντες Med. φυσιόωντας Vatt. A. C. D. Vrat. Vind.* vid. v. 410. Wir schlagen nach und finden: φυσιόωντες *Vatt. A. C. D. Med. Reg. E. Vrat. Vind. Similis varietas est infra v. 496, sed ex ea ipsa elucet vulgatam tuendam esse.* In 2, 87 endlich werden wir belehrt: φυσιόωντες *Vat. B. Regii quinque, quod praetulerunt Brunck. Beck ob vitatum hiatum, ut inepte dicit Brunckius.* Was soll nun der prüfende Leser aus diesen Bemerkungen sich nehmen? Einmal wird das Ungewöhnliche wegen des Ansehens der Handschriften vorgezogen, und weil diess die Abschreiber leicht umtauschen konnten; dann ist, was dieselben Bücher, wenn auch zum Theil verschrieben, haben, falsch und der ähnliche Wechsel in der dritten Stelle beweist, dass es *falsch* sey; in dem Verse des zweyten Buchs endlich ist es irrig, weil *Brunck* thöricht dadurch den Hiatus umgehen wollte. Mag dem so seyn; immer ist *Brunck's* Verfahren das bessere. Er hatte in den Stellen, wo er den Plural setzte, den doppelten Grund, dass ihn die Par. Bücher entweder alle oder der Mehrzahl nach geben, und der folgende Vers mit einem Vocal anhebt. Hier finden wir Gründe der Art nicht, es wird etwas geschrieben, weil es die Bücher haben, und das Angenommene wieder verworfen, weil sie es auch haben. Wir sollten meynen, dass schon die Ueberzahl der bessern Handschriften — *Brunck* hatte deren freylich nicht so viel eingesehn — den Plural hinlänglich gerechtfertigt hätte, wollte man auch von andern für diese Schreibart sich darbietenden Ursachen schweigen. An manchen andern Orten können wir die Weise Hn. *W's* eben so wenig gut heissen, nach der er bald sich sclavisch an di Handschriften bindet, und nach ihnen über Lesarten entscheidet, die dadurch nicht bestimmt werden können, bald wieder gerade das Bessere verwirft, was die vorzüglichern und meisten Quellen liefern, und bey den schlechtern bleibt, was nur wenigen entsprang. So ist 2, 1229 ὑπαὶ ῥιπῆς ἀνέμοιο zurückgerufen, weil hier ὑπὸ bloss *Brunck's* Aenderung war, ungeachtet ὑπὸ ῥιπῆς, was mit einer Anführung *Passow's* belegt wird, bey Homer stets steht, und bey Apollon. 3, 970 durch Handschriften gesichert ist. Auch Quintus 3, 327 vertheidigt Hn. *W's* Lesart nicht, denn die beste Handschrift dieses Dichters, die *Münchner* hat ὑπὸ ῥιπ., und wenn auch in demselben 11, 123 ὑπαὶ ῥιπῆς noch einmal vorkommt, so ist diess doch eben so irrig. Eher liesse man sich in den drey aus dem 4. Buche von Hn. *W.* beygebrachten Stellen ὑπαί des nachfolgenden λ wegen gefallen, doch halten wir auch diess für unnöthig. Zum wenigsten aber war in der ersten derselben 4, 1151 der Ton der Präposition zu ändern und zu lesen:

> ἐμμελέως Ὀρφῆος ὕπαι λίγα φορμίζοντος
> νυμφιδίαις ὑμέναιον ἐπὶ προμολῇσιν ἄειδον.

Sintemal man weder Ὀρφῆος ὑποφορμίζοντος noch Ὀρφῆος φορμίζ. ὑπάειδον verbinden kann, sondern, wie es natürlich ist, ὑπ' Ὀρφ. φορμ. ἄειδον [illegible]. Laute des Orpheus sangen sie den Hochze[illegible]. Die gleiche Verbesserung musste in 1, 538 [illegible] da schon der Nachsatz deutlich lehrt, dass man

> — — — — φόρμιγγος ὕπαι περὶ βωμὸν [illegible]
> ἐμμελέως κραιπνοῖσι πέδον ῥήσσωσι πόδεσσιν —

lesen müsse. Nicht anders verhält es sich in 3, [illegible] ἡμέτερον δὲ λέχος θαλάμοις ἔνι κουριδίοισιν, wo [illegible] alle Ausgaben, die Rec. verglich, von der Flor[illegible] bis auf die von *Stephanus* und auch der von [illegible] beygefügte Scholiast geben, in der unsrigen [illegible] verdachtlos mit *Brunck* θαλάμοις ἐνὶ κουρίδ. stehen [illegible]blieben ist. Für die zuerst erwähnte Aender[illegible] zeugt 4, 1194, welche Stelle Rec., *da ihm in den* nachfolgenden Versen ein allen *Herausgebern ent*gangenes Verderbniss zu liegen scheint, *vollständig* hersetzt. Sie nun lautet von v. 1198 an:

> — — — — ἐν δέ σφισιν Οἰάγροιο
> υἱὸς ὑπαὶ φόρμιγγος ἐϋκρέκτου καὶ ἀοιδῆς
> ταρφέα σιγαλόεντι πέδον κροτέοντα πεδίλῳ.
> Νύμφαι δ' ἄμμιγα πᾶσαι, ὅτε μνήσαιτο γάμοιο,
> ἱμερόενθ' ὑμέναιον ἀνήπυον· ἄλλοτε δ' αὖτε
> οἰόθεν οἶαι ἄειδον ἑλισσόμεναι περὶ κύκλον.

Die in dieser Stelle liegende Schwierigkeit entdeckte zuerst *Brunck* und heilte sie auf seine Weise, [illegible] er für μνήσαιτο, was alle Zeugen haben, [illegible] las und diess auf Orpheus bezog. Er sagt: *[illegible] contra manifestum loci sensum μνήσαιντο. [illegible] in cantico, quod ad Lyram canebat Orpheus, [illegible]rum meminerat, saltantes Nymphae Hymenaeum acclamabant: interdum vero seorsum canebant solae, quiescentibus Orphei Lyra et voce. Si μνήσαιντο legas ad Nymphas relatum, quid sibi vult illud quod sequitur οἰόθεν οἶαι, ubinam oppositio?* Nach dieser Anmerkung hat *Beck* übersetzt, und Hr. *W.* folgt diesen seinen Vorgängern. Nichts desto weniger wagt Rec. es an der Richtigkeit dieser Aenderung und Erklärung zu zweifeln. Die Phäakischen Frauen, — denn von ihnen ist die Rede — heisst es, *staunten* ob der Gestalt und des Anblickes der festlich geschmückten Helden, und unter ihnen *sahen sie Orpheus*, der bey Citherschlag und Gesang *mit* glänzender Sandale häufig den Boden *berührte*. Aber die Nymphen, so oft er der *Hochzeit* gedachte, jauchzten laut auf den lieblichen Hymenäus, dann sangen sie wieder einzeln im Wirbel sich drehend. Wer fühlte nicht das Unschickliche, wenn die Nymphen, also Mädchen, so oft Orpheus Lied der Hochzeit gedachte, laut hätten Hymenäus geschrieen? Wir finden wohl, dass Jungfrauen z. B. bey Theokritus Id. 18 ihrer Gespielin Helene ein Brautlied singen, aber dass sie dabey unanständig würden, davon zeigt sich weder im Theokritus eine Spur, noch glauben wir, dass Apollonius seinen Nymphen dies etwas zumuthete. Die gewöhnliche Lesart freylich, welche die ältern Uebersetzer, so gut sie konnten, zu dollmetschen suchten, ist nicht minder falsch, aber *Brunck's* Conjectur höchst unglücklich. Rec. hält sich an die Lesart der Handschriften und ältern Ausgaben

gaben *μνήσαντο*, glaubt aber, dafs der Dichter in v. 1196 ff. von Orpheus gar nicht mehr fpricht, und auf die Nymphen übergeht, erzählend, wie diefe Jafon's und Medea's Hochzeit feyerten; diefem gemäfs liefet er mit geringer Aenderung fo:

Νύμφαι δ' ἄμμιγα πᾶσαι ὁτὲ μνήσαντο γάμοιο,
ἱμερόεν θ' ὑμέναιον ἀνήπυον, ἄλλοτε δ' αὖτε
οἰόθεν οἶαι ἄειδον ἑλισσόμεναι περὶ κύκλον.

Wovon die Ueberfetzung feyn würde:

Aber die Nymphen fie priefen itzt alle zufammen das Bündnifs,
Lieblich das Hochzeitlied anftimmend, itzt wieder erhuben
Einzelne nur den Gefang im kreifenden Wirbel fich fchwingend.

Für die geringen Aenderungen, die wir uns erlaubt haben, ift es kaum nöthig ausführlich Beweis zu führen; da nur ein einziger Buchftabe geftrichen, das übrige durch zweckmäfsigere Unterfcheidung und Trennung der Worte erlangt ift, fo wie durch den Gegenfatz *ὁτὲ* und *ἄλλοτε* (*modo-modo*) eine häufige Wendung der epifchen Dichter; sieh. Hom. Il. 11, 64. 16, 599. 20, 49. Apoll. Arg. 1, 1270. 4, 945. Quint. Sm. 7, 25. 11, 263. Nicht felten wird auch anftatt des doppelten *ἄλλοτε* das eine ausgelaffen, wozu Hr. *Wellauer* Beyfpiele aus Tragikern bey 3, 296 erwähnt; allein auch die Epiker fchreiben oft fo, vgl. Hom. Il. 20, 51. 22, 171. Fafst man demnach die Stelle nach der angegebenen Weife, fo liegt die Entgegnung, die *Brunck* in Orpheus und den Nymphen fuchte, in *πᾶσαι* und *οἶαι*, was der Zufammenhang gut heifst; *ἱμερόεν* endlich ift als Adverbium zu nehmen, wie fchon in Il. 18, 570 *ἱμερόεν κιθάριζε*, Apoll. Rh. 3, 1024 *ἱμερόεν — μειδιόωντες*.

Doch Rec. kehrt von diefer Abfchweifung zu der Kritik unferer Ausgabe zurück. In ihr ift 4, 1260 — *Ἀγκαῖος ἀκηχέμενος ἀγόρευσεν* und 1, 812 *μητέρες ἄμ πτολίεθρον ἀτημελέες ἀλάληντο* mit *Brunck* und einzelnen Parif. Büchern gefchrieben, während die bey weitem meiften Quellen *ἀκηχεμένοις* und *ἀτημελέως* liefern. Wenn hier diefe Lesarten von Grammatikern, die das Maafs gefährdet glaubten, hergeleitet werden, fo mufste diefs doch eher in *ὑπαὶ ρ.* gefchehn. Dabey wird *ἀτημελέως* durch das folgende *ὀλίγον περ ἑῆς ἀλέγιζε θυγατρὸς* empfohlen, und in der andern Stelle war nicht blofs Ankaeus traurig, fondern allen Argonauten begegnete daffelbe, und die Verbindung wird durch andere Beyfpiele gerechtfertigt, wie 1, 850. 1106. 3, 566 f. — In 4, 59:

ἦ θάμα δὴ καὶ σεῖο κίον δολίῃσιν ἀοιδαῖς. —

hat zwar der Herausg. das von *Ruhnken* empfohlene *κίον* mit dem unverftändlichen *κύον* vertaufcht, aber *δολίαισιν* ift, ungeachtet die Breslauer und Wiener Bücher das ionifche *δολίῃσιν* hatten, verfchmäht worden. Dennoch ift es an fich wahrfcheinlich, dafs die epifche Poëfie, wie *Hermann* z. Orph. Arg. 700 behauptet, in der längern Form diefer Endung ftets *ῃσι* brauchte; auch Hr. *W.* hat diefs, z. B. 4, 1017 *κούρῃσι*, anderwärts vorgezogen, jedoch 271 wieder *προχοῇσι* verworfen und *προχοαῖσι* behalten, ungeachtet es die Parif. Handfchriften fo gut als jenes nicht anerkennen. Aber der anderweitige Gebrauch der Epiker verlangte unbedingt diefe Form, die in *Dionyfius* Periegefis, die fo häufig unferm Dichter folgt, die allein herrfchende ift, man fehe v. 127. 200. 290. 301. 316. 367. 370. 411. 614. 749. 807. 848. 982. 1072; fie ift es bey *Quintus*, *Nikander* und andern, und nur in *Mofchus* Id. 2, 31 wiffen wir *προχοαῖσιν Ἀναύρου* nachzuweifen. Wenn daher Hr. *W.* in 4, 360 *αἷς* in *ᾗς* und v. 358 *ἐφετμαῖς* in *ἐφετμῇς* mit Handfchriften umwandelte, fo mufste auch jenes bleiben. Die fo natürliche und von den Gelehrten feit *Adr. Heringa* Obfervatt. critt. S. 15 f. fo oft nachgewiefene Verwechslung von *ὀκρυόεις* und *ὀκριόεις* durch die Abfchreiber will Hr. *W.* nicht glauben, und es fehlt wenig, dafs er diefes, was als das Unbekanntere von jenem oft verdrängt ward, ganz aus Apollonius ftreicht; nur in 1, 1093:

Δινδύμου ὀκριόεντος ἐΰθρονον ἱλάξασθαι

ift es *fenfus caufa* behalten worden. Aber 1, 1120 *ἐπ' ὀκριόεντι κολωνῷ*, wo der vorzügliche Medic. Codex mit dem Parifer B. es geben, der Sinn und das Homerifche *αἰπεῖα κολώνη* Il. 2, 611. 11, 710 auf *Brunck's* Seite ftehen, wird *ὀκρυόεντι κολωνῷ* gefchrieben. In 2, 737:

πηγυλὶς ὀκρυόεντος ἀναπνείουσα μυχοῖο
συνεχές, ἀργινόεσσαν ἀεὶ περιτέτροφε πάχνην —

wird *ὀκριόεντος*, weil es einige Handfchriften mehr haben, ungeachtet *weifser Reif* eher eine *kalte* als *fchroffe Kluft* verlangt, ganz erträglich gefunden; in 3, 1331 *ὀκριόεσσα δ' ἐρείκετο νειὸς ὀπίσσω* wird jedoch *ὀκρυόεσσα* hergeftellt, denn jenes hat nur der Wolfenbüttler. Ohne zu bemerken, was fchon *Brunck* zur Beftätigung der von ihm aufgenommenen Lesart beybrachte, dafs die Scholien, wenn fie erklären *ἀντὶ τοῦ τραχεῖα διεσχίζετο γῆ*, offenbar *ὀκρυόεσσα* nicht anerkennen. Anders dachte über diefen Wechfel fchon *Hartung* in feiner Bafel 1549. 8. erfchienenen latein. Ueberfetzung der Apollonius'fchen Argofahrt: denn er hat in der erften Stelle *Dindymi asperi*, in der andern *in eminenti cacumine*, in der dritten *horribili exhalatus antro*, und in der letzten endlich *asperumque profcindebatur novale*. Daher ift die Bemerkung *W's* zu 2, 607 *ὀκρυόεντος ἀνέπνεον ἄρτι φόβοιο*: *ὀκριόεντος Guelph., quod miror Brunckium non ex conjectura dediffe*, wenigftens höchft ungerecht, um nicht mit einem Lieblingsausdrucke des Herausgebers felbft abgefchmackt (*inepte*) zu fagen; fiehe *Heyne* zu Il. 6, 344.

Diefs genüge über die Art, wie in der vorliegenden Ausgabe die handfchriftlichen Hülfsmittel für die Berichtigung des Textes verarbeitet wurden. Wir kommen auf die eigenen Vorfchläge Hn. *W's*. Zu loben ift es hier, dafs er nur wenige davon in den Text fetzte, wie denn im erften Buche keiner diefer Auszeichnung werth geachtet ward, wiewohl in den Anmerkungen mehrere gegeben find. In v. 195:

ὧδ' ἔτι κουρίζων περιθαρσέα δῦνεν ὅμιλον

nahm Hr. *W.* an dem erften Worte Anftofs, und bemerkt dabey: *ὧδε adeo non eft aptum fenfui, ut malim sim ὅς δὲ, quod quum in ὁ δὲ corruptum esset, facile metri causa in ὧδε transire potuit.* Aber es liegt darin der Grund, warum *Oneus* seinen Halbbruder *Laokoon Meleager* als Führer mitgab, und das Folgende so wie 3, 618 ff. bestätigen diese Vermuthung. An der Verbindung ὧδ' ἔτι ist gleichfalls nichts zu tadeln, denn sie kommt nicht eben selten vor, wie v. 445. — In v. 239 ἀμφὶ δὲ λαῶν Πληθὺς ἐπερχομένων ἄμυδις θέον wird, weil die Oxytona auf υς, die im Genitiv den reinen Vocal behalten, in der Regel den Accusativ und Nominativ in der Endsylbe verlängern, entweder nach *Wernicke* πληθὺς -ἐρχομ. oder πλῆθος ἐπερχ. vorgeschlagen. Soll eins von beiden, was vielleicht nicht unbedingt nothwendig ist, aufgenommen werden, so ist jenes ungleich besser, weil πλῆθος ganz unepisch ist, und weder bey Homer noch Apollonius steht. — Zu v. 292 f.:

ὡς ἥγε στενάχουσα κινύρετο· ταὶ δὲ γυναῖκες
ἀμφίπολοι γοάασκον ἐπισταδόν· — — — —

macht Hr. *W.* folgenden Zusatz: *displicet et articulus et ordo verborum* ταὶ δὲ γυναῖκες ἀμφίπολοι, *quare malim* τῇ δὲ *dativo ab* ἐπισταδὸν *pendente, quod recte* ἐφεστηκυῖαι *explicant scholia.* Was eigentlich Lästiges im Pronomen, denn der Artikel ist es nicht, liege, ist nicht angedeutet. Aber solche Gegensatze ἥγε — ταὶ δὲ γυν. sind nicht selten, und wenn auch meistentheils, wo diess der Versgang gestattet, αἱ δὲ oder οἱ δὲ steht, und noch ein Nebenbegriff zwischen dem Pronomen und dem Hauptsatze eintritt, man vergl. 1, 388. 485. 451. 808. 1084. 3, 872. 965. 1218. 1257. 4, 1171, so kommt es doch zuweilen auch gerade so wie hier vor, wie gleich vorher v. 247 ὡς φάσαν ἔνθα καὶ ἔνθα κατὰ πτόλιν· αἱ δὲ γυναῖκες, oder die andere Form 2, 1084 f. τοὶ δ' ὑπὸ τοῖσιν Ἐνυαλίου —. Ferner will die Erklärung der Scholien ἐπισταδὸν ἐφεστηκυῖαι nur sagen *ordine, deinceps*, wie diess Wort immer gebraucht wird, z. B. 2, 84. 4, 1687. Endlich wird die Verbindung durch Homer Il. 19, 300 ὡς ἔφατο κλαίουσ'· ἐπὶ δὲ στενάχοντο γυναῖκες, vergl. 24, 746. 776, dem Apollonius folgte, gerechtfertigt. — Zu v. 451:

αἱ δὲ νέον σκοπέλοισιν ὑποσκιόωνται ἄρουραι·

meynt Hr. *W.* bey der häufigen Verwechslung von ὑπὸ und ἐπὶ könne man leicht auf den Gedanken kommen, aus Quintus und Nonnus, von denen dieser zweymal ἐπεσκιόωντο κολῶναι, jener ἐπεσκιόωντο δ' ἄρουραι gesagt habe, dieses herzustellen. Mögen jedoch beide Dichter so schreiben und Quint. 14, 417 noch überdiess ἐπεσκιόωντο δὲ μακρὰ Κύματα, so ist doch hier gerade nur die in allen Handschriften befindliche Zusammensetzung die richtige, da bey Untergang der Sonne zuerst die Thäler Finsterniss umschattet, während die Bergspitzen noch vergoldet sind. Somit sprechen nicht bloss die Zeugnisse der Bücher, sondern die Sache selbst für Beybehaltung des Gewöhnlichen, was auch anderwärts sich zeigt, wie in Arat. 854 ἦν μὲν ὑποσκιάῃσι μελαινομένῃ εἰκυῖα Ἠέλιον νεφέλη. — In v. 494 f.:

— — — — — — — ἂν δὲ καὶ Ὀρφεὺς
λαιῇ ἀνασχόμενος κίθαριν πείραζεν ἀοιδῆς —,

wo diese Worte schon an sich zu verschiedenen Deutungen und Vorschlägen Gelegenheit gaben, hat Hr. *W.* den Scholien, die ἂν unverändert behalten und es entweder für überflüssig nehmen, oder für ἀνέστη gesagt wissen wollen. Unserm Herausgeber scheint diess das Richtige, doch wünscht er, um eine Verbindung zwischen diesem und dem nächsten Verse herzustellen, *ΔΑΝ* für *ΑΝΑ* zu lesen, δὰν δὲ καὶ Ὀρφεὺς Λαιῇ ἀνασχόμενος κ. τ. λ. Aber diese Aenderung scheint nicht nöthig, wenn wir, wie nicht selten geschieht, die Präposition als doppelt gesetzt betrachten, was aus einer *gewissen Nachlässigkeit* im Ausdrucke herzuleiten ist, *bey welcher* der Dichter uneingedenk war, dass die *Präposition* schon vorausging; jedoch muss dann das Ganze verbunden werden: ἂν δὲ καὶ Ὀ. Λαιῇ ἀν. κ. τ. λ., wie diess auch alle ältere Ausgaben haben. So steht Il. 23, 709 ἂν δ' Ὀδυσεὺς πολύμητις ἀνίστατο. Apoll. 1, 1231. Aber diese Fügung ist um so wahrscheinlicher, je geläufiger es den Dichtern ist ἀνέχειν durch Tmesis zu trennen, wie Hom. Od. 17, 291. Hes. Sc. Her. 261. Apoll. 1, 673. — Bey 1, 862 δηρὸν δ' ἂν ἐλίννυον αὖθι μένοντες, wo der Herausg. so nach Stephanus Vermuthung, die wenigstens ein Pariser Cod. und das Etymolog. magn. bestätigen, hat drucken lassen, bemerkt er: *dedissem* ἀνελίννυον, *quoniam commode hic abesse potest, nisi* ἀνελιννύω *a nemine esset usurpatum.* Rec. wünschte wohl den Niemand zu kennen, der ἀνελιννύω brauchte, und warum will man bloss, um etwas Ungewöhnliches zu schreiben, *Apollonius* dazu machen? Ganz anders urtheilte *Stephanus*, der S. 234 seiner Ausgabe das auch in den Scholien befindliche ἀνελίννυον für eine schlechte Verbesserung eines Abschreibers erklärte, der die Scholien mit dem Texte in Einklang bringen wollte. Für die Schreibart mit einfachem ν stimmen die meisten Gelehrten, wie *Schäfer* zum Greg. Kor. 502. *Boeckh* Nott. crit. zum Pindar S. 526. *Jacobs* z. Anthol. Pal. S. 107. *Blomfield* z. Aeschyl. Prom. 53, wo Hr. *W.* den Doppelconsonanten, den *er hier nur* durch Pierson zum Moeris S. 162 *vertheidigen* lässt, selbst schrieb. Allein unwahr ist es, wenn es von diesem hier heisst: *qui recte monet, ex ipsis Etymologi verbis liquere,* ἐλίννυον *scribendum esse.* Denn Pierson's Anmerkungen werden jeden belehren, dass er nur sagt, aus den Worten des Etymol. ergebe sich, ἂν ἐλίννυον sey getrennt zu schreiben, und weiter wird auch Niemand etwas daraus folgern. Uebrigens bemerkt Rec. beyläufig, nicht begreifen zu können, warum Einige ἐλιννύω schreiben zu müssen glauben. — In v. 944 ἓξ γάρ ἑκάστῳ χεῖρες ὑπέρβιοι ἠερέθονται ist die aus einer Nachahmung in Orph. Argon. 519 vorgeschlagene Umstellung ἓξ γὰρ χεῖρες ἑκ. schon von Gerhard Lect. Apoll. S. 101 mitgetheilt, der aber wohlbedächtig das Gewöhnliche mit zwey Stellen des Hesiodus und Aratus schützt.

(*Die Fortsetzung folgt.*)

ALLGEMEINE LITERATUR-ZEITUNG

December 1828.

GRIECHISCHE LITERATUR.

Leipzig, b. Teubner: *Apollonii Rhodii Argonautica* ad fidem librorum manuſcriptorum et editionum antiquarum recenſuit *Auguſtus Wellauer* etc.

(Fortſetzung der im vorigen Stück abgebrochenen Recenſion.)

Zu v. 1161 ſchlug aus dem Etym. magn. 571, 18 *Ruhnken* τειρόμενοι καμάτῳ μεταλώφιον vor, und *Brunck* wie *Beck* gaben dieſer Lesart Beyfall, Hr. *W*. ruft das ſonſtige τειρ. καὶ δὴ μεταλ. zurück, und ſagt dazu: *Quis umquam credat* καμάτῳ *in* καὶ δὴ *mutari potuiſſe? quare alia emendatio circumſpicienda videtur. Fuit quum unice verum putarem ΧΑΙΔΗΙ, vel ſi quis productam ſyllabam priorem improbaret, quamquam eam interdum produci certum eſt, ΧΑΙΔΕΙ, quorum utrumque facile in ΚΑΙ ΔΗ corrumpi potuit.* Wir glauben auch nicht, daſs das auf keine Weiſe paſſende χλίδῃ oder χλίδει richtig ſey, möchten aber καμάτῳ, was ſo oft in gleichartigen Verbindungen ſich zeigt, noch nicht aufgeben. Apollonius ſelbſt ſagt 2, 47: μηδ' ἄμυδις καμάτῳ τε καὶ εἰρεσίῃ βαρύθοιεν. Hom. Il. 17, 745: ἐν δέ τε θυμὸς Τείρεθ' ὁμοῦ καμάτῳ τε καὶ ἱδρῷ σπευδόντεσσιν. — In 2, 160 hat Hr. *W*. drucken laſſen:

ἀγχιάλῳ, τῇ τῇ καὶ τῇ πρυμνήσι' ἀνῆπτο.

und überſetzt es: *lauro littorali, ad quam hic et illic retinacula alligata erant.* Hier iſt es zwar ausgemacht, daſs die gewöhnliche Lesart ἀγχ. τῇ καὶ τὰ περὶ πρ. ἀν. nur durch *Stephanus* in den Text kam, aber περὶ, was Hr. *W*. herauswirft, ſteht doch überall, und nur τὰ ward unepiſch für das zweyte τῇ geſchrieben. Wenn der Baſeler Abdruck τῇ καὶ τῇ τὴν πρ. ἀν. bietet, ſo hält dieſs Rec. nur für einen Druckfehler dieſer ſehr incorrecten Ausgabe, das Gewöhnliche erkennt auch die lat. Ueberſetzung von *Hartung* an, welche lautet: *quam circum retinacula alligabant*, und alſo ἀνῆπτον, was der Wolfenbüttler Codex hat, vorzieht. Die Wiederholung von τῇ entſchuldigt Hr. *W*. mit οἳ οἱ, aber dieſs ſteht doch nicht dreyfach, wie hier jenes, und Rec. glaubt kaum, daſs ſich ein Beyſpiel ähnlicher Verknüpfung in der Argofahrt auffuchen laſſe. Vielleicht bedarf die Stelle gar keiner Aenderung, ſondern einer bloſsen Umſtellung ἀγχ., περὶ τῇ καὶ τῇ πρυμνήσι' ἀνῆπτο, wobey περὶ adverbialiſch zu nehmen ſeyn würde, ob ſich gleich nicht leugnen läſst, daſs einige Härte in der Auslaſſung einer Verbindungspartikel liege, welche ſonſt gewöhnlich dabey ſteht, z. B. in 1, 1036. 1235. 2, 823. 567. 3, 792. — Zu v. 628 νῦν δὲ περισσὸν δεῖμα καὶ ἀτλήτους μελεδῶνας Ἄγκειμαι zweifelt Hr. *W*. nicht ohne Grund an der Verbindung von ἄγκειμαι mit dem Accuſativ, aber ſein Vorſchlag ἄγχημαι als Perfectum Paſſ. von ἄγχομαι iſt noch unthunlicher; denn bey jener Lesart wäre doch nur die Fügung ſonderbar, bey dieſer die Form unerhört und die Verbindung nicht minder. Wenn alſo aus zwey Uebeln das kleinſte zu wählen iſt, ſo hat der Herausg., indem er die Vulgate unangetaſtet lieſs, dieſs wirklich gethan. — In 4, 325 ſchreibt Hr. *W*. αὐτὰρ ἐπεὶ Ἄγγουρον ὄρος nach eigener Muthmaſsung. Ganz richtig iſt es hier, daſs *Brunck's* αὐτὰρ ἐπεὶ τἄγγουρον ὄρος eine den Epikern faſt unbekannte Kraſis enthalte, und αὐτὰρ ἐπεί τ' Ἄγγ. ὄρος ſinnlos ſey. Allein ob nicht die Lesart alter Ausgaben αὐτ. ἔπειτ' Ἄγγ. ὄρ. ſich vertheidigen laſſe, bedarf noch einer Erörterung. Nimmt man freylich 323 bis 328, wie die meiſten Ueberſetzer und Hr. *W*. thun, als einen Satz, ſo iſt es klar, daſs man nicht ſo ſchreiben könne. Allein ſchlieſsen wir die vier erſten Verſe an das Vorhergehende an, und ſetzen am Schluſſe von 326 ein Punktum mit δὴ ῥα τότε einen neuen Satz beginnend, ſo iſt es nicht nöthig gegen das Anſehn der Handſchriften zu ändern. Man überſetze nur: *ſed poſtea montem Angurum et ſcopulum Cauliaci, ab Anguro monte diſſitum, et Laurium campum praetergreſſi ſunt. Ac tunc quidem Colchi* et q. ſ., ſo ſteht 4, 1400 δὴ τότε δ' ἤδη τῆμος — Geändert iſt 4, 405, wo auch die übrige Lesart ſehr zweifelhaft iſt, vom Herausg. durch Conjectur, und er lieſt: οὐδ' ἂν ὅμως περιναίεται ἀντιόωσιν Κόλχοις ἦρα φέροντες für das ſonſt Uebliche ὁμῶς und meint in der Anmerkung, ſo wolle es der Sinn. Wie man aber auch immer über die anderweitige Schreibung dieſer Zeilen denken möge, ſo bleibt doch jene Aenderung ganz unſtatthaft. Jaſon ſagt: durch Ermordung des Abſyrtus würden weder die Umwohner *zugleich* mit den Kolchern aus Freundſchaft für ihren Anführer Abſyrtus ſie (die Argonauten) feindlich angreifen, noch fürchte er die Kolcher allein, wenn ſie ihm den Rückzug abſchneiden wollten. Alle Ueberſetzer von *Hartung* bis auf *Beck* haben die Stelle ſo gefaſst, und Rec. kann nicht einſehn, was Hn. *W*. veranlaſste davon abzugehn, und zu erklären *tamen, quamquam Abſyrtus interfectus eſt*. Denn gerade in dem Beyſatze νοσφὶν ἄνακτος liegt die Urſache, die Jaſon auf die Vermuthung führte, nach Wegräumung des Abſyrtus würden die Umwohner die Partey der Kolcher aufgeben. — Eine andere Verwandlung v. 694 ἦτε *δίκη λυγροῖς ἱκέτῃσι τέτυκται* ist durch Conjectur in den Text gebracht für *ἥτε δίκη*, weil Apollonius stets *ἣ θέμις* schreibt, und auch die Florenzer Scholien so gelesen zu haben scheinen, wenn sie erklären *ὡς νόμος ἐστίν*. Rec. glaubt, dass der Scholiast damit nur den dichterischen Ausdruck in Prosa umsetzte, hier aber gar nichts geändert werden müsse. Ohne zu behaupten, dass auch *ἣ θέμις ἐστὶ* in vielen Fällen vorzuziehen sey, wie Andere gethan haben, wird doch die Lesart, für die wir uns erklärten, durch 3, 209 *ἣ γάρ τε δίκη θεσμοῖο τέτυκται* Od. 4, 691 *ἥτ' ἐστὶ δίκη θείων βασιλήων*, vergl. 11, 218. 14, 59. 19, 43. 168. 24, 255 sattsam gerechtfertigt. — In v. 1508 *ἀλλὰ μὲν ᾧ τὰ πρῶτα μελάγχιμον ἰὸν ἐνείη* stand sonst *ἀλλά κεν*, was Hr. *W.*, wie angegeben ist, änderte. Wir wollen die leichte Verwechslung von *μὲν* und *κεν* gern zugeben, aber wir wünschten von dem Herausg. eine Belehrung, wie seine Lesart zu verstehen sey; uns wenigstens ist sie eben so dunkel als das ehemals Gelesene.

Ausreichender sind die Muthmassungen Hn. *W's* an einigen andern Orten, wo Rec. mit demselben vollständig einstimmen zu können glaubt. So ist z. B. aus grammatischen Gründen in 2, 298 und 3, 1147 *διέτμαγεν* für *διέτμαγον* gut hergestellt; so wird in 2, 888 *οἱ δὲ κατηφήσαντες* für *οἵδε κατ.*, was auch Rec. seiner Ausgabe beygeschrieben hatte, als Beziehung auf das vorige *οὓς μὲν γὰρ* allen Beyfall finden, und der Breslauer Codex bestätigt es; so möchte auch in 3, 1020 *περὶ ῥοδέῃσιν ἔερση*, was schon *Brunck* empfahl, und in 4, 1318 *τίπτ' ἐπὶ τόσσον* für *ἔτι τόσσ.* wahrer Gewinn für den Text seyn. In andern meist Partikeln betreffenden Aenderungen, wie in 3, 61 *εἰ καὶ* für *εἴ κεν* — v. 401 *τί καὶ* f. *τί κεν* — v. 1570 *εἴ κέ τι* f. *εἴ γέ τι*, was *Brunck's* Muthmassung war, — 4, 345 *Μήδειάν γε, τὸ γὰρ* statt des *Brunckischen Μήδειαν, τόδε γὰρ* u. s. f. möchte sich noch streiten lassen. Selbst die auf den ersten Anblick scharfsinnige Verbesserung, die zu 4, 1647 f. in den Noten vorgeschlagen ist, scheint gewagt und vielleicht selbst unnöthig.

Unerwartet ist es aber Rec. gewesen, dass Hn. *W's* Textesreinigung nicht auf einige leicht in die Augen springende sprachliche und dialectische Irrthümer, die sich der Sorgsamkeit früherer Herausgeber entzogen, gerichtet ward. In 2, 375 lesen wir noch immer:

τρηχεῖην Χάλυβες καὶ ἀπειρέα γαῖαν ἔχουσιν —

was nach 2, 33 *καλαύροπά τε τρηχεῖαν* unbedenklich zu ändern war, gesetzt auch, dass kein weiteres Zeugniss als eben diess sich dafür beybringen liess; doch unterstützt es Dionys. Perieg. 752 — *οἱ δ' ὑπὲρ αἶαν Τρηχεῖαν ναίουσιν*. Der entgegengesetzte Fall war wohl in 1, 372 *ἠδὲ κατὰ πρώραν εἴσω ἁλὸς* anzunehmen und *πρῴρην* zu schreiben, wie diess Oppian. Hal. 1, 192 hat: *ἄλλοι δὲ περὶ πρῴρην ἀγέροντο*. Denn darin scheint wie in andern Formen der epische Dialect vom attischen abzuweichen, indem diess Wort hier Properispomenon ist, und die letzte Sylbe verkürzt, siehe Soph. Philokt. 482. Aesch. Suppl. 697. Eurip. Or. 352. Iphig. Taur. 1315. [illegible] wegen findet es sich auch in unserer Stelle in [illegible] Ausgaben wie der Brubachschen und Baseler [illegible] perispomenon, und nur *Stephanus* hat zuerst [illegible] Accent geändert. Jedoch war entweder dieser [illegible] zubehalten, oder, was wahrscheinlicher ist, [illegible] der Vocal zu vertauschen. Eine ähnliche [illegible] ist in 2, 942 *Κρωβίαλον Κρώμναν τε* wieder [illegible] gelassen, und das Verzeichniss liefert aus [illegible] *Beck'sche* einen Nominativus *Κρώμνη*, während [illegible] Hr. *W.* schon im *Homer* Il. 2, 855 *Κρῶμνάν τ' Αἰ[illegible] τε* gelesen hatte, man vergl. *Arkadius d. acc.* [illegible] Eine andere falsche Accentbezeichnung ist in 4, [illegible] *φύζαν ἀεικελίην* stehn geblieben, die Hr. *W.*, nach dem Register zu schliessen, verbessern wollte. Nicht minder falsch ist in 2, 234 *τὰς μὲν θεσπεσίη* [illegible] *τόσαι Βορέαο Υἷας*. Wenn unsere Ausgabe in 1, [illegible] *ἐκφλῦξαι* mit der Florenzer und in 3, 1060 *ἰθῦσαι* [illegible] so musste auch *ἐρητῦσαι* den nämlichen Ton erhalten; freylich aber boten es hier ihre ältern Schwestern nicht, und somit ward es übersehn. — In 2, 219 ist *ἀφορμήθητε λιπόντες* f. *ἀφορμηθῆτε* [illegible] geachtet *Porson's* von *Schäfer* zu *Gregor. Kor.* [illegible] wiederholten Erinnerung geblieben. — Unbeachtet ist auch die ionische Form 3, 1036:

λείβων ἐκ δέπαος σιμβλήϊα ἔργα μελισσέων

wenn auch im Verzeichnisse aus 4, 1132 das Richtige daneben tritt. Wenn 1, 620 *πασέων* 2, [illegible] 4, 896 *Μουσέων*, Anderes der Art anderwärts [illegible] ist, so bedarf die Unhaltbarkeit des Gegebenen keines weitern Erweisens. Eine aus den frühern Ausgaben behaltene Unebenheit ist es, dass *ἤ τι*, *ἤν ἄν* und *ἤ τ' ἄν* in bunter Verwirrung geschrieben wird, und das Verzeichniss doch nur das erste bemerkt, man vergl. 1, 103. 253, die nicht im Verzeichnisse zu finden sind, mit v. 828. 2, 441 mit 3, 34. 510. Für die Trennung würden schon Nachahmungen aus Homer, wie 3, 798 *ἤ τ' ἂν πολὺ κέρδιον* [illegible] zeugen können. Aehnliche Sonderung hätte in 2, 228 *τυτθὸν δ' ἤν ἄρα δήποτ' ἐδητύος ἄμμι λίπ.* eintreten müssen, wie schon aus folgenden Stellen desselben und des nächsten Buches v. 477. 3, 997. 1069. 1095 erhellt. Endlich würden, um diess gleich hier vorweg zu nehmen, auch die Scholien wenigstens einige Ausbeute der Art haben liefern können, die doch Hr. *W.* nach der Vorrede genau benutzt zu haben versichert. Aus den Pariser Scholien musste in 1, 176.:

Ἀστέριος τε καὶ Ἀμφίων Ὑπερησίου υἷες

für das unionische *Ὑπερασίου* hergestellt werden. Jenes belegt der Scholiast mit Homer's Il. 2, [illegible] *θ' Ὑπερησίην*. Aus demselben war wohl auch in 2, 857 *εἰσόκ' Ἀβαντιάδαο νέκυν* zu schreiben, da diese gegen das behaltene *εἰσόκ' Ἀβ.* u. die Wolfenbüttler und 4 Pariser Handschriften mit den Scholien unterstützen, und diess den Epikern von *Homer* an geläufig ist; denn bey ihm steht nur getrennt *εἰς ὅ κε* so z. B. Od. 2, 99, das andere hervicht zusammengezogen

zogen bey Apollonius, Aratus, Nikander vor. Aus zwey andern Stellen unsers Dichters 4, 800 und 1212 kann man um so weniger einen Gegenbeweis hernehmen, weil in dieser die Pariser Scholien gleichfalls das von uns Vorgezogene bieten, jene einzig übrig bleibende Stelle gegen so viel andere nicht entscheiden kann.

Mit einem recht lobenswerthen Fleiſse hat Hr. *W*. für seine Ausgabe die Versuche und Erklärungen früherer Gelehrten, nicht bloſs solche, die unmittelbar zu *Apollonius* gegeben wurden, sondern auch die an andern Orten mitgetheilten benutzt. Einiges mag ihm dabey freylich entgangen seyn, so kennt er z. B. die Bemerkungen von *Slothouwer* in den *Actis Societ. Traj.* T. III. S. 162 ff., wie es scheint, nur aus den ehemals von dem Vf. dieser Anzeige in der Jenaischen Lit. Zeit. 1814 Nr. 212 ff. S. 262, 267 angeführten beiden Stellen, und übergeht, obwohl ohne wesentlichen Nachtheil für das Gedicht, alle übrigen Vorschläge jenes Gelehrten zu 1, 242. 2, 238. 312. 3, 369. 4, 4. Auch *Schäfer's* Bemerkungen über unsern Dichter zum *Gregor Kor.* 16. 168 sind unbenutzt, wenn auch einige andere beygebracht werden. Dessen ungeachtet ist hier reichlicher und meist recht brauchbarer Stoff zusammengebracht. Daher wir uns darauf beschränken mit wenigen Beyspielen zu zeigen, daſs nicht immer davon der geeignete Gebrauch gemacht ward. Wenn der Herausgeber *Bruncks* Vorschläge, wie schon berührt, oft zurückweist, so finden wir das in der Ordnung; auch *Ruhnken's* erhalten nur sehr bedingte Zustimmung. Zu viel aber hat der Herausg. denn doch von seinen nächsten Vorgängern zuweilen angenommen, zuweilen auch bey seinen Widerlegungen geirrt. So wird wegen der Bemerkung *Gerhard's* Lect. Apoll. S. 98 f. von der Verwechslung der persönlichen Fürwörter bey *Apollonius* nach Zenodotischen Grundsätzen in 3, 5 *τῷ καὶ οἱ ἐπήρατον οὔνομ' ἀνῆπτο* geschrieben, und dieſs für *τοι*, also das Pronomen der dritten Person für das der zweyten genommen. Allein die gewiſs aus einer Handschrift unmittelbar geschöpfte Florenzer Ausgabe liest mit mehrern Quellen *τοι* wie *Brunck*. Ist nun diese Form die regelmäſsige in der Anrede, die ohne jede Abweichung in 1, 828. 1290. 2, 708. 3, 182. 4, 1325 und noch in *neun und zwanzig* Stellen auſserdem sich zeigt, so ist es noch zu untersuchen, ob nicht *Brunck* und einige Bücher in 1, 893 *ῥηϊδίως δ' ἄν τοι* für *ἑοὶ* richtig lesen. — Das. v. 15 wird nach dem Paris. Codex B mit Verweisung auf *Gerhard* a. a. O. S. 124 f. gelesen: *ἦ γὰρ δή ὑπερφίαλος πέλει αἰνῶς*, weil die Vulgate Besserung eines der Homerischen Verlängerungen unkundigen Scholiasten sey; gleich als wenn nicht alle Bücher *ἦ μὲν γὰρ* in dem Text hätten, und die epische Verbindung *ἦ μὲν* nicht durch eine groſse Zahl von Beyspielen bestätigt würde, vgl. 3, 690 *ἦ μὲν ἐγών* 2, 715. 3, 152. 4, 96. 1384. Woraus es wahrscheinlich wird, daſs nicht *μὲν*, sondern *ἔγε* oder *ὁ* das Glossem war, zumal *τόγε* nun vorangeht. — Das. v. 288 — — *ἀντία δ' αἰεὶ Βάλλεν ὑπ' Αἰσονίδην ἀμαρύγματα*. Hier war schon *Stephanus* die Präposition auffallend, und er bemerkte kurz: *malim ἐπ' Αἰσονίδην*, *Arnauld* Lectt. Graec. S. 241 muthmaſste dasselbe, und *Brunck* setzte es in den Text mit dem Paris. D. So leicht sich nun diese Verwechslung erklären läſst, zumal *ὑπὸ* nur in der nächst vorhergehenden Zeile steht, und die Wiederholung daraus flieſsen konnte, so kehrt doch Hr. *W*. zu dem sonstigen *ὑπ' Αἰσον.* zurück und bemerkt: *Praestat vulgata, quae timidiorem designat Medeam et pudore prohibitam, quominus rectos in Jasonem converteret oculos.* Wir überlassen es dem Scharfsinne des Lesers sich zu enträthseln, wie Medea, nur unter Jason hin ihre Blicke werfend, sich dennoch in der Folge nach v. 453 ff. vorzustellen wuſste, wie er ging und stand, während sie ihn auf diese Weise schwerlich geschaut hätte. Die so leichte Umwandelung aber will nicht nur das vorhergehende *ἀντία*, sondern auch v. 444 f. *ἐπ' αὐτῷ δ' ὄμματα κούρη Λοξὰ παρὰ λιπαρὴν σχομένη θηεῖτο καλύπτρην.* Eurip. Med. 1142 *πρόθυμον εἶχ' ὀφθαλμὸν ἐπ' Ἰάσονα.* — Das. v. 1299 ff., die so lauten:

ὡς δ' ὅτ' ἐνὶ τρητοῖσιν ἐΰῤῥινοι χοάνοισιν
φῦσαι χαλκήων ὁτὲ μέν τ' ἀναμαρμαίρουσιν,
πῦρ ὀλοὸν πιμπρᾶσαι, ὅτ' αὖ λήγουσιν ἀϋτμῆς,
δεινὸς δ' ἐξ αὐτῶν πέλεται βρόμος, ὁππότ' ἀΐξῃ
νειόθεν· ὣς ἄρα τοίγε θοὴν φλόγα φυσιόωντες
ἐκ στόματος ὁμάδουν, τὸν δ' ἀμφί τε δήϊον αἶθος
βάλλεν ἅτε στεροπή. — — — —

ist die von *Ruhnken* ep. crit. 1, 64 — ein Druckfehler entstellt diese Anführung bey Hn. *W*. — mitgetheilte, aus *Ovid*. Metamorph. 7, 104 entlehnte, Verbesserung, die *Brunck* und *Beck* aufnahmen: *ὁτὲ μέν τ' ἀναμορμύρουσιν*, wieder gestrichen, und wie sonst *ἀναμαρμαίρουσ.* gedruckt, was mit Il. 18, 470 verglichen wird. Der Herausg. erklärt dieſs sodann, die übrige Widerlegung *Ruhnken's* möge man bey ihm selbst nachsehen, mit den Scholien *καίειν* (brennen), was eben unser gelehrter Landsmann für unstatthaft hielt, und setzt hinzu: *Ἀναμαρμαίρειν vero de follibus eo aptius dicitur, quod quum follium flatu ignis accenditur, ipsi ignem evomere videntur.* Dieſs ist, wenn wir Hn. *W*. recht verstehen, die alte sonst gegebene Erklärung, nach der schon *Hartung* übersetzte: *nunc quidem accendunt ignem vehementem, ardere;* nicht anders will es *Hölzlin* in der langen Anmerkung zu dieser Stelle verstehn, ob er gleich in der Ueberſetzung es wiedergiebt: *remicando ignem succendunt.* Wogegen *Ruhnken* a. a. O. schreibt: *nec quicquam extricavit hominum futilissimus, qui Apollonium putido commentario oneravit, Jerem. Hoelzlinus.* Ein Ausspruch der als Warnungstafel für jeden da steht, der die nämliche Erklärung zu geben sich versucht fühlen sollte. Daher auch Rec. sie nicht annehmen zu können glaubt, zumal dieſs Wort überall, wo es ihm vorgekommen ist, nur *glänzen, strahlen* bedeutet; weswegen bey Homer, man sehe *Passow* im Gr. Wörterb. und *Seber's* Argus, vornehmlich das Participium üblich ist. Nicht anders verhält sich die Sache bey den spätern Epikern,

kern, vgl. Arat. 980. Dionys. Perieg. 319. 1120. Quint. Smyrn. 1, 59. 150. 510. 667. 680 u. s. w. Somit ist nicht abzusehn, wie die Worte ὁτὲ μέν τ' ἀναμαρμαίρουσιν bedeuten können: bald zünden die Bälge das Feuer an, oder sprühen es aus, wie Hr. *W.* es umschreibt. Nichts destoweniger glaubt Rec. in anderer Bedeutung, als der Herausg. meint, die Lesart der Bücher schützen zu können. Wird nämlich μαρμαίρειν vorzugsweise von einem zitternden, auflodernden Glanze gebraucht, wie diess schon bey Grammatikern und Scholiasten oft gesagt wird, so kann es auch von den die Glut schürenden Bälgen gesagt werden, die, wie jeder der eine Schmiede betrat, weiss, auf der Seite, wo sie dem Feuer zugekehrt sind, beym Aufhauchen (πῦρ ὀλοὸν πιμπρῶσαι) gleichsam in Flammen zu stehen scheinen (ἀναμαρμαίρειν). Nur ist dann das nach ἀναμαρμαίρ. gesetzte Komma zu streichen, von dem man ohnediess nicht recht sieht, was es auch bey Hn. *W's* Erklärung soll. Die Uebersetzung wäre ungefähr folgende:

> Wie wenn die Bälge der Schmiede von wohlzubereiteten Schläuchen
> In den geräumigen Essen anitzt aufstrahlen im Lichtglanz,
> Zehrende Flammen anfachend, und itzt aufhören zu blasen.
> Aber sobald es von unten einherströmt, hebt sich aus ihnen
> Dampfes Getös — — — — —

Die Erklärung der Scholien, die Hr. *W.* ins Lateinische übertrug, ist kaum mehr als ein Nothbehelf, um bey dem, was nicht verstanden ward, doch etwas zu sagen, wie diess *Hoelzlin* gleichfalls that. Sollte sie mehr seyn, so müsste man entweder καίειν intransitiv für *glühen* nehmen, oder, was mehr Wahrscheinlichkeit hat, das Folgende würde *Ruhnken's* Muthmassung eher bekräftigen als widerlegen. Gilt aber unsere Rechtfertigung, so wird ἀναμαρμαίρειν neben dem aus Quintus 6, 114 bereits aufgenommenen περιμαρμαίρειν einen Platz in den Wörterbüchern verdienen, während das in den Thesaur. von Stephanus Vol. V. S. 1927 durch Wakefield gebrachte ὑπομαρμαίρω wieder weichen muss, wenigstens steht es nicht in den beiden aus Oppianus und Quintus angeführten Stellen. In der vorletzten der oben angeführten Zeilen muthmasste *Hermann* z. Orph. Lith. 1304 ἐκ στομάτων ὁμάδευν, Hr. *W.* weiss nicht warum. Indessen möchte jedem andern der Grund leicht klar seyn, wenn er bedenkt, dass Apollonius in diesen Zusammenziehungen nicht eben von Homer abgeht, und z. B. 1, 1286 φορεύμενος 2, 1246 φορεύμενοι schreibt. Nun ist zwar ὁμάδουν erst von Stephanus durch Conjectur in unsere Stelle gekommen, aber dass ein Zeitwort ursprünglich hier stand ist wenigstens ein nicht ungegründeter Verdacht. Die darauf folgenden Worte τὸν δ' ἄμφι τε δήϊον αἶθος βάλλεν ἄτε στερ. sind allerdings unverständlich, und mit Recht nimmt Hr. *W.* auch an *Hermann's* Vorschlag a. a. O. Anstoss, weil, wenn man mit diesem Gelehrten τὸν δ' ἀμφὶ ἑ δ. α. liest, der doppelte Accusativ ganz unverständlich. Vielleicht liegt in ἄμφι τε ἄμφεπε und, der Vers zu lesen:

> — — — — — — τὸν δ' ἄμφεπε δήϊον αἶθος
> βάλλον ἄτε στεροπή· — — — — —

so steht 4, 1145 πάσας δὲ πυρὸς ὣς ἄμφεπεν αἴγλη, vgl. Il. 16, 124. Od. 4, 437. Die intransitive Bedeutung von βάλλω, die in der Vulgate βάλλεν ἄτε στ. dem Herausg. missfällt, der deswegen βάλλον, wie ein Partic. lesen wollen, empfahl, ist nicht ohne Beyspiel; so steht Hom. Od. 7, 279 πέτρῃς πρὸς μεγάλῃσι βαλὸν καὶ ἀτερπέϊ χώρῳ das Participium des Aorist auf gleiche Weise. — In der schon einmal angezogenen Stelle 4, 269 ff.:

> καὶ ποταμὸς Τρίτωνος ἐΰῤῥοος, ᾧ ὕπο πᾶσα
> ἄρδεται ἠερίη· Διόθεν δέ μιν οὔποτε δεύει
> ὄμβρος· ἅλις προχοῇσι δ' ἀνασταχύουσιν ἄρουραι —.

will Hr. *W.*, was *Brunck's* Vermuthung ist, zuerst Τρίτων ἠΰῤῥοος lesen, wofür aber ein Beweis zu führen wäre; sodann hat er wie *Brunck* die von Stephanus eingesetzte Unterscheidung nach ἅλις gestrichen, und sie nach ὄμβρος gesetzt, nur mit der Abweichung, dass er wie die sonstigen Ausgaben προχοῇσι δ' ἀ. gab, während *Brunck* die Partikel des Gegensatzes strich. Die Ursache, warum man jenes für gut nahm, liegt in dem vorausgehenden οὔποτε und in der sich nicht selten darbietenden Behauptung der Alten, es regne in Aegypten gar nicht. *Brunck* führt Eurip. Helena 1 ff. an, eben so schreibt Pomponius Mela I, 9 *terra expers imbrium, mire tamen fertilis*, wo die Erklärer mehr gesammelt haben. Hr. *W.* bemerkt daneben, dass die Scholien seine Ansicht begünstigen; was er aber in den Scholien aus den Florenzern beybringt, das kann, wie jeder sehen wird, eben so gut die andere Weise schützen. Denn es heisst dort: ἀμφιβολία περὶ τὴν σύνταξιν. Σημαίνει γὰρ ἤτοι ἅλις ἀνασταχύουσι, ἢ ὅτι οὐ δεύει ὄμβρος ἅλις, ἐπεὶ οὐ βρέχει συνεχῶς κατ' Αἴγυπτον. Eher hätten sich die in unserm Abdruck übergangenen Pariser Scholien anführen lassen, die mit *Brunck's* und *Hn. W's* Erklärung übereintreffen: τὸ δὲ ἅλις τῷ ἀνασταχύουσιν συναπτέον. Πρὸς γὰρ τὸ ὄμβρον οὐκ ἀναφέρειν δεῖ· ἤδη γὰρ εἴρηται ὅτι οὐδέποτε ὕει κατὰ τὴν Αἴγυπτον. Nichts destoweniger möchte die Unterscheidung nach ἅλις, wie sie Stephanus einführte, sich vertheidigen lassen. Denn Apollonius, der so lange in Aegypten lebte, konnte nicht wohl den sehr gemeinen mündlich fortgepflanzten Irrthum der Alten, dass es dort gar nicht regne, theilen, sondern sagt schicklicher Weise nur, dass der Regen für die Fruchtbarkeit nicht ausreiche. Diess wäre der Sache angemessen, und es würde dasselbe behauptet, was Senec. Quaest. Nat. IV, 2 davon berichtet, wenn er schreibt: *Nam in ea parte, quae in Aethiopiam vergit, aut nulli imbres sunt, aut rari, et qui insuetam aquis coelestibus terram non adjuvent.*

(Die Fortsetzung folgt.)

ERGÄNZUNGSBLÄTTER
ZUR
ALLGEMEINEN LITERATUR-ZEITUNG

December 1828.

STAATSWISSENSCHAFTEN.

Tübingen, b. Laupp: *Grundsätze der Politik*, oder philosophisch-geschichtliche Entwickelung der Hauptgrundsätze der innern und äussern Staatskunst. Von *H. B. von Weber*, Vicedirector bey dem Gerichtshofe in Tübingen, und Lehrer des Criminalrechts an dortiger Universität. 1827. XIV u. 346 S. 8.

Es gehört, bey dem ersten Anblick, zu den befremdenden Erscheinungen, dass während der letzten Jahrzehnte, wo so bedeutend viel für den Anbau der meisten Staatswissenschaften — namentlich des Staatsrechts, der Volks- und Staatswirthschaft, der Finanz und Polizey und der Statistik — geschah, die wissenschaftliche Gestaltung und Fortbildung der *eigentlichen Politik* hinter denselben zurückblieb. Eben diese Wissenschaft aber, die Blüthe und Krone der gesammten staatswissenschaftlichen Kenntnisse, bedurfte der sorgsamsten Pflege in einer Zeit, welche durch grosse politische Vorgänge und Erschütterungen mächtig aufgeregt war für die Nachfrage *nach dem Verhältniss*, in welchem die Theorie zur Praxis, das Ideal zur Geschichte, der Vernunftstaat zu den Erstrebungen in der Wirklichkeit stand.

Das Befremdende der oben angedeuteten Erscheinung vermindert sich aber, wenn man folgende drey Ergebnisse sich vergegenwärtigt: *erstens*, dass die Politik, als Wissenschaft, von dem Staatsrechte und den übrigen staatswissenschaftlichen Kreisen erst im 18ten Jahrh. schärfer gesondert ward; *zweytens*, dass zu einer erschöpfenden wissenschaftlichen Gestaltung der Politik weder das Staatsrecht allein, noch die Geschichte allein ausreicht, dass vielmehr der Lehrer der Politik *gleichmässig* über staatsrechtliche, staatswissenschaftliche, geschichtliche und statistische Kenntnisse nach ihrem ganzen Umfange gebieten muss; und *drittens*, dass selbst viele geistvolle politische Schriftsteller der neuesten Zeit über die Grenzbestimmung und den innern Umfang der Politik, als Wissenschaft, keineswegs übereinstimmten.

Wer aus Beruf oder Neigung die *Literatur* der gesammten Staatswissenschaften erforschte, weiss es, dass weder in der Welt des classischen Alterthums, noch seit dem Wiedererwachen der Wissenschaften bis zum Anfange des 18ten Jahrhunderts, *Staatsrecht und Politik* (Staatskunst) *mit wissenschaftlicher Strenge von einander geschieden wurden*. Die ewigen Grundsätze des Rechts, die aus der Vernunft stammen; die Aussprüche der Klugheit, die man aus der Erfahrung entlehnte, und die politischen Ergebnisse, die man aus den Thatsachen der Geschichte der einzelnen Völker und Reiche ableitete, verschmolzen, ohne strenge Sonderung, in den politischen Schriften der Alten und Neuen unter einander. So beym *Plato*, beym *Aristoteles* und *Cicero*, wie beym *Macchiavelli*, *Hobbes*, *Cohring* und *Locke*; der *dii minorum gentium* nicht einmal zu gedenken. Erst als *Justus Henning Böhmer* in seiner *introductio in jus publicum universale* (Hal. 1709. 8.) dem *Staatsrechte* einen streng-wissenschaftlichen Charakter gab, und von demselben das bloss Politische — das aus Klugheit, Erfahrung und Geschichte Stammende — ausschied; erst seit dieser Zeit ward eine selbstständige Behandlung beider Wissenschaften, des Staatsrechts und der Staatskunst, möglich, obgleich die alte Sitte, beide mit einander zu vermischen, noch lange sich erhielt, und selbst ein Mann, wie *Schlözer*, nicht völlig frey von derselben blieb. — Früher aber, bevor die Politik zu einem selbstständigen wissenschaftlichen Gepräge gelangte, machte der Anbau des Staatsrechts bedeutende Fortschritte: denn erst mit dem Günstlinge des grossen Friedrichs, mit dem geistvollen Freyherrn *von Bielfeld* (*institutions politiques*, 3 Tom. à la Haye 1760. 8.) begann die Selbstständigkeit der Politik, wenngleich sein Buch, bey allem Reichthume geistvoller Ansichten und bey aller Vielseitigkeit geschichtlicher und statistischer Kenntnisse, die es enthält, noch weit von der systematischen Haltung, so wie von der logischen Anordnung und Durchbildung entfernt blieb, deren die Politik bedarf, sobald sie auf gleicher Höhe der Reife mit den übrigen Staatswissenschaften stehen soll.

Bald folgte dem Werke *Bielfeld's* das *erste Compendium* der Politik, wodurch diese Wissenschaft in die Kreise *der akademischen Lehrgegenstände* überging. Es war der um mehrere Staatswissenschaften hochverdiente *Achenwall*, der auch die Politik auf die Lehrstühle der Universitäten brachte, mit seinem (für jene Zeit sehr brauchbaren und von dem seltenen Tacte des Vfs. zeugenden) Compendium: „*Die Staatsklugheit nach ihren ersten Grundsätzen*" (Götting. 1761. 8. 4te Aufl. 1779). Es ist wahr, in dem philosophischen Theile dieses Compendiums herrscht das System des Eudämonismus vor, das *damals* an der Tagesordnung war; allein viel

viel ward ſchon *dadurch* gewonnen, daſs *Achenwall* für die neu ſich bildende Wiſſenſchaft den einzig richtigen Weg einſchlug: *die Verbindung des Philoſophiſchen mit dem Geſchichtlichen, des Idealiſchen mit dem Wirklichen*. Ja man kann, unbeſchadet ſeiner groſsen Verdienſte, ſagen: daſs er dem Kreiſe der Geſchichte, der Statiſtik und der Erfahrung mehr noch gewachſen war, als dem Kreiſe der Philoſophie. Doch blieb in damaliger Zeit der gründliche Vortrag der Staatswiſſenſchaften, und namentlich der Politik, auf den Hochſchulen Deutſchlands, zunächſt *auf Göttingen* beſchränkt, wo ſeit Achenwall *Schlözer*, *Spittler*, *Beckmann*, *Heeren*, *Sartorius*, *Saalfeld* u. A. ausgezeichnete Verdienſte um dieſe Wiſſenſchaften ſich erwarben. Deshalb ſtrömten auch — ſo lange andere deutſche Regierungen auf ihren inländiſchen Hochſchulen die Errichtung beſondrer Lehrſtühle für die Staatswiſſenſchaften nicht für nöthig fanden, — diejenigen deutſchen Jünglinge, welche für dieſe Wiſſenſchaften Sinn und Bedürfniſs fühlten, nach Göttingen, um dort die Weihe für den höhern Staatsdienſt zu erhalten; und unverkennbar bleibt das Verdienſt dieſer Hochſchule, daſs durch ihre Heroën in dieſem Felde des Wiſſens ein helleres Licht über ganz Deutſchland aufging, bis man endlich auch anderwärts erkannte, daſs *dieſe* Wiſſenſchaften nicht bloſs an der Leine gelehrt werden könnten. — Immer aber ermangelte die *Staatskunſt* des zeitgemäſs fortſchreitenden *wiſſenſchaftlichen* Anbaues. Denn der geiſtreiche *Schlözer* gab (1771) in ſeinem „*ſyſtema politices*" bloſs eine Nomenclatur auf Einem Bogen; und *Cäſureon's* (des Grafen *Keyſerling's*) „*Grundſätze der Staatsklugheit*" (Mitau 1772. 8.), und *Pfeiffer's* „*Grundriſs der wahren und falſchen Staatskunſt*" (2 Thle. Berl. 1778. 8.) dürfen kaum dem wiſſenſchaftlichen Anbaue angerechnet werden. So ruhte dieſer Anbau, bis ein *Ungenannter* im J. 1795 mit Freymüthigkeit, Sachkenntniſs und Wärme — doch ohne alle Anwendung der Geſchichte — „*Vorleſungen über die wichtigſten Gegenſtände der Moralpolitik*" im Geiſte des *kritiſchen* Syſtems erſcheinen lieſs, und *Chriſtian Dan. Voſs* nicht ohne Gründlichkeit, aber mit gewohnter Breite, die dahin gehörenden Gegenſtände (1797) in ſeinem „*Handbuche der allgemeinen Staatswiſſenſchaft*" behandelte. Ganz ohne Werth war *Röſſig's* „*Lehr- und Handbuch der Politik*" (Leipz. 1805. 8.); denn er verſtand zwar Maſſen in reichen Collectaneen zu ſammeln, nicht aber, ſie zu verarbeiten. Er ermangelte des philoſophiſchen Geiſtes, der ſyſtematiſchen Haltung, der geſchichtlichen Kenntniſſe, des pragmatiſchen Urtheils. Dagegen drängte der gründliche *Behr* in Würzburg in ſeinem „*Syſtem der angewandten allgemeinen Staatslehre oder der Staatskunſt*" (3 Thle. Frankf. 1820. 8.) die ganze Summe ſtaatswiſſenſchaftlicher Kenntniſſe, ohne Berückſichtigung der Ergebniſſe der Geſchichte, mit philoſophiſchem Geiſte und ehrenwerther Freymüthigkeit zuſammen. *Luden's* vielbeſprochenes, oft verkanntes „*Handbuch der Staatsweisheit*" (1811) blieb ohne [illegible]ſetzung; nicht ohne Verluſt für die Wiſſen[illegible] Was der Frhr. *v. Seckendorf* in ſeinen „*Grund[illegible] der philoſophiſchen Politik*" (1817) aus Grun[illegible] der Sittenlehre aufſtellte, konnte nicht [illegible] geiſtvolle *Köppen* aber verſuchte (1819) in [illegible] „*Politik nach Platoniſchen Grundſätzen*" [illegible] eine Ausgleichung des Alterthums und der [illegible] Zeit in ſeinen mitgetheilten Anſichten. Was [illegible] beabſichtigte, iſt allgemein bekannt, längſt [illegible] digt, und gehört mehr zu dem Staatsrechte, als [illegible] Politik. Sein Antipode, *Krug*, lieſs in der „*[illegible] politik*" (1824) nur den Mangel *geſchichtlicher* [illegible] gebniſſe wahrnehmen; denn an Klarheit, *Freym[illegible]* thigkeit und ſtrenger Anhänglichkeit an *dem*, [illegible] der Vernunft gemäſs iſt, überragte er ſeine Vorgänger. *Zachariä* miſchte von Neuem in ſeinen „*[illegible] zig Büchern vom Staate*" (bisjetzt erſt *dreyſsig* [illegible] cher in drey Theilen) Staatsrecht und Politik, [illegible] zeigte auch hier, wie in allen ſeinen Werken, G[illegible] Umſicht, Tact und Haltung, ohne doch ein [illegible] ſtändiges Syſtem der eigentlichen Politik zu liefern. Viel treffliche Vorarbeiten zu einem ſolchen [illegible] ten die neuern Schriften *Ancillon's* („*über die S[illegible] wiſſenſchaft*", „*über die Verfaſſungen*" und „[illegible] *Vermittelung der Extreme in den Meinungen*"). [illegible] *litz* verſuchte im *erſten* Theile ſeiner „*Staat[illegible] ſenſchaften im Lichte unſrer Zeit*" eine neue [illegible] ſenſchaftliche Geſtaltung der Politik, und [illegible] ſchloſs ſich, in vielfachen Ergieſsungen, der Verfaſſer des anzuzeigenden Werks an.

Aus dieſer kurzen literäriſchen Ueberſicht erhellt, daſs die *Staatskunſt* als Wiſſenſchaft bey weitem nicht ſo häufig und ſo reichhaltig angebaut ward, als die andern Staatswiſſenſchaften, und daſs die groſse Mehrheit derer, welche ſie anbauten, mehr auf den bloſs philoſophiſchen Theil derſelben ſich beſchränkten und ſie als eine Wiſſenſchaft *a priori* aufſtellten, ohne ſie als eine *gemiſchte* Wiſſenſchaft, d. h. als eine ſolche zu behandeln, welche weder ausſchlieſsend *a priori*, noch lediglich *a poſteriori* aufgeführt werden darf, ſondern welche, wie in ihren Grundbegriff, ſo auch *in ihre* Durchführung und wiſſenſchaftliche Ausbildung die *Vereinigung des Philoſophiſchen mit dem Geſchichtlichen* aufnehmen muſs.

Doch nicht bloſs die eben gerügte Einſeitigkeit wirkte nachtheilig für die neue wiſſenſchaftliche Geſtaltung der Politik; auch *das* ward derſelben hinderlich, daſs manche geachtete ſtaatswiſſenſchaftliche Schriftſteller — indem ſie das ganze ſtaatswiſſenſchaftliche Gebiet *bloſs in die beiden Theile*: — Staatsrecht und Politik zerfällten, — unter der Politik die *Geſammtheit der praktiſchen Staatskenntniſſe* verſtanden und behandelten, und folglich in deren Gebiet alles das zogen, was andere Lehrer und Schriftſteller dieſer Wiſſenſchaft unter den *beſondern* wiſſenſchaftlichen Gebieten der Nationalökonomie, der Staatswirthſchaft, der Finanz- und der Polizeywiſſenſchaft darſtellten. — Es bleibe an die-

dieſem Orte unentſchieden, theils ob dieſes Verſchmelzen ſehr heterogener Beſtandtheile an ſich überhaupt zweckmäſsig ſey; theils ob nicht dadurch die Politik zu einem Umfange anſchwelle, daſs ſie in einem akademiſchen Halbjahre kaum zu behandeln möglich iſt. Rec. hält ſich zunächſt an das vorliegende Werk, wo dieſe Anſicht *nicht* befolgt, ſondern die *Staatskunſt* als eine in ſich abgeſchloſſene und ſelbſtſtändige Wiſſenſchaft in dem Kreiſe der übrigen Staatswiſſenſchaften behandelt wird.

So wie Rec. *dieſe* Behandlung mit dem Vf. als die zweckmäſsigſte und als ein Bedürfniſs für unſer Zeitalter anerkennt, ebenſo iſt er auch mit demſelben faſt durchgehends über die aufgeſtellten Grundſätze und über die befolgte Anordnung einverſtanden. Denn in dem vorliegenden Werke finden ſich alle gute Eigenſchaften eines *akademiſchen Lehrbuchs* vereinigt: ſyſtematiſche Begründung des Ganzen, logiſche Abgrenzung der einzelnen Theile, gleichmäſsige Behandlung derſelben, Klarheit und Beſtimmtheit der Begriffe, Reichthum der Kenntniſſe, Freymüthigkeit des Urtheils, die dem ſelbſtſtändigen Manne ziemt, verbunden aber mit der Mäſsigung, welche den richtigen Mittelweg zwiſchen den Extremen der gegen einander anſtrebenden politiſchen Parteyen hält. Rec. hat daher die Ueberzeugung, daſs dieſes Lehrbuch, angewandt bey den akademiſchen Vorträgen über die Staatskunſt, nicht nur die weitere Verbreitung dieſer Wiſſenſchaft auf den Hochſchulen ſehr befördern, ſondern auch dem Lehrer derſelben den Vortrag ſehr erleichtern werde. Höchſtens wünſchte Rec., daſs für *akademiſche* Vorträge die *Literatur* etwas reichhaltiger, und, zur Erläuterung und Verſinnlichung der aufgeſtellten politiſchen Lehren und Grundſätze, etwas mehr *auf die geſchichtlichen Ereigniſſe der neuern und neueſten Zeit* Rückſicht genommen worden wäre.

Für alle Behörden, welche das Studium der Staatswiſſenſchaften auf den Hochſchulen zu befördern berufen ſind, werde folgende Stelle des Vfs., ſelbſt eines ſehr einfluſsreichen praktiſchen Juriſten, — aus der Vorrede ausgehoben: „Der *Juriſt*, der ſich bloſs auf ſeine juriſtiſchen Studien beſchränkt und ſich nicht auch philoſophiſche und ſtaatswiſſenſchaftliche Kenntniſſe erwirbt, wird immer nur einen beſchränkten Geſichtskreis behaupten, und dereinſt wenigſtens im höhern Staatsdienſte oder als Ständemitglied keine volle Tüchtigkeit bewähren können. Dieſs wird er nur dann vermögen, wenn er mehr, als in der Regel ſeither geſchah, auch dem Studium der Staatswiſſenſchaften ſich hingiebt, und insbeſondere dem Studium der Politik. — Aber auch dem *Cameraliſten*, vornehmlich demjenigen Cameraliſten, der ſich dem ſogenannten Regiminalfache zunächſt widmet, iſt das Studium der Politik wohl zu empfehlen. Denn wie ſollte ihm diejenige Wiſſenſchaft fremd bleiben dürfen, die mit umfaſſendem Blicke das Ganze des innern und äuſsern Staatslebens beleuchtet und die Wege und Mittel zeigt, vermöge welcher das Staatsleben ſeinen letzten Zwecken mit Beſonnenheit entgegengeführt werden mag. Gerade in dieſem Verwaltungsfache, welches ſeiner Natur nach weniger, als die Gerechtigkeitspflege, allgemeine geſetzliche Normen zuläſst, ſondern dem umſichtigen und redlichen Beamten gar Vieles nach Zeiten und Umſtänden ſelbſt zu beſtimmen und zu verfügen überlaſſen muſs; gerade in dieſem Fache iſt dem öffentlichen Diener eine gründliche und klare Einſicht in das ganze Weſen und Leben des Staats, in die allgemeinen Grundſätze der Staats-Verfaſſung und Verwaltung gar ſehr nöthig." — Möchte doch ein ſolches Wort für die nicht verloren gehen, welche ſelbſt den Sinn und Empfänglichkeit für den allgemeinen Anbau der Staatswiſſenſchaften beſitzen, und den Mangel dieſer Kenntniſſe bey ihren Räthen und Subalternen täglich empfinden und doch Anſtand nehmen, durch Aufmunterungen und Veranlaſſungen von oben herab das Studium dieſer Wiſſenſchaften auf den Hochſchulen zu befördern und zu unterſtützen!

Das Werk des Vfs. zerfällt in die *Einleitung* und in *zwey Bücher* (Haupttheile). Rec. giebt zuerſt die Oekonomie des Buchs.

In der *Einleitung* handelt der Vf. von dem Begriffe und den Quellen der Politik; von dem Begriff des Rechts; von dem Begriff und Zweck des Staats; von der allgemeinen Aufgabe der Politik und den Theilen dieſer Wiſſenſchaft; von dem Verhältniſs der Politik zu den übrigen Staatswiſſenſchaften. Zuletzt wird ein kurzer Ueberblick der Geſchichte und Literatur der Politik gegeben.

Die wiſſenſchaftliche Darſtellung der Politik zerfällt in die *beiden* Haupttheile: der *innern* und der *äuſsern* Politik.

Die *innere* Politik handelt in *drey* Abſchnitten: 1) von der *Cultur des Volks;* 2) von dem *Organiſmus des Staats;* 3) von den *Reformen* im Staate. Der zweyte dieſer Abſchnitte, als der wichtigſte, umſchlieſst mehrere Untertheile. Zuerſt wird vom Organiſiren im Staate überhaupt, ſodann von den drey Grundformen der Staatsorganiſation — der *Verfaſſung*, der *Regierung* und der *Verwaltung* — gehandelt. — Die Verſchiedenheit der *Staatsverfaſſungen* wird noch hinſichtlich ihrer Entſtehungsweiſe und hinſichtlich ihres Inhalts dargeſtellt. In beſondern Abſchnitten erklärt der Vf. ſich über den Adel im Staate und über die Preſsfreyheit. — In der Lehre von der *Regierung* entwickelt der Vf. den Charakter der monarchiſchen, wie der republikaniſchen Regierungsform, der Theokratie, des Bundesſtaats und des Staatenbundes. — Die Lehre von der *Verwaltung* geht von den Hauptforderungen der Politik an die Verwaltung aus, erklärt ſich darauf über die höchſten Verwaltungsbehörden, und entwickelt ſodann im Einzelnen die *vier Hauptzweige* der Verwaltung: die *Gerechtigkeitspflege*, die *Polizey*, das *Finanz-* und das *Militär-Weſen*.

Im *zweyten* Haupttheile wird die *äuſsere* Politik dargeſtellt. Der Vf. eröffnet ihn mit *Vorbemerkungen* über den Inhalt und Umfang dieſes Theils der

Poli-

Politik, so wie mit den *Grundsätzen* der äussern Politik. Diese Grundsätze werden im *ersten* Untertheile aufgestellt: *für die friedliche Wechselwirkung und Verbindung des einzelnen Staats mit den andern Staaten*, wohin die Lehre von dem Staatsinteresse, von dem politischen Gewichte der Staaten und dem Gleichgewichte unter denselben und die Lehre von der politischen Unterhandlungskunst gehört; und im *zweyten* Untertheile: *für die Anwendung des Zwanges zwischen den Staaten* nach angedrohten oder erfolgten Rechtsverletzungen, wohin die Retorsionen, die Repressalien und der Krieg gehören. In besondern Abschnitten würdigt der Vf. den Krieg und das sogenannte Eroberungsrecht aus dem Standpunkte der Politik.

Wenn die Leser der A. L. Z. aus dieser Uebersicht den *Umfang*, *Inhalt* und die *Ordnung* der wissenschaftlichen Darstellung des Vfs. ermessen können, so werden sie auch aus den folgenden Mittheilungen auf die Bestimmtheit seiner Begriffe, auf den Reichthum seiner Kenntnisse, auf die Fruchtbarkeit und Anwendbarkeit seiner politischen Lehren und Ansichten, auf die Wirklichkeit und auf die Mässigung in seinen Urtheilen über die wichtigsten, in neuerer Zeit sehr verschiedenartig behandelten politischen Begriffe und Dogmen mit Sicherheit zu schliessen vermögen.

Der Vf. behandelt die Politik weder bloss *a priori*, noch bloss *a posteriori*, und eben so wenig als die *Gesammtheit* der *praktischen* Staatslehre, mit Einschachtelung der Nationalökonomie, der Finanz- und Polizeywissenschaft u. a. in dieselbe. Er sagt sehr wahr (S. 3): „Die Politik ist nicht die Staatslehre in ihrem ganzen Umfange, sondern *nur ein Theil* derselben, nur Eine von den Wissenschaften, die wir heutzutage *Staatswissenschaften* nennen. Als ein solcher Zweig der gesammten Staatslehre erscheint die Politik in der Reihe der Staatswissenschaften, weder als eine rein-philosophische, noch als eine rein-geschichtliche Staatswissenschaft, sondern als eine *gemischte*, d. h. eine zugleich aus philosophischen Grundsätzen und aus geschichtlichen Belehrungen gebildete Wissenschaft. *Vernunft* und *Geschichte* sind mithin die Quellen, aus welchen die Politik ihren mannichfaltigen und wichtigen Stoff schöpft."

Den *Begriff* der Politik, als Wissenschaft, stellt der Vf. (S. 4 u. S. 86) dahin auf: „Sie ist die aus der Vernunft und Erfahrung geschöpfte Lehre von den Mitteln und der Art, wodurch und wie das *Ideal* des Staats so vollkommen, als es unter *gegebenen Verhältnissen* möglich ist, zur Ausführung zu bringen sey, oder: *die wissenschaftliche Darstellung des Zusammenhangs zwischen dem innern und äussern Staatsleben, nach den Grundsätzen des Rechts und der Klugheit.*" Diess führt der Vf. (S. 5) weiter aus: „Jeder Staat kann und muss, sofern er als ein geordnetes und selbstständiges Gemeinwesen, als eine *res publica* zu nehmen ist, in *zweyfacher* Hinsicht betrachtet werden: nach seinem *innern* und nach seinem *äussern* Leben, und nach der Wechselwirkung beider auf einander. — Das *innere* Leben eines Staats offenbart sich in dessen Verfassung und Verwaltung, in der Bildung und dem Charakter seines Volks; und von der Beschaffenheit dieser Elemente und ihrem Verhältniss zu einander hängt die kräftige *Fortbildung*, so wie die Erschlaffung und der Rückgang des innern Staatslebens ab. — Das *äussere* Leben eines Staats aber wird erkannt an der *Art*, wie derselbe mit den andern und besonders den Nachbar-Staaten in Verbindung und Wechselwirkung steht, und wie er, im Falle eines rechtswidrigen Angriffs von Seiten eines andern Staats, den Zwang gegen diesen Staat anwendet. — Bey dieser Ansicht und Behandlungsweise der Politik wird allerdings das im philosophischen Staats- und Völkerrechte aufgestellte *Ideal* der unbedingten Herrschaft des Rechts in den einzelnen Staaten und in der Wechselwirkung aller neben einander bestehenden Staaten *vorausgesetzt*. Allein die Politik verbindet theils in ihren Grundlehren mit dem höchsten Zwecke des *Rechts* auch den Zweck der *Wohlfahrt* (Glückseligkeit) sowohl der Individuen, als der ganzen Gesellschaft; theils giebt sie auch die *Mittel* an, die zur Erreichung jener beiden Zwecke am tauglichsten erscheinen. Vorzüglich in letzterer Beziehung erweiset sie sich als *Staatsklugheitslehre*; denn die *Klugheit* überhaupt besteht in der Kenntniss und Wahl der wirksamsten Mittel zur Erreichung eines gewissen Zwecks. — Die Staatsklugheitslehre in diesem engern Sinne schöpft aber ihre Vorschriften nicht, wie das philosophische Staatsrecht, aus der Vernunft, sondern *aus der Erfahrung*. Es müssen daher in der Politik überall die anwendbarsten und treffendsten Belege aus der Geschichte aller Jahrhunderte zu Hülfe genommen werden, um die Anwendung der wirksamsten Mittel für die Behauptung und Erhöhung des Zusammenhangs zwischen dem innern und äussern Staatsleben anschaulich zu machen und zu beweisen."

(Der Beschluss folgt.)

NEUE AUFLAGE.

HAMBURG, b. Campe: *H. E. Lloyd's theoretisch-praktische Englische Sprachlehre für Deutsche.* Mit fasslichen Uebungen nach den Regeln der Sprache versehen. *Dritte* verbesserte Auflage. 1828. VIII u. 365 S. 8. (22 gGr.) (S. die Recension A. L. Z. 1817. Nr. 180.)

ERGÄNZUNGSBLÄTTER
ZUR
ALLGEMEINEN LITERATUR - ZEITUN[G]

December 1828.

STAATSWISSENSCHAFTEN.

Tübingen, b. Laupp: *Grundſätze der Politik* — — - Von *H. B. von Weber* u. ſ. w.

(*Beſchluſs der im vorigen Stück abgebrochenen Recenſion.*)

Wenn in den vorerwähnten Grundbegriffen der allgemeine Charakter der von dem Vf. aufgeſtellten Wiſſenſchaft mitgetheilt ward, ſo drängt von jetzt an der Rec. aus der Ausführung der beiden einzelnen Haupttheile, welche von dem *innern* und *äuſsern* Staatsleben handeln, nur die wichtigſten Anſichten und Ergebniſſe des Vfs. zuſammen.

Die *innere* Politik muſs, bevor ſie von der Verfaſſung, Regierung und Verwaltung ſprechen kann, nothwendig von dem *Volke* ausgehen, das innerhalb des Staats eine Verfaſſung erhalten und regiert und verwaltet werden ſoll. Denn dieſe drey Grundformen des Staatsorganismus richten ſich nothwendig nach dem *Nationalcharakter* und nach der erreichten Stufe der *Cultur* des Volks. Der Vf. (S. 62) verſteht unter dem „*Nationalcharakter*" (oder der *Volksthümlichkeit*) die jedem Volke eigenthümliche Art der Entwickelung ſeiner Anlagen und Kräfte, wodurch ſeine Eigenthümlichkeit in der Art zu denken, zu fühlen und zu handeln vermittelt wird. Die *Cultur* des Volks bezeichnet er aber nicht bloſs als die eigenthümliche Art der Entwickelung der Anlagen und Kräfte eines Volks, ſondern verſteht darunter auch, und vorzüglich, die dermalen erreichte Stufe oder den Höhepunkt ſeiner Entwickelung. Er unterſcheidet zwiſchen der ſinnlichen, techniſchen, intellectuellen, äſthetiſchen, ſittlich-religiöſen und bürgerlichen Cultur eines Volks. Die *ſinnliche* Cultur bezieht der Vf. zunächſt auf die Entwickelung und Anwendung der ſinnlichen Anlagen und Kräfte eines Volks in Hinſicht auf den Anbau des Bodens und auf Alles, was unmittelbar zur Erhaltung und Förderung des *phyſiſchen* Lebens gehört; die *techniſche* auf die Betreibung der *Gewerbe* durch Manufacturen und Fabriken. Die *intellectuelle* offenbart ſich in der Kraft des Geiſtes hinſichtlich der Entwickelung und Erweiterung der Verſtandeserkenntniſs, und daher hauptſächlich im Anbau und Fortbilden der *Wiſſenſchaften*. Die *äſthetiſche* Cultur, das Reſultat der Entwickelung einer fruchtbaren Einbildungskraft und eines tief und vielſeitig angeregten Gefühls, bewährt ihre Thätigkeit vornehmlich in dem Kreiſe

der *ſchönen Künſte*. Die *ſittlich-religiöſe* Cult[ur]
zeigt ſich in der Reinheit der Sitten, als dem treu[en]
Wiederſcheine der innern Sittlichkeit, und in d[er]
von der Sittlichkeit unzertrennlichen Heiligkeit u[nd]
Kraft religiöſer Ueberzeugungen und des auf dieſ[e]
Ueberzeugungen beruhenden würdigen äuſsern Lebens. Die *bürgerliche* Cultur endlich, die aber n[it]
der bloſsen äuſsern Geſittung oder Policirung nic[ht]
Eins iſt, erſcheint als die Wirkung und gleichſa[m]
die Krone aller bisher angegebenen Arten und Richtungen der Volkscultur. Sie zeigt ſich in der rege[n]
möglichſt verſtändigen und nützlichen Theilnahm[e]
in allen Angelegenheiten des *Staatslebens*. — D[ie]
allſeitige wahre bürgerliche Cultur eines Volks e[r-]
zeugt dann (S. 70) das, was man die *politiſche Rei[fe]*
oder *Mündigkeit* eines Volks nennt, die aber,
ihrem vollen Umfange, nie über die Geſammtma[ſſe]
einer Nation ſich verbreiten, ſondern nur die Mi[n-]
derzahl derſelben umſchlieſsen kann, weil nur e[in]
Theil der mittlern und höhern Klaſſe der Nation [zu]
demjenigen Grade ſittlicher und bürgerlicher Bildu[ng]
ſich erhebt, die ihn in den Stand ſetzt, nicht blo[ſs]
ſeine eignen Handlungen und Intereſſen, ſonde[rn]
auch die Handlungen und Intereſſen Anderer ve[r-]
nünftig und ſelbſtſtändig zu leiten.

Das *Organiſiren* im Staate bezieht der Vf. (S. 7
darauf, daſs der Geiſt des Volks eine *äuſsere For[m]*
und *Unterlage* ſeines Lebens bekommt, die ih[m]
eben ſo angemeſſen iſt, wie der Leib des Menſch[en]
ſeiner Seele. Die *poſitive* Seite des Organiſirens b[e-]
ſteht in der Berückſichtigung des höchſten Zwec[ks]
des Staats bey der Wahl und Veranſtaltung aller d[er]
Mittel, welche zur Erreichung jenes Zwecks wir[k-]
lich erfordert werden. Die *negative* Seite des O[r-]
ganiſirens aber beſteht in der Beſeitigung aller Hi[n-]
derniſſe der freyen Entwickelung aller Kräfte d[es]
Staats, welche zur Erreichung ſeiner Zwecke di[e-]
nen können. — Die Hauptgegenſtände des Staat[s-]
organismus ſind: *Verfaſſung*, *Regierung* und *Ve[r-]*
waltung. Weil aber jeder wirkliche Staat, ſelb[ſt]
wenn er in Folge allgemeiner Erſchütterungen od[er]
Umwandlung der Verhältniſſe einer neuen und ve[r-]
änderten Einrichtung ſeiner Inſtitutionen beda[rf,]
doch noch ſeine Wurzeln in der Vergangenhei[t,]
oder, mit andern Worten, ſeine *Geſchichte* ha[t,]
welcher die frühern Formen ſeiner Verfaſſung u[nd]
Verwaltung angehören; ſo muſs bey dem Organ[i-]
ſiren die *geſchichtliche Unterlage des Staats* berückſichtigt werden. Dieſe geſchichtliche Unterla[ge]

T (6) od[er]

oder die durch ſeine bisherigen Einrichtungen und Lebensverhältniſſe begründete *Individualität* deſſelben ſpricht ſich vorzüglich in der Eigenthümlichkeit des Volksgeiſtes, in beſondern Sitten, Meinungen und Anſprüchen des Volks, in beſondern Verhältniſſen hinſichtlich des Beſitzes von Grundeigenthum und hinſichtlich der verſchiedenen Stände im Staate aus. Es muſs alſo jede Organiſation, welche den Bedürfniſſen eines gewiſſen Staats entſprechen und deſſen Wohlfahrt dauernd begründen ſoll, an das *bisherige* Leben dieſes Staats angeknüpft werden; oder mit andern Worten: das, was der in Folge des bisherigen Lebens erlangten Art und Weiſe der Bildung der Nation angemeſſen iſt, muſs an die Stelle deſſen treten, was, nach frühern Culturverhältniſſen und Zeitbedürfniſſen, hinſichtlich der Verfaſſungs- und Verwaltungsformen *bisher* das innere Staatsleben geregelt und gefördert hat. Dabey muſs aber auch das Alte und Hergebrachte erhalten werden, ſo weit es noch neben den Forderungen der Gegenwart beſtehen kann.

In der gründlich durchgeführten Lehre von der *Verfaſſung* des Staats geht der Vf. von dem Begriffe der *oberſten Gewalt* im Staate (S. 89) aus. Er ſagt von ihr: „Sey ſie in den Händen Einer phyſiſchen, oder einer moraliſchen Perſon; ſie kann *nur Eine* ſeyn. Dieſem Oberhaupte (Souverain) ſteht die Geſammtmacht des Staats zu, und muſs in ihm *vereinigt* ſeyn, ſo gewiſs das Staatsleben ein organiſches Ganze(s) bilden und die Staatsregierung diejenige Energie haben ſoll, deren ſie zur Erhaltung des Gemeinwohls bedarf. — Die Vereinigung der höchſten Gewalt im Staatsoberhaupt hindert aber nicht, die höchſte Gewalt ſelbſt, nach ihren beiden Hauptfunctionen, in die *geſetzgebende* und *vollziehende* Gewalt abzutheilen." — Dazu macht der Vf. das ſehr richtige *Scholion:* „Die *richterliche* Gewalt, die man ſonſt auch, beſonders auf *Montesquieu's* Autorität hin, als einen beſondern Haupttheil der höchſten Gewalt betrachtete, iſt nur ein Ausfluſs von derſelben und eine *Unterabtheilung der vollziehenden Gewalt. Die ehemals angenommene Trias politica iſt daher nicht richtig."* — Rec. theilt ganz dieſelbe Anſicht, und zwar aus demſelben Grunde: denn ſo gewiſs der Richterſtand im Staate *ſelbſtſtändig* beſtehen muſs, theils nach der Subſumtion aller Rechtsfälle unter das beſtehende Geſetz, theils nach der Unabſetzbarkeit ſeiner Individuen; ſo gewiſs ſteht doch auch die Gerechtigkeitspflege des Staats — nach ihrer Stellung zur Geſammtverwaltung — nur auf derſelben Linie (und nicht auf einer höhern), wie die Polizey, Finanz- und Militär-Verwaltung. Unzählige Irrthümer, Miſsgriffe und einſeitige Anſichten ſind in das Staatsrecht und in die Staatskunſt durch die ſchillernde Lehre von der *Trias politica* übergegangen.

Als *Grundlage einer rechtlichen Staatsverfaſſung* ſtellt der Vf. (S. 92) nach dem *allgemeinen Staatsrechte* auf: „Jede Verfaſſung muſs 1) die *urſprünglichen Rechte* des Menſchen, d. i. das Recht auf perſönliche Freyheit, auf äuſsere Gleichheit, auf [illegible]heit des Gewiſſens und der Gedankenmittheilung, auf guten Namen, auf Eigenthumserwerbung, auf öffentliche Sicherheit in ſich aufnehmen. [illegible] muſs die Bedingungen aufſtellen, unter welch[illegible] *Staats-Bürgerrecht* erworben, behauptet oder [illegible]loren wird. 3) Sie muſs das Verhältniſs der [illegible] Hauptfunctionen der Staatsgewalt, der *geſetzgeb[illegible]den* und *vollziehenden*, gegen einander nach [illegible] Umfange und den Grenzen ihrer Wirkſamkeit be[illegible]men, und insbeſondere den Antheil, welche[illegible] derſelben der Regent und die Vertreter des V[illegible] haben ſollen. 4) Sie muſs ſowohl *die Beſtim[illegible]* und den Umfang der Wirkſamkeit *der Volksvertre[illegible]ter* in Hinſicht auf Geſetzgebung und *Beſteuer[illegible]* als die Art und Weiſe der *Volksvertretung ſelbſt* [illegible] ſie nach Ständen, oder aus der Geſammtheit der Nation, in Einer oder zwey Kammern [illegible] angeben. 5) Sie muſs den Umfang und die Wi[illegible]ſamkeit der *vollziehenden* Gewalt, theils in Bez[illegible] auf die Perſon des Regenten, theils in Bezug [illegible] die Verantwortlichkeit aller Staatsdiener bey de[illegible] ihnen übertragenen Verwaltungszweigen feſtſe[illegible] 6) Sie muſs den Umfang der Wirkſamkeit der *ri[illegible]terlichen* Gewalt nach den dafür aufgeſtellten [illegible]den bezeichnen, und namentlich die *Unabhäng[illegible]keit* der richterlichen Entſcheidungen von [illegible] Einfluſſe der geſetzgebenden und vollziehenden [illegible]walt ſanctioniren. 7) Sie muſs, in Bezug auf [illegible] einzelnen Zweige der Verwaltung, die Trennung der *Juſtiz* von den übrigen Verwaltungszweigen aus[illegible]ſprechen; auch den Umfang und die *Grenze der Polizey*, beſonders aber auch die *Art der Steuererhebung* und die Grundlinien der *Militärverfaſſung* des Staats angeben. 8) Sie muſs über das rechtliche Verhältniſs der *Kirche* zum Staate überhaupt, ſogar über die Rechte und die Stellung der verſchiedenen Religionsgeſellſchaften im Staate *gegen einander*, allgemeine Beſtimmungen enthalten. 9) Endlich muſs ſie, — weil keine Verfaſſung für *alle Zeiten* gleich gut ſeyn kann; die Bedingungen *ihrer zeitgemäſsen Fortbildung*, Ergänzung oder Abänderung, ſo wie es die Fortſchritte der Nation *in politiſcher* und geiſtiger Ausbildung fordern, *in ſich* ſelbſt enthalten. — — Die *Politik* dagegen, welche in Anſehung der Grundſätze des Rechts von dem Staatsrechte abhängt, hat bloſs in Beziehung *auf einen gegebenen Staat*, nach den örtlichen Verhältniſſen, nach den vorherrſchenden Zeitbedürfniſſen, nach dem Culturgrade des Volks und nach den eigenthümlichen Formen und Richtungen des bisherigen Staatslebens, die in der *Erfahrung* vorliegenden verſchiedenen Arten von Staatsconſtitutionen prüfend zu betrachten und gegen einander zu halten, um ſodann nach Recht und Klugheit das auszumitteln, was dem beſondern Staate, hinſichtlich der Verfaſſung, noth thut und frommt."

Ueber den *Adel* hat der Vf. um ſo mehr eine Stimme, weil er ſelbſt dieſem Stande angehört. Sein Reſultat iſt folgendes: So wie im Staate überhaupt

je-

jeder rechtliche Befitz und jedes Eigenthum gefichert feyn mufs; fo auch der rechtliche Befitz eines ererbten bevorzugten Namens und ererbter Güter. Nach Rechtsgrundfätzen mufs daher die erbliche perfönliche Würde, fo wie das Grundeigenthum des Adels, nebft den darauf ruhenden Gerechtfamen, im Staate gewiffenhaft anerkannt werden. Auch ift es, wenn nicht nothwendig, doch zweckmäfsig, dafs in gröfsern Staaten, die einen zahlreichen Erbadel haben, derfelbe in einer befondern Kammer durch Mitglieder aus feiner Mitte vertreten werde. — Der Adel foll aber keine *Scheidewand* zwifchen dem Regenten und der Maffe des Volks bilden: denn aufser der Perfon des Staatsoberhaupts ift jedes andere Individuum im Staate *Staatsbürger*, und damit zugleich *Unterthan*. Daher follen auch dem Adel, aufser den perfönlichen Vorzügen feines erblichen Standes und den auf feinem Grundeigenthume ruhenden Rechten, keine individuellen, *ftaatsrechtlichen* Vorzüge, z. B. ausfchliefsende Berechtigung zu gewiffen Staatsämtern (wohl aber zu *Hofämtern*), gewiffe Ausnahmen von den bürgerlichen und peinlichen Gefetzen des Staats u. f. w. geftattet werden, weil hierin eine Ungerechtigkeit gegen die übrigen Staatsbürger liegen würde.

Da überhaupt Jeder, der über die Geftaltung des Verfaffungswefens im Staate mit fich einig werden will, den reichhaltigen Abfchnitt des Vfs., der davon handelt, nicht ungelefen laffen darf: fo befchränkt fich Rec. darauf, zu berichten, dafs der Vf. für die Verfaffungen, nach ihrer *Entftehungsweife*, eine *vierfache* Claffification annimmt (dafs fie entweder von dem Regenten als Ausflufs feiner Machtvollkommenheit gegeben, oder von dem Regenten den Stellvertretern des Volks zur Annahme und Berathung vorgelegt, oder gemeinfchaftlich vom Regenten und den Volksvertretern berathen und angenommen, oder ausfchliefsend von den Volksvertretern entworfen und dem Regenten zur Annahme vorgelegt werden); dafs er, nach ihrem *Inhalte*, hauptfächlich bey *vier* Beftimmungen verweilt (bey dem Verhältnifs zwifchen der gefetzgebenden und vollziehenden Gewalt; bey der Art der Ernennung der Volksvertreter; bey der Vertheilung derfelben in eine oder zwey Kammern, und bey den, den Volksvertretern zugetheilten verfaffungsmäfsigen Rechten und Pflichten). Für *ftändifche* Verfaffungen verlangt der Vf. (S. 116), dafs fie alle Hauptzweige der Cultur im Staate *gleichmäfsig* vertreten follen: folglich 1) das gröfsere Grundeigenthum; 2) das kleinere Grundeigenthum; 3) die ftädtifchen Gewerbe, und 4) die Intelligenz. — Rec. mufs übrigens in Betreff des aufgeftellten Verhältniffes zwifchen den Reichs- und Provinzialftänden, der Gemeinde- und Kreisverfaffungen, der activen und paffiven Wahlfähigkeit und der organifch feftzufetzenden Wahlart, fo wie über die *Prefsfreyheit*, auf den Vf. felbft verweifen.

Diefelben zeitgemäfsen, durchgehends aber fehr gemäfsigten Grundfätze, ununterbrochen mit gefchichtlichen Beyfpielen erläutert und verfinnlicht, herrfchen auch in den beiden Abfchnitten von der *Regierungsform* (S. 147), und von der *Verwaltung des Staats* (S. 188) vor. Wie gern würde Rec. ebenfo, wie in der wichtigen Lehre von der Verfaffung, auch in diefen Abfchnitten theils einzelne Stellen des Vfs. ausheben, theils feine Grundfätze und Anfichten in gedrängten Refultaten geben, — befonders wo der Vf. fo fachkundig über die *Gerechtigkeitspflege* (über öffentliches und mündliches Verfahren, über Gefchwornengerichte u. a.) fich erklärt, — wenn er nicht noch einige Worte über die *Lehre von den Reformen* und von der *äufsern Politik* zu fagen gedächte.

Der Vf. erklärt fich, mit allen befonnenen Staatsrechtslehrern und Politikern unfrer Zeit, gleich ftark gegen das *Syftem der Revolution* und der *Reaction*, und ftellt dagegen die Bedingungen des *Syftems der Reformen* auf. Er fagt (S. 285): „Während durch eine Staatsrevolution die rechtmäfsige Gewalt im Staate erfchüttert oder umgeftürzt wird, gehen dagegen die *Reformen* von der rechtmäfsigen Gewalt felbft aus, und find in ihrem Wefen nichts Anderes, als allmählige Fortbildungen und Verbefferungen in der Verfaffung, Regierung und Verwaltung, fo wie fie von den Fortfchritten des Volks nach allen Richtungen feiner Cultur gefordert werden." S. 295: „Die wahre *Quelle* der *Revolutionen* liegt nicht in fogenannten ftaatsgefährlichen Lehren, oder in Anregungen einzelner mifsvergnügter und unruhiger Köpfe unter der Nation, fondern in einer allgemeinen Beleidigung der wichtigften Rechte des Volks und in einem dadurch entftandenen Drucke, der fo unerträglich fcheint, dafs das Gefühl diefes Drucks und das Verlangen, fich davon zu befreyen, die Gedanken an die Gefahr überwiegt, der fich das Volk felbft bey einer folchen Umwälzung ausfetzt." — S. 298: „Unter dem *Reactionsfyfteme* verfteht man vorzüglich die Kämpfe gegen die weitere Verbreitung der Idee der bürgerlichen und politifchen Freyheit im Volks- und Staatsleben, und das planmäfsige Streben, den Fortfchritt im Verfaffungs- und Verwaltungswefen der Staaten aufzuhalten, und ftatt der bereits eingetretenen neuen politifchen Formen *die vormals beftandenen herzuftellen*. Diefem Reactionsfyfteme dient das Helldunkel des wieder aufgelebten *Myfticismus* in Philofophie und Religion und die von gewiffen Schriftftellern verbreiteten fogenannten *Reftaurationsverfuche* in der Staatswiffenfchaft, wodurch die Grundbegriffe über Recht, Staat und Staatsgewalt von Neuem verwirrt oder in Nebel gehüllt werden."

Dafs der Abfchnitt, welcher die *äufsere Politik* enthält, verhältnifsmäfsig weit kürzer ausfallen mufste, als die wiffenfchaftlich durchgeführte Lehre von der Geftaltung des *innern* Staatslebens, lag fchon in dem Verhältnifs des darzuftellenden Stoffs. Doch wird Keiner, der mit den gemäfsigten Grundfätzen des Vfs im erften Abfchnitte fich befreundete, diefelbe Klarheit, Beftimmtheit und Mäfsigung im zweyten vermiffen, wo er über Staatsintereffe, politifches Gleichgewicht, Völkerverträge, Bündniffe,

Re-

Retorſionen, Repreſſalien, Krieg und über das ſogenannte Eroberungsrecht ſich verbreitet.

Rec. erwartet, daſs dieſes höchſt ſchätzbare Compendium bey den akademiſchen Vorträgen über die Politik häufig werde zum Grunde gelegt werden, weil es ſich nach ſeinen Grundſätzen, nach ſeiner Form und nach der gleichmäſsigen Behandlung der einzelnen Theile ganz dazu eignet.

STATISTIK.

München, im Verl. des K. Ober-Poſtamtes: *Hof- und Staats-Handbuch des Königreichs Bayern.* 1827. XIV u. 212 S. 8. (2 Fl. 24 Kr.) — Daſſelbe 1828. XIV u. 350 S. 8. (1 Fl. 12 Kr.)

I. Vorliegendes Buch liefert eine Ueberſicht der verſchiednen Behörden des Königr. Bayern. Unter Beziehung auf unſre frühern Anzeigen in dieſer Zeitſchrift bemerken wir, daſs unſre Rügen nicht beherzigt und verbeſſert wurden. I. Der Inhalt von 1827 iſt: 1) die Genealogie des K. Hauſes; 2) die Groſs-Beamten der Krone; 3) die Träger der fünf königlichen Orden; 4) die Träger auswärtiger Orden; 5)—7) der Hofſtaat Sr. M. des Königs, der Königin, der Prinzen, Prinzeſſinnen, der verwittweten Königin und appanagirten Prinzen und Prinzeſſinnen; 8) die Glieder des Geſammt-Staats-Miniſteriums; 9) der k. Staatsrath; 10) Stände des Reichs in beiden Kammern; 11) Staats-Miniſterium des k. Hauſes u. des Aeuſsern; 12) St. M. der Juſtiz; 13) St. M. des Innern mit den Central-Stellen der Conſiſtorien, Stiftungen und des Archivs; 14) St. M. der Finanzen mit den Central-Landes-Stellen des oberſten Rechnungshofes, den General-Adminiſtrationen der Poſten, des Bergwerks- und Salinenweſens, des Zolles und Lotto's, der Schuldentilgungs- u. Steuer-Kataſter-Commiſſionen, Hauptſtempel- und Staatsgüter-Verwaltung in Schleisheim. 15) Das Kriegs-Miniſterium mit der Generalität, den Militärſtellen und Behörden in Hinſicht auf Juſtiz und Adminiſtration, mit den Militär-Anſtalten und Abtheilungen der Armee. 16) Die Abtheilung des Königreichs in den Iſar-, Ober- und Unter-Donau-, Regen-, Rezat-, Ober- und Unter-Main- und Rheinkreis, aus jedem das Perſonale der Regierung, des Appellationsgerichts und der untern Kreisbehörden. 17) Das Medicinalweſen in den Comités zu München und Bamberg, indem die Gerichtsärzte bey ihren Unterbehörden ſchon aufgeführt ſind. 18) Römiſch-katholiſche und proteſtantiſche Kirche, ohne Berückſichtigung der 41,000 Juden. 19) Die Akademie der Wiſſenſchaften und Künſte nebſt den Kunſtſammlungen zu München, wie auch die Univerſität daſelbſt, zu Würzburg und Erlangen; die chirurgiſchen Schulen zu Landshut (und Bamberg), die Hebammenſchule zu München und Würzburg, die Anſtalten für öffentlichen Unterricht und Erziehung in jedem der 8 Kreiſe. 20) Der Magiſtrat der Hauptſtadt München mit den öffentlichen und Wohlthätigkeitsanſtalten. Das erſtere Staatshandbuch von 1827 iſt durch übertriebene Sparſamkeit, durch welche man ſich zu empfehlen ſucht, ſogar des gewöhnlichen Regiſters beraubt worden, welch[illegible] jedem Werke dieſer Art unentbehrlich iſt. Vi[illegible] ler und Mängel könnten zwar der auf dem Ob[illegible] amte zu München befindlichen Redaction nicht [illegible] gelegt werden, weil ſie nur die von den 8 Kre[illegible] rungen und 5 Miniſterien geſendeten Materi[illegible] ſammenzuſtellen und der Druckerey zu über[illegible] hat. Allein die Erfahrung, wie langſam und gle[illegible] tig die Unterbehörden über ſolche Gegenſtände [illegible] oberſten berichten, ſollte die Aufmerkſamkeit [illegible] daction erhöhen, und dieſe bewegen, im Verl[illegible] Jahrs ſchon alle im Regierungsblatte vorkom[illegible] Veränderungen ſogleich einzutragen. *Nach* [illegible] Vorausſetzung könnten nicht *Staatsdiener*, w[illegible] vor 2—3 Jahren geſtorben ſind, als *lebend noch* [illegible] zählt, und ihre Nachfolger ganz vergeſſen wer[illegible] Eben ſo wenig könnten Dienſtesveränderungen [illegible] 2—3 Jahren noch unbeachtet bleiben, wie [illegible] hier geſchehen iſt.

II. Die Ordnung von 1828 iſt die nämliche, wi[illegible] 1827. Nur iſt Nr. 4. der vom jetzigen Könige [illegible] Ludwigs-Orden eingereihet, welcher allen 50[illegible] Staatsdienern mit dem gerechten Unterſchiede [illegible] wird, daſs bey den Militären jedes Kriegsjahr [illegible] gerechnet wird. Da ſchon der 40jährige Staats[illegible] Bayern, nach der Staatsdienſtes-Pragmatik vo[illegible] 1805, den Anſpruch auf Penſion mit vollem [illegible] bezuge begründet, ſo ſcheint der Ludwigs-Orden [illegible] Harmonie mit dem jetzigen Sparungs-Syſtem, [illegible] Staatsdiener aufzufordern, ſie möchten von [illegible] Rechte auf Penſion im 40ſten Dienſtjahre keinen [illegible] brauch machen, ſondern bis zum 50ſten ausharren, [illegible] den Orden zu erhalten. Ebenſo iſt Nr. 19 *bey den wiſ*ſenſchaftlichen Anſtalten die po[illegible]ſche Centralſchule zu München eingereihet. [illegible]gegen fehlt in beiden Jahrgängen die mediciniſch-[illegible]rurgiſche Schule von Bamberg mit ihren 4 Profeſſoren und einem Profector; dann die öffentliche k. Bibliothek, das k. Naturalienkabinet daſelbſt, wie die Filialcaſſe. S. 120 i[illegible] das Invalidenhaus zu Fürſtenfeld und die Veteranen[illegible] anſtalt zu Donauwörth aufgeführt, *folglich hätte b*[illegible] dem Kadetten-Corps auch der Aufenthaltsort *beyge*fügt werden ſollen. Bey dem *Appellations-Gericht* des Obermainkreiſes ſind 2 Aſſeſſoren *mehr* aufgezähl[illegible] und ſolche, welche gar nicht *exiſtiren*. Der Stadtgerichtsrath *Geigel* iſt im Unter- u. Ober-Mainkreiſe zugleich aufgeführt. Im Herrſchafts Gerichte Tambac[illegible] iſt der Arzt Dr. *Schmitt* nicht erwähnt. Unter den Mitgliedern der Akademieen der Wiſſenſchaften u. Künſ[illegible] ſind mehrere, vor einigen Jahren ſchon verſtorben[illegible] noch als lebend, andere mit unrechtem Wohnorte aufgezählt. Dieſe und viele andere Mängel und Fehler hätten im 2ten Jahrgange von 1828 um ſo eher beſeitigt werden ſollen, als in verſchiednen ſüddeutſchen Blättern ſolche Mängel und Fehler des erſten von 1827 gerügt waren. Nicht einmal die Zahl der groben Druckfehler iſt geringer geworden, obſchon ein Regiſter beygefügt wurde. Lobenswerth iſt die Herabſetzung des frühern Preiſes auf die Hälfte.

ALLGEMEINE LITERATUR - ZEITUNG

December 1828.

GRIECHISCHE LITERATUR.

Leipzig, b. Teubner: *Apollonii Rhodii Argonautica* ad fidem librorum manuscriptorum et editionum antiquarum recensuit *Augustus Wellauer* etc.

(*Fortsetzung der im vorigen Stück abgebrochenen Recension.*)

V. 435 ff. werden gegen die gewöhnliche Weise, durch die *Gerhard* Lect. Apoll. S. 35 veranlasst ward, v. 436 und f. für unecht zu erklären und sie der ersten Ausgabe beyzulegen, gedeutet. Jedoch zweifeln wir, ob die hier gegebene Auskunft genügend sey; die Stelle heisst:

ἡ δ' ὅτι κηρύκεσσιν ἐπεξυνώσατο μύθους,
θελγέμεν, εὖτ' ἂν πρῶτα θεᾶς περὶ νηὸν ἵκηται
συνθεσίῃ, νυκτός τε μέλαν κνέφας ἀμφιβάλῃσιν,
ἐλθέμεν, ὄφρα δόλον συμφράσσεται, ὥς κεν ἑλοῦσα
χρύσειον μέγα κῶας, ὑπότροπος αὖτις ὀπίσσω
βαίη ἐς Αἰήταο δόμον· — — — — —

Hr. *W.* übersetzt: *Medea collocuta est cum nuntiis, eis persuasura, ut simulatque Absyrtus in insulam venisset, ipsi abirent, ut sola cum solo possit dolum communicare. Hoc igitur illud est, quod se facturam esse dixerat* v. 457. Dort aber heisst es:

εἴ κέν πως κήρυκας ἀπερχομένους πεπίθοιμι.
οἰόθεν οἶον ἐμοῖσι συναρθμῆσαι ἐπέεσσιν.

Medea will demnach nicht die Herolde zum Fortgehen bewegen, diess thaten sie ohnediess, Jasons Geschenke zu überbringen. Ihr Plan ist vielmehr, durch sie von ihrem Bruder eine Unterredung unter vier Augen zu erbitten. Daher bleibt sie v. 452 allein auf der Insel zurück, und ihr naht 456 Absyrtus, von dem es heisst:

αὐτὰρ ὅγ' αἰνοτάτῃσιν ὑποσχεσίῃσι δολωθείς.

Also mussten Einladungen und Versprechungen an ihn ergangen seyn, und diese doch muthmasslich nur durch die Herolde. Deswegen übersetzt Rec. die Stelle so:

Aber sie suchte die Boten mit schmeichelndem Wort zu gewinnen,
Ihnen vertrauend, sobald sie dem Tempel der Göttin genaht seyn,
Wie es bestimmt, und schwarz sie Nacht und Dunkel umfinge,
Jener erschien, um den Trug zu berathen, damit sie das goldne
Stattliche Vliess entführend, zurück sich wandele wieder
Heim nach Aëtens Pallast, — — — — —

Der Wechsel der Person in *θελγέμεν* und *ἐλθέμεν*, von denen jenes auf die Herolde, dieses auf Absyrtus sich bezieht, ist zwar plötzlich, doch in der epischen Sprache nicht ungewöhnlich. Unrichtig möchte jedoch in der ersten Zeile *ὅτι* seyn, und, wie Gerhard wollte, in *ἡ δέ τε* zu ändern. — Das. v. 652.

— — — οὐδ' οἷον κείνης ἐπίκουρον ἵκοντο.

Hier war, wie es scheint, die Lesart der Florenzer Ausgabe und des Wolfenbüttler Codex, was auch *Heyne* zu Il. 18, 450 und *Ruhnken* ep. cr. S. 312 wünschten, darauf Beck in den Text setzte, vorzuziehen. Hn. *W's* Einwurf, dass *ἐπίουρον* nicht hinlängliche Gewährsmänner habe, und *ἐπίκουρον* ebenfalls nicht sinnlos sey, reicht gewiss nicht aus. Denn erstlich steht nur erst 1648 *οὕνεκα κούρων Ζηνός*, sodann braucht Apollonius auch anderwärts *ἐπίουρος* nicht *ἐπίκουρος*, endlich ist jenes von den Dioscuren gesagt, die so oft auch von lateinischen Dichtern, man denke nur an Horat. Od. I. 12 als Schirmer und Bewahrer der Schiffer gepriesen werden, mehr an seiner Stelle als dieses. Aehnlich lesen wir bey Oppian. Kyneget. 1, 174:

ἴδμονες ἱπποδρόμων καὶ βουκολίων ἐπίουροι.

Eine neue Vermuthung, nämlich *Passow's*, ward von Hn. *W.* in 1, 672 aufgenommen, wo die Erklärer vielfach sich abmühten, und nicht begreifen zu können versicherten, wie der Dichter unverehelichte Jungfrauen mit *weissen Haaren* erwähnen konnte, was die gewöhnliche Lesart mit sich brächte, nach der es heisst:

τῇ καὶ παρθενικαὶ πίσυρες σχεδὸν ἑδριόωντο
ἀδμῆτες λευκῇσιν ἐπιχνοάουσαι ἐθείραις.

Die frühern sämmtlich gewaltsamen Vorschläge zur Beseitigung dieser Schwierigkeit sind mit Ausnahme der unglücklichen Erklärung *Hölzlin's* angeführt. Hr. Prof. *Passow* nun glaubt, dass sich das weisse oder graue Haar nicht auf die Jungfrauen, sondern auf die alte Polyxo beziehe, und räth diesem gemäss: *λευκῇσιν ἐπιχνοαούσῃ ἐθείραις*, wie Hr. *W.* drucken liess. So leicht diese Aenderung erscheint, so ist doch soviel gewiss, dass die Scholien die Vulgate anerkennen, und man auch eine nähere Bestimmung des vorausgehenden Nomens gewissermassen mehr erwartet. Erinnert man sich daran, dass in der Regel die Diener und Begleiter, wie diess natürlich ist, in fast gleichem Alter mit ihren Gebietern stehn, wie z. B. Odysseus Herold Eurybates nur um weniges älter als sein Fürst ist Od. 19, 244 ff., dem bejahrten Priamus der Greis *Antenor* Il. 3, 262 oder der gleichfalls alternde *Idäus* Il. 24, 368 als Gefährte folgt, so sollte man auch glauben, dass der Greisin Polyxo nicht junge Mädchen, sondern schon in den Jahren vorgeschrittene Dienerinnen als Ehrenwache gegeben

ben wurden. Jungfrauen aber find fie entweder als Gehülfinnen der Priefterin, wie in Rom die Veftalinnen, oder weil fie es ja unter den in Lemnos vorwaltenden Verhältniffen feyn mufsten, was im Folgenden felbft fo beredt gefchildert wird. In diefem Sinne nahmen nun auch die Scholien diefe Stelle, wenn fie fagen: *ὡς χνοῦν ἔχουσαι τὰς λευκὰς φυομένας τρίχας*, und fo kommt das Wort, was gewöhnlich von dem auffproffenden Milchhaar der Jünglinge gefagt wird, fiehe *Valckenaer* z. Theokr. Adoniaz. 209. *Jacobs* z. Gr. Anthol. T. X. 68, auch bey Sophokl. O. T. 79 *χνοάζων ἄρτι λευκανθὲς κάρα* vor. Von den fliegenden, gleichviel ob blonden oder glatten, Haaren junger Mädchen würde diefs Wort gar nicht gefagt werden können, und fchon deshalb find die frühern Vorfchläge unpaffend. Weswegen offenbar, wenn man nicht unfere Erklärung annimmt, die Conjectur *Paffow's* den Vorrang vor den gewöhnlichen verdient, Das nämliche Wort fcheint aber auch in 3, 519 hergeftellt werden zu müffen, wo es jetzt heifst:

σὺν δὲ καὶ Οἰνεΐδης ἐναρίθμιος αἰζηοῖσιν
ἀνδράσιν, οὐδέ περ ὅσσον ἐπανθιόωντας ἰούλους
ἀντέλλων — — — — — — —

Denn abgefehen davon, dafs *ἐπανθιᾶν* kaum irgend eine andere Auctorität für fich hat als diefe Stelle, pafst der Begriff auch nicht zu dem, was von *Meleager* gefagt wird, und *οὐδέ περ ὅσσον ἐπιχνοάοντας ἰούλους Ἀντέλλων* würde weit fchicklicher gefagt feyn, fo heifst es von *Polydeukes* 2, 43 f. *τοῖος ἔην Διὸς υἱὸς ἔτι χνοάοντας ἰούλους Ἀντέλλων*.

Die Beziehungen griechifcher Schriftfteller auf Apollonius, obwohl er bekanntlich nicht eben häufig erwähnt zu werden pflegt, hat der Herausg. gleichfalls forgfam gefammelt. Was etwa an Nachträgen fich dazuthun liefse, mufs Rec. der Kürze halber fo gut als die Nachahmungen anderer Dichter übergehen; am wenigften find in erfterer Hinficht die Auszüge aus *Stephanus* von Byzanz, *Eudokia* und *Drakon* de metris benutzt, aus welchen weit mehr zu entlehnen war. Jedoch finden wir die erftern felten, den dritten wohl nie von Hn. *W.* berückfichtigt.

Somit foll nun noch mit Wenigem über die orthographifchen Abweichungen unferer Ausgabe von der *Brunck*'fchen gefprochen werden. Ueber die Auslaffung des *ν* am Schluffe der Wörter von *Brunck* in der Argofarth ift oft gehandelt worden, fo dafs Rec. darüber ganz fchweigen würde, bliebe nicht die Ausführung in diefer Ausgabe fo oft hinter dem in der Vorr. S. IX gegebenen Verfprechen zurück. Denn ungeachtet Hr. *W.* am Ende der Wörter ausgelaffene Buchftaben überall einfetzen wollte, fehlt er doch nur im zweyten Buche *neunmal*, nämlich in v. 180. 182. 188. 246. 248. 393. 888. 1029. 1124, und in den andern Büchern zeigt fich diefelbe Unbeftändigkeit mehr oder minder ftörend. Anfänglich fchien es dem Rec., da in den meiften diefer Stellen das *ν* bey *Stephanus* fehlt, als fey diefe Ausgabe bey dem Abdrucke der gegenwärtigen zu Grunde gelegt worden; doch fcheinen andere Anzeigen diefem zu widerf[illegible] chen. Denn da Hr. *W.* auch in der Mitte des V[illegible] vor zwey Confonanten in der Regel das *ν* ein[illegible] und z. B. 4, 33 *διέῤῥωσεν πρὶν* und ähnlich v. 75. [illegible] 931. 986. 987. 989. 1178, wo es bey *Brunck* vern[illegible] wird, fchreibt, fo ift diefs doch nur fünfmal [illegible] Uebereinftimmung, dreymal in Widerfpruch [illegible] *Stephanus* gefchehn. Sich felbft aber widerf[illegible] Hr. *W.* in demfelben Buche v. 128 *δξὺ* [illegible] *δὼν ὄφις*. Aufser diefer von dem Herausg. felbft [illegible] merkten Aenderung weicht er noch in manchen [illegible] gen von *Brunck* ab: fo ift in der Mitte der W[illegible] nach *Wolf's* Vorgange der Halbvocal in der R[illegible] doppelt gefchrieben, wo *Brunck* der einfache g[illegible] nügte, z. B. 1, 49 *εὐῤῥήνεσσιν*, 98 *ἐμμελέος*, 431 [illegible] *ῥιῤῥηδής*, 1154 *ἀπολλήξειε*, ohne dafs fich der Herausg. hier gerade ängftlich an das Anfehn gedruckter oder gefchriebener Gewährsmänner bände, wie fchon z. B. 3, 396. 974. 4, 410. Ein Verfahren, gegen welches fich, wenn es nur, wie hier gefchah, gleichbleibend durchgeführt ward, nichts mit Grund einwenden läfst. Eine dritte orthographifche Neuerung ift es, dafs nach *Wolf's* Meinung Vorr. z. Il. S. 61 [illegible] in den Zufammenfetzungen nur dann in zwey Sylben getheilt wird, wenn diefs bey zwey nachtretenden Confonanten der Versgang forderte, bey einfacher und Vocal dagegen immer einfylbig und die Trennungspunkte erfcheint.. Daher lefen wir 1, [illegible] *εὐθήμονι μέλπεν ἀοιδῇ*. 3, 1205 *ἐυπηγέα δίφρον*. 4, [illegible] *ἐγχείας εὐήκεας*. 1155 *ἑανοὺς εὐώδεας*, während Brunck, fobald es das Maafs geftattet, die Diärefis vorzieht, und *ἐϋθήμονι μ. ἀ.* u. f. w. fchreibt, wiewohl er aus Eilfertigkeit fich darin nicht gleich blieb, wie denn 2, 101 *εὐήκεα φάσγαν' ἄειρε* fteht neben dem erwähnten *ἐγχείας εὐήκεας*, und *εὔκηλος* fammt einigen andern wird auch von *Brunck* nie vierfylbig gemeffen. Auch hier geben wir die Richtigkeit der von Hn. *W.* angenommenen Schreibart zu, bedauern aber die fich gleichfalls zeigende Unbeftändigkeit. Denn 3, 1195 lefen wir:

αὐτίκ' ἐπεὶ ῥ' Ἑλίκης εὐφεγγέες ἀστέρες ἄρκτου Ἐκλινθεν. —

Die Anmerkung ftimmt mit dem Gegebenen noch weniger, denn fie lautet: *εὐφεγγέες ex conjectura Brunckius, nefcio quam ob caufam. ἀφεγγέος* Reg. A., woraus wir vermuthen, dafs der Herausg. *εὐφεγγέος* drucken laffen wollte, um diefs nach der fonftigen Weife mit *Ἑλίκης* zu verbinden, wie auch *Beck* gab, mit Beybehaltung der zu ftreichenden Theilungszeichen. Wir halten diefs für das Vorzüglichere, wie Quintus Smyrn. 2, 205 *Ἑλίκης περιφεγγέος αἴγλην* bietet; denn die Schiffer fchauten befonders nach diefem Stern. Nur in der Ueberfetzung von *Rotmar* könnte man eine Vertheidigung der Brunck'fchen Lesart fehn, da fie lautet:

Flexerat ut primum feptem inter plauftra triones, Sidera clara, Helice, —

doch ift diefs wohl nur zu Gunften des Verfes fo übergetragen. Sonderbar bleibt es freylich, dafs alle vom Rec. eingefehene Ausgaben, die fonft diefer von

von *Brunck* eingeführten Trennung der Vocale nie huldigen, in dieſem einzigen Worte mit ihm übereintreffen, aber richtiger wird ſie dadurch auf keine Weiſe, und es muſs auch hier *εὐφεγγέος* heiſsen. Eine weitere orthographiſche Abweichung iſt es, daſs in den von Vätern hergenommenen Eigennamen abermals auf *Wolf's* Rath und Beyſpiel die Trennung getilgt ward, und wir daher 1, 58 *Καινείδης* v. 190 *Οἰνείδης* u. ſ. f. erhalten. Es iſt ausgemacht, daſs dieſe Lesart die ältere und von den Grammatikern empfohlene ſey, man ſehe Etym. Magn. 166. 98 ff. Allein einer Unterſuchung hätte es bedurft, weswegen man ungeachtet der Nachahmung, die *Wolf* hierin faſt überall gefunden hat, fortwährend mit ihm ſtets *Λητοΐδης* ſchreibt. Denn *οι* verſchmilzt nicht minder leicht zu einer Sylbe als *ει* und die von Et. M. a. a. O. erwähnten Beyſpiele dafür wie *Δαναΐδης Νιοβίδης* ſind damit nicht zu vergleichen. Höchſtens würde die Sonderung in Stellen wie Quint. Smyrn. 10, 165 *ὕστερον ἐννεσίῃσιν ἀγαυοῦ Λητοΐδαο* beyzubehalten ſeyn, warum aber hier der Herausg. 1, 58 *Καινείδης, ἐσθλὸς μὲν* und v. 66 dagegen *Λητοΐδης ἐδίδαξε θεοπροπίας* ſchrieb, davon ſehen wir keinen Grund ein, als etwa den, nicht von dem Hergebrachten abzugehn. Aehnlich wie die Patronymika in drey Sylben zuſammengezogen werden, hat Hr. *W.* das Nomen *παῖς* nach Anmerkung z. 1, 102, wo dieſs thunlich war, einſylbig gemeſſen. Dagegen ſind *Buttmann* und *Hermann*, der in den Add. z. Orphic. S. XIV ff. ſeine frühere Meinung darüber gewiſſermaſsen zurücknimmt. Wenn daher auch bey Kallimachus, Apollonius und andern, wie davon Hr. *W.* ſelbſt klare Belege giebt, der einſylbige Gebrauch des Wortes vorkommt, ſo folgt doch daraus noch nicht, daſs dieſe Schreibung auch vor Vocal, wie hier geſchieht, einzuführen ſey; denn eben die ſo eifrig geſuchte Stellung dieſes Wortes vor Vocal zeugt dagegen. *Brunck* ſuchte den Einklang der genannten Stelle mit den andern durch Auflöſung der Vocale zu gewinnen, Hr. *W.* änderte ihr zu Gunſten gegen alle Ueberlieferung fünf andere, *παῖς* für *πάϊς* ſchreibend; aber unter dieſen Umſtänden hat *Brunck* offenbar mehr für ſich. Auch bey *Quintus* finden wir dieſe Form nur zweyſylbig gebraucht. Weiter ſind von Hn. *W.* manche ſonſt getrennte Wörter zu einem vereinigt, ſo wird bey ihm *ἀποτηλοῦ, ἀποτηλόθι* u. ſ. w. geſchrieben, vergl. 4, 728. 1092. Auch dieſe Aenderung billigt Rec.; denn iſt *ἀπόπροθι, ἀπόνοσφιν* richtig, ſo iſt es auch *ἀποτηλοῦ*, wenn auch die Handſchriften ſchwanken, und ſich anderwärts gleicher Wechſel zeigt, z. B. Quint. 5, 540 *οὐδ' ὅτε με πρώτιστον ἐμῆς ἀπὸ τηλόθι πάτρης Εἴρυσσας* noch jetzt irrig geleſen wird. Bey Apollonius bekräftigen dieſe Verbindung die ältern Ausgaben. So wie hier das Vorwort mit einem Adverbium verſchmolzen ward, ſo iſt es auch bey doppelter Präpoſition geſchehen, und wir ſehen daher *διέκ, παρέκ, ὑπέκ* geſchrieben, wo ſonſt vielfacher Wechſel herrſchte. Aber in dem Wortverzeichniſſe ſind die dahin einſchlagenden Artikel nach ſehr ungewiſſen Grundſätzen geordnet, ſo wird *διέκ* aus 2, 558. 620. 3, 73. 158. 888. 916. 4, 860. 963 nachgewieſen, aber wenn 2, 616 *εὖτε διὲκ πέτρας φυγέειν θεὸς ἥμιν ὄπ.* unter *διεκφεύγω* ſteht, ſo muſste 3, 73 auch unter *διεκφέρω*, und *διεκπροαλές*, was die Anmerkung a. a. O. ganz verwirft, geſtrichen werden; 3, 888 *νηὸν δ' εἰσαφίκανε διὲκ πεδίων ἐλάουσα* würde ſo gut als 2, 558 unter *διεξελαύνω* zu verweiſen geweſen ſeyn: denn der veränderte Caſus kann ſolchen Unterſchied nicht bedingen. Von der Nebenform *διέξ* wird 1, 1157 *διὲξ ἁλὸς ἀΐσσουσα* ganz vermiſst, ſo wie 1, 1014 *διὲξ ἁλὸς οἶδμα νέοντο* nirgends zu treffen iſt. Dennoch aber iſt hier im Texte gleichmäſsige Beobachtung des einmal Gutgeheiſsenen zu gewahren, und daher kann man dieſe kleinen Mängel gern überſehn. Nicht freuen wir uns derſelben Feſtigkeit in andern Verbindungen. So dünkt es zwar Rec. ſelbſt noch zweifelhaft, ob *τὰ πρῶτα* und *ταπρῶτα, τὸ πρὶν* und *τοπρίν, τὸ πάροιθεν* und *τοπάροιθεν* nach der von *Wolf* Vorr. z. Ilias S. 62 gegebenen Erinnerung ſtets zu unterſcheiden ſey, und *Matthiae* Gr. Gr. §. 283 Anmerk. entgegnet, daſs ein ſolcher Unterſchied durch nicht ſelten eingeſchobene Partikeln verdächtigt werde; aber wer ſich einmal dafür erklären will, muſs es auch überall. Dieſs thut Hr. *W.* nicht; er giebt 1, 268 *μητὴρ δ' ὡς τὰ πρῶτ' ἐπεχεύατο πήχεε λευκώ* und wiederholt dieſs 1, 1212. 1234. 3, 38 u. ſ. w., hat aber dagegen 4, 1508 *ἀλλὰ μὲν ᾧ τὰ πρῶτα κ. τ. λ.* In 1, 254 und 284 *εἰ τὸ πάροιθεν ἐνὶ κτερέεσσιν ἐλυσθεὶς* und *νῦν γε μὲν ἡ τὸ πάροιθεν Ἀχαιϊάδεσσιν ἀγητή* wird wieder der Artikel getrennt, nach *Beck*, der hier vorleuchtete. Aber Hr. *W.* vergaſs ſeinen Kanon ſchon 650 *οἷς αἰεὶ τοπάροιθεν ὁμίλεον*, und nun kümmert ihn dieſe Kleinigkeit nicht mehr, ſondern wir leſen ohne Erwähnung *τοπάροιθεν* und *τοπάροιθε* in 1, 816. 2, 887. 1059. 3, 473. 526. 895. 4, 864. 884, wenn dennoch 3, 324 *οὐδὲ γὰρ αἱ τὸ πάροιθεν ἐρημαίην κατὰ νῆσον* einmal wieder das andere auftaucht, ſo geſchah dieſs nur, weil dieſe augenſcheinliche Nachläſſigkeit ſich durch Zufall auch bey *Brunck* erhalten hatte: denn bey *Stephanus*, der es auch verband, ſucht man ſie vergebens. Wie auf der einen Seite durch Verbindung des Zuſammengehörigen Hr. *W.* den Text umgeſtaltete, ſo hat er es auf der andern durch Trennung deſſen gethan, was dieſelbe forderte. Mithin leſen wir bey ihm zum erſtenmale bey Apollonius *ἂμ πεδίον, ἂμ πόλιν, ἂμ πτολίεθρον* und dem Aehnliches, vergl. 1, 166 812. 1061. Weſswegen auch 1, 127 *ὅς ῥ' ἐνὶ βήσσῃς Φέρβετο Λαμπείης, Ἐρυμάνθιον ἂμ μέγα τῖφος* nach unſerer Ueberzeugung gut hergeſtellt ward, wie dieſs in Theokr. Id. 25, 15 *Πηνειοῦ ἂμ μέγα τῖφος Kieſsling* und *Meineke* drucken lieſsen. Warum dagegen *A. Jacobs* hier *ἄμμεγα* beybehielt, Id. 16, 92 *ἀμπεδίον*, 20, 39 *ἄννυπος* und 22, 20 *ἀμπέλαγος*, wovon das Erſtere auch *Meineke* aus Verſehn, wie es ſcheint, unangetaſtet lieſs, vermag Rec. nicht zu deuten. Würde dieſe Sonderung auch nicht durch die Deutlichkeit empfohlen, und durch Homeriſche Beyſpiele, die jeder weiſs, unterſtützt,

ſtützt, ſo würden doch ſchon gleichartige Verbindungen bey Theokritus ſelbſt dafür Zeugniſs ablegen, wie Id. 1, 115. 2, 49. 7, 87. 92 ἀν' ὤρεα Id. 2, 35. Bion Id. 1, 36 ἀνὰ πτόλιν. Deſswegen muſs auch in Mimnermus Fragm. 11, 14 in den Gnomikern geleſen werden: πυκινὰς χλονέοντα φάλαγγας Ἕρμιον ἂμ πεδίον. Erkannte nun aber Hr. *W.* dieſe Theilung als gültig an, ſo wundern wir uns mit Recht, wie es kam, daſs er nicht dieſelbe Nothwendigkeit bey der Präpoſition κατὰ fühlte, was doch ſeine Anſicht von ἀνὰ mit ſich bringen muſste. Allein wir leſen 3, 725 *καδδέ μιν ἀχλὺς Εἶλεν ἰαινομένην* — v. 154 *καδδὲ φαεινῷ Μητρὸς ἑῆς εὖ πάντας ἀριθμήσας βάλε κόλπῳ*, und nicht anders iſt es 2, 91. 931. 1, 485. Warum folgte Hr. *W.* hier nicht der Anweiſung *Paſſow's* im Gr. Wörterb. Th. 1. S. 792 oder *Thierſch's* Gr. Gr. S. 284. 5 f. und dem Vorgange der ältern Ausgaben wie der von *Stephanus*? Denn laſſen dieſe auch die verkürzte Präpoſition tonlos, ſo trennen ſie dieſelbe doch ſtets von der nachfolgenden Partikel. Allein die von dem Herausg. eingeſehenen Vorgänger zeigten ihm hier nichts Beſſeres, und ſo ging er ſorglos daran vorüber, ohne irgend ein Bedenken zu nehmen. Doch ſind Beyſpiele der Art nicht ſelten bey *Homer* und *Theokritus* Id. 22, 204 *κὰδ δ' ἄρα οἱ βλεφάρων βαθὺς ἔδραμεν ὕπνος*, worin hier faſt alle Ausgaben einſtimmen, nur bey *Meineke* ſteht ganz falſch *κάδδ' ἄρα*, was nur Zufall ſeyn mag. Ueber eine andere von *Brunck* und den ſonſtigen Ausgaben ſich entfernende Schreibart laſſen wir zuerſt Hn. *W.* ſelbſt ſprechen, der zu 2, 1072 *τοὶ δ' αὖτ' ἐγχείῃσι καὶ ἀσπίσι νῆ' ἐκάλυψαν* anmerkt: *νῆ' ἐκάλυψαν* vulgo, *νῆα κάλυψαν* Guelph., *quod verum puto. In hac enim verſus regione Apollonius augmentum abjicere quam apoſtrophum admittere maluit, id quod et verſus cauſa recte fieri perſpicuum eſt, et ab eo factum eſſe ex multitudine locorum colligi poteſt.* Worauf zuerſt ſolche Stellen kommen, in denen alle Bücher das Augment verwerfen, ſodann andere, in denen dieſs von den meiſten und beſten Handſchriften geſchieht; weſswegen es der Herausg. ſelbſt da wegließs, wo nur wenige dafür ſtimmten; ja ſelbſt in einigen dort angemerkten Verſen durch Conjectur Gleichförmigkeit einführte, wie in 1, 234. 4, 218. 2, 1126. 1189. Das Gegentheil behauptete *Wolf* Vorr. z. Ilias S. 64 mit namentlicher Beziehung auf Apollonius: *evolve*, ſchreibt er, *poetam iſtum, et, niſi librarii mirifice luſerunt, has in extremis verſibus formas ab eo ſcriptas videbis, μυρί' ἔκειτο, ὅσσα τ' ἔρεξαν, πάντ' ἐγένοντο* etc. Wir ſind zwar weit entfernt, eine Behauptung der andern entgegenſtellen zu wollen, jedoch meynen wir, daſs, um die Sache zu einiger Entſcheidung zu bringen, eine genaue Unterſuchung vonnöthen war. Hr. *W.* folgt darin den Büchern, die ihm gerade günſtig ſind, und verwirft die, welche das Gegentheil bieten. So heiſst es zu 1, 502 *καὶ ἔρπετα πάντα γένοντο* in der Anmerkung: *πάντα γένοντο* Regg. A. E., *quod recepi pro vulgato πάντ' ἐγένοντο*, vid. ad. Il. 1072. Hinwiederum leſen wir zu 4, 255 *ἀντιόωντες δὲ τέτυκτο Ἑκάτης ὁμῶς: δ' ἐτέτυκτο ex Regg. A. D. E. Brunckii Bashmale*, vid. ad Il. 1072. *Brunck* bemerkt zum *erſten male*, und nimmt das andere auf, Hr. *W.* thut das Gegentheil. Aber dadurch kommen wir um keinen Schritt weiter. Unterſuchungen der Art ſind freylich mühſam, ſie mögen wohl auch Manchem kleinlich erſcheinen, aber für die ſichere Beſtimmung eines Textes ſind ſie darum nicht minder unerläſsliche Bedingung. Endlich würden wir mit des Hgs. Verfahren uns dennoch begnügen, herrſchte nicht auch in ihm die gerügte Inconſequenz: ſo kommt die Form *ἐφαάνθη* oder *φαάνθη achtmal* im Ausgange des Verſes bey Apollonius vor, und Hr *W.* ſtellte das letztere, wo es nur anging, her, und giebt es fünfmal 2, 687. 1041. 1285. 3, 1361. 4, 1697, meiſt gegen *Brunck*; aber 4, 1711 *τοῖσι δέ τις σποράδων βαιὴν ἀπὸ τόφρ' ἐφαάνθη* blieb allein, wie es war.

Angemeſſen war es auch, daſs die Unterſcheidung eine beſſere Geſtaltung nach den jetzt beſonders durch *Wolf* und *Buttmann* geltend gemachten Principien erhielt, und Hr. *W.* hat darin eine zu empfehlende Mittelſtraſse eingeſchlagen, die gleich weit entfernt iſt von der ehemahligen Ueberfüllung der Interpunktionszeichen als der jetzt oft bemerkten allzu groſsen Kargheit, welche die Leichtigkeit der Auffaſſung nicht minder hindert. Freylich dürfte man auch hier nicht überall unbedingt die Meinung des Hgs. theilen, ſo iſt in dem gut erklärten Verſe 1, 79 *ἄμφω συμφορέονται, ἀπόπροθεν ἐκ δ' ἰόντες* das Komma nicht nur überflüſſig, ſondern falſch; da der letzte Satz nicht eine neue, wohl aber eine nähere Beſtimmung des vorigen enthält. Eben ſo wenig möchten viele mit Hn. *W.* glauben, daſs v. 81 ff. dadurch vollſtändig klar geworden ſeyen, daſs in unſerer Ausgabe am Schluſſe deſſelben ein Komma ſtatt der vollen Unterſcheidung eingeführt ward.

Zuletzt iſt es noch für den Text ein Nachtheil, daſs er nicht ganz ſelten durch arge Druckfehler entſtellt iſt. Es finden ſich nämlich in ihm *außer dreyzehn* Fehlern in weggelaſſenen oder *falſch* gegebenen Ton- und Spirituszeichen, wie in 1, 281. 1079. 2, 487. 3, 27. 4, 876 — 965 auch bedeutendere Verſehen, als 1, 465 *τόν' ἀναλκ.* für *τό τ' ἀν.* 806 *δοριπτήτῃ* f. *δοριπτήταις*, wobey jenes weder mit der Anmerkung noch mit dem Verzeichniſſe im Einklang iſt. v. 881 *καὶ δὲ* f. *ταὶ δὲ*, 1136 *κατὰ πολλὰ* f. *κατὰ π.* 2, 1275 *παλσματα* f. *πείσματα*, 3, 187 *ξυνοὶ δέ τις μ.* f. *ξυνοὶ δέ τε μ.*, unmetriſch, 38 *ἦχεν* f. *ἦγεν*, 4, 869 *παρθενικῆς* f. *παρθενικῆς*. Da unſere Ausgabe ſich als eine neue Texteſrecenſion der Argofarth ankündigt, ſo hat ſich Rec. bis hieher mit Löſung der Frage, in wie weit ſie dafür gelten könne, beſchäftigt, und überläſst es dem prüfenden Leſer ſich aus dem Mitgetheilten ſelbſt Antwort darauf zu entnehmen, und ein eigenes Urtheil zu bilden.

(Der Beſchluſs folgt.)

ALLGEMEINE LITERATUR-ZEITUNG

December 1828.

GRIECHISCHE LITERATUR.

Leipzig, b. Teubner: *Apollonii Rhodii Argonautica* ad fidem librorum manuscriptorum et editionum antiquarum recensuit *Augustus Wellauer* etc.

(*Beschluss der im vorigen Stück abgebrochenen Recension.*)

In den Anmerkungen find aufser der kritischen Beziehung, von der wir sprachen, manche syntaktische Untersuchungen des Herausg. über ἄν, die Mode u. f. w. verwebt, auch die von andern Gelehrten über Apollonius oder den epischen Sprachgebrauch überhaupt erschienenen Werke, z. B. *Wernicke's* Commentar zum Tryphiodorus, *Gerhard's* Lection. Apollonianae, so weit sie Erklärung und Kritik unsers Dichters betreffen, mit Sorgsamkeit benutzt. Manches liefse fich hin und wieder ohne grofse Mühe hinzufetzen; davon nur zu den ersten Versen wenige Beyspiele. Die Bemerkung zu v. 1. über κλέα φωτῶν und ἀνδρῶν gehört ihrem gröfsern Theile nach *Gerhard* Lect. Apollon. S. 84, die von diesem nicht berührte Stelle *Hesiodus* Theog. 100 Μουσάων θεράπων, κλεῖα προτέρων ἀνθρώπων ist auch hier unerwähnt. Für die Bestätigung der Vulgate konnte man noch *Drak*. de metr. poet. 102. 3 beybringen, der fo las. Die fchon anderwärts gedachte Nachahmung des Anfanges unsers Gedichtes von *Dionysius* im Eingange der Periegesis entging Hn. *W*. auch. — Zu v. 2. 3 über die Symplegadischen Felsen erwartete man vor allem die Homerische Stelle darüber Od. 12, 59 ff. — Zu v. 10 ἄλλο μὲν ἐξεσάωσεν ἐπ᾽ κλέος fehlt die wörtliche Nachahmung bey Orpheus Argon. 1269. — V. 20 hat *Dionysius* Perieg. 68. 170 vor Augen gehabt. — Zu v. 28 ff. konnte Orpheus Arg. 263 ff. verglichen werden. — V. 62 f. kommen, obwohl der erste in Prosa aufgelöst und der andere verdorben in Eudokia Violar. 250, 1 f. vor, das Adverbium καταίγδην hat zweymal Oppian. Hal. 5, 260. 389. — Zu v. 71 ist nicht gesagt, dafs er nach Homer Il. 2, 621 gestaltet ward. Einzeln finden fich auch Irrthümer, wie zu 1, 258 ἤχθετο im intransitiven Sinne von ἄχθομαι abgeleitet, und dafür Od. 14, 366 angezogen wird, wo es vielmehr von ἔχθομαι herzuleiten ist; dafs hier Verwirrung eintrat, zeigt die andere Stelle aus Kallimachus Hymn. auf Demet. 82; denn da ist es das Imperfect. von ἄχθομαι. Muthmafslich ward der Herausg. zu dieser Verwechslung durch *Passow's* Gr. Wörterb. unter ἄχθομαι verführt, wo sie auch ist.

Ueber die Verbindung der beiden Scholiasten zu einem Ganzen vgl. man die Vorr. S. IX f. Die dabey befolgte Anordnung ist zweckmäfsig und nur selten find Auslassungen vornehmlich der Pariser und bey Vergleichung des Eingangs zum zweyten Buche vorgekommen. In der Einleitung zu diesem Gesange S. 72 τά τε περὶ τὴν Μαριανδυνίαν καὶ ἐνταῦθα Ἀχερουσίαν ἄκραν war aus den Paris. der Artikel καὶ τὴν ἐντ. Ἀχ. ἄκραν zu ergänzen. Bey v. 8. χρειώ μιν ἐρέσθαι vermisst man die Bemerkung der Pariser, dafs μιν zu Jason gehören könne. — Zu v. 75 ist δηθύνειν, was in den nämlichen erläutert wird, übergangen. Bey v. 89 ἐὰν δέ τις πεποιθὼς τῇ ἰδίᾳ δυνάμει ἀντίσταται αὐτῷ, καταγωνισάμενος τοῦ λοιποῦ πλησιάζει ἐκεῖνος, war nicht nur die Unterscheidung, wie wir sie gegeben haben, einzurichten, sondern auch ἀνθίσταται und ἐκείναις, diefs nach den Parisern zu fchreiben. Auch find die vorigen Zeilen hart verbunden, und fo abgedruckt, wie sie keiner hat. — V. 94 τὸ δὲ παρὲκ γόνυ γουνὸς ἀμείβων Ὁμηρικὸν (vgl. Il. 11, 547) steht in den Parisern, nicht bey Hn. *W*. Es find diefs Geringfügigkeiten, aber sie schwächen doch die diplomatische Treue dieser Ausgabe, abgerechnet, dafs man die Schäfer'sche fchon wegen der fchätzbaren Bemerkungen ihres Herausg. nicht entbehren kann. Ein Verdienst Hn. *W's* ist es aber, dafs er die in den Scholien angeführten Stellen der Alten nachwies.

Den Beschlufs dieser Ausgabe machen drey Verzeichnisse: *index verborum*, *index scriptorum in scholiis citatorum* und *index in notas*. Der Herausg. fagt in der Vorrede von den beiden ersten: *indices adieci novos a me ipso confectos, quia minus pleni erant et passim erroribus referti, qui in prioribus editionibus legebantur*. Rec. verkennt auch hier nicht die darauf verwandte Mühe, die fich befonders in Behandlung der Partikeln kund thut. Aber es ist bey weitem nicht foviel für den *index verborum* geschehn, wie man nach obiger Versicherung erwarten möchte. Der Grund davon liegt darin, dafs anstatt einen eigenen zu machen, Hr. *W*. die frühern zum Behuf des seinigen unterlegte, und fo die Irrthümer aus jenem herüber verpflanzte. Gelegentliche Belege dazu find oben vorgekommen; wir geben, um diesen Ausspruch zu bestätigen, zum Schlusse unserer Anzeige noch einige, wie sie fich uns gerade dargeboten haben. Unter Ἀλεός fehlen Ἀλεόν, Ἀλεοῖο aus 1, 166. 2, 1041. Ἀλκινόου steht noch 4, 1169, Ἀλκίνοον 4, 1116. Ἀχιλῆος 4, 186. Von γῆρας wird die Form γήρᾳ aus 1, 263. 2, 200 vermisst. Der Accusativ Γηγενέας 3, 499 ist nicht da. Εἰδυῖα als Eigennamen 3, 243. 269 übergangen. Zu ἐξάλλομαι fehlt aus 4, 469 ἐξᾶλτο. ἐπαφήσατο steht 4, 27 und ἐπαχλύω, ὕσουσαν 4, 1480 fehlt, man fieht, dafs diefs Citat zum vorigen Worte kam, und daher die Uebergehung, wie bey frühern Ausgaben.

ἐπιἐπίχω ἐπίσχον 4, 514 nicht 515; das aus 3, 995 angeführte ἐφεζόμεναι heifst ἐφεζόμεναι, und war alfo dorthin zu verweifen. Ἐπιξυνόω ἐπιξυνώσατο 4, 1162 l. 3, ἐπεξυνώσαντο 4, 436 l. ἐπεξυνώσατο, wie auch die erfte Stelle felbft im Text heifsen mufste. Ἐπιπλήθω 4, 235 ἐπιπλήσει fteht in Apollonius ἐνιπλήσει, und gehörte alfo unter ἐμπίμπλημι. Εὐνῇ fehlt 2, 197 εὐνῆθεν. Εὔξεινος εὐξείνοιο 3, 378 l. 2,. Εὐρυδάμας 1, 87 nicht da. Unter Ζεύς ift der Dativ Διΐ aus 2, 524 übergangen, aber der Acc. Δία fteht in keinem der vier erwähnten Verfe, fondern es ift das Femininum δῖα, was man wieder unter δῖος nicht trifft. Θεά fteht nicht 2, 428, wohl aber θεᾶς und dabey wird es nochmals beygebracht. Θόας 4, 1666 als Eigenname, wo θοὰς κύνας zu lefen ift. Ἰνδοὶ Ἰνδῶν 2, 966 l. 906. Κίως Κίῳ 2, 510. 526 fehlt. Κίος Κίον Acc. 2, 766 übergangen, fteht aber fonderbar genug unter κίω. Νύμφη Νυμφάων 4, 1223 überfehn. Πλεῖστος Gen. Πλείστοιο 2, 711 ift Eigenname, fteht aber unter πλεῖστος. Πολύφημος 1, 179 heifst jetzt Εὔφημος, was nicht da ift. Τισαῖος Τισαίην 1, 568 fehlt. Χείρων 2, 344, ift nicht der Kentaurus, fondern der Genitiv von χείρ, wo diefe Stelle wieder nicht zu finden ift.

F. Sr. Sx.

MEDICIN.

London, b. Murray: *The Gold-headed Cane. Second* edition. 1828. 267 S. 8.

Unter dem einfachen, aber räthfelhaften Titel: *der Stock mit goldnem Knopfe*, ift vor Kurzem in England ein für die Gefchichte der Medicin und des vergangenen Jahrhunderts fehr interessantes kleines Buch erfchienen, das bereits eine *zweyte* Auflage erlebt hat. Es find Memoiren, welche diefes Mal, und zwar recht anmuthig und geiftreich, von einem Stocke erzählt werden, der das feltene Glück hatte, in der Hand von fünf berühmten englifchen Aerzten eine denkwürdige Zeit von faft hundert und vierzig Jahren zu durchleben, oder doch zu durchwandern. Zuerft trug ihn *Radcliffe*, dann der berühmte *Mead*, dann *Askew*, *Pitcairn* und zuletzt *Baillie*, einer ihn dem andern vererbend, bis ihn nach dem Tode *Baillie's* im J. 1823 die Wittwe deffelben dem College of Phyficians in London verehrte, wo er nun wie eine Reliquie in einem Wandfchranke aufbewahrt wird. Auf dem goldnen Knopfe find die, auch im Buche abgebildeten, Wappen feiner ehemaligen Befitzer eingegraben; doch wie fehr auch der Befchauer fchon angezogen wird, fo hat doch nur der Lefer diefem ehrwürdigen Aefkulap-Stabe für die Mittheilung feiner Gefchichte zu danken. In diefer erhalten wir nicht nur vollftändige biographifche Notizen über jeden der fünf Aerzte, welchen einft der Stock diente, fondern auch eine Fülle interessanter Anekdoten von anderen gleichzeitigen oder früheren Kunftverwandten und fonft merkwürdigen Zeitgenoffen, grofsentheils in leichter, gefälliger, häufig dramatifcher Form, wodurch die Erzählung ein eignes Leben gewinnt, das nicht felten durch feine, felbft witzige Bemerkungen [illegible]höht wird.

Das Leben *Radcliffe's* macht den Anfang; [illegible] ift reich an Begebenheiten, die ihm felbft [illegible] merkwürdigen Perfonen, mit denen er in Berührung ftand, zuftiefsen. Wir erhalten ein gutes B[illegible] von dem vielgefuchten, reichen Arzte, dem [illegible]müthigen Begründer wiffenfchaftlicher Stiftungen und dem behaglichen Lebemanne, dem faft [illegible] während eines langen und glücklichen Lebens [illegible]fchlug, als feine Heirathsverfuche. Die Er[illegible]lungen vom Hofe Königs Wilhelm III und der [illegible]nigin Maria, die Befchreibung des Mittags[illegible] welches *Radcliffe* dem Prinzen *Eugen gab*, vi[illegible] Anekdoten von berühmten gleichzeitig lebenden Männern, namentlich von *R's* Freunde und Nachbar, dem Maler *Kneller*, wird man mit Vergnügen lefen. *Radcliffe* hinterliefs ein Vermögen von mehr als 80,000 Pfd. St., deffen gröfster Theil nach feinem Tode der Univerfität Oxford zuflofs. Zur Erbauung der berühmten, feinen Namen tragenden Bibliothek beftimmte er allein 40,000 Pfd. St. Auch verdankt ihm Oxford aufserdem noch feine fchöne Sternwarte, fein treffliches, für 100 Perfonen eingerichtetes Stadt-Krankenhaus, und die Stiftung von zwey fogenannten *travelling fellowships* d. h. Vermächtniffen, durch welche von Zeit zu Zeit zwey junge Mediciner in den Stand gefetzt werden, eine drey bis fünfjährige wiffenfchaftliche Reise mit einem fehr anftändigen Jahrgelde zu unternehmen. Auf diefe Weife hatte felbft der Verfaffer diefes Buchs, wie er dem Rec. erzählte, als *Radcliffe's travelling fellow* den gröfsten Theil von Europa kennen gelernt. Nach *R's* Tode ging der Stock auf den berühmten *Mead* über, der fchon als junger Arzt fich die Aufmerkfamkeit und Gunft *Radcliffe's* zu erwerben gewufst hatte. Denn als diefer ihm einft prophezeyte, er werde nach feinem (*Radcliffe's*) Tode den „Thron der Medicin" in London einnehmen, fo verneinte diefs *Mead* mit der artigen Bemerkung, dafs dann, wie nach Alexanders Tode, das Reich *Radcliffe's* unter viele Nachfolger *getheilt* werden würde. Das Leben *Mead's* giebt dem Vf. nicht blofs Gelegenheit, viele berühmte Aerzte jener Zeit zu nennen und ausführlich über *Sir Hans Sloane*, den Stifter des britifchen Mufeums, über *Garth*, *Arbuthnot* und namentlich über *Freind* zu fprechen, (den Edelmuth *Mead's* gegen letzteren hatte fchon *Möhfen* in f. Befchr. e. Berl. Med. Samml. 1, 336 gerühmt), fondern auch in die Gefchichte der englifchen Medicin zurückzugehn, und die grofsen Verdienfte *Linacer's*, *Kay's* (Caius), *Harvey's* und vorzüglich *Harvey's* zu beleuchten. Sehr interessant find auch die Notizen über *Mead's* Bibliothek und Kunftfammlung, über die Schickfale des College of Phyficians, und über die Befuche *Mead's* bey Ifaac Newton in deffen letzter Krankheit. Die Gefchicklichkeit, mit welcher der Vf. Nachrichten von andern merkwürdigen Zeitgenoffen in das Leben feiner Helden einzuflechten verfteht, kommt ihm vorzüglich bey den drey letzten zu Statten, deren Ge-

Geschichte an sich eben keine auffallenden Züge darbietet. *Askew* war zwar ein sehr ausgezeichneter und gelehrter Arzt, auch Besitzer einer berühmten Bibliothek, doch wird seine Biographie vorzüglich durch die, den trefflichen *William Herberden* betreffenden Erzählungen gewürzt. So giebt das Leben *Pitcairn's* Veranlassung, der gleichzeitigen Aerzte, *Rich. Warren* und *Sir George Baker*, mit vielem Lobe zu gedenken, bey einer Bilderschau im College of Physicians sich der alten Aerzte und manches früher nicht erwähnten Umstandes aus ihrem Leben zu erinnern, die Entstehung und Schicksale der Royal Society zu erzählen und ein polnisches Mittagsmahl zu beschreiben, durch welches damals ein Fürst Poniatowsky in London, welches in dieser Hinsicht noch jetzt kleinstädtisch erscheint, grosses Aufsehn erregte. Die Reihe der Stockbesitzer beschliesst der auch unter uns wohlbekannte und geschätzte *Baillie*, in dessen Geschichte, unter andern interessanten Mittheilungen, auch die Beschreibung einer Abendgesellschaft bey *Sir Joseph Banks* und Erinnerungen an *Sydenham* vorkommen, denen wir eigentlich schon früher zu begegnen dachten.

Das Buch ist einer Dame, der *honourable Lady Halford* (Gemahlin des königl. Leibarztes) zugeeignet, und allerdings kann man den Spruch hier gelten lassen: *quae legat ipsa Lycoris!* Ueber die äussere Ausstattung brauchen wir nichts zu sagen, denn das Buch ist in London und bey Murray erschienen. Eine hübsche Zugabe bilden viele allerliebste Holzschnitte, welche die Bildnisse der berühmten Aerzte nach Büsten, Gemälden, Statuen, auch Abbildungen der verschiedenen, vom College of Physicians zu verschiedenen Zeiten eingenommenen Gebäude darstellen. Den bescheidenen Verfasser endlich darf Rec. seinen deutschen Landsleuten wohl nennen. Es ist Hr. Dr. *Mac Michael* in London, Arzt am Middlesex-Hospital und Registrar (Archivar) am College of Physicians, ein Mann, ausgezeichnet durch seltne Bildung und jene Liebenswürdigkeit des Charakters, die der Fremde so häufig an englischen Aerzten bewundern muss.

Herm. Friedländer.

GESCHICHTE.

MÜNSTER, b. Coppenrath: *Lehrbuch der Weltgeschichte für Gymnasien und höhere Bürgerschulen* von *Th. B. Welter*, Oberlehrer am Gymn. zu Münster. *Erster* Theil: die *alte Geschichte.* 1826. VI u. 326 S. 8. (12 gr.)

Rec. hat diess Werkchen vom Anfang bis zum Ende mit Aufmerksamkeit durchgelesen und darf sagen, dass es bey ihm einen vortheilhaften Eindruck zurückgelassen hat. Der Vf. ist seines Gegenstandes und seiner Feder mächtig, and accommodirt sich sehr glücklich der Fassungskraft der Leser für welche er schrieb. Auch für Gebildete Erwachsene aus den Mittelklassen ist es zu empfehlen. Die hin und wieder vorkommenden Vergleichungen des Zustandes früherer Völker mit den Wilden neu entdeckter Erdtheile machen (wenn sie nicht zu weit ausgedehnt werden) die Sache noch belebter und anschaulicher. Die Methode ist die ethnographisch-synchronistische. Die Zeiträume hätten, um der Jugend bald ein passendes historisches Fachwerk zu geben, in welches sie dann jede weitere Bereicherung des historischen Wissens legen kann, etwas deutlicher ausgeprägt und durchgeführt, auch das Biographische — was den Knaben vorzugsweise als Concretum anspricht — noch mehr hervorgehoben werden können. Dass die synchronistischen Parallelen nicht immer ganz genau gezogen sind z. B. Gründung Roms und Untergang des Reiches Israel 754 u. 722 muss bemerkt werden. Bey (183) Hannibals Tod hätte auch Philopömens und Plautus Tod und Scipio's Exil angeführt werden können. Die gelehrten Untersuchungen neuerer Zeit sind absichtlich noch nicht benutzt worden, sonst würden wohl auch die Hieroglyphen nicht mehr als Bilderschrift sondern als Buchstabenschrift angegeben worden seyn.

Ob die Schreibart No*e*, Jepht*e*, Josu*e*, G*e*ssen (st. Gosen) Put*i*phar, G*e*deon, M*a*dianiter, P*a*rgament absichtlich ist, weiss Rec. nicht; wäre es, so sieht man keine Nothwendigkeit davon, sondern nur Nachtheil ein, da vielleicht in höhern Klassen diese Namen wieder nach der gewöhnlichen Art gebraucht werden. Dass Aegypten an die Wüste *schiesst*, die Kaufleute in dem Tempel *ausstanden*, dass er als Knabe die Bewunderung *aufzog* (268), dass mit Jesu die *Fülle* (st. Erfüllung) der Zeiten gekommen, dass es *das* reiche Sicilien galt (st. *dem*), so wie die Form: Nach Christ*i*, vor Christ*i* — sind Fehler, die der Vf. noch zu berichtigen hat. So aus S. 33, wo die Aernte im *May* beginnt und im *April* aufhört. Anderes wie Epamin*a*ndos, Jonath*a*s, Pria*n*us, Odyss*e*, Erdharpe, verbessert sich von selbst. Einmal wird der Stil zu chronikartig S. 48: „Es war eine fromme Mutter, die hatte ein wunderschönes Kind" u. s. w. Doch das sind Nebensachen.

SCHÖNE KÜNSTE.

BERLIN, im Verl. b. Enslin: *Neue Bühnenspiele*, nach dem Englischen, Französischen und Italienischen; für das deutsche Theater frey bearbeitet von *Karl Blum*. Inhalt: Stadt und Land; Schauspiel in 5 Acten nach *Th. Morton*. 90 S. Die Mäntel, oder der Schneider in Lissabon; Lustspiel in 2 Acten nach *Scribe*. 36 S. Herr von Ich; Lustspiel in 1 Act nach *Delongchamps*. 29 S. Mirandolina; Lustspiel in 3 Acten nach *Goldoni*. 48 S. 1828. 8. (1 Rthlr. 12 gr.)

Arme deutsche Bühne, wenn diess deine neuesten Spiele sind, wie tief musst du gesunken seyn! Unbekannt mit den Originalen kann Rec. nicht entscheiden, wieviel von der Seichtigkeit auf Rechnung derselben oder auf die des freyen Bearbeiters zu setzen sey; doch ist er sehr geneigt des Letztern Conto dafür zu creditiren, indem dieser es nur für werth halten konnte, dergleichen zu bearbeiten, worin, bis auf *Mirandolina*, so gar kein Werth irgend

gend einer Art, weder in Intriguen, noch in Situationen, noch in Charakteren, noch in Witz liegt, wenigſtens nicht für die deutſche Bühne, wie wir ſie zur Zeit eines *Schröder* hatten. *Goldoni's* Luſtſpiel hat eine zu gute Conſtitution, als daſs es alle komiſche Kraft, ungeachtet aller Fadaiſen des Bearbeiters, hätte einbüſsen können, ſo wenig es auch für deutſche Sitte Anſprechendes hat. — Es liegt doch eine gute Idee zum Grunde, wovon bey den übrigen gar nicht die Rede iſt, und Rec. iſt feſt überzeugt, daſs es in einer geiſtreichern Bearbeitung, als die vorliegende, ein angenehmes Geſchenk für unſere Bühne in der gegenwärtigen Hungersnoth ſeyn könnte. — Das ſchlechteſte Product, weil es auch zugleich das undramatiſcheſte iſt, iſt das erſte und längſte, worin wir weder die Stadt noch das Land, ſondern nur ſchaale Caricaturen ohne allen innern Gehalt gefunden haben. — Die Poſſe nach *Scribe* kann nur einmal bey lebendigem Spiele unterhalten. Ob ſie durch die Verſetzung aus Deutſchland nach Liſſabon und durch die, nach einer Bemerkung des Bearbeiters dadurch nöthig gewordene, Umänderung der Charaktere in Umriſſen und Ausführung gewonnen habe, daran möchten wir ſehr zweifeln, nach der Rolle des engliſchen Soldaten zu urtheilen, die höchſt abgeſchmackt iſt, von welcher der Bearbeiter aber rühmend meynt, daſs ſie in dieſer Form noch nicht da war. — *Herr von Ich* iſt ganz ſchaal und verbraucht. — Daſs einzelne Scenen aus allen vier Stücken — aber gewiſs nur ſparſam — in lebendiger Darſtellung ergetzlich ſeyn werden, läſst ſich übrigens von einem gewandten Schauſpieler wie Herr *Blum* wohl erwarten.

VERMISCHTE SCHRIFTEN.

Hamburg, b. Neſtler: *Kritik der neueſten Cotta'ſchen Ausgabe von Göthe's Werken*, nebſt einem Plane zu einer vollſtändigen und kritiſch geordneten Ausgabe derſelben. Eine Beylage zu dem Werke: Göthe's Philoſophie u. ſ. w. Vom Prof. Dr. *Schütz* zu Hamburg. 1828. (6 gr.)

Der Vf. geht in dieſer Broſchure von der Bemerkung aus, daſs jetzt in der deutſchen Literatur die Epoche einer überaus groſsen Regſamkeit für Veranſtaltung neuer Ausgaben und Sammlungen der Werke unſerer Klaſſiker begonnen habe, und kommt darauf ſogleich auf die Bemerkung „über die ſchimpfliche Liederlichkeit", mit welcher bisher faſt die meiſten Sammlungen und Ausgaben der Werke deutſcher Klaſſiker (z. B. *Schiller's* durch Cotta, *J. Paul's* durch Reimer) veranſtaltet worden ſeyen. Er bleibt namentlich bey der Ausgabe der Werke *Göthe's* ſtehen, wie ſie zu zweyen Malen von Cotta theils 1806 —1808, theils 1816—1819, weder vollſtändig für ihre Zeit noch planmäſsig und verſtändig geordnet herausgegeben worden ſeyen, und wie jetzt eine ſolche angeblich „vollſtändige" und „der letzten Hand" von demſelben Buchhändler beſorgt werde. Denn auch dieſe Ausgabe könne, nach der erſchienenen Ankündigung zu urtheilen, weder auf Vollſtändigkeit noch auf den Vorzug einer kritiſchen und ſorgfältig geordneten Ausgabe Anſpruch machen. Dieſe Behauptung darzuthun, iſt der eine Zweck der vorliegenden Schrift, durch welche der Vf. überhaupt zur Erweiterung des Kreiſes der *wahren* Verehrer Göthe's beyzutragen wünſcht, die, wie er, die Werke deſſelben als die Quelle eines unerſchöpflichen Studiums ſchätzen. Zum Behuf dieſes Beweiſes hat er nun *Göthes* eigene Ankündigung und Anzeige der neuen Ausgabe ſeiner Werke (S. 22 ff.) und die darauf ſich beziehende Erklärung Cotta's (S. 32 ff.) abdrucken laſſen und dieſen ſeine Anmerkungen beygefügt, in denen er eben (S. 34—47) den Beweis *führt*, daſs auch die neueſte Cotta'ſche Ausgabe von Göthe's Werken weder eine vollſtändige noch *kritiſch geordnete* ſey, wobey der Vf. zugleich über manche *Aeuſserungen*, die *Göthe* bey dieſer Gelegenheit über ſich ſelbſt gemacht hat, ziemlich freymüthig (z. B. S. 44. 46. 49) ſich ausſpricht. Das Reſultat iſt in der Hauptſache, daſs in der neueſten Ausgabe der Werke *Göthe's* weder alle Werke deſſelben gegeben, noch die, welche gegeben werden ſollen, chronologiſch und ſyſtematiſch gegeben werden. Nach dieſem Beweiſe, den Hr. *Sch.*, wenigſtens nach des Rec. Meinung unumſtöſslich geführt hat, theilt er S. 53 ff. einen „Plan zu einer wirklich vollſtändigen und kritiſch geordneten Ausgabe der ſämmtlichen Werke Göthe's" mit, indem er zuvörderſt auseinanderſetzt, was überhaupt von einer muſterhaften Ausgabe klaſſiſcher deutſcher Werke und was *zu* einer wahrhaft kritiſchen Ausgabe der Werke *Göthe's* und von einer ſolchen verlangt werde. Nach dem, was *Hr. Sch.* hierüber ſagt und was bey ihm ſelbſt nachgeleſen werden muſs, giebt er S. 61 ein Schema, wie eine vollſtändige Ausgabe der Werke *Göthe's* ſtreng ſyſtematiſch und zugleich chronologiſch angelegt werden müſſe, und fügt S. 69 eine „allgemeine chronologiſche Ueberſicht der ſämmtlichen Werke Göthe's" bey (wie kommen aber in eine ſolche die S. 78 angeführten, von *Göthe* nur „eingeführten, eingeleiteten" und bevorworteten Werke Anderer?). Wenn der Vf., nach der bekannten Klaſſification *Müllner's*, gewiſs nichts weniger als ein *Göthokorax iſt*, wenn ihn vielmehr Rec. für einen wahren *Verehrer Göthe's* halten zu müſſen meint: ſo kann *er ſelbſt* doch auch nicht leugnen, daſs aus manchen *Aeuſserungen* des Hn. *Sch.* über *Göthe* Leidenſchaftlichkeit ſpricht, durch welche, wenn gleich allerdings auf der einen Seite einem wirklichen Studium der Werke *Göthe's* und ihrem beſſern Verſtändniſſe durch vorliegende Schrift vorgearbeitet werden mag, doch auf der andern dieſer Zweck bey Manchem geradezu verfehlt werden wird. Den *wahren* Verehrern *Göthe's* indeſs kann Rec. dieſe Broſchure nur empfehlen, und jeder wird ſelbſt finden, daſs die in ihr gegebenen Winke über eine vollſtändige und kritiſche Ausgabe der Werke *Göthe's* unbeachtet zu bleiben gewiſs nicht verdienen.

ALLGEMEINE LITERATUR-ZEITUNG

December 1828.

LITERARISCHE NACHRICHTEN.

Univerfitäten.

Roftock.

Vorlefungen auf der Grofsherzogl. Univerfität dafelbft

während des Winter-Semefters 18⅔.

1) Der ordentlichen Profefforen.

In der theologifchen Facultät.

Hr. Confiftorialrath Dr. *Guftav Friedr. Wiggers* wird vortragen: 1) *Dogmatik* der evangelifchen Kirche; 2) den *erften* Theil der *chriftlichen Kirchengefchichte*; 3) *Pädagogik*. Aufserdem wird er die *homiletifchen* und *katechetifchen* Uebungen der Mitglieder des Seminars auf gewohnte Weife leiten.

Hr. Confiftorialrath Dr. *A. Th. Hartmann* wird 1) den engen *Zufammenhang* zwifchen dem *A.* und *N. Teftament* ausführlich entwickeln, mit befonderer Anwendung auf die *meffianifchen Weiffagungen* des *A. Teft.*; 2) in dem *zweyten* Theile des *exegetifchen Curfus* über das A. Teft. die *Pfalmen* erklären.

Hr. Prof. Dr. *Joh. Phil. Bauermeifter*, zeit. Decan der theol. Facultät, wird 1) in dem *zweyten* Theile feines exegetifchen Curfus die *Johanneifchen Schriften* mit der *Apoftelgefchichte* erklären; 2) eine *hiftorifch-kritifche Einleitung* in die *Bücher des A.* und *N. Teft.* geben; 3) *Disputationen* über philofophifche und dogmatifche Gegenftände leiten.

Hr. Prof. Dr. *Karl Friedr. Aug. Fritzfche* wird 1) öffentlich die fchönften Stellen des *Jefaias* in lateinifcher Spr. erklären; 2) privatim die *Symbolik* vortragen; 3) privatim die *kleinen Briefe des N. Teft.* und die *Apokalypfe* erklären; 4) privatiffime die Regeln der *Homiletik* vortragen und mit diefem Vortrage *praktifche Uebungen* verbinden, und 5) privatiffime *Disputationen* über Exegefe und Kritik des N. Teft., wie in den zwey vorhergehenden Winter-Semeftern, eröffnen.

In der juriftifchen Facultät.

Hr. Prof. Dr. *Ferd. Kämmerer*, zeit. Decan der jurift. Facultät, trägt vor: 1) privatim die *Pandecten*, mit Ausfchlufs des Erbrechts; 2) öffentlich die Lehre über die *väterliche Gewalt*, nach dem gemeinen und Mecklenb. Rechte.

Hr. Confiftorial-Vice-Director und Prof. Dr. *Conrad Theod. Gründler* wird 1) den *Civil-Procefs*, nach Martin, lehren; 2) ein *Relatorium* halten.

Hr. Confiftorialrath und Prof. Dr. *Aug. Ludw. Diemer* wird 1) öffentlich die *Encyclopädie der Rechtswiffenfchaft*, nach Falk, und 2) die *neuefte Mecklenburgfche Gefchichte*, vom Hamburger Hausvertrage 1701 an bis auf unfre Zeiten, vortragen; 3) privatim die *äufsere Gefchichte des röm. Rechts*, nach Bach, vollenden, und 4) das *Kirchenrecht*, nach Wiefe, lehren.

Hr. Prof. Dr. *Karl Friedr. Rafpe* wird 1) *Criminalrecht*, nach Bauer, 2) *allgemeines Staatsrecht*, nach Schmidt, lehren; 3) erbietet er fich, privatiffime ein *Examinatorium* zu halten.

Hr. Prof. Dr. *Chrift. Friedr. Elvers* trägt vor: 1) *Inftitutionen* und *Gefchichte des röm. Rechts*; 2) *dingliches Familienrecht* und *Erbrecht*.

In der medicinifchen Facultät.

Hr. Geh. Medicinalrath und Prof. Dr. *Samuel Gottl. Vogel*, des Königl. Preufs. rothen Adler-Ordens dritter Klaffe Ritter u. f. w., zeit. Decan der medicinifchen Facultät, wird 1) eine *Einleitung* in die *medicinifche Klinik* geben, und 2) *auserlefene Abfchnitte* aus allen Theilen der *Medicin* vortragen.

Hr. General-Chirurgus und Prof. Dr. *Wilh. Jofephi*, des Heffifchen Ludwig-Ordens Ritter u. f. w., wird 1) den *erften* Theil der *Hebammenkunft* und 2) den *erften* Theil der *Chirurgie* vortragen.

Hr. Prof. Dr. *Heinrich Spitta* lehrt 1) *Phyfiologie des m. K.*, 2) *allgemeine Pathologie* und *Therapie*, und leitet 3) die *medicinifch-praktifchen Uebungen*.

Hr. Prof. Dr. *Karl Strempel* wird 1) öffentlich über die *Hautkrankheiten* lefen; 2) privatim trägt *Derfelbe* die *Pathologie* und *Therapie der chronifchen Krankheiten* und 3) die *Arzneymittellehre* vor. Auch wird er jetzt feine *ophthalmifch-chirurgifche Klinik* in dem von ihm neu eingerichteten Krankenhaufe halten.

In der philofophifchen Facultät.

Hr. Prof. der Mathematik Dr. *Pet. Joh. Hecker*, Senior der Univerfität, wird 1) die *Buchftabenrechnung* und *Algebra* und 2) die *Rentenrechnung* vortragen.

Hr. Geh. Hofrath und Prof. der Oekonomie Dr. *Franz Chriftian Lorenz Karften*, erfter Secretär des Mecklenb. patriotifchen Vereins u. f. w., wird 1) die *Theorie der Landwirthfchaft* nach feinem Lehrbuche:

Die ersten Gründe der Landwirthschaft u. s. w., 2) die *Elementar-Mathematik* nach dem Lehrbuche seines verst. Bruders: Auszug u. s. w., vortragen.

Hr. Hofrath und Prof. der historischen und politischen Wissenschaften, Dr. *Gerh. Phil. Heinr. Norrmann*, wird privatim 1) die *pragmatische Geschichte Deutschlands*, nach Mannert, 2) *Statistik der vornehmsten europ. Staaten*, und privatissime 3) *Handelswissenschaft*, nach Büsch, vortragen.

Hr. Dr. *Jacob Sigismund Beck*, Prof. der Metaphysik, wird vortragen: 1) *Logik*; 2) *angewandte Mathematik* und 3) *reine Mathematik*.

Hr. Dr. *Joh. Friedr. Pries*, Prof. der Moral, wird lesen: 1) *Encyklopädie der philosophischen Wissenschaften*, nach Schulze; 2) *Geschichte der Philosophie*. Ausserdem wird er *englische Dichter* erklären.

Hr. Dr. *Gustav Sarpe*, Prof. der griechischen Literatur, zeitiger Decan der philosophischen Facultät, erklärt privatim: 1) den *Plutus des Aristophanes*, 2) *auserlesene Reden des Lysias*; 3) privatissime den *Cicero de oratore*.

Hr. Dr. *Heinrich Gustav Flörke*, Prof. der Naturgeschichte und Botanik, wird 1) öffentlich *physikalische Erdbeschreibung* und 2) privatim *Zoologie* vortragen.

Hr. Dr. *Gust. Pet. Sam. Mähl*, Prof. der Chemie u. Pharmacie, zeit. Rector der Universität, wird *Experimental-Chemie* und *Pharmacie* vortragen.

Hr. Dr. *Ernst Aug. Phil. Mahn*, Prof. der morgenländischen Literatur und Sprachen, wird publice unterrichten im *Chaldäischen* und *Syrischen*; privatim lesen die *hebräische Grammatik* mit *praktischen Uebungen*, und den *Hiob*.

Hr. Dr. *Joh. Rud. Schröter*, Prof. der Mathematik, wird, durch Krankheit behindert, in diesem Semester keine Vorlesungen halten.

Hr. Dr. *Franz Volkmar Fritzsche*, design. Prof. der Beredtsamkeit und Dichtkunst und Director des zu errichtenden philologischen Seminariums, wird 1) öffentlich die *Acharner des Aristophanes* und 2) öffentlich die *schönsten Oden des Horatius* erklären; 3) auf allerhöchsten Befehl das *philologische Seminarium* errichten und die Uebungen desselben unentgeldlich leiten. 4) Ueber eine *Privat-Vorlesung* wird er sich erst nach seiner Ankunft bestimmen.

2) Vorlesungen der ausserordentlichen Professoren.

Hr. Dr. *Karl Friedr. Quittenbaum*, ausserordentl. Prof. der Anatomie und Profector am anatomischen Theater, hält die *Demonstrationen* über *Splanchnologie*, *Angiologie* und *Neurologie*; leitet die *Secir-Uebungen an menschlichen Leichnamen*; trägt den 2ten Theil der *Chirurgie* vor, und erbietet sich zu *Examinatorien* über die *Anatomie* und *Chirurgie*.

Hr. Dr. *Karl Türk*, ausserordentlicher Prof. der Rechte, wird vortragen: 1) *juristische Encyclopädie* und *Methodologie*; 2) *deutsches Privatrecht*; 3) *Criminalrecht*, nach Feuerbach. Ueberdiess erbietet er sich zu *Examinatorien* und *Repetitorien*.

Hr. Dr. *Friedr. Francke*, ausserordentl. Prof. der Philosophie, wird 1) öffentlich von der *Bildung der philosophischen Aufgaben*, oder von dem *Werthe* der *Methode der Philosophie* reden; 2) in besonderen Vorträgen aber wird er lehren: *a*) die *Logik* (nach Fries Grundriss der Logik. 3te Auflage. Heidelberg 1828.); *b*) die *psychische Anthropologie*; *c*) von der praktischen Philosophie die *Ethik* nebst der *Tugendlehre*. Ueberdiess bietet er den Freunden der Philosophie Uebungs- und Wiederholungsstunden an.

3) Vorlesungen der Privat-Docenten.

Juristische.

Hr. Dr. *Gottlieb Heinr. Friedr. Gaedcke* wird 1) öffentlich die *Institutionen des Gajus*, unter beständiger Vergleichung mit den *justinianischen* Institutionen und den *Fragmenten Ulpian's*, erklären; 2) privatim die *Geschichte* und die *Institutionen* des R. R. vortragen; 3) privatim ein *Civil-Practicum* leiten, und 4) privatissime, jedoch *gratis*, zur *Erklärung schwieriger Stellen des röm. Rechts* Anleitung geben. Auch erbietet er sich, auf Verlangen *Examinatorien* und *Repetitorien* über alle Rechtszweige zu halten.

Medicinische.

Hr. *Georg Friedr. Most*, Dr. der Medicin und Philosophie, wird vortragen: 1) die *medicinische* u. *chirurgische Heilmittellehre*; 2) den *zweyten* Theil der *Geburtshülfe*; 3) die *Pathologie* und *Therapie* der *chronischen Krankheiten*, nach dem Handbuche von Hasse.

Hr. *C. Krauel*, Dr. der Medicin, wird vortragen: 1) öffentlich die *Knochenbrüche* und *Verrenkungen*; 2) privatim *Operationslehre*; 3) ist er bereit *Examinatoria* zu halten.

Hr. *Joh. Friedr. Wilh. Lesenberg*, Dr. der Medicin und Chirurgie, wird lesen: 1) öffentlich über die beste Art und Weise, *Asphyctischen*, *Ertrunkenen* u. s. w. zu Hülfe zu kommen; 2) privatim den *ersten* Theil der *Chirurgie* vortragen, und 3) *Examinatoria* und *Repetitoria* halten.

Philosophische.

Hr. Dr. *Adolf Christ. Siemssen* ist erbötig, die *Oryktognosie*, nach Steffens, vorzutragen.

Hr. Dr. *Karl Weinholtz* wird vortragen: 1) die Lehre von den *Affecten*, *Leidenschaften* und *Seelenkrankheiten*; 2) die *Einleitung* in die *Philosophie*, nach seinem Grundrisse, und 3) die *philosophische Sittenlehre*, nach seinem System.

Hr. Dr. *G. N. F. Busch* erklärt die *Perser des Aeschylus* und des *Tacitus Agricola*, und trägt die *Metrik* vor.

Die *Bibliothek* und das *naturhistorische Museum* werden Mittwochs und Sonnabends geöffnet. Es fehlt auch

auch nicht an Gelegenheit, die *französische*, *englische* und andere fremde Sprachen zu lernen. Auch sind öffentliche Lehrer für den Unterricht im *Reiten*, *Zeichnen* und in der *Musik* angestellt. Insbesondere giebt der akademische Musiklehrer, Hr. *Saal*, den Mitgliedern des *theologisch-pädagogischen Seminars* unentgeldlichen Unterricht im *kirchlichen Gesange*.

Der gesetzliche Anfang der Vorlesungen fällt auf den 14ten October.

LITERARISCHE ANZEIGEN.

I. Ankündigungen neuer Bücher.

Taubstummen-Bildung.

Bey **Leopold Voss** in **Leipzig** ist erschienen:

Reich, *C. G.*, Blicke auf die Taubstummenbildung und Nachricht über die Taubstummenanstalt zu Leipzig, seit ihrem funfzigjährigen Bestehen, nebst einem Anhange über die Articulation. *Zweyte* Auflage. gr. 8. 9 gr.

Eine nicht bloss für Taubstummenlehrer, sondern als wichtig und anziehend für jeden Erzieher bereits vielseitig anerkannte Schrift.

Bey **Fleischmann** in **München** ist so eben erschienen und an alle Buchhandlungen versandt worden:

Oertel's
grammatisches Wörterbuch
der
deutschen Sprache,
wobey
zugleich Abstammung, Laut- und Sinnverwandtschaft, Spracheinigung und Wortneuerung beachtet wird.
Für
Schriftsteller, Schullehrer, Beamte, Kanzleyherren, Kauf-, Handels- und andere Geschäftsleute.
1sten Bandes 1ste Abtheilung. gr. 8.
Subscriptionspreis 1 Rthlr. 3 gr. oder 2 Fl. Rhein.

Jeder Gebildete weiss den Werth eines zweckmässig bearbeiteten möglichst vollständigen grammatischen Wörterbuchs unserer Muttersprache zu schätzen. Der durch sein gemeinnütziges Fremdwörterbuch und durch treffliche philologische Arbeiten rühmlich bekannte Herr Verfasser hat durch die Bearbeitung dieses grammatischen Wörterbuchs seine Meisterschaft neuerdings auf eine Weise beurkundet, die ihm den Dank aller Völker deutscher Zunge sichert. Gerade in Mitte zwischen den grösseren und kleineren ist dieses an möglichster Vollständigkeit, Zweckmässigkeit und Brauchbarkeit so ausgezeichnete Wörterbuch ein wahres Bedürfniss für alle Stände, und wir dürfen es mit Recht eine der gelungensten Arbeiten nennen, die je aus der Feder des Verfassers gekommen sind. Auf sehr weisses Papier mit ganz neuen Lettern gedruckt wird es auch in typographischer Hinsicht jedem Wunsche entsprechen.

Da noch ununterbrochen zahlreiche Bestellungen auf dasselbe eingehen: so verlängert die Verlagshandlung, in Rücksicht auf die entfernteren Liebhaber, den Subscriptionstermin bis zum Erscheinen der *zweyten* Abtheilung des *ersten* Bandes, welche im Februar 1829 die Presse verlässt.

Das ganze Werk wird *zwey* Bände, jeden von *zwey* Abtheilungen, enthalten. Der Subscriptionspreis einer jeden Abtheilung ist nur 1 Rthlr. 3 gr. oder 2 Fl. Rhein.; so dass die zwey starken Bände oder sämmtliche vier Abtheilungen im Subscriptionspreis 4 Rthlr. 12 gr. oder 8 Fl. Rhein. kosten.

So eben ist bey mir erschienen und in allen Buchhandlungen des In- und Auslandes zu erhalten:

Reine Arzneymittellehre,
von
Karl Georg Christian Hartlaub
und
Karl Friedrich Trinks.
Erster Band.
gr. 8. 23½ Bogen auf feinem Druckpapier. 2 Rthlr.

Dieses Werk, welches alljährlich fortgesetzt werden soll, ist ganz im Geiste der *Hahnemann'schen reinen Arzneymittellehre* abgefasst und gleichsam als eine Fortsetzung derselben anzusehen. Es enthält mehre wichtige Arzneymittel: Bley, Kirschlorber, Canthariden, Spiessglanz, Phosphor und Zink — also auch einige antipsorische, und ist sonach für jeden *Homöopathiker ein unentbehrliches Bedürfniss.*

Leipzig, den 1. Sept. 1828.

F. A. Brockhaus.

Die unlängst wieder im Original aufgefundene, bis dahin noch ungedruckte

Chronik des Minoriten-Lesemeisters Detmar,

welche im Jahre 1385 im Auftrage des Raths in Lübeck aus den ältern längst verlornen Lübeckischen Stadt-Chroniken zusammengestellt, dann gleichzeitig bis 1482 fortgesetzt ward, und vorzüglich die Geschichte des nördlichen Deutschlands, so wie aller Reiche und Städte am baltischen Meere berührt, gedenkt der Professor *Grautoff* in Lübeck, wenn er dazu hinlänglich durch Subscriptionen unterstützt wird, im Druck herauszugeben. Das Werk wird *zwey* Bände in gr. Octav füllen, und der Subscriptionspreis für jede 25 Bogen ist

ist auf 1 Rthlr. 16 gr. Preuſs. Courant angeſetzt. Die Subſcription währt bis Oſtern 1829, und der Ladenpreis wird nachher bedeutend erhöht werden. Die näheren Anzeigen darüber ſind an alle Buchhandlungen vertheilt, wo auch Subſcription angenommen wird.

Friedrich Perthes,
Buchhändler in Hamburg.

Berlin, bey Duncker und Humblot iſt erſchienen und in allen ſoliden Buchhandlungen zu haben:

Fr. Trieſt's

Sammlung von Entwürfen, Beſchreibungen und Koſtenberechnungen wichtiger Bauten, oder einzelner Theile derſelben und deren Conſtruction. Mit beſonderer Beziehung auf die Bauwerke Berlins. Lief. I. Mit 10 lithograph. Blättern in Fol. Preis 3 Rthlr. Auf Velinpapier 3½ Rthlr.

Gute Kinder ſind Gott und Menſchen lieb.

Erzählungen zur Bildung und Veredlung des jugendlichen Herzens. Von *Adolph Broma*. Mit einem Titelkupfer. 12. Geb. in Umſchlag. Neuſtadt an d. O., bey J. K. G. Wagner. (Preis 12 gr. oder 54 Kr.)

Eine zu empfehlende Jugendſchrift. In den zwölf darin enthaltenen Erzählungen hat der Herr Verfaſſer ſtets die Anwendung des auf dem Titel genannten Motto bezweckt.

Sie iſt in allen Buchhandlungen zu haben.

Bey Engelmann in Heidelberg iſt erſchienen:

Collection of the claſsic engliſh hiſtorians. Vol. I—III *the Life of Lorenzo de' Medici, called the Magnificent*, by *W. Roſcoe.* 3 Vol. 1825. 66 Bogen. gr. 8. (4 Rthlr. 16 gr.) Vol. IV. *hiſtorical and critical Illuſtrations of the life of Lorenzo de Medici; with an Appendix of original and other documents.* By *W. Roſcoe.* 1826. 20½ Bogen. (1 Rthlr. 18 gr.) Vol. V—VIII. *the life and pontificate of Leo X.* By *W. Roſcoe.* 2de edit., corrected. *With Henke's Notes transl. from the German, added to the laſt Vol. IV.* Hiervon iſt erſt Vol. I. 1827. 36 Bogen, Vol. II. 1828. 36½ Bogen erſchienen, Vol. III u. IV. werden in Kurzem nachgeliefert, und bleibt der Subſcriptionspreis auf dieſe 4 Theile für die Ausgabe auf Velinpapier mit 7 Rthlr. und auf geglätt. Velinpap. mit 8 Rthlr. bis dahin offen.

Ref. kann dieſe Sammlung engliſcher Geſchichtſchreiber dem gelehrten Publicum beſtens empfehlen. Der Druck iſt heiter und correct, das Papier vorzüglich, das Ganze ſehr gefällig, und der Preis im Verhältniſſe mäſsig. Keine Bibliothek darf ſich dieſer Ausgabe ſchämen, die ſogar durch die Beyfügung der Henke'ſchen Noten zu dem Leben Leo X. Vorzüge vor der Original-Ausgabe hat. Ref. wünſcht von Herzen, daſs eine rege Theilnahme des Publicums das Unternehmen des Hrn. Verlegers begünſtigen, und recht bald auch die andern klaſſiſchen Hiſtoriker der Briten in derſelben zweckmäſsigen Geſtalt erſcheinen mögen.

F.

Hiſtoriſche Literatur.

Bey Leopold Voſs in Leipzig erſchien ſo eben:

Herrmann, Aug. Lebr., Frankreichs Religions- und Bürgerkriege im 16ten Jahrhundert. gr. 8. 3 Rthlr. 8 gr.

Simonde von Sismondi, die Kreuzzüge gegen die Albigenſer im 13ten Jahrhunderte. Aus dem Franzöſiſchen. Mit einer Einleitung von [illegible] 12. 1 Rthlr. 8 gr.

II. Auctionen.

Bücher-Auction in Halle.

Vom 9ten Febr. 1829 an wird hierſelbſt die von dem verſtorbenen Privatgelehrten zu Leipzig, Hn. Dr. *Chriſtian Friedr. Eberhard*, hinterlaſſene, auserleſenen, zumal alten und ſeltenen Werken aus allen Fächern ſehr reichen, in der *Reformationsgeſchichte* aber, der *Literargeſchichte* und *Bibliographie*, der *Länder- und Völkerkunde* ganz vorzüglich ausgezeichneten Bibliothek, nebſt einem über *achthalbtauſend* Nummern ſtarken Anhange von zum Theil äuſserſt alten und merkwürdigen wiſſenſchaftlichen, *belletriſtiſchen* und *vermiſchten Schriften*, wie auch einer anſehnlichen Sammlung von Kupferſtichen, Landkarten, mathematiſchen und aſtronomiſchen Inſtrumenten, Kunſtſachen u. ſ. w. gegen gleich baare Zahlung öffentlich verſteigert.

Aufträge zu dieſer Auction übernehmen die ſchon bekannten Herren Auctionatoren und Commiſſionäre in Berlin, Bremen, Coburg, Erfurt, Gotha, Göttingen, Halberſtadt, Hamburg, Hannover, Jena, Leipzig, Marburg, Nürnberg, Prag, Weimar, Wien u. ſ. w. Hier in Halle auſser dem Unterzeichneten, Hr. Regiſtrator Deichmann und die Buchhandlung von Hn. *Fr. Ruff*, bey denen auch überall der reichhaltige 30 Bogen ſtarke und mit literariſchen Bemerkungen verſehene Catalog zu haben iſt.

Halle, im December 1828.

J. Fr. Lippert, Auctionator.

ALLGEMEINE LITERATUR-ZEITUNG

December 1828.

STAATSWISSENSCHAFTEN.

Altenburg, im Literaturcomptoir: *Staatsrecht der constitutionellen Monarchie.* Ein Handbuch für Geschäftsmänner, studirende Jünglinge und gebildete Bürger, von *Joh. Christ.* Freyherrn *von Aretin,* königl. baier. Appellationsgerichts-Präsidenten. *Erster* Band. 1824. XVI u. 275 S. 8. — *Zweyten* Bandes *erste* Abtheilung. Nach des Verfassers Tode fortgesetzt durch *Karl v. Rotteck,* Hofr. u. Prof. d. Staatswissenschaften zu Freyburg. 1827. IV u. 380 S. — *Zweyten* Bandes *zweyte* Abtheilung (von Demselben.) 1828. XVI u. 276 S. (5 Rthlr.)

Bevor Rec. über die Oekonomie, den Inhalt und den wissenschaftlichen Charakter dieses Werkes sein Urtheil in diesen Blättern niederlegt, ist es nöthig, über die *Geschichte* desselben zu berichten. Denn obgleich, im weitern Sinne, jedes literarische Erzeugniss seine eigene Geschichte, d. h. die subjective oder objective Veranlassung seines Entstehens, hat; so ist diess doch, im engern Sinne, zunächst der Fall bey Werken, an welchen zwey oder mehrere Verfasser Antheil haben. Diess trat aber bey dem anzuzeigenden Werke ein. — Ein freysinniger, und mit seltener Kraft des Geistes ausgestatteter Mann, der königl. baierische Appellationsgerichts-Präsident v. *Aretin* entwarf den Plan zu dem vorliegenden Werke, durch welches eine *neue* Wissenschaft, — das *Constitutionsrecht* — begründet werden sollte; er gab den *ersten* Theil, der im Jahre 1824 erschien, und hatte bereits die Hälfte des zweiten Theiles ausgearbeitet, als ihn ein frühzeitiger Tod überraschte. Dadurch ward die Fortsetzung und Vollendung des Werkes auf einige Zeit verhindert, weil unter den deutschen Gelehrten bis jetzt nur wenige sind, welche, nach ihren Vorarbeiten und nach mehrjähriger Bekanntschaft mit dem wissenschaftlich auszuprägenden Stoffe, zur Fortsetzung eben dieses Werkes sich eigneten. Doch wusste die Verlagshandlung *den rechten Mann* für diese Fortsetzung aufzufinden; denn ob der Hofr. v. *Rotteck* dazu berufen war, — darüber konnte unter den Männern vom Fache kein Zweifel seyn. Ja Rec. erinnert sogleich im Voraus, dass, wenn *Aretin* und *Rotteck* in Hinsicht auf philosophische und politische Bildung einander völlig gleich stehen dürften, doch der letztere die bey weitem grössere Masse *geschichtlicher* Kenntnisse vor *Aretin* voraus hat, und in *dieser* Hinsicht der Fortsetzung noch eine reichere Ausstattung zu geben vermochte, als diess der Fall bey *Aretin* war. — Zur äussern Geschichte des Buches gehört ferner, dass von *Aretin* der erste Theil ganz, und von dem zweyten die erste Abtheilung bis S. 194. herrührt, worauf die Bearbeitung von *Rotteck* beginnt.

Je seltener in unserer Zeit die Pietät der Fortsetzer unvollendeter Werke, oder der Bearbeiter der Werke verstorbener Gelehrten in der zweyten Auflage, gegen ihre Vorgänger ist, weil mancher dadurch an seinem eigenen Ruhme verkürzt zu werden meint; desto mehr ist es Pflicht des Rec., hier sogleich diejenige Stelle des Fortsetzers des *Aretin*schen Werkes (Th. 2. Abth. 1. S. 196.) mitzutheilen, womit er den Uebergang von den Schlussworten des Verewigten zu seiner Fortsetzung macht. „So weit (sagt *Rotteck*) der Freyherr *von Aretin,* dessen geschätzte Arbeit *vollständig und unverändert bis zum letzten Buchstaben* zu geben, uns Pflicht gegen das Publicum schien. Der Fortsetzer, indem er hier die Feder ergreift, huldigt gerührt und im Namen aller Freunde des constitutionellen Staatslebens den Manen des edlen und geistreichen Patrioten, welcher das hoffnungsreich, doch unter Stürmen und vielfacher Anfeindung, emporsteigende Gebäude rechtsgemässer Staatsverfassung auf *wissenschaftlicher* Grundlage zu befestigen, und durch Darstellung des innern Zusammenhanges der Principien, worauf es beruht, seine Vortrefflichkeit anschaulich zu machen unternahm. Möge diese seine *zeitgemässe* Restauration der Staatswissenschaft — anstatt jener gleich abgeschmackten, als abscheulichen, womit der Afterphilosoph *von Bern* die gelehrte Welt heimgesucht und die Feinde der Freyheit erfreut hat — Gegenstand der Vorlesungen auf jeder deutschen Hochschule werden, und mögen *würdige* Nachfolger das ruhmvoll Begonnene zur entsprechenden Vollendung bringen! — Derjenige, welcher allernächst hier seine Hand an die Fortsetzung legt, ist weit von dem Dünkel entfernt, sich deshalb an Geist, Gelehrsamkeit und Erfahrung seinem Vorgänger zu vergleichen; nur in der *Gesinnung*, in der *Richtung* seines politischen und wissenschaftlichen Strebens hofft er, demselben ebenbürtig zu erscheinen." —

Noch näher erklärt sich der Fortsetzer in der *Vorrede* zur *zweyten* Abtheilung des zweyten Bandes über seine Stellung zu *Aretin.* In Betreff der *formellen* Oekonomie des Werkes, das ursprünglich *nur auf zwey Bände* berechnet war, erkannte bereits *Aretin,* während der Bearbeitung des ersten Bandes, dass der zweyte Band *in zwey Abtheilungen* (das Ganze also eigentlich in *drey* Bände) zerfallen müsste. Dieser Einrichtung folgte denn auch der Hofr. *v. Rotteck,* zugleich befolgte derselbe (S. VI.) den

den *Plan* ſeines Vorgängers in der Hauptſache, und ſelbſt die *Methode* deſſelben in den Capiteln 7—9, welche noch zur *erſten* Abtheilung des zweyten Bandes gehörten. Dieſe Methode bezog ſich zunächſt darauf, daſs die im Texte aufgeſtellten Lehren durch reichhaltige Noten unterſtützt wurden, welche Autoritäten dafür, überhaupt die Literatur der behandelten Gegenſtände enthielten. Nur in der *zweyten* Abtheilung des zweyten Bandes erlaubte ſich der Fortſetzer davon abzuweichen, „und das Geſetz der Sparſamkeit in Citaten und Noten zu beobachten."

Die, von dem verſtorbenen *Aretin* in der Vorrede zum erſten Bande ausgeſprochene, Beſtimmung des Werkes war, die in den einzelnen neuentſtandenen Verfaſſungen aufgeſtellten Rechtsgrundſätze zu einem wiſſenſchaftlichen (ſtaatsrechtlichen) Ganzen zu ordnen, ungefähr nach derſelben Weiſe, wie *Pütter*, *Häberlin*, *Leiſt*, *Klüber* u. a. das *Jus publicum* wiſſenſchaftlich ausgeprägt hatten. Er wählte dafür den *dogmatiſchen* Weg, indem er *ſtaatsrechtliche Begriffe* an die Spitze ſtellte, und dieſen das Einzelne unterordnete, welches er in den verſchiedenen neuen Verfaſſungen — übereinſtimmend oder abweichend von einander — vorfand. Literäriſche Notizen, weitere Erörterungen, abweichende Anſichten, etwaige Polemik und geſchichtliche Nachweiſungen warf er in die reichhaltigen *Noten*, auf welche Rec. einen gröſsern Werth legt, als der Fortſetzer, und die er den Leſern mit voller Ueberzeugung empfiehlt.

Ob nun gleich Rec. die *Idee* dieſes Werks zu den glücklichſten und wichtigſten rechnet, welche in den letzten Jahren von ſtaatswiſſenſchaftlichen Schriftſtellern aufgeſtellt und durchgeführt wurden, und ob er gleich das vorliegende Werk, von zwey Meiſtern ihres Faches mit treuer Liebe und tiefer Sachkenntniſs bearbeitet, den wichtigſten Erſcheinungen in der politiſchen Literatur unſers Zeitalters anreihet, und es als eine gewichtige Bereicherung dieſer Literatur anerkennt; ſo erlaubt er ſich doch ſogleich Eingangsweiſe die Bemerkung, daſs es für die neuverſuchte Wiſſenſchaft *des Conſtitutionsrechts* theilweiſe ein Verluſt war, daſs *Aretin* den Plan zu ſeinem Werke *bloſs auf die conſtitutionelle Monarchie* beſchränkte, und *alle*, durch neue Verfaſſungen in ihrem innern Staatsleben wiedergeborne, *Republiken von demſelben ausſchloſs.* Allerdings experimentiren noch mehrere der neuen ſüdamerikaniſchen Freyſtaaten in ihren Verfaſſungsformen; namentlich können *Columbia*, *Guatimala*, *Peru*, *Chili*, *Bolivia* und *Buenos Ayres* noch nicht als verfaſſungsmäſsig *begründete* Staaten gelten; eben ſo wenig *Griechenland* mit ſeinen, ſeit 1822, mehrmals veränderten Verfaſſungen; auch erſchien die Verfaſſung *Mexiko's* erſt im Jahre 1824, ſo daſs ſie von dem Vf. nicht berückſichtigt werden konnte. Allein *Nordamerika*, *Hayti*, der *helvetiſche Bundesſtaat* und die *freyen* Städte Deutſchlands boten in der That ſehr reichhaltige Verfaſſungsformen dar, welche, in Vergleichung und Zuſammenſtellung mit den neuen Verfaſſungen in Monarchieen, zu ſehr intereſſanten Ergebniſſen führen. — Doch iſt *dieſem Mangel* des vorliegenden Werkes *leicht* dadurch abzuhelfen, daſs der hochverdiente Fortſetzer in einem beſondern Supplementbande oder in einem ſelbſtſtändigen Werke, das „*Staatsrecht der conſtitutionellen Freyſtaaten*" auf *gleiche* Weiſe behandelt, wie es mit dem Staatsrechte der conſtitutionellen Monarchie geſchah. —

Uebrigens iſt es bekannt, daſs dieſelbe Wiſſenſchaft des *Verfaſſungsrechts*, und zwar mit *Ausſchluſs der Republiken*, gleichzeitig mit dem Erſcheinen des erſten von *Aretin* geſchriebenen Bandes von *Pölitz* im *vierten* Bande der „*Staatswiſſenſchaften im Lichte unſerer Zeit*" bearbeitet, und in der *zweyten* Auflage dieſes Werkes bis auf das Jahr [illegible] fortgeführt und ergänzt ward. Doch traten ſich beide Werke einander nicht in den Weg, weil Pölitz den *geſchichtlichen* Weg für die Darſtellung der neuentſtehenden Wiſſenſchaft wählte, während Aretin die *dogmatiſche* Behandlung vorzog. Beide Behandlungsweiſen können daher ſehr gut neben einander beſtehen, weil *Aretin*, bey ſeinem Plane, die Folge der ſtaatsrechtlichen Begriffe feſthält, Pölitz aber die einzelnen conſtitutionellen Staaten in Europa und Amerika auf einander folgen läſst, und bey jedem derſelben, theils die ſchon wieder erloſchenen, theils die noch beſtehenden Verfaſſungen, nach ihrem Inhalte und politiſchen Charakter darſtellt, und in geſchichtlichen Einleitungen ihre Entſtehung und ihre Veränderungen nachweiſet. —

Der freyſinnige *Aretin* erinnert in der Vorrede zum erſten Bande an die Zeichen und Ereigniſſe der Zeit, um die Nothwendigkeit zu belegen, *das ganze Syſtem der conſtitutionellen Monarchie aufrecht zu erhalten.* „Allenthalben, ſagt er, iſt die Ariſtokratie mit der Demokratie im heftigen Kampfe. Soll es den Monarchen nicht auffallen, *daſs an ihnen nur wenig hierbey die Reihe iſt?* Schon wollen ſich die Patricier nicht mehr Royaliſten nennen laſſen. Einige von ihnen haben ſogar öffentlich erklärt, daſs es weniger um die Perſon des Monarchen, als um die ariſtokratiſche Monarchie zu thun ſey. Andere geſtehen offen ein, daſs die Kriege der neueſten Zeit nicht für die Könige, ſondern für Adel und Geiſtlichkeit geführt worden. Von der andern Seite arbeiten die Demokraten unermüdlich dem Königthum entgegen. *Weder hier noch dort haben die Monarchen ihre wahren Freunde zu ſuchen. Nirgends können ſie dieſelben finden, als unter den Anhängern der conſtitutionellen Monarchie.* Kaum bedarf es einer andern Betrachtung als dieſer, um die Fürſten zu überzeugen, *daſs ſie mit Sicherheit weder dem ariſtokratiſchen, noch dem demokratiſchen Element ein entſchiedenes Uebergewicht geben dürfen, ſondern daſs ſie beide in Schranken halten müſſen.*"

Der verewigte Vf. theilte ſein Staatsrecht in *drey* Abtheilungen. 1) Von der conſtitutionellen Regierung und dem Monarchen. 2) Von den verfaſſungsmäſsigen Rechten und Verbindlichkeiten der Staatsbürger. 3) Von den Bürgſchaften für dieſelben.

Ihnen voraus geht eine ausführliche *Einleitung* (Th. 1. S. 1—188.). Sie behandelt die Begriffe vom Staate; die Eintheilung der Staaten nach Regierungsart und Regierungsform; das Staatsrecht; das constitutionelle Staatsrecht; die Quellen, Erläuterungsmittel, Hülfswissenschaften, Methode und Literatur desselben; die Grundzüge einer Culturgeschichte des constitutionellen Staatsrechts von den ältesten Zeiten bis auf *Montesquieu*; das Ideal der constit. Monarchie nach *Montesquieu*; das constit. Staatsrecht seit *Montesquieu* bis zur franz. Revolution; die Culturgeschichte desselben von der franz. Revolution bis auf unsere Zeiten; Resultate darüber; gegenwärtiger Stand der Verfassungsangelegenheit (*a*) absolute Monarchieen; *b*) constitutionelle Regierungen, die sich den absoluten zu nähern suchen; *c*) rein constitutionelle Regierung; *d*) zur Demokratie sich hinneigende constitutionelle Regierungen). Im Voraus bemerkt Rec., dass der gedrängte Auszug aus *Montesquieu's* berühmten *esprit des loix* (S. 32. ff.) einen der vorzüglichsten Abschnitte dieser Einleitung bildet.

Wir hören den Vf. über den Begriff des constitutionellen Staatsrechts. S. 9: „So wie das *Staatsrecht überhaupt* den Inbegriff aller vollkommenen Rechte der Staaten im Allgemeinen ist; so ist das *constitutionelle Staatsrecht* insbesondere der Inbegriff aller vollkommenen Rechte constitutioneller Staaten. Und so wie sich jenes in das *äussere* und *innere* öffentliche Recht theilt, von welchem das erstere auch Völkerrecht genannt, auf die Verhältnisse der Staaten zu einander sich beziehet, das zweyte aber die wechselseitigen Rechte der Obergewalt und der Regierten bestimmt; eben so theilt sich auch das constitutionelle öffentliche Recht in das constitutionelle Völkerrecht und das constitutionelle innere Staatsrecht. Letzteres theilt sich wieder in das Verfassungs- und Verwaltungsrecht."

Als *Quellen* des constitutionellen Staatsrechts führt der Vf. auf: Verfassungsverträge, Verfassungsgrundgesetze, Staatsverträge, Verhandlungen der Ständeversammlungen, Staatsherkommen, Analogie, allgemeines Staats- und Völkerrecht. — Es würde zu weit führen, wenn Rec. dem Vf. in die, sehr interessante, *Culturgeschichte* des constitutionellen Staatsrechts folgen wollte; er darf sich dabey bloss auf die Mittheilung einiger Aussprüche des Vfs beschränken, deren geschichtliche Ausführung bey dem Vf. selbst nachgelesen werden muss. — S. 13: „Das *constitutionelle Völkerrecht, eine Wissenschaft, die noch nicht existirt*, wird zur Beurtheilung der Fälle dienen müssen, in welchen die mit Auswärtigen geschlossenen Verfassungsverträge zu Differenzen Anlass geben, oder in welchen constitutionell regierte Völker in gegenseitige Berührung kommen." — S. 52: „Die *Theilung Polens* bildet für die Culturgeschichte des constitutionellen Staatsrechts eine wichtige Epoche; eines Theils, weil sie der rothe Faden ist, der durch die ganze neueste Geschichte durchgeht, und andern Theils, weil dieser Gipfel des Unrechts beständiger Vorwand und Anlass neuen Unrechts, die Nothwendigkeit einer moralischen Politik, d. h. des constitutionellen Systems, recht augenscheinlich darlegt." — S. 58: „Noch keine philosophische Secte hat sich durch Moralität ihrer Anhänger so vorzüglich ausgezeichnet, wie die der Physiokraten. Nicht ohne Interesse ist die Anekdote, dass Ludwig XV in seiner Privatdruckerey selbst die Schrift seines Arztes *Quesnay* druckte, welche die Entstehung des physiokratischen Systems veranlasste, und dadurch wesentlich zur Beschleunigung der Revolution mitwirkte." — S. 66: „Die erste Verfassung Frankreichs vom Jahre 1791 war ein die englische Verfassung überbietender, aber verunglückter Versuch." — S. 67: „Die Verdienste *Sieyes* um die Wissenschaft des constitutionellen Staatsrechts bestehen hauptsächlich darin: Er zeigte die Irrthümer der Theorie von der Gewaltentheilung; er erfand die dreyfache Wahlstufe bey der Deputirtenwahl; er entwickelte die Vorzüge der constitutionellen Monarchie und der Geschwornengerichte." — S. 76: „Durch die vielen seit 1799 gegebenen Verfassungen wurden die guten Eigenschaften der Verfassungen, zum Gewinne der Menschheit, Gegenstand des allgemeinen Nachdenkens. Die Napoleonischen Constitutionen sind übrigens auch dadurch merkwürdig, dass sie, ungeachtet der damals noch vorherrschenden Meinung von der nothwendigen Trennung der Gewalten, die sie auch dem Namen nach grösstentheils annehmen, doch dem Souverain bey der gesetzgebenden Gewalt *die Initiative* ertheilen, worin sie sich den neuesten Constitutionen annähern." — S. 77: Von den *considérations* der Mde. *de Staël* sagt der Vf. „dieses in den höhern Kreisen, selbst von Ministern und Fürstenpersonen vielgelesene Werk hat dem Eingange der constitutionellen Ideen so viel genützt, wie eine gewonnene Hauptschlacht." — S. 82: „Die während des Wiener Congresses entworfene, später aber nicht zur Ausführung gebrachte, *baierische Verfassungsurkunde*, die noch nicht durch den Druck bekannt ist, *war in vielen Punkten liberaler, als die im Jahre* 1818 *eingeführte*." — Ueber das, was man in neuerer Zeit „*die geschichtliche Unterlage des innern Staatslebens*" genannt hat, erklärt sich der Vf. (S. 92.) dahin: „Der Standpunkt *der Geschichte* darf nicht verlassen werden, weil die verflossene Zeit den Keim zu den Begebenheiten legte, die in der Gegenwart sich entwickeln, und weil jeder, der ausschliesslich nur für die Zukunft arbeiten wollte, den Baum von der Wurzel trennen würde. Aber auch die *Philosophie* muss den Staatsmann leiten; er muss ihre Grundsätze befragen, wenn die Zeichen der Zeit auf Neuerung deuten: denn daraus, dass die Freyheit mit der Vernunft in gleicher Richtung fortschreitet, entsteht in jeder Entwickelungsperiode ein Streben der Völker, *welches die Regierung durch politische Verbesserungen unterstützen muss, um gewaltsamen Umwälzungen vorzubauen*." (Schliesslich bemerkt Rec., dass das, was der Vf. über die *spanischen* und *portugiesischen* Verfassungen S. 184 ff. aufstellte, bereits zur Antiquität geworden ist.)

Nach

Nach dieser reichhaltigen Einleitung handelt der *erste* Theil des Werkes: *von dem Staate, dem Staatsoberhaupte und den Staatsbürgern im Allgemeinen* in folgenden Abschnitten: 1) vom *Lande* (Gebiet, Eintheilung, Unveräusserlichkeit des Staatsgebiets, Eigenthum desselben, Staatsgüter, Staatsschulden, Indigenatsrecht, andere Arealrechte des Staates); 2) vom *Volke;* 3) von der *constitutionellen Monarchie* (Zweck derselben, Begriffsbestimmung derselben, ihr Zusammenhang mit dem Repräsentativsysteme; ferner Postulate der constitutionellen Monarchie, die Staatsgewalt in derselben, Einheit der Staatsgewalt, Beleuchtung der einzelnen sogenannten Staatsgewalten); 4) *von dem constitutionellen Monarchen* (Rechte desselben, besondere Rechte in Hinsicht auf die Nationalrepräsentation, Pflichten desselben, Religion des Monarchen, Reichsverwesung, Thronfolge, Regierungseid); 5) von der sogenannten *Prärogative* des constitutionellen Monarchen (bisherige Theorie dieser Prärogative und Prüfung derselben; einzelne Prärogativrechte: das Recht Krieg zu erklären, das Recht der Titel und Würden, das Begnadigungsrecht, das Recht, die Minister zu ernennen und abzusetzen, die königlichen Rechte in Beziehung auf die Ständeversammlung); 6) vom *Thronfolger* des constitutionellen Monarchen (Erziehung desselben, Mangelhaftigkeit der Verfassungsurkunden in dieser Hinsicht, Wichtigkeit der Fürstenerziehung, Schilderung der gewöhnlichen Prinzenerziehung, Schwierigkeit für die Prinzenerzieher, Nothwendigkeit einer Verbesserung); 7) von den *Staatsbürgern und Unterthanen überhaupt* (Rechte und Pflichten derselben, von der Kriegsdienstpflichtigkeit insbesondere); 8) von *Einführung und Abänderung der Repräsentativverfassung* (Einführung derselben, constituirende Ständeversammlung, Niederschreibung des Grundgesetzes, Widerlegung des Einwandes der Unreifheit des Volkes, Abfassung und Verkündigung der Verfassungsurkunden, Unterricht des Volkes in der Verfassung, Erläuterung, Auslegung und gesetzliche Abänderung der Verfassungsurkunde). — Als *Anhang* zu Nr. 6 und 7 ist beygefügt: *von anticonstitutionellen Höflingen und Ministern.*

Die Leser der A. L. Z. fühlen, dass, bey solchem Reichthume des behandelten Stoffes, nur in diesem ersten Theile, es unmöglich ist, dem Vf. *durchgehends* im Einzelnen zu folgen oder beyzustimmen. Rec. sieht sich daher genöthigt, auf gleiche Weise, in Hinsicht ähnlicher Mittheilungen aus dem Werke des Vfs. zu verfahren. So sagt er (S. 158.) über die *Volkssouverainetät:* „Volkssouverainetät im demagogischen Sinne so gedacht, dass die Majestät im Volke liege, dass die höchste Regierungsgewalt von demselben, oder in seinem Namen nach Belieben und ohne Beschränkung ausgeübt werden könne, *ist ein Unding,* und selbst von den freysinnigsten Publicisten (*Schlözer, Klüber, Krug, Benj. Constant*) mit der Bemerkung verworfen, dass sie factisch eine gefährliche Lehre wird." — Die Wesenheit der constitutionellen Monarchie erklärt er (S. 157.) dahin: „In der constitutionellen Monarchie bestehen im Volke, als der Gesammtheit der Staatsbürger, *drey* Hauptinteressen, die man in der Schulsprache auch Principien oder Elemente nennt: das *monarchische,* das *aristokratische* und das *demokratische.* Das monarchische Interesse bildet den Thron mit seinen Attributen, Clientelen und dem Beamtenstande. Das aristokratische liegt nicht bloss im Erbadel, sondern überhaupt im erblichen Güterbesitz, im Corporationsgeiste, im Herkommen, im historisch-Begründeten, in der Stätigkeit; das demokratische Interesse endlich wird nicht bloss von den untern Volksklassen repräsentirt, sondern auch von allen nicht an Güterbesitz, an Zunftgeist und an Herkommen gebundenen Beschäftigungen, vom Handelsstande, von den Besitzern des beweglichen Vermögens, von den Gelehrten und Künstlern, von den Industriellen, überhaupt von Allen, in welchen Regsamkeit, Bildungs- und Entwickelungslust vorherrscht. In der weisen Vereinigung und gegenseitigen Beschränkung dieser drey Hauptinteressen, durch welche alle Meinungen, Neigungen, Vortheile und Erwerbsarten des Volkes repräsentirt werden, liegt die Wesenheit der constitutionellen Monarchie."

Rec., der durch seine Schriften bewiesen zu haben glaubt, dass er zu den wärmsten Vertheidigern der constitutionellen Monarchie gehört, kann mit dieser, seit 6—7 Jahren so gewöhnlichen, Entgegensetzung des aristokratischen und demokratischen Princips innerhalb der constitutionellen Monarchie sich nicht aussöhnen, weil sie mit der Wirklichkeit des innern Staatslebens streitet, und folglich bey ihrer Aufnahme in die Theorie zu *Einseitigkeiten führt.* Denn wie? die Regsamkeit, die Bildungs- und Entwickelungslust, — richtiger: das Bestreben, in allen Bedingungen des geistigen Lebens fortzuschreiten, — sollte dem erblichen Adel und dem erblichen Güterbesitzer durchaus fehlen, und dagegen — wenn auch nicht alle — doch die Mehrheit der Gewerbsleute der Kaufleute, der Künstler, der Gelehrten erfüllen und leiten? So weit Rec. die europäische Menschheit in mehrern einzelnen Staaten aus Autopsie *kennt,* will er freylich gar nicht dagegen streiten, *dass das sogenannte* Stätigkeitsprincip, der *Mehrheit nach,* bey den grossen Grundbesitzern sich *finde;* allein er kennt Minister und hohe Staatsbeamte, *welche* bey der von ihnen erreichten Stufe eigener geistiger Bildung, die Fortschritte der Bildung und Entwickelung im gesammten innern Staatsleben wollen und befördern, und ohne deren Willen und Wirken die europäischen und deutschen Staaten noch nicht so hoch ständen, als sie gegenwärtig stehen; er kennt dagegen wieder Mitglieder städtischer Corporationen (in Magistraten, auf Hochschulen, im Predigerstande, in Gymnasien, in Zünften und Gilden), welche durchaus, und mit solcher Leidenschaftlichkeit, so wie mit solcher Bitterkeit gegen Andersdenkende, am Hergebrachten hangen, dass man ihnen eher alles andere, als Bildungs- und Entwickelungslust — Fortschritt — Schuld geben kann.

(*Die Fortsetzung folgt.*)

ALLGEMEINE LITERATUR-ZEITUNG

December 1828.

STAATSWISSENSCHAFTEN.

Altenburg, im Literaturcompt.: *Staatsrecht der conſtitutionellen Monarchie* — — von *Joh. Chriſt.* Frhn. *v. Aretin* — — fortgeſetzt durch *Karl v. Rotteck* u. ſ. w.

(*Fortſetzung der im vorigen Stück abgebrochenen Recenſion.*)

Vorzüglich gelungen iſt (S. 181) das Kapitel *von den conſtitutionellen Monarchen*, wo, als Belege für die aufgeſtellten Sätze und Lehren, die Stellen aus den neuen Verfaſſungsurkunden angeführt werden. Dabey fühlte der Vf. die groſse Unvollkommenheit in der Lehre von der ſogenannten *trias politica*, welcher eben ſo wenig durch die Annahme von noch mehrern Gewalten, und durch die ſcharfe Grenzbeſtimmung der Begriffe: *Trennung* der Gewalten, *Theilung* derſelben u. ſ. w. abgeholfen werden kann. Der Ausweg des Vfs. iſt folgender: „Man bedarf einer Trennung der Gewalten nicht, um das Wirken der conſtitutionellen Staatsregierung zu erklären; vielmehr iſt eine ſolche Trennung in der Theorie mit unzähligen Schwierigkeiten, und in der Ausführung mit eben ſo zahlloſen Colliſionen und gefährlichen Kämpfen verbunden. Wir nehmen daher an, daſs nur *eine Staatsgewalt* beſteht." — Sehr ſcharfſinnig iſt die Lehre von der *königlichen Prärogative*, und ausführlicher, als es ſonſt in publiciſtiſchen Schriften geſchieht, die Lehre von der *Erziehung des Thronfolgers* entwickelt. Es gehört dem Vf. das Verdienſt, dieſen Gegenſtand mehr hervorgehoben zu haben. — Ein ſehr wahres Wort ſagt der Vf. (S. 248) über die *Abfaſſung der Conſtitutionsurkunden*. „Die meiſten Verfaſſungsurkunden ſind zu lang und weitläufig; die wenigſten haben ſich frey erhalten von den Fehlern, die ſo vielen Geſetzbüchern ankleben, nämlich der Dunkelheit, des Doppelſinns, des zu viel oder zu wenig Sagens. Es wäre nicht ſchwer, Verſtöſse gegen die Logik und ſogar gegen die Grammatik in manchen jener Urkunden aufzudecken. Wie viele Parentheſen, Tautologieen, falſche oder unpopuläre Ausdrücke, überflüſſige Anführungen, ſchleppende Phraſen, Wiederholungen, ja ſogar Widerſprüche entdeckt ein aufmerkſamer Leſer! Daſs manche Beſtimmungen der Urkunden gefliſſentlich auf Schrauben geſtellt werden konnten, wollen wir übrigens nicht widerſprechen." — Nur ungern vermiſste Rec. bey dieſen Sätzen in den Noten die Belege zu denſelben. Es iſt ein Gegenſtand von Wichtigkeit, und es wäre eine ſehr intereſſante politiſche Schrift denkbar, welche ſich ausſchlieſsend mit den logiſchen, grammatiſchen, ſtiliſtiſchen und politiſchen Fehlern der neuen Verfaſſungsurkunden beſchäftigte. Wie viele europäiſche Verfaſſungen ſind, in *formeller* Hinſicht, von der — von Negern bearbeiteten — Verfaſſung *Hayti's* vom Jahre 1816 übertroffen worden! — Ueberhaupt iſt die Erſcheinung, daſs die neuen Verfaſſungsurkunden ſo wenig einer ſcharfen und durchgreifenden Kritik (nach der Art der Kritiken über die neuen Civil- und Criminalgeſetzbücher) unterworfen worden ſind, wohl nur theils aus der Genügſamkeit der Völker mit dem, was man ihnen gab, theils aus der Unkunde der Gelehrten mit dem eigentlichen Geiſte, und der Beſtimmung ſolcher Verfaſſungsurkunden erklärbar. Wer, wie der Rec., ſehr langweilige und breite Debatten in ſtändiſchen Verſammlungen über einzelne unbeſtimmte oder mehrdeutige Artikel und Ausdrücke der Verfaſſungsurkunden mit angehört hat, darf wohl ſein Befremden darüber ausdrücken, daſs unſerer Literatur eines ſolchen Buches noch ermangelt!

Die *erſte* Abtheilung des *zweyten* Bandes, welche *von der bürgerlichen Freyheit in der conſtitutionellen Monarchie* handelt, zerfällt in *neun* Abſchnitte: 1) von der Freyheit und Sicherheit der Perſon und des Eigenthums; 2) Denk- und Entwicklungsfreyheit, Erziehung und Unterricht, Wiſſenſchaft und Kunſt; 3) Religion, Kirche, Gewiſſensfreyheit, Cultus; 4) Leitung der auswärtigen Verhältniſſe; 5) Militärverfaſſung; 6) Polizey; 7) Gerichtsverfaſſung; 8) Staatshaushalt; 9) Staatshaushalt im engern Sinne, oder von der Finanz.

Wir hören den freyſinnigen *Aretin* über die Eingriffe in die *perſönliche Sicherheit*. S. 9: „Die höchſte Gewalt ſetzt ſich durch jeden gegen perſönliche Sicherheit ausgegangenen Befehl auf den Standpunkt ihrer niedrigſten und letzten Diener herab, und erſchüttert ihr eignes Anſehen, da die Willkür ihrer Natur nach zur Regelloſigkeit und Anarchie, und durch dieſe zuletzt zum Untergange geführt wird. Auf das Recht des Stärkern gebaut, muſs ſie ſelbſt jedem Stärkern weichen. — Ob es rathſam und erlaubt ſey, in Zeiten der Gefahr die conſtitutionelle Beſtimmung über die perſönliche Sicherheit *zu ſuſpendiren*, iſt eine Frage, die in England durch zeitliche Aufhebung der *Habeas-Corpus-Acte*, und in Frankreich durch die ſogenannten Exceptionsgeſetze factiſch beantwortet ward. Der Nutzen der Suſpenſion erſcheint ſehr zweifelhaft, wenn man die neuere engliſche und franzöſiſche Geſchichte hierüber zu Rathe zieht. Die Engländer haben oft ihre *Habeas-Corpus-Acte* suspendirt; die Folge davon war jedesmal eine bedeutend vermehrte Unzufriedenheit des Volkes, ohne dass der Zweck der Regierungen vollkommen erreicht worden wäre. In Frankreich hat man in verschiedenen Zeiträumen dieselbe Maassregel ausgeübt; nie ohne grossen Missbrauch; jedesmal aber ohne sonderlichen Vortheil. Ausnahmegesetze sind immer nur Abweichungen vom Rechte; nach Ausnahmegesetzen regierten der Convent, das Directorium, Napoleon — aber wie lange?"

Aus dem trefflich bearbeiteten Kapitel über *Denkfreyheit*, *Erziehung*, *Unterricht* u. s. w. hebt Rec. (S. 55) die Ansicht des Vfs. *über die Universitäten* aus. „Die Hochschulen haben die Bestimmung, die Gesammtheit der Wissenschaften zu Einem organischen Ganzen in sich zu vereinigen, jede Wissenschaft nach ihrem gegenwärtigen Standpunkte in der möglichsten Vollendung darzustellen, und die Studirenden zu brauchbaren Geschäftsmännern im Staate zu bilden. Zur Erreichung dieses Zweckes führt nicht bloss die Erlernung der sogenannten Brotwissenschaften, sondern vor allem die innigste Verbindung derselben aus den sogenannten allgemeinen Wissenschaften. Daher *wäre die schon oft vorgeschlagene Errichtung von Specialschulen*, wodurch eben der Charakter der Allgemeinheit der Wissenschaften in ihrem Nebeneinanderbestehen vernichtet würde, *nicht bloss den Lehren der Erfahrung entgegen*, indem die Universitäten bereits seit vier bis fünf Jahrhunderten ihre Aufgabe befriedigend gelöset haben, *sondern auch insbesondere der im constitutionellen Staate erforderlichen allgemeinen Ausbildung und Entwickelung hinderlich.* — Die Ehrengerichte sind eine dem constitutionellen Staate sehr angemessene Einrichtung, weil sie dem Grundsatze des Gerichts der Gleichen (*judicium parium*) und der Repräsentation zusagen. *Die geheimen Orden, die Landsmannschaften, die Burschenschaft dagegen widerstreben den Principien und Einrichtungen der constitutionellen Monarchie*, in welcher Oeffentlichkeit, Einheit und Vermeidung alles auswärtigen Einflusses herrschen muss." — Uebrigens wünschte Rec. über die Ansicht des Vfs. (S. 80) von dem *Verhältnisse der Kirche zum Staate* ausführlich sich zu erklären, wenn diess nicht zu weit führen würde: denn namentlich in diesem Abschnitte weicht Rec. bedeutend von dem Vf. ab.

Mit grosser Umsicht und Gründlichkeit behandelte der Vf. (S. 119) das Kapitel von der *Leitung der auswärtigen Verhältnisse*. — Von gleicher Wichtigkeit ist (S. 157) der Abschnitt von der *Militärverfassung* in der constitutionellen Monarchie. Rec. giebt die Ansicht desselben im Allgemeinen. „Nur der *Vertheidigungskrieg* ist dem constitutionellen Systeme zusagend, weil *nur dieser*, indem er bedrohte oder verletzte Rechte zu schützen hat, *rechtlich* ist. Der sogenannte Militärstaat ist daher den Grundsätzen der verfassungsmässigen Monarchie entgegengesetzt, und *wenn ein solcher Militärstaat eine repräsentative Verfassung erhält, so wird er von selbst in einen rechtlichen bürgerlichen Verein übergehen*, weil allen Militärstaaten ein eroberungssüchtiger Charakter eigen ist. Eben so ist auch ein zahlreicher Kriegsstand und das Institut der stehenden Heere an sich mit den übrigen Einrichtungen der constitutionellen Monarchie nicht wohl in Einklang zu bringen. Der constitutionelle Staat darf nie vergessen, *dass die bewaffnete Macht nur Mittel, nicht Zweck ist*, dass sie folglich den eigentlichen Staatszweck nicht hindern, sondern vielmehr befördern soll." — Sehr wahr sagt der Vf. von der *Kriegsdienstpflichtigkeit:* „Da, wo die Erhebung von *Geld* an die Zustimmung der Stände gebunden ist, um die Sicherheit des Eigenthums aufrecht zu erhalten, muss auch die Verfügung über die *Personen* an gleiche Zustimmung gebunden seyn, damit Freyheit und Sicherheit der Person gehandhabt werde. Doch folgt daraus noch nicht, dass die Umlegung und Einhebung des Personalbedarfs dem Finanzministerium zustehen müsse." — Rec. fügt hinzu, dass daraus, dass die Kriegspflicht *allgemein* sey, noch keineswegs folge, alle Kriegspflichtige *zum wirklichen Dienste zu ziehen*, und sie dadurch auf längere oder kürzere Zeit den eigentlichen bürgerlichen Berufsarten zu entfremden, für deren Schutz doch zunächst die bewaffnete Macht besteht. So gewiss in der constitutionellen Monarchie jeder, der in dem von der Verfassung bestimmten Lebensalter steht, zum Kriegsdienste *verpflichtet* ist; so gewiss muss doch auch durch die Volksvertreter, auf Antrag des Regenten, die Gesammtzahl der zum wirklichen Dienste zu berufenden Mannschaft, im genauesten Ebenmaasse zu der Gesammtbevölkerung des Staates, festgesetzt, und *über* diese Zahl hinaus keiner dem Berufe im Staatsleben entzogen werden.

In dem Abschnitte *von der Polizey* erklärt sich der Vf. *gegen* die, von Vielen angenommene, Eintheilung derselben in die Sicherheits- und Ordnungs- und in die Cultur- und Wohlfahrtspolizey. Er sagt ausdrücklich (S. 178): „Nach den constitutionellen Grundsätzen kann es nur Eine Polizey geben, nämlich diejenige, welche Sicherheit und Ordnung im Staate handhabt; das hingegen, was man Wohlfahrtspolizey nennt, ist ein offenbarer Eingriff in die Freyheit der Staatsbürger." — Ob nun gleich auch in diesem Abschnitte — dem *letzten* aus der Feder des Vfs. — die Grundsätze und die stilistische Form des Vfs. sich gleich blieben; so ist er doch, wie auch v. *Rotteck* bemerkte, vielleicht der schwächste in dem ganzen Werke. Wahrscheinlich würde der Vf., wenn ihn der Tod nicht übereilt hätte, ihn noch einmal überarbeitet, ergänzt, und selbst in den Noten vervollständigt haben. —

Mit dem folgenden Abschnitte *von der Gerichtsverfassung* beginnt die Bearbeitung des v. *Rotteck*. Rec. hat bereits in der Einleitung über das Verdienstdienstliche dieser Fortsetzung sich erklärt, das um so höher angeschlagen werden muss, je schwerer es einem selbstständigen Forscher fällt, bey aller geistigen Verwandtschaft, in den Plan, in die Methode und in die ganze systematische und stilistische Form eines Andern so einzugehen, dass der Leser keinen zu grossen Unterschied zwischen beiden wahrnimmt. Diese schwierige Aufgabe ist hier mit sicherm Erfolge gelöset worden, und Rec. bedauert nur die Grenzen des Raumes, welche ihn hindern, über viele wichtige staatswissenschaftliche Gegenstände und Fragen mit dem Vf. ins Einzelne zu gehen.

Sogleich der erste, von dem Fortsetzer bearbeitete, Abschnitt: *von der Gerichtsverfassung* in der constitutionellen Monarchie beurkundet seine Meisterschaft. Sehr scharf unterscheidet er (S. 198) zwischen Rechtsgesetzgebung und Justiz, der blossen Handhabung des Rechts. „Bey der Justiz ist die Hauptsache, das Erkennen oder Urtheilen, gar keine Gewalt, sondern bloss eine logische Function; daher auch keine Staatsgewalt und keine Attribution des Monarchen." Trefflich sind die (S. 214) aufgestellten *constitutionellen Grundsätze für die Justizpflege*. Bey den in neuerer Zeit so vielseitig, und oft nach ganz entgegengesetzter Richtung, behandelten Lehren: von der Trennung der Justiz und der Administration, von der Oeffentlichkeit und Mündlichkeit des Gerichtsverfahrens, und von den Geschwornengerichten, werden die Ansichten *für* und *wider* unparteyisch aufgestellt, und dann wird ein bestimmtes Ergebniss gezogen.

Der *achte* Abschnitt behandelt den *Staatshaushalt*. So viel Durchdachtes dieser Abschnitt enthält; so verhehlt doch Rec. nicht, dass er eben hier mit dem Vf. am wenigsten übereinstimmt. Diess betrifft aber weniger die Behandlung der einzelnen Gegenstände, als die wissenschaftliche Grenzscheidung zwischen Volks- und Staatswirthschaftslehre. Nach dem, was der Vf. als *Nationalökonomie* aufstellt, würde sie nur ein, der Staatswirthschaft *untergeordneter* Theil und von ihr abhängig seyn. (S. 251.) „In einer weiter reichenden Bedeutung umfasst Staatswirthschaft die Sorge für Erzeugung, Erhaltung und Erhöhung des *National-* oder *Volksreichthums*, d. h. den dem Staate zukommenden *Einfluss auf die Volkswirthschaft*." Entschieden lässt sich kein Staat *ohne* Volk denken; allein *das Volk, in abstracto*, lässt sich allerdings auch als eine bloss factische Masse betrachten. So ist auch dem Rec. der von dem Vf. aufgestellte Begriff der *Staatswirthschaft* viel zu eng, nach welchem sie „die Sorge für die Herbeyschaffung der Mittel zur Befriedigung oder Bestreitung des Staatsbedarfs, und dessen wirkliches Befriedigen und Bestreiten selbst" enthalten soll. — Eine treffliche Ausführung findet sich über die *Beförderung der Landwirthschaft* und die *Rechtsansprüche der Bauern* (S. 268.) „Gern verzichtet der Bauer auf Beförderung und Wohlthat; er verlangt und braucht nur *Befreyung* und *gleiches Recht*. Es ist genug, dass man ihn nicht erdrücke, dass Gesetz und Verwaltung nicht geflissentlich sein Verderben bauen; dann wird er emporkommen, und mit ihm die allgemeine Wohlfahrt durch den Segen der Natur und den sich selbst lohnenden Fleiss." — Nach freysinnigen Grundsätzen ist (S. 280) die *Beförderung der Industrie*, und (S. 286) die *Leitung des Handels* dargestellt; doch ist der Vf. nicht für die völlige Aufhebung, sondern nur für die zeitgemässe Einrichtung der Zünfte. Was er über das Retorsionsprincip (S. 291 ff.) aufstellt, bedürfte, nach des Rec. Ansicht, einer genauen Prüfung, die aber hier zu weit führen würde.

Im *neunten* Abschnitte wird der *Staatshaushalt im engern Sinne*, oder das *Finanzwesen* dargestellt. Der Vf. bekennt sich, wie von einem solchen Denker zu erwarten ist, zu den geläuterten Begriffen dieser Wissenschaft; dessen ungeachtet hätte Rec. den Grundsatz, *dass nur der reine Ertrag besteuert werden könne*, und in wiefern diess namentlich in den *directen* Steuern (Grundsteuer, Häuser- Gewerbs- Klassen-Steuer u. s. w.) zu bewirken ist, schärfer entwickelt zu sehen gewünscht; dann würde der Vf. auch wahrscheinlich *den* Ausspruch beschränkt haben, dass „bey genauer Betrachtung fast aller reeller Unterschied in dem Gegensatze wegfalle, ob die Einnahme des Staates nach der Ausgabe, oder die Ausgabe nach der Einnahme sich richten solle." Nach der Ueberzeugung des Rec. gestaltet sich die ganze Finanzwissenschaft anders, je nachdem man das eine, oder das andere Princip zum Grunde legt. — Die wichtige Lehre von den *Domainen* hat (S. 310) der Vf. etwas zu kurz behandelt. Mehreres von dem, was der Vf. darüber sagt, unterschreibt Rec. aus voller Ueberzeugung; allein weder darin, dass der Vf. auch Bergwerke, Salinen, Land- und Wasserstrassen im *weitern* Sinne zu den Domainen rechnet, noch darin, dass er im Ganzen, *für* die Beybehaltung der Domainen sich erklärt, kann Rec. mit ihm übereinstimmen. Allerdings hat der Vf. Recht, wenn er sagt: „Ob die Domainen zu veräussern, oder beyzubehalten, ob und wie sie vom Staate selbst zu administriren, oder in (Zeit- oder in Erb-) Pacht zu geben seyen, *ist eine mehr die wirthschaftliche Klugheit, als das Recht angehende Frage*." Wenn er aber fortfährt: „Doch wird allerdings durch ihre Beybehaltung das Capitalvermögen der Gesammtheit sicherer gewahrt bleiben, als bey irgend einer Verwendung des Kaufschillings; es wird dadurch für Zeiten der Noth eine höchst kostbare Aushülfe, wie überhaupt für den Credit eine mächtige Stärkung gesichert;" so kann Rec. nicht beystimmen, ob er gleich zugiebt, dass die Domainen in *kleinen* Staaten (von höchstens einer Mill. Bevölkerung) eine andere Rücksicht darbieten, als in grösseren Reichen. Rec. bezieht sich dabey auf das, was *v. Jakob* und *Lotz gegen* die Beybehaltung der Domainen ausführlich gesagt haben,

ben, und erinnert nur daran, wie viel durch die Veräuſserung und Zerſchlagung der Domainen in Hinſicht auf Vermehrung der Bevölkerung, auf Theilung der Arbeit, auf beſſern Anbau des Bodens, auf Vermittelung eines gröſsern reinen Einkommens, auf erleichterte Steuererhebung von dieſem vermehrten reinen Ertrage, und auf das ungewiſſe Schickſal der Domainen in den Zeiten bedenklicher Kriege gewonnen wird, in welchen der geſammte Ertrag der Domainen dem Sieger zufällt, während die in Privatbeſitz übergegangenen Domainen nie als Beute des Siegers behandelt werden. Doch iſt es allerdings antinationalökonomiſch, wenn der aus der Veräuſserung der Domainen gewonnene Kaufſchilling verſchleudert wird. — Ueber die *Entſtehung* der *Regalien* (S. 314) äuſsert ſich der Vf. zu hart, ſo wenig auch Rec. der Selbſtbewirthſchaftung der Regalien von Seiten des Staates das Wort redet. Denn nicht im Allgemeinen kann der Satz des Vfs. gelten: „Der Begriff der Regalien, nämlich der Hoheitsrechte, die einen Ertrag abwerfen, iſt einerſeits durch den Uebermuth der Gewalt, und durch die Barbarey einer das Vernunftrecht kaum ahnenden Zeit; andrerſeits durch die Geſchmeidigkeit knechtiſcher Juriſten, welche niemals Bedenken tragen, die faktiſch beſtehenden *Uſurpationen* durch irgend eine Fiction, oder auch nur Definition in wirkliche *Rechte* umzuſchaffen, entſtanden." Die Geſchichte des Mittelalters zeigt die Entſtehung der meiſten Regalien von einer andern Seite; die Plusmacherey neuerer Zeit hat ſie aber ſehr gemiſsbraucht, und den Ertrag derſelben willkürlich und antinationalökonomiſch geſteigert. In der finanziellen Behandlung der Regalien ſtimmt Rec. dem Vf. faſt überall bey, namentlich bey dem Berg- und Salzregal. In Betreff der *Landſtraſsen*, *Brücken* u. a. ſagt der Vf.: „Es hat der Staat wohl das polizeyliche Regal (d. h. die aus allgemeiner Regierungspflicht flieſsende Obliegenheit), Straſsen und Brücken zu bauen und zu erhalten, ſo wie Flüſſe und Ströme ſchiffbar zu machen, oder die Schifffahrt darauf zu ſichern; aber dafür darf er keine andere Bezahlung (Straſsengeld, Schiffgeld, Zoll) fordern, als welche die darauf verwandten Unkoſten decken. Begehrt er mehr; *ſo ſchreibt er eine Steuer aus* auf den Gebrauch der Straſsen und Flüſſe, welche wider alles Recht und wider alle ſtaatswirthſchaftliche Klugheit läuft. — Das *Jagdregal* — jenſeits der eigentlichen Domaine, über das ganze Staatsgebiet ausgeſprochen — iſt eine der traurigſten, wie der abgeſchmackteſten Erfindungen einer kriechenden Jurisprudenz, und nach ſeinem geſchichtlichen Inhalte eine der empörendſten Aeuſserungen der tyranniſchen Selbſtſucht. Das Wild gehört entweder dem Herrn des Bodens, von deſſen Früchten es ſich nährt, oder überhaupt, als herrenlos, dem erſten Ergreifer. Die erſte Anſicht iſt jedoch die beſſer begründete, und zugleich von den Bedenklichkeiten der zweyten frey. Jeder Inhaber anſchlieſsender Gründe auf ſeinem Boden, und, was kleine Grundſtücke betrifft, die *Gemeinde*, als Inhaberin des Baus, haben daher das Jagdregal; der Fürſt auf ſeinem Familiengute und auf der die Civilliſte deckenden Domaine. — Das *Poſtregal*, nach der gewöhnlichen Ausübung, d. h. mit angemaſstem Monopol der Briefbeſtellung verknüpft, iſt der Miſsbrauch einer polizeylichen Anſtalt zur Eintreibung einer ungerechten Steuer und zur vielfachen Verkümmerung derſelben Zwecke, um derentwillen die Poſtanſtalt errichtet wird. — Das Münzregal iſt ein polizeyliches Recht, für die ſo wichtige Echtheit der Münzen durch ſelbſteigenes und ausſchlieſsendes Prägen derſelben zu ſorgen. (Sehr wahr, *Rec.*) Es darf keinen Ertrag gewähren; ſonſt wird falſch gemünzt." (Hier weicht Rec. völlig von dem Vf. ab. Der Ertrag aus dem Münzregal darf nur mäſsig ſeyn). — Völlig unterſchreibt Rec. das, was der Vf. *gegen* das *Tabaksregal* und ähnliche, ſo wie *gegen* die *Taxen* und *Sporteln* bey der Juſtiz und Polizey ſagt. Daſs er aber das ſchlechteſte, für unſere Zeiten widerſinnigſte aller Regalien, das *Geleitsregal* — übergeht, iſt ein Beweis, daſs der Vf. in einem glücklichen Staate lebt, wo man das Widerrechtliche, Zweckwidrige und Antinationale dieſer höchſt willkürlichen und drückenden Steuer einſah und abſchaffte.

Ueber des Vfs. Darſtellung der Steuern, der *directen* und *indirecten*, und über das der Beſteuerung zum Grunde zu legende Princip, müſste Rec. mehr ſagen, als ihm der Raum dieſer Blätter verſtattet. Nur ſo viel ſey ihm verſtattet, darüber beyzubringen. So ſchwierig auch die Lehre vom *reinen Ertrage* überhaupt, und die Ausmittelung deſſelben im Einzelnen zur Anordnung der Beſteuerung ſeyn mag; ſo bleibt doch nur der reine Ertrag der einzig gerechte und ſichere Maſsſtab einer zweckmäſsigen Beſteuerung. Wenn der Vf. für die Beſteuerung der Capitale ſich erklärt; ſo kann Rec. aus ſtaatswirthſchaftlichen und politiſchen Gründen ihm nicht beyſtimmen. Dieſe Beſteuerung iſt nicht ſtaatswirthſchaftlich, weil ſie jedes *circulirende* Capital *zweymal* beſteuert; ſie iſt nicht politiſch, weil ſie in die Geheimniſſe des Privatlebens eindringt, und dadurch dem Credit ſchadet.

(Der Beſchluſs folgt.)

ALLGEMEINE LITERATUR - ZEITUNG

December 1828.

STAATSWISSENSCHAFTEN.

Altenburg, im Literaturcompt.: *Staatsrecht der constitutionellen Monarchie* — — von *Joh. Christ. Frhn. v. Aretin* — — fortgesetzt durch *Karl v. Rotteck* u. s. w.

(Beschlufs der im vorigen Stück abgebrochenen Recension.)

Wie bey den Capitalen eben so kann Rec. den Ausspruch des Vfs. über die *indirecten* Steuern (S. 349) nicht unterschreiben: „Sie bleiben ewig verwerflich vor dem Tribunale des Rechts; ja meist auch der Politik." Der Kürze wegen verweiset, in Betreff der Theorie, der Rec. auf *Jakob's* Finanzwissenschaft, in Betreff der Praxis aber auf England, Niederland, Sachsen, und alle handeltreibende Staaten. In diesen kann der Staatsbedarf ohne indirecte Steuern nicht gedeckt werden, weil bey dem Flächenraume, der der Landwirthschaft zufällt, die directe Steuer, namentlich die *Grundsteuer* unverhältnifsmäfsig hoch steigen würde; auch werden in *solchen* Staaten indirecte Steuern, mit Umsicht angelegt, ohne Nachtheil fürs Ganze ertragen. Selbst das Surrogat derselben — die Steigerung der directen Steuern — würde ungerecht und unpolitisch seyn, weil man dem grofsen Kaufmanne, dem Fabrikanten, selbst indirecte dem Capitalisten, nicht so leicht durch directe Steuern beykommen kann. Diese sind nur durch umsichtig bestimmte indirecte Steuern zur gleichmäfsigen Unterstützung der Staatsbedürfnisse beyzuziehen. — Dagegen giebt Rec. seine volle Zustimmung zu des Vfs. Lehren über (*gegen*) das Sammeln eines *Staatsschatzes*, über *Staatsschulden*, und über das *Budget*.

In der *zweyten* Abtheilung des zweyten Bandes handelt *v. Rotteck* von den *Garantieen der Verfassung*. Er stellt folgende auf: 1) Rechte der Körperschaften, Innungen und andrer Personengemeinheiten; 2) Gemeindeverfassung; 3) Landrath; 4) Ständeversammlung; 5) Verantwortlichkeit der Minister; 6) die landesfürstliche Gewähr der Verfassung; 7) die Prefsfreyheit; 8) einzelne Garantieen, als z. B. Publicität, Volksaufklärung, Landwehr, Revision und Fortbildung der Verfassung, und äufsere Garantieen derselben. — Die Länge dieser Rec. mahnt dringend an Kürze. Es sey deshalb im Allgemeinen gesagt, dafs Rec. in dieser Abtheilung weit weniger im Einzelnen von dem Vf. abweicht, als in der Lehre von der Verwaltung des Staats, und dafs durchgehends das Urtheil des freysinnigen, sachkundigen, von

dem Wohle der Regenten und der Völker gleich innigst ergriffenen Mannes angetroffen wird. Ueber die Gefahren für die Constitution erklärt er sich dahin: „Sie können theils von oben, theils von unten, d. h. sie können von der Regierung, oder von den Regierten herkommen. Auch können sie in innern Verhältnissen, oder in *äufsern Einwirkungen* ihren Grund haben. Wir haben hier nur die *einheimischen* Gefahren, und zwar vorzugsweise die von Seite der Regierung drohenden im Auge. Die *auswärtigen* Anfeindungen zu beschwören ist Sache der Politik und der Kriegsmacht, oder auch Sache des Völkerrechts, welches bey unbefugter Einmischung einer fremden Macht in die Constitutionsangelegenheiten eines Volkes jedesmal einen Schrey des Entsetzens thut." — Sehr treffend und trefflich ist das, was der Vf. über den *Adel* und die *Geistlichkeit* sagt. Ausführlich handelt er von den *Gemeinden* und *Gemeindeordnungen;* nur fehlt die Rücksicht auf die (jetzt so viel besprochene) preufsische Städteordnung. Manches liefse sich (S. 105) gegen die vorgeschlagene Magistratswahl erinnern, und gegen des Vfs. Ansicht vom *Landrathe.* — „Der Magistrat, so liberal seine Organisation sey, bleibt, als gewalthabend, immer mehr oder weniger eine *Aristokratie*, ob auch nur Wahlaristokratie. Das Princip des Landraths aber ist *rein demokratisch* (?)." — Der Abschnitt von den *Landständen* ist gründlich und lehrreich. Doch weicht der Rec. von dem Vf. in mehrern Bestimmungen ab, namentlich wenn, nach des Vfs. Ansicht, die Stände *nicht* die Gesammtinteressen der Nation, sondern particuläre Staatsinteressen vertreten sollen, und wenn der Vf. (S. 197) das sogenannte Zweykammersystem „für Kunst und Künsteley" erklärt. Doch gesteht er, unter gegebnen Umständen, die Errichtung zweyer Kammern zu, und erklärt sich mit Bestimmtheit über deren Rechte und gegenseitige Verhältnisse.

In der Lehre von der *Prefsfreyheit* erklärt sich der Vf. bestimmt dahin, dafs sie keinesweges ein Freybrief für Rechtsverletzungen oder Verbrechen, vermittelst des Druckes, seyn solle; vielmehr solle „eine *gesetzliche Bestimmung* bestehn darüber, was als Prefsvergehen zu erachten sey, sodann eine verhältnifsmäfsige *Strafbestimmung*, und ein geeignetes *Gericht.*" Wenn er aber darauf fortfährt: „Nur verwerfen wir unbedingt und peremtorisch jede *Censur*, d. h. jede Anstalt zur vorläufigen Prüfung dessen, was da gedruckt werden soll, und die Ursache, warum wir solche Verwerfung aussprechen, liegt in der absoluten *Widerrechtlichkeit* der Cen-

Cenfur und in ihrer *Heillofigkeit;*" fo kann Rec. nicht beyftimmen. Er kennt eben fo gut die Mifsbräuche und Mifsgriffe der Cenfur, wie die Aengftlichkeit und die Anmafsungen der Cenforen; er kennt aber auch die Liberalität der Cenfur im mehrern Staaten, wo unter der Cenfur freyer gedruckt wird, als in Staaten, wo die Preffe völlig frey ift. Die Cenfur ift eine *polizeyliche* Anftalt. Nach demfelben Grundfatze, nach welchem der Vf. die Cenfur als *widerrechtlich* und *heillos* verwirft, mufs der Vf. auch die gefammte Polizey verwerfen, weil auch diefe vielfach gemifsbraucht worden ift, und noch jetzt gemifsbraucht wird. Rec. übt felbft das Cenforamt, und erklärt es für die fchwierigfte unter allen ihm aufgetragenen Functionen, weil er überzeugt ift, dafs *ihm* für alles, was mit feinem *Imprimatur* erfcheint, die Verantwortlichkeit, und diefe weder dem Schriftfteller, noch dem Drucker oder dem Verleger, zukommt; allein er trägt auch in fich das Bewufstfeyn, dafs die Cenfur, nach Grundfätzen des Rechts, der Aufklärung und des Fortfchreitens im innern Staatsleben geübt, eine der wirkfamften Anftalten wird, das freye Wort zu befördern und zu ftützen, und, vermittelft der Cenfur, im Namen des Staates zu fanctioniren. Nur mufs der Cenfor felbft feine Rechte mit Klarheit erkennen, und mit Kraft und Umficht handhaben. Die Cenfur mufs die *öffentliche, officielle Garantie des Lichts und der Wahrheit feyn!* —

Doch Rec. eilt zum Schluffe, und kann diefe Recenfion nicht beffer fchliefsen als mit der ausgefprochenen Ueberzeugung, dafs das angezeigte Buch eine wahre Bereicherung der ftaatswiffenfchaftlichen Literatur enthalte und in den Händen denkender Staatsmänner zur richtigen Anficht und Behandlung des innern Staatslebens wirkfam beytragen werde. Deshalb Ehre dem Verewigten, der es begann, und Dank feinem freyfinnigen Fortfetzer!

VERMISCHTE SCHRIFTEN.

JENA: *Oratio in exfequiis rectoris academiae magnificentiffimi Caroli Augufti magni ducis Saxoniae, principis Vimarienfium atque Ifenacenfium* habita in academia Jenenfi d. IX. Augufti a. MDCCCXXVIII. a D. *Henr. Carolo Abrah. Eichftadio* eq. ord. Vim. falc. alb. m. duc. Sax. a confil. aul. int. eloqu. et poef. prof. p. o. acad. Jen. fen. Fol. p. XXV.

Eines erprobten Redners Werk erfreut uns immer, felbft wenn es unbedeutende Gegenftände betrifft: denn wir werden dann doch durch gefchicktefte Auswahl der Worte, durch feine, überrafchende Wendungen und durch originelle Zufammenftellung der Gedanken auf anmuthige Weife geiftig erregt. Erhoben aber fühlen wir uns und bleibenden, dankenswerthen Eindruck macht es, wenn, was an fich unfre Seele mächtig ergreift, in angemeffener Rede behandelt wird. — Dafs diefes in vorliegender Schrift gefchehen fey, braucht Rec. nicht erft zu erweifen. Karl Auguft hat ja [illegible] reich gewirkt vor den Augen der ganzen [illegible] Welt, und der ihn nun verherrlicht, ift [illegible] Gelehrten als Meifter in der Redekunft [illegible] Freylich war es diefsmal gerade für ihn [illegible] fchwierig die Meifterfchaft zu bewähren. [illegible] fchon zweymal hatte er die hohen *Eigenfchaften* und die unfterblichen Verdienfte des [illegible] fchiedenen Fürften öffentlich aus voller [illegible] priefen, und nun mufste er's zum dritten [illegible] auch zum letzten Male thuen. Damals [illegible] mit dem freudigen Bewufstfeyn, dafs der Gepriefene noch in voller, allfeitiger Thätigkeit [illegible] wirke, und jetzt follte er denfelben *grofsen* Gegenftand, obwohl zur Trauer geftimmt, *noch einmal* und doch, wie es allgemein erwartet [illegible] mit gewohntem Schwunge der Rede [illegible] Diefe Schwierigkeiten erkennt er felbft, und [illegible]tet daher zum Schlufs des kurzen Vorwortes [illegible] Lefer, *ut, quod defit fcriptoris ingenio et arti, pietate compenfatum arbitrentur.* Aber wir haben [illegible] diefer Rede nichts von der Kunft des berühmten Redners vermifst.

Er gedenkt im Eingange des Schmerzes, den der Tod des verewigten Fürften an fo vielen Orten und in fo vielen Ländern verurfacht hat [illegible] fchliefst diefe Betrachtung p. VI. mit den Worten: *Hoc igitur tali exftincto Principe, non res [illegible] noftra iacturam fecit; fecit publica: non [illegible] mus folis, fed quacumque cultior terrarum orbis [illegible]tet, communis eft dolor, commune defiderium [illegible]bus, qui Teutonici nominis vim ac dignitatem in Carolo Augufto fufpexerunt.* Mit gewohnter Feinheit bereitet er fich darauf den Uebergang zu feinem Thema, was in einer Vergleichung Karl Augufts mit Friedrich dem Grofsen befteht.

Diefes Thema fcheint dem Rec. auch deshalb vortrefflich gewählt zu feyn, weil durch das Frappante, was in der Zufammenftellung beider Regenten liegt, die Aufmerkfamkeit nothwendig erhöht werden mufs. Und die Ausführung deffelben ift fo befchaffen, dafs man dem Redner *mit immer* fteigendem Intereffe folgt. Er geht vom *Allgemeinen* zum Befondern über, indem er zuvörderft p. VIII u. IX. was *Wolf* von *Friedrich* dem zweyten fagte, dafs fich in diefem Fürften *viele* der herrlichften Eigenfchaften, die man bis dahin kaum für vereinbar gehalten, wirklich vereinigt hätten, auf den verewigten Grofsherzog von Weimar im Allgemeinen anwendet, und dann erft in das Einzelne eingeht p. IX fq.

Er gedenkt nun zuerft der hohen Eigenfchaften, die dem Feldherrn eigenthümlich find, der *fcientia rei militaris*, der *fortitudo* und der *[illegible]tas*, und beweift, dafs fich diefelben in Karl Auguft bey verfchiednen Gelegenheiten in einem hohen Grade gezeigt hätten. Es werden dem Kundigen in diefem Abfchnitte zwar die Anfpielungen auf die Theilnahme deffelben an dem Feldzug nach Holland 1787 und an den Kriegen mit Frankreich 1792, 1806, 1813

1813 und 1814 nicht eingehen; aber trotz dem könnte die Erinnerung an den kriegeriſchen Ruhm, den ſich Friedrich erkämpft hat, den Gedanken in ihm hervorbringen, daſs beide Regenten in dieſem Punkte doch zu ungleich geweſen, und daſs ſchon deshalb die Zuſammenſtellung beider ganz verfehlt ſey. Der Redner weicht dieſem möglichen Vorwurf auf die geſchickteſte Weiſe aus, indem er nicht den *Kriegsruhm* beider, ſondern ihre kriegeriſchen Talente und Fertigkeiten mit einander vergleicht, und die geringere Ausbildung derſelben bey dem einen nur von den Umſtänden, unter denen er manchem Kampfe beywohnte, herleitet. In dieſem Sinne heiſst es p. X: *Sed quae Friderico multae erant et magnae ad militarem gloriam comparandam opportunitates oblatae, eas vel quaeſitas, his potiſſimum extremis temporibus, Carolo Auguſto vel negavit fortuna, vel etiam ſubtraxit: cui quamvis ipſe, magnae animae prodigus, cum quodam taciti doloris morſu ſuccenſuerit, habent tamen pacis artes, habent harum artium cultores, quod palam et vere laetentur.* Wie fein iſt vorzüglich die Wendung am Schluſſe des Satzes! Man wird ſchon durch ſie auf die Künſte und Wiſſenſchaften hingewieſen, als deren Kenner, Verehrer und Beſchützer Karl Auguſt nun in Vergleich zu Friedrich dem Groſsen geſchildert werden ſoll, und ſo iſt der Uebergang zu dieſer Schilderung wieder ausnehmend leicht und gefällig. Es würde uns aber zu weit führen, wenn wir alle von dem Redner hiebey bemerkten Aehnlichkeiten aufführen wollten. Wir heben nur das Wichtigſte heraus.

Beide Regenten hatten ein gleich herrliches Streben Kunſt und Wiſſenſchaft in ihren Staaten zu fördern, aber freylich ſchlugen ſie dabey ganz verſchiedne Wege ein. *Fridericus enim, tarditati Germanicae calcaria eſſe admovenda ratus, res Francogallicas in patriam introduxit: Carolus Auguſtus, frena injiciens peregrinae ſuperbiae, primo blande introductas, dein imperioſius ſtabilitas atque horribili quadam celeritate et violentia corroboratas, omni ope labefactare et percellere conatus eſt.* So heiſst es p. XI. gegen das Ende der Seite, und bald darauf wird in demſelben Sinne *Göthe* im Gegenſatz zu *Voltaire* erwähnt. „*Fridericus quum virum circumſpiceret, cuius et conſilio uteretur, et ingenio ſuum ipſe ingenium paſceret, ſuaeque aetatis cultum accelararet, Voltarium invenit, ad quem ſua applicuit ſtudia, eximia illa quidem, ſed quae tamen abhorrentem ab natura Teutonica peregrinitatem quamdam oſtendebant, ipſamque nationem noſtram aliquamdiu ab ea, quam dudum meruiſſet, dignatione apud exteros excluſerunt. Carolo Auguſto non erat quod quaereret: ut vidit, ut amplexus eſt Goethium: quem praeſignem ingenio, praeſignem animo iuvenem, et vere Germanum, ipſe pari indole iuvenis fovit, virum Princeps factus in graviſſimarum rerum communionem et perpetuam ſocietatem adhibuit, ſenem ſenex novis atque exquiſitiſſimis benevolentiae et caritatis documentis publice condecoravit.*“ In Verbindung alſo mit *Göthe*, und dem ſchon ſeit mehreren Jahren dahingeſchiednen Miniſter *Voigt* unterlieſs Karl Auguſt wie Friedrich der Groſse nichts, wodurch Kunſt und Wiſſenſchaft wahrhaft gefördert werden konnte. Und doch würden die Beſtrebungen beider Regenten ohne den ſegensreichen Erfolg geblieben ſeyn, den ſie wirklich gehabt haben, wenn nicht beide mit hellem durchdringenden Geiſte begabt trotz groſsen Widerſpruchs von vielen Seiten her die wiſſenſchaftliche Forſchung ganz frey gegeben hätten. „*Uterque princeps*, heiſst es p. XIII., *non quid ignavi ex docta vel indocta plebe homines iudicaturi forent, ſed quid ratio, quid veritas, quid ipſe Deus, rationis humanae dator et veritatis auctor, poſtularent, unice ſpectabat: uterque per totam vitam ſedulo, quamquam non ſine magna multorum invidia, cavebat, ne libertate adempta, vires ingeniorum infringerentur, mentis acies hebetaretur, denique litterarum ſtudia cum ipſa virtute ruerent.* Nachdem der Redner die Wahrheit der eben ausgeſprochnen Behauptung bündig erwieſen hat p. XIII. XIV u. XV., geht er noch auf derſelben Seite zur Darſtellung der Regententugenden Karl Auguſts im engern Sinne über, welche ſich in ſo vielen von ihm getroffnen Einrichtungen der verſchiedenſten Art auf das glänzendſte ausſprechen, wobey er denn oft die paſſendſte Gelegenheit hatte, auf ähnliche Anordnungen Friedrichs hinzuweiſen. Wir heben auch hier wieder nur das Wichtigſte aus.

Karl Auguſt verbeſſerte und vereinfachte den Geſchäftsgang der Juſtiz, entlaſtete die Oberconſiſtorien von der bürgerlichen Rechtspflege, befreyete die Juſtiz von adminiſtrativer Wirkſamkeit, errichtete das Landes-Polizey-Collegium, war der eigentliche Stifter des Oberappellationsgerichts zu Jena, und der erſte in Deutſchland der ſeinem Lande eine landſtändiſche Verfaſſung gab. Daneben ſorgte er für die Verbeſſerung der Gymnaſien, der Stadt- und Landſchulen, für Errichtung von Krankenhäuſern, und beförderte auf alle Weiſe Gewerbe, Viehzucht, Ackerbau. Bey Darſtellung dieſer unſterblichen Verdienſte des hochſeligen Fürſten p. XV — XX verdient es unſre beſondre Anerkennung, daſs der Redner, was gewiſs äuſserſt ſchwierig war, eine beſchwerliche Einförmigkeit in der Aufzählung gänzlich vermieden hat, und daſs er am Schluſs derſelben wieder mit einer ausnehmend leichten und gefälligen Wendung zu einem neuen Preiſe des verewigten Fürſten übergeht, indem er p. XX ſagt: *Talem nos cognovimus Principem, Auditores, in tractandis colendisque pacis artibus gnavum ſemper et induſtrium et labori intentum, in ſummaque agendi alacritate et facilitate diligentiſſimum temporis, ne qua illius particula ſine actione efflueret, dispenſatorem. Ac labori pariter atque Fridericus per quotidianam exercitationem ita erat aſſuctus, cum ut etiam in otio requireret.* Der Beweis hiezu wird in dem folgenden auf die anmuthigſte Weiſe geliefert. Der Redner vergleicht zu dieſem Zwecke den Aufenthalt Friedrichs in Sans-ſouci mit dem Aufenthalt

Karl

Karl Auguſts im römiſchen Hauſe, was im Weimariſchen Park erbaut mit Karten, Gemälden und Büchern der verſchiedenſten Art ausgerüſtet einen deutlichen Beweis von der unermüdlichen Thätigkeit dieſes Fürſten giebt. Er macht ferner in derſelben Abſicht darauf aufmerkſam, daſs der Fürſt ſeine Jagdluſt zu genauer Erforſchung des Landes benutzt, und daſs er ſelbſt auf ſeinen Reiſen höhere Intereſſen vor Augen gehabt habe.

Endlich gedenkt er der mit aller bisher angeführten herrlichen Eigenſchaften nur ſelten verbundnen, aber Karl Auguſt, wie Friedrich dem Groſsen, *ſo* beſonders eignen Tugend der Popularität und Humanität, daſs man gewiſs nichts Uebertriebnes in dieſem Schluſſe finden wird: *Quotus enim quisque in civibus utriusque provinciae invenitur, quem Divus Princeps non conſilio et ope adiuverit laborantem, diffidentem rebus ſuis confirmarit, afflictum erexerit, perditum recrearit, cui certe non oſtenderit, malle ſe principem agere parentis affectu, quam domini poteſtate!* Ueberhaupt aber hält es Rec. für ſehr wohl berechnet, daſs gerade dieſer Tugend des verewigten Fürſten *zuletzt* gedacht iſt: denn gerade die Erinnerung an dieſe Tugend muſste den Schmerz der Anweſenden noch einmal ganz auſse[illegible]entlich ſteigern. Indeſſen durfte die Verſammlung mit ſo geſteigerten Gefühlen nicht entlaſſen werden. Daher ſucht der Redner zuerſt mildere Gefühle durch die Erinnerung an den glücklichen, ſchnellen und ſanften Tod des verewigten Fürſten wieder zu wecken — p. XXIII. — und weiſt dann — p. XXIV. darauf hin, daſs die hohen Eigenſchaften des Dahingeſchiednen nicht mit ihm verſchwunden wären, ſondern daſs ſie fortlebten in ſeiner Gemahlin, ſeinem Sohne, ſeinen Dienern. Die Rede ſchlieſst mit einem Gebet. Das Ganze iſt beſonders darum ſo ergreifend, weil der Redner ſich vor aller Uebertreibung ſorgfältig und durchaus gehütet hat, was ihm dieſsmal weit höher als ſonſt anzurechnen iſt, da er ſich der Huld des Verewigten in einem vorzüglichen Grade zu erfreuen hatte.

OEKONOMIE.

Stuttgart, b. den Cotta. Erben: *Der kleine Riesling*, ein Beytrag zur Kenntniſs des Weinbaues und der Weinbereitung, mit beſonderer Rückſicht auf Würtemberg geſchrieben von *Karl Göriz*, Oekonom. 1828. VI u. 48 S. 8.

Der kleine *Riesling* (*uva puſilla*), an der Bergſtraſse Röſsling, in der Gegend von Erfurt Röſtling genannt, iſt eine Rebenart, welche man in Würtemberg zwar ſchon ſeit unvordenklicher Zeit, namentlich an der Jagſt und Tauber, pflanzte, deren Verbreitung jedoch erſt ſeit 1820 mehr im Groſsen betrieben wurde, als der landwirthſchaftliche Verein, unterſtützt von mehreren Privaten, [illegible] Abſenker davon unentgeldlich zu vertheilen. [illegible] Unterſtützung, nebſt mehreren andern Aufm[illegible]rungen der Regierung, hatte die Folge, daſs ge[illegible]wärtig (1828) ſchon über 60 Morgen Weinberg[illegible] damit angepflanzt ſind. Es hat nämlich der [illegible] zu gewinnende Wein ſehr ausgezeichnete E[illegible]ſchaften; er hat weit mehr Geiſt und Liebl[illegible] als die meiſten andern würtembergiſchen We[illegible] — (1823 und 24 hatten die vorzüglichſten wür[illegible]bergiſchen Landweine an der Muſschenbr. Wa[illegible]ge 67 und 66 Grade, der Riesling 75 und 7[illegible] ſein Bouquet (Feingeruch) iſt im höchſten G[illegible] fein und ätheriſch, er hat dabey eine *auſserorde[illegible]*liche Dauer. Während andere *Weine nach* ein[illegible] gewiſſen Anzahl von Jahren an Güte abnehmen, g[illegible]winnt er immer mehr an Firne und das älteſte *Fa[illegible]* im Bremer Rathskeller, genannt die [illegible], mit Riesling gefüllt, hat ſich ſeit 1615 gehalten. Dieſer Wein von ſchöner Goldfarbe, reinem Geſchmack[illegible] wohlthätiger Wirkung auf die Geſundheit, iſt [illegible] von Säure; dadurch unterſcheidet er ſich weſentli[illegible] von dem übrigen Rheinwein, welchen die Fran[illegible]ſen ſonſt nur *le premier des vinaigres* nennen. Sei[illegible] Preis war im Jahr 1824 für den Eimer 73 Fl., wä[illegible]rend der höchſte Kauf des vorzüglichen U[illegible]heimers nur 47 Fl. betrug.

Es iſt aber die Rieslingrebe für das würte[illegible]giſche Klima ſchon etwas zu edel; ſie darf daher [illegible] an ſehr gut gelegenen Stellen gepflanzt und [illegible] mit ſehr vieler Vorſicht und Sorgfalt behandelt werden. Man ſieht alſo leicht, daſs ſich über die Behandlung der Rebe und des Weines, über *die Eigen*ſchaften und das Geſchichtliche derſelben, über das Eigenthümliche des Rieslingbaues in Würtemberg ſehr vieles Intereſſante und Nützliche ſagen lie[illegible] Das iſt auch in der vorliegenden Schrift, deren V[illegible] Sekretär bey der Weinverbeſſerungs-Geſellſchaft[illegible] in dieſer Beziehung Deutſchland und Frankreich[illegible] beſonders den Rhein und die Moſel, bereiſt ha[illegible] ſehr gründlich, umſichtsvoll und mit Benutzung e[illegible]ner reichen Literatur geſchehen. Dabey findet ma[illegible] hie und da auch andere Notizen von *allgemeineren* Intereſſe, wohin wir folgende zählen *möchten*. Vo[illegible] dem Konſtantiawein am Kap der *guten* Hoffnung wird erzählt, daſs ſich 7 Gegenden um die Ehr[illegible] ſtreiten, die erſte Rebe dahin geſendet zu haben. A[illegible] der Moſel ſagt man, ſie komme aus Winningen be[illegible] Koblenz; im Elſaſs meint man, es ſey Hüningen be[illegible] Baſel; der Rheingauer behauptet, ſie ſtamme a[illegible] ſeinem Lande und ſey der hier angeführte klein[illegible] Riesling; *Hörter* (rheinländ. Weinbau) giebt den [illegible]then Riesling dafür an; in Burgund nennt ma[illegible] die Pineaurebe; in Lünel den Muskateller und [illegible] (*Topographie de tous les vignobles connus*) [illegible] eine Traubengattung in Perſien auf.

ALLGEMEINE LITERATUR-ZEITUNG

December 1828.

GESCHICHTE.

1) Hannover, b. Hahn: *Alte Sagen zu Fallrum am Teutoburger Walde*, die Hermanns-Schlacht betreffend. Gesammelt von *Hans* Freyherrn *v. Hammerstein*. 1815. 42 S. 8. (5 gGr.)

2) Essen, b. Bädecker: *Die wahre Gegend und Linie der dreytägigen Hermannsschlacht*, mit einer Karte von *W. Tappe*. 1820. 84 S. 4. (1 Rthlr.)

3) Lemgo, in d. Meyer. Hofbuchh.: *Wo Hermann den Varus schlug*, vom Fürstlich Lippeschen Archivrath *Ch. G. Clostermeier* in Detmold. 1822. 285 S. 8. (1 Rthlr. 4 gGr.)

4) Hannover: *Vermuthung über die wahre Gegend*, wo Hermann den Varus schlug. Mit einer Special-Karte des Fürstenthums Lippe u. s. w. von *W. Müller*. 1824. 20 S. 4. (2 Rthlr. 16 gGr.)

5) Quedlinburg u. Leipzig, b. Basse: *Wo schlug Hermann den Varus?* Ein strategischer Versuch über die Feldzüge der Römer im nordwestlichen Deutschland von *G. W. v. Düring*, Hauptmann. 1825. 284 S. 8. (1 Rthlr. 4 gGr.)

6) Hamm, b. Schulz: *Zur Urgeschichte des deutschen Volksstamms*, von *H. Schulz*. 1826. 410 S. 8. (2 Rthlr.)

Es kann den Deutschen nur zur Ehre gereichen, dass sie in den letzten Zeiten so eifrig bemüht gewesen sind, die Spuren eines Ereignisses aufzufrischen, das für unser Vaterland von der grössten Wichtigkeit gewesen ist, und gewissermassen für die ganze Folge der Zeit unsere Eigenthümlichkeit und Integrität gerettet hat. Durch diese Sorgfalt ist eine Art von Pietät bewährt worden, welche jedes Volk seinen Altvordern schuldig ist, und deren Bande niemals ohne das Verderben des Volks zerrissen werden können. Daher müssen wir allen den Männern Dank wissen, welche uns hier die Ergebnisse ihrer wohlgemeinten Forschungen vorgelegt haben. Doch wäre es allerdings zu wünschen, dass auch die wirkliche Ausbeute mit der guten Absicht, die dabey geleitet hat, in Verhältniss stände; dieses ist aber leider nicht der Fall; weniger zwar durch die Schuld der Untersuchenden (denn ungeachtet mancher Missgriffe ist doch sehr vieles auf die umsichtigste und gründlichste Weise untersucht worden) als vorzüglich durch die Natur der Sache selbst, welche ein bestimmtes und sicheres Resultat schlechterdings versagt. Darum sehen wir uns genöthigt, ehe wir zur Beurtheilung der einzelnen Werke selbst gelangen können, uns zuerst die Basis gewissermassen zu schaffen, auf welcher allein die ganze Untersuchung, und die Beurtheilung der einzelnen Untersuchungen beruhen kann; und vielleicht dürfen wir hoffen, wenn wir hier einigen Raum mehr, als es sonst wohl seyn sollte, uns gestatten, die Sache auf einen solchen Punkt zu bringen, dass man die Vergeblichkeit fernerer Untersuchungen und Forschungen einsehend, eines weiteren Schreibens über diesen Gegenstand sich enthalten werde. —

Obschon die Niederlage des *Varus* in Germanien den Römern so wichtig schien, dass mehrere eigene geschichtliche Darstellungen derselben von den Zeitgenossen verfasst wurden, (*Vellej. Pat.* II. 119. *Ordinem atrocissimae calamitatis... justis voluminibus, ut alii, ita nos conabimur exponere; nunc summa deflenda est*) so ist doch theils keine derselben auf uns gekommen, theils ist auch kein Schriftsteller uns erhalten worden, der mit einiger Ausführlichkeit im Laufe seiner übrigen Erzählung diesen Gegenstand behandelt hätte. *Dio Cassius* erzählt zwar dieses Ereigniss ziemlich umständlich, doch haben wir ihn hier nur im Auszuge des *Xiphilinus*, dessen Umständlichkeit und Vollständigkeit gerade an dieser Stelle uns auf den Umfang dieser Erzählung im Originale des *Dio* schliessen lässt, so wie wir auch aus der bekannten Stelle, die *Zonaras* über die Belagerung von Aliso erhalten hat, sehen, dass *Dio* selbst noch bey weitem mehr gegeben hatte, als seine Epitomatoren auf uns gebracht haben. Wie wenig wir bey *Vellejus Pat.* zu suchen haben, sagt er selbst in der oben angeführten Stelle, indem er nur verheisst, diesen Unfall im Allgemeinen beweinen zu wollen. Dasselbe ist mit den übrigen Schriftstellern der Fall; denn auch *Tacitus* erwähnt dieses Ereignisses nur gelegentlich. —

Jedoch auch wenn wir noch mehrere der ausführlichen Werke über diese Schlacht (welche *Vellej.* erwähnt), oder die Stelle des *Dio* im Originale hätten, so würden wir über das Geographische doch nur höchst wenig wissen, und es würde vielleicht noch eben so schwer werden, das Local der Schlacht auszumitteln. *Dio Cassius* sagt 56, 18 sehr bestimmt: *εχον τινα οι Ρωμαιοι αυτης (scil. τῆς Γερμανίας) οὐκ ἀϑρόα, ἀλλ' ὡς που καὶ ἔτυχε χειρωϑέντα (διο οὐδὲ ἐς ἱστοριας μνημην ἀφικετο) και στρατ* etc., so dass man nicht zweifeln kann, dass weder er selbst das Local genauer kannte oder zu benennen wusste, noch dass es diejenigen gewusst hatten zu bestimmen, die

die er hier als Quellen gebrauchte. Am deutlichften aber fehen wir die Unwiffenheit der Römer hinfichtlich der geographifchen Befchaffenheit des inneren Deutfchlandes aus den Annalen und Hiftorien des *Tacitus*, befonders aber aus feiner *Germania*. In der *Germania* kennt *Tacitus* aufser dem Rheine und der Donau, dem Ocean, der Elbe und (vielleicht) dem Maine und dem Hercynifchen Walde nichts vom Boden, und die Völkerfitze find fo vag neben einander gereihet, dafs es unmöglich ift, diefelben einigermaffen genau aus ihm zu beftimmen. In den Annalen, bey Gelegenheit der Züge des *Germanicus*, wo er das Werk des älteren *Plinius* benutzte, weifs er zwar etwas mehr, doch *nicht viel* mehr. Er ift hier voller Widerfprüche, oder doch überall fo durchaus unklar in feiner Schilderung, dafs man mit Beftimmtheit annehmen kann, dafs *Tac.* felbft keine klare Vorftellung von dem Laufe der Flüffe, ihren Entfernungen und Abftänden, der Gröfse der einzelnen Theile des Landes u. f. w. gehabt habe: denn fonft würde das Schwankende in feiner Erzählung ein Vorwurf feyn, der einen Gefchichtfchreiber, wie *Tacitus*, zumal bey einem für die Römer fo anziehenden Stoffe, nicht treffen dürfte. Auch *Strabo*, obfchon ein Zeitgenoffe des *Germanicus*, kennt fehr wenig von Germanien; er fpricht nur von dem Lande zwifchen Rhein und Elbe, die fich an Gröfse gleich find, und zwifchen beiden ergiefsen fich die *Ems*, *Wefer*, *Lippe* und *Saale* in den nördlichen Ocean (VII. 8. p. 325 *et Zfch.*). Jedoch können wir uns über folche Unwiffenheit, zumal bey Geographen und Hiftorikern, nicht wundern, indem des *Auguftus Orbis pictus*, welcher die Quelle aller genaueren geographifchen Kenntniffe der Römer war, Germanien nicht umfafste, fondern bis an den Rhein ging. Wäre die Varianifche Niederlage nicht erfolgt, fo möchten freylich auch wohl in Germanien die Strafsen vermeffen worden feyn, und dann ftänden die Sachen für uns anders; aber fo ging die ebengemachte Eroberung wieder verloren und unwiederbringlich verloren, und es war der Natur der Sache nach unmöglich, dafs ein Späterer Klarheit haben konnte über den Zufammenhang von Begebenheiten, die denen, welche fie ausführten, wegen Unkenntnifs des Locals nicht einmal deutlichen Zufammenhang hatten, oder die fie, felbft wenn fie einen folchen fahen, doch nicht im Stande waren denen deutlich darzuftellen, welche keinen feften Punkt hatten, woran fie hätten anknüpfen können. Wie follten alfo wir etwas aus jener Zeit wiffen, das die Alten felbft nicht wufsten, und wovon fie, wie *Dio* ausdrücklich (am ang. O.) fagt, nicht einmal die Namen gehört hatten. Allenfalls wäre es möglich, wenn wir einen Augenzeugen hier hätten, der uns, auch ohne Namen, den Weg, den er gemacht, ausführlich befchriebe, ihm trotz der mannichfachen Veränderungen der Oberfläche Deutfchlands dennoch nachzufpüren, wie man z. B. *Hannibal's* Zug nach der Erzählung des *Polybius*, der felbft jene Gegenden fpäter bereifet hatte, mit ziemlicher Gewifsheit ausfindig machen kann; aber ein folcher Augenzeuge fehlt uns hier ganz, und es ift damit alle Hoffnung in diefer Hinficht zur Gewifsheit zu kommen, gänzlich verloren. So gern alfo auch unfer Patriotismus die Stelle, an welcher die Römifchen Legionen erlagen und *Varus* fich das Schwert in die Bruft [illegible] erfahren möchten, um dort eine Denkfäule der Befreyung Deutfchlands aufzurichten, fo ift diefe [illegible] doch nicht zu erforfchen, weil es ein für allemal unmöglich ift. —

Das Einzige, was wir zu leiften vermögen, [illegible] fteht darin, dafs wir nach Anleitung der *dürftigen* Stellen der Gefchichtfchreiber und mit Berückfichtigung des inneren Zufammenhanges *der Ereigniffe* und der natürlichen Befchaffenheit *des Landes* im Allgemeinen die Wege auffuchen, welche *die Römer* auf ihren Zügen nach Germanien *einfchlugen*, und die Grenzen zu beftimmen uns bemühen, welche in den verfchiedenen Zeiten ihre Befitzungen dort hatten. Dann werden wir der Sache doch [illegible] ziemlich nahe kommen, und im Stande feyn, mit einiger Wahrfcheinlichkeit einen Raum von etlichen Quadratmeilen etwa zu beftimmen, auf welchem diefe denkwürdige Schlacht gefochten wurde; wobey es dann aber fein Bewenden haben mufs. —

Ein Hauptgrundfatz, der in diefer Unterfuchung leiten mufs, ift der, dafs wir uns die Germanen nicht als ein fo barbarifches Volk denken müffen, wie wir gewöhnlich thun, und die meiften Gefchichtfchreiber, alte wie neue, fie uns *darftellen*. Die Germanen, mit gebildeten faft fchon verweichlichten Nationen grenzend, feit 50 Jahren mit den Römern bekannt und vertraut, fo dafs fie *die Blüthe* ihrer Jugend nach Rom zum Kriegsdienfte fandten, woher fie fich Würden und Ehren holten, ftanden nicht mehr auf der unterften Stufe der Cultur, fondern fie hatten fchon fefte Staatsformen angenommen, es beftand ein geregelter Verkehr unter den einzelnen Völkerfchaften, es war ein bürgerliches Leben geordnet, das, wenn es auch von *den Formen* des Römifchen und Griechifchen Lebens bedeutend abwich, doch in fich felbft eine nach *Sitte und Gefetz* feft beftimmte Einrichtung hatte. *So hatten* die Germanifchen Völkerfchaften unter *fich* und im Einzelnen den urbaren Boden für *Ackerland*, Brachen und Wiefen vertheilt, fo befafsen fie ohne allen Zweifel befeftigte Orte, wo *die* Sitze der Fürften waren, in deren Nähe die Gauverfammlungen gehalten wurden, wo der Graf Recht fprach u. f. w., fo gab es beftimmte Wege, welche diefe Orte mit einander verbanden, auf welchen die Menfchen zu einander kamen, und diefe Wege, die oft von grofsen Schaaren zu Rofs und zu Fufs betreten wurden, waren genau abgefteckt, damit das Befitzthum des Einzelnen dabey nicht gekränkt würde. Eine Wüfte, wie die Arabiens, Syriens und Sahara's läfst fich wohl nach allen Richtungen hin willkürlich durchirren, obfchon auch hier in der Oede *die* Natur durch Oafen u. f. w. die Wege vorgezeichnet hat; nicht aber fo ein Land wie Deutfchland, das durch

feine

feine Wälder, feine Berge und Flüffe, durch Niederungen, Thäler, Seen und Sümpfe überall einen beftimmten individualifirten Charakter befitzt, dem der Bebauer fich anfchliefst, und durch den auch der Weg des Reifenden oder des eindringenden feindlichen Heeres beftimmt wird Auch hatten die Germanen, wie *Tacitus* an vielen Stellen (*Germ.* 5, 17, 41, 45. *Agric.* 28. *Annalen* II, 24 u. f. w.) fagt, *Handel*, den die Anwohner des Rheins und der Donau mit dem innern Deutfchland, fogar mit Polen und Rufsland trieben; der Handel beftand gröfstentheils in Taufchhandel (*permutatione mercium Germ.* 17.), andere verhandelten Gefangene, Bernftein, Pelzwerk u. f. w.; zu diefem Verkehr, befonders dem Taufchhandel, waren Landftrafsen und beftimmte Stationen nicht nur erforderlich, fondern unentbehrlich, und der Kaufmann, wenn er Pelze an den Rhein bringen follte, die *exterior Oceanus gignit*, oder von der Küfte der Oftfee den Bernftein u. f. w., fo mufste ihm eine Strafse geboten feyn, die ihn ficher zum Ziele führte und die auch nicht unüberfteigliche Hinderniffe in den Weg ftellte. Daher ift mit Gewifsheit anzunehmen, dafs die Römer ihre Wege in Germanien fchon vorfanden und dafs diefes überhaupt die Strafsen waren, auf welchen die Menfchen aus den einzelnen deutfchen Völkerfchaften zu einander gelangten — Insbefondere aber find die grofsen Strafsen gewifs in jedem Lande, feitdem es von Menfchen bewohnt gewefen ift, diefelben geblieben, wenigftens find die Strafsen, welche die Natur durch den Lauf der Flüffe, durch Einfchnitte in die Gebirge und Päffe, die fie felbft gebildet, durch Fuhrten in den Strömen, durch Erhöhungen und Plateau's zwifchen Niederungen u. f. w. felbft vorbereitet hat, gewifs immer in Gebrauch gewefen, und nur allmählig erft find durch befondere Umftände, oder durch die Fortfchritte der Civilifation Wege angelegt worden, die als reine Kunftprodukte anzufehen find, deren Zahl aber überhaupt nicht fehr grofs ift. Wir können mit Beftimmtheit annehmen, dafs drey Viertheile unferer Hauptftrafsen in Deutfchland jetzt noch diefelben find, die fie vor Jahrtaufenden auch fchon waren, und dafs einzig und allein feit jener Zeit ihre Feftigkeit und Brauchbarkeit zur fchnellen und ficheren Fortfchaffung der Fuhrwerke fich geändert hat, nicht aber ihre allgemeine Richtung: denn wenn auch oft erweislich in neuerer Zeit zur Abfchneidung eines Winkels eine Strafse durch einen unwegfamen Moraft gebahnt oder durch einen Felfen gefprengt ift, fo ändert das im Ganzen doch nur wenig. Eine Verbefferung der vorhandenen Wege durch die Römer, befonders des Fuhrwerkes wegen, und um den fchwerbepackten Legionsfoldat leichter durchzubringen, fand gewifs ftatt; und darauf deuten die zahlreichen Stellen der alten Schriftfteller; doch würde man fich fehr irren, wenn man diefes, wie gewöhnlich gefchieht, fo verftehen wollte, als wenn die Römifchen Heere fich Wege durch dichte und tiefe Wälder durchgehauen hätten, wo noch keine Wege waren, ein Unternehmen, das feine unüberwindlichen Schwierigkeiten gehabt hätte ohne dem Heere doch recht zu nutzen: denn ein Weg hat nur dann Werth, wenn er fein beftimmtes Ziel hat, und das Hinkommen zu diefem Ziele bedeutend erleichtert, während ein aufs Ungewiffe durch einen tiefen Wald gehauener Weg für Fuhrwerke meiftentheils durchaus unbrauchbar ift, und dafs die Römer auch Fuhrwerk mit fich fchleppten, fehen wir aus *Dio Caffius* 56. 20, der ἁμάξας πολλάς erwähnt. Ift alfo durch diefe Bemerkung der Willkür des Hin- und Herziehens einigermafsen gefteuert worden, fo werden uns, wenn wir im Allgemeinen die Richtung und das Ziel des Heerzuges wiffen, nur wenige Heerftrafsen, oft nur eine einzige übrig bleiben, auf welcher wir das Heer ziehen laffen dürfen. —

Nachdem wir diefes vorausgefchickt haben, wollen wir einen Rückblick thun auf die ganze Reihe der Expeditionen der Römer nach Germanien bis auf die Niederlage des *Varus*. — Ueber *Cäfar's* Rheinübergänge können wir kurz feyn, weil diefe ohne Refultat waren, und nach einer Gegend unternommen wurden, wo ein weiteres Vordringen durch die Natur des Landes verboten wurde. Wenn *Cäfar* beide Male, fowohl *A.* 55 als 53 *ant. Chr.* in der Gegend von Coblenz über den Rhein ging, fo hatte er den Wefterwald vor fich, in deffen Schluchten fich hineinzuwagen, ihm nicht rathfam fcheinen mochte, und diefes ift dann auch die Urfache gewefen, warum man in fpäterer Zeit diefe Gegend Germaniens gänzlich aufgab, und fich nur bemühete, durch eine Reihe von Verfchanzungen, die von dem heutigen Wisbaden bis nach Ems und weiter gingen, und deren Spuren fich noch finden, fich von diefer Seite her zu decken, was befonders nöthig that, nachdem die Ubier von Agrippa An. 37 ant. Chr. auf das linke Rheinufer hinübergeführt worden waren. Auch wurde in diefer Gegend fpäter mit dem kriegerifchen Volke der Mattiaken ein Friede- und Freundfchaftsbündnifs gefchloffen, wodurch diefe zu Grenzwächtern der Römer geftempelt wurden. — Sofort aber waren die Blicke der Römer auf die unteren Gegenden Germaniens gerichtet, welche etwa von Deutz an, Cöln gegenüber, bis nach der Batavifchen Infel hin liegen, wo Sygambern, Tenkterer und Ufipeter wohnten, ftreitbare Völkerfchaften, mit denen auch fchon Cäfar vielfache feindfelige Berührungen gehabt hatte, und die des Schutzes von Gallien wegen gebändigt werden mufsten. Mit diefen kämpfte *M. Lollius* (16 ant. Chr.) und ward von ihnen gefchlagen. Ganz insbefondere aber erhielt diefe Gegend Bedeutung, feitdem *Drufus* und *Tiberius* in den Jahren 16 bis 13 vor Chr. die Alpen überftiegen, die dortigen Völkerfchaften vertilgt, und auch mit den halb gallifchen, halb germanifchen Bewohnern von Noricum und Rhaetien (Vindelicien) einen zerftörenden Krieg geführt hatten, deffen Folge die Unterwerfung und Verödung des Landes zwifchen dem oberen Rhein, dem Main und der oberen Donau war; denn indem hier nun ein Limes angelegt war, welcher die ganze

Strecke

Strecke Landes von der Gegend von Frankfurt an quer hindurch bis nach Regensburg abfchnitt, fo wurde das an den Rhein anftofsende Gebirge von Germanien, das von Frankfurt bis nach Düffeldorf und Elberfeld unter mancherley Namen (die Höhe, der Wefterwald, das Siebengebirge, Singgebirge, Rothhaar, Ardny, Arensberger Wald u. f. w., bey den Römern wahrfcheinlich nur Taunus genannt) fich erftreckt, und das damals gewifs durchaus mit Wald bedeckt war, gewiffermafsen die Stirn Germaniens, die jeden Angriff abwehrte. Nur in den beiden Flanken, vom Limes aus in der Linie von Mainz bis Regensburg und dann die Donau hinab, oder vom Unterrhein her, von Bonn an bis zur Rheinmündung war ein Angriff auf Germanien möglich. Das Intereffe der Römer hinfichtlich Galliens, und weil die rechte Flanke Germaniens den Rhein hinab offenbar die fchwächfte war, auch hier lauter freye Nationen wohnten, die nicht unter Königen ftanden, wie gröfstentheils die an der Donau, mit welchen letztern eher eine friedliche Verbindung eingeleitet und abgefchloffen werden konnte, und endlich, weil auch das Meer, und die in daffelbe mündenden Flüffe von diefer Seite Hülfe verfprachen, führte die Römer zuerft zu einem Angriffe auf jener Seite. *Drufus* unterwarf zuerft die Batavifche Infel und die zwifchen Rhein und Yffel wohnenden Friefen. Sodann verband er die Yffel mit dem Rhein durch einen Kanal, um vom Rhein aus die Schifffahrt nach der Nordküfte Germaniens fich abzukürzen; und als er diefes vorbereitet hatte, fo fuhr er Anno 12 a. Chr., von den Friefen, die zu Lande folgten, unterftützt, durch den neuen Kanal und die Yffel in die Nordfee, und umfchiffte die Nordküfte Germaniens etwa bis zum Ausfluffe der Wefer. Jedoch brachte diefe Fahrt wenig Nutzen, vielmehr war fie mit grofsen Gefahren verknüpft, indem das Meer an den niedrigen noch nicht eingedeichten Küften noch mit unumfchränkter Willkür fchaltete; und *Drufus* fah fich gezwungen, einen weiteren Verfuch von der Seefeite her aufzugeben. Deshalb fchlug er im Jahr 11 einen andern Weg ein, der ihn feinem Zwecke näher und unmittelbar ins Herz Germaniens führen zu müffen fchien. Der Flufs Lippe nämlich, der bey Wefel dem Römifchen Standlager Vetera gegenüber in einem rechten Winkel fich in den Rhein ergiefst, mochte in ihm den Gedanken erzeugen, dafs von diefer Seite her leichter einzudringen feyn möchte, und fo ward denn auch in diefem Jahre hier ein Verfuch gemacht. *Drufus* ging von Vetera aus über den Rhein, und nachdem er das nächfte Land der Ufipeter verheert hatte, ging er vom rechten Ufer der Lippe auf das linke hinüber, und zog nun an diefem Fluffe aufwärts bis zu feiner Quelle durch lauter Ebenen und ausgebreitete Flächen, die damals eben fo wenig mit Wald bewachfen waren, als fie es jetzt find; und von der Quelle der Lippe war er nur noch 5 Meilen von der Wefer entfernt. *Drufus* ging über die Höhen, welche die Quelle der Lippe [illegible] Wefer trennen, welche jetzt die Egge und der O[illegible] heifsen, und fich in weitem Bogen von dem [illegible] berger und Warburger Walde über Osnabrück [illegible] aus bis nach Ibbenbühren erftrecken, und [illegible] gleich noch die Ems von ihrer Quelle an bis a[illegible] Hälfte ihres Laufes einfchliefsen. *Drufus* kam bis zur Wefer, wagte aber nicht hinüber zu [illegible] fondern kehrte wieder um, wahrfcheinlich a[illegible] nächften Wege und dem nämlichen, den er g[illegible] men war; ob aber auf der Strafse über *Driburg*, Höxter, oder durch den Dörenpafs über *De*[illegible] und Lemgo nach Vlotho, das läfst fich nicht be[illegible] men. Auf feinem Rückzuge hatten *ihm die Fei*[illegible] die Päffe durch's Gebirge verlegt; *doch entkam* [illegible] ihnen glücklich, und legte nun am Zufammenfl[illegible] der Lippe und Elifo ein Caftell an. Dafs diefes *Caftel*[illegible] mit dem fpäteren Caftelle Alifo, das von *Vellejus* [illegible] nennt, und das von *Dio*, *Frontin* und *Florus* mehrmals angedeutet wird, indem gefagt wird, es [illegible] *mitten in Germanien*, in der *Nähe der Wefer*, [illegible] der *Quelle der Lippe* u. f. w. gelegen, — eines [illegible] daffelbe gewefen fey, vielleicht heute zu Tage E[illegible] in der Nähe von Neuhaus unterhalb Paderborn läfst fich freylich nicht mit vollkommner Gewifsheit beweifen, doch auch kaum beftreiten, obschon [illegible] nicht glauben, dafs diefes Caftell fchon damals [illegible] dauernd von den Römern befetzt geblieben ift. [illegible] Lage war günftiger, um einen feften Punkt [illegible] ins feindliche Land vorzufchieben und doch [illegible] möglicher Weife in Verbindung zu bleiben, als die[illegible] fer; und deshalb wurde er auch von allen fpäteren Feldherrn, die in Germanien Kriege führten, aufs neue wieder befetzt, bis endlich *Tiberius* im Jahre 4 nach Chr. Geb. hier das Winterlager feiner Legionen auffchlug, und diefen Ort zum Mittelpunkte aller feiner Kriegsbewegungen machte. Allerdings auch war die Gefahr, welche von Alifo aus den Germanen drohete, fehr grofs: denn von Alifo aus geht eine bequeme Strafse über Warburg nach Caffel und von dort an der Eder, Lahn und Nied fort nach Mainz, durch fchönes, fruchtbares durchaus nicht unwegfames Land, ein Weg, den *Drufus entweder* jetzt auf feinem Rückwege, oder doch *fpäter auf* feinem letzten Feldzuge einfchlug, und den nachmals *Germanicus* zog; drey Wege führten an die Wefer, zwey andere Wege an die Ems und Ruhr. — Freylich gab es damals auch wohl gewifs noch mehrere Caftelle, welche den Namen Alifo führten; wie z. B. das Alifo, welches *Tacitus* Ann. II. 7 nennt, gewifs nicht hier lag, fondern entweder am Zufammenflufs der Lippe mit dem Rhein (wo jetzt Wefel liegt und wohin auch *Ptolemaeus* fein Aleifon gefetzt hat) oder der Ems mit dem Rhein, wo das heutige [illegible] und auch heut zu Tage finden fich in jener Gegend eine grofse Anzahl von Orten, deren Namen Alfum, Alfen, Elfen, Elten u. f. w. an ein früheres Alifo erinnern. —

(*Die Fortfetzung folgt.*)

ALLGEMEINE LITERATUR-ZEITUNG

December 1828.

GESCHICHTE.

1) Hannover, b. Hahn: *Alte Sagen zu Fallrum am Teutoburger Walde* — — von *Hans* Freyherrn *von Hammerſtein* u. ſ. w.

2) Essen, b. Bädecker: *Die wahre Gegend und Linie der dreytägigen Hermannsſchlacht* — — von *W. Tappe* u. ſ. w.

3) Lemgo, in d. Meyer. Hofbuchh.: *Wo Hermann den Varus ſchlug* — — von *Ch. G. Cloſtermeyer* u. ſ. w.

4) Hannover: *Vermuthung über die wahre Gegend*, wo Hermann den Varus ſchlug — — von *W. Müller* u. ſ. w.

5) Quedlinburg u. Leipzig, b. Baſſe: *Wo ſchlug Hermann den Varus?* — — von *G. W. von Düring* u. ſ. w.

6) Hamm, b. Schulz: *Zur Urgeſchichte des deutſchen Volksſtamms*, von *H. Schulz* u. ſ. w.

(Fortſetzung vom vorigen Stück.)

Die vierte und letzte Expedition des Druſus ging nach einer andern Seite Germaniens, nämlich vom Limes aus ins Innere des Landes. Welchen Weg Dr. eingeſchlagen habe, iſt ſchlechterdings nicht zu beſtimmen, indem der groſse Kranz von Bergen, der vom Vogelsberge nach dem Rhöngebirge, dem Thüringer- und Frankenwalde bis zum Fichtelberge und Böhmerwalde ſich hinzieht, durch welchen er nirgends eine bequeme Straſse fand, ihn von der Verfolgung ſeines anfänglichen Planes abgebracht und wieder nach der oberen Weſer hingeführt zu haben ſcheint. Da die Sache hier uns nicht näher intereſſirt, ſo wollen wir ſie hier unerörtert laſſen. Gewiſs iſt aber, daſs die folgenden Feldherren, die nach Germanien zogen, den Weg an der Lippe entlang, den ihnen Druſus gewieſen hatte, zu verfolgen vorzogen. So kämpfte hier nach Dr. Tode, im Jahre 8 vor Chr. Geb., Tiberius mit den Sygambern, und legte hier am Zuſammenfluſſe der Lippe und des Rheins ein Caſtell an, das wahrſcheinlich auch Aliſo hieſs (ſiehe oben) und erbauete dem Druſus einen Altar. Auch wurde das ganze Land an der unteren Lippe durch Verſetzung eines Theils der Sygambern aufs linke Rheinufer zur Römiſchen Provinz gemacht, in welcher, wie ſich von ſelbſt verſteht, Wege und Caſtelle angelegt wurden. In dieſer Gegend finden wir ſpäter auch den Domitius, der wenigſtens die *pontes longos* anlegte, die in der Nähe der Lippe zu ſuchen ſind; beſonders aber unternahm ſpäterhin von hier aus Tiberius ſeine beiden Feldzüge gegen die Germanen in den Jahren 4 und 5 nach Chr. Geb., zu welcher Zeit ſogar das Römiſche Heer ſein Winterlager *ad caput Luppiae fluminis*, oder wenn auch die Lesart *Luppiae* ungewiſs ſeyn ſollte (indem die edit. princ. des Vellejus: *Juliae flum.* hat), doch immer *in mediis Germaniae finibus* hatte, welches, da des Tiberius Zug bis über die Weſer hinausging, gewiſs an keiner andern Stelle war, als in oder bey Aliſo, wo ſchon Druſus ein Caſtell gehabt hatte; und da alle Bedürfniſſe zum Unterhalte des Heeres aus Gallien herbeygeſchafft werden muſsten, ſo konnte dieſes Winterlager auch nur in einer ſolchen Gegend gewählt werden, die durch angelegte Landſtraſsen oder durch einen ſchiffbaren Fluſs mit dem Rheine und mit Gallien in Verbindung ſtand. Da nun Sentius Saturnius und nach dieſem Quinctilius Varus die Aufgabe hatten, das von Tiberius gewonnene zu erhalten und zu befeſtigen, ſo ſind ſie ohne Zweifel auch ſtehen geblieben, wo Tiberius ſchon mit ſeinem Heere ſich angeſiedelt hatte, nämlich zu Aliſo, und dieſes war der Mittelpunkt, von wo aus ſie nach allen Richtungen hin operiren konnten. Auch ſtanden ſie gewiſs mit den Mündungen der Ems, Jahde, Weſer und Elbe in Verbindung, wo ſchon Druſus (nach Florus) Caſtelle angelegt hatte, und wo die Orte lagen, die uns Ptolemaeus dort namhaft macht; ſo wie ſie auch nothwendig (was uns hier eine Hauptſache iſt) Landſtraſsen angelegt haben muſsten, auf welchen ſie dieſe Verbindung erhielten, und Caſtelle, durch welche ſie die Straſsen und ihre Züge auf denſelben ſchützten. Freylich das Land zwiſchen den Straſsen, beſonders wo die Radien weiter auseinandergingen, mochte immer noch von freyen und unabhängigen Germanen bewohnt worden ſeyn.

So ſtand die Lage der Dinge, als der Aufſtand, den Arminius und Segimer leiteten, im Jahre 9 nach Chr. Geb. gegen den Quinct. Varus ausbrach. Wo Varus damals ſtand, wiſſen wir nicht genau, und es iſt nur Vermuthung, die aber viel Wahrſcheinlichkeit für ſich hat, daſs er zu Aliſo ſtand. Von dort wurde er von den Verſchworenen, die ihn verderben wollten, *πόῤῥω που ἀπὸ τοῦ Ῥήνου* ins Cheruskerland und in die Nähe der Weſer (*πρὸς τὸν Οὐϊσουργον*) gelockt, und dort ſcheint er eine Zeit lang ſein Lager gehabt zu haben; weiter läſst ſich nichts beſtimmen. Von dort rief ihn der Aufſtand eines entfernten Volkes ab. Der Name dieſes Volkes wird uns von keinem Schriftſteller genannt, und daher iſt es ungewiſs, ob Varus nach Süden oder Nor-

Norden, nach Often oder Weften gezogen ist. Auf diesem Zuge wurde er angegriffen; dabey ist aber nicht erwähnt, ob er weiter fortzog mit dem Feinde schlagend, oder ob er umkehrte, und auf dem Rückzuge seinem Geschicke erlag. Wenn dieses auch das rathsamste allerdings gewesen wäre, so wird es doch nirgends ausdrücklich gesagt; und wenn schon 6 Jahre später Germanicus an dieselbe Stätte kam, und die Ueberreste der Varianischen Niederlage sah und bestattete, so ist doch auch Tacitus in der Beschreibung der Züge des Germanicus so ungenau und so voll Widersprüche, dass aus ihm noch weniger etwas zu bestimmen ist. Daher ist es verlorne Mühe, aus den Nachweisungen der alten Schriftsteller genauer einen Ort bestimmen zu wollen, den sie selbst nicht kannten; und nur das ist unbestreitbar, dass dieser Ort in *der Nähe von Aliso nach der Weser hin, und zwar in den Bergen, die zwischen den Quellen der Lippe, Ems und Weser sich erstrecken, zu suchen ist.* — Weiter führen die Worte der alten Schriftsteller nicht, und wenn wir nicht noch andere Erkenntnissquellen entdecken, aus denen uns eine neue und ungehoffte Belehrung fliessen soll; wenn nicht irgend ein Zeugniss anderswoher plötzlich sich einstellt, das uns auf einmal aus der Irre heraus auf einen festen Punkt führt, so scheint durch wiederholtes und immer erneuertes Besprechen dieser Sache dieselbe doch um nichts weiter gefördert zu werden, als sie schon zu Grupen's oder v. Fürstenberg's oder Cluverius Zeit gewesen ist. — Nach diesen vorausgeschickten Bemerkungen nun sind die Leistungen der Schriftsteller, die über das Local dieser Schlacht gehandelt haben, zu beurtheilen, und wir wollen sie der Reihe nach durchgehen.

Der Vf. von Nr. 1 hat das Verdienst, nicht nur zuerst das Interesse für den Gegenstand und die Untersuchung über denselben angeregt, sondern auch einen neuen von dem seiner Vorgänger unabhängigen Weg eingeschlagen zu haben, so dass derselbe, ungeachtet schon so manche Jahre seit der Erscheinung seines Buches verflossen sind, hier auch jetzt noch erwähnt werden muss. Hr. *von Hammerstein* nämlich gerieth auf den Gedanken, das, was in den Berichten der Alten unzuverlässig und schwankend gelassen ist, dadurch zu vervollständigen, dass er auf die *Sage* Rücksicht nahm, von welcher er glaubte, dass sie noch im Munde des Volks wäre. Auf einer Reise gelangte er nach dem Dorfe *Feldrom* (in der Mitte zwischen Horn und Drieburg) und indem er hier sich erkundigte, ob nicht noch Sagen vorhanden wären von grossen Ereignissen, die sich ehemals hier begeben, so erfuhr er von dem Aeltesten des Dorfes, *Hermann Beyer* (*Böger*) allerley Notizen, die bestimmt genug auf die Schlacht zwischen den Römern und Germanen zu deuten schienen, und aus welchen er nun, da er den Bericht des Greises für authentisch, d. h. für einen Ueberrest der wirklich noch vorhandenen Volkssage hielt, sich den ganzen Zusammenhang der Varusschlacht zusammensetzte. Nach seiner Ansicht nämlich zog Varus von der Lippe nach Detmold in den Teutoburger Wald. Aufgehalten aber durch den sumpfigen Boden und angegriffen von den Feinden sammelte er sein Heer auf dem Winfelde, wandte sich aber von dort aus am folgenden Tage rechts durch die wilden Schluchten des Gebirges nach Feldrom, und wurde dort bey dem Römerberge von den Germanen gänzlich aufgerieben. Späterhin, als der Vf. von Nr. 2 eine andere Ansicht über das Local der Schlacht aufgestellt hatte, modificirte Hr. *v. Hammerstein* (in einem Aufsatze im Vaterländischen Magazine für Hannover, September 1821) seine Meinung dahin, dass er, durch einen Bericht bestimmt, den ihm der alte *Hagemeister* zu *Hiddesen*, in der Nähe der Grotenburg bey Detmold, gegeben hatte, den Varus nicht von der Lippe her, sondern *in der* entgegengesetzten Richtung von Schöttmar bey Herford herkommen liess, um ihn dann mit seinem Heere über das Winfeld nach Feldrom seinem gänzlichen Untergange entgegen zu führen. Allerdings wären diese Nachrichten, welche Hr. *v. H.* von den beiden Greisen erhielt, der Beachtung nicht unwerth gewesen, wenn dieselben bey einer genaueren Prüfung und Untersuchung sich als wirkliche Ueberbleibsel der alten Volkssage legitimirt hätten: denn wenn auch der Marsch vom Winfelde nach Feldrom über alle Wahrscheinlichkeit oder Möglichkeit hinausliegt, indem theils das Terrain unübersteigliche Hindernisse entgegenstellte, theils es auch nicht denkbar ist, dass Varus, wenn er einmal auf dem Winfelde mit noch grösstentheils unversehrten Streitkräften gelagert war, sich nicht lieber *in die* daranstossende Ebene der *Senne* herabgezogen *hätte*, über welche der Weg nach Aliso ihm nicht mehr streitig gemacht werden konnte, als sich aufs neue wieder in die Schluchten des Lippischen Waldes zu versenken; so musste doch eine so bestimmt erhaltene Tradition nothwendig ihr Recht behalten, und es lag dann nur dem Untersucher ob, auszumitteln, in wiefern dieselbe mit der praktischen Wahrscheinlichkeit oder Möglichkeit in Uebereinstimmung zu bringen oder auszugleichen wäre. Zu dem Ende jedoch musste vor allen Dingen die Echtheit der Sage selbst untersucht und geprüft werden, indem die Autorität derselben auch noch aus einem anderen Grunde, als dem schon angeführten, sehr zweifelhaft erscheint. Wir wollen nämlich gern dem Hn. *v. H.* Recht geben, wenn er *die Sage eine göttliche Quelle der Geschichte nennt;* jedoch machen wir die Einschränkung, dass nur *vor* dem Beginne der eigentlichen Historie die Sage die Stelle der gültigen Zeugnisse vertritt und vertreten muss, indem *da*, wo wegen der Ferne alles Einzelne verschwindet, eine Totalanschauung des Ganzen, so duftig und nebelartig sie auch seyn mag, doch einen bedeutenden Ersatz leistet für das, was man aus der Nähe nicht kennen lernen kann; und desshalb haben auch die grössten Historiker nie die Sage verschmähet. Mehr aber als ein allgemeines Bild muss man von der Sage auch nicht erwarten, weil sie mehr nicht zu gegeben vermag; und wir halten es schon an und für sich für schlechterdings unmöglich, dafs Specialitäten über den Zusammenhang militärischer Operationen auch nur Jahrhunderte lang, geschweige denn fast zwey Jahrtausende im Munde des Volks sich erhalten sollten, indem das Volk oft das Nächste nicht einmal richtig auffafst, ja dergleichen Dinge gar nicht einmal im Ganzen und in ihrem Zusammenhange auffassen und verstehen kann, und nach kurzer Zeit die Sachen schon so durcheinander wirft, dafs nichts an seiner Stelle bleibt, oder gar Ereignisse mit einander als gleichzeitig verbindet, die viele Jahrhunderte aus einander liegen (wie z. B. im Nibelungenliede u. s. w.). Und hierbey setzen wir voraus, dafs die Sage wirklich eine *Sage* sey, d. h. dafs sie wirklich noch bey der Mehrzahl der Mündigen in einem Volke, etwa wie bey den Isländern, Hochschotten und Finnen dieses noch heute zu Tage der Fall ist, sich lebendig erhalten habe. Bey den Deutschen aber ist leider schon seit vielen Jahrhunderten die Sage ausgestorben; durch die Einführung des Christenthums ging alles Gedächtnifs an die heidnische Vorzeit verloren, und selbst in der christlichen Zeit ist der Deutsche bey zunehmender Bildung immer so sehr auf das Praktische gerichtet gewesen, dafs er von der Mühe der Gegenwart gedrückt und gefangen die nächste Vergangenheit meistens immer schon aus dem Blicke verloren hat. Dafs dieses so sey, bedarf keines Beweises; die Dunkelheit unserer älteren Geschichte, oder der fast gänzliche Mangel einer solchen zeugt dafür. Wie läfst die Erhaltung einer localen Sage durch zwey Jahrtausende mit den zahlreichen Nachrichten, die wir über die grofse Völkerwanderung, diese totale Umkehrung aller Völkerstämme und Völkersitze, bey den alten Schriftstellern finden, sich vereinen? Oder wenn vielmehr, wie wohl das Wahrscheinlichste ist, eine Völkerwanderung in dem angeführten Sinne nie Statt gefunden hat, sondern die deutschen Völkerschaften, mit nur sehr wenigen Ausnahmen, alle in ihren ursprünglichen Sitzen geblieben sind bis auf den heutigen Tag, und nur ihre Namen, die sie sich selbst oder andere ihnen gaben, und die Verbindungen unter ihnen und ihre Verfassungen sich änderten, wie war es möglich, dafs die Fabel von dieser Völkerwanderung fast durch ein Jahrtausend (der Lobgesang auf den heiligen Anno erwähnt schon der Einwanderung der Franken von Troja her) sich erhalten konnte, und noch immer behauptet, wenn nur die mindeste Ueberlieferung im Munde des Volks von seinen ersten Anfängen noch übrig war? Die carmina antiqua, deren Tacitus als der einzigen Art von Geschichte bey den Germanen erwähnt, so wie auch die Lobgesänge auf den Arminius, die noch zu seiner Zeit dessen Andenken feyerten, sind alle verstummt, und selbst *Karl d. Gr.* hat ungeachtet aller Mühe, die er auf ihre Erhaltung anwandte, sie nicht dem Untergange entreifsen können. Noch viel gröfsere Ereignisse, als die Varus-Schlacht, die ungeheueren Kämpfe auf dem *Campus Idistavisus* und in den benachbarten Sümpfen, wo 80,000 Römer kaum den Sieg über alle zwischen Elbe und Rhein wohnenden Germanen erfechten konnten und die glänzendsten Feldherrntalente in einem Arminius und Germanicus sich gegen einander über standen, wären als nie geschehen aus den Tafeln der Geschichte spurlos vertilgt worden, wenn nicht Mönche des Klosters zu Corvey zufällig noch ein Interesse gefunden hätten, die Bücher der Annalen des Tacitus, welche diese Ereignisse enthalten, abzuschreiben und uns zu erhalten. Das Volk weifs von alle diesem nicht das Mindeste mehr, und das Andenken an die grofsen Kämpfe mit den Römern an der Donau und dem Rheine ist eben sowohl vergessen worden, als Karl's des Gr. um acht Jahrhunderte spätere Kriege mit den Sachsen, und die noch zwey Jahrhunderte spätern Riesenkämpfe zwischen den Deutschen und den Slaven an der Elbe und Oder.

Also schon aus innern Gründen mufste Hr. *v. H.*, wenn er mit kritischem Blicke die Erzählungen des *Beyer* und *Hagemeister's* geprüft hätte, die Authenticität dieser Sagen bezweifeln. Noch mehr aber sind dieselben in ihrer Nichtigkeit von dem Vf. von Nr. 3 dargestellt worden, der uns S. 171 u. f. seines Werkes erzählt, dafs ein jovialer und unter den Landleuten jener Gegend angesehener Mann, den er uns namhaft macht, dem alten *Beyer* diese Nachrichten über eine hier vorgefallene Schlacht zwischen den alten Deutschen und den Römern scherzhafter Weise aufgeheftet habe, zugleich aber auch in der guten Absicht, um ihm sowohl als den übrigen Leuten des Dorfes Stolz auf ihr Vaterland und Liebe zu demselben einzuflöfsen, und zu diesem Zwecke habe er auch die Namen willkürlich verändert, damit sie überall auf Rom deuteten, z. B. Römerfeld, Römerberg, Römergrund u. s. w. statt *Drömerfeld* u. s. w., indem *Drom* der älteste und eigentliche Name des Dorfes und dieser Gegend ist. — Nicht anders war es auch mit dem alten Hagemeister an der Grotenburg nach der Versicherung desselben Vfs. Auch dieser erzählte nicht Volkssage, sondern antwortete immer nur auf die Fragen die Hr. *v. H.* ihm vorlegte; zu dem auch verstand er diese Fragen nicht recht, sondern während jener nach der Römerzeit fragte, so verstand der Alte *den 7jährigen Krieg*, den er selbst noch erlebt hatte, und seine Relationen und Antworten, die Hr. *v. H.* auf den Rückzug des Varus deutete, galten vielmehr allein dem Rückzuge der Franzosen nach der Schlacht bey Minden. Alles dieses ist von Hn. *Clostermeyer* so durchaus gründlich und mit diplomatischer Genauigkeit erwiesen worden von S. 143 bis S. 213 seiner Schrift, dafs nichts dagegen einzuwenden seyn möchte, sondern dafs es vielmehr als ausgemachte Gewifsheit betrachtet werden kann, dafs Hr. *v. H.* hinsichtlich der Volkssage mystificirt worden ist, und dafs von dieser Seite her wohl kein Licht über das vorliegende Ereignifs zu erwarten seyn möchte.

Auf eine ähnliche und dem ersten Anscheine nach nicht minder glückliche Weise macht der Vf. von Nr. 2 den Versuch, anderweitig das zu ersetzen,

was

was die Zeugnisse der alten Schriftsteller unvollständig gelassen haben. Als Baumeister war er nämlich aufmerksam auf alle Bauwerke in seiner Gegend, welche ihm aus sehr alter Zeit zu stammen schienen, und ganz insbesondere beachtete er die Grabhügel, welche in grosser Anzahl im Lippeschen Lande sich finden, und welche unbezweifelt dem vorchristlichen Alterthum dieser Gegend angehören. So war es denn kein übler Gedanke, dass Hr. *Tappe* versuchte, ob durch die noch vorhandenen Ueberreste von Gemäuern aus der Römerzeit oder aus den Grabhügeln, welche die Gebeine der in dem Kampfe mit den Römern Gefallenen deckten, nicht eine genauere Spur über das Local der Schlacht mit dem Varus sich finden liesse: denn wo die lebendigen Zeugen schweigen, da müssen die Steine reden. Jedoch musste zu diesem Zwecke erst ausgemittelt werden, ob die Steine, die man zu Zeugen aufrufen wollte, auch der Zeit wirklich angehören, welche die Ereignisse sah, für welche jene reden sollen; also der Römische Ursprung der Gemäuer, Wälle u. s. w. musste erwiesen, und vornehmlich hinsichtlich der Grabhügel dargethan werden, dass sie theils den Germanen, und nicht andern Völkern, theils den Germanen um die Zeit der Geburt Christi, und nicht einer spätern Zeit angehörten, so wie auch, dass die darin bestatteten in Schlachten gefallen wären, und nicht etwa im Frieden hier beygesetzt, und wenn es wirklich erwiesen war, dass diese Hügel die Leichen Germanischer Krieger aus der Zeit vor Christi Geburt deckten, so hatten doch auch schon vorher Drusus und Domitius und Tiberius in diesen Gegenden mit den Germanen nicht ohne Verlust gekämpft, und später in grossen Schlachten Germanicus, so dass auch jenen Kämpfen diese Hügel mit eben so grossem Rechte angehören können. Diese Untersuchungen sind aber vom Vf. eben so wenig befriedigend geführt worden, als die Untersuchung über die Echtheit der Volkssage vom Vf. von Nr. 1.: denn weder über die Bedeutung der Grabhügel selbst, welche in der Gegend zwischen Herford, Detmold, Pyrmont und Paderborn in grosser Zahl überall zerstreuet sich finden, noch über ihr Alter, ihren Inhalt und die Form der darin noch gefundenen Urnen und Geräthe u. s. w. hat er geforscht, sondern er erklärt sie alle ohne Weiteres für altgermanische Gräber, und zwar aus der Zeit des Kampfes zwischen Arminius und Varus; oder wenn dieses auch einigemal geschehen ist, wie S. 5 (wo dargethan werden soll, dass die Hügel nicht Römische Gebeine deckten, und S. 29, wo die eimerförmigen Urnen von ungebrannter (?) Erde für älter erklärt werden, als die *gebauchten* und geschweiften Urnen von gebrannter Erde), so ist doch so wenig Gründlichkeit und Umsicht dabey bewiesen worden, dass der Vf. unser Vertrauen nicht gewinnt. Desgleichen wird ein altes Gemäuer in Elfen unbedenklich für ein Ueberrest der Römerschanze, die hier gestanden haben soll, erklärt, ohne dass die Gründe angegeben sind, warum dieses Bauwerk nothwendig aus einer so frühen Zeit herstammen *müsse*, und nicht aus einer spätern herstammen *könne*; was um so nothwendiger war, da gerade durch die Existenz dieses Gemäuers die Gewissheit, dass gerade hier Aliso lag, dargethan werden sollte. Auf gleiche Weise wird eine Segestsburg, eine Arminius- und eine Teutoburg gestempelt aus Erdhügeln und Wällen, für welche als solche kein Beweis des Alterthums spricht. Ein blosser Erdwall erhält sich schwerlich durch 18 Jahrhunderte, und was Aliso anbetrifft, so glauben wir gar nicht einmal, dass es von Stein erbauet war, sondern vielmehr von *Holz*. Denn wenn die Stelle bey *Frontin* Strat. IV. 7. 8, wie sehr wahrscheinlich und fast *nothwendig* ist, auf die Belagerung von Aliso bezogen werden muss, so konnte nur ein aus hölzernen Hütten und Gebäuden bestehendes Lager in Gefahr gerathen, von einem ganz in der Ferne ausserhalb des Lagers angezündeten Holzstosse angesteckt zu werden. Auch hatten die Römer bey der Kürze ihres Aufenthaltes in der Gegend von Aliso schwerlich die Zeit, eine Stadt von Stein zu erbauen, welche in diesem Falle auch wohl länger von den Römern behauptet worden, und nicht so ganz spurlos verschwunden wäre. Doch wir enthalten uns, weiter im Einzelnen die Behauptungen des Vfs zu widerlegen, da der Vf. von Nr. 3. dieselben schon hinlänglich beleuchtet und als ungenügend dargestellt, und ausserdem auch den Hn. *Tappe* bezüchtigt hat, dass er ihm seine eigenen Entdeckungen vorweggenommen und als sein Eigenthum dem Publicum mitgetheilt habe, während er selbst zuerst Hn. *Tappe* auf die Grabhügel u. s. w. aufmerksam gemacht und ihm seine Ansicht über das Local der Varusschlacht mitgetheilt haben will. Da dieser Behauptung von dem Gegner seitdem nicht widersprochen worden ist, so müssen wir also auch die Resultate, die aus so unzulänglichen Voraussetzungen in dieser Schrift gewonnen sind, dem Vf. von Nr. 3 auf seine Reclamation wieder zurück erstatten; und dem Hn. *Tappe* gehören nur die wunderlichen etymologischen Spielereyen an, durch welche er auch noch aus den Namen der Oerter, Gegenden, Bäche, Berge u. s. w. einen Ueberrest des Andenkens an jene Schlacht herauszudeuten sich bestrebt: so soll ein Ort, Namens *Helo*, seinen Namen von dem Freudengeschrey der Germanen haben; dieser Ort heisst aber, wie Hr. *Clostermeyer* zeigt, nicht *Helo*, sondern *Haynloh*, und war der Ort, wo die *Gografen* von Herford alle Jahre 3mal (seit 1281) Namens der Erzbischöfe von Cöln das Herfordsche *Landgöding* oder Landgericht hielten. So wird ein Ort *Kattenbrink* von den *Chatten* abgeleitet, und nicht vielmehr von den Katzen, die näher zur Hand gewesen wären; so soll das Dorf *Ehrhausen* einen Ehrenhügel vorstellen; der *Siegkrug* soll das Andenken des Siegs erhalten haben, während Hr. *Closterm.* zeigt, dass derselbe richtiger Siekkrug geschrieben werde, von dem sumpfigen Boden (Siek).

(*Die Fortsetzung folgt.*)

ALLGEMEINE LITERATUR-ZEITUNG

December 1828.

GESCHICHTE.

1) Hannover, b. Hahn: *Alte Sagen zu Falbrum am Teutoburger Walde* — — von *Hans* Freyherrn *von Hammerstein* u. s. w.

2) Essen, b. Bädecker: *Die wahre Gegend und Linie der dreytägigen Hermannsschlacht* — — von *W. Tappe* u. s. w.

3) Lemgo, in d. Meyer. Hofbuchh.: *Wo Hermann den Varus schlug* — — von *Ch. G. Clostermeyer* u. s. w.

4) Hannover: *Vermuthung über die wahre Gegend*, wo Hermann den Varus schlug — — von *W. Müller* u. s. w.

5) Quedlinburg u. Leipzig, b. Basse: *Wo schlug Hermann den Varus?* — — von *G. W. von Düring* u. s. w.

6) Hamm, b. Schulz: *Zur Urgeschichte des deutschen Volksstamms*, von *H. Schulz* u. s. w.

(Fortsetzung vom vorigen Stück.)

Nach Hn. *Tappe's* Behauptung (Nr. 2.) soll auf dem *Lager Berge* ein Lager der Römer gestanden haben, statt dass der Berg seinen Namen von dem benachbarten Flecken *Lage* hat. Ein Dorf *Hiddesen* oder *Hittenhausen* soll von den *Hitten* oder Ziegen seinen Namen haben, welche zur Unterhaltung der Besatzung der Teutoburg hier gehalten wurden, ja sogar das Dorf *Nesthausen* in der Nähe von Elsen hat seinen Namen davon, dass es ein *Römernest* war. Und dergleichen Curiosa giebt es hier noch eine ganze Menge. — Die das Werkchen begleitende Karte ist nach der Le Coq'schen Karte von Westphalen entworfen, jedoch mit Auslassung aller Terrainzeichnung. Sie ist nach einem sehr grossen Maasstabe gezeichnet, und liefert daher für diese Untersuchung die nöthige Uebersicht, obschon man die für militärische Operationen so höchst wichtige Terrainzeichnung ungern darauf entbehrt, und auch die Orthographie der Namen nach den etymologischen Phantasien des Vfs eingerichtet ist.

Wir wenden uns jetzt zu der Schrift Nr. 3, welche das Verdienst hat, nicht nur durch Kritik der früheren Schriften, sondern auch durch Ermittelung eigener und eigenthümlicher Resultate die Sache bedeutend gefördert zu haben. Schade nur, dass in derselben der Stoff nicht gehörig geordnet, sondern so durch einander geworfen ist, dass man an den entlegensten Stellen die einzelnen Materialien sich zusammenlesen muss, was den Gebrauch der Schrift sehr unbequem macht. Dieses lag aber in der Art der Entstehung derselben. — Der Vf. hat nämlich, wie er uns S. 14 ff. berichtet, schon seit 40 Jahren mit dem Gedanken sich beschäftigt, den Versuch zu wagen, den so streitigen Ort der Niederlage des Varus für die Zukunft ausser allen Zweifel zu setzen. Patriotismus führte ihn zunächst dazu, indem jene Gegend selbst, in welche er den Ort setzt, seine Heimath ist; und sein Amt brachte ihm alle die Hülfsmittel entgegen, welche bey dieser Arbeit nur gewünscht oder von Nutzen seyn konnten. Sorgfältig studirte er alle jenes Ereigniss betreffende Stellen der alten Schriftsteller, erwarb sich die genaueste Kenntniss der Oertlichkeit theils durch eigene Anschauung, theils durch die Nachrichten, die er in den Urkunden des Fürstl. Lippeschen Archivs fand. Auch wandte er seine Aufmerksamkeit auf die Gebirge, welche Westphalen durchstreichen, den Lauf seiner Flüsse, die ursprüngliche Beschaffenheit des Bodens, die Heer- und Handelsstrassen seit den ältesten Zeiten, die Gebirgspässe und Furthen der Flüsse u. s. w. und so gedachte er denn zu gelegener Zeit ein Werk zu liefern, welches die Ansichten der früheren über diesen Gegenstand beurtheilte, mit streng wissenschaftlicher Kritik den Stoff sichtete, und nach Verwerfung aller Hypothesen, die in zahlloser Menge bey fast allen Schriftstellern sich finden, nur Zuverlässiges und Gewisses über die ganze Geschichte des Befreyers Deutschlands, Hermann's, enthielte. Die Ausführung dieses Vorsatzes ward öfter unterbrochen, während des Napoleonischen Supremats gänzlich aufgegeben, bis endlich nach der Befreyung Deutschlands vom französischen Joche auch Hermann und Varus dem Vf. wieder vor die Seele traten. Damals theilte er zufällig seine Ansicht dem Hn. *Tappe* mit, dessen Geschicklichkeit und Gefälligkeit er für seinen Zweck benutzen wollte, so wie er ihm auch eine Abschrift von einem Theile eines Aufsatzes gab, den Hr. *Closterm.* schon im Jahre 1786 für den Fürsten von Lippe ausgearbeitet hatte, und welcher eine historisch geographische Beschreibung des Lippeschen Landes zum Gegenstande hatte. Allein Hr. *Tappe* erfüllte die Hoffnungen des Vfs. nicht, sondern schrieb vielmehr ohne Mitwissen des Hn. *Closterm.* das oben angezeigte Werkchen. Dieses gab nun Veranlassung, dass Hr. *Closterm.* sich entschloss, sein Eigenthums-Recht in Bezug auf die Schrift von Hn. *Tappe* zu reclamiren. Bald nachher erschien ein Aufsatz des Hn. *v. Hammerstein* im vaterländischen Archive, und dieses bewog ihn zur Ausarbeitung einer zweyten Abhandlung, so wie die Er-

Erſcheinung der von Hn. *Eichſtaedt* herausgegebenen Schrift des Geh. Rathes *von Hohenhauſen* in Herford zur Abfaſſung eines dritten Aufſatzes, in welchen drey Aufſätzen, die von zahlreichen und ausführlichen Anmerkungen oder Excurſen begleitet ſind, auf das vollſtändigſte über den vorliegenden Gegenſtand verhandelt worden iſt. Die Forſchung des Vfs. ſchreitet mit der gröſsten Ruhe, Umſicht und Beſonnenheit vorwärts, beruht nur auf Zeugniſſen der Schriftſteller und auf Urkunden, iſt aber mehr negativ als poſitiv, indem ſie es ſich vorzüglich zum Geſchäfte macht, die Unhaltbarkeit der früheren Hypotheſen darzuthun, und giebt nur, um die eigene Unterſuchung nicht ohne ein beſtimmtes Reſultat zu laſſen, auch eine eigene Anſicht von dem Laufe der Begebenheit, welcher Anſicht dann freylich der Patriotismus des Vfs. den Stempel der Gewiſsheit aufzudrücken ſucht, die aber denn doch, bis auf wenige Ausnahmen, in ſich ſelbſt nichts Widerſprechendes hat, und deſshalb bey der Unmöglichkeit der Erforſchung der Wahrheit immerhin Beyfall verdient.

Den feſten Boden für die ganze Unterſuchung ſucht ſich der Vf. dadurch zu verſchaffen, daſs er zuvörderſt die Lage von Aliſo auszumitteln ſucht, indem er gleichfalls der Meinung iſt, daſs Varus bey Aliſo ſein Standlager oder Winterlager hatte, von dort weg von den Aufrührern an die Weſer gelockt wurde, und auf dem Rückwege dahin von den Feinden aufgerieben wurde. Er ſucht Aliſo bey Elſen, am Zuſammenfluſſe der Alme und Lippe, und zeigt die Nothwendigkeit dieſer Annahme. Wir ſtimmen in allem dem Vf. bey, nur nicht darin, daſs er das Aliſo, das bey Tacitus vorkommt, Annal. II. 7. für einerley hält mit dem Aliſo, welches Druſus, Tiberius und Varus früher an den Quellen der Lippe inne hatten. Denn wie war es denkbar, daſs Germanicus auf einem vorläufigen, in wenigen Tagen abgemachten Zuge mit 6 Legionen nach demſelben Aliſo ziehen und dieſes von der Belagerung befreyen konnte, welches doch nur das Ziel der eigentlichen ſpäteren Unternehmung war, ſo daſs jene ganze groſse Expedition, welche in demſelben Jahre mit ſo ungeheuerem Aufwande und auf 1000 Schiffen unternommen wurde und welche das ganze Abendland in Bewegung und in Staunen verſetzte, nur etwa 4 Meilen weiter ging. Tacitus war ſelbſt im Unklaren und kannte das Terrain nicht, und es iſt durchaus unmöglich, in ſeine Erzählung von den Zügen des Germanicus einigen Zuſammenhang zu bringen, wenn man nicht annimmt, daſs es mehrere Caſtelle dieſes ſo oft wiederkehrenden Namens (ſiehe oben) gegeben habe. Und wenn *Wachter* in ſeinem Gloſſarium (was wir übrigens dahin geſtellt ſeyn laſſen wollen) Recht hat, indem er Aliſo für ein deutſches Appellativum hält, zuſammengeſetzt aus *el* (*alius, alienus peregrinus*) und dem Celtiſchen *llys* (*forum, tribunal*) alſo ſoviel als *forum peregrinum* bedeutend, ſo iſt dieſes auch nicht unwahrſcheinlich. Ein Neuerer macht die Bemerkung, daſs alle Orte im Weſtphäliſchen, die [illegible] *Alten, Elſen, Elten, Eilſen, Alſum* u. ſ. w., [illegible] an der Vereinigung zweyer Flüſſe oder [illegible] gen, und will daraus ableiten, daſs der Name [illegible] als *Confluentes* heiſse, und nur der deutſche [illegible] dafür ſey; dieſes mag ſich nun verhalten [illegible] will, ſo ſcheint es doch darauf hinzudeuten, [illegible] der Name ein Appellativum ſey, und daſs [illegible] die Sache, die er bezeichnete, wiederholt vorkommen muſste. — Darauf wird der *Saltus Teutoburgienſis* des Tacitus (Annal. I. 60) nachgeſucht. [illegible] dieſer Name ſonſt bey irgend einem *Schriftſteller* vor, ſo wäre man freylich um vieles weiter, [illegible] da Germanicus in dieſem *Saltus Teutob. die Gebeine* vom Heere des Varus noch unbeſtattet *findet*, [illegible] wäre doch wenigſtens im Allgemeinen *die Stelle* gewiſs, wenn gleich noch immer darüber Dunkelheit bleiben würde, von welcher Seite her Varus zog, ob von Aliſo zur Weſer oder von der Weſer nach Aliſo. Hr. *Cloſtermeyer* zeigt, daſs der Gebirgswald, welcher jetzt in Schriften und auf Charten allgemein der *Teutoburger* oder gar *Deutſchburger* Wald heiſst, ſeit den älteſten Zeiten nie anders als *Osnegge, Osneggi, Osning* genannt worden ſey, und namentlich heiſst noch bey *Eginhard* [illegible] Gebirge, durch welches Karl d. Gr. von [illegible] nach Detmold (Thietmelle) zog, nicht *Saltus Teutoburgienſis*, ſondern *mons, qui Osnegge* [illegible], woraus der Vf. ſchlieſst, daſs der Name *Teutoburger Wald* bey den Deutſchen nicht üblich war. Jedoch zeigt er, daſs ein durch ſeinen Umfang und ſeine Höhe ſich auszeichnender Berg in der Nähe von Detmold noch im 16ten Jahrhundert der *Teut* hieſs, welcher Name auch noch heute in dem Namen *Teutehof* übrig iſt, mit welchem ein am Fuſse dieſes Berges liegender Hof (nach Hn. *Tappe's* Karte ſogar 2 Höfe dieſes Namens) bezeichnet wird, deſſen Beſitzer auch der *Teutemeyer* genannt wird. Jetzt heiſst der Berg die Grotenburg, und auf demſelben finden ſich noch groſse faſt unverſehrte Steinwälle, wie der Vf. meynt, „Ueberreſte einer alten Burg, welche die noch ungeſchwächte altdeutſche Kraft aus rohen Felſen auszuarbeiten vermochte." Von dieſer Feſte, welche die alten *Deutſchen*, als die Römer Aliſo befeſtigten, zu *ihrem* Schutze aufgebauet haben ſollen, indem *dieſelbe* die Päſſe des Gebirges beherrſchte, meynt der Vf. habe der umliegende Theil des Bergwaldes von den Römern den Namen des *Teutoburger W.* erhalten. *Teut* aber, ſagt der Vf., heiſse noch jetzt im Lippiſchen *Vater*, und er habe wegen ſeiner Höhe und Gröſse (indem er gegen 700 F. über das Fluſsbette der Werre anſteigt, gleichſam als der Vater der benachbarten Berge, ſeiner Kinder) dieſen Namen erhalten. Dieſe Anſicht des Vfs., und namentlich ſeine Beſchreibung der vermeintlichen Teutoburg, iſt uns ſehr intereſſant geweſen, obſchon ſehr Vieles, oder das Meiſte davon hypothetiſch iſt. Auch iſt gerade die Hauptſache, die Ableitung des Teutoburger Waldes von dem Berge Teut nicht ſchlagend und überzeugend,

gend, indem der Vf. felbft bemerkt, dafs auf dem Höhenzuge, der zwifchen der Wefer und dem Osning mit letzterem parallel von Vlotho bis nach Blomberg und Horn ftreicht, und das Thal der Werre einfchliefst, in der Nähe von Alverdiffen auch ein hoher Berg fich finde, Namens Teut, fo dafs von diefem ebenfalls ein Teutenwald oder Teutoburgerwald' abzuleiten feyn möchte. Defsgleichen giebt es einen Berg Teut in der Nähe von Achen und gewifs noch mehrere anderswo, wenn man fie nur auffuchen will. Dafs ferner jetzt noch Ueberrefte einer altdeutfchen Burg und zwar aus den Zeiten der Cherusker fich finden follten, fcheint uns fehr unwahrfcheinlich. So dauerhafte Baue, ähnlich den Cyclopifchen Mauern Italjens und Griechenlands, hätten gewifs die Aufmerkfamkeit irgend eines Römers auf fich gezogen, und es gewifs unmöglich gemacht, dafs Tacitus den Deutfchen *alle Städte oder dem ähnliches* abfprechen konnte. Denn der *Thurm* der Velleda an der Lippe (*ipfa edito in turre* etc. Hift. 4. 65), das *templum Tanfanae* bey den Marfen (Annal. I. 51), die Hauptftadt (*caput*) der Chatten, *Mettium*, welche Germanicus verbrannte (Annal. 1. 56), der Ort, in welchem Segeft von Arminius belegert wurde (Annal 1. 57) machen es nicht durchaus nöthig, ein coloffales Gemäuer von der Art, wie der Vf. uns die Teutoburg befchreibt, dabey vorauszufetzen. — Endlich fcheint es etwas Widerfprechendes zu enthalten, dafs zu einer Zeit, als die Römer in Deutfchland die Herren waren und als Zwingftätte Alifo erbaueten, die Deutfchen kaum 2 Meilen von Alifo entfernt eine fo grofse, fefte und weit hervorragende Burg zu ihrem Schutze follten erbauet und vollendet haben, ohne von den Römern darin gehindert worden zu feyn. Gewifs hätten die Römer ihnen ein folches Vorhaben an einem fo wichtigen Orte, wodurch ihnen der befte und nächfte Weg nach der unteren Wefer abgefchnitten wurde, unterfagt, oder die fchon fertige Burg entweder felbft befetzt oder zerftört. — Die *pontes longos* des Domitius Ahenobarbus, auf welchen Caecina bald nach dem Befuche des Schlachtfeldes des Varus vom Arminius angegriffen wurde, fetzt der Vf. in die unmittelbare Nähe deffelben, und diefes gewifs mit Recht, theils wegen der engen Verbindung, in welcher der Rückzug des Caecina (Anal. 1. 68 fegq.) mit jenem Befuche des Schlachtfeldes fteht, theils weil die Befchreibung des Locals nur auf eine gebirgige Gegend pafst, keineswegs aber auf die Sümpfe Frieslands oder die Niederungen und Ebenen des Münfterlandes, wohin andere diefe Strafse verfetzt haben. Zwar fcheint auch der Ausdruck *vaftae paludes* nicht zu der Dörenfchlucht und der Gegend um den Retlager-Bach zu ftimmen, wo der Vf. die *pontes* fucht, indem dort keine Sümpfe von fo weiter Ausdehnung fich finden; jedoch fetzen die *filvae paullatim acclives* voraus, dafs der Ausdruck *vaftae* nicht fo ftrenge zu nehmen ift; auch machen fie es unmöglich, die Stelle in eine Gegend zu verfetzen, wo gar keine Berge fich umher

erheben, und in dem Folgenden fagt Tac. ganz b
ftimmt, dafs es ein Thal war ringsum von Höh
umgeben (*Germani .... quantum aquarum circu*
furgentibus jugis oritur, vertere in fubjecta
endlich, indem Arminius dem Caecina dort mit d
Cheruscifchen Landwehr zuvorkam, fo ift es notl
wendig, diefe *pontes* im Cherusker Lande zu fuche
und nicht im Lande der Friefen oder Marfen. Di
fer letzte Grund ift entfcheidend, obfchon bish
noch immer überfehen. — Das entfernte Vol
welches nach dem Plane der Verfchworenen zuer
gegen die Römer aufftand, war nach des Vfs. Me
nung das der *Chatten*. Von den Marfen und Bri
cterern wiffen wir es gewifs, dafs fie mit den Ch
ruskern im Bunde waren; denn bey ihnen fand
fich Römifche Adler, die in der Schlacht verlor
waren. Von den *Chatten* ift es wahrfcheinlic
weil auch fie gleiche Strafe nachher von German
cus traf; und 40 Jahre nachher fanden die Röm
bey den Chatten noch Gefangene aus der Varian
fchen Niederlage (Annal. 12. 27). So vermuthet de
der Vf., dafs die Chatten den Krieg damit ang
fangen hätten, dafs fie die feften Plätze der Röm
auf dem Taunus (Annal. 1. 56) angriffen und zerftö
ten, um dadurch den Varus von der Wefer na
dem Taunus zu locken. Auf diefem Zuge nun v
der Wefer aus, der zunächft Alifo berühren follt
fand der Angriff des Arminius Statt. — Alles di
fes ift fehr wahrfcheinlich gemacht, aber keine G
wifsheit gegeben: denn auch die *Anfibarier* nahm
nach Annal. XIII. 55 Theil an der *rebellio Cherusc*
und alfo könnten auch fie das entlegene Volk fey
bey welchem zuerft der Aufftand ausbrach; obfch
wir diefes aus anderen Gründen nicht glauben. -
Varus ftand nach dem Vf. an der Wefer bey Minde
Die Verfchworenen führten ihn an der Wefer en
lang über Reme und Vlotho bis in die Gegend v
Uffeln an der Werre, wo das erfte Lager aufg
fchlagen wurde. Am zweyten Tage ging es an d
Werre hinauf bis nach Detmold, und Varus lager
fich in dem engen Thale der Berlebecke am Anfan
des Waldes. Den eigentlichen Weg durch die D
renfchlucht, welcher fchon zwifchen Lage und He
denoldendorf von der Werre abführte und auf we
chem fich die *pontes longi* befanden, konnte Var
nicht ziehen, indem er diefen von den Feinde
fchon befetzt und gefperrt fand. Sonft wäre er ba
durch das Gebirge gekommen; nun mufste er ab
die ganze Breite deffelben durchfchneiden, und di
fes hatten die Germanen gewollt. Dafs hier g
kämpft worden fey, machen dem Vf. zwey Röm
fche Münzen, welche hier in den Jahren 1786 un
1806 gefunden worden find, wahrfcheinlich, vo
welchen die eine aus den Zeiten der Republik he
rührt, die andere von Auguftus gefchlagen ift. Da
das zweyte Lager auf dem Winfelde gewefen fe
wird vom Vf. unwahrfcheinlich gefunden, inde
kein Grund vorhanden fey, warum diefe Höh
nicht auch damals, wie die übrigen mit Wald be
deckt gewefen fey. Der Name Winfeld wird nic

vo

von *gewinnen*, sondern von *Wind* abgeleitet, und es wird die Vermuthung aufgestellt, dass erst bey Anlegung der benachbarten Burg Falkenberg in der Mitte des 15ten Jahrhunderts das Holz auf der fruchtbaren Bergfläche des Winfeldes ausgerodet wurde, um die Bewohner der Burg mit dem nöthigen Getreide zu versehen. — Am dritten Tage der Schlacht wurde zwischen dem letzten Lagerplatz und dem Anfange der Senne gekämpft, wo nach der Meinung des Vfs. die Chatten zu dem übrigen Heere der Cherusker, Marsen und Bructerer hinzutraten und den Streit entschieden. Doch nicht in den Engpässen des Gebirges, wie man vermuthen sollte, sondern beym Eintritte in die weiten Ebenen der Senne, bey Osterholz oder Schlangen lässt der Vf. den Rest des Römerheeres der Uebermacht seiner Feinde erliegen, und nur wenige retteten sich in das benachbarte Aliso. Zwar möchten wir hier fragen, wie es kam, dass wenn der letzte Vertilgungskampf nur *eine* Meile von diesem gewiss stark besetzten Standlager gekämpft wurde, von dort aus nicht eine Diversion zu Gunsten des im freyen Felde umringten Heeres gemacht wurde; jedoch hat darin der Vf. gewiss Recht, dass er die endliche Niederlage auf dem Rückwege nach Aliso geschehen lässt, indem nach Vellejus, Dio und Frontin dahin die Trümmer des geschlagenen Heeres sich flüchteten. — Wir haben hier die Resultate dieser trefflichen Schrift in den Hauptzügen gegeben, und enthalten uns aller weiteren Bemerkungen darüber, weil theils dieses zu weit führen würde, theils in dem Folgenden noch davon die Rede seyn wird. Nur das wollen wir hier noch wiederholen, dass so grosse Belehrung uns dieselbe auch überall gewährt hat, dennoch theils im Einzelnen noch viele Einwendungen gegen die Ansicht des Vfs. sich machen lassen, theils auch im Allgemeinen die Sache nicht zur Gewissheit, sondern nur bis zu einem bedeutenden Grade von Wahrscheinlichkeit gebracht ist, so weit dieselbe überhaupt nach den von uns vorausgeschickten Bemerkungen erwartet werden kann. Wenn aber auch noch immer für neue Vermuthungen und auch für Berichtigungen hinlänglicher Spielraum bleibt, so benimmt das dem Werke des Vfs. den Ruhm einer gründlichen und umsichtigen, in vieler Hinsicht musterhaften Forschung nicht, und derselbe ist des Dankes bey allen Vaterlands Freunden für alle Zukunft gewiss.

(*Die Fortsetzung folgt in den Erg. Bl. Nr. 145.*)

TECHNOLOGIE.

Magdeburg, b. Creutz: *Grundzüge der Gewerbkunde zum Gebrauch beym Unterrichte.* Ein Versuch nach *Kolb's* System der Technik von *Bernh. Kots*, Lehrer der Mathematik, Natur- und Gewerbskunde an der höheren Gewerbs- und Handlungsschule, so wie auch der Naturlehre an der Königl. Handwerksschule in Magdeburg. 1828. VI u. 394 S. 8. (1 Rthlr.)

Wir wollen diesem Werkchen, das alle bekannte Gewerbe und ihre Hauptverrichtungen ohne wesentliche Fehler und Auslassungen zusammenstellt, in der Hand eines guten Lehrers die Brauchbarkeit als Leitfaden für den Unterricht und als Erinnerungsbuch nicht absprechen; können uns jedoch weder mit der gewählten Anordnung, noch mit den hoch stilisirten Definitionen befreunden, welche bey einer solchen Arbeit doch auch unter die Haupteigenschaften gehören. Damit Alles in ein künstliches, schulgerechtes System gezwängt werde, sind hier Dinge getrennt, welche sowohl nach ihrer Bereitungsart, als nach dem Zwecke, wozu sie bestimmt sind, zusammengehören. So findet man S. 103 die Bereitung des Weines und Obstweins unter den landwirthschaftlichen Gewerben bey der Zuckerstoffnutzung; S. 126 f. unter den Nährgewerben bey der Brauerey die künstlichen Weine, den Essig u. s. w. — (wie kann aber der Essig, dessen Bereitung eben so einfach ist als die des Weines, auf eben den Grundsätzen beruht, und der als Getränk, wie er hier betrachtet wird, zu dem gleichen Zwecke dient, — so gänzlich vom Weine getrennt seyn?). — Unter derselben Rubrik findet man Branntwein, Rum, Arrak, Ratafia; aber erst S. 289 unter *Veredelung* der Natur- und Kunstprodukte bey den Nährungsluxusgewerben stehen die Liqueure.

Ebenso schief sind die Definitionen, z. B. die Brauerey beschäftigt sich damit, „im Wasser Substanzen aufzulösen, welche demselben unmittelbar oder mittelbar zur Nahrung dienende geistige Eigenschaften geben." Dieses Gewerbe besteht „in der Bereitung der Mineralwasser oder Sauerwasser, des Biers, Branntweins und des Essigs."

Ohne über den Ausdruck „Nahrung," über den ganz abgeänderten Begriff des Wortes „Brauen" streiten zu wollen, wie passt diese Definition auf den Weingeist? was wird da im Wasser aufgelöst? — Wie kommen die Mineralwasser (unter denen der Vf. nur die Auflösung der Kohlensäure in Wasser vorstellt, also die salz- und schwefelhaltigen nicht kennt), zu Getränken mit geistigen Eigenschaften? — Aehnliche Oberflächlichkeiten finden sich in Menge.

Prof. Dr. *Eisenbach.*

ALLGEMEINE LITERATUR-ZEITUNG

December 1828.

LITERARISCHE NACHRICHTEN.

Nekrolog.

Dr. *Albrecht Thaer*,

der berühmte Agronom und Gründer der Landwirthſchaftsſchule auf ſeinem Gute *Mögelin*, ſtarb daſelbſt am 26. October. Zu Celle im Hannöverſchen ward er geboren am 14. May 1752. — Sein Vater war Hofmedicus, und auch er beſtimmte ſich für das Studium der Medicin. Im J. 1771 bezog er die Univerſität Göttingen, wo er mit ſehr eifrigem Studium der Anatomie und Phyſiologie begann, dann aber gleich, durch eigenes Studium vorbereitet, praktiſche Vorleſungen und Kliniken beſuchte. Im J. 1774 promovirte er und ſchrieb ſeine Diſſertation *de actione ſyſtemat. nervoſi in febribus intermittentibus*, die ein ungewöhnliches Aufſehn erregte. Nachdem er hierauf, dem Wunſche ſeines Vaters gemäſs, einige Jahre zu Celle verlebt hätte, machte er mit *Leiſewitz* eine Reiſe nach Berlin, wo beide, ſchon literariſch bekannt, die beſte Aufnahme, namentlich im Hauſe des Miniſters *v. Zedlitz*, des Propſtes *Spalding*, bey *Mendelſohn*, *Eberhard* u. A. fanden, und *Thaer* eine Vorliebe für Preuſsen gewann. Nach der Rückkehr von ſeiner Reiſe theilte er ſeine Zeit unter die Praxis und philoſophiſch-mediciniſche Arbeiten. Mit *Leiſewitz* und *Leſſing* in beſtändigen Verkehr hatte er, obgleich ungenannt, an den Producten der damaligen philoſophiſchen Literatur entſchiedenen Antheil. Er erhielt manchen ehrenvollen Ruf, lehnte aber alle ab, und trat nach dem Tode ſeines Vaters in deſſen Stelle. Nachdem er einen neuen Ruf als Leibarzt eines auswärtigen Monarchen ausgeſchlagen, erhielt er die erledigte Stelle eines Leibmedicus in ſeiner Vaterſtadt, wo er eines unbegrenzten Vertrauens als Arzt genoſs. — Sein tiefes, ſcheinbar kaltes Gemüth wurde jedoch in ſeinem ärztlichen Beruf zuerſt und ſchmerzhaft durch das Dahinſcheiden der innigſten Freunde getrübt, und die Wiſſenſchaft gab ihm nicht den Grad der Klarheit, der ſeinem Geiſte Bedürfniſs war. Blumenliebhaberey und Gartenbau hatten ihn allmählig der Landwirthſchaft zugeführt, die er experimentatoriſch auf einer kleinen bey Celle zuſammengekauften Beſitzung ausübte, und deren Literatur er in der deutſchen, franzöſiſchen und engliſchen Sprache ſtudirte. Die letztere gewährte ihm die meiſte Befriedigung, und veranlaſste ihn, ſeine *Anleitung zur Kenntniſs der engliſchen Landwirthſchaft* (1798) zu ſchreiben, die durch Ideenreichthum, Sprache und Klarheit ein nie geahnetes Aufſehen erregte. Sich von nun an auf die bloſse reſultative Praxis beſchränkend, widmete er ſich immer mehr ſeinem neuen Fache, begann 1799 die Herausgabe ſeiner *Annalen der niederſächſiſchen Landwirthſchaft* und fing einige Jahre ſpäter an, Vorleſungen für Landwirthe zu halten, die ihr Geſchäft aus einem ſichern Geſichtspunkte aufzufaſſen wünſchten. Die franzöſiſche Invaſion des Landes im J. 1803, die ihm alle Ausſicht raubte, durch Beyhülfe ſeines Monarchen einen gröſsern landwirthſchaftlichen Wirkungskreis dort zu erhalten, nahm er den an ihn im folgenden Jahre ergangenen Ruf ins Preuſsiſche um ſo bereitwilliger an. — Er erhielt den Titel eines Geheimen Kriegsraths, und ein Erbpachtsgrundſtück im Oderbruch von 400 Morgen als Geſchenk, welches er, da es durch ſeine groſse Fruchtbarkeit nicht geeignet ſchien ſeine Lehren erfolgreich ins Leben treten zu laſſen, gegen Möglin vertauſchte, welches durch die Beſchaffenheit ſeines Bodens dem Landwirth ein ſchwierigeres Studium darbot. — Seine Thätigkeit wendete er nun ungetheilt ſeinen *Annalen der Landwirthſchaft*, mehreren kleinen Schriften und der Einrichtung ſeiner Wirthſchaft zu, bis ihn ein Verein von Freunden, durch ihre Bitten und durch eine Subſcription zu Actien, in den Stand ſetzten, auch hier eine landwirthſchaftliche Lehranſtalt im J. 1806 zu ſtiften, wobey ihn nach einander die verſtorbenen Profeſſoren *Einhoff*, *Crome*, ſein noch lebender Schwiegerſohn, der Prof. *Körte*, ſein Sohn *A. P. Thaer*, nebſt *Koppe*, *Störing* u. a. verdiente Männer unterſtützten. Se. Maj. der K. von Preuſsen hatte die Anſtalt mit ſeinem beſondern Schutze beehrt, und ſie ſollte eben unter den letzten Auſpicien beginnen, als das unglückliche Ende des Krieges 1807 ihr viele der ihr zugeſagten Fonds entzog, und *Thaer* in eine dadurch bedenkliche Lage gerieth. — Allein ſein Geiſt erhielt alles, ja er machte noch einige Ausdehnung der Anſtalt möglich, und fand in den trüben Zeiten Kraft, ſein groſses Hauptwerk: *Grundſätze der rationellen Landwirthſchaft*, zu verfaſſen, welches in faſt alle europäiſchen Sprachen überſetzt worden iſt. — Bey der Reorganiſation des Staats 1807 wurde ihm die Stelle eines Staatsraths übertragen, und er hatte bedeutenden Antheil an den damals und in den folgenden Jahren erſchienenen wichtigen Reſultaten der landwirthſchaftlichen Geſetzgebung. 1810 wurde er Profeſſor der Landwirthſchaft bey der Univerſität zu Berlin und vortragender Rath im Miniſterium des Innern. 1811 gründete er ſeine nachher ſo berühmt gewordene Schäferey und erlangte bald auch in dieſem Zweige ſeines Faches Celebrität, die ihn 1815 zum General-Intendenten aller Königl. Stammschäfereyen machte. 1817 wurde ihm der rothe Adlerorden 3ter Klasse ertheilt; in demselben Jahre aber bat er um seine Entlassung von der Universität, weil er fand, dass seine dortigen Functionen seinem Streben für die Wissenschaft und seinem Institut nicht vollkommen entsprachen. — Im J. 1824 hatte er die Freude, sein Doctorjubiläum von einer grossen Zahl von Freunden und Schülern sehr gemüthlich gefeyert zu sehen, von Sr. Maj. in einem höchst gnädigen Kabinetsschreiben ein Anerkenntniss seiner Leistungen, und von den Königen von England, Baiern, Würtemberg und Sachsen Ordens-Decorationen zu erhalten, wie auch von vielen gelehrten Gesellschaften Glückwünschungsschreiben und Deputationen, deren auch eine vom Bauernstande nicht fehlte, zu empfangen. Nach dieser Feyer erleichterte er sich sein Geschäftsleben durch Uebertragung der Redaction der Annalen an die Lehrer der von Sr. Maj. zur Akademie des Landbaues erhobenen Lehranstalt, blieb aber gleichthätig in seinen amtlichen Verhältnissen als Lehrer wie als Schriftsteller bis zum Spätherbst 1827, wo die traurige Krankheit, die, noch immer zu früh, ein Jahr später sein Leben endete, ihm inne zu halten gebot; [illegible] sie ihn, auch als schon der Brand den Fuss ergriffen hatte, und das Licht seiner Augen getrübt war, [illegible] abhielt, noch für den Druck zu dictiren, und [illegible] Schülern vom Krankenlager aus Belehrung zu [illegible] Er endete sanft im Kreise seiner Familie, und sah in [illegible] immer seltener werdenden klaren Momenten [illegible] Geistes den Tod ruhig herannahen.

Sein reiches Leben war stets der Wissenschaft gewidmet, er bebaute segensreich ihr Feld in verschiedenen Fächern und allenthalben mit dem nur dem Genie eignen Erfolg. Das Fach ward ihm das liebste, wo er die meiste Klarheit, verbunden mit der grössten Gemeinnützigkeit, erlangen konnte. Immer stand seine Person der Sache nach, und alle, die ihn in einer Periode seines Lebens zu erkennen das Glück hatten, stellten ihn als Mensch wenigstens eben so hoch, wie als Schriftsteller. Die wenigen Freunde, die seine Arbeiten im Fache der Medicin und Philosophie kannten, bedauern den Verlust dieser Producte aus der Blüthezeit eines frühe reifen Geistes: denn sie gingen [illegible]lich bey dem Umzuge nach Preussen verloren.

LITERARISCHE ANZEIGEN.

I. Ankündigungen neuer Bücher.

Giessen, im Verlage von G. F. Heyer, Vater, sind seit Kurzem folgende Werke in *neuen sämmtlich verbesserten Auflagen* erschienen, und durch alle solide Buchhandlungen zu beziehen:

1) *von Feuerbach*, Lehrbuch des gemeinen in Deutschland gültigen peinlichen Rechts. 10te verb. Auflage. 2 Rthlr.

2) *Mackeldey*, Lehrbuch des heutigen Römischen Rechts, 2 Bände. 8te verbesserte mit der Lehre vom Concurs vermehrte Auflage. 3 Rthlr. 16 gGr.

3) *Schlez*, der Denkfreund. Ein lehrreiches Lesebuch für Bürgerschulen. 9te verb. Auflage. 13 gGr.

4) — umgearbeiteter Abriss der Erd- und Völkerkunde. 9te Auflage. 5 gGr.

5) *von Savigny*, das Recht des Besitzes. 5te verb. Aufl. 3 Rthlr.

6) *Vogt*, Lehrbuch der Pharmakodynamik. 2 Bände. 2te verb. und verm. Aufl. 5 Rthlr.

7) *Schmidt*, Handbuch der christlichen Kirchengeschichte. 4ter Band. 2te verb. Aufl., 1 Rthlr. 8 gGr., womit diess klassische Werk, aus 6 Bänden bestehend, wieder vollständig um 8 Rthlr. 16 gGr. zu haben ist.

8) — Lehrbuch der Kirchengeschichte. 3te verb. Aufl. 1 Rthlr. 12 gGr.

9) *Schmidt*, G. G., Hand- und Lehrbuch der Naturlehre. Mit Kupfern. 3 Rthlr.

10) *von Feuerbach*, Actenmässige Darstellung merkwürdiger Verbrechen. 1ster Band. 3 Rthlr. 8 gGr.

Mit mehren neuen höchst merkwürdigen Criminalfällen enthält dieser 1ste Band manche *Umarbeitungen* oder *Ergänzungen* solcher Fälle, die sich in den zwey Theilen der 1808 und 1811 erschienenen Sammlung befinden, welche der Verfasser aus angegebenen Gründen nicht mehr anerkennt. Ich kann dem verehrlichen Publicum zugleich die erfreuliche Nachricht geben, dass ein 2ter Band des oben benannten Werkes unter der Presse ist, und längstens im Februar 1829 erscheinen wird.

Giessen, im December 1828.

G. F. Heyer, *Vater.*

Von *Lanzi's*

Storia pittorica della Italia dal risorgimento delle belle arti fin presso al fine del XVIII. Secolo,

welche nicht nur seines Vaterlandes, sondern auch Englands und Frankreichs Theilnahme in so hohem Maasse erregt hat, erscheint nächstens in meinem Verlage eine deutsche Uebersetzung. Des bescheidenen Verfassers Standpunkt kunstwissenschaftlich in einer Einleitung zu würdigen, biographische ergänzende Notizen gedrängt nachzutragen, Einzelnes zu berichtigen, die bezügliche Literatur kurz beyzubringen, die Hauptkupferstiche der erwähnten Gemälde, Behufs eigener Anschauung nachzuweisen, und somit diess Werk nicht nur seiner ursprünglichen Bestimmung gemäss, als Ueber-

Ueberſicht und Führer reiſender Kunſtfreunde, wieder zu geben, ſondern auch zugleich als Hand- und Hülfsbuch dem deutſchen Kunſtgeſchichtsforſcher mehr anzueignen, wird Zweck und Streben der zwey, dem Publicum nicht unbekannten Freunde ſeyn, welche die Herausgabe übernommen haben, der *H. H. von Quandt* und Dr. *Adolf Wagner*.

Indem nun auch von mir Alles gethan werden wird, was Zweckmäſsigkeit, bequeme Brauchbarkeit und anſtändiges Aeuſseres bey mäſsigem Preiſe fordern, ſo hoffe ich der Theilnahme und dem Bedürfniſs der Kunſtfreunde mit dieſem Unternehmen ſicher entgegen zu kommen.

Leipzig, im November 1828.

Joh. Ambr. Barth.

Pharmacopoea Boruſſica.

Von der:

Preuſsiſchen Pharmacopöe, überſetzt und erläutert von *F. Ph. Dulk*,

iſt ſo eben die 14te Lieferung erſchienen. — Die 15te Lieferung wird das Werk ſchlieſsen.

Leipzig, den 26. October 1828.

Leopold Voſs.

Bey F. A. Herbig in Berlin erſchien ſo eben und wurde an alle Buchhandlungen des In- und Auslandes verſandt:

Abbildungen
aus dem Geſammtgebiete
der *theoretiſch-praktiſchen Geburtshülfe*, nebſt *beſchreibender Erklärung derſelben*. Nach dem Franzöſiſchen des *Maygrier* bearbeitet und mit Anmerkungen verſehen von *Eduard Caſp. Jac. von Siebold*, der Philoſophie, Medicin und Chirurgie Dr., Privatdocenten an der K. Univerſität zu Berlin, und erſtem Aſſiſtenten der Entbindungs-Anſtalt. *Erſte* Lieferung. Imper. 8vo.

Das ganze Werk in 8 bis 10 Lieferungen (durchgängig ſo ausgeführt, wie die vorliegende *erſte*) zu 8 bis 10 Tafeln, nebſt dem dazu gehörigen Texte, eine reiche Sammlung von mehr als 200 bildlichen Darſtellungen enthaltend, im Preiſe die Lieferung zu 20 gr. — Der Titel deutet ſchon an, daſs hier nicht etwas Vereinzeltes und ohne Ordnung auf einander Folgendes, wie wir es z. B. in den zu Weimar ſeit 1824 erſcheinenden geburtshülflichen Demonſtrationen ſchon haben, geliefert werden ſoll, ſondern, daſs eine *vollſtändige Geburtshülfe durch Abbildungen erläutert*, und zwar in der Ordnung, wie das Studium es erfordert, zu erwarten iſt. Die Abbildungen des franzöſiſchen Werkes ſollen theils unverändert benutzt, theils, wie ſchon in der *erſten* Lieferung geſchehen iſt, abgeändert, theils aber auch durch neue, namentlich von Inſtrumenten u. ſ. w., ergänzt werden. Eben ſo wird ſich der Text nicht auf eine Ueberſetzung, die für Deutſche wenig Nutzen haben dürfte, beſchränken: *eine freye Bearbeitung* wird vielmehr gegeben werden, und ſonach dürfte dieſs Werk, ſowohl durch ſeine eigenthümliche Form, als der leichten Art der Anſchaffung, ein treffliches Hülfsmittel für Studirende werden, nächſtdem aber auch dem Lehrer zur Verſinnlichung einzelner Gegenſtände bey ſeinen Vorleſungen, beſonders mancher Kinderlagen, Handgriffe u. ſ. w., nicht ohne Nutzen ſeyn.

So eben iſt erſchienen und in allen Buchhandlungen zu haben:

Reinhold, Ernſt, ord. Prof. der Phil. in Jena, Handbuch der allgemeinen Geſchichte der Philoſophie für alle wiſſenſchaftlich Gebildete. 1ſter Theil: Geſchichte der alten oder griechiſchen Philoſophie. gr. 8. 2 Rthlr. 12 gr.

Gotha, den 4. November 1828.

Hennings'ſche Buchhandlung.

Für Gymnaſien, Lyceen, Real-, Cadetten- und Artillerie-Schulen; Architekten, Geometer, Ingenieur, Künſtler u. ſ. w.

Im Verlage der Unterzeichneten iſt erſchienen und in allen Buchhandlungen zu haben:

Curſu's
der darſtellenden Geometrie
nebſt ihren Anwendungen auf die Lehre der *Schatten* und *Perſpective*, die Conſtructionen in *Holz* und *Stein*, das *Defilement* und die topographiſche *Zeichnung* von *Guido Schreiber*, vormaligem Lieutenant in der Groſsherzogl. Badiſchen Artillerie, Lehrer der geometriſchen Zeichnung an der polytechniſchen Schule zu Karlsruhe.

IV Theile, 4to, mit lithographirten *Tafeln*; erſchienen iſt: der *Erſte Theil — Reine Geometrie*.

Auch unter dem beſondern Titel:

Lehrbuch
der darſtellenden Geometrie
nach (der *neueſten Auflage* von) *Monge* (Lehrer am polytechniſchen Inſtitut in **Paris**) *Géométrie deſcriptive vollſtändig bearbeitet.*

Erſte Lieferung (27 *Druckbogen*, 33 *Tafeln* und *Monge's* Portrait enthaltend). 4to. Ladenpreis gebunden 4 Fl. 30 Kr. Rhein. od. 2 Rthlr. 12 gr. Sächſ.

Die *Zweyte Lieferung* in 15 *Druckbogen* und 12 *Tafeln* iſt bereits im Drucke vollendet, und wird nächſtens verſendet werden. Jeder der *IV Theile* bildet ein für ſich beſtehendes Ganzes, und werden auch einzeln verkauft.

Der *IIte*, *IIIte* und *IVte Theil* werden unverzüglich dem *erſten* nachfolgen.

Für

Für die äufsere Ausftattung hat die Verlagshandlung ihr Möglichftes gethan, und fie glaubt, dafs es befonders, hinfichtlich der Tafeln, die in deutfchen Lehrbüchern leider oft zur Ungebühr übel behandelt find, neben den beften des Auslandes in diefer Art werde beftehen können, und überdiefs noch durch die Wohlfeilheit des Preifes einen Vorzug erhalte.

Ausführliche Inhaltsanzeigen diefes Werkes find in jeder foliden Buchhandlung einzufehen.

Freyburg, im October 1828.

Herder'fche Kunft- und Buchhandlung.

Durch den Unterzeichneten ift fo eben an alle gute Buchhandlungen Deutfchlands und des benachbarten Auslandes von dem höchft intereffanten Werke:

Die Syfteme der praktifchen Politik im Abendlande, von Dr. *Karl Vollgraff,* ordentlichem Profeffor der Staatswiffenfchaften in Marburg (8 Theile)

der *erfte, zweyte* und *dritte* Theil verfendet worden. Es enthält:

der *erfte* Theil: die *ökumenifche Politik* oder die allgemeine Einleitung und Aufftellung der Grundbedingungen zum Staatsleben überhaupt.

der *zweyte* Theil: die *antike Politik* oder Politik der Griechen und Römer.

der *dritte* Theil: die *Charakteriftik* oder Charakter- und Culturftatiftik der modernen Völker, als Einleitung zur modernen Politik, welche der *vierte* Theil darftellen wird.

Diefer *vierte* Theil felbft wird Anfangs 1829 nachfolgen, und diefem in kurzen Friften die übrigen vier Theile.

Der Ladenpreis ift:

für den *erften* Theil 1 Rthlr. 6 gr. oder 2 Fl. 15 Kr.
für den *zweyten:* 2 Rthlr. 8 gr. od. 4 Fl. 12 Kr.
für den *dritten:* 2 Rthlr. 20 gr. od. 5 Fl. 6 Kr.

Jeder Theil ift auch einzeln verkäuflich und führt einen Special-Titel.

Nur das fey hier bemerkt, dafs diefes Werk, wie fchon der Titel befagt, durchaus praktifcher Tendenz ift, und daher nach andern Werken *ähnlichen* Titels im Voraus nicht beurtheilt werden darf.

Giefsen, im October 1828.

B. C. Ferber.

Für Landwirthe.

Neu entdecktes Verfahren, die Gerfte zum Branntweinbrennen zu benutzen. Nebft einer befondern Behandlungsart der übrigen Getreidearten zu diefem Zwecke, wodurch grofse Vortheile erlangt werden. Auf praktifche und richtig[e] [Ver]fuche gegründet und zum allgemeinen Be[ften] [be]kannt gemacht von *J. Ph. Ch. Muntz,* Grofsh[erzogl.] Weimar. Oekonomie-Rathe. *Zweyte* verb[efferte] und vermehrte Ausgabe. 8. Geh. Neuftad[t] d. O., bey J. K. G. Wagner. (Preis 8 g[r.] 36 Kr.)

Vorgenannte Schrift ift in allen Buchhan[dlungen] zu haben.

Medicinifche Literatur.

Bey Leopold Vofs in Leipzig find fo e[ben] erfchienen:

Scriptorum clafficorum de praxi medica nonnullorum opera collecta. Vol. VII et XII.

Auch unter den Titeln:

Morgagni, J. B., De fedibus et caufis morborum p[er] anatomen indagatis libri V. Curavit *Juft.* Ra[dius]. Tom. IV. 8. Cart. 1 Rthlr. 8 gr.

Ramazzini, B., Opera medica. Curavit *Juft.* Ra[dius]. Tom. II. 8. Cart. 1 Rthlr. 12 gr.

Kühn, C. G., Opuscula academica medica et ph[ilolo]gica collecta, aucta et emendata. Vol. II (*[illegible]* 2 Rthlr.

Eggert, F. F. G., Die organifche Natur des Me[nfchen]. Für Aerzte. Zwey Bände. gr. 8. 5 Rthlr.

Hünefeld, Ludw., Die Radefyge, oder das [fcandina]vifche Syphiloid. Aus fcandinavifchen Quellen [dar]geftellt. gr. 8. 21 gr.

In Commiffion ift bey mir zu haben:

Oefterreicher, Anatomifche Steinftiche. 1ftes bis 12tes Heft. München. gr. Fol. 18 Rthlr. Das Ganze wird 24 Hefte umfaffen.

Bonn, A., Tabulae anatomico-chirurgicae, doctrinam herniarum illuftrantes, editae a *G. Sandifort.* Cum tabb. XX aeneis. Lugd. Batav. gr. Fol. 7 Rthlr. 8 gr.

II. Vermifchte Anzeigen.

Es hat dem Buchhändler W. P. Grant in Cambridge gefallen, nicht nur einen Nachdruck meiner Ausgabe des *Aefchylus* erfcheinen zu laffen, fondern auch ein *Lexicon Aefchyleum,* wie ich es in der Vorrede verfprochen habe, als unter der Preffe befindlich anzukündigen. Ich finde mich daher veranlafst hiedurch anzuzeigen, dafs ich an jenem Unternehmen keinen Theil habe, fondern mein *Lexicon Aefchyleum* zur Oftermeffe 1829 bey dem rechtmäfsigen Verleger (F. Ch. W. Vogel in Leipzig) erfcheinen wird.

Breslau, im November 1828.

A. Wellauer.

ALLGEMEINE LITERATUR-ZEITUNG

December 1828.

BIBLIOGRAPHIE.

Stuttgart u. Paris, b. Cotta u. Renouard: *Repertorium bibliographicum*, in quo libri omnes ab arte typographica inventa usque ad annum MD typis expressi ordine alphabetico vel simpliciter enumerantur, vel adcuratius recensentur. Opera *Ludovici Hain*. Vol. I. Pars I. (A — B.) 1826. 594 S. Vol. I. Pars II. (C — G.) 1827. 563 S. 8. (10 Rthlr.)

Je anspruchsloser und schweigsamer dieses höchst verdienstliche Werk, über dessen Zweck und Plan uns keine Vorrede unterrichtet, in die literarische Welt eingetreten ist, desto mehr hält es Rec. für seine Pflicht, statt desselben das Wort zu nehmen und anzumelden, was es bringe und wofür es gelten wolle.

Es will nämlich nichts mehr und nichts weniger seyn und geben, als eine möglichst vollständige Registratur aller und jeder Drucke des 15. Jahrhunderts (mit alleiniger Ausnahme der xylographischen Produkte), und eine erschöpfend genaue materielle Beschreibung derselben. Auf alle anderweitigen literarischen und bibliographischen Erörterungen und Nachweisungen leistet es mit einer Uneigennützigkeit Verzicht, die bey der Masse eigenthümlicher Beobachtungen, welche sich dem Vf. im Laufe seiner Arbeit nothwendig dargeboten haben müssen, nicht hoch genug angeschlagen und gerühmt werden kann, und die für das Werk selbst von dem belohnendsten Erfolge gewesen ist. Der Vf. hat sich, mit tiefer Kenntniss des weiten Umfangs seiner Aufgabe, seine Grenzen nur deshalb enger gesteckt, um innerhalb derselben alles zu leisten, was nur immer verlangt und erwartet werden konnte. Dass er diess wirklich auf eine Weise geleistet habe, die sein Werk zu einer der wesentlichsten neuern Beförderungen der Bibliographie erhebt, und die es jedem Bibliothekar, jedem *Amateur* und jedem Händler mit ältern Büchern völlig unentbehrlich macht, des freut sich Rec. nach einem längern täglichen Gebrauch und nach der vielseitigsten Prüfung desselben hier, wenn auch spät, doch eben darum desto gewissenhafter und begründeter, aussprechen zu können.

Zuvörderst möge hier die Antwort auf eine Frage, die wir von mehrern Bücherfreunden vernommen haben, ihren Platz finden. Man fragte: „Ist das Werk nicht eine *Ilias post Homerum*, und konnte der Vf. nicht, was er Mehreres oder Besseres, als Panzer, zu geben hatte, in einem Supplementbande zu des letztern Werke liefern?" Darauf lässt sich, was sowohl Form als Stoff belangt, Mehreres entgegnen. Denn erstens galt es die Erleichterung des täglichen Gebrauchs, als wofür die alphabetische Form ohne Zweifel die angemessenste war. Wer die Register zum Panzer'schen Werke genauer kennt, weiss, wie unbequem dieselben zum Theil nach *locis communibus* eingerichtet sind (z. B. im Artikel *Historia*, wo man unter andern die *sept Sages de Rome* zu suchen hat), wie viele Druckfehler in ihnen vorkommen, und wie man häufig nur durch Bekanntschaft mit der innern Einrichtung des Werkes dasjenige finden kann, was man sucht, weshalb auch oft in Katalogen oder in bibliographischen Werken etwas als bisher unbekannt angegeben wird, was man in den Panzer'schen Registern nicht zu finden wusste und doch im Werke selbst am gehörigen Orte verzeichnet ist. Sodann würde es eine sehr verlorne Mühe gewesen seyn, die zahlosen hier vorkommenden Zusätze und Vermehrungen, geschweige denn die oft auf einzelne Jahrzahlen und Worte sich beziehenden Verbesserungen, in einem besondern Bande zu geben, da es bekannt ist, wie wenig bey dem schnellen Geschäftsgebrauche auf dergleichen Nachträge Rücksicht genommen wird und genommen werden kann. Wie viele Besitzer des Panzer'schen Werks mögen wohl die an diesem selbst (im vierten und eilften Bande) befindlichen Supplemente und Verbesserungen zu Rathe ziehen, selbst wo es auf eine tiefere Forschung ankommt? Endlich aber (und diess ist die Hauptsache) darf nicht übersehen werden, dass Hr. *Hain* einen ganz andern Plan hatte, als der ehrwürdige Panzer. Letzterer beabsichtigte ein *directorium diplomaticum* sowohl für die allgemeinere als für die locale Geschichte der Buchdruckerkunst, und wurde durch die Aufführung und Zusammenstellung der ältesten Drucke nach ihren Erscheinungsorten ein Eckhel für die Bibliographie. Zugleich wies er durch Anzeige der Werke, in welchen diese Drucke beschrieben waren, und der Bibliotheken, in denen sie aufbewahrt wurden, die weitere Beglaubigung seiner Angaben nach. Eine ganz andere Aufgabe hat sich unser Vf. gegeben. Sein Werk, in Stoff und Form gänzlich verschieden von dem Panzer'schen, und gleichwohl mit demselben innig verbunden, soll der *codex diplomaticus* zu jenem *directorium* seyn. Was Panzer nur andeutet und nachweist, das beschreibt unser Vf. genau und in einer Weise, welche jenen Nachweisungen erst die rechte urkundliche Beglaubigung giebt. So stehen beide Werke friedlich und freundlich neben ein-

einander; keins von beiden ſtrebt das andere zu verdrängen, und keins von beiden kann des andern entbehren.

In Hinſicht der Genauigkeit der materiellen Beſchreibung hat der Hr. Vf. alles geleiſtet, was nur irgend von ihm gefordert werden konnte. Was mit einem Stern bezeichnet iſt, ſahe und collationirte er ſelbſt, und deſſen iſt faſt zwey Drittel der vorliegenden zwey Bände. Dieſe Collationirungen beruhen zum gröſsten Theil auf den Exemplaren der Königl. Bibliothek zu München. Mit einem Kreuze ſind diejenigen Drucke bezeichnet, deren Exiſtenz nach wiederholten Forſchungen verdächtig ſchien. Bey jedem Drucke, der nach eigner Anſicht beſchrieben iſt, iſt der Anfang und der Schluſs mit ſorgfältiger Angabe, wie weit jede einzelne Zeile reicht, diplomatiſch treu und ſogar mit Beybehaltung der urſprünglichen Abbreviaturen mitgetheilt. Für die letzteren hat (was ſelbſt in den Dibdin'ſchen Werken nicht der Fall iſt) der thätige Verleger ganz neue Typen gieſsen laſſen. Es folgt ſodann die Angabe des Druckorts, Druckers, der Jahrzahl, des Formats, der Typengattung, der Blätter- und Zeilenzahl, und bey undatirten Drucken die muthmaſsliche Beſtimmung des wahrſcheinlichen Druckers. In letzterer Hinſicht hat der Vf. eine Sorgfalt bewährt, welche eben ſo ſehr von der fleiſsigſten Benutzung der beſten Hülfsmittel, als von eigner ſelbſtſtändiger Forſchung zeugt.

Nicht weniger iſt für die möglichſt abſolute Vollſtändigkeit geſchehen. Panzer verzeichnete in den vier erſten Bänden ſeines Werkes (mit Ausnahme der Supplemente zum vierten und eilften Bande) nach einer genauen Berechnung 18,802 bis mit dem Jahre 1500 erſchienene Drucke. Nehmen wir den Betrag jener Supplemente nach einer überreichlichen Zählung (denn wie manches iſt nicht bey Panzer doppelt aufgeführt!) zu 2698 Drucken an, ſo ergiebt ſich eine Geſammtzahl von 16,000 Druckſchriften bis zu Ende des 15. Jahrhunderts, welche Panzern bekannt waren. Unſer Vf. zählt aber deren bis zum Buchſtaben *G* nicht weniger als 8340, und es iſt gewiſs kein übertriebner Maſsſtab, wenn wir dieſe Zahl mindeſtens als das Drittel der von ihm in den künftigen Bänden noch zu beſchreibenden Drucke betrachten. So ergäbe ſich denn bey Hn. *Hain* eine Geſammtzahl von mehr denn 25,000 Drucken, und mithin eine Mehrzahl von nicht weniger denn *Neuntauſend* bey Panzer fehlenden und zum Theil bisher noch ganz unbekannten.

Indem Rec. zur Mittheilung einiger Bemerkungen über einzelne Artikel dieſes Werkes ſchreitet, ſchickt er die Verſicherung voraus, daſs dieſelben lediglich auf eigener Einſicht der betreffenden Drucke beruhen und mithin bibliographiſch zuverläſſig ſind.

Nach 263 fehlt: *Enee Siluii Pii ſecūdi .... in ſacratiſſimam paſſionem dominicam ſapphico pede incedentem, cum dilucida interpretatione Petri N. Drolshagii. Daventriae, Rich. Pafraet, 5. April. 1500, 4. goth.* 11 Blätter mit Signatur. — Nach 606 fehlt: *Diſes ... büchlein. Von ertzney der roſs oder pferde ... das hat gemacht mayſter Albrecht Kayſer Fryderichs ſchmid. unnd marſtaller von Conſtantinopel. Ulm, Hans Zayner, 1498, 4.* (in Wolfenbüttel.) — Nach 1894 fehlt: *Incipit libellus ſancti Thome de aquino de viciis et virtutibus numero quaternario procedens.* Ohne Ort und Jahr, *4. goth.* 16 Blätter mit 26 Zeilen, ohne Sign., Cuſt. u. Blattzahl. Es ſcheint derſelbe Druck zu ſeyn, welchen Panzer Th. I. S. 14. der Autwerper Officin des Matthias Goes zutheilt. — Num. 1595 wird *Aretini Calphurnia et Gurgulia comedia in monaſterio Sorten. 1478* nach Panzer IV, 228 dem Kloſter Schuſſenried zugeſchrieben, woran Rec. nicht glauben kann, da jenes *monaſterium Sortenſe* bereits in den Handſchriften dieſes Schauſpiels, z. B. im *Cod. Gudianus lat. 22* in Wolfenbüttel, erwähnt wird, und mithin nur den Ort der Abfaſſung angiebt. Er iſt überzeugt, daſs dieſer Druck nur zwiſchen Cölln und Strasburg ſtreitig ſeyn könne, wagt aber nicht, zwiſchen dieſen beiden Orten zu entſcheiden. Für Cölln ſpricht das Papierzeichen des Ankers (Nr. 51 bey Santander), welches nur in Drucken in und bey Cölln vorkommt. Für Strasburg, und namentlich für die dortige Officin des Martin Flach, könnte vielleicht der Umſtand zeugen, daſs ſich unter den Handſchriften der Herzogl. Bibliothek zu Wolfenbüttel ein Band findet (80 Ms. Aug., fol.), in welchem M. Crafto von Odenheim, Rector der Schule in dem benachbarten Schlettſtadt, mit einem von ihm ſelbſt im Jahre 1480 abgeſchriebenen Terentius auch den undatirten (aber als Flach'ſchen Druck anerkannten) Perſius, den Flach'ſchen Salluſtius und eben unſern Aretinus hat zuſammenbinden laſſen. Indeſſen muſs Rec. zugleich bemerken, daſs wenigſtens die Type des Salluſtius von der der Aretinus verſchieden iſt (vgl. die Facſimile's in der *Bibl. Spencer.* II, 388 und III, 163), und er erwähnt nur noch, daſs der in ſeinem bibliogr. Lexicon Nr. 22434 aufgeführte undatirte Terentius genau mit der Type des Aretinus gedruckt iſt und daſſelbe Papierzeichen darbietet. — Die 1831 angeführte Ausgabe der *ars moriendi* wird zwar mit Recht Cölln, aber wohl weniger richtig Quentels Preſſe zugeſchrieben. Die Typen ſind nämlich dieſelben, mit welchen ein undatirter *Turrecremata* und andere meiſt ebenfalls 38 Zeilen enthaltende Drucke, welche Braun I, 63 ff. beſchreibt, gedruckt ſind. Braun theilt ſie (wir glauben mit Recht) einem unbekannten Cöllner Drucker zu (vgl. *Panzeri annales* I, 346), und giebt ihr Facſimile Tab. 4. Nr. 7. Dieſe Ausgabe, welche Heineken nicht erwähnt und die in Wolfenbüttel befindlich iſt, ſcheint um das Jahr 1470 gedruckt zu ſeyn. — Nr. 1889—90 iſt wenigſtens der eine der undatirten 62 zeiligen Mentelin'ſchen Drucke von *Aſteſani ſumma* früher, als 1472, anzuſetzen: denn ein Wolfenbüttler Exemplar hat die gleichzeitige Handrubrik: *Illuminata rubricataque praeſens ſumma eſt ipſa die Petri ad vincula anno LXX* (1470) *per me Johannem ....* Das übrige iſt mit Dinte überzogen. Doch war der Name des Rubricators beſtimmt

stimmt nicht Bämler, wie man noch unterscheiden kann. — Nr. 2085. Von *Augustinus de conflictu vitiorum* ist ein Exemplar mit der Handrubrik 1481 in Wolfenbüttel. — Nach Nr. 2142 fehlt: *Aurora grammatice*, ohne Ort und Jahr, fol. goth. 74 Blätter in 2 Columnen, mit der Sign. *a — k* und mit 40 Zeilen, ohne Blattzahl und Custos. Die Type ist die von Koelhof in Cölln und dieselbe, wie bey Braun Tom. II. tab. 2. Nr. 4. — Zur holländ. Uebersetzung des *Bartholomaeus de Glanvilla* Nr. 2522 ist nachzutragen, dass vor dem Texte 9 Blätter Capitelverzeichniss vorausgehen, und nach der Schlussschrift ein Blatt mit dem Druckerzeichen folgt. Der Text selbst ist in 2 Columnen, jede mit 40 Zeilen, und mit Signatur gedruckt. — Nr. 2486 ist *Bartholomaei de Chaimis interrogatorium* (2 Col. mit 36 Zeilen) unrichtig einer venezianischen Presse zugetheilt. Es ist zuverlässig zu Löwen von Joh. de Westphalia gedruckt, und in Wolfenbüttel an die *Gesta Romanorum. Lov., J. de Westphalia, o. J., 4.* (bey unserm Vf. Nr. 7742) gebunden. — Von dem Drach'schen Drucke von *Bartholomaei de S. Concordio summa* Nr. 2524 giebt es ein laut einer gleichzeitigen Inschrift (vgl. unten *Durandi rationale*) schon 1476 erkauftes Exemplar in Wolfenbüttel. — Nr. 2530 hätte der Franciscaner *Bartholomaeus Pisanus* (*Bartolommeo da Rinonico*), welcher das *quadragesimale* schrieb, nicht mit dem Dominicaner *Bartolommeo di S. Concordio* verwechselt werden sollen. Eine sehr gründliche Abhandlung Follini's über die verschiedenen Pisanischen Bartolommei findet sich in der *Nuova collezione di opuscoli.* T. I. *Badia Fiesolana*, 1820, 8. S. 229 — 258. — *Bernardini Senensis tract. de contractibus* (Nr. 2855) ist schwerlich Strasburger Druck, sondern vielmehr aus Wensler's zu Basel Officin hervorgegangen. Es ist in Wolfenbüttel mit derselben Ausgabe von *Cyrilli Speculum sapientiae*, welche Hr. *Hain* selbst Nr. 5903 als Wensler'schen Druck anerkennt, zusammengebunden, und ganz mit denselben Typen gedruckt, wie der Cyrillus. Panzer theilt es Th. I. S. 94 dem unbekannten Strasburger Drucker mit dem sonderbaren *S* zu, und es ergiebt sich daraus, dass die Panzer'sche Zusammenstellung und Bestimmung dieser Drucke noch einer sorgfältigen Sichtung und wiederholten Prüfung bedürftig sey, was er auch selbst T. IV. S. 228 eingesteht. Er giebt hier zu, dass auch die Eichstädt'schen und Burgdorf'schen Officinen ähnliche Typen besassen, und jetzt finden wir dergleichen nun auch zu Basel. — *Bernardi speculum de honestate vitae* (Nr. 2900) ist zu Strasburg von Martin Flach um 1475 gedruckt. — Des *Bonanio ninphale di Fiesolo* (Nr. 3305) ist mit derselben Type gedruckt, wie das Gedicht: *Uberto et Philomena. Ven., Tomm. di Piasis*, 1492, 4. mit welchem es in Wolfenbüttel zusammengebunden ist. — Bey *Boner* (Nr. 3578) hätte die gereimte Schlussschrift nicht so abgetheilt werden sollen, als wäre sie im Drucke selbst wirklich nach den Reimen abgesetzt, da sie vielmehr fortlaufend gedruckt ist. — Nach Nr. 3848 fehlt: *Breviarium juxta dispositionem rubricae ecclesiae b. Mariae Halberstaden. Magdeburgi, Maur. Brandiss*, 1495, kl. 4. goth. — Nr. 3961 ist die Beschreibung der französischen Uebersetzung von Breydenbachs Reise dahin zu ergänzen, dass sie 180 Blätter mit Sign., ohne Custos und Blattzahl, enthält, und dass Bl. 1 *a* der wahre Titel so lautet: *Le saint voiage et pelerina | ge de la cite saincte de hieru | salem.* — Von der unter Nr. 3993 verzeichneten Ausgabe der *summa praedicantium* des Bromyard befindet sich zu Wolfenbüttel ein Exemplar mit der Handrubrik 1484. — Nr. 4186 ist die Beschreibung des *Byenboeck* unzulänglich. Der Titel lautet Bl. 1 *a*: *Dit is der bien boeck*. Unter dieser Zeile sind eine in Holz geschnittene Vignette, zwey holländische Verse und die beiden Mitteldarstellungen der Tafeln *s* und *t* (des zweyten Alphabets) der *biblia pauperum* befindlich, von welchen letztern Rec. bereits in seinen Ueberlieferungen B 1. Heft 2. S. 127 anderweite Nachricht gegeben hat. Auf Bl. 2 — 4 ist das Capitelverzeichniss, und Bl. 5 *a* beginnt das Werk selbst mit einer Ueberschrift von 7 Zeilen. Bl. 188 *b* Col. 2. ist folgende Schlussschrift in 9 Zeilen: *Dit teghenwoerdighe boec dat | daer is ghenoemt der byen boeck is | voleyndet eñ volmaket totter er? go | des eñ tot stichtinghe eñ beteringhe | alre goeder menschē die dit lesen ofte | horen lesen bi my Peter van os pren | ter tot swolle. Int iaer ons herē. M | cccc. lxxxviij. des anderē daghes nae | sinte ponciaens dach.* Darunter steht das Druckerzeichen. Das ganze Werk enthält 4 Blätter Vorstücke und 188 bezifferte Blätter in 2 Columnen mit 36 Zeilen und mit Signatur, doch ohne Custoden. Die Type ist eine andere, als die der frühern Zwoller Officin, welche 1479 *Bonaventurae sermones* lieferte, mehr der Leeu'schen zu Antwerpen ähnlich, sichtlich aber flandrisch, während die frühere Zwollische Type unverkennbar aus der nordholländischen Urtype hervorgegangen und mit ihr verwandt ist. Es werden weiter unten zwey bisher unbekannte Drucke des *Cicero de proprietate terminorum* und des *Donatus* angeführt werden, welche ebenfalls dieser ältern Zwoller Officin angehören, und zu neuer Bestätigung des eben Gesagten dienen.

Nach Nr. 4202 fehlt von *Caccialupis repetitio l. si qua illustris* die Ausgabe *Bonon., J. Valbeck*, 1493 f. goth. 14 Blätter (das erste weiss) in zwey Columnen. — Nr. 4326. *Canis tract. repressalearum. Papiae*, 1479, f. enthält 10 Blätter in 2 Col. mit 50 Zeilen und der Sign. *A.* — Nach Nr. 4333 fehlt *Gerardi Cannisii compendium de regimine partium orationis. In Buscoducis, Laur. Haeyen* (ohne Jahr, aber um 1487), 4. goth. Weder Panzer noch Santander kennen diesen Drucker. — Nr. 4707 ist der in Dibdin's *bibl. spenc.* IV, 474 zuerst bekannt gemachte *Cato* Joh. de Westphalia in Löwen, gewiss mit Unrecht, beygelegt. Das Facsimile bey Dibdin zeigt, dass die Type von dem verfeinerten Schnitt und Gusswerk der Westphäl'schen gänzlich verschieden ist, und sicherlich der nordholländischen Urofficin oder mindestens der frühesten Utrechter

Presse

resse angehört. Auch Vanpraet im zweyten *cata-*
gue des livres impr. sur vélin II, 75 legt diesen Druck
ux plus anciennes presses des pays - bas bey. —
Nach Nr. 5013 fehlt: *Die. alder. excellrste. Cronyke.*
n. brabat. Antwerpen, Rolant van den Dorp, 1497,
goth. mit Holzschnitten. 204 Blätter in 2 Col. mit
0 Zeilen und mit Signatur. — Nach Nr. 5348 fehlt:
iber de proprietatibus terminorum Cyceronis iuxta
rdinem Alphabeti compendiose editus. Zwollis, ohne
Drucker und Jahr, 4. goth. 32 Blätter mit 27 Zeilen,
hne Sign., Cust. und Blattzahl. Die Type ist die
er ältern Zwoller Officin, und auch an Erhaltung und
chärfe der in *Bonaventurae sermonibus* von 1479
orkommenden so völlig gleich, dass auch der *Ci-*
ro in dasselbe Jahr gesetzt werden darf. Ganz
asselbe gielt von einem zu den bedeutendern Selten-
eiten gehörenden Drucke des *Donatus*, welcher
y Hn. *Hain* nach Nr. 6389 nachzutragen ist. Der
halt desselben ist: *Barbarismus Donati de figuris*
ammaticalibus. Priscianus de accentibus. Prisci-
us de nominibus numeralibus, Ohne Ort und Jahr
berlich aber zu derselben Zeit in Zwoll gedruckt),
goth. 20 Blätter mit 27 Zeilen, ohne Sign., Cust.
Blattzahl. Das Papierzeichen des Donatus ist
elbe, welches sich in den Utrechtschen Drucken
Ketelaer und Leempt findet und bey Santander
. III. Nr. 88 abgebildet ist. — Ausser der Nr. 5488
eichneten Ausgabe des *Colloquii peccatoris et cru-*
i. Antw., Leeu, 1487, 4. (16 Blätter mit 35 Zei-
und der Sign. *A*) giebt es noch eine andere
, *idem*, 16. *cal. Jun.* 1488, 4. goth. 16 Blätter
5 Zeilen und der Sign. *a—c.* Auch fehlt die
be *Daventr., Rich. Paffroet*, 1491, 4. goth. —
beiden unter Nr. 5505 und 5506 angezeigten
te des *Columna* fallen in Einen zusammen. Es
nlich die Ausgabe ohne Ort und Jahr (Utrecht,
er und Leempt), f. goth. 130 Blätter mit
len, ohne Sign., Cust. und Blattzahl. Bl. 1 *a*
und 2 sind: *Incipit prologus sup hystoria de-*
mis troie cōposita p iudicē guidonē de columpna
m. Das Werk selbst endet Bl. 128 *b*. Die
etzten Blätter enthalten eine *tabula presentis*
, und Bl. 130 *a* ist die letzte oder 12te Zeile:
tabula presentis hystorie. Da die Typen
nen des *Liber Alexandri* derselben Drucker
weniges verschieden und besser sind, so ist der
vielleicht etwas später erschienen als der
er. — Von der unter Nr. 5903 erwähnten
schen Ausgabe von *Cyrilli speculum* ist in
nüttel ein Exemplar mit folgender gleich-
Note: *Hunc librum comparavit frater Jo-*
swartz. Anno LXXV (1475) *pro IV solidis*
. An demselben ist der *Bernardinus Senen-*
stractibus (von welchem bereits oben die
) mit derselben Type befindlich, und es

ergiebt sich also für beide Drucke mindest
Jahr 1475, wo nicht schon 1474. Ueberhaupt
zu wünschen, dass ein schweizerischer Lite
Drucke der Wensler'schen Officin zum Gegen
einer besondern Forschung machen möchte. I
der Meynung, dass Wensler ein Zögling der
burger Druckerschule, und früher, als man
niglich glaubt, thätig gewesen sey. Auch mö
wohl manche Drucke zugehören, die man
andern Officinen zugeschrieben hat. — Die
Declaratio modi et formae venditionis wird
Therhörnen's Presse zugetheilt. Das Papierz
ist ein Einhorn, welches nie in der Gegend
Cölln, wohl aber in der von Magdeburg vorkom
Auch ist die Type ganz die des Mauritius Brandis
Magdeburg. — Nr. 6083 ist es, wie eben bey
dem Vf. abermals begegnet, die Type des Joh. de
Westphalia zu verkennen und mit der ältern nied-
holländischen Type zu verwechseln: denn es ist gewiss, dass das *defensorium fidei* der Utrechter O
cin von Ketelaer und Leempt zugehört. —
Nr. 6119 *dialogus inter clericum et laicum* ist k
Löwen'scher, sondern vielmehr ein von Rich. Pa
roet zu Deventer gelieferter Druck. — Dionysii
S. Burgo declaratio Valerii Max. (Nr. 4105), wel
bekanntlich zur Suite der Drucke mit dem sonderbaren *R* gehört, ist nach Strasburg verlegt worden,
während andere dieser Drucke an andern Stellen dieses Werks einer Cöllner Officin zugeschrieben werden, z. B. die *Biblia lat.* (Nr. 3034), *Donatus in Te-*
rentium (Nr. 6382) und *Duranti* (Nr. 6461). Man weiss,
dass Panzer zuerst (*annal.* I, 76 ff.) diese Drucke zu-
sammenstellte, einer Strasburgischen Officin zutheilte,
und sie, ohne sie Mentelin ausdrücklich zuzuschreiben, doch für sehr ähnlich mit dessen im *Vincentius*
Bellovacensis gebrauchten Types erklärte. Dibdin
folgte Panzern in der *bibliotheca Spenceriana*, fing
aber doch in demselben Werke II, 416 zu zweifeln
an, ob diese Drucke wirklich Mentelin zugeschrieben werden dürften, und leugnet diess in der Tour
III, 486 entschieden. Rec. hat im bibliogr. Lexicon
unter *Magni* (Nr. 12779) die Vermuthung gewagt, ob
sie nicht wegen des Papierzeichens (ein bekanntes p,
welches wenigstens nicht in Mentelin'schen Drucken
vorkommt) nach Cölln oder gar nach den Niederlanden zu verlegen seyen; aber er gesteht, dass er
auch jetzt noch diese Meynung für weiter nichts, als
für eine Vermuthung gelten lassen wolle. Vanpraet
dagegen stimmt in seinem ersten catal. des livres impr.
sur vélin IV, 20 auf das entschiedenste für Mentelin.
In Hn. Prof. *Lichtenberger's* kürzlich erschienener
Geschichte der Erfindung der Buchdruckerkunst ist
diese ganze Streitfrage nicht berührt, so nahe doch
auch diese Untersuchung gelegen hätte.

(*Der Beschluss folgt.*)

ALLGEMEINE LITERATUR - ZEITUNG

December 1828.

BIBLIOGRAPHIE.

Stuttgart u. Paris, b. Cotta u. Renouard: *Repertorium bibliographicum* — — Opera *Ludovici Hain* etc.

(*Beſchluſs der im vorigen Stück abgebrochenen Recenſion.*)

Mit einem ganz vorzüglichen Fleiſse iſt der für Geſchichte der Anfänge der Buchdruckerkunſt wichtige Artikel *Donatus minor* gearbeitet; der ſich in keinem einzigen bibliographiſchen Werke in ſolcher Vollſtändigkeit und Genauigkeit zuſammengeſtellt worden iſt. Es werden hier nicht weniger als 42 Drucke deſſelben angezeigt, zu denen in den *Addendis* noch 2 hinzukommen. Wer es weiſs, daſs dieſe Schrift gewöhnlich nur in Fragmenten vorkommt und daher ſchwer zu beſchreiben und von andern Ausgaben zu unterſcheiden iſt, und wer es jemals aus eigner Unterſuchung erfahren hat, wie ſchwer, ja bisweilen faſt unmöglich, die Erkennung und Zutheilung der Typen dieſer Donatdrucke ſey, weil ſie gemeiniglich zu den erſten localen Druckverſuchen gehörten und daher bald wieder zurückgelegt wurden, oder, da ſie gewöhnlich einer Miſſaltype angehören, zu andern verbreitetern Werken nicht angewendet werden konnten: der weiſs die Mühe zu ehren und anzuerkennen, welche auf die 2¼ Seiten, die dieſer Artikel füllt, hat verwendet werden müſſen. Es hat Rec. noch bis heute nicht gelingen wollen, über das hier unter Nr. 6848 verzeichnete 28zeilige Dresdner Donatfragment einen nähern Aufſchluſs zu finden. Es beſteht aus drey Folioblättern mit einer, beſonders in den Verſalbuchſtaben, ganz eigenthümlichen Miſſaltype, jede Seite zu 28 Zeilen, und hat weder Signatur, noch Cuſtos und Blattzahl. Das Papierzeichen iſt nicht zu erkennen. Der ringelförmige Punkt über dem i iſt derſelbe, der in der 42zeiligen Gutenbergiſchen Bibel und in den Pfiſterſchen Drucken vorkommt, und doch gleicht unſer Donat keinem Drucke dieſer beiden Officinen. Ein deutſcher Druck iſt er indeſſen zuverläſſig.

Von den Gutenbergiſchen Donaten hat der Vf. unter Nr. 6827 bloſs den 33zeiligen aufgeführt; die beiden 27zeiligen trägt er in den Zuſätzen zum 2ten Bande unter Nr. 6329 *a* und *b* nach. Dieſe letztern beiden führt er, was zu bemerken nicht überflüſſig iſt, nach Fiſcher's Beſchreibung typogr. Seltenheiten 1. Lief. S. 55 und 56 an, wo ſie mit 2 und 3 beziffert ſind. Aber er hat überſehen, daſs Fiſcher ſelbſt ſpäter in ſeinem *Eſſai ſur les monumens. typogr. de Gutenberg* S. 64 not. den zweyten dieſer Donate (Nr. 3 bey Fiſcher und Nr. 6829 *b* bey Hn. *Hain*) Gutenberg wieder abſprach und als holländiſchen Druck anerkannte, ob Fiſcher gleich darin irrte, daſs er ihn der Paffroet'ſchen Preſſe zu Deventer zuſchrieb, da er doch ſichtlich und unleugbar, wie auch Vanpraet im erſten *catal. des livres impr. ſur vélin* IV., 6 anerkennt, der nordholländiſchen Urofficin zugehört. Man ſieht aus dieſem Beyſpiele, wie wenig ſicher der ſonſt ſo verdiente Fiſcher in ſeiner Typenkritik war, und wie nothwendig es ſey, daſs man bey der in unſren Tagen neu aufgeregten Streitfrage Mainziſcher Seits nicht bey ſeinen Reſultaten ſtehen bleibe, ſondern alles aufs Neue erforſche. Und dieſs um ſo mehr, als ſich nunmehr ergiebt, daſs Gutenberg auch nicht einmal der erſtere 27zeilige Donat angehöre, wie Hr. *Hain* unter Nr. 6829 *a* mit dem vollſten Rechte bemerkt. Denn dieſer erſtere Donat, den Fiſcher in den typograph. Seltenheiten Lief. 1. S. 55. Nr. 2 und in dem *eſſai* S. 68. Nr. 2 (wo auch auf der beygefügten Kupfertafel ein Facſimile unter Nr. 1 befindlich iſt) aufgeführt hat, iſt ſichtlich und unwiderſprechlich aus der Albrecht Pfiſter'ſchen Preſſe zu Bamberg hervorgegangen. Wer keine Gelegenheit zur eignen Einſicht Pfiſter'ſcher Drucke hat, der vergleiche nur in *Camus notice ſur un livre imprimé à Bamberg* die zweyte Kupfertafel, um ſich zu überzeugen, daſs dieſer Donat einer der frühern Typenverſuche Pfiſters iſt, und mit keiner erweislich Gutenbergiſchen Type das Geringſte gemein hat. Daraus geht denn aber zugleich hervor, daſs auch die zuverläſſig bereits im Jahre 1456 gedruckten *Conjunctiones et oppoſitiones ſolis et lunae* (Nr. 5622 bey unſerm Vf., vgl. Fiſcher's *notice du premier monument typographique. Mayence*, 1804, 4.) nicht Gutenberg, wie Fiſcher will, ſondern Pfiſter zugehören. Eben ſo wenig kann mit irgend einem haltbaren und einleuchtenden Grunde bewieſen werden, daſs *Hermanni de Saldis ſpeculum ſacerdotum* und der *Tractatus de celebratione miſſarum* Gutenbergiſche Produkte ſeyen. Beide gehören ohne Zweifel der Strasburgiſchen Druckerſchule an, wie ſich aus der völlig un-Mainziſchen Type (man vergleiche nur die doppelte Form des *S*, die nur in Strasburg wiederkehrt) mit hiſtoriſcher Evidenz ergiebt. Gewiſs, dem unbefangenen und gründlichen Forſcher drängt es ſich immer mehr auf, daſs noch bis auf den heutigen Tag auch für die deutſche Erfindungsgeſchichte gar vieles zu erforſchen ſey, wovon in keiner datirten und beſiegelten Urkunde etwas ſteht, daſs die beſten und zuverläſſigſten Data aus

aus der Vergleichung der frühesten Leistungen selbst gewonnen werden müssen, und dass es beklagenswerth sey, wenn die Erforschung der Geschichte einer wahrhaft freyen Kunst weniger frey seyn soll, als die Kunst selbst. Von Mainz aus darf noch gar nicht in dem zuversichtlichen Tone gesprochen werden, den wir in neuerer Zeit vernommen haben. Strasburg, Cölln und Bamberg sind gar gefährliche Nebenbuhler!

Bey dem unter Nr. 6467 angeführten Durandi ist in der Angabe der Zeilenzahl (44) wohl ein Druckfehler. Wenigstens passt die ganze übrige Beschreibung auf eine ebenfalls undatirte, aber unstreitig aus Drachs Officin zu Speyer hervorgegangene Ausgabe, die jedoch 49 Zeilen hat, in Wolfenbüttel mit *Bartholomaei de S. Concordio summa* (bey unserm Vf. Nr. 2524) zusammengebunden ist, und die gleichzeitige Inschrift hat: *Liber monasterii S. Georgii in clausu prope Gad'ss (Gandersheim) ordinis S. Benedicti. Racionale divinorum officiorum. Emptum* 1476. Sie ist völlig mit derselben Type gedruckt, wie der *Bartholomaeus*, und Drachs Drukkerthätigkeit, welche bisher erst von dem Jahre 1477 an angenommen wurde, gewinnt durch diese Inschrift wenigstens ein ganzes Jahr an Alter. Rec. ist überzeugt, dass sie noch höher hinaufreiche. Die *gesta Christi* (bibliogr. Lexicon Nr. 8448) und die mit denselben Typen gedruckte *Doctrina b. Ieronimi ex suis operibus dinumerata* (ohne Ort und Jahr, fol. goth. in 2 Col. mit 32 Zeil. u. der Sign. *a*—*e*), welche beide Drachs Presse wahrscheinlich zugehören, haben auf ein noch höheres Alter Anspruch. — Nr. 6666. *Elegantiarum viginti praecepta.* Dieser Deventer'sche Druck von Breda enthält 16 Blätter mit der Sign. *a* und *b*. Es giebt aber noch eine andere hier nicht erwähnte Deventer'sche Ausgabe dieser Schrift: *Elegantia 4 viginta (sic) praecepta. In impressura plateae episcopi* (also zu Deventer, bey Rich. Paffroet), ohne Jahr, 4. goth. 12 Blätter mit 34 Zeilen und der Sign. *a* und *b*. — Nach 6662 fehlt: *Epistole e, sonecti damore* (inwendig heisst es: *Libro de epistole de doi amanti cū sonetti de Amore: cōposto per la felice memoria del Facundissimo Papa pio secūdo*). *Bressa, Bapt. de Farfengo, adi ultimo del mese de Octubrio*, 1491, 4. 22 Blätter mit der Signatur *a*—*c* in 2 Columnen mit 45 Zeilen. Diese Schrift ist eine Uebersetzung von Pius II, Eurialus und Lucretia, und könnte daher bey unserm Vf. auch zwischen Nr. 247 u. 248 eingeschaltet werden. — Nach Nr. 6913 fehlt: *Farrago (grammatica)*, ohne Ort und Jahr (Deventer, Jac. de Breda), 4. goth. 14 Blätter mit 28 Zeilen und der Sign. *a* und *b*. — Nach Nr. 7188 fehlt folgende Ausgabe: *Florio e Bianza Fiore chiamata*, ohne Ort und Jahr, 4. goth. 4 Blätter in 2 Columnen mit 44 Zeilen, ohne Signatur. Aus dem Ende des 15. Jahrhunderts beginnt Bl. 1 *a* mit obiger Ueberschrift, worauf sogleich das Gedicht selbst (in Ottaverime und 88 Stanzen) beginnt: *Done e signori vi vollio pregare.* — Nr. 7464. *Galtheri Alexandreis.* Von dieser in Deutschland höchst seltnen Ausgabe ist ein Exemplar in Wolfenbüttel. Der Titel ist bloss: *Gesta alexandri magni*, worunter das Druckerzeichen. Es sind in allem 148 Blätter mit der Sign. *a*—*s* und 20 Zeilen. — Nr. 7558. Die vollständigere Angabe von Gengenbach's Schrift ist: *Die X alter dyser welt. Hie findt man die zehen alter nach gemainem lauff der wält mit vyl schönen hystorien begryffen, vast lieplich zu läsen und zu hören. Vnd sind dyse alter .... gespilt worden Im XVc Jor vff der herre fastnacht vō etlichē ersamen vnd geschickten Burgeren eir loblichen stat Basel*, ohne Ort und Jahr (zu Ende stehen die Buchstaben *S. R. F.*), 4. mit Holzschnitten. 15 Blätter, in Versen. Von demselben Gengenbach ist wohl auch die anonyme Schrift: *Der welsch Fluss*, ohne Ort u. Jahr, 4. mit Holzschnitten, in Versen. 6 Blätter. Ferner: *Der alt Eydgnoss. Das ist ein new lied von dem altē Eydgnossen und allen fürstē und herrē*, ohne Ort und Jahr, 4. 8 Blätter mit Holzschnitten, und mit derselben Type, wie der welsch Fluss. Zu Ende steht: *S. R. F.* und darunter: *P. G.* Die Buchstaben *P. G.* sind jedenfalls durch *Pamphilus Gengenbacensis* (vgl. *Panzeri ann.* XI, 206) zu erklären.

Indem Rec. dem Werke die verdiente thätige Theilnahme und Unterstützung des literarischen Publicums, und dem Vf. zur glücklichen Vollendung desselben mit einem aus eigner Erfahrung entspringenden Mitgefühl von Herzen Kraft und Glück wünscht, kann er sich nicht versagen, hier einen Wunsch auszusprechen, von welchem er zu hoffen wagt, dass er kein frommer bleiben werde.

Für die Registrirung der ältesten Druckdenkmale ist nunmehr durch Panzer und Hn. *Hain* soviel geleistet worden, dass der Zuwachs künftiger Entdekkungen füglich durch blosse Supplemente zu beiden Werken nachgeführt werden kann. Aber noch immer fehlt es an einem Schlusssteine für diese verdienstlichen Bemühungen, an einer paläotypischen Iconographie, für welche eben jetzt, seit der Erfindung des Steindruckes, die rechte Zeit wäre. Es giebt so manchen eifrigen und wohlmeynenden Bibliothekar und Sammler, der aus seinem Vorrathe die Geschichte der ältesten Buchdruckerkunst fördern könnte und würde, wenn ihm nur die Vergleichung dessen, was er nicht selbst betrachten kann, verstattet wäre. Aber wie wenige haben Gelegenheit, alle zu diesem Behuf dienlichen Hülfsmittel, welche in so vielen, zum Theil kostbaren, Werken zerstreut sind, zu benutzen, wie wenig befriedigen oft die Facsimile's, welche in diesen Werken gegeben sind, und wie schwierig ist es, sie eben dann zusammen zu finden, wenn man ihrer am meisten benöthigt ist! Sollte es daher nicht eine eben so nützliche und verdienstliche, als Beyfall und Unterstützung findende Aufgabe seyn, wenn eine chronologisch geordnete und möglichst von den Originalen genommene Sammlung von Facsimile's ältester Druckalphabete mit Beyfügung charakteristischer Abbreviaturen, Druckerinsignien und Papierzeichen veranstaltet würde? Rec. versagt es sich

sich, der Grenzen dieser Blätter eingedenk, ungern, diesen Plan hier weiter aus einander zu setzen, so gestattet sich nur die Bemerkung, dass mit höchstens vier Lieferungen, jede etwa zu zwölf Quartblättern, dieser Zweck vollständig erreicht werden könnte, und er bietet zur Beförderung desselben seine eignen zahlreichen Sammlungen dieser Art und seine fernere thätigste Theilnahme mit desto grösserer Bereitwilligkeit an, jemehr er überzeugt ist, dass ohne ein solches iconographisches Werk die älteste Geschichte der Buchdruckerkunst immer auf einem vagen Meynen und Nichtmeynen beruhen werde, bey welchem wenigstens die ernstere Forschung nicht das Geringste gewinnt, so sehr auch vorlaute und unkündige Schwätzer dabey ihre Rechnung finden mögen.

Ebert.

VERMISCHTE SCHRIFTEN.

Hamm, b. Wundermann: *Einsiedleransichten und Träume von dem Menschen, dem Staate, der Politik und der Kirche.* Herausgegeben von *Anselm Friedank*, Glöckner des Augustinerklosters bey W**. 1828. *Erster* Band. VIII u. 260 S. *Zweyter* Band. 314 S. 8. (3 Rthlr.)

Der herausgebende Glöckner erzählt, ein kranker Wandrer sey an die Pforte seines Klosters gekommen, habe Nachtlager gebeten, sey aufgenommen worden, gestorben und begraben, der Prior habe in ihm seinen Bruder Theophilus erkannt, der das väterliche Haus verlassen und sich in der Welt herumgetrieben, weil er wegen seiner eigenthümlichen Ansichten, seiner unverholenen Aeusserungen und graden Handlungsweise sich in keiner Lage lange halten können, von ihm stamme die Handschrift, um deren Bekanntmachung der Sterbende gebeten. Dieser Vf. nun äussert in der Einleitung des Werks jenen Gedanken Rousseau's: „alles ist gut, wie es aus den Händen der Natur stammt, alles wird schlecht durch den Menschen;" und er rettet sich in sich selbst vor sich selbst und den Menschen auf eine Klippe des südlichen Alpenabhangs, woselbst er in einer Grotte mit Mantel, Schreibzeug und Flöte haust. Dort hat er Traumgesichte, findet einen Nachbarklausner Ambrosius, und beide beginnen zu philosophiren und ihre Ansichten niederzuschreiben. Diese sind weniger sonderbar und auffallend, als man nach solchen Zurüstungen vermuthen sollte. Man höre:

Der Mensch entwickelt seine Geisteskräfte durch das Bedürfniss, wird Jäger, Hirt, Ackerbauer, Fischer. Die Entwickelung der inneren Kräfte ist das vorgesteckte Ziel der Menschheit, dem die äussere Kultur vorbereitungsweise als Erregungsmittel dient. Der Wille ist frey, die Vernunft ist göttlicher Abstammung, das Begehrungsvermögen ist ursprünglich nicht unreiner und sündlicher Natur. Drey Richtungen giebt es im Streben nach dem Guten, dem Wahren und dem Schönen. Unrecht, Böses, Bildung, Sprache, sind Erzeugnisse des Gesellschaftverbandes unter den Menschen. Der Mensch ging vom Anbeginn vielfach aus den Händen der Natur hervor, darum die mannigfaltigen Formen der Sprache nach Einem und demselben Gesetze. Die Bedingung, welche ihn zu allem Bösen in der Gesellschaft hinreisst, bringt er in die Gesellschaft mit. In einem Gesichte träumt der Einsiedler ein Fest der Staatskünstler, wobey Macchiavelli, Lykurg, Numa, Romulus, Aristoteles, Plato, Hobbes, Mohammed, Grotius, Rousseau, Montesquieu, Locke, Cicero, Franklin, Mirabeau u. s. w. sich unter einander und mit dem Träumenden über Gesetzgebung unterreden, gleichwie ihre Gedanken geschichtlich bekannt sind. Ob die unumschränkte Macht, oder das Gesetz der bürgerlichen Freyheit, ob die Sittlichkeit oder die Klugheit das Staatenwohl begründe? wurde vielfach besprochen; doch kamen fast alle darin überein, dass die Klugheit lediglich darin bestehe, den Umständen gemäss zu handeln, nach Anleitung der Vernunft, jedoch ohne alle mittelbare Beziehung auf das Sittengesetz selbst. Als das Gesicht verschwunden ist, fühlt sich der Einsiedler zur Schriftstellerey aufgeregt, und will die Idee des Staates aus sich selbst entwickeln. Die Menschheit war bestimmt, unter despotischen Formen in Staaten überzugehen, um in bürgerlicher Freyheit das Ziel irdischen Glücks zu erreichen. Der Vf. beschäftigt sich nun mit Civil- und Criminalgesetzen. Dass er darüber die neuern Verhandlungen kennt, beweist unter andern seine Verdammung der Todesstrafe, die ihm weder rechtlich noch christlich erscheint. Kaum ist die Schrift vollendet, so muss der Einsiedler, weil seine Vorräthe zu Ende gehen, unter die Menschen, sieht dort Härte und Bedrückung, und kehrt in seine Alpenhöhle zurück.

Ganz in der Kürze ist hiedurch der Inhalt des *ersten* Bandes angedeutet. Dem *zweyten* Bande ist eine Vorerinnerung des Setzers Heinrich Friedank, Bruders vom Glöckner, beygefügt, worin er meldet, dass er dem Magistratssyndicus um einige erklärende Randglossen angelegen, der sie ihm versprochen und zugleich die Meinung des ganzen Werks dahin bestimmt: Erst der Mensch — dann Mensch zum Menschen — Sprachentstehung, — Staat; dann Staat zu Staat — Politik, womit der äussere Zustand zu Ende, somit wird zum inneren fortgeschritten und zwar zunächst Wissenschaft — dann Kunst — schliesslich Kirche. Die Ausführung beginnt wieder mit einem Gesicht, einer Wanderung durch die Cabinette, worin geschichtliche Dinge aus Spanien, Frankreich, Deutschland, vorkommen. Hiedurch veranlasst, bezeichnet der Vf. die gute und böse Bedeutung des Wortes Politik. Es war eine grosse Selbsttäuschung, die Politik mit sittlicher Richtung unverträglich zu halten. Kraft, Klugheit und Gerechtigkeit sind die drey Pfeiler jeder gesunden Politik. Die natürlichen Rechte der Staaten, gegen einander, gründen sich auf die natürlichen Menschenrechte der Individuen gegen einander. Das Völkerrecht ist eine erweiterte Anwen-

[illegible] des Naturrechts. — Das Werden der Wissenschaft wird folgendermassen bezeichnet: 1) Klassification der Gegenstände, 2) Beobachtung und Erfahrung der Veränderungen an den Gegenständen, 3) Vergleichung, 4) Untersuchung, 5) Versuche, selbstgeschaffne Combinationen der Thatsachen, hypothetisch hingestellt, um unter stets annähernden Modificationen das Gesetz endlich wirklich zu finden, wodurch wahre Erkenntniss begründet wird. Auf der sechsten Stufe beginnt die wissenschaftliche Speculation, und auf der siebenten Stufe ist die Wissenschaft gefunden, nämlich: „die systematische Anordnung des vollen Inbegriffs alles Erkannten zu einem organischen Ganzen, unter steter Rückführung auf ein allgemeines Gesetz, als Träger des Ganzen und aller seiner Theile." Die Philosophie muss mit einem Unbedingten und Absoluten entweder anfangen oder schliessen. Die Wissenschaft des Absoluten wird von der Vernunft des Menschen nicht *erfunden* sondern bloss *gefunden* und darum ist der Gott aller wahren Philosophen überall derselbe. — Das Schöne der Kunst liegt in dem Vermögen durch das Dargestellte das Ideale in uns zu erwecken, welches Urbild der Gestaltung ist. Kunstzeitalter werden S. 200 angegeben. — Christus lehrte den lebendigen Gott erkennen, kein Abstractum philosophischen Scharfsinns. Was der Vf. über Tradition und Kirche äussert, beweist die Liberalität seiner Ueberzeugungen. Beherzigung verdienen die Worte: „Wer unter Rationalismus jenes freche Ableugnen aller höhern Wahrheiten versteht, die ein enggebundner, materieller Sinn mit dem schiefgeschliffenen Sehrohr seines Dünkels nicht zu erspähen vermag, hat das edelste Wort gemissbraucht, welches für die reinste menschliche Anschauungsweise der höhern Welt gebildet worden ist, und am Ende unterscheidet sich der *unbefangne* Supernaturalismus von dem *wahren* Rationalismus weniger in der Ansicht von der Wesenheit der Dinge, als vielmehr in dem Dafürhalten rücksichtlich der Art und Weise, *wie* sie ins Bereich menschlicher Erkenntniss getreten sind." (S. 279)

Man muss dem Vf. wegen solcher Aeusserungen gewogen werden, und sollte er, wie nach einigen Spuren zu schliessen ist, der katholischen Kirche angehören, so verdient seine Auseinandersetzung des Verhältnisses zwischen Staat und Kirche, welche von den Grundsätzen der römischen Curie sehr abweicht, desto mehr Achtung, weil es nicht ganz leicht ist, von Jugend auf gefasste und wiederholte Vorstellungen durch Kraft des freyeren Nachdenkens zu beseitigen und etwas Richtigeres und Befriedigendes an deren Stelle zu setzen. Vielleicht ist auch dadurch die Einkleidung mit dem Klausnerleben, und der Art der Herausgabe des Manuscripts, welche sonst ziemlich überflüssig scheint, [illegible] gerechtfertigt. Der Einsiedler bringt [illegible] vor, was unkatholischen freyer denkenden Ch[illegible] fremd, und auch nicht irgendwo sonst im Sch[illegible] schon vorgetragen wäre; indem er es aber [illegible] schreibt, ist es wohl gut, dass er seit Herausgabe [illegible] Werks schon gestorben, und dadurch mancher [illegible] sonst möglicher Weise bevorstehenden Verdriesslichkeiten entgangen ist.

[illegible]

Leipzig, b. Kollmann: *Schicksale der* [illegible] *de Campestre, in der grossen Welt, und* [illegible] *dem Gericht.* Ein französisches Sittengemälde gegenwärtiger Zeit. Aus dem Französ. übersetzt von *L. Kruse.* 1828. 4 Thle. (3 Rthlr. 18 gr.)

Die Verfasserin wurde im Jahre 1825 von dem Strafpolizeygericht wegen begangener [illegible] und Missbrauchs achtungswerther Namen zur Untersuchung gezogen und zu zweyjährigem Gefängniss verurtheilt. Gegen dieses Erkenntniss appellirte sie sowohl als der Procurator des Königs; sie wurde aber lediglich in zweyter Instanz bestätigt. Jetzt schreibt sie diese Memoiren, um sich vor dem Publicum zu rechtfertigen, welches ihr aber schwerlich gelingen wird: denn so sehr sie auch ihre Uneigennützigkeit, ihr offenes Betragen gegen [illegible]ten, und ihr Bestreben, jedem gefällig zu seyn, in ein vortheilhaftes Licht zu setzen sucht, so schimmert doch ihr grenzenloser Leichtsinn, Hang zur Intrigue, und das beständige Streben sich mittelst ihrer Bekanntschaft bey Hofe und in der vornehmen Welt, vor Supplicanten, die durch sie empfohlen seyn wollten, ein grosses Vermögen zu erwerben, überall durch. Der schamlose Handel, der mit Aemtern, Würden und Gnadenbezeigungen, in den Ministerial-Büreaux in Paris fast öffentlich getrieben wird, ist so allgemeine Sitte geworden, dass die Verfasserin, welche doch nur die Kupplerin machte, mit dem Gewinn, über dessen Rechtlichkeit ihr nicht der geringste Zweifel einfiel, ihr Hauswesen auf einem glänzenden Fuss unterhalten konnte. Die Art, wie sie ihre Schicksale vorträgt, ist nicht die angenehmste; es mangelt dem Vortrag oft an *Klarheit*, auch werden so oft Erzählungen von Nebenpersonen eingeschachtelt, dass man die Hauptsache darüber aus dem Gesichte verliert. Dagegen wird der Leser durch eine Menge von Anekdoten aus der Revolutionszeit, von Napoleons Hofe und seiner 100tägigen Regierung, die so ziemlich das Gepräge der Wahrheit haben, reichlich entschädigt. Da Rec. das französische Original nicht gehabt hat, kann er den Werth der Uebersetzung nicht beurtheilen. Mancher Periodenbau und manche Wortfügung haben etwas Sonderbares.

Halle, gedruckt in der Gebauer'schen Buchdruckerey.

MONATSREGISTER

vom

DECEMBER 1828.

I.

…zeichnifs der in der Allgem. Lit. Zeit. und den Ergänzungsblättern recenfirten Schriften.

…rk. Die erfte Ziffer zeigt die Numer, die zweyte die Seite an. Der Beyfatz EB. bezeichnet die Ergänzungsblätter.

(Die Summe aller angezeigten Schriften ift 89.)

II.

Verzeichnifs der literarifchen und artiftifchen Nachrichten.

Beförderungen und Ehrenbezeigungen.

Todesfälle.

Universitäten, Akad. u. and. gel. Anstalten.

Vermischte Nachrichten.

III.

Verzeichniss der literarischen und artistischen Anzeigen.

Ankündigungen von Autoren.

Ankündigungen von Buch- und Kunsthändlern.

Vermischte Anzeigen.

I.

Regiſter
der
im Jahrgange 1828
der
ALLGEMEINEN LITERATUR-ZEITUNG
recenſirten Schriften.

Anm. *Die Römiſche Ziffer* I, II, III, *zeigt den erſten, zweyten und dritten Band der A. L. Z.* und IV, *den vierten Band, oder die Ergänzungsblätter, die Deutſche aber die Seite an.*

Cra-

D.

F.

Fell,

G.

Goldhorn, J. D., Predigt während der feyerl. Abführung der entseelten Ueberreste der Königin von Sachsen, *Maria Theresia*, am 9. Nov. 1827. IV, 40.
— — de puerorum innocentia in sermonibus sacris non sine cautione laudanda et ad imitandum proponenda. Commentatio homiletica. IV, 1117.
— — s. H. G. *Tzschirner*.
Goldmann, K. E., einige kirchenrechtliche Betrachtungen. I, 764.
v. *Goldstein*, Auguste, geb. v. *Wallenrodt*, Farben des bunten Erdenlebens. Samml. von Erzählungen u. Familien-Gemälden. I, 296.
Gother, J., s. Katholik, der verkannte.
Gott mit dir! Andachtsbuch für gebildete Christen — 2te verb. Aufl. IV, 215.
Gottschalk, C. A., selecta disceptationum forensium capita. Tom. II. Edit. auct. et emend. IV, 1096.
Gottschalks, Fürsten der Obotriten, Mord am Hochaltare; von *H. M.* 1r u. 2r Bd. IV, 258.
Grabbe, dramat. Dichtungen; nebst einer Abhandl. üb. die Shakspeare-Manie. 2 Bände. III, 461.
Grabowski, H., s. Fr. *Wimmer*.
Gregor's des Gr., des heil. Papstes, Pastoral-Vorschriften; übersetzt von Ign. *Felner*. III, 725.
Gries, J. D., s. L. *Ariosto's* ras. Roland.
— — s. T. *Tasso's* befreit. Jerusalem.
Grosse, G. F. W., s. *Cicero's* Laelius.
Grotefend, A., Materialien lateinisch. Stilübungen für die höhern Klassen der Gelehrtenschulen. 2te verm. Ausg. IV, 568.
Gründler, J., Friedrich der Grosse, od. die Schlacht bey Cunersdorf; histor. Drama. IV, 208.
Grulich, Fr. Jos., üb. die körperl. Beredsamkeit Jesu. Beytrag zu seiner Charakteristik. I, 149.
Grundriss einer deutschen Alterthumskunde, zum Gebr. für Vorlesungen u. zum Selbststudium. (Von Dr. *Münch*.) II, 858.
Grundtvig, N. F. S., s. theologisk Maanedsskrift.
Grunert, J. A., die Kegelschnitte; für öffentl. u. eignen Unterricht — IV, 169.
Gudme, A. C., Handbuch der theoret. u. prakt. Wasserbaukunst. 1r Bd. I, 858.
Guizot, M., Histoire de la révolution d'Angleterre, depuis Charles I. jusqu' Jacques II. Tom. I. II. II, 569.
Gurlitt, Joann., s. Catalogus Bibliothecae — —
Guthrie, G. J., Lectures on the operative surgery of the eye — IV, 297.
Guts-Muths, J. Ch. F., vollständ. u. neueste Erdbeschreibung der brit., niederländ. u. franz. Guayana u. des Kaiserth. Brasilien — Auch:
— — vollständ. Handbuch der neuesten Erdbeschreib. von *Gaspari*, *Hassel*, *Cannabich*, *Guts-Muths* u. *Uckert*. 5 Abth. 4r od. des ganzen Werks 19r Bd. IV, 55.

H.

Habicht, Max., s. Tausend u. Eine Nacht, arab. u. deutsch.
Hagel, M., Theorie des Supranaturalismus, mit besond. Rücksicht auf das Christenthum. III, 475.
v. der *Hagen*, F. H., s. Tausend u. Eine Nacht.
Hahn, E. M., s. *Amondieu's* Optik.
Hain, L., Repertorium bibliographicum — Vol. I. Pars I. A—B. P. II. C—G. III, 865.
van Halen, des Don Juan Denkwürdigkeiten. Aus dem Franz. von Ferd. Fr. *Oechsle*. 1r Th. Seine Gefangensch. in Kerkern der span. Inquisition. II, 851.
Halfred, Th. L., Kamönens Gaben. III, 215.
Hallaschka, Cass., Handbuch der Naturlehre. 5r Th. IV, 525.

Hamaker, H. A., incerti auctoris liber de exp[illegible] Memphidis et Alexandriae — I, 249.
— — Takyoddini Ahmedis al-Makrizii [illegible] ditionibus a Graecis Francisque adversus Di[illegible] I, 249.
— — et T. *Roorda*, Specimen hist. crit., exhi[illegible] Achmedis Tulonidis — I, 249.
— — et P. J. *Uylenbroek*, Spec. geograph. hist., [illegible] sertat. de Ibn Haukalo, nec non descriptio[illegible] persicae — I, 249.
Hamilton, G., Prodromus plantarum Indiae occi[illegible] cusq. cognitar., tam in oris Americae meridion. [illegible] insulis antillic. sponte crescentium; nova gen. e[illegible] complectens. IV, 167.
v. *Hammer*, Jos., Geschichte des Osmanischen Re[illegible] meistens aus unbenutzten Handschr. u. Archiven. [illegible] Von Gründung dess. bis zur Eroberung Constantin[illegible] II, 617.
— — — 2r Bd. Von Eroberung Constantinopels bis zu[illegible] lim's I. Tode. 3r Bd. Von Suleiman I. bis zum Tode [illegible] lim's II. IV, 1101.
v. *Hammerstein*, H., alte Sagen zu Fallrum am Teuto[illegible] ger Walde, die Hermanns-Schlacht betr. III, 855. [illegible] 1157.
Hand, F., Kunst u. Alterthum in St. Petersburg. [illegible] II, 75.
Handschuch, G. F., üb. die Lustseuche u. ihre Heilung [illegible] Queckfilber. IV, 1001.
Hanke, H., geb. *Arndt*, Blumenkranz für Freunde [illegible] Natur. 2te Samml. IV, 808.
Harethi Moallaca cum scholiis Zuzenii e codicibus [illegible] Abul olae carmina duo — edid. et latine vertit [illegible] lers. IV, 945.
Harl, J. P., s. allgem. Archiv für Staats-Wissensch.
Harless, Ch. F., u. G. *Bischoff*, die Stahlquellen zu [illegible] scheid auf dem Hundsrück. II, 475.
Harms, Cl., neue Sommerpostille, od. Predigten vom [illegible] Sonnt. nach Ostern bis zum letzten Sonnt. Trinitatis. IV, 804.
Harnisch, W., Lebensbilder aus dem Preussischen Sachsenlande — I, 667.
— — das Preussische Sachsenland — I, 667.
Hartleben, Th., allgem. krit. Annalen der Verhaft-, Straf- u. Besserungs-Anstalten — nach *Appert's* Journal des Prisons, Ecoles primaires — frey bearb. 1r Bd in 5 Hftn. IV, 25.
Hartmann, G. L., Helvetische Ichthyologie od. Naturgesch der Fische in der Schweiz. III, 652.
— Ph. C., Theoria morbi, s. pathologia generalis — III, 545.
— — Theoria morbi s. path. gen. Edit. alt. emendata. III, 545.
— — Theorie der Krankheit, od. allgem. Pathologie; nach der ersten Ausg. des latein. Origin. frey bearb. vom Vf. III, 545.
— Joh. Melch., s. Ch. A. L. *Creuzer* u. G. F. Ch. *Wagner*.
Hasse, J. C., s. rhein. Museum für Jurisprudenz.
Hassel, G., allgem. Handwörterbuch der Geschichte u. Mythologie vom Anfang der Gesch. bis 1825. 2 Bände. III, 571.
Hauf, W., Novellen. 1r Bd. I, 624.
Haumann, A., de procuratoribus mercatorum, qui commissionarii appellantur. II, 695.
v. *Hazzi*, Staatsr., neuester Katechismus des Feldbaues; für Landwirthe, Bauern u. bes. Landschulen. 2te unveränd. Aufl. IV, 801.
Hebel's allemannische Gedichte. Ins Hochdeutsche metr. übertragen von Otto v. *Budberg*. I, 128.
Hedman, J., the English Fireside upon the banks of the Rhine; an Almanach for the Year 1829. IV, 1049.

Hebl,

J. I.

Jun-

K.

L.

L.

-Nea-

Ram-

T.

U.

V.

Vigi-

X.

Y.

Z.

II.

Regifter

über die

LITERARISCHEN NACHRICHTEN

und

ANZEIGEN.

a) Beförderungen und Ehrenbezeigungen.

T.

U.

V.

W.

Z.

b) Todesfälle.

A.

B.

C.

D.

E.

F.

G.

H.

J. I.

K.

L.

M.

N.

O.

P.

R.

S.

T.

U.

V.

W.

Z.

c) Anderweitige Nachrichten und Anzeigen von Gelehrten und Künstlern.

A.

B.

C.

E.

F.

G.

H.

J.

K.

L.

M.

N.

P.

R.

Roſcoe.

Roscoe, Thomas (nicht William) ist Herausgeber des zu London erscheinenden *Lebens des Ariost* III, 752.
Roth's in Vegesack 50jährige Doctor-Jubiläums-Feyer, Verzeichniss der ihm bewiesenen Ehrenbezeigungen III, 467.
Ruecker, Buchhändl. in Berlin, an den Recensenten von *Gudme's* Handb. der Wasserbaukunst in d. A. L. Z. d. J. nebst Antwort des Recensenten II, 422.

S.

Schilling, E. M., das Landwirthschafts-Recht der deutschen Bundesstaaten — auf Subscription II, 174.
Schlegel in Hannover, Kirchen- u. Reformat. Gesch. von Norddeutschland u. den Hannoverschen Staaten in 2 Bden auf Subscript. in der *Helwing*. Hofbuchh. das. I, 822.
Schott in Jena u. *Winzer* in Leipzig wollen bey *Barth* in Leipzig einen *Commentarius in epistolas Novi Test.* als Fortsetzung des *Kuinoel*schen Comment. in libr. hist. N. T. herausgeben II, 775.
Schulz in Breslau, Zurückweisung eines unverschämten Angriffs eines jungen Theologen, *Fritzsche* in Rostock II, 727.
v. *Siebold's*, Ed., in Berlin, Gesuch als nunmehriger Redact. *des Journals für Geburtshülfe* an alle Aerzte, Wundärzte u. Geburtshelfer auch ihn mit Beyträgen zu beehren III, 176.
Simon u. *v. Strompff* in Berlin, Zeitschr. für wissenschaftl. Bearbeitung des Preuss. Rechts, in zwanglosen Heften; auf Subscript. I, 281.
v. *Soemmerring's* zu Frankf. a. M. Doctorjubiläumsfeyer, nähere Beschr. ders. II, 114.

T.

Teubner in Leipzig, Berichtigung der Ankündigung der in seinem Verlag erschienenen Schrift: die 12 kleinen Propheten nach Art des *Brentano-Dereser*. Bibelwerks übers. von *Theiner* II, 352.
Trautwein in Berlin, die Fortsetz. u. Ergänzung der allgem. deutsch. u. engl. Schulvorschriften von *Heinrigs* betr. II, 425.

V.

Varrentrapp in Frankfurt a. M. an Buchhändler u. Käufer, das *Brentano-Deresersche Bibelwerk* nicht mit der bey *Teubner* in Leipzig herausg. *Theiner*'schen Bearbeitung der 12 kl. Propheten für ein u. dasselbe zu halten II, 704.
Viedure, A., Bibliothèque Napoléon. Leipzig b. *Teubner*. Pränumerat. auf 10 Liefr. II, 539.
Vieweg in Braunschweig wegen der von *Müllner* in Weissenfels ihm Schuld gegebenen Diffamation I, 599.
Voigt in Thorn, Antikritik gegen die Recens. seiner Schr. *üb. Freyheit u. Nothwendigk.* in der A. L. Z., nebst Antwort des Recens. III, 75.

W.

Wachter's in Jena Antwort auf *Wilhelm's* Beschwerde, seine *Feldzüge des Drusus* in der Jen. L. Z. gemisshandelt zu haben II, 505.
Wagner's, E., sämmtl. Werke, Ausgabe letzter Hand von Fr. *Mosengeil* I, 566.
Wallich's Entdeckung einer neuen Baumgattung, *Amherstia nobilis*, von den Birmanen *Thoka* genannt II, 812.

d) Nachrichten von literarischen und artistischen Anstalten und andern Gegenständen.

A.

Amsterdam, Königl. Niederländ. Institut für die Wissensch. u. schönen Künste, erste Klasse, ausgesetzte Preisfragen ders. II, 209.
Ansbach, Gymnasium, *Schäfer's* Amtsjubiläumsfeyer, Beschreibung ders. II, 449.

B.

Basel, Universit., Verzeichniss der Vorlesungen im Sommerhalbj. 1828 u. der öffentl. Anstalten I, 795.
— — — im Winterhalbj. 1828—29 u. der öffentl. gel. Anstalten III, 521.
Berlin, Kgl. Akad. der Wissensch., öffentl. Sitzung zur Geburtsfestfeyer Friedrichs II. Anwesende, vorgelesene Abhandll. I, 595.
— — jährl. öffentl. Sitzung zum Andenken ihres Stifters Leibnitz, Vorlesungen, Preisfr. III, 465.
— Lehranstalten, feyerl. Eröffnung des neuen Clinicums für Augenkranke; Director, Locale u. doppelte Bestimmung desselben II, 515.
— Kgl. Realgymnasium, *Schmidt's* 50jähr. Amtsführungsfeyer durch öffentl. Redeact — III, 751.
— Universit., Verzeichniss der Vorlesungen im Sommerhalbj. 1828 u. der öffentl. Anstalten I, 673.
— — — im Winterhalbj. 1828—1829 u. der öffentl. gel. Anstalten III, 17.
— das. gebildeter Verein für die Erdkunde, zählt bereits 50 Mitglieder, Zweck desselben III, 618.
— diessjähr. zahlreiche Zusammenkunft des *freyen Vereins deutscher Naturforscher u. Aerzte*, allgem. Uebersicht, öffentl. Sitzungen, Vorlesungen, Abhandll., statt gehabte Feyerlichkeiten — nächster Versammlungsort *München* III, 577.
Brasilien, zwey neue, vom Kaiser gestiftete, Akadd. für die Rechtskunde zu *St. Paulo* u. *Fernambuco*, nähere Einrichtung ders.; gleichförmiges System des öffentl. Unterrichts in allen Provinzen; Kais. Verfügung zu Anlegung einer Sternwarte in *Rio-Janeiro* II, 25.
Braunschweig, Jubelfestfeyer der vor 300 Jahren durch die Kirchenreformation das. glücklich errungenen Geistesfreyheit; nähere Beschreib. III, 195.
— Lehranstalten, Vereinigung beider Gymnasien das. mit dem Realinstitute u. Einweihung zu einem Gesammt-Gymnasium; dabey erschienene Schriften; Verzeichniss der einzelnen Abtheil., des Lehrerpersonals, Lehrcurse II, 514.
Breslau, Universit., Verzeichniss der Vorlesungen im Sommer-Semester 1828 u. der öffentl. Anstalten I, 745.

D.

Dorpat, Universit., Gedächtnisstagsfeyer ihrer 25jähr. Gründung, nähere Beschreibung, Einlad. Progamme, herausg. Prachtwerk des Senats, blühender Zustand und Fonds ders. I, 441.
— — Kais. Ernennungen u. Ordensertheil., Abhandll. u. Reden, Ehrenpromotionen von den 4 Facultäten, von Studirenden erworbene Preismedaillen I, 441.

E.

Erfurt, Kgl. Akad. gemeinnütziger Wissensch., öffentl. Sitzung zur Geburtsfest-Feyer des Königs, näherer Bericht III, 241.

F.

G.

H.

K.

L.

M.

P.

e) Literarische und artistische Ankündigungen und Anzeigen.

C.

D.

E.

F.

G.

E

H.

J.

K.

L.

M.

Max u. Comp. in Breslau, ermäſsigter Preis der 5ten Aufl. von *Noeſſelt's* klein. Weltgeſch. für Töchterſchulen III, 401.

— — neue Verlagsb. I, 285. 286. III, 516.

Metzler in Stuttgart, neue Verlagsw. III, 468. 482. 502. 519. 557. 622.

Meuſel u. Sohn in Coburg, 172 Verzeichniſs ihrer antiquar. Bibliothek von zu verkaufenden, gut gehaltenen Büchern u. Inſtrumenten III, 440.

— — bey ihnen erſchienene Verzeichniſſe gebundener theolog., juriſt. u. philoſ. Bücher mit beygeſetzten Verkaufspreiſen II, 504.

— — neuer Verlag II, 814.

Meyer. Hofbuchh. in Lemgo, neue Verlagsb. I, 860. II, 243.

Mittler in Berlin, neuer Verlag III, 501.

— in Leipzig, neuer Verlag II, 599.

Mueller. Hofbuchh. in Karlsruhe, um 8 Tage ſpäter, als angekündigt, erſchienenes Werk: *Darſtellung der Seeſchlacht von Navarin* — I, 52.

— — neue Verlagsart. I, 708. II, 597.

N.

Naſt. Buchh. in Ludwigsburg, neuer Verlag III, 528.

Nauck's Buchh. in Berlin, neuer Verlag I, 285. 565.

Neſtler in Hamburg, neuer Verlag II, 846.

Nicolai. Buchh. in Berlin u. Stettin, neue Verlagsw. I, 281. III, 225. 557. 625.

O.

Oehmigke, L., in Berlin, neuer Verlag II, 247. 815.

Orell, *Füſsli* u. Comp. in Zürich, neue Verlagsſchr. I, 25. II, 596.

Oſiander in Tübingen, neue Verlagsart. I, 26. 84. II, 667. 722.

Oswald's Univerſit. Buchh. in Heidelberg, neuer Verlag II, 598.

P.

Palm. Verlagsbuchh. in Erlangen, neuer Verlag II, 600. III, 175.

— u. *Enke* in Erlangen, neuer Verlag III, 102.

Perthes, Juſt., in Gotha, *Stieler's* Handatlas 4te Supplement-Liefr. III, 551.

— — neuer Verlag II, 724.

— Fr., in Hamburg, der Druck des 1ſten Bds von *Ritter's* Geſch. der Philoſophie wird nun begonnen I, 208.

— — neue Verlagsw. I, 83. 155. 201. 492. 536. 727. II, 500. III, 581. 754. 806.

— u. *Beſſer* in Hamburg, neue Verlagsart. III, 51. 170.

Petri in Berlin, neuer Verlag III, 694.

Ponthieu, *Michelſen* u. Comp. in Paris u. Leipzig, neuer Verlag II, 659.

Puſtet in Regensburg, neuer Verlag II, 518.

R.

Reimer in Berlin, auf die Hälfte herabgeſetzter Preis der Opp. *Platonis* ex rec. *Bekkeri* 10 Voll. II, 152.

Rein. Buchh. in Leipzig, heruntergeſetzter Preis des C *nelii Nep.* vitae excellent. imperatorum mit Anmerk Chr. H. *Pauſler*. 2te verb. Aufl. I, 287.

— — neue Verlagsſchr. I, 247. 284. 568. II, 597. 67 174. 484.

Renger. Buchh. in Halle, neuer Verlag III, 662.

— Verlagsbuchh. in Halle, neue Verlagsart. I, 72 668.

— — wegen verſpäteter Verſendung der 4ten Lie *Kruſe's* hiſtor. Atlas, neue Aufl. I, 712.

Riegel u. *Wieſsner* in Nürnberg, neuer Verlag I, 204.

Riemann. Buchh. in Berlin, neue Verlagsw. II, 725. 485. 607. 695. 758.

Rottmann in Baſel u. Leipzig, herabgeſetzte Bücherpreis III, 695.

Rubach in Magdeburg, v. *Liechtenſtern's* Atlas der Militärgeographie III, 440.

— — neue Verlagsb. II, 118. 176. 657. III, 42. 540. 665. 691.

Ruecker in Berlin, neue Verlagsart. II, 844. III, 53. 525.

Rumpf in Baſel, ausführl. Preisverzeichniſs von ausſchließl. ihm zum Verkauf übertragnen gebundenen u. wohlfeilen Büchern; Bedingungen II, 561.

S.

Sauerländer in Frankfurt a. M., neue Verlagsw. II, 25 279.

Schaefer in Frankfurt a. M., neuer Verlag II, 71.

Schaub in Düſſeldorf u. Elberfeld, neue Verlagsart. I, [illegible] 246. 597. 451. 542. III, 456. 481.

Schaumburg u. Comp. in Wien, neuer Verlag III, 15.

Schellenberg. Hofbuchh. in Wiesbaden, neuer Verlag I, 247.

Schleſinger. Buchh. in Berlin, neue Verlagsb. I, 725. II, 499. 542. III, 105. 175. 222.

Schmid in Jena, neuer Verlag III, 175. 622.

Schmitz in Koeln, neuer Verlag II, 175. III, 71.

Schoene. Buchh. in Eiſenberg, neue Verlagsb. I, 485. II, 246. III, 176.

Schoenian. Buchh. in Elberfeld, neuer Verlag I, 557. 481. 584.

Schulbuchh. in Braunſchweig, neuer Verlag I, 448.

Schultheſs in Zürich, neuer Verlag II, 118. III, 550.

Schumann, Gebr., in Zwickau, neue Verlagsart. I, 556. III, 52. 104. 469. 622. 659. 784.

— — der Bildniſſe von berühmten Menſchen aller Völker u. Zeiten 50 u. 51ſte Suite III, 407.

Schwickert. Buchh. in Leipzig, neue Verlagsw. III, 221. 694.

Sinner. Buchh. in Coburg, neuer Verlag II, 119.

Starke in Chemnitz, herabgeſetzter Preis der *Keil*. Ausgabe: La vita nuova e la rime di *Dante*. III, 624.

Stein in Nürnberg, neuer Verlag II, 117. III, 200.

Stiller. Hofbuchh. in Roſtock u. Schwerin, neuer Verlag II, 558.

Strecker in Würzburg, neuer Verlag III, 29.

Stuhr. Buchh. in Berlin, neuer Verlag III, 222.

Suehring in Leipzig, neuer Verlag III, 472.

T.

Tauchnitz in Leipzig, Verzeichniſs von im Preiſe herabgeſetzten griech. u. latein. Claſſikern III, 551.

— — ſ. auch: *Cnobloch* in Leipzig.

Teub-

U.

V.

W.

Lightning Source UK Ltd.
Milton Keynes UK
UKHW012249110219
337137UK00006B/908/P